新選明文東洋古典大系

改訂增補版

新完譯

論 語

張基槿 譯著

明文堂

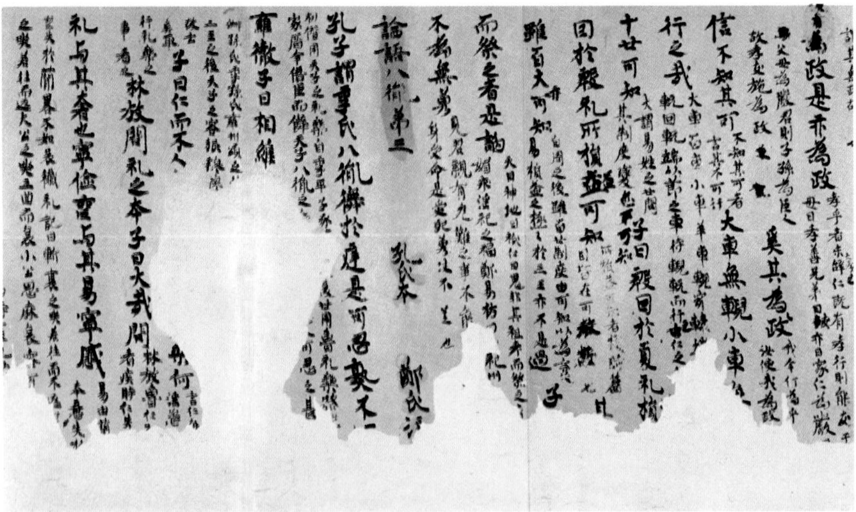

[上] **복천수**(卜天壽) **사본 《논어》** 당(唐)나라 경룡(景龍) 4년(710년), 서주(西州) 고창현(高昌縣)에 살던 복천수(당시 12세)가 필사한 《논어》. 〈팔일편(八佾篇)〉 첫머리에서 공자가 계씨(季氏)를 탓하는 구절이 중간쯤에 보인다. 신강성(新疆省) 아스타나 고분에서 1969년도에 발견된 것.

[左] **공자의 일대기**(一代記) 3세 때 아버지를 여읜 공자는 편모슬하에서 자라났는데 어렸을 때부터 제사지내는 예법을 놀이 삼아 익혔다고 한다(上). 공자의 명령으로 제자인 자로(子路)가, 은자(隱者)인 장저(長沮)·걸익(桀溺)에게 나루터를 물었다(中). 노(魯)나라 애공(哀公)이 사냥을 나갔다가 서수(瑞獸)인 기린(麒麟)을 잡았다. 애공 14년(B.C. 481년)의 일로서 공자는 태평세대에나 나오는 기린이, 왜 이처럼 무도한 시대에 나타나서 죽음을 당했느냐며 한탄하고 편집하던 《춘추(春秋)》를 멈추었다.

〔上〕 **공자입상**(孔子立像) 《논어》는 공자의 언행록(言行錄)이다. 공자가 세상을 떠난 다음 그 제자들의 손에 의해 기록된 것이 《논어》이다. 고궁박물원(故宮博物院) 소장.
〔下〕 **공묘대성전**(孔廟大成殿) 산동성(山東省) 곡부(曲阜)에 있다. 공자를 모시고 제사지내는 공묘의 정전(正殿)으로서 명(明)나라 때 재건(再建)했고 청(淸)나라 때 개수(改修)했다. 중국 3대 궁전의 하나로 꼽힐 만큼 웅장한 건축이다. 맹자(孟子)의 평(評)에 공자는 성지(聖智)를 겸비하고 선현(先賢)들의 장점을 '집대성(集大成)'한 분이라고 했는데 여기에서 대성전(大成殿)이란 이름을 짓게 된 것이다. 내부 중앙에 공자상, 동서쪽에 안회(顔回)로부터 주자(朱子)에 이르기까지의 4배(配), 12철(哲)의 상(像)이 안치되어 있다.

〔上〕 **공문십철**(孔門十哲) 2천 명이 넘는 공자의 제자들 가운데 특별히 학덕이 높은 10명. 안회(顏回)·민자건(閔子騫)·염백우(冉伯牛)·중궁(仲弓 : 이상 德行), 재여(宰予)·자공(子貢 : 이상 言語), 염유(冉有)·계로(季路 : 이상 政事), 자유(子游)·자하(子夏 : 이상 文學). 당(唐) 오도자(吳道子) 그림.

〔下左〕 **공림**(孔林) 산동성 곡부에 있는 공자의 묘소로서 지성림(至聖林)·공리(孔里)라고도 한다.

〔下右〕 **공자묘**(孔子墓) 명(明)나라 때 건립한 대리석 묘표(墓標). 정면에는 '대성지성문선왕묘(大成至聖文宣王墓)'라고 새겨져 있다. 공자는 문화(文化)의 '왕'인 것이다.

'명문동양고전(明文東洋古典)' 발간에 서(序)함

—짐짓 병려체(騈儷體)로—

어려서 일찍 읽었던 송유(宋儒) 모(某)의 시에 '논어일편용부진(論語一篇用不盡), 세간하필허다서(世間何必許多書)'란 한 구가 감칠맛이 있었고, 요즘 즐겨 써 주는 국자생(國子生)들에의 말로 '대학지도재신민(大學之道在新民), 박학(博學)·명변(明辨)·심사지(深思之)'의 두 마디를 단골문자로 삼곤 한다. 동서의 학(學)을 대강 섭렵(涉獵)하고 칠십의 생을 여간 편력(遍歷)한 뒤에, 문득 저 한 구가 과연 사실임을 깨닫고 정작 그 두 마디가 바로 요점(要點)임을 느낀다.

무릇 선철(先哲)의 끼친 글이 어느 것이 학문의 진량(津梁)이 아니요, 삼교(三敎)의 가르침이 어느 모로 인생의 보벌(寶筏)이 아니리마는, 전자(前者)는 제자(諸子)·백가(百家)의 서(書)나 그리스·구미(歐美)의 저(著)가 대개 번쇄(煩瑣)·지엽(枝葉)에 흘러 정작 '생활'엔 한갓 피모(皮毛)일 뿐, 곧바로 '염통 안의 피'에 통하지 않음이 상례요, 후자(後者)는 노·불(老佛)의 설이나 야·마(耶摩)의 훈(訓)이 워낙 공령(空靈)·초절(超絶)을 위주하여 숫제 범속(凡俗)에센 도리어 손발이 닿지 않는 '하늘 위의 별'에 속하기가 일쑤이나. 대개 우리 동양 사람, 더구나 나 같은 한국인에게는, 체질상 무엇보다도 '실제'적인 교훈이 섭취되기 쉽고 생활상으로 정작 가능한 이상

(理想)만이 되씹어지기 때문이다.

실제로 가능한 교훈과 이상을 망라(網羅)한《논어(論語)》와, 민주적으로 시초인 '왕도(王道)'와 '의(義)'를 역설한《맹자(孟子)》및《대학(大學)》의 환한 덕(德)과《중용(中庸)》의 큰 길을 제시한, 육경(六經) 중에도 기본 요목(要目)인 '사서(四書)'라는 종합 장구(章句)가, 예로부터 하고많은 우리 선인들의 도덕과 생활면의 사뭇 든든한 기반이 되어 왔음이 사실이거니와, 오늘날도 특히 젊은 현세대의 반성(反省)과 가치관(價値觀)의 가장 미더운 좌표(坐標)를 보일 만함은 까닭 없음이 아니다.

누가 있어 나더러 '현대인이 뇌리(腦裏)에 반드시 간직할 만한 고전(古典) 한 가지가 무엇인가?'라고 묻는다면, 나는 서슴지 않고 그에게 '청장년들도 안두(案頭)에 모름지기 현대의 〈사서(四書)〉를 놓아두라'고 권하고 싶다.

그러나 이 막중한 '논(論)·맹(孟)', 요긴한 '용(庸)·학(學)'도, 근자엔 한문의 장벽(障壁)에 의하여 쉽사리 일반에게 보급되기 어렵고, 간혹 우리말로의 역본(譯本)이 있다 하나 자못 원전(原典)에의 충실(忠實)이 의심스럽다. 원전의 그 깊숙하고도 뜻깊은 문자들을 우리말로 제법 근사하게 또는 완전하게 번역하려면, 첫째 한학(漢學)·경학(經學)의 훈고적(訓詁的)·사상적 든든한 지식을 요하고, 둘째 국어·국문으로 수사적(修辭的)·표현적 능란한 재주를 가져야 한다. 그렇지 못하면 소중한 고전이 까딱하면 현대의 '위서(僞書)'가 되고 모처럼인 신역(新譯)이 오히려 '무용의 장물(長物)'이 될 터이다.

이번 '명문당(明文堂) 사서(四書)'의 간행을 듣고 새삼 내가 반가워했음은, 우선 역경자(譯經者) 제씨의 이름을 보고 자못 그들에게 촉망이 컸기 때문이다. 제자(諸子)는 워낙 신·구(新舊)의 사학(斯

學)에 아울러 조예(造詣)가 있다 하며, 몇분은 이미 여타(餘他)의 몇 경(經)에도 먼저 번역을 시행했다 하니, 이에선 더욱 원전의 반구척자(半句隻字), 그 글뜻과 함축을 숫제 흠냄이 없이, 보다 더 역문(譯文)의 좌추우고(左推右敲), 저 조탁(彫琢)과 정련(精鍊)을 워낙 헐치지 않았을 법하다. 그런 득의(得意)한 성과의 역해(譯解)로 된 이 양심적인 기도(企圖)의 출판이, 근본적으로 동양 고전에 깊은 관심을 가진 지식인들과 실제적으로 현대생활에 고도의 성찰(省察)을 요하는 '엘리트'들에게, 깊은 정신적 수원지(水源池)를 제공하고 높직한 인생관의 풍향탑(風向塔)을 게시함직하다.

평소에 혼자 뜻만 두고 틈이 없어 손대지 못하여 늘 섭섭했던 나, 노학구(老學究)가 이제 여러분이 힘을 모아 기회를 얻어 만들어 문득 당당히 내놓는 이 신역서(新譯書)에, 약간의 감회를 마음속에 금할 수 없어 몇마디 서언(序言)을 권두(卷頭)에 사양치 않기로 했다.

戊申年 9月

无涯 梁 柱 東

서문(序文)

제2차대전 후 아직까지 세계는 혼미(混迷)의 소용돌이 속에서 벗어나지 못하고 있다. 눈부신 과학의 발달로 원자(原子)와 우주시대에 접어들면서 인류사(人類史)는 크게 변혁되어가고 있다고 할 수 있다. 그러나 동시에 우리는 과학과 기계의 위력 앞에 인간 자체를 상실하고 있음에 경각(警覺)하지 않으면 안된다. 과학과 기계는 어디까지나 인간의 행복을 위해 있는 것이다. 어디까지나 인간이 과학과 기계를 부리고 활용하는 것이다. 또한 과학과 기계의 위력은 전체 인류를 위해 선용(善用)되어야 한다. 한 사람을 위하고 백 사람이나 만 사람을 죽이는 것이 되어서는 안된다.

그렇거늘 과연 오늘의 지구는 한 덩어리의 아름다운 별일까? 불행하게도 우리는 그렇지 못하다고 인정하지 않을 수 없다. 오늘의 세계는 여러 갈래로 갈라지고, 인류는 팽팽한 긴장 속에 서로 대치하고 있으며, 각 개인은 힘겨운 공포의 물결 속에 말려든 채 어디론가 흐르고 있는 듯하다. 이는 분명히 인간의 상실이자, 인간정신의 쇠퇴가 아닐 수 없다. 우리는 인간을 되찾고, 빛나는 정신의 승리로 인간의 빛을 번지게 하여 전세계와 전인류가 행복을 고르게 누려야 하겠다.

그러면 이러한 인간본위의 정신적 예지(叡智)를 어디서 얻을까? 물론 동서고금(東西古今)의 위대한 성현(聖賢)들로부터 얻을 수 있을 것이다. 그러나 나는 특히 강조하겠다. '동양의 전통, 즉 인간본위와 정신우위(精神優位)를 내세운 동양적 휴머니즘 — 인(仁) — 에서 찾을 수 있다'고.

고대(古代)에 동양에서 천하라 부른 것은 바로 오늘 우리가 세계라고 하는 뜻과 같았으며, 천하를 다스린다는 말은 오늘에 있어서 세계를 다스린다는 말과 같은 뜻이라 하겠다. 따라서 일찍이 춘추전국시대(春秋戰國時代)에 전란(戰亂)과 분열을 초극(超克)하고 덕치(德治)로써 천하를 일통(一統)해야 한다고 주장한 고대 철인(哲人)들의 사상이나 정신은 바로 오늘날의 혼미한 세계인류에게 가르쳐 주는 바 크다고 믿는다.

특히 고대 동양의 철인들은 모두가 한결같이 정치사상가들이라 하겠다. 그들은 높은 학문정신과 평화주의 및 합리주의로써 인류와 세계의 구제를 위해 당시의 무지하고 횡포(橫暴)했던 무력적 패왕(覇王)들과 정면으로 대결하여 싸웠던 것이다. 이들이 바로 오늘날 제자백가(諸子百家)라고 부르는 사상가이자 철인이자 이상주의자(理想主義者)들이며, 모든 학파의 선구자들이다.

봄철에 백화(百花)가 만발하듯, 일시에 많은 철인들이 배출되어 온갖 사상의 꽃을 피우고, 그들의 이상을 고취(鼓吹)했으나 그 중에서도 가장 높은 자리를 차지하고, 오늘날까지 수천년간 동양사회에 절대적인 영향을 끼친 사람은 바로 공자(孔子)였다. 그는 인(仁)을 핵으로 하는 '휴머니즘'을 가지고 평화주의, 문치주의(文治主義), 인본주의(人本主義), 현실주의, 합리주의, 실천주의적 예교(禮敎) 중심의 덕치(德治)를 주장하여 온 천하, 즉 세계를 하나의 이상향(理想鄕)으로 만들고자 했다.

물론 공자의 이상(理想)과 정신이 그대로 당시에 받아들여지고 구현되지는 못했다. 이는 오늘날에 있어서 인류의 이상과 정신이 현실정치에 어느만큼 반영되고 구현되는가를 반성해 볼 때, 크게 실망

할 것이 못된다. 현실은 시간적으로나 공간적으로 한정된 것이다. 따라서 무한한 이상을 전부 흡수할 수는 없는 것이다. 단 무한한 이상은 토막 내지고 순간적으로 지나가는 현실을 부단히 물들게 하고 있는 것이다. 여기에 우리 인류는 희망을 걸고 있으며, 이상과 정신의 종국적(終局的)인 빛과 승리를 믿게 되는 것이다.

이렇게 볼 때 공자는 동양의 이상의 상징이자, 정신의 권화(權化)이다. 그러나 그는 어디까지나 평범한 한 인간으로서, 어디까지나 현실적인 생활인으로서, 또한 철두철미 실천과 합리를 '모토'로 하는 행동인으로서 우리에게 가르쳐 주고 교화(敎化)했다. 그는 공리공론(空理空論)이나 심오한 추상론(抽象論)을 가지고 사람의 머리를 어리둥절케 하는 현학자(衒學者)가 아니다. 그는 언제든지 쉬운 말로, 아무에게나, 아무 곳에서나 눈앞의 일을 가지고 깨우쳐 주고 가르쳐 주고 있다. 따라서 그의 가르침은 폭이 넓고, 누구에게나 맞으며, 때나 장소를 넘어선 진리이면서도 생활적이며, 실용적이면서도 영원히 빛나는 불후의 교훈인 것이다.

참으로 비범(非凡)을 넘어선 평범이다. 노자(老子)가 말했듯이 "대교(大巧)는 약졸(若拙)이다." 이러한 점에 공자의 참다운 위대성이 있는 것이다. 특히 공자는 "완전한 인간교육이 앞섬으로써 국가나 세계의 덕치가 이루어진다."고 가르치고 있다. 따라서 공자의 언행록(言行錄)인 《논어(論語)》의 가르침 속에는 바로 국가나 세계통치의 정치철학인 이상과 정신이 깃들어 있는 것이다.

나는 《논어》야말로 오늘날의 전세계 인간들이 자기완성을 위해서 어느 때나 어느 곳에서나 읽고 배워야 할 보전(寶典)이라고 생각하며, 동시에 《논어》의 이상과 정신, 특히 '인(仁)'으로 표현된 '휴머니즘'은 전인류를 참다운 평화와 행복으로 이끄는 예지(叡智)의 핵심이라 믿어 마지 않는다.

우리는 우리들 스스로가 동양문화의 빛나는 전통에 각성하는 바 있어야 하겠다. 인간의 가치는 물질을 활용하는 정신의 높이에 있다. 따라서 인간의 정신을 높여주는 동양문화의 전통, 그 중에서도 가장 불후의 경전(經典)인 《논어》를 오늘의 세계에 내놓는 뜻이 크다고 믿는다.

끝으로 힘에 겨운 《논어》의 역주(譯註)와 고찰(考察)을 완수한 나에게 크게 깨우쳐 주고 정신적인 바탕을 마련해 주신 현 중국 공맹학회(孔孟學會)의 회장이시며 전(前) 국립정치대학교(國立政治大學校) 총장이셨던 진대제(陳大齊) 선생님과 내가 사사(師事)한 바 있었던 현 중국사범대학교(中國師範大學校) 국문연구소(國文硏究所) 소장이신 임윤(林尹) 박사에게 감사의 뜻을 드리며, 보잘것없는 업적이나마 이를 두 어른께 바치고자 하는 바이며 이 책을 출판하는 데 물심양면으로 애써 주신 명문당 대표 김동구(金東求)씨에게 사의(謝意)를 표하는 바이다.

己酉年 4月

張 基 槿 識

증보(增補) 개정판에 붙여

필자는 1969년도에 《논어》 신완역본을 집필한 바 있고 명문당(明文堂)에서 발행하였다. 그런데 그 동안 대학 강단에서 강의해 온 내용을 바탕으로 하여 오류를 정정함과 동시에 해설을 추가 증보했고, 독자들의 편의를 돕기 위해 색인(索引)을 대폭적으로 증보하는 한편, 출판계의 추세에 따라 횡조(橫組)로 새로이 조판한 《논어》를 역시 명문당에서 출간하게 된 것을 독자들과 함께 기뻐하는 바이다.

출판계의 어려운 여건에도 불구하고 이 책을 펴내 주신 명문당 김동구(金東求) 사장님과 관계직원들에게 심심한 사의를 표한다.

2001년 12월

張 基 槿 識

신조(新組) 개정판(改訂版) 발간사

1960년대 중반을 지나면서 본사에서는 국내 최초로 사서삼경(四書三經)의 완역본(完譯本)을 탄생시켜, 학계(學界)는 물론 일반 독자들에게 대호평을 받았으며 곧이어 1970년대에 들어서면서는 사서오경을 완간시키니 이 또한 타의 추종을 불허하는 국내 최초 완역판의 쾌거였습니다.

그후 신정판(新訂版)으로 거듭 내면서 제자백가(諸子百家) 등을 속속 번역하여 목마른 우리 동양학(東洋學) 발전에 크게 공헌하였으며 1980년대 들어서서는 본격적으로 동양고전(東洋古典) 전반에 관한 작품들을 계속 출간하여 이를 '신완역(新完譯)' 또는 '신역(新譯)'이라는 체제로 간행해 왔습니다.

이 '신완역'이란 난해한 구절을 평이(平易)하게, 그리고 원전(原典)에 주석(註釋)을 완벽하게 달아 전문(全文)을 완전 번역했다는 뜻입니다. 또 '신역'은 원전이 애매모호하거나 정설에 합당치 않고 꼭 들어가지 않아도 될 부분은 일부 삭제하여 독자들에게 진수를 거의 완벽하게 전달되도록 하여 연구교재(硏究敎材)에 불편함이 없도록 편찬한 것입니다. 한편 편(篇)의 순서를 더러 바꾸어 놓은 것이 있는데, 그것은 독자들이 쉽게 이해하도록 배려한 것입니다.

따라서 동양고전 번역서 발간이란 측면에서는 우리나라 출판계에서 선구적·독보적 역할을 해왔음을 자부하며 그동안 본사의 출판물을 애용(愛用)해 주신 독자 제현께 이 기회를 빌어 심심한 감사의 말씀을 올립니다.

이제 새로운 21세기를 맞으면서 우리나라는 정치·경제·사회·문화의 모든 영역에서 눈부신 변천이 있었습니다. 출판계도 예외가 아니어서 조판 체계가 전산화되었고 활자의 모양이 바뀌었으며 본문 활자의 크기가 커졌고 편집 체제도 변하였습니다.

무엇보다도 동양전래의 종조(縱組) 조판이 서양식 횡조(橫組) 조판으로 바뀌어진 것은 큰 변화가 아닐 수 없습니다. 이에 본사에서는 사서오경을 필두로 본사의 모든 종조로 조판된 동양고전들을 시대의 요구에 부응하여 횡조로 새로이 조판함과 동시에 역자 제현께서 추고(推稿)하시는 수고를 아끼지 아니하여 더욱 알찬 개정판(改訂版)을 내놓기에 이르렀습니다.

독자 제현께서 배전(倍前)의 관심과 애용이 있으시기를 간절히 바라며 신조(新組) 개정판(改訂版) 발간의 인사 말씀을 올리는 동시에 신간(新刊)을 꾸준히 발간해 온 본사에서는 앞으로도 알찬 내용의 신간을 계속 발행할 것을 약속드리오니 관심을 가지시고, 혹시 미흡한 점이 있을 시 알려주시면 즉시 시정토록 다짐하며 거듭 인사의 말씀에 갈음합니다.

2001년 12월

發行人 識

범 례(凡例)

1. 이 책은 《논어》의 원문을 직역(直譯)하고 이밖에 주해(註解)로써 어(語)나 구(句)를 풀었으며, 아울러 각 장마다 해설을 붙여 《논어》의 개요(槪要)와 공자의 사상을 누구나 쉽게 이해할 수 있도록 엮었다.
2. 《논어》의 원문은 예문서관(藝文書館) 인행(印行) 십삼경(十三經) 주소판(註疏版)을 위주로 했고, 분장(分章)은 주자(朱子)의 《논어집주(論語集註)》에 의했으나, 역자가 임의로 개경(改更)한 곳도 있다.
3. 원문의 토(吐)는 역자로서는 반대했던 것이나 한국 한문학계의 관습을 아주 무시할 수 없다는 출판사측의 주장에 따라 주로 정본(正本) 논어집주본(論語集註本)에 따라 편집부에서 달은 것임을 밝혀둔다.
4. 주해는 정현(鄭玄)의 《논어주(論語注)》, 황간(皇侃)의 《논어의소(論語義疏)》, 형병(邢昺)의 소(疏), 주자(朱子)의 《논어집주(論語集註)》, 유보남(劉寶楠)의 《논어정의(論語正義)》 등을 참고로 했다. 단 역자의 주견을 많이 삽입한 점도 있음을 밝혀둔다.
5. 해설은 완전히 역자의 주견으로 했으며, 《논어》의 정신과 공자의 사상을 살리기에 애를 썼다.
6. 뜻풀이는 되도록 쉬운 우리말로 현대적 감각에 맞도록 애를 썼으나, 그렇다고 고전이 지니는 무게를 아주 넘나지 않도록 했다.
7 권말(卷末)에는 색인을 붙여 독서의 편의에 이바지하고자 했다.
8. 별책으로 펴낸 한글 《논어》는 독자의 이해를 돕기 위해 직역을 피하고 의역을 했을 뿐 아니라 평이한 문체로 집필하였다.

차　례

'명문동양고전(明文東洋古典)' 발간에 서(序)함

문학박사 梁柱東 …… 3

서문(序文) …… 6

증보(增補) 개정판에 붙여 …… 10

신조(新組) 개정판(改訂版) 발간사 …… 11

범례(凡例) …… 13

〈논어 해설〉

공자의 생애와 핵심 사상

1. 공자의 약전(略傳) …… 19

(1)공자의 선조와 세계(世系)·19 / (2)공자의 부모와 출생·20 / (3)공자의 부인과 자손·22 / (4)가난한 소년시절과 호학(好學)·22 / (5)모친의 사망과 간고한 생활·24 / (6)학문으로 알려진 청년 공자·24 / (7)삼십에 사회적으로 알려짐(三十而立)·25 / (8)노나라와 무도한 삼환씨(三桓氏)·26 / (9)제(齊)에 가서 경공(景公)을 만나고 또 음악을 듣다·27 / (10)사학(私學)을 개설하고 군자를 배양·27 / (11)공자의 출사(出仕)·29 / (12)제국 방랑과 수난(受難)의 14년·30 / (13)고전 정리에 전념한 만년과 왕생(往生)·31 / (14)공자가 저술·산정한 경전·32

2. 《논어》 : 정신문화의 보전(寶典) 33

(1) 《논어》는 위기극복의 지침서 · 33 / (2) 《논어》의 편찬 · 35 / (3) 《논어》의 전승과 해석상의 발전 · 37 / (4) 《논어》의 현대적 이해와 활용 · 39

공자사상의 현대적 이해

1. 공자의 혁신적 덕치(德治) 사상 42

(1)고대중국의 문화 전통 · 42 / (2)공자 사상의 연원(淵源)과 요건 · 46 / (3)공자 사상의 특성과 활용 · 53

2. 인(仁) : 모든 덕을 통합한 최고의 덕 56

(1)공자가 인(仁)을 새롭게 높였다 · 56 / (2)인(仁)의 현대적 뜻풀이와 그 가치 · 58 / (3)인간의 존엄성과 인의 우주적 확대 · 61

3. 군자(君子)와 도덕정치 68

(1)군자배양(君子培養)이 인정(仁政)의 바탕 · 68 / (2)인간의 품격상의 분류와 군자와 수양 · 71 / (3)군자와 '지인용(知仁勇)' · 76 / (4)대동(大同)의 이상세계(理想世界) · 79

제 1편 **학이편**(學而篇) 81
제 2편 **위정편**(爲政篇) 107
제 3편 **팔일편**(八佾篇) 142
제 4편 **이인편**(里仁篇) 178
제 5편 **공야장편**(公冶長篇) 211
제 6편 **옹야편**(雍也篇) 249
제 7편 **술이편**(述而篇) 280
제 8편 **태백편**(泰伯篇) 311
제 9편 **자한편**(子罕篇) 330
제10편 **향당편**(鄕黨篇) 356
제11편 **선진편**(先進篇) 373
제12편 **안연편**(顔淵篇) 403
제13편 **자로편**(子路篇) 432
제14편 **헌문편**(憲問篇) 461

제15편 **위령공편**(衛靈公篇) 497
제16편 **계씨편**(季氏篇) 524
제17편 **양화편**(陽貨篇) 544
제18편 **미자편**(微子篇) 570
제19편 **자장편**(子張篇) 586
제20편 **요왈편**(堯曰篇) 609

공자의 연보(年譜) 627
춘추시대역사도(春秋時代歷史圖) 637
색 인 639

논어 해설

공자의 생애와 핵심 사상

1. 공자의 약전(略傳)

(1) 공자의 선조와 세계(世系)

사마천(司馬遷)은 《사기(史記)》 〈공자세가(孔子世家)〉에서 '공자의 선조는 송(宋)나라 사람이다.'라고 기술했다.

송(宋)은 노(魯)나라 남쪽 사수(泗水) 건너 상구(商丘) 일대에 세워진 나라다. 주공단(周公旦)이 동정(東征)하여 무경(武庚)의 반란을 평정하고, 은(殷)의 유민들을 무마하기 위해서, 주왕(紂王)의 서형 미자(微子 : 이름 啓)를 그곳에 봉했다. 미자가 죽자, 그의 동생 미중(微仲 : 이름 衍)이 뒤를 이었으며, 그가 곧 공자의 먼 조상이라 전한다.

공자의 아버지 숙량흘(叔梁紇)은 미중의 14세 후손이다. 미자나 미중은 은나라 왕족이다. 그러므로 공자가 "나는 은나라 사람이다."라고 말한 것이다.

참고로 공자의 가계 중, 두드러진 선조를 들겠다.[1)]

제1대 미중연(微仲衍), 제4대 민공공(緡公共), 제5대 불보하(弗父何), 제8대 정고보(正考父), 제9대 공보가(孔父嘉), 제10대 복금보

---

1) 참고 : 《胡仔의 孔子編年》

(木金父), 제12대 공방숙(孔防叔), 제13대 공백하(孔伯夏), 제14대 숙량흘(叔梁紇), 제15대 공자(孔子).

제5대 불보하(弗父何)는 송나라의 대부(大夫)였고, 제8대 정고보(正考父)는 학식이 높은 현신(賢臣)으로, 《시경(詩經)》 상송(商頌)을 교정한 학자이기도 했다.

제9대 공보가(孔父嘉)도 송나라 충신이었으며, 그때부터 성을 공(孔)이라 했다. 그러나 그는 귀족 화독(華督)에게 살해되었으며, 이에 그의 아들 목금보(木金父)가 노(魯)나라로 천거(遷居)했다.

노나라에서 가문을 중흥한 사람이 곧 제12대 공방숙(孔防叔)이었다. 그는 방(防)이라는 마을을 다스렸다. 그러나 공자의 조부 제13대 공백하(孔伯夏) 때에는 다시 침체했으며, 부친 제14대 숙량흘(叔梁紇) 대에 와서 용맹한 무사로서 이름이 났다.

(2) 공자의 부모와 출생

공자의 부친 공흘(孔紇 : 자는 叔梁)은 추읍(陬邑)의 대부(大夫)로 용맹한 무사였다. 그의 행적은 《좌전(左傳)》에 보인다. 즉 그는 양공(襄公) 10년(기원전 563)과 양공 17년(기원전 556) 두 차례의 전쟁에서 용맹을 떨치고 혁혁한 공을 세웠다.

공자의 부친 숙량흘(叔梁紇)의 정실은 시씨(施氏)이고, 딸만 9명을 낳았다. 한편 첩실의 소생으로 다리를 저는 백니(伯尼)라는 아들이 있었다. 백니는 일명 맹피(孟皮)라고도 하며, 공자의 이복형이 된다.

용맹을 떨친 숙량흘은 가문을 계승할 아들을 소망했다. 그래서 노 나라의 명문가 안씨(顔氏)의 딸을 아내로 취하여 공자를 낳았다. 《사기》 〈공자세가(孔子世家)〉에는 '숙량흘이 안씨의 딸과 야합해서 공자를 낳았다(叔梁紇 與顔氏女野合 而生孔子).'고 기술했다.

학자들은 '야합(野合)'의 뜻을 여러 가지로 풀이한다. 그 중의 하나가, '노부소처(老夫少妻)이기 때문에 정식으로 예식을 거행하지 못했을 것이다.'라는 해석이다. 즉 숙량흘의 나이는 70에 가까웠고, 안씨는 16세 안팎이었다. 그래서 정식으로 예식을 올릴 수 없었을 것이다. 한편 안씨는 남편이 연로하였으므로 혹시라도 아들을 얻지 못할까 걱정을 했으며, 따라서 남달리 정성을 들여 이구산(尼丘山)에서 기도를 드려서 아들 공자를 낳았던 것이다.

공자는 노(魯)나라 추읍(陬邑) 창평현(昌平縣)에서 출생했다. 추읍은 대략 현 산동성(山東省) 곡부(曲阜) 남쪽이다.

어머니 안징재(顔徵在)가 이구산(尼丘山)에서 기도를 드려, 아들을 점지받았으므로 이름을 구(丘)라 했다고 전한다. 한편 공자는 태어나면서 정수리가 움푹하여 그 모양이 이구산 같았으므로 이름을 구라 했다고도 전한다.

공자에게는 배다른 형이 있었다. 그래서 자를 중니(仲尼)라 했다. 즉 중(仲)은 백(伯) 다음이다.

출생 연도를 사마천(司馬遷)은 《사기》〈공자세가(孔子世家)〉에서 '기원전 551년, 주영공(周靈公) 21년, 노양공(魯襄公) 22년'이라고 했다. 그러나 《공양전(公羊傳)》, 《곡량전(穀梁傳)》은 '기원전 552년'라고 했다.

공자는 '노양공(魯襄公) 22년(기원전 551)' 10월 경자일(庚子日)에 출생했다. 이 날은 음력으로 8월 27일, 양력으로 환산하면 9월 28일이 된다. 따라서 대만(타이완)에서나 우리나라에서는 이 날을 공자의 탄생일로 정하고 석전(釋奠)을 올린다.

공자의 서거일(逝去日)은 노나라 애공(哀公) 16년(기원전 479) 4월 11일로 향년 73세였다. 월왕(越王) 구천(句踐)이 오왕(吳王) 부차(夫差)를 멸한 것은 공자 몰 후 6년이고, 다시 4년이 지나 춘추시대가 끝나고 전국시대가 시작되었다. 공자의 탄생은 석가모니보다 10여 년 뒤이며, 소크라테스보다 82년, 예수보다는 551년이나 앞섰다.

(3) 공자의 부인과 자손

공자의 부인에 대해서는 별로 알려진 것이 없다. 공자 19세 때에, 송(宋)나라의 기관씨(亓官氏)와 결혼했고, 이듬해 공자 20세에 아들 이(鯉 : 자는 伯魚)를 낳았다고 한다.

그리고 공자 나이 67세 때에는 부인이 사망했으며, 69세 때에는 아들 이가 사망했다.

아들 이에 대하여는《논어》에도 보인다. 또 공자의 딸을 공야장(公冶長)에게 시집보냈고, 질녀 즉 백니(伯尼)의 딸을 남용(南容)에게 시집보냈다는 기술도 보인다.

공자의 손(孫), 즉 이의 아들은 급(伋 : 자는 子思)이다. 그는 노(魯) 애공(哀公) 12년(기원전 483)에 출생하여 노 목공(穆公) 6년(기원전 402)에 사망했다. 자사는 공자의 학문을 계승하고,《중용(中庸)》을 저술했으며 또 맹자에게 유학을 전수했다.

그 후의 공자의 후손에 대하여는《사기》〈공자세가〉에 자세히 적혀 있다. 14세 손 공안국(孔安國)을 비롯하여 후세의 대학자들이 많이 배출되었으며, 대만에서 작고한 공덕성(孔德成) 박사는 공자의 77세 손이었다.

(4) 가난한 소년시절과 호학(好學)

공자 출생 2년 후에, 부친 숙량흘(叔梁紇)이 사망했다. 이에 청상과부가 된 어머니는 어린 공자를 데리고 곡부(曲阜) 궐리(闕里)로 이주하고, 가난한 살림을 꾸렸다.

자애로운 어머니는 어린 공자의 교육에 남다른 정성을 쏟았다. 그러므로 천생(天生)이 총명한 공자는 마을의 민간학교에서 글공부를 익혔고 또 어려서 놀 때에도 조두(俎豆)를 진설(陳設)하고 예용(禮容)을 차렸다고 한다.

어머니의 자애(慈愛)와 훈도(薰陶)를 받고 자란 공자는 효성이 지극했으며, 어머니 곁에서 노동일을 하면서 가난한 살림을 도왔다. 그러면서도, 남달리 총명한 공자는 배우기를 좋아했다.

당시의 귀족계층 자제들은 관학(官學)에 들어가서 학문을 배우고 육예(六藝)를 몸에 익혔다. 그러나 서민의 자제들은 각 부락에 있는 향교(鄉校)에서 수시로 촌로(村老)들로부터 일반 문화에 대한 강학을 받거나 초보적인 군사훈련을 받았다.

향교는 일종의 공동 집회소(集會所)다. 부락민들이 모여서 제반사를 논의도 하고, 사신(社神)에 대한 제사도 지낸다. 특히 봄과 가을에는 제사와 함께 부락민들이 모여 향음례(鄉飮禮)와 향사례(鄉射禮)를 거행한다.

이때에 청소년들도 참가하고, 광범하게 전통문화나 예의범절을 익히는 동시에 무술의 기량을 연마하기도 한다. 어린 공자도 향교에서 많은 것을 배우고 익혔을 것이다.

그러나 공자는 그것으로 만족하지 않았다. 논어에서 "나는 열다섯 살에 학문에 뜻을 두었다(吾十有五而志於學)."〈爲政〉고 말한 것처럼 본격적으로 시(詩)·서(書)·예(禮)·악(樂)을 위시하여 고대의 문물제도 및 학술 전적 등을 독학으로 탐구하기 시작했다. 공자는 특정한 선생을 두고 체계적으로 학문을 배운 것이 아니다.

발분망식(發憤忘食)하면서, 혼자의 힘으로 스스로 찾아 배우고, 또 남에게 묻고 하면서 높은 경지에 도달한 것이다.

(5) 모친의 사망과 간고한 생활

공자 나이 17세 때, 홀어머니 안징재가 사망했다. 그러나 그때까지 공자는 부친의 산소를 알지 못했다(어머니가 왜 생전에 공자에게 부친의 산소를 알려주지 않았는가에 대한 설이 많다).

그래서 공자는 먼저 모친의 영구를 오보지구(五父之衢)라는 곳에 초빈(草殯)하고, 나중에 부친의 묘를 찾아 어머니를 합장했다. 이 한 가지 사실만으로 공자가 어머니를 얼마나 사랑하고 또 효성스러웠는지를 알 수 있다.

그 무렵, 노(魯)나라의 참월(僭越)한 대부(大夫)로 무모하게 실권을 전횡(專橫)하고 있는 계씨(季氏)가 잔치를 벌이고 선비[士]들을 초청한 일이 있었다. 이에 공자는 비록 영락했으나, 자랑스런 무사의 아들로서 상복을 걸친 채, 달려갔었다.

그러나 계씨의 가신인 양호(陽虎)에게 저지당하고 모욕을 받고, 슬픈 심정을 안고 되돌아왔던 것이다. 이렇게 하여, 공자는 사고무친의 고아로서 간고(艱苦)한 삶을 꾸려나가야 했다.

공자는 나이 19세 때(기원전 533)에 송(宋)나라 사람 기관씨(亓官氏)와 결혼했으며, 20세(기원전 532)에 아들 이(鯉)를 낳았다. 이 때, 노나라 임금 소공(昭公)이 잉어[鯉魚]를 하사했으므로 이름을 '이(鯉)', 자를 '백어(伯魚)'라 했다.

한편 공자는 생계를 위하여 계씨(季氏) 밑에서 위리(委吏 : 창고를 지키는 하급관리) 및 승전(乘田 : 목장 관리인)이 되었다. 《논어》에서 공자는 "나는 어려서 천했다. 그래서 잡일을 할 줄 안다(吾少也賤故多能鄙事)." 〈子罕〉고 말했다.

(6) 학문으로 알려진 청년 공자

용감한 무사의 아들로 태어난 공자는 그 체격이나 기백이 부친을

닮아 거대하고 강인했다. 그러나, 공자는 무(武)의 길을 택하지 않고, 문(文)의 길을 택했다. 아마 정성으로 하늘에 기도 드린 어머니의 인자한 성품이 그를 학문과 문화의 길로 인도했을 것이다.

공자는 간고(艱苦)한 생활을 꾸려나가면서도, 배우기를 좋아하고, 또 누구에게나 묻고 알고자 했다. 그의 나이 27세 때(기원전 525), 담(郯)이라는 작은 나라의 임금 담자(郯子)가 노나라에 와서 소공(昭公)을 만났다. 담자가 역사에 대한 지식이 많다는 소문을 들은 공자는 일개 평민의 몸으로 담자를 찾아가서 고대의 관명(官名)에 대한 질문을 한 일이 있었다. 그 다음해인 28세 때에, 공자는 사양(師襄)에게 금(琴)을 배웠다. 이렇게 배우기를 좋아한 공자는 마침내 사회적으로 알려지기 시작했다.

(7) **삼십에 사회적으로 알려짐**(三十而立)

나이 30세(기원전 522)에 공자의 학문과 덕행이 점차로 알려지게 되었다. 《논어》에서 '三十而立'라고 한 공자는 '시서(詩書)'를 비롯한 고대의 학문과 '예(禮)·악(樂)·사(射)·서(御)·어(書)·수(數)' 등 육예(六藝)를 제자들에게 가르치는 사학(私學)을 개설했다.

공자의 학문정신과 사학을 개설한 그의 뜻은 원대했다. 무력(武力)의 하극상(下剋上)이 성행하고, 질서가 문란해진 춘추(春秋)의 난세를 도덕적으로 바로잡기 위해서였다. 즉 학문과 덕행을 겸비한 신진의 지식인, 즉 군자(君子)를 배양해서, 그 옛날 주공단(周公旦)이 확립한 예치(禮治)와 덕정(德政)을 재건하고자 했던 것이다. 공자가 출생한 노(魯)나라는 본래 주공단(周公旦)의 봉지로 주(周)의 문물제도가 잘 보존되어 있었다. 그러므로 공자는 노나라를 중심으로 고대의 이상을 회복하려고 했던 것이다.

공자의 명성이 인근 국가에까지 알려졌다. 그래서 이웃의 강대국

제(齊)나라 경공(景公)이 안영(晏嬰)과 같이 노나라에 왔으며, 이때에 공자는 경공과 정치를 논한 일도 있었다.

나이 34세(기원전 518) 때에는 노나라의 대부 맹희자(孟僖子)가 임종 직전에 아들 맹의자(孟懿子)와 남궁경숙(南宮敬叔)에게 "공자에게 예(禮)를 배우라."고 유촉(遺囑)했다. 그후 공자는 남궁경숙과 함께 주(周)나라 낙읍(洛邑)에 가서, 노담(老聃)에게 문례(問禮)하고, 또 장홍(萇弘)에게 문악(問樂)하고 돌아왔다.

(8) 노나라와 무도한 삼환씨(三桓氏)

춘추시대의 나라는 씨족(氏族) 단위의 공동체로, 도성을 중심으로 한 일종의 도시국가다. 씨족의 종주(宗主)인 임금을 공(公)이라 하고, 종묘의 제사(祭祀)와 국가의 군사(軍事)를 총괄한다. 그 밑에 측근에서 보필하는 재상(宰相) 격인 경(卿)이 있고, 대신(大臣)에 해당하는 대부(大夫)들이 국사를 분장했다. 이들이 국가의 중추 계층이며, 그 밑에 제반 실무를 처리하는 사(士)가 있었다. 즉 국가정치가 임금인 공을 정점으로 하고 질서정연하게 이루어지게 마련이었다.

그런데 춘추시대에는 신분계층과 정치질서가 무너졌다. 이에 주(周)나라 초기에 확립된 '예치(禮治)의 덕정(德政)'이 쇠퇴하고, 그 대신 무력(武力)이나 형법(刑法)을 바탕으로 한 통치가 성행했다. 아울러 통치계층간의 권력쟁탈과 도덕적 타락이 심각한 지경에 이르렀다.

노나라에서는 대부의 신분인 삼환씨(三桓氏)가 왕실을 무시하고, 국가권력을 전횡하고, 온갖 무도하고 또 참월(僭越)한 짓을 자행했다.

마침내 공자의 나이 35세(기원전 517 : 魯昭公 25년) 때에 노나라의 임금 소공(昭公)이 삼환씨의 세력을 꺾으려고 시도했다. 먼저 삼환씨 중에서도 가장 세력이 큰 계손씨(季孫氏)를 치려고 했다. 그러나 다른 두 집안, 즉 맹손씨(孟孫氏)와 숙손씨(叔孫氏)가 합세해서 대항했으므로 노나라의 관군이 패하고, 임금 소공이 제(齊)나라로 망명을 했던 것이다.

그 무렵에, 공자가 《논어》에서 '팔일무우정(八佾舞于庭)' '삼가이옹철(三家以雍徹)'이라고 한탄했으며, 공자도 즉시 뒤따라 제나라에 갔다. 가는 도중에 태산(泰山) 곁을 지나가다가, 무덤에서 곡하는 여인을 보고, 제자들에게 '가정맹우호(苛政猛于虎)'라고 가르치기도 했다.

(9) 제(齊)에 가서 경공(景公)을 만나고 또 음악을 듣다

공자는 제나라에서도 박학다식하고 특히 예(禮)에 밝다고 잘 알려졌었다. 그래서 공자는 이듬해(기원전 516), 제의 임금 경공(景公)을 만날 수 있었으며, 경공은 공자에게 정치에 대해서 물었다.

당시 제나라에서도 하극상(下剋上)의 풍조가 심하고 또 통치계층이 도덕적으로 타락하고 사치하며, 재물을 낭비하고 있었다. 그래서 공자는 '상하의 신분 질서를 바로잡을 것'과 '재물의 절약[節財]'을 강조했다. 이에 경공은 공자를 등용하려고 했다. 그러나 재상 안영(晏嬰)의 반대로 이루어지지 않았다. 한편 공자는 제나라에서 '소악(韶樂)'을 듣고 크게 탄복하고 심취했다.

그후 제나라의 대부(大夫)가 공자를 해치려고 했으므로 공자는 다급히 노나라로 돌아왔다.

(10) 사학(私學)을 개설하고 군자를 배양

노나라는 역시 계손씨(季孫氏)가 전횡하고 있었다. 그러므로 공자는 물러나 '시(詩)·서(書)·예(禮)·악(樂)' 등의 학문을 수찬(修撰)하는 한편 제자들을 모아 글을 가르쳤다. 즉 공자는 제나라에서 돌아온 37세(기원전 515) 때부터 51세(기원전 515)에 처음 노나라에 출사(出仕)할 때까지 14년 간, 정치에 참여하지 않고 빈곤을 감수하면서, 교학(教學)에만 전념했다.

공자는 민간 학교를 설립하고 많은 제자를 모아, 고대의 학문지식을 가르치고 또 육예(六藝)를 몸에 익히게 했다. 공자가 학교를 세우고 학생들을 가르친 목적은 고매(高邁)했다. 즉 학문과 덕행을 겸비한 군자(君子)를 배양하여, 그들을 정치에 참여시킴으로써, 인정(仁政)과 덕치(德治)를 실현하고자 했던 것이다. 이와 같은 공자의 숭고한 학문 정신이 《논어》 첫머리에 나타나 있다.

"배우고 때맞추어 실습을 하니 기쁘지 않으냐(學而時習之 不亦說乎), 뜻을 같이하는 벗이 멀리서 찾아오니 또한 즐겁지 않으냐(有朋自遠方來 不亦樂乎), 남들이 알아주지 않아도 노여워하지 않으니 참으로 군자가 아니겠느냐(人不知而不慍 不亦君子乎)."

학문과 덕행이 높은 군자(君子)들이 많이 모여서 세(勢)를 형성해야 좋은 공동체를 형성할 수 있다. 그래서 공자는 많은 군자를 배양했던 것이다. 그러나 때가 맞고 운세가 따라야 한다. 타락한 난세의 통치자들은 절대선의 천도를 알지 못하고 또 학덕(學德)이 높은 군자들을 알아주지 않는다. 그래도 군자는 노여워하지 않아야 한다.

대략 이 무렵에 공자는 "사십이불혹(四十而不惑) 오십이지천명(五十而知天命)"이라고 말했다. '불혹(不惑)'은 '학문과 덕행을 바탕으로 인(仁)의 세계를 창건하겠다는 신념이 확고하게 섰다'는 뜻이다. 한편 공자가 말한 '지천명(知天命)'의 뜻을 크게 두 가지로 해석할 수 있다. 하나는 '하늘에 의해서 주어진 객관적인 환경이나 조건 및 국가의 현실상황을 있는 그대로 받아들인다'는 뜻이다. 다른 하나는 '도(道)를 따라 역사 문화를 선가치적(善價値的)으로 발전케 하는 것이 바로 하늘이 군자에게 명하는 사명임을 아는 것이다.' 결국 공자가 말한 '지천명'은 바로 '학덕(學德)을 겸비한 군자를 배양해서, 인정(仁政)과 덕치(德治)를 바탕으로 선세계(善世界)를 창건하는 것이 곧 하늘이 자기에게 준 절대명령임을 알았다는 뜻'이다.

48세(기원전 504) 때에 양호가 공자를 만나고자 했으나, 공자가 피하고 안 만났다.

50세(기원전 502) 이 때에 비읍(費邑)에서 무력 반란을 일으킨 공산불뉴(公山不狃)가 공자를 불렀으나, 자로(子路)가 반대하여 응하지 않았다.

(11) 공자의 출사(出仕)

공자의 명성이 높아지고 그의 교단(敎團)에서 많은 인재들이 배출되었으며, 한편 반란을 일으켰던 양호(陽虎)가 패하고 국외로 도망가자, 노나라의 위정자들이 공자에 주목하고, 그를 등용하고자 했다. 그리하여 공자는 51세(기원전 501)부터 55세(기원전 497)까지 노나라에서 벼슬살이를 했다.

공자는 51세 때에 중도(中都)의 재(宰)가 되었다. 중도는 현 산동성 문상현(汶上縣)에 있었던 성읍이다. 즉 중도의 장이 되어 잘 다스렸으며, 내외의 칭송을 받았다.

52세(기원전 500) 때에는 사공(司空)을 거쳐, 사구(司寇)로 승진하고 대부(大夫)의 신분으로 재상의 일까지 섭행(攝行)했다. 그리고 노나라 임금 정공(定公)을 수행하고 협곡(夾谷)에서 거행된 제(齊)나라 경공(景公)과의 회담에서 크게 외교적 성과를 거두었다.

54세(기원전 498) 때에 무도하고 참월한 삼환씨의 세력을 꺾으려는 정책을 세우고, 그들의 거점인 도성(都城)을 허물게 했다. 처음에는 숙손씨(叔孫氏)와 계손씨(季孫氏)가 자진해서 그들의 도성을 철수하였다. 그러나 맹손씨(孟孫氏)가 무력으로 반대함으로써 결국은 공자의 정책이 실패로 돌아갔으며, 마침내 삼환씨의 지지를 잃은 공자는 사구를 사임했다.

55세(기원전 497) 때 봄에 제(齊)나라에서, 여악(女樂) 80명을 노나라에 보내왔으며, 계환자(季桓子)와 노나라 임금이 그들 가기(歌妓)와 무녀(舞女)들에 빠져, 정사를 소홀히 했다. 한편 노나라에서 교제(郊祭)를 지내고, 공자에게 제육(祭肉)을 하사하지 않았다. 이에 공자는 노나라를 뒤로 하고 제자들과 같이 여러 나라로 떠도는 방랑의 길에 올랐다.

(12) 제국 방랑과 수난(受難)의 14년

공자는 56세(기원전 496)부터 69세(기원전 483)까지 14년 간 여러 나라를 유력(遊歷)했다. 그는 먼저 위(衛)나라에 갔으며, 이어 조(曹), 송(宋), 정(鄭), 진(陳) 등 여러 나라를 유력했다. 그리고 다시 위에 왔다가, 진(陳)·채(蔡)·초(楚)나라를 유력했고, 세 번째로 다시 위를 거쳐, 조국 노나라로 돌아왔다.

공자가 14년 간이나 여러 나라를 유력한 근본 이유는 노나라의 정세가 불안하여 이를 피하고자 해서였다. 그러나 동시에 다른 나라에 가서, 자기를 알아줄 임금을 찾고, 자기의 이상을 정치적으로 실현하기 위해서였다. 즉 행도(行道)하고, 인정(仁政)과 덕치(德治)를 구현(具顯)하기 위해서였다.

그러나, 다른 나라에서도 공자는 뜻을 이룰 수가 없었다. 즉 여러 나라의 임금들은 학덕(學德)이 높은 공자를 예우(禮遇)했다. 그러나 실지로 그를 등용해서 정치개혁을 단행하지는 못했다. 그만큼 공자의 사상이나 주장이 이상적이었던 것이다.

한편 공자 일행은 여러 곳에서 뜻하지 않게 욕을 보고 어려운 처지에서 생명의 위협까지 받기도 했다. 공자의 수난(受難)은 큰 것만도 세 가지가 있었다.

첫 번째는 송(宋)나라에서 환퇴(桓魋)가 공자를 살해하려고 했다. 이때 공자는 태연하게 말했다. '하늘이 나에게 덕을 내려주었거늘 환퇴가 어찌할거냐(天生德於予 桓魋其如何).'《論語》〈述而〉

두 번째의 위난은 광(匡)이란 지방의 주민들로부터 포위된 적이 있었다. 즉 그곳 주민들이 공자 일행을, 전에 자기들을 해쳤던 양호(陽虎)의 무리로 오해했던 것이다.

세 번째의 수난은 진(陳)나라와 채(蔡)나라 국경지대에서 군대에 포위되어, 양식마저 떨어져 굶주리기까지 했다.

(13) **고전 정리에 전념한 만년과 왕생**(往生)

69세(기원전 483) 때에 공자는 위나라를 거쳐, 다시 노나라로 돌아왔다. 그리고 고대의 문헌을 정리하고, 특히《시(詩)·서(書)·예(禮)·악(樂)·춘추(春秋)》등 고대의 전적을 산정(刪定) 수찬(修撰)하고, 아울러 교육 사업에 전념하였다. 마침내 공자는 3천 명의 제자를 배양했으며, 육예(六藝)에 통달한 사람들만 72명이 된다고 전한다.

공자는 "70살이 되자, 마음대로 행해도 법도를 넘지 않는다(七十而從心所欲不踰矩)."라고 말했다.

71세(기원전 481) 때에 노나라 애공(哀公)이 사냥에서 기린(麒麟)을 잡았다. 이는 좋지 않은 징조다. 이에 공자는 "나의 길이 막혔다(吾道窮矣)."라 하고,《춘추(春秋)》수찬의 붓을 던졌다.

이 무렵 공자의 아들 이(鯉)가 늙은 공자보다 먼저 죽었다. 뒤이어 수제자이자 가장 사랑하던 안연(顔淵)과 자로(子路)가 전후해서 죽었으며, 이에 공자는 더욱 상심했다. 특히 안연이 죽었을 때는 늙은 스승 공자가 이례적으로 통곡했다며 "아! 나를 하늘이 버리는구나! 나를 하늘이 버리는구나!(噫, 天喪予, 天喪予)"하고 한탄했다.

73세(기원전 479) 때에 공자는 병을 앓다가 4월 11일에 서거했다. 공자는 임종 수일 전에, 손에 지팡이를 들고 문전을 걸으면서 하늘을 바라보고 한탄하며 노래했다. "태산이 무너지고, 대들보가 허물어지며, 슬기로운 철인이 시드노라(泰山其頹乎 梁木其壞乎 哲人其萎乎)."

제자들은 스승을 곡부(曲阜)의 북쪽 사수(泗水) 가에 매장하고 여막(廬幕)을 치고, 3년간 혹은 6년간 복상했다.

(14) 공자가 저술·산정한 경전

공자는 자기의 학문하는 태도를 '온고지신(溫故知新)'과 '술이부작(述而不作)'이라고 요약한 바 있다. 그러나 그는 독창적 저술과 수찬(修撰)으로 중국의 학문 사상 및 문물을 후세에 빛나게 했다.

우선 그는 《시경(詩經)》·《서경(書經)》·《예기(禮記)》·《악경(樂經)》·《역경(易經)》·《춘추(春秋)》 등 육경(六經)을 재정리하고 산정(刪定)해서 불후(不朽)의 경전으로 다듬었다.

《역경(易經)》에서 그는 천인합일(天人合一)의 심오한 우주관을 풀었고, '예(禮)·악(樂)·시(詩)'로써 예악(禮樂)과 정교(政敎) 및 덕치(德治)의 심오한 도리와 정신을 밝혔고, 춘추(春秋)에서 대의명분(大義名分)을 높이는 동시에 역사관을 바로잡았다.

오늘에 전하는 유교의 경전인 '십삼경(十三經)'이나 '사서(四書)'의 기본 틀은 공자가 수찬(修撰)한 것이다.

사마천은 〈공자세가〉에서 다음같이 기술했다. '공자시대에는 주나라가 쇠미하고, 예악이 쇠퇴하고 시서가 일실(逸失)했다. 이에 공자는 하(夏)·은(殷)·주(周) 삼대의 예악을 추구하고, 고서 기록을 수집하고 정리해서 위로는 요임금과 순임금 때로부터 아래로는 진(晉) 무공(繆公)까지의 연대와 사적을 편찬했다.'

공자는 또 말했다.

"역사와 전통을 바르게 알면 백년 후의 문물제도를 알 수 있다. 은나라는 실질을 높였고, 주나라는 문화(文華)를 높였다. 주(周)는 하(夏)·은(殷), 두 나라의 장점을 취하고 단점을 버렸으므로 그 문화는 알차고 아름답다. 그래서 나는 주의 문화를 따른다.'

공자는 역사적 발전주의자였다. 그의 혁신은 역사와 문화의 전통 위에서 새로운 질서와 가치를 창건하려는 것이었다.

2. 《논어》: 정신문화의 보전(寶典)

(1) 《논어》는 위기극복의 지침서

《논어(論語)》는 유교(儒敎)에서 가장 높이는 경전(經典)이다. 특히 송대(宋代)의 주자(朱子)가 '《대학(大學)》·《중용(中庸)》·《논어(論語)》·《맹자(孟子)》'를 사서(四書)라 하고 유교의 핵심 경전으로 삼았으므로 중국은 물론 한국 및 일본에서도 가장 오래, 또 가장 많은 지식인에게 애독되고, 또 국가 정치나 사회의 기풍 및 인간의 삶과 처세에 지대한 영향을 준 고전이다.

특히 이들 나라에서 오랫동안 유교를 국가의 지도이념으로 삼고 또 유교의 경전을 바탕으로 국가 정치에 참여할 선비들을 선발했으므로 유교의 경전, 특히 사서(四書), 그 중에서도 핵심 경전인 《논어》는 수천년간에 걸쳐 한중일(韓中日) 삼국의 정치와 교육 및 윤리 도덕에 지대한 영향을 끼쳤다. 흡사 서양의 《성서(Bible)》가 서양의 사회나 문화에 끼친 영향과 같다고 말할 수 있다.

공자는 타락하고 악덕한 춘추시대(春秋時代 : 기원전 770~기원전 403)를 바로잡고자 한 혁신적인 정치사상가였다. 그러므로 그의 언행(言行)을 기술한 《논어》 속에는 음흉한 권모술수나 포악한 무력행사로 남의 나라를 침공하고 병탄(倂呑)하려는 악덕하고 타락한 군주 및 자기의 윗사람을 살해하고 권세를 가로채려는 하극상(下剋上)의 난신적자(亂臣賊子)를 규탄하고 동시에 인정(仁政)과 덕치(德治)의 정도(正道)를 밝힌 고매한 정신과 사상이 살아있다.

그러나 당시의 우매하고 타락하고 탐욕에 사로잡힌 군주나 실권자들은 공자의 고매한 사상을 알지 못하고 또 받아들이지 못함으로써 마침내 전국시대(戰國時代)의 파국을 초래했던 것이다.

여기서, 우리는 냉철하게 오늘의 인류세계를 살펴보자. 한마디로 오늘의 인류는 중병을 앓고 있으며, 세계는 혹심한 위기에 빠져있다.

그 근본 요인은 개인이나 국가가 물질과 무력만능주의에 빠져있기 때문이다. 즉 개인이나 국가가 저마다 끝없는 이기주의적 탐욕을 채우기 위해, 간악한 협잡을 하고, 잔인한 폭력이나 무력으로 남의 재물을 탈취하는 데 골몰하고 있다.

오늘의 타락하고 악덕한 인류세계는 흡사 수천년 전의 중국의 춘추·전국시대와 그 양상이 같다. 다르다면 옛날에는 소박하게 입으로 남을 속이고, 주먹이나 칼로 싸웠으나, 오늘날은 고도로 발달한 기계나 원자탄 같은 치명적인 무기로 남을 위협하고 남의 영토와 재물 및 이권을 겁탈하고 있다는 점이다. 그러므로 일시에 인류사회를 궤멸시킬 위험도가 높으며, 따라서 오늘의 위기는 더욱 치명적이다.

우리는 눈을 바로 뜨고 바르게 내다보자. 오늘의 인류세계는 재물과 과학 기술을 송두리째 무력화하고 약육강식의 무자비한 쟁탈전을 전개함으로써 지구촌을 아비규환의 생지옥으로 만들고 있다.

이래서는 안된다. 그대로는 인류가 전멸한다. 이와 같은 심각한 인류의 병폐와 세계의 위기를 치유하기 위해, 우리는 정신적·도덕적으로 각성해야 한다. 즉 외형적 물질이나 무력보다도, 내면적 정신의 힘과 가치를 높이는 바른 삶과 선한 정도(正道)의 정치를 펴야 한다. 그러기 위해 우리는 동양의 정신문화의 결정(結晶)이자 보전(寶典)인 《논어》를 읽고 그 속에 담겨진 공자의 고매한 정신과 심오하고 슬기로운 삶의 지혜 및 혁신적인 정치사상을 깊이 알고 활용해야 한다. 그러므로 《논어》를 인류위기를 극복하는 지침서라고 한다.

(2) 《논어》의 편찬

《논어》는 2,500년 전에 편찬된 공자의 언행록(言行錄)으로, 총 20편, 약 480장으로 꾸며져 있다. 주로 공자를 중심으로 제자 혹은 다른 사람들과 주고받은 문답이나, 행동 및 행적 등을 기술한 책이다.

《논어》의 편찬은 공자가 죽은 다음에 여러 제자들이 전에 기록해 두었거나, 기억하고 있던 내용들을 모으고 또 함께 논의해서 정리하고 편찬한 책이다.

《논어》를 누가 편찬했느냐에 대해서는 설이 많다. 후한(後漢)의 학자 반고(班固)는 《한서(漢書)》 〈예문지(藝文志)〉에서 다음과 같이 말했다.

"논어는 공자가 그의 제자 및 당시의 여러 사람들과 사귀면서 주고받은 말과 행동 및 제자들이 서로 주고받은 말과 공자에게 들은 가르침들을 당시의 제자들이 기록한 것을 공자 사후에, 문인들이 의논하여 추리고 모은 것이다. 따라서 논어라고 한다."

정현(鄭玄)은 다시 다음같이 말했다.

"논어는 중궁(仲弓), 자유(子游), 자하(子夏) 등이 찬정(撰定)했다. 논(論)의 뜻은 윤(綸)·윤(輪)·이(理)·차(次)·찬(撰)이기도

하다. 이 책을 가지고 세무(世務)를 경륜(經綸)할 수 있으므로 윤(綸)이며, 원전무궁(圓轉無窮)한 까닭에 윤(輪)이며, 모든 도리를 온함(蘊含)하고 있으므로 이(理)이며, 편장(篇章)의 질서가 있으므로 차(次)이며, 군현(羣賢)들이 집정(集定)했으므로 찬(撰)이라 한다."

황간(皇侃)도, "논어는 공자가 죽은 후, 70제자의 문인들이 공동으로 찬정(撰定)했다."고 말했다.

유종원(柳宗元)은, "공자의 제자인 증자(曾子)의 문인이 편찬했을 것"이라고 말했다. 한편 《논어》에서 증자를 자(子)라고 높였으므로 정자(程子)는, "《논어》는 유자와 증자의 문인들에 의해 편찬되었다."고 말했다. 그러나 이같은 설도 충분치 못하다. 결국 《논어》의 편자에 대한 정설은 아직 없으며, 대략 공자의 여러 제자들이 추렸다고 하는 《한서》 〈예문지〉의 설을 따르는 것이 무난할 것이다.

한편 《논어》가 오늘에 전하는 책과 같은 체재를 갖추게 된 때는 대략 한대(漢代) 이후일 것이다. 아울러 《논어》라는 책이름이 일반적으로 쓰여지기 시작한 것은 그보다 더 오랜 후일의 일이다. 원래 고인(古人)들은 특정한 책이름을 정하지 않았다. 장학성(章學誠)은 《문사통의(文史通義)》에서 다음같이 말했다.

"고인(古人)들은 책을 저술해도 흔히 책이름을 붙이지 않았다. 후세 사람들이 교정하면서 책머리의 자구(字句)를 가지고 책이름으로 삼았다."

맹자(孟子)나 순자(荀子) 또는 다른 사람들도 《논어》 안에 있는 말을 인용할 적마다 '자왈(子曰)', '공자왈(孔子曰)', '전왈(傳曰)'이라 했을 뿐, '논어왈'이라고는 하지 않았다. 이것으로 미루어 보더라도 서한(西漢) 이전에는 《논어》가 책이름이 아니었음을 알 수 있다.

《논어》를 맨 먼저 책이름으로 쓴 사람은 아마도 공안국(孔安國 :

기원전 160~120)일 것이며 또 《사기(史記)》 속에 처으므로 《논어》가 책이름으로 보였다. 결국 동한(東漢) 시대에 비로소 《논어》가 보편적인 책이름으로 일컬어지게 되었을 것이다.

(3) 《논어》의 전승과 해석상의 발전

원래 《논어》의 고본(古本)은 '노론(魯論), 제론(齊論), 고론(古論)' 셋이 있었다. 노론은 노인(魯人)들이 전한 것으로 20편으로 되었으며, 제론은 제인(齊人)들이 전한 것으로 노론보다 문왕(問王)·지도(知道) 2편이 더 많다. 고론은 한(漢) 무제(武帝) 말에 공자의 고택(故宅)에서 발견된 것으로 과두(蝌蚪) 고문자로 적혔던 것이다. 그러나 이들 원본은 이미 전한(前漢) 말엽에 그 원형이 없어졌다.

전한(前漢) 말 장우(張禹)라는 사람이 하후건(夏侯建)으로부터 수학(受學)한 노론(魯論)과 용생(庸生), 왕길(王吉)에게 수학한 제론(齊論) 두 가지를 비교하고 추려서 20편으로 편찬한 것이 오늘에 전하는 《논어》의 원형이라고 한다. 장우(張禹)는 안창후(安昌侯)였으므로, 그가 찬정한 《논어》를 '장후론(張侯論)'이라고 부른다.

그후 정현이 주를 달은 정현본이 널리 퍼졌으나, 이것도 오늘날에는 그 일부분만이 전할 뿐이며, 완전하게 전질로 전하는 것은 위(魏)의 하안(何晏)이 집해(集解)한 《논어집해(論語集解)》 10권이 가장 오래된 것이다.

그후 양(梁)의 황간이 편찬한 《논어의소(論語義疏)》 10권이 널리 퍼졌으며, 송대(宋代)에 와서는 황간의 《의소(義疏)》를 교정한 형병(邢昺)의 《논어정의(論語正義)》 20권이 있으며, 이것이 《십삼경주소(十三經注疏)》에 수록되었다.

같은 송대의 주희(朱熹)가 편찬한 《논어집주(論語集註)》 10권은 우리나라에서도 가장 널리 읽힌 경전이다.

그후 청말(淸末)의 학자 유보남(劉寶楠)의 《논어정의(論語正義)》 10권은 권위있는 주해서라 하겠다.

우리나라에 《논어》가 언제 전래되었는지 잘 알 수 없다. 그러나 285년에 이미 백제의 왕인(王仁)이 《논어》·《효경(孝經)》·《천자문(千字文)》 등을 가지고 일본으로 건너가 유교를 전파했다는 기록으로 미루어, 이미 삼국시대에 논어가 유포되었음을 짐작할 수 있다.

그후 우리나라 정치사회의 이른바 봉건적 체제와 사상을 지배한 것이 유교였으며, 아울러 그 중심 경전이 《대학》·《논어》·《중용》·《맹자》 등의 사서(四書)였다.

결국 《논어》가 우리나라 역사·문화·사회에서 차지한 위치와 또 끼친 영향은 절대적이었다. 그러므로 많은 판본과 언해본(諺解本)이 나오게 되었다. 서울대학교 규장각(奎藏閣)에 있는 언해로서 그 대표적인 것은 다음과 같다.

논어언해 : 宣祖命撰, 光海君 4년(1612) 刊, 4권 4책
논어언해 : 宣祖命撰, 仁祖 9년(1631) 刊, 4권 4책
논어율곡언해 : 李珥撰, 仁祖 25년(1749) 刊, 4권 4책

중국의 권위있는 집주(集註) 또는 집해서(集解書)를 들면 다음과 같다.

논어정씨주(論語鄭氏註) 10권 : 후한(後漢) 정현(鄭玄) 주, 청(淸) 송상봉집(宋翔鳳輯)

논어집해 10권 : 위(魏) 하안(何晏) 찬

논어의소 10권 : 양(梁) 황간(皇侃) 찬

논어정의 20권 : 송(宋) 형병(邢昺) 찬

논어집주 10권 : 송(宋) 주희(朱熹) 찬
논어정의 24권 : 청(淸) 유보남(劉寶楠) 찬

최근 우리나라에서 출판된 해독서(解讀書)도 수십 권이 있다.

(4) 《논어》의 현대적 이해와 활용

《논어》는 2,500년 전 노나라에 살았던 지성선사(至聖先師)인 공자와 그 제자 및 주변 인물들의 언행(言行)을 기록한 책이다. 《논어》의 편찬은 공자가 죽은 다음, 여러 제자들이 각자의 기억이나 기록을 추리고 또 서로 논의해서 엮은 것이다. 따라서 《논어》의 말과 문장은 대부분 그때의 말과 문장이다.

한자는 표의문자다. 그러므로 오늘 우리가 보고 읽는 《논어》의 글자나 문장은 근본적으로는 옛날의 그것과 크게 다르지 않다. 그러나 우리는 잘 알아야 한다. 비록 눈에 보이는 글자나 문장의 모양은 같을지라도 그 속에 담겨진 뜻이나 정신이 똑같을 수가 없다.

한자나 한문의 뜻은 시대에 따라 다를 수도 있고, 특히 장소나 사람에 따라 다르게 해석되거나 파악되기도 한다. 극단적인 예를 '도(道)'라는 한자를 가지고 들겠다.

공자는 《논어》에서 말했다. "아침에 바른 도리를 깨닫고 실천할 수 있다면, 설사 저녁에 죽어도 좋다(朝聞道 夕死可矣)." 〈里仁-8〉 이때의 '도(道)'는 '사람이 따르고 실천해야 할 바른 도리, 혹은 바른 길의 뜻'이다.

한편 노자(老子)는, 《도덕경(道德經)》에서 "사람들이 도라고 말하는 도리나 길은 절대적 실재가 아니다(道可道非常道)." 〈1장〉라고 말했다. 노자의 글은 여섯 글자 속에, 세 개의 '도(道)'가 있으며, 그 셋의 뜻이 저마다 다르다.

첫 번째의 '도(道)'는 '사람들이 이것이 바른 도리다, 바른 길이다' 라고 높이는 '도'로 즉 공자가 '조문도(朝聞道)'라고 말한 '도'와 같은 뜻이다.

두 번째 '가도(可道)'의 '도(道)'는 '말한다'는 뜻의 동사(動詞)다.

세 번째, '비상도(非常道)'의 '도(道)'는 노자가 높이는 '천지의 운행을 섭리하고 동시에 자연 만물을 생성(生成), 화육(化育)하는 우주의 실재(實在)와 이법(理法)을 통합해서 일컫는 명사(名詞)'이다.

대략 같은 시대에 속한다고 전하는 노자와 공자 사이에서도, 같은 '도(道)'의 함의(涵義)가 서로 크게 다르다. 뿐만 아니라 노자의 글과 공자의 글이 시대와 더불어 또 학자나 학파에 따라 저마다 다양하게 해석되고 파악되었다. 그러므로 오늘 우리가 보고 읽는 중국의 고전은 비록 문자나 문장은 옛날과 같을지라도, 그 함의나 해석이 옛날의 그것과 똑같을 수가 없다.

우리가 대하는 《논어》도 같다. 문자나 문장은 대체로 2,500년 전의 그것과 같을 것이다. 그러나 중국에서도 시대의 조류에 따라 학자나 학파에 의해 서로 다르게 해석되었다는 사실을 알아야 한다. 그러므로 《논어》를 포함한 유학의 경전도 대략 '한대(漢代), 육조대(六朝代), 당대(唐代), 송대(宋代), 청대(淸代)'에 걸쳐, 여러 학자나 학파에 따라, 서로 다르게 해석되었다. 대체로 후세의 학자들에 의해, 그 풀이와 가치가 역사적으로 새롭고 높아졌다고 할 수 있다.

그러므로 우리는 《논어》를 읽고, 해석할 때에도, 과거의 여러 학설과 풀이를 잘 알아야 하며, 그 바탕 위에서 현대적 뜻과 가치를 모색해야 한다.

동시에, 우리는 《논어》의 주체자인 공자의 학문 정신과 정치 개혁 사상을 바르게 알고 《논어》를 읽고 해석해야 한다. 공자와 제자들은 모두 위기에 처한 '춘추시대의 중국'을 구제하고 바로잡고자 했다.

이와 같은 공자의 숭고한 정신과 사상을 후세의 학자들이 천착(穿鑿)하고 밝히고 동시에 그때의 시대와 사회에 적절히 활용하여, 공자의 숭고한 정신과 사상 및 이상을 구현(具現)하고자 애를 썼던 것이다.

그러므로 오늘의 우리도, 공자 시대의 원문을 읽되, 그 뜻풀이나, 정신 및 가치는 역사적으로 많은 학자나 성현들에 의해서 키워진 것을 두루 배우고 알아야 하며, 동시에 《논어》 속에 살아있는 공자의 혁신사상을 활용하여 위기극복에 이바지할 수 있어야 한다.

공자사상의 현대적 이해

1. 공자의 혁신적 덕치(德治) 사상

(1) 고대중국의 문화 전통

〈1〉 고대의 통치형태와 역사적 발전

자고로 국가나 국민을 하나로 통솔하는 통치사상에는 여러 가지 형태가 있다. 중국을 중심으로 그 대표적인 것을 들겠다.

① 종교적(宗教的) 혹은 주술적(呪術的) 신권통치(神權統治) : 원시 고대 및 은(殷) 왕조 시대.

② 패도(霸道)의 무자비한 무력통치(武力統治) : 동서고금을 통해, 세계 각처에서 성행하는 악덕한 정치 형태다. 불행하게도 오늘의 세계가 이에 골몰하고 있으므로 인류가 위기에 빠졌다.

③ 인문적(人文的) 예치(禮治) : 주로 은(殷)을 타도한 주(周)나라에서 시행된 덕치(德治)의 형태다. '인문적'이란, '맹목적으로 절대시하고 복종을 강요했던 신의(神意)나 천명(天命)'을 '인간적 현세적 도덕적으로 해석한다'는 뜻이다. 즉 하늘이 절대 명령으로 내린 존귀한 천자(天子)의 자리도 만약에, 그 천자가 덕을 잃고, 만민을 잘 살게 하지 못하면, 하늘은 '명을 바꾸어' 새 유덕자(有德者)에게 내린다. 그것이 곧 혁명(革命)이다. 결국 '하늘의 뜻이나 하늘의 절대 명령'을 '인간적 · 현세적 · 도덕적으로 해석하고 만민이 함께 잘사는

공동체를 창건해야 한다.' 그러기 위해 예치(禮治)를 해야 한다.

예(禮)라는 자는 '이(理)와 이(履)'에 통한다. 즉 '천리(天理)를 따르고 실천(實踐)한다는 뜻'이다. 천리는 곧 우주천지 자연만물이 질서정연하게 운행하고 또 저마다 생육(生育), 화성(化成), 번성(繁盛), 발전(發展)하는 절대선(絶對善)의 도리다. 이와 같은 절대선의 도리를 외형적으로 나타내는 문물제도를 바탕으로, 국가의 기강과 사회의 질서를 바르게 세우고 또 상하좌우의 인간들이 서로 화합하고 협동하여 함께 잘사는 정치가 곧 예치다. 천리를 실천하여 좋은 성과를 얻는 정치는 곧 덕치(德治)다.

④ 공리적(功利的) 법치주의(法治主義) : 오늘의 정치사회에서는 오로지 공리적이고 신상필벌(信賞必罰)의 법치주의를 높이고 있다. 그러나 법을 제정하는 사람이나, 집행하는 사람이 도덕상이 결여되고 또 과도하게 이기적 공리를 탐하는 경우에는 법이 만민의 평화와 안전과 행복을 보장하지 못한다. 그 결과 법이 일부 계층만을 위하는 악덕으로 전락하게 마련이다. 그러므로 공자는 《논어》에서 다음과 같이 말했다.

> "정략으로 이끌고 형법으로 다지면 백성들은 죄를 모면하되 부끄러움을 안 느낀다. 그러나 덕으로 이끌고 예로써 다지면 염치를 알고 또 바르게 된다(道之以政 齊之以刑 民免而無恥 道之以德 齊之以禮 有恥且格)." 〈爲政-3〉

⑤ 천도를 실천하는 도덕정치(道德政治) : 공자는 "옛것을 익히고 새롭게 알고 다스려야 비로소 스승이라 할 수 있다(溫古而知新 可以爲師矣)." 〈爲政-11〉라고 말했다. 역사적 전통 위에 새로운 문화를 창조한다는 뜻이다. 공자는 과거의 여러 정치형태를 역사적으로 고찰하고, 새로운 이상적 정치형태를 창안했다. 그것이 곧 '천도를 실천하는 도덕정치'이며, 이를 줄여서 '덕치(德治)'라고 일컬었다.

도덕(道德)의 뜻은 깊다. '도(道)'는 '형이상(形而上)의 천도(天道)'이고, '덕(德)'은 '천도를 행해서 얻어진 좋은 성과(成果)'라는 뜻이다. '덕(德)'은 '얻을 득(得)'에 뜻이 통한다. 한편 '형이상의 천도'는 곧 '시간과 공간을 통합한 우주(宇宙)의 이법(理法)'이다. 천지자연만물은 '하늘의 도리 즉 천도'를 따라 지상에서 생육(生育), 번식(繁殖)하고 있다. 이와 같은 '천도(天道)와 지덕(地德)'을 줄여서 '도덕(道德)'이라고 한다. 그러므로 '도덕정치(道德政治)'는 곧 천도를 따르고 실천해서 지덕을 세우는 정치다.

오늘의 인류는 이기적·동물적 탐욕을 채우기 위해, 재물과 과학을 무기화(武器化)하고, 무참하게 남을 살상하고 남의 재물 토지를 탈취하는 데 골몰하고 있다. 그러므로 '패도의 무력과 법치'만 알고, 다른 좋은 정치 형태에는 관심이 없다. 그러나, 위기에 처한 인류 사회를 구하기 위해 우리는 공자의 도덕정치 사상의 깊은 뜻과 가치를 바르게, 또 잘 알아야 한다.

〈2〉 공자가 계승한 중국의 문화전통

여기서 고대 중국의 정치사상의 전통을 살펴보겠다.

① 태고 때의 요순(堯舜) : 요임금, 순임금은 무위자연(無爲自然)의 도를 따라, 법치나 무력통치가 아닌 자유를 만끽하는 방임주의적(放任主義的) 덕치(德治)를 폈으며 동시에, 천하를 현명하고 덕있는 사람에게 선양(禪讓)함으로써 천하위공(天下爲公)을 실천했다.

② 하(夏)의 세습(世襲) : 하왕조의 시조 우(禹)가 치수(治水)의 공을 세웠으므로, 순임금이 그에게 천하를 선양했다. 우왕도 본래는 천하를 선양하려고 했다. 그러나 아들과 신하들이 결탁하여 왕위(王位)를 세습하고, 나라를 사유화했다. 이에 야욕을 채우려는 권력의 쟁탈이 차츰 격화하기 시작했다.

③ 주술적(呪術的) 신권통치(神權統治) : 은(殷)의 시조 탕(湯)이 황음무도(荒淫無道)한 하의 걸(桀)을 타도한 성왕으로 기술했다. 그러나 그것은 신화에 속한다. 역사에 속하는 은나라 후반기는 갑골문자(甲骨文字) 및 청동기(靑銅器) 시대로, 외형적 문물은 제법 발달했었다. 그러나 정신사적으로는 은나라는 '주술적 신권통치의 노예시대'였다. 왕이나 통치계급만이 존재나 권위를 누리고, 나머지 노예들은 축생(畜生) 이하로 간주되었으며, 따라서 통치자에 의해 마구 살상되었다. 특히 은의 마지막 왕 주(紂)는 황음무도한 주지육림(酒池肉林)의 놀이에 탐닉(耽溺)하여, 국고를 고갈케 했다,

이에 국내적으로는 가렴주구(苛斂誅求)함으로써 민심을 잃었고, 국외적으로는 '토지, 재물 및 노예'를 탈취할 침략전쟁을 확대함으로써, 국력을 소비하고 동시에 모든 주변 국가의 미움을 샀다. 뿐만이 아니었다. 무지하고 포악한 주는 현인(賢人)의 충간을 듣지 않고, 반대로 포락지형(炮烙之刑)으로 잔인하게 처형했다. 마침내 은나라는 주(紂)나라에 의해 멸망되고 말았다.

④ 주(周)의 봉건적(封建的) 예교(禮敎)와 덕치(德治) 사상 : 공자사상 형성에 가장 지대한 영향을 준 것은 주공단(周公旦)이 제정한 찬연히 빛나는 문물제도와 봉건적(封建的) 예교(禮敎)와 덕치(德治) 사상이었다.

주나라는 주술적 신권통치의 악덕한 은왕조를 타도하고, 인간을 본위로 하는 문화적 예치(禮治)를 폈다. 동시에 천자를 정점으로 하고, 각지에 왕족이나 공신을 영주로 책봉하는 봉건제도를 확립했다. 이에 천하는 명실상부한 하나의 통일국가가 되었다. 한편 주나라는 국가의 교육기관인 관학을 설립하고 '천자(天子), 제후(諸侯), 경(卿), 대부(大夫)' 등 통치계층을 교육했다.

예악(禮樂)으로 성정(性情)을 순화하고, 육덕(六德 : 知·仁·聖·

義·忠·和)으로 심성을 높이고, 육행(六行 : 孝·友·睦·婣·任·恤)으로 덕행을 높이고, 육예(六藝 : 禮·樂·射·御·書·數)로 재능을 높였으며, 아울러 '시서역(詩書易)'을 통해 학문 사상을 심화했다. 이러한 바탕 위에서 주 나라의 정치참여자들은 예치(禮治)와 덕치(德治)를 펼 수 있었다.

이상과 같은 역사 전통, 그 중에서도 절대선의 천도를 따르고 실천하는 도덕정치의 도통(道統)을 계승하고 더욱 새롭게 창조적으로 발전시켰던 것이다. 거듭 말하겠다. 공자의 정치사상은 곧 '온고지신(溫故知新)'의 혁신사상이다. 그의 사상은 결코 퇴영적(退嬰的) 복고사상은 아니었다.

그러나 후세의 임금이나 왕조가 자기 편리대로, 자기네의 이득이 되게 공자나 유교의 사상을 곡해(曲解)하고 악용했던 것이다. 즉 '역사 전통과 도통을 존중하는 일면만 내세우고, 위정자가 도를 따라 인정과 덕치를 펴야 한다는 핵심'을 피하고 은폐(隱蔽)한 것이다.

(2) 공자 사상의 연원(淵源)과 요건

〈1〉 성현의 사상과 그 형성의 기본 요건

먼저 성현의 사상에 대한 정의를 말하겠다. 일반적으로 쓰이는 사상(思想)이란 뜻은, 그 범위가 넓다. '실용주의적 정치·경제·과학 등의 사상'과 심지어는 '악덕한 침략적 정쟁 사상'까지 다 포함한다. 그러나, 정신과 윤리도덕을 높이는 유교에서 말하는 사상의 범위는 좁다. 주로 '숭고한 종교나 학문 철학 등의 사상'과 아울러 '절대선(絶對善)인 천도천리(天道天理)를 바탕으로 한 왕도(王道)의 덕치(德治)'만을 정치(政治=正治) 사상이라고 한다.

권모술수를 농하는 법치(法治), 부국강병(富國強兵)만을 강조하는 병가(兵家), 외교적 책략을 유세하는 종횡가(縱橫家), 농업생산을 중시하는 농가(農家) 등의 언론도 다 성현(聖賢)의 사상 속에 들어갈 수 없다. 다만 왕도덕치(王道德治)를 논하는 논설이나 사상만을 성현의 사상이라 한다.

공자는 지성선사(至聖先師)로, 그는 위대한 사상가였다. 그러나 당시의 제후들이 우매하고 악덕하여, 무력으로 남의 나라를 침공하고, 재물을 탈취하고, 자기 나라만이 잘살려는 악덕한 부국강병(富國强兵)에 골몰하고 있었으므로, 공자의 고매한 사상을 이해하거나 받아들이지 못했던 것이다. 옛날만이 아니다. 오늘의 인류도 같다. 재물과 과학기술을 무기화(武器化)하고, 약육강식(弱肉强食)의 쟁탈전에 골몰하고 있는 오늘의 인류도 공자의 숭고한 사상을 받아들이지 못하고 있다. 오늘의 인류가 위기를 극복하기 위해서는 성현의 숭고한 사상을 배우고 활용해야 한다. 그러한 의미에서 공자의 사상은 오늘에도 살아있으므로 우리가 활용해야 한다.

다음으로 성현의 사상 형성의 기본요건을 추려보겠다. 위대한 사상은 총명과 덕성을 겸비한 옛날의 성현에 의해서 나타난다. 그러나 동시에 많은 제자들이나 추종자들이 있어야, 그 사상이 더욱 크게 성장하고 넓게 퍼지고 또 후세에까지 전승된다.

공자사상의 발생과 성장 및 계승 전파도 같다. 주로 다음의 네 가지 요건을 바탕으로 했다. ① 총명과 덕성을 겸비한 공자, ② 정신가치가 높은 학문 유산, ③ 훌륭한 역사 전통, ④ 위기적 시대적 배경.

다음에서 나누어 간략히 설명을 가하겠다.

① 총명과 덕성을 겸비한 공자 : 공자의 총명과 덕성에 대해서는 앞에 있는 약력에서 대강을 살필 수 있다. 특히 《논어》 선편을 통해 그의 높은 정신과 돈후(敦厚)한 인품 및 행적을 여러모로 알 수 있다.

② 정신가치가 높은 학문 : 크게는 앞의 '공자가 계승한 중국의 문

화 전통' 속에 포함된다. 그러나 학문은 사상 형성에 매우 중요하게 작용하므로 별도로 항목을 세워서 기술하겠다.

③ 훌륭한 역사 전통 : 앞의 '〈2〉 공자가 계승한 중국의 문화전통'에서 대략을 알 수 있다.

④ 위기적 시대적 배경 : 별도로 항목을 세워서 서술하겠다.

〈2〉 공자가 크게 영향을 받은 학문

공자는 《논어》에서 말했다. "조용히 터득하고, 물리지 않고 배우고, 지치지 않고 남에게 가르친다(默而識之 學而不厭 教人不倦)." 〈述而-2〉 "나는 옛것을 좋아하고 부지런히 찾아 배웠다(好古敏以求之者也)." 〈述而-19〉 기타 '호학(好學)'에 관한 구절이 많다.

공자가 힘들여 배우고 익힌 고대의 학문은 주로 다음과 같다.

①《역경(易經)》: 〈공자세가(孔子世家)〉에 '공자는 만년에 역학을 좋아했고, 죽간을 엮어 맨 가죽끈이 세 번이나 끊어졌다(孔子晚而喜易 至於韋編三絶).'라고 했다. 또 공자 자신이 《논어》에서 말했다. "앞으로 수 년 후인 50살에 역을 잘 배우고 익히면, 큰 허물이 없을 것이다(假我數年 五十以學易 可以無大過義)." 〈述而-16〉

공자는 《역경》에서 우주 변화 및 천지인(天地人)을 관통하는 일관된 도리를 터득하고 활용하는 법을 철학적으로 탐구했다. 특히 '하늘의 운행은 세차다. 그러므로 군자도 스스로 굳세게 일하고 쉬지 않아야 한다(天行健 君子以自强不息).' 〈易象傳〉는 풀이처럼, '생명철학적(生命哲學的) 발전관(發展觀)'을 중시하게 되었다. 그러나 공자는 《논어》에서 심오한 철학을 논술하지 않고, 현실적으로 실천할 행동지침에 중점을 두었다.

②《시경(詩經)》과 《서경(書經)》: 《시경》은 고대의 시가를 추린 것으로, 그 속에는 각계 각층의 사람들의 생활과 애환(哀歡), 사회의

기풍, 국가의 의식(儀式)이나 제례(祭禮) 등이 예술적으로 표현되었다. 그러므로 공자는 평했다. "《시경》에 있는 3백 편의 시들을 한마디로 '사념에 사악함이 없다'고 말할 수 있다(詩三百 一言以蔽之 曰 思無邪)." 〈爲政-2〉 그래서 공자는 《시경》을 중시했고, 또 《시경》을 교육함으로써 '인간의 성정(性情)을 순화하고, 국가 정치의 덕풍(德風)을 진작하려고 했다. 한편 《서경》은 고대의 제왕들의 역사적 기록이다. 그러므로 《서경》을 바탕으로, '요(堯), 순(舜), 우(禹), 탕(湯), 문왕(文王), 무왕(武王), 주공단(周公旦)' 등의 덕정(德政)의 정통(正統)을 탐구했던 것이다.

③ 노자(老子)가 정리한 도가(道家) 사상 : 공자와 노자의 사상은 반대되며, 서로 영향을 주지 않았다고 생각하기 쉽다.

그러나 배우기를 좋아하는 공자는 상고 때부터 전해 내려오는 도가사상을 집약한 노자의 학문과 사상에 관심을 갖고, 연구했을 것이다. 그래서, 《사기》에 공자가 노자에게 문례(問禮)했다고 기술했다. 공자는 도가사상의 장점인 '허정(虛靜), 겸양(謙讓) 및 무위자연(無爲自然)의 우주적 이법(理法)인 도(道)'를 유가적으로 활용했다. 즉 공자는 노자의 '도(道)=절대무(絕對無)'를 유가적으로 '도(道)=인도(人道 : 仁道)'로 고쳐서 활용했으며, '도를 만민과 만물을 사랑하고 양육하는 인정(仁政)의 도리'로 보고, 왕도덕치(王道德治)에 적용했던 것이다.

〈3〉 빛나는 역사 문화의 전통

공자가 계승한 훌륭한 역사 문화의 전통 속에는 앞에서 언급한 학문적 유산도 포함된다. 여기서는 주로 고대의 성왕(聖王)이나 성현(聖賢)들에 의해서 세워진 덕치(德治)의 전통을 주로 하겠다.

문화전통(文化傳統)의 뜻을 다음같이 정의할 수 있다. '한 문화가 역사적으로 이어져 내려오고 또 후세의 모든 사람이 받아들이고 이용하면서도, 그 본질이 변하지 않는 문화의 총체적인 가치 현상을 전통이라고 말한다.'

특히 개개인이 따르고 행할 바른 도리와 공동체의 평화와 번영을 달성할 인정(仁政)과 덕치(德治)의 도리를 통합한 것을 도통(道統)이라고 한다. 통합 속에는 시간적·역사적 통합도 포함한다. 그러므로 도통은 곧 '수신(修身), 제가(齊家), 치국(治國), 평천하(平天下)'를 일관하는 도리이자, 동시에 역사적 전통이기도 하다.

공자사상의 바탕에는 '중국의 인정(仁政) 덕치(德治)의 도통(道統)'이 살아있다. 그 도통은 곧 '요(堯)·순(舜)·우(禹)·탕(湯)·문왕(文王)·무왕(武王)·주공단(周公旦)'에 이어졌다. 공자는《논어》에서 요(堯)·순(舜)·우(禹)를 칭찬하며 말했다.

"위대하다! 요의 임금됨이여! 높고 위대하다! 오직 하늘만이 그토록 높고 클 수 있나니, 요는 하늘을 따라 본받았노라! 그 덕이 넓고 넓어 백성들이 말로 칭송할 수 없노라! 높고 높은 그의 공적이여! 그의 문물이 찬연히 빛을 발하니라!(大哉堯之爲君也 巍巍乎 唯天爲大 唯堯則之 蕩蕩乎 民無能名焉 巍巍乎 其有成功也 煥乎其有文章)"〈泰伯-19〉

"참으로 높고 위대하다! 우와 순은 천하를 지니고 다스리면서도, 사사롭게 소유하지 않고, 덕있는 사람에게 선양했다(巍巍乎 舜禹之有天下也 而不與焉)"〈泰伯-18〉

《논어》〈자장편(子張篇)〉에 있다. 위(衛)나라 공손조(公孫朝)가 "공자는 누구에게 배웠느냐?"고 묻자, 자공(子貢)이 대답했다. "문왕 무왕의 도가 아직 땅에 떨어지지 않고, 사람들에게 남아 있다. …… 선생님은 모든 사람들을 통해서 그 도를 배우고 터득하셨으며, 특정한 스승에게 배우지 않았습니다(子貢曰 文武之道 未墜於地 在

人……夫子焉不學 而亦何常師之有)."〈子張-22〉

공자가 주공단(周公旦)을 높이고 칭찬하는 말 중에 "내가 심히 노쇠하고 덕이 시들었나보다, 벌써 오래 전부터 주공의 꿈을 꾸지 못했으니(甚矣吾衰也 久矣吾不復夢見周公也)."〈述而-5〉

《중용(中庸)》에는 공자가 "멀리는 요와 순임금의 도를 서술하고, 가까이는 문왕과 무왕의 도를 밝게 나타냈다(祖述堯舜 憲章文武)."고 말했다. 공자는 《논어》에서 말했다. "주의 문화는 하와 은을 거울로 삼고 새롭게 만들어졌으므로 찬란하게 빛난다. 나는 주 문화를 따르겠다(周監於二代 郁郁乎文哉 吾從周)."〈八佾-14〉

〈4〉《춘추(春秋)》의 위기적 시대배경

공자사상의 시대 배경을 세 가지 면에서 고찰하겠다.

① 무도한 정치사회 : 동주(東周) 시대에는 더욱 주나라의 권위가 땅에 떨어져 각지의 제후들을 통솔할 힘이 없었다. 이에 국제적으로는 각지에 새로 나타난 실력자들이 서로 무력을 바탕으로 약육강식(弱肉强食)의 침략전쟁을 자행했으며, 국내적으로는 신하가 임금을 죽이거나, 자식이 아비를 죽이고 권력을 쟁취하는 하극상(下剋上)이 성행했다. 춘추시대 240년 중에만도, 신하가 군주를 시해한 사건이 36번이나 발생했다.

② 타락한 사회 기풍 : 정치가 혼란하면 필연적으로 국가의 질서가 붕괴되고, 사회기풍이 문란하게 되고, 만백성이 도탄에 빠지게 마련이다. 왕실이나 귀족들의 도덕적 타락이 극심했다. 임금이 태자의 비(妃)를 가로채는 일이 빈번했고, 왕자가 늙은 부왕의 젊은 왕비나 후궁들과 정을 통하고 마침내는 늙은 부왕을 살해하고 왕권을 찬탈하는 일도 많았다. 그러면 다른 왕족들이 그들 비륜(比倫)과 패덕(悖德)의 왕들을 죽이거나 몰아내고 나라를 찬탈하는 악순환이 반

복되었다. 그 틈에, 악덕한들이 나타나, 가지가지의 권모술수를 농하고 또 음모로 사회를 더욱 불안하고 혼란케 했다. 공자는 타락한 사회기풍을 한탄하면서 《논어》에서 말했다. “나는 아직도 여색을 탐하는 것같이 덕을 좋아하는 자를 보지 못했다(吾未見好德如好色者也).” 〈子罕-18〉

③ 이단사설(異端邪說) : 사회가 혼란하면 미신과 이단사설이 성행한다. 국가의 질서를 바로잡고, 인정(仁政)과 덕치(德治)의 도(道)를 세우려는 공자는 당시의 염세적(厭世的) 현실도피(現實逃避)의 도가 사상을 극복해야 했다. 《논어》에도 은둔자(隱遁者)들이 공자를 비판하거나 조소하는 말이 많이 보이고, 이에 대해서 공자의 반박하는 말이 여러 군데 보인다. 몇 구절만 들겠다.

‘공자가 말했다. 이단을 배우면 해로울 뿐이다(子曰 攻乎異端 斯害已而).’ 〈爲政-16〉 주자(朱子)는 양자(楊子)나 묵자(墨子)라고 주를 달았다. 당시의 대표적인 이단은 ‘염세적 현실도피와 무정부적 주장’이었다. 《논어》 〈미자편(微子篇)〉에 등장하는 ‘초광접여(楚狂接輿), 장저(長沮), 걸익(桀溺), 하조장인(荷蓧丈人)’ 등이다. 구절을 인용하겠다.

‘초나라의 미치광이 접여가 공자 앞을 지나가며 노래했다. 봉황새야, 봉황새야! 어찌 덕이 그리도 쇠했느냐! 지난 일은 간할 수 없거니와, 앞으로는 바르게 좇을 수 있다고 했다. 그러나 가망이 없으니, 그만둘지어다. 오늘날에는 정치에 참여하는 사람은 위태롭기만 할 것이다. 이에 공자가 수레에서 내려, 그와 함께 말하려고 했으나, 그가 재빠르게 몸을 피했으므로 말을 하지 못했다(楚狂接輿 歌而過孔子 曰鳳兮鳳兮 何德之衰 往者不可諫 來者猶可追 已而已而 今之從政者殆而 孔子下欲與之言 趨而辟之 不得與之言).’ 〈微子-6〉

'자로에게 걸익이 말했다. 지금 세상은 무도함이 도도히 물 흐르듯하는데, 그 누가 고칠 수 있겠소? 또 당신도 사람을 가리고 피하는 공구를 따라다니는 것보다, 우리처럼 세상을 피해서 숨어사는 은사를 따르는 것이 어떠하오(桀溺曰 : 滔滔者天下皆是也 而誰以易之 且而與其從辟人之士也 豈若從辟世之士哉).'

이 말을 듣고 공자가 한탄하며 말했다.

"사람은 새와 짐승과 어울려 살지 못하니, 모든 사람들과 더불어 살지 않으면, 누구와 더불어 살겠느냐? 천하에 도가 행해지면 내가 구태여 변혁하고자 애를 쓰겠느냐?(子憮然曰 鳥獸不可與同羣 吾非斯人之徒與 而誰與 天下有道 丘不與易也)." 〈微子-6〉

(3) 공자 사상의 특성과 활용

〈1〉 공자 사상의 특성

공자의 사상의 탁월한 특성을 몇 항목 들겠다.

① 권모술수와 무력을 지양하고, 천지인(天地人)의 일관된 도리, 즉 '절대선(絶對善)인 우주의 이법(理法)=천도(天道)'를 바탕으로 왕도덕치(王道德治)를 펴서 천하 만민이 다 같이 잘사는 진정한 평화의 세계[平天下]를 창건하려는 혁신적·실천적 정치사상이다.

② 좋은 사람이 많아야 좋은 정치가 실현된다. 그러므로 공자는 정치혁신을 위해 학문과 덕행을 겸비한 군자들을 배양하여, 정치에 참여시키려고 했다. 그래서 우매하고 무지하고 타락하고 악덕한 통치자나 간교한 정치인들과 대체하려고 했다.

③ 인간의 선본성(善本性)인 인성(仁性)·인심(仁心)을 바탕으로 인정(仁政)과 덕치(德治)를 펴서, '수신(修身), 제가(齊家), 치국(治國) 및 평천하(平天下)'를 일관되게 구현(具現)하려고 했다.

④ 우주의 이법, 즉 천도 천리에 합당한 예치(禮治)로서 사회와 국가의 기강과 질서를 바로잡고자 했다. 즉 예악(禮樂)을 바탕으로 사람들의 성정(性情)을 순화하고, 교화(敎化)로써 모든 사람들로 하여금, 효제(孝悌)·충신(忠信)·인의(仁義)의 윤리 도덕을 실천케 하고자 했다.

⑤ 이상과 같은 인정(仁政) 덕치(德治)를 바탕으로 위정자(爲政者)와 백성(百姓)들이 신의(信義)로 하나가 되어야 한다. 그러기 위해서는 '윗사람'이 '아랫사람'을 친애하고 동시에 덕행을 솔선수범(率先垂範)해야 한다. 그래야 백성들이 믿고 따른다. 그런 다음에 경제와 군사 정책을 도(道)에 맞게 세우고 집행해야 한다.

'수기치인(修己治人)으로 인정(仁政)'을 달성하자는 공자의 사상은 옛날과 같이, 오늘에도 받아들여지기 어렵다. 그러나 천도를 바탕으로 한 공자의 정치사상은 미래에도 많은 사람에게 숭앙되고 전파될 것이며, 종국에는 인류 세계의 이상 사상으로 승화할 것이다.

〈2〉 공자 사상의 현대적 활용

우리가 고전을 읽고 옛 성현들의 가르침을 배우는 목적은 다름이 아니다. 그들의 심오한 뜻과 사상을 바르게 알고 더 나가서는 우리들이 주체가 되어, 역사와 문화 창조에 가치적으로 이바지하기 위해서이다. 그러므로 우리는《논어》속에 나타난 공자의 가르침과 사상을 현대적으로 이해하고 아울러 오늘의 인류가 처한 혹심한 위기를 극복하는 데 활용해야 한다.

공자가 살았던 2,500년 전의 춘추시대(春秋時代)가 바로 무질서와 혼란의 시대였다. 주(周)나라 평왕(平王)이 서쪽의 오랑캐 견융(犬戎)에게 쫓겨 도읍을 낙양(洛陽)으로 옮긴 다음을 동주(東周)라 하며, 이때부터 주 왕실의 권위가 땅에 떨어지고 힘이 약해졌다.

이에 각처에 제후(諸侯)들이 발호하여, 저마다 무력을 강화하고 영토를 확대하고 또 재물을 축적하고, 서로 패권(覇權)을 다투고 아울러 약육강식(弱肉强食)의 겸병전쟁(兼倂戰爭)을 격화했다.

한편 각 나라 안에서도 우매한 통치자들의 도덕적 타락이 극에 달했으며, 이에 따라 정치가 문란해지고 국가의 질서와 기강이 붕괴되었으며, 마침내 하극상(下剋上)이 속출하게 되었다. 춘추시대 240년 사이에만도 아랫사람이 자기 군주를 죽인 일이 36번이나 발생했으며, 이에 천하가 혼란하고 국가의 위계질서가 붕괴되고, 각지에 새로운 실권자, 제후(諸侯)들이 발호(跋扈)했다.

이와 같은 변천을 사회과학적 측면에서 다음같이 분석할 수 있다. 시대와 더불어 철제 농기구와 무기가 나타나자, 생산과 전쟁 양식이 발달했으며, 이에 따라 각지에 새로운 실력자들이 대두하여, 재물과 무력을 사유(私有)하기 시작했다. 이에 따라 주나라 왕실을 종주(宗主)로 하는 봉건적(封建的) 영주제(領主制)와 소박한 정전제(井田制)가 붕괴되고, 새로 대두한 실력자들이 넓은 영토와 막대한 영토 및 무력을 지니고, 마침내 지방국가가 변모하게 되었다. 그리고 국제적으로는 서로 겸병전쟁(兼倂戰爭)을 하고, 국내적으로는 하극상의 권력 쟁탈을 격화했던 것이다. 말하자면 인간의 위치와 가치도 높아졌던 것이다. 즉 재물을 생산하고, 전쟁을 수행하는 인간의 존재가치가 전과 다르게 높아진 것이다.

한편 지식이나 사상면에서도 인간의 능력과 가치가 높아졌다. 이에 사상적으로도 여러 가지 사상이 나타났고, 아울러 이단사설까지 나타나게 되었다.

공자는 이와 같은 혼란과 위기에 처한 모든 나라들을 바로잡고 도탄에 빠진 백성들을 구제하기 위한 일대 혁신을 시도했던 것이다. 물론 공자의 혁신은 정치를 도덕적으로 혁신하는 것이었다. 잔인무도한 무력이나, 혹은 가혹한 형벌이나 음흉한 술수를 바탕으로 한 정치 개혁이 아니었다.

공자가 높이 주장하는 정치 혁신은 어디까지나 '인애(仁愛)를 바탕으로 한 덕치(德治)'였다. 그러나 당시의 실권자들은 '무력 통치나 냉혹한 법치 및 권모술수'만을 일삼았으므로 공자의 도덕적 정치 개혁이 받아들여질 수가 없었다.

오늘의 세계도 같다. 과학 기술 재물을 무기화하고 이기적 탐욕을 채우기 위해, 서로 권모술수를 농하고 또 끝없는 쟁탈전을 전개하고 있다. 그러므로 오늘의 세계 인류가 위기를 극복하고 진정한 평화세계를 창건하기 위해서는 공자의 도덕적 혁신 사상을 바르게 알고, 활용해야 한다. 다음에서 장을 바꾸어 공자 사상을 나누어 설명하겠다.

2. 인(仁) : 모든 덕을 통합한 최고의 덕

(1) 공자가 인(仁)을 새롭게 높였다

공자가 '온고이지신(溫故而知新)' 〈爲政-11〉이라고 말한 것은 학문을 통해 역사와 문화 전통을 충분히 익히고, 그 다음에 새롭게 창조하라는 뜻이다.

공자가 높이 내걸은 '인(仁)'은 고대 중국의 역사적 전통을 바탕으로 새로 내세워진 것이다. 즉 그 속에 담겨진 깊은 뜻이나 가치는 어디까지나 공자에 의해서 획기적으로 새롭게 주어진 '윤리와 도덕의 최고의 덕목'이다.

곽말약(郭沫若)은 다음과 같이 말했다.

"인(仁)이란 글자는 춘추시대(春秋時代)에 새로 나타나고 쓰였다. 춘추 이전의 옛 책에서는 인이란 글자를 거의 볼 수 없다.

이 글자는 공자가 창조한 것은 아니지만, 공자가 특히 강조한 글자다." 〈十批判書〉

《시경(詩經)》에는 인(仁)이 두 번 나타난다. 즉 '순미차인(洵美且仁)' 〈鄭風 叔于田〉, '기인미차인(其人美且仁)' 〈齊風 盧令〉이며, 둘 다 '아름답고 정이 많다'는 뜻이다. 그후, 춘추시대에 들어가 '인(仁)'이란 자가 많이 보이고, 그 뜻도 '사람답게 한다'='인(人)'으로 한층 높아졌다.

주(周)는 은(殷)을 타도했다. 은 왕조는 주술적(呪術的) 신권통치(神權統治)를 펴고 노예나 백성들을 축생(畜生)으로 보고, 부려쓰고 또 무참하게 살육했다. 그러므로 피통치자들의 민심(民心)이 멀어지고, 종국에는 이반(離叛)했으며, 이에 은 왕조는 멸망했다.

이와 같은 역사적 사실, 즉 '실덕(失德)하면 천명(天命)이 바뀌고, 나라마저 잃는다'는 역사적 사실을 거울삼아, 주(周) 왕조는 득민심(得民心)하는 데 주력했다. 즉 '인본적(人本的) 덕치(德治)'를 펴고 '통치자가 덕을 밝히고 백성에게 형벌을 삼가고(明德愼罰)' 〈《書經》 康誥〉, 또 '백성을 보호[保民]'했다. 그 중심 인물이 바로 주공단(周公旦)이었다. 인간을 잔인하게 혹사하고 살육하는 은나라의 악덕통치를 혁파하고, 인간을 아끼는 인문적 정치혁신을 단행했던 것이다. 그러므로 공자는 주공단을 존경하고 흠모했다.

그러나 공자가 생존했던 춘추 후반기는 주공으로부터 근 700년이 흘렀으며, 나라가 분열되고 사회가 타락하고 정치가 크게 혼란했다. 즉 주나라 초기의 씨족 중심의 세습적 봉건영주제도가 붕괴되고, 반대로 무력과 재물을 지닌 새로운 실권자들이 등장하여 국내적으로는 하극상(下剋上)이 성행하고, 국제적으로는 약육강식(弱肉強食)의 겸병전쟁(兼併戰爭)이 빈번하게 일어났다. 한마디로 심하게 도덕적으로 타락했던 것이다.

한편 당시의 각국의 임금이나 위정자들은 남에게 패하지 않고, 자기의 야망을 채우기 위해서 부국강병(富國強兵)과 권모술수(權謀術數)에 몰두했으며, 따라서 더욱 위기를 심화시켰던 것이다.

이에 공자는 '인(仁)'을 높이 내세우고, '사랑으로 하나가 되고, 함께 잘사는 공동체 건설'을 역설했던 것이다.

공자가 '인(仁)'이란 글자를 새로 만들지는 않았다. 그러나 공자는 '인'이란 글자를 '평천하(平天下) 창건을 위한 정치혁신 사상의 핵심이자, 모든 덕을 통괄한 최고의 덕목'으로 내세웠던 것이다.

그러나, 부국강병에 골몰하고 있던 당시의 통치자들은 공자의 주장을 알지도 못하고 또 받아들이지 않았다. 그래도 공자는 끈질기게 '서로 사랑하고 협력하여 함께 잘사는 공동체를 창건할 인(仁)'을 역설했다.

그러므로 공자의 '인' 사상은, 주(周)왕조를 건설한 주공단(周公旦)의 '명덕신벌(明德愼罰)' '경천보민(敬天保民)'보다 한층 더 역사적으로 발달하고 높은 경지의 사상이다.

(2) 인(仁)의 현대적 뜻풀이와 그 가치

〈1〉 공자의 인(仁)은 '사랑과 협동으로 함께 잘사는 덕행'

공자 사상의 핵심은 인(仁)이다. '인'은 곧 동양적 '휴머니즘(humanism)'이다. 초월적인 신본주의(神本主義)가 아닌 현세적 인본주의(人本主義)의 덕목이다. 즉 서로 사랑하고 협동해서 함께 잘사는 공동체를 이루기 위한 모든 덕행(德行)을 총괄해서 한마디로 '인(仁)'이라 한 것이다.

특히 공자는 이상으로서의 인정(仁政)의 구현을 염원했다. 잔인무도한 무력으로 남을 유린하거나, 냉혹한 형법(刑法)으로 백성을 억압하는 등의 비인간적 통치를 지양하고, 인간의 선본성(善本性)인 인심(仁心)을 바탕으로 백성을 사랑하고, 아울러 교화선도(敎化善導)하는 인애(仁愛)의 덕치(德治) 즉 인정(仁政)이 실현되기를 염원했던 것이다.

《논어》에는 인(仁)을 말한 장(章)이 약 58장 있고, 또 인(仁)이란 자가 약 110번이나 나타난다. 그러나 공자는 그 어디에서도 인(仁)에 대한 종합적 혹은 철학적 설명을 하지 않았다.

'인'은 사람이 실천할 덕행이다. 덕행은 '사람, 장소, 때, 경우'에 따라 다르게 마련이다. 그러므로 공자는 《논어》에서 상대방에게 그 때마다 '실천할 덕행'을 다르게 일러주었던 것이다.

그러나 후세의 학자들은 '인의 심오한 뜻과 도리'를 종합적으로 설명하려고 애를 썼다.

《중용(中庸)》에는 '어질 인은 사람 인이다(仁者人也).'라 했고, 〈설문(說文)〉에는 '인은 친애함이다. 인[人]과 이[二]로 된 글자다(仁親也 從人二).'라고 풀이했다. 한편 《논어》에서 '제자 번지가 인을 묻자, "공자는 사람을 사랑함이다."라고 대답했다(樊遲問仁 孔子曰 愛人).' 〈顔淵-22〉

근래에는 석학 진립부(陳立夫) 선생이 인(仁)을 다음같이 풀이했다. '동류의식(同類意識)을 바탕으로 한 공생(共生), 공영(共榮), 공진화(共進化)의 덕목(德目), 덕행(德行)이다.'

기타 고금의 학자들의 설을 종합하여, 필자는 다음같이 인(仁)의 뜻을 현대적으로 풀이한 바가 있다.(필자의 여러 논문 참조)

'인(仁)은 사회적 존재인 사람과 사람이 동류의식(同類意識)을 바탕으로 서로 사랑하고 협동하여, 함께 잘살고 발전하는 공동체를 꾸미는 여러 가지 덕행을 종합한 최고의 덕목(德目) 덕행(德行)이다.' 《논어》의 말을 바탕으로 좀 더 설명을 가하겠다.

〈2〉 인은 인본적(人本的) 도덕정치의 핵심

공자는 일찍이 '불어괴력란신(不語怪力亂神)' 〈述而-20〉이라고 말했다. '불어괴(不語怪)'는 곧 '비이성적, 비합리적, 비현실적 괴변(怪變)'을 예로 들거나 주장하지 않았다는 뜻이다. 공자는 어디까지나, 이성적·합리적·현실적·역사적 사실을 바탕으로 정치 철학을 주장했다. '불어력(不語力)'은 곧 '폭력이나 무력 행사를 주장하지 않았다'는 뜻이다. 공자는 학문과 덕행을 바탕으로 한 평화적 도덕정치 사상의 실천을 역설했다. '불어란(不語亂)'은 '사회의 질서나 안정을 파괴하는 하극상(下剋上) 같은 난동이나, 왕위 계승의 혼란이나, 풍기문란 등을 용납하지 않는다'는 뜻이다. '불어신(不語神)'은 '인본주의(人本主義)를 바탕으로 하고, 맹목적 혹은 미신적 귀신 숭배를 배척한다'는 뜻이다. 결국 공자의 정치 철학은 형이상학적인 관념철학이니 맹신적 신본주의가 아니고, 어디까지나 형이하적·인본주의적·현실적·실천적·도덕적 정치철학이었다.

한편 공자의 도덕정치는 서양의 무력통치나 법치(法治)와 크게 다르다. 즉 위정자가 먼저 인덕(仁德)을 갖추고 만백성을 사랑으로 품고 교화하는 '어진 정치[仁政]'를 주장했다. 그러므로 공자가 높인 인(仁)을 '동양적 휴머니즘'이라고 한 것이다.

〈3〉 인정(仁政)의 목표는 '백성을 잘살게 함(安百姓)'

공자가 도덕정치의 최고의 덕목으로 내세운 인(仁)의 정치 즉 인정(仁政)의 목표는 '수기이안백성(修己以安百姓)'이다. 즉 '위정자 자신이 먼저 자신의 몸을 닦고 나가서 천하의 만민을 안락하게 또 잘살게 해주는 것이다.'

논어에서 공자는 말했다. '자신을 수양하고 백성을 안락하게 하는

것은 (최고의 경지로) 요임금이나 순임금도 고심했던 바다(修己以安百姓 堯舜其猶病諸).' 〈憲問篇-44〉

'수기이안백성(修己以安百姓)'은 곧 《대학(大學)》에서 말하는 '수신(修身)·제가(齊家)·치국(治國)·평천하(平天下)'와 같은 뜻이다. '평천하(平天下)'는 곧 '천하를 평화롭게 한다'는 뜻이며, 오늘의 말로는 곧 '평화로운 세계를 창건함'이다.

'진정한 세계 평화'는 다만 전쟁 없는 세계라는 뜻만이 아니고, 전 세계의 모든 사람들이 인권이나 경제면에서도 평등하고 안락한 생활을 누린다는 뜻이 내포되어 있다. 그러므로 '안백성(安百姓)'은 곧 '평천하(平天下)'와 같다.

결국 공자의 인정(仁政) 덕치(德治) 사상을 오늘의 말로 '진정한 세계 평화와 인류의 행복을 실현하려는 휴머니즘'이라고 말할 수 있다.

공자의 '인정 덕치'는 동서고금을 막론하고 모든 사람들이 추구해야 할 이상이다. 이에 우리는 공자의 정신이나 사상에 새삼 각성하는 바가 있어야 하겠다.

(3) 인간의 존엄성과 인의 우주적 확대

〈1〉 인덕이 없으면 동물적 존재가 된다

인간의 존엄성은 인심(仁心)을 바탕으로 인덕(仁德)을 행함에 있다. '남을 사랑하고 잘살게 하는 마음 곧 인심(仁心)'의 반대가 '남을 살상하고 남의 재물을 탈취하려는 마음 곧 수심(獸心)'이다. '인심'을 바탕으로 인덕(仁德)을 행해야 비로소 '사람다운 사람'이 된다. '수심'을 바탕으로 악덕을 행하는 자는 '사람이 아니라, 동물만도 못한 아귀'라 하겠다. 오늘의 세상에는 아귀가 너무나 많다. 그러므로 인류가 위기에 함몰되어 있는 것이다. 인간은 절대로 동물이 아니다. '인심'을 바탕으로 '인덕'을 행해야 한다. 그래야 사람다운 사람의 존엄한 삶을 살 수 있다.

'인'을 '공존(共存)·공생(共生)·공진화(共進化)'의 덕행으로 풀이한 중국의 석학 진립부(陳立夫) 선생은 '사람다운 사람을' 다음 같은 공식으로 표시했다.

X = (A+B)+C

X는 인간의 총점이다.

A는 식생활을 포함한 물질생활을 나타낸다.

B는 남녀의 짝짓기를 포함한 동물적 관능생활을 나타낸다.

C는 인(仁)을 나타내는 기호이다.

그 속에는 숭고한 정신, 인심(仁心)과 인덕(仁德) 및 도덕생활이 다 포함되어있다. 위의 공식을 다음같이 말로 고칠 수 있다.

인간의 총점=(물질생활+관능생활)+도덕적 인격

공식에서 동물적 본능생활을 총괄한 (A+B)의 수치와 도덕생활을 나타내는 C의 수치는 반비례한다. (A+B)의 수가 크면 클수록 C의 수가 적어진다. 따라서 (A : 식생활+B : 관능생활)에 치중하면 'C : 인심(仁心)과 인덕(仁德)'이 위축된다. 그러므로 동물적 관능생활을 조절하고 억제해야 인덕(仁德)을 세울 수 있다. 이 공식을 가지고 사람의 도덕성과 인격을 품평해 보자.

보통 인간은 '10=(식 : 3+색 : 3)+인 : 4'가 된다. 즉 식생활을 3, 관능생활 3을 하고, 인덕의 실천을 4로 한다.

그러나 타락한 사람은 '10=(식 : 5+색 : 5)+인 : 0'이 된다. 즉 식생활 5, 관능생활 5를 하지만, 인의 실천은 0이다. 결국 동물과 같은 생활을 한다.

한편 성인(聖人)은 '10=(식 : 2+색 : 2)+인 : 6'이 된다. 즉 식생

활 2, 관능생활 2 정도를 하고, 6 정도의 인의 실천을 한다.

각자 자신의 이상적인 총점을 등식으로 꾸며 보자. 인심(仁心)이 얼마나 있으며, 행동적으로 인덕(仁德)을 얼마나 세웠는가?

〈2〉 효제(孝悌)와 극기복례(克己復禮)가 인을 성취하는 근본

최고선(最高善)의 덕행인 '인'을 실천하고 성취하는 바탕은 곧 가정에서의 '효제(孝悌)'이다. 자식이 자기를 낳고 양육한 부모를 사랑하고 보답하는 것이 효(孝)이고, 한 부모로부터 출생한 동기간의 형제가 서로 사랑하고 협동하는 것이 제(悌)이다. 효제(孝悌)는 육친애(肉親愛), 가족애(家族愛)의 발현 실천이다.

선본성(善本性)인 인심(仁心)을 바탕으로 친부모와 친동기를 사랑해야 이웃도 사랑하고, 동포와 민족, 세계 인류도 사랑하게 된다.

인애(仁愛)는 인덕(仁德)으로 나타나야 한다. '남을 사랑한다는 덕행'은 곧 '남을 잘살게 함'이다. 그러므로 '인'의 최종 목표는 '세계적인 차원에서 전 인류를 잘살게 함이다.' 이를 실천하는 정치가 곧 인정(仁政) 덕치(德治)다.

《논어》에서 유자(有子)가 말했다. '부모에게 효도하고 형제가 서로 사랑하는 효제가 바로 인을 이룩하는 바탕이다(孝悌也者 其爲仁之本與).' 〈學而-2〉 바꾸어 말하면 '육친애, 가족애'를 확대하면 '세계적 차원의 인류애'가 된다. 이 모두가, '인(仁)'이다.

한편 인덕(仁德)은 인간의 선본성(善本性)인 인성(仁性), 인심(仁心)에서 나온다. '남을 사랑하는 인심(仁心)'의 반대가 '남을 살상하고 남의 재물을 탈취하여 나만 잘살려는 동물적 이기심(利己心=獸心)'이다. 인덕을 실천하기 위해서는 '동물적 이기심'을 극복해야 한다.

《논어》에 있다. 수제자 안연(顔淵)이 인(仁)에 대해서 묻자, 공자가 말했다. “자신의 이기적 욕심을 극복하고 천리에 돌아가는 것이 곧 인의 실천이다. 하루만이라도 이기적 욕심을 극복하고 천리에 돌아가면, 천하가 다 인에 돌아가게 된다. 인의 실천은 자기 자신에게 달려있는 것이다. 남에게 달려있는 것이겠는가?(克己復禮爲仁 一日克己復禮天下歸仁焉 爲仁由己 而由人乎哉)”

〈3〉 **충신**(忠信)**과 인의**(仁義)

가정적 차원에서의 효제(孝悌)는 곧 국가적 차원에서의 충신(忠信), 세계적 차원에서의 인의(仁義)로 확대된다. 이것이 전통사상에서 높이는 윤리 도덕의 ‘일관된 도리’이다.

가정에서의 효제를 국가적 차원으로 발전시킨 것이 충(忠)과 신(信)이다. 종적으로는 나라의 중심이자 부모에 해당하는 임금에게 신하인 내가 충성해야 한다. 횡적으로는 같은 신하로서 선배·후배가 서로 협력하고 신의를 지켜 국가를 흥성케 해야 한다. 이렇게 하는 것이 국가적 차원에서 인(仁)을 구현(具現)함이다.

세계적인 차원에서는 종적으로 인류세계를 대표할 유덕자(有德者) 혹은 ‘절대선의 정점’을 중심하고 모든 사람들이 하나로 통합하고, 종적으로는 ‘작은 인(仁)’을 행하고, 횡적으로는 ‘의(義)’를 지키고 실천해야 한다. ‘작은 인’은 종적인 ‘사랑의 협동’이고, ‘의(義)’는 횡적인 ‘사랑의 협동’이다. 결국 세계 인류가 우주적으로 ‘사랑하고 협동’하면, 인류애가 넘치는 평화세계가 창건될 것이다. 어떠한 경우라도 ‘사리 사욕을 극복하고 절대선인 천리를 바탕으로 해야 한다.’ 즉 ‘극기복례(克己復禮)’해야 한다.

공자가 최고의 덕목으로 내세운 ‘인(仁)’은 ‘효제(孝悌), 충신(忠信), 인의(仁義)’ 등의 여러 가지 덕이 다 포함된다. ‘효(孝), 충(忠), 인(仁)’은 종적·시간적 윤리도덕이고, ‘제(悌), 신(信), 의

(義)'는 횡적·공간적 윤리도덕의 실천이다. 이들을 통합한 것이 '인(仁)'이다.

〈4〉 인(仁)의 우주적 확대 : 애민이물(愛民利物)

인류의 역사나 문화는 총체적으로 하늘의 도리를 따라서 점진적이나마 선한 방향으로 발전하고 있다. 종교신앙의 입장에서만이 아니다. 역사적 사실로 우리는 인류의 역사나 문화가 선화(善化)되고 있음을 잘 알 수 있다. 다시 말하면 점진적이나마 인(仁)이 구현(具現)되는 방향으로 인류가 발전하고 있는 것이다. 인이 이루어지는 단계 및 그 역사적 발전과정을 대략 다음과 같이 나눌 수 있다.

① 개인 : 사람은 누구나 어진 마음, 즉 인심(仁心)이 있다. 적극적인 인심은 '애인 이물(愛人利物)' 즉 남을 사랑하고 자연 만물을 이롭게 하고 활용함이다. 소극적인 인심은 남을 살상(殺傷)하거나 혹은 잔인한 짓을 참아 할 수 없다는 측은한 마음 즉 '불인지심(不忍之心)'을 가지고, 악덕을 행하지 않음이다.

가정이나 국가가 형성되기 전의 원시인들도 지극히 낮은 단계의 동류의식을 바탕으로 서로 협동하여 자연과 싸워 이겼다. 그러므로 고도의 문화를 자랑하는 우리는 인심(仁心)을 함양하고 인덕(仁德)을 실천해야 한다.

② 가정 : 육친애를 바탕으로 효(孝)와 제(悌)를 실천하면 가정적 차원의 인이 성취된다. 즉 《대학》에서 말하는 제가(齊家)를 성취한다. '같을 제(齊)'는 무차별적 평등이 아니다. 가족이 저마다의 위상(位相)에서 각자의 본분을 다하고 가정의 발전과 흥성에 기여하는 것을 제가라고 한다. 다시 말해 모든 가족이 가정에서 저마다의 본분을 다함을 제가(齊家)라고 한다.

가족의 위상은 저마다 다르다. 그러므로 인(仁)을 실천함에도 서로 다르게 마련이다. 부자유친(父子有親)하되 '부자자효(父慈 子孝)' 해야 한다. 부부유별(夫婦有別)하되 '부화부순(夫和婦順)'해야 한다. 장유유서(長幼有序)하되 '형공제경(兄恭弟敬)'해야 한다. 윤리 도덕은 쌍무적(雙務的)으로 실천되어야 한다.

인류의 공동체는 옛날부터 오늘까지 오랜 세월에 걸쳐 가정을 기반으로 발달해 왔다. 그러나 오늘의 인류는 물질과 무력에 눌려 존엄한 가정의 존재와 가치를 망각하고 있다. 따라서 가정윤리의 핵심이 되는 효도(孝道)도 찾아볼 수 없게 되었다.

인류의 타락과 위기는 일시적인 현상이다. 하늘로부터 '선본성, 인심(仁心)'을 받아 지니고 있는 인간은 다시 본연으로 돌아가서 가정윤리를 되찾고 건전한 가정을 재건해야 한다.

③ 국가 : 민족애와 투철한 애국심을 바탕으로 나라에 충성(忠誠)하고 서로 신의(信義)를 지켜야 한다. 그래야 국가적 차원에서 인을 이룩할 수 있다.

임금이나 신하가 함께 천도를 따르고 예의를 지켜야 한다. 임금은 신하에게 예양(禮讓)하고 신하는 임금에게 충성(忠誠)해야 한다. 이를 '군례신충(君禮臣忠)'이라고 한다. 임금이 예양(禮讓)한다는 뜻은 곧 인심(仁心)을 바탕으로 신하나 백성을 사랑하고 응분의 예우(禮遇)를 한다는 뜻이다. 사악한 마음으로 신하나 백성을 부리고 착취하면 안 된다. 예양을 해야 천도에 맞는 덕치를 펼 수 있다.

신하가 서로 신의(信義)를 지킨다 함은 말과 행동을 천도에 맞게 바르게 한다는 뜻이다. 상급자나 하급자가 임금을 중심하고 하나가 되어 서로 사랑하고 협동을 해야 도덕정치가 이루어진다.

임금이 신하에게 거만하고, 신하가 임금을 기만하고, 상하가 저마다 사리사욕을 채우기 위해 국가의 재물을 노략질하면 그 나라는 쇠멸한다.(오늘의 타락한 정치인, 공무원 및 기업가들은 크게 반성을

해야 한다)

위기에 처한 오늘의 모든 국가들은 타락했으며, 모든 나라들이 '이기적 국가 절대주의'를 내걸고 패도(覇道)의 악덕정치를 펴고 있다. 패도의 악덕정치는 반드시 하늘의 심판을 받고 멸망한다. 모든 나라들은 천도를 따라 왕도의 덕치를 펴야 한다.

④ 세계 : 천도와 인류애를 바탕으로 진정한 평화와 전 인류의 행복이 보장되는 인의(仁義)가 실천되는 도의세계(道義世界)를 창건해야 한다.

이상의 단계를 《대학》에서는 '수신(修身)－제가(齊家)－치국(治國)－평천하(平天下=明明德於天下)'라고 했다.

21세기에는 하늘과 천도에 맞는 대동(大同)의 이상세계를 구현해야 한다. 그러기 위해 모든 사람들이 바르게 배우고 하늘과 천도를 깨닫고 착하게 살고, 특히 윤리 도덕을 실천해야 한다. 그래야 세계적인 차원에서 인(仁)의 꽃이 피어나게 될 것이다.

사람은 만물의 영장이다. 원자탄을 만들만큼 과학이 발달했다. 그러므로 인류의 정신과 윤리 도덕도 그만큼 커져야 한다. 그런데 그렇지 못하기 때문에 탈이다. 원자탄이 있다고 서로 터뜨리면 인류는 전멸한다.

인(仁)은 '애민이물(愛民利物)'이다. 도덕정치를 펴고, 과학이나 원자력을 선가치적으로 이용해서 만민을 잘살게 하는 것이 '애민이물'이다. 인심(仁心)으로 도덕정치를 펴야 인류대동의 평화세계가 창건된다.

3. 군자(君子)와 도덕정치

(1) 군자배양(君子培養)이 인정(仁政)의 바탕

〈1〉 군자는 새로 나타난 정치 참여자

상고 때부터 인류는 공동체를 형성하고 함께 어울려 살았다. 개개인이 모여서 공동체를 꾸민다. 그러므로 개개인이 바르고 착하면, 그 공동체도 바르고 착하게 마련이다.

그러나 그것은 원칙이다. 역사적 사실은 정반대로 나타나는 경우가 많다. 손쉽게 오늘의 세계를 예로 들고 설명하겠다. '국가의 힘'은 막대하지만, 반대로 '개인의 힘'은 미소하기 짝이 없다. 그러므로 국가정치가 바르고 착해야, 그 나라의 국민 개개인이 잘살 수 있고, 반대로 국가정치가 나쁘면 국민 개개인이 고생하게 마련이다.

그런데 불행하게도 오늘의 세계의 모든 나라의 정치가 도덕적으로 타락하고 무력행사(武力行使)에만 골몰하고 있다. 국내적으로는 악덕한 집단이 국민을 유린하고, 국제적으로는 강대국이 침략전쟁을 자행하고 있다. 이에 모든 나라의 국민과 세계의 인류가 고생하며 불행하게 살고 있다.

그러므로 '개인, 국민, 인류가' 잘살고 행복하기 위해서는 국가의 정치를 도덕적으로 혁신해야 하며, 국가정치를 도덕적으로 혁신하기 위해서는 우선 바르고 착한 정치인을 배양해야 한다.

거듭 말하겠다. 정치는 사람이 한다. 그러므로 착한 사람이 정치를 하면, 착한 정치를 펴고, 나쁜 사람이 정치를 하면, 나쁜 정치를 편다. 그러나 오늘의 국가정치의 실상은 어떠한가? 정치인들 속에는 '남을 사랑하고 서로 도와서 함께 잘살려는 착한 사람'보다, '남을 속이거나 살상하고 남의 재물을 탈취하여 자기 혼자 잘살려는 나쁜 사람'이 더 많다. 그러므로 국제적으로나, 국내적으로나, 일대 혁신이 있어야 한다. 즉 악덕한 사람 대신, 청신하고 선량한 사람이 정치를 담당해야 한다.

공자가 생존했던 춘추(春秋) 말기가 흡사 오늘의 세계와 같이, 도덕적으로 타락하고 혼란했다. 그래서 공자가 사학(私學)을 개설하고, 학문과 덕행을 겸비한 군자(君子)를 배양해서, 정치 혁신을 시도했던 것이다.

군자는 곧 청신한 지식인, 엘리트이다. 다시 말하면, 공자는 군자를 배양해서 도덕정치의 극치인 인정(仁政)과 덕치(德治)를 구현(具現)하려고 했던 것이다.

'군자'란 말은 군자 이전에도 있었다. 옛날에는 임금 혹은 귀족같이, 부귀를 누리는 상류계층을 지칭했다. 그러나, 공자는 신분이 낮은 평민이라도 '학문과 덕행을 겸비하고, 도덕정치에 참여할 인격적인 지식인'의 뜻으로 썼다. 다시 말하면 공자에 의해 '새로운 군자'가 나타난 것이다.

옛날의 정치는 세습영주(世襲領主)의 독점물로, 그들이 임명하는 가신들만이 참여할 수 있었다. 그와 같은 폐쇄된 관습과 울타리를 넘어서 평민출신의 군자들을 투입하고, 정치에 참여시킴으로써 혁신적인 도덕정치를 실현하고자 한 사람이 바로 공자였다. 이것으로도 공자의 혁신사상의 일면을 볼 수 있다.

〈2〉 공자의 학문정신 실천

공자가 제자들을 모아서 글을 가르친 정신이나 목적은 그들을 군자 되게 하고 또 그들을 바탕으로 도덕정치를 펴기 위해서였다. 이와 같은 정신이 《논어》 첫 장에 잘 나타나 있다.

공자가 말했다. “배우고 때에 맞추어 익히고 실습을 하니 또한 기쁘지 않으냐. 뜻을 같이하는 벗이 멀리서 찾아오니 또한 즐겁지 않으냐. 나를 남들이 알아주지 않아도 노여워하지 않으니 참으로 군자가 아니겠느냐(子曰 學而時習之 不亦說乎 有朋自遠方來 不亦樂乎 人不知而不慍 不亦君子乎).” 〈學而-1〉

‘배울 학(學)’은 ‘깨닫고[覺], 본받고 행한다[效]’는 뜻을 겸하고 있다. 먼저 가정에서 어려서부터 예의범절과 윤리도덕을 실천하고 몸에 익혀야 한다. 그리고 ‘경서(經書)’의 글이나 ‘육예(六藝)’의 기예를 배우고 숙달해야 한다. 그래야 사람다운 사람이 되고, 덕치(德治)에 참여할 군자(君子)가 될 수 있다. 육예는 선비의 필수 교양인 ‘예(禮)·악(樂)·사(射)·어(御)·서(書)·수(數)’이다.

특히 학(學) 속에는 절대선(絶對善)의 천도(天道)를 깨닫고[覺] 본받다[效]의 뜻이 강조되어 있다. 천도를 바르게 알고, 실천해야 바르고 착하게 살 수 있다. 착한 사람이 많아야 좋은 공동체를 형성할 수 있다. 좋은 공동체는 곧 ‘사람들이 서로 사랑하고 협동해서 함께 잘사는 가정, 사회, 국가 및 세계’를 말한다.

좋은 공동체를 창건하고 바른 덕치(德治)를 펴는 일은 혼자만으로는 성취할 수 없다. 학문과 덕행이 높은 군자(君子)들이 많이 모여서 세(勢)를 형성해야 인정(仁政)·덕치(德治)의 선세계를 창건할 수 있다. 그래서 공자는 ‘벗들이 멀리서 찾아오니 즐겁지 않으냐.(有朋自遠方來 不亦樂乎)’라고 말한 것이다.

그러나 선세계(善世界) 창건은 군자들의 힘만으로 성취되지 않는다. 때와 하늘의 운세가 따라야 한다. 특히 난세의 통치자들은 천도를 알지 못하고 반대로 동물적 본능이나 이기적 탐욕만을 바탕으로 악덕정치를 편다. 그러므로 학덕(學德)이 높은 군자들을 무시하고 소외하게 마련이다. 그래도 군자는 노여워하지 않아야 한다. 그래서 공자는 '남이 알아주지 않아도 노여움을 품지 않으니, 참으로 군자가 아니냐.(人不知而不慍 不亦君子乎)'라고 말한 것이다. 공자가 말한 학습을 다음같이 도시할 수 있다.

學 ┬ 覺(내면적으로 깨닫고 안다)－學 ┐
　 │ 　　　　　　　　　　　　　　　├知行一致
　 └ 效(외형적으로 익히고 실천)－習 ┘

군자의 학문 목표는 천인합일(天人合一)과 수기치인(修己治人)이다. '천인합일'은 '천도(天道) 따르고 실천해서 지덕(地德)을 세움이다.' 이는 바르게 배우고 바르게 실천하면 이루어지는 것이다.

'수기치인'은 '자신의 인격과 덕성을 높이고 사회나 국가에 나가 인정(仁政)과 덕치(德治)에 참여하고, 백성들을 교화(敎化)하고 잘 살게 해준다는 뜻이다.' 사서(四書)의 하나인 《대학(大學)》에 다음 같은 말이 있다. '대학(大學)에 들어가서, 궁리(窮理)·정심(正心)·수기(修己)·치인(治人)의 도리를 배운다.' 궁리(窮理)는 위로는 하늘의 도리로부터 아래로는 자연만물이나 모든 사물의 이치를 구명함이다. 정심(正心)은 자신의 마음을 바르게 간직함이다. 마음을 바로 잡는 핵심은 '이기적 수심(獸心)'을 억제하고, '선본성(善本性)인 인심(仁心=人心)'을 발현함이다. 수기(修己)는 자기 수양이다. 치인(治人)은 모든 사람들을 잘살게 다스린다는 뜻이다.

(2) 인간의 품격상의 분류와 군자와 수양

〈1〉 최고의 품격 : 대인(大人)

유교에서는 심성(心性)과 인덕(仁德)을 기준으로 인간의 품격을 여러 가지로 분류한다. 즉 '성인(聖人), 현인(賢人) ,대인(大人), 인자(仁者), 군자(君子), 소인(小人) 및 악인(惡人)' 등 많다. 여기서는 '대인(大人), 군자(君子), 소인(小人)' 세 등급에 대해서 간단히 설명하겠다. 옛날에는 임금을 대인이라 했으며, 그 후에는 세속적 권력이나 재력을 많이 가지고 행세하는 사람을 대인이라고도 했다.

그러나 전통 사상에서는 학덕(學德)이 높고 심성(心性)이 하늘과 하나된 경지에 있는 사람을 대인이라고 칭송했다. 맹자(孟子)는 말했다. "대인은 갓난아기의 순진한 마음을 잃지 않은 사람이다(大人者 不失其赤子之心者也)." "자신을 바르게 하고 나아가 모든 대상도 바르게 하는 사람이다(大人者 正己 而物正者也)."

왕양명(王陽明)은 다음같이 말했다. "대인은 천지만물과 일체를 이룬 사람이다. 천하세계를 한 집안으로 삼고, 중국을 내 몸같이 여기는 사람이다. 만약에 외형적으로 신체가 다르다는 이유로 너와 나를 구분하는 자는 소인이다(大人者 與天地萬物 爲一體者也 其視天下猶一家 中國猶一人 若夫間形骸 而分爾我者 小人矣)."

《역경(易經)》에서는 다음같이 설명했다. '대인은 하늘과 땅과 덕을 합치고 해와 달과 밝음을 합치고 사계절과 시간의 순서를 합치고 귀신과 길흉을 합친다(大人者 與天地合其德 與日月合其明 與四時合其序 與鬼神合其吉凶). 〈易 乾 文言傳〉

대인은 '하늘과 하나된 내성외왕(內聖外王)'격인 사람이다.

〈2〉 **군자(君子)와 소인(小人)의 대비**

군자는 인심(仁心)을 바탕으로 학덕(學德)을 겸비하고 '천인합일(天人合一)' '수기치인(修己治人)'하는 사람으로 인자(仁者)에 속한다. 한편 소인은 수심(獸心)을 바탕으로 이기적 탐욕을 채우기 위해, 남을 해치고, 남의 재물을 탈취하는 악인(惡人)들이다. 이기주의에 빠져 돈과 쾌락만을 추구하는 오늘의 많은 사람들이 곧 소인이다.

다음에서 군자와 소인을 대비해 보겠다.

'군자는 위에 통달하나, 소인은 아래로 뻗는다(君子上達 小人下達).' 즉 군자는 형이상의 천도와 정신가치를 높이지만, 소인은 물질과 쾌락만을 추구한다.

'군자는 도의를 밝히지만, 소인은 이득만을 밝힌다(君子喩於義 小人喩於利).'

'군자는 인덕을 염원하지만, 소인은 토지 얻기만을 바란다. 군자는 남들을 바르게 다스리기를 염원하지만, 소인은 남으로부터 혜택받기만을 바란다(君子懷德 小人懷土 君子懷刑 小人懷惠).'

'군자는 모든 것을 자기에게 찾으나, 소인은 모든 것을 남에게 찾는다(君子求諸己 小人求諸人).' 군자가 자기에게 찾는다 함은 자기 노력으로 학문과 덕행을 쌓고, 그 바탕 위에서 복록(福祿)이 내리기를 기대한다는 뜻이다. 또 설사 남이 알아주지 않고 남에게 등용되지 않아도 모든 허물을 자신에게 돌리고, 남을 원망하지 않는다는 뜻이다. 그러므로 군자는 '하늘도 원망하지 않고, 남을 탓하지도 않는다(不怨天 不尤人).' 소인은 이와는 정 반대로 남으로부터 복록을 얻고자 안달을 부리며, 잘 안되면 남을 원망한다는 뜻이다.

'군자는 궁핍해도 잘 견딘다. 소인은 궁핍하면 난동을 부린다(君子固窮 小人窮斯濫矣).'

'군자는 항상 평화롭고 태연자약하다. 그러나 소인은 항상 불안하고 몰리고 쫓기는 듯하다(君子坦蕩蕩 小人長戚戚).'

'군자는 태연하면서도 남에게 교만하지 않는다. 소인은 남에게 교만하면서도 태연하지는 못하다(君子泰而不驕 小人驕而不泰).'

'군자는 남의 잘한 일을 추켜세우되 남의 허물을 들춰내지 않는다. 소인은 이와는 반대되게 행동한다(君子成人之美 不成人之惡 小人反是).'

'군자는 남들을 사랑하고 친밀하게 사귀되, 함께 어울려 패를 짜는 법이 없다. 소인은 서로 어울려 패를 짜지만, 남들을 사랑하고 친밀하게 사귀는 법이 없다(君子周而不比 小人比而不周).'

'군자는 화동(和同)하되, 부화뇌동(附和雷同)하는 법은 없다. 소인은 부화뇌동만하고 화동하는 법은 없다(君子和而不同 小人同而不和).'

끝으로 《중용(中庸)》에서 한마디 더 인용하겠다..

'군자는 안심입명(安心立命)한 자세로 안락하고 편안하게 천명을 기다린다. 소인은 험악한 짓을 저지르면서 온갖 요행을 바란다(君子居易以俟命 小人行險以僥幸).'

이상에서 본 '군자와 소인'은 개인의 인품을 대비한 것이다. 그러나 국가의 품격에도 적용할 수 있다. 즉 '정신가치와, 윤리도덕을 높이는 군자국가'와 '금전·물질·무력만을 내세우고 남을 침략하려는 소인국가'의 대비에도 적용된다. 오늘의 세계는 '소인국가'가 많다. 그래서 인류가 혹독한 위기에 빠지고 있는 것이다.

〈3〉 **군자의 도**(道)

군자가 지킬 도(道)를 《논어》에서 몇 개 추리겠다.

'나라에 도가 행해지면 나가서 벼슬하고 녹을 받는다. 그러나 나라에 도가 없는데 벼슬하고 녹을 받는 것은 치욕이다(子曰 邦有道穀 邦無道穀 恥也.).' 〈憲問〉

'신념을 돈독히 하고, 학문을 좋아하고, 죽을 때까지 선한 도리를 지킨다. 위태롭게 기우는 나라에는 들어가지 않고, 문란한 나라에서는 살지 않는다. 천하에 도가 행해지면 나타나 현실참여를 하지만, 도가 없으면 몸을 숨기고 은퇴한다. 나라에 도가 있고 덕치가 행해지는데 (내가 무능해서 참여하지 못하고 따라서) 가난하고 천하게 살면 창피한 노릇이다. 그러나 나라에 도가 없고 악덕정치가 행해지는데 (내가 가담하여) 부귀를 누리면, 그것도 창피한 노릇이다(子曰 篤信好學 守死善道 危邦不入 亂邦不居 天下有道則見 無道則隱 邦有道 貧且賤焉恥也 邦無道 富且貴焉恥也).' 〈泰伯〉

'군자는 천도를 따라 덕치를 펼 생각만을 해야 한다. 내가 먹고 살 녹봉이나 재물에 대해서는 생각하지 않는다(君子謀道 不謀食).'

'군자는 도를 걱정할 뿐 가난은 걱정하지 않는다(君子憂道 不憂貧).'

'선비로서 도에 뜻을 두고 있으면서 나쁜 옷이나 음식을 창피하게 여긴다면, 그런 선비와는 함께 국사를 논할 수 없다(子曰 士志於道 而恥惡衣惡食者 未足與議也).' 〈里仁〉

죽을 때까지 절대선인 천도를 지키려는 옛날의 선비나 군자의 정신을 본받아야 한다. 돈 때문에 범죄를 저지르고 절개를 팔거나 국가 민족을 배반하는 오늘의 타락한 정치인이나 지식인들은 창피를 알아야 한다.

맹자는 '참사나이'를 다음과 같이 말했다. '부귀에도 빠지지 않고, 빈천에도 위축되지 않고, 무력에도 굴하지 않고 (선을 지키는 사람을) 대장부라고 한다(富貴不能淫 貧賤不能移 威武不能屈 此之謂大丈夫).' 〈滕文公 下〉

사나이다운 사나이가 되자. 동물처럼 '먹고 마시고 뛰고 놀기만 하는' 무가치한 인간이 되지 말자.

하늘의 도리를 기준으로 하고 '나'의 심성을 함양하고 인격을 도야하고 사회나 국가에 정의로운 공을 세우고 만민을 잘살게 해주는 참다운 선비가 되자. 그리고 종국적으로는 세계평화와 인류의 역사와 문화발전에 이바지하는 숭고한 지식인이 되자. 그래야 인류대동의 이상세계를 창건할 수 있다.

(3) 군자와 '지인용(知仁勇)'

〈1〉 수기치인(修己治人)의 기준은 천도

공간과 시간을 통합한 '우주의 이법(理法)'을 '천도(天道)'라고도 한다. 인간을 위시하여, 자연만물은 다 천도에 의해 생육하고 또 발전하고 있다. 그러므로 형이하(形而下)의 유형세계(有形世界)는 형이상(形而上)의 절대선(絶對善)의 도리인 천도를 따라야 한다.

'동물적 삶만을 추구하는 소인'은 천도를 모른다. '정신적 삶을 추구하는 군자'는 천도를 높이고 따른다. 국가도 같다. 무력은 일시적 승리를 거두고, 이기적・동물적 야욕을 채울 뿐이다. 천도를 따라야 전체 인류의 평화와 번영을 기대할 수 있다.

그러므로 군자는 천도(天道)를 기준으로 한다. 천도는 자연만물이 스스로 자라고 번성하는 도리다. 천도는 '광명정대(光明正大), 공평무사(公平無私), 영구불변(永久不變)하는 절대선(絶對善)의 도리'다.

한편, 천지인(天地人)을 삼재(三才)라 한다. 하늘과 땅만으로는 문화적 발전이 이루어지지 않는다. 천도(天道)를 따라 인행(人行)으로 지덕(地德)을 세워야 선문화(善文化)가 꽃을 핀다. 이것을 '하늘의 일을 사람이 대신한다(天工人其代之).'《書經》고 말한다.

군자는 우주적 차원에서는 천도(天道)를 따라, 지덕(地德)을 세우는 인행자(人行者), 즉 '실천적 일꾼'이다.

지덕(地德) 속에는 '국가적 차원의 인정(仁政)과 덕치(德治)'와 '세계적 차원의 인류의 선문화(善文化) 창조 발전'이 다 포함된다.

〈2〉 오달도(五達道)와 삼달덕(三達德) '지인용(知仁勇)'

군자는 '오달도(五達道)와 삼달덕(三達德)'을 바탕으로 자기를 수양하고 또 남을 다스려야 한다. 즉 '수기치인(修己治人)'해야 한다.

'오달도와 삼달덕'을 《중용(中庸)》에서 다음같이 설명했다.

'(다섯 가지 윤리의 기본도리는 즉) 임금과 신하가 지킬 도리, 아버지와 자식이 지킬 도리, 남편과 아내가 지킬 도리, 형과 아우가 지킬 도리, 붕우가 서로 지킬 도리의 다섯이다. 이것은 천하의 모든 사람이 지킬 공통의 윤리적 도리이다(天下之達道五 所以行之者三 曰君臣也 父子也 夫婦也 昆弟也 朋友之交也 五者天下之達道也).'

'지·인·용 셋은 (기본 도리를 실현하기 위한) 천하 만민의 공통되는 덕행이다. 그 셋은 다시 하나로 압축된다(知仁勇 天下之達德也 所以行之者一也).'

'오달도(五達道)는 오상(五常), 즉 기본윤리다. 삼달덕(三達德)은 곧 '지(知)·인(仁)·용(勇)'이다.

특히 군자가 지녀야 할 '지·인·용' 삼달덕에 대해 간단히 설명을 가하겠다.

'지(知)'는 절대선의 천도를 바르게 알고 실천함이다.

'인(仁)'은 인간의 '선본성(善本性)'인 인심(仁心)을 바탕으로 인덕(仁德)을 우주적으로 확대함이다. 즉 '사랑의 협동'을 '가정·국가·세계'로 확대하고 동시에 '역사 문화의 전통을 계승 발전케 함'이다.

'용(勇)'은 '용감하게 실천함'이다. '악한 도리를 물리치고, 천도를 따라 적극적으로 인정 덕치에 참여함'이다.

공자는 말했다. "바르게 알면 미혹하지 않고, 인덕을 베풀면 근심하지 않고, 용감하게 정의를 실천하면 두려워할 것이 없다(知者不惑

仁者不憂 勇者不懼).” 〈子罕〉

'지·인·용'을 겸비한 군자는 곧 '천인합일(天人合一)'한 경지에서, '수기치인(修己治人)'한다. 그러므로 그는 '미혹하지 않고(不惑), 근심하지 않고[不憂], 두려워하지 않는[不懼]' 것이다.

'지·인·용'의 삼달덕을 갖춘 인격자가 되기 위해서는 다음과 같이 해야 한다.

'넓게 배워야 한다(博學之), 치밀하게 문제를 제기해야 한다(審問之), 신중하게 사고해야 한다(愼思之), 명석하게 선악시비를 분별해야 한다(明辨之), 그리고 독실하게 실천해야 한다(篤行之).'

'박학(博學), 심문(審問), 신사(愼思), 명변(明辨), 독행(篤行)'은 군자 되기 위한 수양의 기본 사항이다. 《대학》에서는 다음과 같이 말했다. '위로는 천자로부터 아래로는 서민에 이르기까지 누구나 다 수신을 근본으로 삼아야 한다(自天子以至於庶人 壹是皆以修身爲本).'

지(知)·인(仁)·용(勇)의 삼달덕(三達德)을 터득하고 실천하기 위한 전제가 '호학(好學) 역행(力行) 지치(知恥)'이다. 《중용》에서는 다음과 같이 말했다.

'배우기를 좋아하면 지에 가까워질 수 있다. 힘들여 실천하면 인덕에 가까워질 수 있다. 창피를 알면 (정의를 실천하는) 용기에 가까워질 수 있다. 이 셋을 잘 알고 다스리면, 자기수양의 방도를 알게 된다. 자기수양의 방도를 알면 즉 남을 다스리는 방도를 알게 된다. 남을 다스리는 방도를 알면 즉 천하나 국가를 다스리는 방도를 알게 된다(好學近乎知 力行近乎仁 知恥近乎勇. 知斯三者 則知所以修身 知所以修身 則知所以治人 知所以治人 則知所以治天下國家矣).' 《中庸》 20장

결국 '수신(修身), 제가(齊家), 치국(治國), 평천하(平天下)'가 일

관되게 군자(君子)에 의해서 구현(具現)되는 것이다. 공자는 사학(私學)을 설치해서, 군자를 배양하고, 천하의 정치를 혁신하려고 한 지성선사(至聖先師)이다.

(4) 대동(大同)의 이상세계(理想世界)

참고로 공자가 염원한 대동(大同) 이상세계를 적은 '《예기(禮記)》〈예운편(禮運篇)〉'의 글을 풀이하겠다.

'천도를 기준으로 한 대도의 덕치는 천하를 만민의 공유물로 삼는다(大道之行也 天下爲公).

현명하고 유능한 사람을 선출하고 신의를 지키고 화목한다(選賢與能 講信修睦).

그러므로 자기 부모만을 친애하거나 내 자식만을 자애하지 않고 모든 부모 자식들도 사랑한다(故人不獨親其親 不獨子其子).

늙은 사람으로 하여금 천수를 누리게 하고, 젊은 사람을 활용하고, 어린아이를 잘 양육한다(使老有所終 壯有所用 幼有所長).

홀아비, 과부, 고아, 외톨이 및 노약자들도 돌보고 생활을 보장해 준다(矜寡孤獨廢疾者 皆有所養).

남자에게는 직업을 주고, 여자는 시집가게 한다(男有分 女有歸).

재물을 땅에 버리거나 개인이 독점하지 않는다(貨惡其棄於地也 不必藏於己).

사람의 능력을 발휘하되, 자기만을 위하지 않는다(力惡其不出於身也 不必爲己).

그러므로 사람들이 권모술수를 농하지 않게 되며, 도적이나 난동하는 자들도 나타나지 않는다(是故謀閉而不興 盜賊亂賊而不作).

이에 대문을 닫지 않고 살 수 있다. 이러한 세상을 대동세계라고 한다(故外戶而不閉 是謂大同).'

제1편 학이편(學而篇)

《논어》는 매 편마다 첫 장의 처음 두 글자를 따서 편명으로 삼았다. 제1편의 첫 구절이 '학이시습지(學而時習之)'이므로 〈학이(學而)〉를 편명으로 삼았다.

《논어》는 총20편이며, 그 중에서도 제1편이 가장 중요하다. 황간(皇侃)이 〈학이편〉을 《논어》의 첫 편으로 내세운 이유는 《예기(禮記)》 〈학기편(學記篇)〉에서 "옥돌은 다듬지 않으면 옥기가 되지 못하고 사람은 배우지 않으면 도를 모른다(玉不琢 不成器 人不學 不知道)."라고 했듯이 배워야 훌륭한 사람이 될 수 있음을 밝히기 위해서다.'라고 말했다.

주자(朱子)는 '배우는 사람이 힘써야 할 글이 많다. 이는 곧 도에 들어가는 관문이고 덕을 쌓는 바탕이다. 배우는 사람이 먼저 힘써야 할 글들이다(所記多務本之意 乃入道之門 積德之基 學者之先務也).'라고 주를 달았다. 제1편 〈학이편〉은 총16장으로 되어 있다.

주자가 말한 도(道)와 덕(德)의 뜻을 바르게 깊이 알아야 한다. 도(道)는 눈에 보이지 않는 형이상(形而上)의 도리(道理)며 법칙(法則)이며, 그 근원은 하늘의 도리, 즉 천도(天道)이다. 덕(德)은 득(得)과 뜻이 통한다. 도를 따르고 실천해서 얻어진 좋은 성과를 덕이라 한다. 좋은 성과는 눈에 보이게 현실로 땅 위에 나타난다. 따라서 지덕(地德)이라고도 한다. 결국 주자는 '배움이 곧 천도를 깨닫고 실천해서 지덕을 세우는 바탕이다'라고 한 것이다.

천도는 곧 만물을 생성(生成)·번성(繁盛)하는 절대선(絶對善)의 우주(宇宙)의 도리요, 법칙이다. 그러므로 지덕을 세운다 함은 곧 우주적 차원에서 만민이 함께 잘사는 진정한 평화 세계를 창건함이다. 이를 '평천하(平天下)'라고 한다. 사람이 바르게 배우고 천도를 알고 실천해야 평천하할 수 있다.

1-1. 공자가 말했다. "배우고 때에 맞추어 실습을 하니 또한 기쁘지 않으냐. 뜻을 같이 하는 벗이 멀리서 찾아오니 또한 즐겁지 않으냐. 나를 남들이 알아주지 않아도 노여워하지 않으니 참으로 군자가 아니겠느냐."

原文 子曰, 學而時習之면 不亦說乎아? 有朋이 自遠方來면 不亦樂乎아? 人不知而不慍이면 不亦君子乎아?

註解 ㅇ子(자)－남자의 존칭, 선생. 《논어》에서는 주로 공자(孔子)를 지칭한다. ㅇ學(학)－일반적으로 '배우고 알다'의 뜻으로 풀이한다. 그러나 '깨닫고[覺], 본받고 따라 행한다[效]'는 뜻도 포함하고 있다. 배움의 첫 번째는 예의범절, 윤리도덕의 실천이다. 그리고 경서(經書)의 글이나 육예(六藝)의 여러 가지 기능을 배우고 몸에 익혀야 한다. 그래야 사람다운 사람이 되고 따라서 덕치(德治)에 참여할 군자(君子)가 될 수 있다. 육예는 선비의 필수 교양인 '예(禮)·악(樂)·사(射)·어(御)·서(書)·수(數)'이다. 특히 깨달음 속에는 절대선(絶對善)인 천도(天道)를 깨닫고 행한다는 뜻이 강조되어 있다. 《백호통(白虎通)》에는 '학(學)은 각(覺)이다. 전에 몰랐던 것을 배워 깨닫는다의 뜻이다.(學者覺也 覺悟所未知也)'라 했고 또 주자(朱子)는 학(學)을 '본받을 효(效)'라 풀었다. ㅇ時(시)－'언제나 혹은 때때로'의 뜻으로 풀이한다. 그러나 '때에 맞추어 혹은 적절한 때'로 해석함이 좋다. ㅇ習(습)－좁게는 복습하고 익힌

다. 넓게는 기능이나 예절을 실습하고 숙달한다는 뜻이다. ㅇ不亦……乎(불역……호)－직역하면 '또한 ……하지 않은가', 즉 반문으로 뜻을 강조했다. ㅇ說(열)－기쁠 열(悅)과 같다. 마음속의 기쁨이나 즐거움. ㅇ有(유)－있다, 여기서는 친구가 온다는 현상(現象)을 표시하는 동사. ㅇ朋(붕)－벗, 친구, 동무. 같은 스승에게 배운 글벗을 붕(朋)이라 하고, 뜻이나 지향(志向)을 같이 하는 벗을 우(友)라 한다. ㅇ自遠方來(자원방래)－먼 곳에서 찾아온다. 모여든다. 자(自)는 '～로부터'. ㅇ樂(락)－밖으로 넘치는 즐거움. ㅇ人不知(인부지)－남이 알아주지 않는다. 즉 나의 실력이나 가치를 바르게 인정해주지 않는다. ㅇ不慍(불온)－화를 내거나 노여워하지 않는다. 마음속에 노여움이나 원한을 품지 않는다. ㅇ君子(군자)－높은 학문과 덕행을 겸비한 지식인, 엘리트. 군자는 '지(知)·인(仁)·용(勇)의 삼달덕(三達德)'을 갖추어야 한다. 경(卿)·대부(大夫) 등 지체 높은 사람도 군자라 한다.

解說 배워야 바르게 도리를 알고 착하게 살 수 있다. 착한 사람이 많아야 좋은 공동체를 형성할 수 있다. 좋은 공동체는 곧 '사람들이 서로 사랑하고 협동해서 함께 잘사는 가정·사회·국가 및 세계'를 말한다. 좋은 공동체를 창건하고 바른 덕치(德治)를 펴는 일은 혼자만으로는 성취할 수 없다.

학문과 덕행이 높은 군자(君子)들이 많이 모여서 세(勢)를 형성해야 한다. 그래서 공자는 '벗들이 멀리서 오니 즐겁지 않으냐.(有朋自遠方來 不亦樂乎)'라고 했다.

그러나 이상세계의 창건은 일부의 힘만으로는 성취되지 않는다. 하늘의 운세가 따라야 한다. 정치 참여자들이 바른 도리를 깨닫고 따라야 한다. 난세의 통치자들은 천도를 알지 못하고 반대로 동물적 본능이나 이기적 탐욕만을 바탕으로 악한 짓을 저지른다. 그러므로 학덕(學德)이 높은 군자들을 무시하고 소외하게 마련이다. 그래도 군자는 노여워하지 않아야 한다. 그래서 공자는 '남이 알아주지 않아도 노여움을 품지 않으니, 참으로 군자가 아니냐.(人不知而不慍 不亦君子乎)'라고 했다.

1-2. 유자가 말했다. "사람됨이 부모에게 효성하고 형장(兄長)에게 공경하는 '착한 인간으로서' 윗사람 침범하기를 좋아하는 그런 사람은 거의 없다. 윗사람 침범하기를 좋아하지 않으면서 난동하기를 좋아하는, 그런 사람은 아직까지 없었다."

"군자는 근본에 힘을 써야 한다. 근본이 서야 도가 생긴다. 부모에 대한 효도와 형장에 대한 공경이 바로 인(仁)을 이룩하는 근본이다."

原文 **有子曰, 其爲人也孝弟**요 **而好犯上者鮮矣**니 **不好犯上 而好作亂者**는 **未之有也**니라. **君子**는 **務本**이니 **本立而道生**하나니 **孝弟也者**는 **其爲仁之本與**인저.

註解 ㅇ有子(유자)－공자의 제자, 성은 유(有), 이름은 약(若), 노(魯)나라 사람으로 공자보다 나이가 13세나 어리다고 전한다. 《논어》에서 다른 제자들은 자(字)로써 불렀다. 그러나 유약(有若)과 증삼(曾參)에게 '자(子)'라는 존칭을 붙인 것은 혹 그들의 제자가 편찬했기 때문일 것이다. 염유(冉有)와 민자건(閔子騫)에게도 간혹 '자'를 붙였다. ㅇ其爲人也(기위인야)－그 사람됨이. ㅇ孝(효)－부모에게 효도(孝道)하고, 효순(孝順)한다. ㅇ弟(제)－아우가 형을 공경한다. 공경할 제(悌)와 같다. ㅇ而(이)－그러면서. ㅇ好犯上(호범상)－윗사람을 능멸하고 침범하기를 좋아하다. ㅇ好犯上者(호범상자)－윗사람 능멸하고 침범하기를 좋아하는 그런 사람. ㅇ鮮矣(선의)－적다, 드물다, 거의 없다. ㅇ不好犯上(불호범상)－윗사람 침범하기를 좋아하지 않으면서. ㅇ好作亂(호작란)－난을 일

으키기를 좋아하다. ㅇ不好犯上 而好作亂者(불호범상 이호작란자)－범상(犯上)을 좋아하지 않으면서 작란(作亂)을 좋아하는 자. ㅇ未之有也(미지유야)－아직 없었다. 있어 본 일이 없다. '미(未, 부정사)' 다음에 '지(之, 빈어)'가 왔다. '지(之)'는 원래 '유(有, 동사)'의 목적어다. ㅇ君子務本(군자무본)－군자는 근본에 힘을 쓰다. ㅇ本立而道生(본립이도생)－근본이 바르게 서야 바른 길이 생긴다. ㅇ孝弟也者(효제야자)－효와 제는. 야자(也者)는 단절을 나타내는 어조사. ㅇ其爲仁之本與(기위인지본여)－'그것이 바로' 인(仁)을 이룩하는 근본이다. 여(與)는 여(歟)와 같으며 어조사로 '……일 것이다.'

解說 인(仁)은 공자 사상의 핵심이며, 《논어》에만도, 백 번 이상 나온다. 그러나 공자는 인에 대한 정의를 딱 떨어지게 내린 바가 없다. 다만 인에 대한 실천을 사람과 경우에 따라 여러 가지로 설명했을 뿐이다. 그러나 후세의 학자들은 인의 기본적인 뜻을 대략 다음과 같이 요약했다.

'인은 인야.(仁人也)'라 했다. 즉 '인은 사람이 행하는 덕행이다.'라는 뜻이다. 오늘날의 말로 '인은 곧 휴머니즘(humanism)이다.'라고 말 할 수 있다.

공자는 '인은 남을 사랑함이다.(仁愛人也)'라고 말했다. 즉 '인은 남을 사랑하는 덕행이다.'라는 뜻이다. 사람은 하늘로부터 착한 성품을 받아 지니고 있다. 그 착한 성품의 기본이 곧 인심(仁心)이다. 인심은 남을 사랑하고 키워주는 자애심(慈愛心)이다. 인심은 사람만을 애육(愛育)하는 데 멈추지 않고, 자연 만물에 대한 사랑으로 확대된다. 그러므로 인(仁)을 '사람들을 사랑하고 만물을 이롭게 육성함이다.(愛人利物)'라고 한다.

또 공자는 '인은 두 사람이다.(仁二人也)'라고 말했다. 즉 '너와 내'가 서로 사랑하고 협동하는 것이 인이다. 사람은 어려서부터 부모에게 효도하고 형제간에 우애하는 생활을 몸에 익혀야 한다. 부모와 자식간의 종적(縱的)인 '사랑과 협동'을 한마디로 효(孝)라 하고, 형제간의 횡적(橫的)인 '우애와 협동'을 한마디로 제(弟=悌)라고 한다. 가정에서 '종적 횡적 사랑과 협동'을 실천하고 익히면 사회에 나가서도 종적 횡적으로 모든 사람과 잘 어울리고 서로 사랑하고 협동하게 된다. 그러므로 유자가 '효제가 인을 이룩하는 근본(孝弟也者 爲仁之本)'이라고 말한 것이다.

인(仁)은 인심(仁心)을 바탕으로 모든 사람과 자연 만물을 사랑하고 키워주는 인덕(仁德)의 핵심이다. 인은 인간 사회에서는 윤리 도덕의 핵심이 되고, 자연 세계에서는 만물을 육성하고 발전케 하는 '사랑의 핵심, 곧 휴머니즘'이 된다.

1-3. 공자가 말했다. "말을 듣기 좋게 잘하고 용모를 보기 좋게 꾸미는 사람은 참된 인심(仁心)이나 인덕(仁德)이 없다."

原文 子曰, 巧言令色이 鮮矣仁이니라.

註解 ㅇ巧言(교언)－말을 듣기 좋게 꾸며서 한다. ㅇ令色(영색)－용모를 보기 좋게 꾸민다. 두 가지는 다 가식(假飾)이다. ㅇ鮮矣仁(선의인)－선(鮮)은 적다, 거의 없다, 즉 없다는 뜻. 인(仁)은 참된 인심(仁心)과 인덕(仁德)이다. '선의인(鮮矣仁)'은 결국 참다운 인(仁)이 없다. 강조하기 위해서 술어 '선의(鮮矣)'를 앞에 내놓고, 주어 '인(仁)'을 뒤로 돌렸다.

解說 외면적으로 가식(假飾)하고 아첨하여 남의 환심을 사려는 것은 결국 남을 속이고 자기 이익을 취하려는 짓이다. 왕숙(王肅)은 '간교하게 꾸민 말에는 진실이 없고, 낯을 보기 좋게 꾸민 자는 실질

이 없다.(巧言無實 令色無質)'고 했다. 〈자로편(子路篇)〉에 '강직하고 의연하고 질박하고 과묵한 사람이 인자에 가깝다.(剛毅木訥近仁)'〈13-27〉라는 말이 있다.

주자는 《집주(集註)》에서 다음과 같이 풀이했다. '말을 듣기 좋게 잘하고 용모나 표정을 보기 좋게 꾸미고 외면적으로 가식하고 남을 기쁘게 하려고 애쓰는 (그런 자에게는) 이기적이고 사악한 욕심이 마냥 넘치고 반대로 본심에서 나오는 인덕이 없다(好其言 善其色 致飾於外 務以悅人 則人欲肆 而本心之德亡矣).' '인은 본심에서 나오는 온전한 도덕성이다.(仁者本心之全德也)'라고 했다.

1-4. 증자가 말했다. "나는 날마다 세 가지 일에 대하여 자신을 반성한다. 남을 위해서 일을 도모함에 있어 충성스럽지 못하지는 않았나? 붕우와 사귐에 있어 신의를 저버린 일이 없었나? 스승으로부터 전수받은 학문을 익히지 않은 바 없었는가?"

原文 **曾子曰, 吾日三省吾身**하노니 **爲人謀 而不忠乎**아? **與朋友交而不信乎**아? **傳不習乎**아?

註解 ㅇ曾子(증자)－공자의 제자, 이름은 삼(參), 자는 자여(子輿), 노(魯)나라 무성(武城) 사람, 공자보다 46세 연소하다. 《효경(孝經)》을 저술했다. ㅇ三省(삼성)－주자는 '세 가지 일에 대하여 반성한다.'로 풀이했다. 하루에 세 번, 혹은 여러 번으로 풀 수도 있다. ㅇ爲人謀(위인모)－남을 위해 일을 도모함에 있어. ㅇ不忠乎(불충호)－불충하지 않았나? 충(忠)은 충성, 성실. 주자는 '자기의 최선을 다함이다.(盡己之謂忠)'라고 풀이했다. ㅇ與朋友交 而不信乎(여붕우교 이불신호)－붕우와 사귐에 있어 신의를 안 지킨 일이 없었나? 신(信)은 자기가 말한 것을

실천함이다. ○傳不習乎(전불습호)－전습 받은 것을 복습하고 충분히 익히지 않은 일이 없었나? (혹은) '불습(不習)을 전하다'로 풀기도 하나, 적절치 않다.

解說 자기 반성은 수양과 인격 도야의 바탕이다. 여기서는 세 가지를 들었지만, 사람의 허물이나 실수는 수없이 많다. 그러므로 모든 실수나 허물을 깊이 반성하고 두 번 다시 되풀이하지 않아야 스스로 발전할 수 있다. 《주역(周易)》 건괘(乾卦)에 있다. '종일 근면 노력하고 저녁에는 두려운 마음으로 근신해야 허물이 없게 된다(終日乾乾 夕惕若 厲无咎).'

1-5. 공자가 말했다. "천승(千乘)의 나라를 다스리되 일을 공경히 미덥게 실천하고, 씀씀이를 절약하고 사람들을 사랑하고, 백성들을 적절한 때에 부려 써야 한다."

原文 **子曰, 道千乘之國**하되 **敬事而信**하며 **節用而愛人**하며 **使民以時**니라.

註解 ○道(도)－다스리다, 교도(敎導)하다. ○千乘之國(천승지국)－전차(戰車) 천 대를 동원할 수 있는 나라, 즉 제후(諸侯)의 나라. 승(乘)은 사두마(四頭馬)의 전차(戰車) 한 대, 일승(一乘)의 전차에는 무장한 갑사(甲士) 3명, 보졸(步卒) 72명, 기타 잡역(雜役)을 합해 약 백 명이 따랐으며, 그들이 쓸 무기·피복·양곡·마량(馬糧)을 운반하는 치중차(輜重車)가 동원되었다. 만승(萬乘)을 동원하는 나라가 곧 천자(天子)의 나라다. ○敬事(경사)－모든 일을 경건하고 신중한 태도로 받들고 집행한다. ○而信(이신)－그리고 또 신의를 지킨다, 미덥게 한다. 즉 실천한다. ○節用(절용)－모든 씀씀이를 절약한다. ○愛人(애인)－사람을 사랑

한다. 특히 선비 계층을 인(人)이라 한다. ㅇ使民以時(사민이시)－적절한 때에 백성을 부려 쓴다. 즉 농번기(農繁期)를 피하고 농한기(農閑期)에 백성들을 부역해 쓴다.

解說 '경사이신(敬事而信)·절용이애인(節用而愛人)·사민이시(使民以時)'를 삼사(三事)라 한다. '경(敬)·신(信)·절(節)·애(愛)·시(時)'는 오요(五要)로 인정(仁政)의 요체(要諦)다. 위정자가 천도를 기준으로 모든 일을 신중히 처리하면 백성들의 신망을 얻는다. 또 백성을 사랑하는 인심(仁心)을 바탕으로 국가의 씀씀이를 절약하고 아울러 때를 가려 백성들을 동원하고 부려 써야 한다.

1-6. 공자가 말했다. "어린 사람은 안에서는 부모에게 효도하고 밖에서는 연장자에게 공손하며, 언행을 성실하고 미덥게 해야 한다. 널리 모든 사람들을 사랑하되 특히 인덕 있는 사람과 친하게 해야 한다. 이들을 잘 행하고도 여력이 있으면 글을 배워야 한다."

原文 子曰, 弟子入則孝하고 出則弟하며 謹而信하며 汎愛衆하되 而親仁이니 行有餘力이어든 則以學文이니라.

註解 ㅇ弟子(제자)－자식이나 동생이 되는 사람. ㅇ入則孝(입즉효)－집안에서는 부모에게 효도한다. ㅇ出則弟(출즉제)－밖에 나가서는 연장자에게 공순(恭順)한다. ㅇ謹(근)－언행(言行)을 성실하고 신중하게 함. ㅇ信(신)－신의를 지키다, 말을 실천하다. ㅇ汎愛衆(범애중)－넓게 모든 사람을 사랑한다. ㅇ而親仁(이친인)－특히 인덕을 갖춘 인자(仁者)를 가까이 모시고 친애해야 한다. ㅇ行有餘力(행유여력)－이상의 것을 다 실천하고도 여력이 있으면. ㅇ則以學文(즉이학문)－비로소 글을 배운다.

문(文)은 《시경(詩經)》, 《서경(書經)》 및 《예악(禮樂)》이나 문물제도를 포함한다.

解說 덕행의 실천을 앞세운 말이다. 가정에서는 인(仁)의 근본이 되는 효도(孝道)를 실천하고, 사회에 나가서는 연장자를 공경하는 제(悌)를 실천하고, 특히 인자(仁者)를 존경하고 그를 따라 인덕(仁德)을 세워야 한다. 그런 다음에 학문 지식을 배워야 한다. 학식이나 재능보다 덕(德)을 앞세우기를 강조한 말이다.

1-7. 자하가 말했다. "어진 사람을 어질게 여기는 것을 아름다운 미인을 좋아하듯이 하고, 부모를 섬김에 전력을 기울이고, 임금을 섬김에 몸을 바칠 줄 알며, 벗과 사귐에 말한 바를 신실하게 실천한다. (이렇게 한다면) 비록 글을 배우지 않았다 해도, 나는 반드시 그를 가리켜 배운 사람이라 평가하리라."

原文 **子夏曰, 賢賢**하되 **易色**하며 **事父母**하되 **能竭其力**하며 **事君**하되 **能致其身**하며 **與朋友交**하매 **言而有信**이면 **雖曰未學**이라도 **吾必謂之學矣**라 하리라.

註解 ㅇ子夏(자하)－공자의 제자, 성은 복(卜), 이름은 상(商), 공자보다 44세 어리다. 자유(子游)와 함께 문학과 학문에 뛰어났다. ㅇ賢賢(현현)－앞의 현(賢)은 동사로 '어질게 여기고 높인다'의 뜻. 뒤의 현(賢)은 명사로 현명한 사람, 현인. ㅇ易色(역색)－아름다운 미인을 좋아하는 것처럼. 역(易)을 여(如)로 풀이한다(王念孫). 전에는 '안색을 변한다, 여색과 바꾸다, 혹은 여색을 가볍게 여기다'로 풀었다. 또 현현(賢賢)을 '부인이 남편의 현명한 덕을 높인다.' 역색(易色)을 '남편이 자기 부인을 미색의 대상으로 보지 않고 동반자로 존중하고 부부의 도리를

다한다'로 풀기도 했다. ㅇ事父母(사부모)－집안에서 부모를 잘 섬기고 효도를 한다. ㅇ能竭其力(능갈기력)－능히 자기의 힘을 다 기울이다, 전력을 다하다. ㅇ事君(사군)－임금을 받들고 섬기다. ㅇ能致其身(능치기신)－능히 자신을 다 바친다. 전심전력으로 충성한다. ㅇ與朋友交(여붕우교)－붕우와 사귄다, 교제한다. ㅇ言而有信(언이유신)－자기가 한 말이나 약속을 반드시 행동으로 실천한다, 이행하고 좋은 열매를 맺다. ㅇ雖曰未學(수왈미학)－비록 아직 글을 배우지 않았다고 해도. ㅇ吾必謂之學矣(오필위지학의)－나는 반드시 그를 두고 배운 사람이라고 말하리라.

解說 인간의 동물적 본능은 식(食)과 색(色)이다. 음식을 먹어야 개체(個體)를 보존하고 활동할 수 있다. 남녀가 짝짓기를 해야 종족(種族)이 이어지고 또 번식한다. 그러나 인간의 존엄성은 동물적 식색(食色)보다도, 정신적 도덕생활에 있게 마련이다. 만약에 모든 사람들이 윤리 도덕을 무시하고 오로지 동물적·이기적 욕구만을 채우기 위해 서로 싸우고 폭력으로 남의 재물을 쟁취한다면 그 공동체는 종국적으로는 파멸할 것이다. 그러므로 공자는 인(仁)을 최고의 덕목으로 내걸고, 따르고 실천하라고 가르쳤던 것이다. 인(仁)은 '서로 사랑하고 협동하여 함께 잘사는 덕행'이다.

'현현역색(賢賢易色)'은 곧 '성현의 가르침과 말을 존중하고 따르고 행하기를 흡사 본능을 추구하듯이 하라는 뜻'이다. 〈자한편(子罕篇)〉에도 '공자가 말했다. 여색 좋아하듯이 덕행을 좋아하는 사람을 나는 아직 보지 못했다.(子曰 吾未見如好德 如好色者也)' 〈9-18〉라는 말이 있다.

유교는 배우고 안 것을 실천하는 것을 중시한다. 국가에서 학덕(學德)이 높은 성현을 존경하고 받들어야 한다. 그래야 공동체가 바르게 잡힌다. 반대로 이기적 야욕을 채우기 위해 무력을 행사하고 남의 재물을 갈취하는 악덕한이나 관능적 쾌락이나 여색만을 탐하는 인간들이 많으면, 그 나라는 타락하고 멸망한다. 그러므로 여색을 탐하듯이 현인을 높이고 존경해야 한다. 그래야 나라의 기풍이 진작되고 흥한다. 또 윤리 도덕을 실천해야 한다. 가정에서는 부모에게 효도하고 나라나 임금에 대해서는 자기 몸을 아끼지 않고 전력을 기울여 충성하고 공헌해야 한다. 한편 친구나 동료들은 서로 신의를 지켜야 한다. 그래야 정의로운 사회가 된다.

1-8. 공자가 말했다. "군자는 무게가 없으면 위엄이 없다. 배워야 고루하지 않다. 충성과 신의를 지켜라. 나만 못한 자를 벗하지 마라. 잘못하면 즉시 꺼리지 말고 고쳐라."

原文 **子曰, 君子不重則不威**니 **學則不固**니라. **主忠信**하며 **無友不如己者**요 **過則勿憚改**니라.

註解 ㅇ君子不重(군자부중)－군자는 그 언행(言行)이 무게가 없으면. 중(重)은 '인품이나 행동거지가 돈후신중(敦厚愼重)하다'는 뜻, 경거망동(輕擧妄動)의 반대. ㅇ不威(불위)－위엄이 없다. ㅇ學則不固(학즉불고)－배워야 고집스럽지 않다. 고(固)는 고루하다, 도리에 통하지 않고 꽉 막혔다는 뜻. ㅇ主忠信(주충신)－충과 신을 위주로 하라. 충성과 신의를 굳게 지켜라. ㅇ無友(무우)－벗하지 마라, 벗으로 삼지 마라. ㅇ不如己者(불여기자)－나만 못한 사람, 학문이나 덕행이 나보다 처지는 사람. ㅇ無友不如己者(무우불여기자)－'학문이나 덕행이' 나보다 못한 사람과 벗하지 마라. ㅇ過(과)－과실, 잘못하다. ㅇ勿(물)－'……하지 마라.' ㅇ憚(탄)－꺼리다, 주저하다. ㅇ勿憚改(물탄개)－꺼리거나 주저하지 말고 '즉시' 고쳐라.

解說 군자는 인격적으로 무게와 권위가 있어야 한다. 그러기 위해

서는 잘 배우고 도리에 통달해야 한다. 아울러 언행을 신중하게 해야 한다. 군자들은 항상 배우고 덕행을 높이고 또 서로 절차탁마(切磋琢磨)해야 한다. 그래야 사회나 국가 전체가 향상 발전한다. 그러므로 못난 사람과 어울려 놀기만 하고 함께 후퇴하거나 정체하면 안 된다.

1-9. 증자가 말했다. "부모의 상을 신중히 모시고 선조의 제사를 잘 받들고 추모하면 백성들의 덕성이 한결 돈후하게 되리라."

原文 **曾子曰, 愼終追遠**이면 **民德**이 **歸厚矣**리라.

註解 ㅇ愼終(신종)－부모님의 사망을 진정으로 애도하고 장례를 정성껏 정중하게 치르다. 또 3년간의 거상을 충심으로 애도하고 지킨다. ㅇ追遠(추원)－선조의 제사를 정성껏 모시고 그들의 영혼을 위안하고 아울러 선조의 정신이나 업적을 추모한다. ㅇ民德(민덕)－백성들의 덕성이나 기풍이. ㅇ歸厚矣(귀후의)－돈후하게 된다. 귀(歸)는 돌아가다. ……하게 된다.

解說 《예기(禮記)》〈제통편(祭統篇)〉에 이런 말이 있다. '효자의 부모 섬김에는 세 가지 도리가 있다. 생존시에는 정성으로 봉양하고, 돌아가시면 애통하며 장례를 치르고, 그후에는 경건하게 때맞추어 제사를 모신다(孝子之事親也 有三道焉 生則養 沒則喪 喪畢則祭).' 이를 《논어》에서는 '신종추원(愼終追遠)'이라고 요약했다.

이와 같은 효도를, 특히 백성을 다스리는 임금이 솔선수범해야 한다. 그래야 백성들이 교화되고 민풍(民風)도 돈후하게 될 것이다. 백성들의 덕성을 순화하고 국민의 기풍을 온유돈후(溫柔敦厚)하게 교화하는 것이 인정(仁政)의 기본이다. 효도(孝道)가 인간의 존엄성의 근간이다. 아울러 부모님의 장례를 엄숙하게 치르고 또 제사를 경건하게 모시는 것이 최고의 효도이다. 사람만이 '신종추원'한다.

인간의 육체적 삶은 태어남으로 시작하고 죽음으로 종결된다. 그러나 인간의 정신적·문화적 삶이나 업적은 후손이나 후세의 모든 사람들에게도 이어지고 또 영향을 준다. 그래서 인류의 문화가 계승되고 발전하는 것이다.

1-10. 자금이 자공에게 물었다. "선생께서는 어느 나라에 가시든지, 반드시 그 나라 (임금으로부터) 정치에 관한 상담의 말을 들으시는데, 그것은 선생께서 먼저 요청한 것입니까? 혹은 그 나라 임금이 자진해서 말하는 것입니까?"

자공이 말했다. "선생께서는 온화·선량·엄숙·검박·겸양의 다섯 가지 덕으로써 (남을 감화하시고, 그 결과) 정치에 대한 상담의 말을 들으신다. (그러므로 설사 선생께서 먼저 듣고자 하셨다 해도) 그것은 다른 사람들이 구하는 태도와는 다르다."

原文 子禽問於子貢曰, 夫子이 至於是邦也하사 必聞其政하시나니 求之與아? 抑與之與아? 子貢이 曰, 夫子는 溫良恭儉讓以得之시니 夫子之求之也는 其諸異乎人之求之與인저.

註解 ○子禽(자금)-공자의 제자, 성은 진(陳), 이름은 항(亢), 위(衛)나라 출생으로 공자보다 나이가 40세나 어리다. 일설에는 자공(子貢)의 제자로 공자에게 직접 배우지는 않았다고 한다. ○子貢(자공)-공자의 수제자, 성은 단목(端木), 이름은 사(賜), 위(衛)나라 사람, 공자보다 31세 연하였다. 언어에 뛰어났으며, 노(魯)와 위(衛)나라에서 외교활동을

성공적으로 한 일도 있다. 자공은 이재(理財)에 밝아 부를 축적하고 공자 문중의 활동에 경제적으로 도움을 주기도 했다. ㅇ夫子(부자)-선생님, 여기서는 공자를 말함. ㅇ至於是邦也(지어시방야)-그 나라에 도달하다, 가다. 시(是)는 어느 나라든지 가면 바로 '그 나라'의 뜻. ㅇ必聞其政(필문기정)-반드시 그 나라의 (임금으로부터) 정치에 대한 상담의 말을 듣는다. 공자가 가는 나라마다 그 나라의 임금이 공자에게 자기 나라의 정사에 대해서 문의한다는 뜻. ㅇ求之與(구지여)-공자가 먼저 요청한 것이냐? 여(與)는 어조사 여(歟)와 같다. ㅇ抑(억)-오히려, 혹은, 그렇지 않고. ㅇ與之與(여지여)-공자에게 주어지는 것이냐? 앞의 여(與)는 '에게 준다'의 뜻, 뒤의 여(與)는 어조사 여(歟)와 같다. ㅇ溫良恭儉讓(온량공검양)-'온화·선량·엄숙·검박·겸양'의 다섯 가지 덕을 바탕으로 하고. ㅇ以得之(이득지)-그 나라 임금과의 정치적 문의에 참여할 수 있다. ㅇ夫子之求之也(부자지구지야)-(설사) 선생이 자진해서 정치적 문의를 요청했다고 해도 (그 태도는). ㅇ其諸(기제)-'그것은 저……'의 뜻, 제(齊)나라의 방언으로 어조사(語助辭). ㅇ異乎人之求之與(이호인지구지여)-다른 사람이 (벼슬자리나 이득을 얻으려고) 자진해서 요청한 것과는 다르다.

解說 공자는 학문과 덕행을 겸비한 군자들을 배양하고 그들을 현실정치에 참여시킴으로써 인정(仁政)과 덕치(德治)를 실현하고자 염원했다. 그래서 공자는 여러 나라를 방문했고, 가는 곳마다 그 나라 임금과 정치에 대한 논의(論議)를 전개하려고 애를 썼다.

그러나 공자는 다른 유세객(遊說客)들과는 달랐다. 다른 유세객들은 권모술수(權謀術數)와 강병부국(强兵富國)의 책략을 가지고 임금에게 접근하고 설득하려 했다. 하지만 공자는 그들과는 정반대가 되는 예치(禮治)와 인정(仁政)의 대도(大道)를 알리고자 했던 것이다. 특히 공자는 '온량공검양(溫良恭儉讓)'의 오덕(五德)을 바탕으로 임금을 감화시키려고 했던 것이다. 그러므로 자공은 '다른 사람들과는 크게 틀린다'고 말한 것이다.

《사서대전(四書大全)》에 이런 말이 있다. '공자는 빛나는 성덕으로 다른 사람과 접했다(夫子之盛德光輝 接於人者也).' '그 임금이 공자를 존경하고 믿고 자진해서 정치에 대한 문의를 한 것이다(時君敬信 自以其政 就而問之耳).'

1-11. 공자가 말했다. "부친이 살아 계시면 어른의 뜻을 살펴 따라야 하고, 이미 돌아가셨으면 생존시의 행적을 살펴 본으로 삼아야 한다. 3년간을 두고 선친의 도를 고치지 않아야 비로소 효라 할 수 있다."

原文 **子曰, 父在**에 **觀其志**요 **父沒**에 **觀其行**이나 **三年**을 **無改於父之道**라야 **可謂孝矣**니라.

註解 ㅇ父在(부재)—부친이 살아 계시다, 부친 생존시에는. ㅇ觀其志(관기지)—(자식이)부친의 뜻이나 의향을 살피고(행동한다). ㅇ父沒(부몰)—부친이 이미 돌아가셨으면, 사후에는. ㅇ觀其行(관기행)—부친 생존시의 행적을 살피고 본으로 삼는다. ㅇ三年(삼년)—정현(鄭玄)은 27개월, 왕숙(王肅)은 25개월이라 했다. ㅇ無改於父之道(무개어부지도)—선친의 도를 고치지 않는다. 도(道)는 원칙이나 방식. 어(於)는 목적어 앞에 오는 조사. ㅇ可謂孝矣(가위효의)—효라고 말할 수 있다. ㅇ觀其志(관기지), 觀其行(관기행)—주자의 해석은 다르다. '자식의 뜻하는 바를 관찰하고, 자식의 행하는 바를 보고'로 풀었으나, 여기서는 취하지 않는다.

解說 부모님 생존시에는 정성껏 봉양하고, 돌아가시면 정중하게 장례를 치르고, 또 제사를 잘 모시는 것을 일반적으로 효(孝)라고 한다. 그러나 효도(孝道)에는 높은 차원의 깊은 뜻이 있다. 효도 효

(孝)는 본받을 효(效)와 통한다. 크게는 하늘의 도리를 본받고 따르고 행한다는 뜻이고, 작게는 선조나 부친의 뜻이나 이상 및 사업을 본받고 따른다는 뜻이다. 즉 가문과 선조의 전통을 계승하고 발전시킨다는 뜻이다.

《중용(中庸)》에서 공자가 말했다.

"주나라의 무왕과 주공단(周公旦)은 효도를 충분히 달성했다. 무릇 효는 선조나 부친의 뜻과 이상을 계승하고 아울러 선조나 부친의 사업을 더욱 발전시키는 것이다(武王周公 其達孝矣乎 夫孝者 善繼人之志 善述人之事也)."

즉 무왕과 주공단은 천명(天命)을 받고, 포악무도한 은(殷)나라의 주왕(紂王)을 방벌(放伐)하고 주(周)나라를 세워 천도에 합당한 문물제도 및 예악(禮樂)을 제정하고 예치(禮治), 즉 덕치(德治)를 폈다. 이는 곧 크게는 하늘의 뜻과 도리에 호응한 것이고, 작게는 선조 및 부친의 이상과 경륜을 계승하고 성취한 것이다. 그러므로 그들을 효의 달성자라고 칭찬한 것이다. 이와 같이 효도 사상 속에는 역사와 전통을 계승하고 더욱 발전케 한다는 '역사적 발전관(歷史的 發展觀)'이 살아 있다. 인류의 역사와 문화는 선방향(善方向)으로 발전해 나간다. 그러므로 먼저 태어나, 역사와 문화 발전에 기여한 선인, 선조 및 부모는 다 착하게 살고, 좋은 공적을 남긴 사람들이다. 그러므로 후생(後生)은 마땅히 '계지술사(繼志述事)'해야 한다.

위의 경문에 '3년간을 두고 선친의 도를 고치지 않아야 비로소 효라 할 수 있다.(三年無改於父之道 可謂孝矣)'라는 말에 대해서도 여러 가지 설이 있다. 그러나 원칙적으로 부친은 천도를 따라 바르게 살고 역사 문화 발전에 공헌을 했다. 그러므로 효자가 부친의 뜻과 전통을 계승하는 것은 당연하다. 그러나 만약 부친의 도가 잘못된 경우에는 자식은 충간(忠諫)해야 한다. 잘못된 것을 계승하라는 뜻이 아니다.

1-12. 유자가 말했다. "예를 시행하는 데는 조화를 귀중하게 여긴다. 선왕의 예도가 그러했으므로 아름답고 좋았다. (그러나) 대소의 모든 일을 조화 위주로만 하면 잘 안될 때가 있다. 조화의 귀중함을 알고 조화롭게 하되, 예로써 조절하지 않으면 역시 안될 수도 있다."

原文 **有子曰, 禮之用**이 **和爲貴**하니 **先王之道 斯爲美**니라. **小大由之**이나 **有所不行**이니라. **知和而和**로대 **不以禮節之**면 **亦不可行也**니라.

註解 ㅇ禮之用(예지용)－예를 시행할 때에는, 예를 적용함에는. '예의 작용'이라고 풀이할 수도 있다. ㅇ和爲貴(화위귀)－조화를 귀중하게 여긴다. 화(和)를 화락(和樂)이라고 풀 수도 있다. 즉 예는 모든 사람을 화목하고 즐겁게 하는 문화적인 생활규범이다. ㅇ先王之道(선왕지도)－선왕들이 나라를 잘 다스리던 원리와 방법. 선왕(先王)은 주(周)나라의 문왕·무왕 및 주공(周公) 같은 성왕(聖王)과 성인(聖人). 요(堯)나 순(舜)까지 올라갈 수도 있다. ㅇ斯爲美(사위미)－예로써 만민을 조화하는 것을 아름답게 여겼다. 미(美)는 선(善). ㅇ小大由之(소대유지)－큰 일이나 작은 일이나 그것만을 바탕으로 하면. 지(之)는 화(和)만을 중시하고 예(禮)를 시행한다는 뜻. ㅇ有所不行(유소불행)－잘 행해지지 않을 수가 있다. ㅇ知和而和(지화이화)－예를 시행함에 조화가 중하다는 것을 알고 조화롭게 하되. ㅇ不以禮節之(불이예절지)－엄숙하고 엄격한 예의범절로써 절도있게 조절하지 않으면. ㅇ亦不可行也(역불가행야)－역시 행해지지 않을 수가 있다.

解說 주자(朱子)는 '소대유지(小大由之)'를 앞에 붙여 읽고 다음과 같이 풀이했다. '예를 시행하는 데는 조화를 귀중히 여기며, 선왕의 도(道)도 이것을 선미(善美)로 여겼으며, 작은 일 큰 일 모두를

이에 따랐다.(禮之用 和爲貴 先王之道 斯爲美 小大由之).' '그래도 행해지지 않을 것이 있으니, 조화만 알고 조화만 하고 예로써 조절하고 절도있게 하지 않으면 또한 일이 성취되지 않는다(有所不行 知和而和 不以禮節之 亦不可行也).'

예(禮)라는 한자는 근원적으로 '이(理)와 이(履)'에 통한다. 즉 '하늘의 도리를 따르고 실천한다'는 뜻이 숨어 있다. 예를 외형적인 생활 예술미, 혹은 사회적 행동규범으로만 좁게 생각하면 안된다. 예는 내면적으로는 자연 만물이 조화를 이루고 다 함께 살고 발전하는 천도를 따른다는 뜻이다. 그것을 외형적으로 표현한 것이 생활의 예술미이며 동시에 여러 가지 사회적 행동 규범으로 나타난 것이다.

그러므로 사회생활에서 높이는 예의범절이나 혹은 관혼상제 같은 의식이나, 국가적인 차원에서 제정된 문물제도, 전례(典禮)·의식(儀式) 및 예악(禮樂) 등이 다 하늘의 법도를 따라 그 위계와 질서가 엄격하게 정해져 있다. 한편 예절이나 의식은 상하 좌우의 모든 사람을 서로 화목하게 하고 동시에 함께 즐겁게 하는 효능이 있다.

'화목과 즐거움'을 합해서 화락(和樂)이라고 한다. 결국 예를 시행할 때에는 '사람들을 화목하고 즐겁게 해준다는 일면과 사람들로 하여금 위계질서를 엄격하게 따르고 지키게 한다는 양면'을 겸해야 한다. 주자는 《집주》에서 말했다. "엄하면서도 부드럽게, 화락하면서도 절도있는 것이 자연의 이치이고 예의 전체이다(嚴而泰 和而節 此理之自然 禮之全體也)."

1-13. 유자가 말했다. "남에게 한 약속이 도(道)에 가까워야 그 말을 실천할 수 있다. 남을 공경하되 예(禮)에 가까워야 치욕을 면할 수 있다. 남을 의지하되 (그가 친애로운) 인(仁)을 잃지 않는 사람이라야 비로소 그를 존경하고 주체로 삼을 수 있다."

原文 **有子曰, 信近於義면 言可復也며 恭近於禮면 遠恥辱也며 因不失其親이면 亦可宗也니라.**

註解 ㅇ有子(유자)－〈學而篇 1-4〉 참조. ㅇ信(신)－말을 실천함을 신(信)이라 한다. 여기서는 약속으로 풀었다. ㅇ近於義(근어의)－약속한 말이나 내용이 정의(正義)에 맞고 도의(道義)에 가까워야 한다. ㅇ言可復也(언가복야)－(도의에 맞는 약속이라야) 지키고 실천할 수 있다. 도의에 어긋나는 약속은 해도 안되고 또 실천하면 더욱 안된다. 복(復)을 주자는 '말을 실천한다.(踐言)'라고 풀었다. 복(復)을 '거듭한다'로 풀기도 한다. ㅇ恭近於禮(공근어례)－남에게 공순(恭順)하는 것은 좋다. 그러나 예의범절(禮儀凡節)을 벗어나지 않게 해야 한다. 권력이나 재물에 눌려 비굴하게 아첨하는 것은 예가 아니다. ㅇ遠恥辱也(원치욕야)－치욕을 멀리할 수 있다. 원(遠)은 피하고 벗어나다. ㅇ因(인)－남을 신뢰하고 의지하다. 인(因)을 인(姻)으로 보기도 하나, 취하지 않는다. ㅇ不失其親(불실기친)－일반적으로는 '친근감을 잃지 않다'로 푼다. 그러나 깊은 뜻으로는 친(親)을 '참다운 친애, 즉 인애(仁愛)'로 푼다. 맹자(孟子)는 '부모 친족을 친애하는 것이 인이다.(親親仁也)'라고 했다. 그러므로 이 구절을 '친애(親愛)하고 협동(協同)하려는 인심(仁心), 인덕(仁德)을 잃지 않아야 한다.'로 풀이함이 좋다. ㅇ亦可宗也(역가종야)－역시 그를 존경하고 주인으로 삼을 수 있다. 종(宗)은 정점으로 하고 높이다. 주(主)는 중심으로 한다, 주체로 한다.

解說 유교는 덕행(德行)을 높인다. 덕(德)은 얻을 득(得)과 통한다. 도(道)를 따르고 실천해서 얻어진 좋은 성과(成果)를 덕이라 한다. 그러므로 덕행은 곧 하늘의 절대선(絶對善)의 도를 따르고 실천해서 좋은 성과를 거두는 행동이다. 결국 덕행은 절대선인 하늘의 도리, 즉 천도(天道)를 기준으로 해야 한다. 천도에 어긋나는 말이나 행동은 절대로 덕이 될 수 없다. 천도에 어긋나는 나쁜 약속을 지키

고 이행하는 것은 덕행이 아니라, 범죄적 악덕행위다. 악덕한 권력자에게 굽히고 아첨하는 것은 예의가 아니고 굴욕적 예속이며 따라서 창피한 짓이다.

예의(禮義)는 생활의 예술미다. 예는 신분 계층에 어울리도록 지키고 실천하되 절대로 천도를 바탕으로 하고 따라야 한다. 남을 믿고 의지하되, 그가 진정으로 남을 '친애(親愛)하는 인심(仁心)과 인덕(仁德)'을 지니고 있어야 한다. 마음이 간악하고 권모술수(權謀術數)만을 농하는 악덕(惡德)한 사람을 의지하거나, 내세우면 모든 일을 망치고 나라를 혼란케 할 것이다. 주자는 다음과 같이 주를 달았다. ①'약속한 말이나 내용이 옳고 합당해야 그 말을 실천할 수 있다(約信而合其宜 則言必可踐矣).' ②'남을 공경하되 예의나 절도에 맞게 해야 능히 창피와 굴욕을 멀리 하고 면할 수 있다(致恭而中其節 則能遠恥辱矣).' ③'내가 믿고 의지할 만한 사람은 (다른 사람이 아니다). 그 자신이 친애하고 돌봐주어야 할 모든 사람들을 잃지 않는 (덕있는 사람, 즉 仁人이라야 한다). 그래야 나도 역시 그를 높이 모시고 그를 중심으로 하여 일을 할 수 있다(所依者 不失其可親之人 則亦可以宗而主之矣).'

1-14. 공자가 말했다. "군자는 배불리 먹기를 구하지 않고, 편히 살기를 구하지 않고, 일을 민첩하게 하고 말을 신중히 하며, 도를 좇아 바르게 해야 한다. 그래야 가히 배우기 좋아하는 사람이라 말할 수 있다."

原义 子曰, 君子食無求飽하며 居無求安하며 敏於事而愼於言이오 就有道而正焉이면 可謂好學也已니라.

註解 ㅇ君子(군자)－학덕(學德)을 겸비하고 왕도덕치(王道德治)에 참여하는 지도자적 지식인, 엘리트. ㅇ食無求飽(식무구포)－식생활에 있어 자기 혼자 배불리 먹기를 구하지 않는다. ㅇ居無求安(거무구안)－거처를 잡고 살 때에 자기 혼자 안락하기를 구하지 않는다. 이상의 두 가지는 물질생활면에서 풍요와 안락하기를 구하지 않는다는 뜻이다. ㅇ敏於事(민어사)－모든 일을 민첩하게 처리한다. 가정에서 효도하는 것, 학교에 가서 공부하는 것, 사회나 국가에서 여러 가지 사무를 처리하는 것 등이 다 포함된다. ㅇ愼於言(신어언)－말을 신중히 한다. ㅇ就有道(취유도)－바른 도리를 따라서, 혹은 도를 지키는 사람을 좇아서. ㅇ正焉(정언)－일을 바르게 한다, 혹은 잘못을 바르게 고친다. 언(焉)은 어조사. ㅇ可謂(가위)－가히 말할 수 있다. ㅇ好學也已(호학야이)－배우기를 좋아한다. 야이(也已)는 어조사.

解說 군자는 인(仁)의 세계를 창건할 휴머니스트다. 자기 한몸의 안락을 구하기에 앞서, 천하 만민의 평화와 행복을 앞세워야 한다. 그러기 위해 군자는 '자기를 수양하고 백성을 잘 다스려야(修己治人)' 한다.

자기 수양을 위해서나 남을 잘 다스리기 위해서나, 군자는 학문과 덕행을 높여야 한다. 공자의 학문정신은 지행일치(知行一致)다. 학문 지식과 행실 및 덕행이 하나가 되어야 한다.

덕행(德行)의 기준은 천도(天道)다. 절대선(絶對善)의 천도(天道)를 따르고 실천해서 땅 위에 현실적으로 좋은 성과, 즉 지덕(地德)을 세우는 것이다.

천도는 곧 우주(宇宙)의 이법(理法)이다. 천지 자연만물이 조화를 이루고 시간의 흐름에 따라 더욱 생성(生成)·번식(繁殖)·발전(發展)하는 도리다. 인간의 경우는 시간의 흐름에 따라 대를 이어가면서 역사와 문화를 더욱 새롭게 창조적으로 발전케 한다.

그러므로 천도를 절대선의 도리라고 한다. 천도는 한쪽으로 치우치거나, 어느 하나만을 편협하게 사랑하는 도리가 아니다. 천도는 자연 만물과 인간들이 우주적인 조화(調和) 속에서 함께 생성 발전케 하는 절대선의 도리다.

천도는 공평무사(公平無私)하고, 광명정대(光明正大)하고 또 영구불변(永久不變)하는 절대선의 진리다.

그러므로 군자는 먼저 천도를 알고, 천도에 맞게 행하고 남에게 덕을 베풀어야 한다. 그것이 수양이고 인격완성이다. 이를 '취유도이정언(就有道而正焉)'이라고 했다. 바를 정(正)은 문자학적으로 '한 일(一)과 머무를 지(止)'의 합자(合字)다. '바르게 함'은 곧 '하나인 절대선의 도리에 가서 머문다'는 뜻이다. 수양이나 인격완성은 실천을 통해서 성취된다. 그러므로 '군자(君子)는 식무구포(食無求飽)하고 거무구안(居無求安)하며 민어사(敏於事) 이신어언(而愼於言)'하라고 말한 것이다. 그래야 지도자로서 남을 다스릴 수 있다.

1-15. 자공이 말했다. "가난해도 아첨하지 않고, 부유해도 교만하지 않으면, 어떻겠습니까?"

공자가 말했다. "괜찮다. 그러나 가난하면서 도를 즐기고, 부유하면서 예를 좋아하는 사람만은 못하다."

자공이 말했다. "시에 있는 절차탁마가 바로 그 뜻이군요."

공자가 말했다. "사야! 비로소 너와 함께 시를 논할 수 있구나. 과거를 말해주면 미래를 아는구나."

原文 **子貢曰 貧而無諂**하며 **富而無驕**하되 **何如**니이꼬? **子曰, 可也**나 **未若貧而樂**하며 **富而好禮者也**니라. **子貢曰, 詩云 如切如磋**하며 **如琢如磨**라하니 **其斯之謂與**인저? **子曰,**

賜也는 **始可與言詩已矣**로다 **告諸往而知來者**이오녀.

註解 ㅇ貧而無諂(빈이무첨)－가난해도 남에게 아첨하지 않는다. ㅇ富而無驕(부이무교)－부귀를 누려도 남에게 교만하지 않으면. ㅇ可也(가야)－그만해도 괜찮다. ㅇ未若(미약)－아직 ……만은 못하다. ㅇ貧而樂(빈이락)－가난하게 살면서도 도를 따르고 즐긴다. 즉 안빈낙도(安貧樂道)한다. ㅇ富而好禮者也(부이호례자야)－부귀를 누리면서도 예절 지키기를 좋아한다. ㅇ詩云(시운)－《시경(詩經)》에서 말하다. 공자 시대에는 《시경》이라 하지 않고, 시(詩)라고 불렀다. 절차탁마(切磋琢磨)는 《시경》〈위풍(衛風)〉 기오편(淇澳篇)에 있다. ㅇ如切(여절)－칼로 베는 듯. ㅇ如磋(여차)－줄로 쓰는 듯. ㅇ如琢(여탁)－끌로 다듬는 듯. ㅇ如磨(여마)－숫돌로 가는 듯. 절차탁마(切磋琢磨)는 옥이나 보석을 자르고 쓸고 다듬고 갈아서 보물로 완성되게 한다는 뜻이다. ㅇ其斯之謂與(기사지위여)－그 말이 바로 이러한 뜻이군요. ㅇ賜也(사야)－자공의 이름이 사(賜)다. ㅇ始(시)－비로소. ㅇ可與言詩已矣(가여언시이의)－가히 함께 시를 논할 수 있다. ㅇ告諸往(고제왕)－그대에게 옛것을 말해 주었거늘. 제(諸)는 '지어(之於)'의 합자. ㅇ知來者(지래자)－미래의 것을 알아차린다.

解說 자공(子貢)은 언어에 뛰어난 제자로, 화식(貨殖)에 밝았다. 그는 처음에는 가난했으나 나중에는 경제적으로 부유하게 잘살았다. 그래서 공자에게 이와 같은 질문을 한 것이다. 그러나 공자는 자공에게 한 단계 높은 덕행을 가르쳐 주었다. 즉 '빈이무첨(貧而無諂)' 하는 것보다 적극적으로 '빈이락도(貧而樂道)'하라고 가르쳤다. 또 '부이무교(富而無驕)'에서 한 단계 높이 올라가 '부이호례(富而好禮)' 하라고 가르쳤다.

그러자 총명한 자공이 그 자리에서 "《시경(詩經)》에 있는 절차탁마(切磋琢磨)가 바로 그런 뜻이군요."하고 대답했다. 이에 공자는 "비로소 너와 같이 시를 논할 수 있구나."하고 칭찬하였다. 《시경》에 있는 '3백 편의 시'를 오늘의 가르침으로 받아들일 수 있어야 한다. 이를 자공은 능히 했다. 그래서 공자는 자공을 가리켜 "지나간 일을 말해주면, 미래의 일을 안다.(告諸往而知來者)"고 칭찬했고 이어서 "비로소 함께 《시경》의 시들을 논할 수 있다."고 했다.

공자가 《시경》의 공부를 중시한 이유는 다름이 아니다. 시는 사람의 성정(性情)을 솔직하게 표현한다. 그러므로 시를 읽으면, 옛사람들이 자기네가 처한 정치적·사회적 현실에 어떻게 대응했는지를 알 수 있다. 정치가 좋으면 백성들의 시가 화락(和樂)하고, 정치가 악하면 백성들의 시가 원망(怨望)스럽다. 따라서 《시경》 공부를 하면 결국 백성들을 즐겁게 하기 위해서 어떠한 정치를 펴야 하는지를 알게 되는 것이다. 결국 정치의 득실을 시를 통해 알 수 있는 것이다.

1-16. 공자가 말했다. "남들이 나를 몰라준다고 걱정하지 말고, 내가 남을 모를 것을 걱정해야 한다."

原文 子曰, 不患人之不己知오 患不知人也니라.

註解 ㅇ患(환)－걱정하다, 근심한다. ㅇ人之不己知(인지불기지)－남들이 나를 알아주지 않는다. 인(人)을 남으로 푼다, 여기서는 인(人)이 주어, 불기지(不己知)는 술어, 주어와 술어를 지(之)로 연결했다. '불기지(不己知)'는 '부지기(不知己)'의 변형. 부정구(否定句)의 목적어가 기(己)처럼 간단한 대명사일 때에는 부정사 불(不)에 붙이고 동사를 뒤로 돌린다. ㅇ患不知人也(환부지인야)－(내가) 남을 모르는 것을 근심한다. 이때의 인(人)은 지(知)의 목적어.

解說 학문은 자기수양을 위해서 하는 것이다. 설사 남이 나를 알

아주지 않아도 노여워하거나 불평을 하면 안된다. 그러나 나는 항상 나보다 현명하고 덕이 높은 사람을 찾고 그 사람에게 배우고 나 자신을 발전케 해야 한다. 그러므로 내가 남을 바르게 알지 못함을 걱정해야 하는 것이다.

제2편 위정편(爲政篇)

형병(邢昺)은 소(疏)에서 '배운 다음에 정치에 들어간다.(學而後入政)'는 《좌전(左傳)》의 말을 인용하고 '고로 〈학이편〉 다음에 〈위정편〉이 있다.(故次前篇也)'라고 말했다. 또 그는 '이 〈위정편〉에서 논한 바 효(孝)·경(敬)·신(信)·용(勇)은 백성을 다스리는 덕이다. 성현과 군자는 다스리는 사람들이다. 그러므로 위정을 첫 장에 내세웠고 편명으로 삼았다.(此篇所論 孝敬信勇 爲政之德也 聖賢君子 爲政之人也 故以爲政於首章 遂以名篇)'라고 했다.

황간(皇侃)은 '군자가 백성을 교화하고 풍속을 높이기 위해서는 반드시 배움을 바탕으로 한다.(君子如欲化民成俗 其必由學乎)'는 《예기》 〈학기편(學記篇)〉의 말을 인용하고 '그러므로 〈위정편〉을 〈학이편〉 다음에 두었다.(故以爲政次於學而也)'라고 주에서 말했다.

공자는 '정치는 바르게 함이다.(政者正也)'라 했고 주자는 '정치를 가지고 사람의 잘못을 바르게 해준다는 뜻이다.(所以正人之不正也)'라고 풀이했다.

유교에서는 수기치인(修己治人)을 강조한다. 정치에 참여할 군자는 먼저 학문과 덕행을 쌓고 자기수양으로 인격을 완성한 다음에 정치에 참여하고 백성들을 잘살게 해준다는 뜻이다.

바른 정치는 절대선(絶對善)인 하늘의 도리를 따르는 덕치(德治)이고, 그것은 곧 만민을 고르게 사랑하고 넓게 베풀고 제도하는 박시제중(博施濟衆)의 인정(仁政)이기도 하다.

2-1. 공자가 말했다. "다스림을 덕으로써 하면 마치 북극성이 제자리에 있으되 여러 별들이 공수(拱手)하고 따르는 것과 같으니라."

原文 **子曰, 爲政以德**이 **譬如北辰**이 **居其所**이어든 **而衆星共之**니라.

註解 ㅇ爲政以德(위정이덕)－다스림을 덕으로써 한다, 덕으로 다스린다. 덕(德)은 도(道)를 따르고 행해서 얻어진 좋은 성과나 혜택을 뜻한다. ㅇ譬如(비여)－비유하면 ……와 같다. ㅇ北辰(북신)－북극성, 엄격히 말하면 북극성은 이동한다. 그러나 고대에는 거의 부동이라고 믿었다. 따라서 북극성을 지축(地軸)의 북쪽 끝, 즉 하늘의 중심, 천추(天樞)에 가만히 있다고 보았다. ㅇ居其所(거기소)－그 자리에 가만히 있다. ㅇ而(이)－그러나. ㅇ衆星(중성)－모든 별들이. ㅇ共之(공지)－공(共)=손 맞잡을 공(拱), 공수(拱手) 경례하다(鄭玄), 향(向)하다(朱子).

解說 《고주(古注)》는 다음과 같이 풀이했다. '덕은 인간적인 조작을 아니한다. 흡사 북극성이 제자리에 가만히 있으되 뭇 별들이 그를 존경하고 그를 중심으로 하고 질서정연하게 돌아가는 것과 같다(德者無爲 猶北辰之不移 而衆星共之)'(包咸). '이 장은 정치의 요체를 말한 것이다. 정치를 덕으로써 한다는 뜻은 곧 가장 좋은 정치는 덕으로써 하는 것보다 더할 게 없다는 뜻이다. 덕은 얻는다는 뜻이다. 만물이 얻음으로써 생육하므로 덕이라 한다. 순수하고 맑은 덕을 흐트러뜨리지 않고 인위적인 조작을 안하고도 맑게 교화하는 것이 곧 다스림을 잘함이다(此章言爲政之要 爲政以德者 言爲政之善 莫若以德 德者得也 物得以生 謂之德 淳德不散 無爲化淸 則政善矣)'(邢昺疏).

《집주(集註)》는 다음과 같이 풀이했다. '다스린다는 뜻은 바르게 함이다. 정치로써 사람들의 잘못을 바르게 해준다. 덕은 얻는다는 뜻이다. 도를 행해서 마음속에 얻어지는 것이다.(政之爲言正也 所以正人之不正也 德之爲言得也 行道而有得於心也)' (朱子). '덕으로 다스리면 움직이지 않고 교화하고, 말없이 믿게 하고, 조작하지 않고도 성취한다. 지키는 바가 지극히 간략하지만, 능히 번거로운 일들을 처리할 수 있다. 처하는 곳이 지극히 조용하지만 능히 움직이는 것들을 제어한다. 힘쓰고 애쓰는 바 지극히 적지만 능히 모든 사람들을 복종케 한다.(爲政以德 則不動而化 不言以信 無爲以成 所守者至簡 而能御煩 所處者至靜 而能制動 所務者至寡 而能服衆)' (范氏).

고대의 덕치(德治)와 정반대 되는 것이 오늘의 패도(霸道)의 악덕정치(惡德政治)다. 무력과 권모술수를 농하고 이기적 탐욕을 채우는 정치다. 오늘의 악덕한 정치인들은 성현들이 높인 인정(仁政)이나 덕치(德治)의 깊은 도리와 뜻을 모른다. 반대로 동물적·이기적·관능적 욕구를 채우기 위해 무소불위(無所不爲)의 악행을 자행하고 있는 것이다. 공자는 '정치는 바르게 하는 것이다.(政者正也)' 〈顔淵篇 12-17〉라고 말했다. 즉 '절대선(絶對善)인 하늘의 도리에 하나가 된다'는 뜻이다.

바른 정치는 곧 하늘의 도리를 따르고 실천해서 좋은 성과를 거두는 덕치(德治)이다. 무력으로 다스리는 패도의 악덕정치나, 형벌로 위협하는 법치(法治)는 이상적인 정치가 아니다. 밤하늘에 반짝이는 북극성과 뭇 별들을 가지고 덕치를 문학적으로 비유한 공자는 정치적 예술가이기도 하다.

2-2. 공자가 말했다. "《시경》에 있는 3백 편의 시는 한마디로 말하면, 상념에 사악함이 없다."

原文 子曰, 詩三百에 一言以蔽之하니 曰 思無邪니라.

註解 ㅇ詩三百(시삼백)-《시경(詩經)》에 있는 3백 편의 시, 실제로는 305편이다. 시 구절은 없이 제목만 있는 것 6편을 합해서 311편이라고도 한다. 공자 시대에는 《시경》이라 부르지 않고 시(詩)라고 했으며, 서(書)=《서경(書經)》과 함께 공문(孔門)의 필수 교재였다. 지금 전하는 《시경》은 공자가 주대(周代)로부터 전하는 3천여 편의 시를 추린 것이며, 이를 다시 한대(漢代)의 모형(毛亨)이 전한 것으로 모시(毛詩)라고도 한다. ㅇ一言以蔽之曰(일언이폐지왈)-한마디로 추려 말하다. ㅇ思無邪(사무사)-생각이나 상념에 사악함이 없다. 사무사(思無邪)는 《시경》〈노송(魯頌)〉 경편(駉篇)에 있는 시구이기도 하다. '일언이폐지왈(一言以蔽之曰)'을 '《시경》 3백 편을 《시경》에 있는 한 구절을 들어서 말하면'으로 풀기도 한다.

解說 《시경》은 세계 최고의 시집이다. 크게 '풍(風)·아(雅)·송(頌)' 셋으로 분류한다. 풍(風)은 각 지방의 노래다. 아(雅)는 제후나 왕족들의 행사 및 의식이나 연락(宴樂)을 읊은 시들이다. 송(頌)은 주로 주(周)나라의 조상들을 칭송하는 종교시(宗教詩)다. 옛날에는 시를 예악(禮樂)과 함께 송영(誦詠)했으며, 시로써 인간의 성정(性情)을 높이고 순화했다. 애당초 공자가 시를 산정(刪定)한 목적이 시를 가지고 모든 사람들을 교화하고 예악으로 정치를 순화하자는 것이었다. 그러므로 《시경》에 있는 시 3백 편을 한마디로 '그 생각이나 상념에 사악함이 없다'고 한 것이다.

2-3. 공자가 말했다. "정략으로 이끌고 형법으로 다지면 백성들은 죄를 모면하되 부끄러움을 못 느낀다. 그러나 덕으로 이끌고 예로써 다지면 염치를 알고 또 바르게 된다."

原文 子曰, 道之以政하고 齊之以刑이면 民免而無恥니라.

道之以德하고 **齊之以禮**면 **有恥且格**이니라.

註解 ㅇ道之以政(도지이정)－정략적(政略的) 정치로써 백성을 이끌다. 도(道)는 인도(引導), 영도(領導)의 뜻으로 푼다. 주자는 '법제금령(法制禁令)'이라 풀었다. ㅇ齊之以刑(제지이형)－형벌로써 다지다, 한결같이 통제하다, 정제하게 틀을 잡다. ㅇ民免而無恥(민면이무치)－백성들은 법망을 뚫고 죄를 모면하려고 할 뿐, 마음속에 부끄러움을 느끼지 않는다. 면(免)은 법망을 피한다, 죄과에 걸리지 않고 빠져나간다. ㅇ道之以德(도지이덕)－덕으로써 이끌다, 영도한다. 포함(包咸)은 도덕(道德)이라 풀었다. ㅇ齊之以禮(제지이례)－예로써 균제(均齊)하게 다진다. 예는 문물제도 및 도덕적 생활규범 등을 포함한다. ㅇ有恥且格(유치차격)－마음속으로 염치를 가리고, 또 바르게 된다.

解說 공자는 법치(法治)보다 덕치(德治)를 높였다. 덕치는 곧 도덕정치다. 통치자인 임금이나 정치에 참여하는 군자들이 인격을 완성하고 절대선(絶對善)인 하늘의 도리를 따라 솔선수범(率先垂範)해서 덕을 세워야 한다. 동시에 백성을 사랑하는 인심(仁心)을 바탕으로 만백성을 잘살게 하는 인정(仁政)을 베풀어야 한다. 그러면 백성들도 교화되고 저마다 윤리도덕을 실천하고 착한 삶을 살게 된다.

이와는 반대로 악덕한 위정자는 무력으로 백성들을 위협하고 형법으로 백성들을 억압하며, 자기네들의 동물적 탐욕을 채우기 위해 백성의 재물을 겁탈하는 악덕을 서슴없이 자행한다. 그렇게 되면 백성들도 점차로 악화(惡化)되고 표면적으로 혹은 일시적으로 법망(法網)이나 죄에 걸리지 않으려고 고식적(姑息的)인 수단 방법을 강구하게 된다. 그러면서 인간성이 고갈되고 양심이 마비된다.

그러므로 통치자나 피통치자가 함께 타락하고 악덕한 죄를 저질러도 양심의 가책을 안 느끼고 염치나 수치심이 없게 된다. 즉 숭고한 인간성을 상실하고 동물 이하의 아귀(餓鬼) 같은 존재로 전락한다.

그러므로 정치는 인간의 착한 본성, 즉 도덕성을 계발하고 아울러 절대선의 하늘의 도리를 따라 바르고 착하게 해야 한다. 동물적·이기적 욕심을 채우기 위해 남을 속이고 무력을 행사하면 안된다. 결국은 다 함께 전멸한다.

예(禮)는 일반적으로는 '예의·범절·의례(儀禮)'의 뜻이다. 그러나 본래의 뜻은 무척 넓고 깊다. 허신(許愼)은 《설문해자(說文解字)》에서 다음과 같이 풀었다. '예(禮)는 이(履 : 밟을 리)이다. 신을 섬기고 복을 내려받는 바탕이다(禮履也, 所以事神致福也).' 한편 예(禮)는 이(理)와 통한다. 즉 '하늘에 제사를 올리고 하늘로부터 도리(道理)를 내려받고, 그 도리를 실천한다'는 뜻이 담겨져 있다. 예는 내면적으로는 하늘의 도리를 따르고 실천함이고, 외형적으로는 '진선미(眞善美)가 일치하는 생활의 예술적 표현이다.' 그러므로 덕치(德治)나 예치(禮治)는 바로 이상적인 도덕정치다.

그렇다고 법치(法治)를 부정하거나 무시하면 안된다. 법치만을 목적으로 하거나 법치만으로 끝나지 않고 덕치(德治)로 올라가야 한다는 뜻이다. 인간은 하늘로부터 '착한 본성[善本性]'을 내려받고 있다. 그러므로 도덕정치로써 백성들을 착하게 영도하고 교화하면 이상세계를 창건할 수 있다.

2-4. 공자가 말했다. "나는 열다섯 살에 학문에 뜻을 두었고, 서른 살에 독립했고, 마흔 살에 현혹되지 않았고, 쉰 살에 천명을 알았고, 예순 살에 남의 말을 순순히 듣게 되었고, 일흔 살에 마음내키는 대로 좇아도 법도를 넘지 않았다."

原文 子曰, 吾十有五而志于學하고 三十而立하고 四十而不惑하고 五十而知天命하고 六十而耳順하고 七十而從心

所欲하야 不踰矩호라.

註解 ㅇ吾十有五(오십유오)－나는 열다섯 살에, 십유오(十有五)는 15. ㅇ志于學(지우학)－학문에 뜻을 두었다. 어조사 우(于)＝어조사 어(於). 주자는 '옛날에는 15세에 대학에 들어갔다(古者十五而入大學)'라고 했다. 한편 《상서(尙書)》〈주전(周傳)〉에는 '왕이나 귀족의 자제들은 15세에 소학(小學)에 들어가고, 20세에 대학(大學)에 들어갔다.'라고 했다. 여기서는 '학문에 뜻을 두었다'로 풀었다. ㅇ三十而立(삼십이립)－서른 살에 자립(自立)했다. 입(立)에 대해서는 설이 많다. 15세부터 학문을 배우고 덕을 쌓기 시작해서, 30세경에는 떳떳한 사회인으로 자립하고 행동했다. 주자는 '자립하고 지키는 바가 확고하고 다른 일에 마음을 두지 않았다.(有以自立 則守之固 而無所事志矣)'라 했다. 즉 '세속적인 부귀나 권력에 흔들리지 않았다'로 풀었다. ㅇ四十而不惑(사십이불혹)－40세에는 자기의 학문이나 신념이 확고하게 섰으므로 다른 것에 미혹되는 일이 없었다. 즉 이단사설(異端邪說)이나 세속적인 명리(名利)에 미혹되지 않았다. ㅇ五十而知天命(오십이지천명)－50세에는 천명을 알게 되었다. 사람의 통달(通達)이나 궁색(窮塞)이 다 하늘이 명하는 것임을 알다. 황간(皇侃)은 말했다. "천명은 통달(通達)과 궁색(窮塞)의 분수를 말한다. 하늘이 명령한다고 함은 곧 사람은 하늘의 기(氣)를 받고 (태어나 산다) (그러므로 사람은) 출생과 더불어 통달과 궁색의 분수를 다 하늘에 의해서 명령적으로 받는다(天命謂窮通之分 謂天爲命者 言人稟天氣 而生得此窮通 皆由天所命也)." 형병(邢昺)은 말했다. "공자는 47세에 《주역(周易)》을 배우고 50세가 되자 하늘의 도리를 구명(究明)하고 (하늘이 내려준 사람의) 본성을 다했으며, 따라서 처음과 끝남의 분수와 한계를 알았다(孔子四十七歲學易 至五十窮理盡誠 知天命之始終也)." ㅇ六十而耳順(육십이이순)－60세에는 귀가 따르게 되었다. 즉 남의 말을 넓은 아량으로 긍정적으로 듣고 받아들인다는 뜻. 정현(鄭玄)은 '사람의 말을 듣고 그 속에 있는 자세한 뜻을 알다.(聞其言而知其微旨)'라 했고, 주자는 '남의 말소리를 듣고 그의 마음을 알아주고 부정하거나 거

역하지 않는다. 지각이 최고의 경지에 도달했으므로 생각하지 않고도 (남의 말의 선악시비를 바르게) 알 수 있다.(聲入心通 無所違逆 知之之至 不思而得也)'라고 풀이했다. 또 정자(程子)는 '듣는 말의 뜻이나 도리를 다 통달하고 있음이다.(所聞皆通)'라고 했다. 결국 60세가 되자 자기의 지식이나 신념이 확고부동하고 또 인품이나 인격이 원숙하고 관대하게 되었으므로 남의 말도 일단은 다 긍정적으로 들을 수 있게 되었다는 뜻이다. ㅇ七十而從心所欲 不踰矩(칠십이종심소욕 불유구)-70세가 되자, 자기 마음 내키는 대로 말하고 행동을 해도 법도를 넘지 않는다. 심소욕(心所欲)은 마음이 원하는 바, 불유구(不踰矩)는 법도나 규범을 넘어서지 않는다.

解說 공자가 자신의 평생을 회고하고 자신의 수양과 발전 과정을 요약해서 말한 것이다. 그러나 이 말은 모든 사람의 수양과 발전 과정을 단계적으로 말한 것으로 볼 수도 있다. 이러한 점에서 공자의 가르침은 지극히 현실적이고 상식적이라 하겠다. 허나, 범인이 이상과 같은 단계적 발전과 수양을 하기는 쉬운 일이 아니다. 공자는 범인과 다르게 뛰어난 사람으로 '생이지지(生而知之)'한 성현(聖賢)이었다.

그러나 공자 자신은 자신을 비하해서 '나는 태어나면서부터 아는 자가 아니었다. 옛날의 학문을 좋아하고 민첩하게 배워서 도리를 바르게 찾았다.(我非生而知之者 好古敏以求之者也)' 〈述而篇 7-19〉라고 말했다. 그러므로 일반 사람들도 부지런히 배우고 노력하면 이상과 같은 단계를 거쳐 성현 군자가 될 수 있다고 가르쳤다. 그 단계를 나누어 설명하겠다.

①지학(志學)-젊어서 뜻을 세우고 배워야 한다.

②이립(而立)-그래야 학문과 덕행을 겸비한 군자로서 자립하고 사회에 참여할 수 있다. 임어당(林語堂)은 'At thirty I had formed my character.'라고 영역했다. 즉 자기의 소신과 인격을 확

립했다는 뜻으로 풀었다.

③불혹(不惑)-자신의 학문 사상과 지향하는 방향에 대한 확고부동한 신념을 지니고, 따라서 세속적인 명리(名利)에 미혹되지 않는다.

④지천명(知天命)-그러나 사람의 힘에는 한계가 있다. 우주 천지를 주재하는 하늘이 내려주는 절대명령, 즉 천명(天命)을 알아야 한다.

⑤이순(耳順)-이와 같은 단계를 따라 경험을 쌓고 수양을 하면 자연히 모든 사람의 존재와 그들이 하는 말을 관대한 마음으로 받아들이게 된다.

⑥불유구(不踰矩)-수양이 마음과 몸을 하나로 만든다. 마음 자체가 동물적 이기심을 극복하고 하늘의 도리와 일치한다. 따라서 그 언행(言行)이 법도를 넘지 않고 예의범절에 맞게 된다.

특히 천명(天命)에 대한 설명을 보충하겠다. 천명은 '하늘이 절대적인 명령으로 내려준 모든 것'이란 뜻이다. 절대적인 명령이므로 사람이 자의(恣意)로 기피하거나 거절할 수 없다. 하늘이 준 모든 것을 받고 따라야 한다. 그것이 천명이다. 크게는 우주천지 자연만물, 중간 단계는 국가의 운세, 작게는 나에게 주어진 혈통과 기질 및 수명 등을 다 포함한다. 그렇다고 숙명론자가 되면 안된다. 누구나 배우고 노력하면 성현이 될 수 있다.

2-5. 맹의자가 효에 대하여 묻자, 공자가 대답했다. "어기지 않는 것이다."

번지가 수레를 몰았을 때 공자가 그에게 말했다. "맹손이 나에게 효를 묻기에 내가 어기지 않는 것이다라고 대답했다."

이에 번지가 "무슨 뜻입니까?"하고 묻자, 공자가 대답했다. "부모가 살아 계시면 예로써 섬기고, 돌아가시면 예로써 상례를 치르고,

제사도 예로써 모셔야 한다."

原文 **孟懿子問孝**한대 **子曰, 無違**니라. **樊遲御**러니 **子告之曰, 孟孫**이 **問孝於我**어늘 **我對曰, 無違**호라. **樊遲曰, 何謂也**이꼬? **子曰, 生事之以禮**하며 **死葬之以禮**하며 **祭之以禮**니라.

註解 ○孟懿子(맹의자)－노(魯)나라의 대부(大夫), 성은 중손(仲孫), 이름은 하기(何忌), 의(懿)는 시호(諡號). 그의 부친 맹희자(孟僖子)가 아들에게 "자기가 죽으면 공자에게 예를 배우라."고 말한 바 있다. 그래서 유촉(遺囑)에 따라 공자에게 효(孝)에 대한 질문을 했다. ○無違(무위)－예의에 어긋나지 마라. 즉 예의 격식이나 도리에 어긋나지 않게 하라는 뜻. '무위는 도리에 어긋나지 않음이다(無違謂不背於理)'(《集註》). 한편 '부친의 뜻에 어긋나지 않다'로 풀기도 한다. ○樊遲(번지)－공자의 제자, 이름은 수(須), 노나라 사람이며, 공자보다 36세 연소했다(《史記》). ○御(어)－수레를 몰다, 부리다. ○子告之曰(자고지왈)－공자가 번지에게 말했다. ○孟孫(맹손)－맹의자(孟懿子), 제후(諸侯)의 아들을 공자(公子), 공자의 아들을 공손(公孫)이라고 한다. ○問孝於我(문효어아)－나에게 효에 대해서 물었다. ○何謂也(하위야)－무슨 뜻입니까? ○生事之以禮(생사지이례)－부모 생존시에는 예로써 부모를 섬긴다. 지(之)는 부모, 부친으로 풀기도 한다. 그러나 앞의 말이 동사임을 알리는 허사이다. ○死葬之以禮(사장지이례)－부모가 돌아가시면 (역시) 예로써 장사지내다. ○祭之以禮(제지이례)－제사도 (역시) 예로써 올린다.

解說 당시 노나라는 맹손(孟孫), 중손(仲孫) 및 계손(季孫)의 세 대부(大夫)들이 대를 이어가면서 참월무도(僭越無道)를 자행하고 있었다. 즉 이들이 군사권(軍事權)과 토지를 점유하고 노나라 임금보다 더 큰 세도를 부렸다. 원래 이들은 노나라 환공(桓公)의 후손이

었으므로 삼환(三桓)이라고도 했다. 한 예로 천자(天子)만이 할 수 있는 팔일(八佾)의 무악(舞樂)을 자기네 제사에서 연주하기도 했다〈八佾篇 3-1〉. 또 태산(泰山)의 제사도 천자만이 지낼 수 있는 것을 무엄하게 그들은 지냈다. 이는 신분·위계·질서를 엄하게 따지는 예(禮)에 어긋나는 짓이었다. '비례면 무도라(非禮無道).' 그래서 맹의자가 효에 대해 질문을 하자 "예를 어기지 마라.(無違)"고 따끔하게 말한 것이다.

맹의자의 부친 맹희자(孟僖子)는 환공의 장자 경보(慶父)의 후예로 공자를 높이 평가하고 존경했다. 임종 직전에 "예절은 사람의 근간이다. 예절이 없으면 바르게 행세할 수 없다.(禮人之幹也 無禮無以立)"라 하고, 자기 아들 맹의자에게 "공자에게 예를 배우라."고 유촉(遺囑)한 바가 있다. '예를 어기지 마라'는 말 속에는 부친의 뜻을 계승하는 효에도 합당하고 또 무도한 행동을 삼가라는 뜻이 다 포함되어 있다. 즉 부모에 대한 효도도 자기의 신분·위계·질서를 지키는 예의 도리를 바탕으로 해야 한다는 가르침이다.

2-6. 맹무백이 효에 대해서 묻자, 공자가 말했다. "부모에게는 오직 질병만으로 걱정을 끼쳐야 한다."

原文 **孟武伯問孝**한대 **子曰, 父母**는 **唯其疾之憂**시니라.

註解 ㅇ孟武伯(맹무백)－맹의자(孟懿子)의 아들, 이름은 체(彘), 무(武)는 시호, 백(伯)은 장자의 뜻. ㅇ父母唯其疾之憂(부모유기질지우)－부모에게는 오직 질병만으로 걱정을 끼쳐야 한다. 마융(馬融)은 다음과 같이 풀이했다. '효자는 함부로 잘못하면 안된다. 오직 질병을 앓을 때에만 (별 수 없이) 부모에게 걱정을 끼친다.(孝子不妄爲非 唯疾病 然

後使父母憂).' 즉 질병 이외의 다른 일로써 부모에게 걱정을 끼치면 안 된다. 혹 '자식은 부모의 질병을 걱정해야 한다'로 풀기도 하나, 취하지 않는다. 신주(新注)는 '자식이 질병에 걸릴까 걱정하는 부모의 마음을 살펴서 자신의 몸가짐을 신중하게 해야 한다.'로 풀기도 한다.

解說 맹무백(孟武伯)은 애공(哀公) 11년 군대를 이끌고 제(齊)나라 군대와 싸웠고, 또 애공 14년에는 성읍(成邑)의 백성들을 무참하게 유린한 일이 있었다. 그의 시호가 무(武)인 것만 보아도 그의 인간성이 모질고 과격하고 함부로 무력을 휘둘렀음을 알겠다.

그의 부친 맹의자(孟懿子)는 공자에게 예(禮)를 배운 바 있었다. 그래서 공자는 사려가 깊지 못하고 무용을 좋아하는 아들, 즉 맹무백에게 "질병을 앓을 때에는 별 수 없이 부모에게 걱정을 끼쳐 드릴 수 있다. 그러나 그 이외의 다른 일, 특히 무모한 행동으로 부모의 마음을 상하게 하고 또 걱정을 끼쳐서는 안된다."고 말한 것이다.

2-7. 자유가 효에 대해서 묻자, 공자가 말했다. "근자에는 효를 공양하는 것으로만 생각하지만, 개와 말도 키워주고 있다. 부모를 존경하지 않으면 무엇이 다르겠는가?"

原文 **子游問孝**한대 **子曰, 今之孝者**는 **是謂能養**이니 **至於犬馬**하여도 **皆能有養**이니라. **不敬**이면 **何以別乎**리오?

註解 ㅇ子游(자유)－공자의 제자, 성은 언(言), 이름은 언(偃), 자가 자유이며 오(吳)나라 사람, 공자보다 45세나 연소하다. 자하(子夏)와 함께 문학에 뛰어났다. ㅇ今之孝者(금지효자)－오늘의 사람들은 효를. ㅇ是謂能養(시위능양)－다만 능히 공양하는 것만을 (효라고) 말한다. 시(是)

는 지시(只是), 다만의 뜻. ㅇ至於犬馬(지어견마)-개나 말까지도. ㅇ皆能有養(개능유양)-다 능히 잘 키우고 있다. ㅇ不敬(불경)-부모를 공경하지 않으면, 즉 마음으로 존경하고 공경하지 않고, 다만 물질적으로 공양만 한다면. ㅇ何以別乎(하이별호)-무엇이 다르겠느냐?

解說 자기를 낳고 양육해준 부모에게 감사하고 부모를 잘 섬기고 정성껏 공양해 올리는 것은 1차적인 효도(孝道)다. 그러나 외형적·물질적 공양에도 진정한 사랑과 존경심이 따라야 한다. 그렇지 않으면 가축에게 먹이를 주는 것과 다를 바 없게 된다. 자식은 부모를 통해 생명과 육신을 이어받았다. 그러므로 자식은 육친애(肉親愛)를 바탕으로 부모를 공경하고 집안을 흥성케 해야 한다. 부모에게 효도를 못하면 사람이 아니다.

2-8. 자하가 효에 대해서 묻자, 공자가 말했다. "즐거운 낯으로 어른 섬기기가 어렵다. 일이 있으면 젊은이가 수고를 하고, 술이나 음식이 있으면 어른께 올린다. 그러나 그것만으로 효라 할 수 있겠느냐?"

原文 **子夏問孝**한대 **子曰, 色難**이니 **有事弟子服其勞**하고 **有酒食先生饌**을 **曾是以爲孝乎**아?

註解 ㅇ子夏(자하)-〈學而篇 1-7〉 참조. ㅇ色難(색난)-부드럽고 즐거운 낯으로 부모를 모시고 봉양하기가 어렵다. 《예기(禮記)》〈제의편(祭義篇)〉에 있다. '효자로서 깊은 사랑을 지니고 있으면 반드시 온화한 기색이 돌고, 온화한 기색이 돌면 반드시 즐거운 빛이 나며, 즐거운 빛이 있으면 반드시 부드러운 표정을 짓는다(孝子之有深愛者 必有和氣 有和氣者 必有愉色 有愉色者 必有婉容).' 주자는 이 구절을 인용하고

따랐다. 고주(古注)는 '부모의 기색을 살피고 잘 받들기가 어렵다'로 풀었다. ㅇ有事(유사)-일이 있으면. ㅇ弟子(제자)-어린 사람, 자식 혹은 아우 되는 사람. ㅇ服其勞(복기로)-힘드는 일을 떠맡고 처리한다. ㅇ有酒食(유주사)-술이나 음식이 있으면. 사(食)를 '식'으로 읽어도 된다. ㅇ先生(선생)-여기서는 부모, 어른의 뜻. ㅇ饌(찬)-음식을 차려 올리고 드시게 한다는 뜻. ㅇ曾是(증시)-즉. 증(曾)을 '내(乃), 즉(則)'으로 푼다. ㅇ以爲孝乎(이위효호)-효라 하겠는가? 이위(以爲)는 ……이다, ……라고 친다. '증시이위효호(曾是以爲孝乎)'를 '어찌 효라 하겠느냐?'로 풀어도 된다.

解說 주자는 '부모를 모실 때에, 자식이 기색과 표정을 부드럽고 즐겁게 하기가 어렵다. 힘드는 일을 대신 떠맡고 음식 공양을 잘하는 것만으로는 충분한 효가 되지 못한다.(事親之際 惟色爲難耳 服勞奉養未足爲孝也)'라고 풀이했다. 또 주자는 말했다. "부모의 안색을 살피고 잘 효순(孝順)하기가 어렵다고 하는 옛날의 풀이도 통한다(舊說 承順父母之色爲難 亦通)."

이상의 네 장에서 제자들은 다같이 효를 물었다. 그러나 공자의 대답은 같지 않고, 각각 다르게 대답했다. 즉 〈2-5〉에서 맹의자(孟懿子)에게는 "어기지 마라.(無違)"고 대답했다. 〈2-6〉에서 맹무백(孟武伯)에게는 "자식은 질병이 아닌 다른 잘못으로 부모에게 걱정을 끼치면 안된다."고 대답했다. 〈2-7〉에서는 자유(子游)에게 "물질적 공양만으로는 효라고 할 수 없다. 부모를 깊이 경애(敬愛)해야 한다."고 가르쳤다. 〈2-8〉에서는 "부드럽고 즐거운 낯으로 부모를 잘 모셔야 한다."고 말했다.

공자가 같은 질문에 각기 다르게 대답한 이유를 정자(程子)는 《집주(集註)》에서 다음과 같이 말했다.

"맹의자에게는 일반 모든 사람에게 하는 말을 한 것이다. 맹무자에게는 그가 걱정을 끼칠 일을 많이 하기 때문이다. 자유는 물질적 공양은 잘하나 혹 경애의 정을 잃을까 해서다. 자하는 성격이 강직하고 정의감이 넘치므로 혹 포근하고 부드러운 기색이 부족할까 해서 그렇게 말한 것이다. 사람마다 각기 재질의 높낮이를 따라 다르게 말해 준 것이다. 그래서 답이 같지 않다(程子曰 告懿子 告衆人者也 告武伯者 以其人多可憂之事 子游能養 而或失於敬 子夏能直義 而或少溫柔之色 各因其才之高下 與其所失而告之 故不同也)."

위의 정자의 말에 덧붙이겠다. 즉 맹의자가 권세를 믿고 무례했기 때문에 공자가 특히 "예를 따르고 어기지 마라."고 타이른 것이다. 〈2-5〉 참조.

2-9. 공자가 말했다. "내가 안회와 종일토록 말을 해도, 한마디의 반대도 없이 마치 어리석은 사람 같았다. 그러나 그가 물러나 사사롭게 처하는 품을 살피니 (가르침을) 충분히 계발하고 실천하더라. 그러니 안회는 어리석은 사람이 아니다."

原文 **子曰, 吾與回言終日**하나 **不違如愚**러니 **退而省其私**한대 **亦足以發**하나니 **回也不愚**로다.

註解 ㅇ回(회)－공자의 수제자(首弟子), 성은 안(顔), 이름이 회(回), 자는 자연(子淵), 노(魯)나라 사람. 《사기》에는 공자보다 30세 연소하다고 했다. 공자가 가장 사랑하고 기대했던 제자였으나, 41세로 사망했다. 당시 70세의 공자는 '아! 하늘이 나를 망치는구나! 망치는구나!(噫 天喪予 天喪予)' 〈先進篇 11-9〉라고 통탄했다. ㅇ不違(불위)－'뜻이 서로 어긋나지 않고 잘 듣고 논란하지 않는다.(意不相背 無問難也)'(《集註》) '공자의 말에 대해서 괴상하게 여기고 되묻지 않았다.(無所怪問於孔子

之言)' 〈古注 : 孔安國〉. ㅇ如愚(여우)-(말없이 알아듣는 품이) 마치 어리석은 사람 같다. ㅇ退(퇴)-선생 앞에서 물러나다, 혹은 강학(講學)하는 자리에서 물러나다. ㅇ省其私(성기사)-그의 사생활, 혹은 사처(私處)하고 있을 때를 살피다. ㅇ亦(역)-여기서는 '그러나'의 뜻. ㅇ足以發(족이발)-충분히 계발한다, 행동으로 실천하고 나타낸다. ㅇ回也不愚(회야불우)-안회는 어리석지 않다, 어리석은 사람이 아니다.

解說 안회는 과묵(寡默)했으나, 배우기를 좋아했고 또 덕을 실천했다. 그래서 공자가 '회야불우(回也不愚)'라고 다짐을 둔 것이다. 공자의 같은 수제자 자공(子貢)은 안회를 "하나를 듣고 열을 알았다.(聞一而知十)"라고 칭찬했다.

2-10. 공자가 말했다. "그 행동을 보고, 그 연유를 살피고 또 그가 (받아들이고 있는) 결과를 관찰해 보면, (결국 그 사람을 알게 된다. 그러니) 사람됨됨이를 어찌 숨길 수 있겠느냐? 사람됨됨이를 어찌 숨길 수 있겠느냐?"

原文 **子曰, 視其所以**하야 **觀其所由**하며 **察其所安**이면 **人焉廋哉**리오 **人焉廋哉**리오.

註解 ㅇ視其所以(시기소이)-그가 하는 행동을 본다, 시(視)는 밖으로 나타나는 언행을 보다, 이(以)=할 위(爲)로 행동, 행위. ㅇ觀其所由(관기소유)-그 경유한 바를 살피다. 관(觀)은 넓게 살펴보다. 유(由)는 경력, 유래 혹은 동기. ㅇ察其所安(찰기소안)-어떠한 처지에 안정하고 또 만족하고 있는가를 세밀히 살핀다. 찰(察)은 깊이 내면적으로 관찰한다. ㅇ人焉廋哉(인언수재)-어찌 사람됨됨이를 숨길 수 있겠느냐? 언(焉)은 '어찌 ……하랴?'

解說 인간을 총체적으로 보고 평가하면 그 인품이나 덕성을 바르게 알 수 있다. 공자는 평가의 3단계를 제시했다. 첫단계는 '시기소이(視其所以).' 즉 '밖으로 나타나는 언행이나 작위(作爲)를 보는 것이다.' 다음은 '관기소유(觀其所由)', 즉 '그러한 행동을 하게 된 동기나 경유 및 과정을 넓게 관찰해보는 것이다.' 세 번째로 '찰기소안(察其所安)', 즉 '그 사람이 어떠한 결과나 처지에 안정되고 또 즐기는가를 깊이 통찰하는 것이다.' 이상의 세 가지를 종합하면 인간의 평가를 바르게 할 수 있다. 그러므로 "사람은 자기의 본성·본심·본체를 숨기지 못한다."라고 말한 것이다.

2-11. 공자가 말했다. "옛날의 학문을 충분히 익히고 더 나가서 새로운 것을 알면 스승이 될 수 있다."

原文 **子曰, 溫故而知新**이면 **可以爲師矣**니라.

註解 ○溫故(온고)—옛날의 학문을 잘 익히다. 온(溫)은 숙지 숙달한다. 고(故)는 옛날의 고전(古典), 역사나 문물제도 등을 다 포괄한다. ○而(이)—그리고 더 나가서. ○知新(지신)—새로운 것을 알고 또 새롭게 다스린다. 지(知)는 '실천한다'는 뜻도 있다. ○可以爲師矣(가이위사의)—남을 가르칠 스승이 될 수 있다.

解說 '온고지신(溫故知新)'은 진정한 학문정신을 갈파한 명언이다. 학문은 과거의 모든 인류의 문화재나 선인(先人)들이 남긴 문화유산을 습득 섭취하고 더 나가서 새로운 것, 즉 새로운 문화를 창조하는 바탕이 되는 것이다. 과거의 문화유산이나 학문을 계승하고 새로운 창조를 가함으로써 인류는 문화적으로 발전할 수 있다.

우리는 역사와 전통을 잘 배우고 알아야 한다. 동시에 새로운 문화를 창조해야 한다. 만약에 선인들이 남긴 학문·사상·업적 등 일체의 문화재를 받아쓰기만 하고 새것을 창조하지 않으면, 인류문화는 정체할 것이다. 정체는 바로 퇴보에 연결되고, 퇴보는 곧 죄악이다. 우리들 모든 지식인과 학문에 종사하는 학자나 학생들은 '온고지신'의 깊은 뜻을 잘 알아야 한다. 공자는 겸손하게 '자기는 옛것을 서술했을 뿐 새로운 것을 서술하지 않았다(述而不作)'고 했으나, 실은 주대(周代)의 문물을 바탕으로 새로운 세계를 창건하려고 했다. 그러므로 그를 '지성선사(至聖先師)'로 높인다.

2-12. 공자가 말했다. "군자는 기물 같은 존재가 아니다."

原文 子曰, 君子는 不器라.

註解 ㅇ君子(군자)－수기치인(修己治人)하는 지식인을 군자라 한다. 즉 학문과 덕행을 겸비(兼備)한 인격자로 인도(仁道)를 따라 인정(仁政)을 펴는 덕치(德治)에 참여하는 지도자 계층이다. 포악무도한 위정자에 붙어 녹을 받는 자는 진정한 군자가 아니다. ㅇ不器(불기)－기물 같은 존재가 아니다. 하나의 기물은 한 용도에만 쓰인다. 군자는 절대선(絶對善)인 하늘의 도리를 원리원칙으로 삼고 넓은 세계관과 깊은 역사관을 지닌 고차원적 지도자다. 그러므로 말단의 기능공 같은 존재가 아니다. 주자는《집주(集註)》에서 말했다. "기물은 각각의 용도에 적합할 뿐 서로 상통할 수 없다. 그러나 덕을 완성한 선비는 모든 사물의 본체를 다 터득하고 한몸에 다 갖추지 않은 것이 없으며, 따라서 모든 사물을 두루 잘 운용한다. 오직 한 가지 재능이나 기예만을 지닌 사람이 아니다(器者各適其用 而不能相通 成德之士 體無不具 故用無不周 非特爲一才一藝而已)."

解說 오늘의 인류사회가 왜 위기에 빠졌는가? 부분만을 알고 전체와 영원을 모르기 때문이다. 순간적 존재인 나만을 알고 전체로서의 인류 문화의 발전을 모르기 때문이다. 동물적 본능인 이기적 욕심과 관능적 쾌락만을 알고 숭고한 정신 가치를 소홀히 하기 때문이다. 그래서 개인이나 국가가 서로 무력을 바탕으로 아귀다툼의 싸움에 골몰하고 있다. 그러나 하늘의 도리를 바탕으로 한 인정(仁政), 덕치(德治)를 영도할 군자는 우주적 안목과 세계관 역사관을 지녀야 한다. 공자는 이미 2천5백 년 전에 "군자불기(君子不器)"라고 말했다.

2-13. 자공이 군자에 대해서 묻자, 공자가 말했다. "말하고자 하는 바를 먼저 행하고, 그 후에 말을 하느니라."

原文 **子貢**이 **問君子**한대 **子曰, 先行其言**이요 **而後從之**니라.

註解 ㅇ子貢(자공)－〈學而篇 1-14 참고〉. ㅇ先行其言(선행기언)－말하기 전에 먼저 그 말에 해당하는 행동을 한다. ㅇ後從之(후종지)－먼저 행하고 다음에 말을 한다.

解說 자공은 언변에 뛰어났다. 그래서 공자가 먼저 행동하고 말은 뒤에 하라고 충고한 것이다. 《집주(集註)》에서 범조우(范祖禹)는 말했다. "자공의 걱정은 말하기가 어려운 것이 아니고 행동하기 어려운 것이기 때문에 공자가 그와 같이 충고했다(子貢之患 非言之艱 而行之難 故告之以此)."

공자는 언행일치(言行一致)를 강조했다. 마음속의 성성을 나 바쳐 최선을 다하는 것을 충(忠)이라 하고, 자기가 한 말을 실천해서 알찬 열매를 맺는 것을 신(信)이라 한다. 그래서 증자(曾子)는 '위인모 이불충호 여붕우교 이불신호(爲人謀 而不忠乎 與朋友交 而不信乎)' 〈學而篇 1-4〉를 반성했다. 공자는 "주충신(主忠信)" 〈學而篇 1-8〉과 "민어사이신어언(敏於事而愼於言)" 〈學而篇 1-14〉이라고 말했다.

배우는 목적은 덕을 행하기 위함이다. 그러므로 "행유여력 즉이학문(行有餘力 則以學文)" 〈學而篇 1-6〉이라, 혹은 자하(子夏)가 "현현역색 사부모능갈기력 사군능치기신 여붕우교언이유신 수왈미학 오필위지학의(賢賢易色 事父母能竭其力 事君能致其身 與朋友交言而有信 雖曰未學 吾必謂之學矣)." 〈學而篇 1-7〉라고 말한 것이다.

2-14. 공자가 말했다. "군자는 두루 통하되 편파적이 아니다. 소인은 편파적이면서 두루 통하지 못한다."

原文 子曰, 君子는 周而不比하고 小人은 比而不周니라.

註解 ㅇ君子(군자)—학덕(學德)을 겸비한 휴머니스트, 그러므로 우주적인 세계관을 가지고 크게 내다보고 행동한다. 나보다 전체를 높이고, 물질보다 정신을 높인다. 따라서 개인의 부귀영화보다 국가의 번영과 국민의 안락을 앞세운다. ㅇ小人(소인)—식견이 좁고 물질적 이득이나 육체적 쾌락만을 앞세우는 편협한 사람. ㅇ周(주)—대의(大義)를 밝히고 서로 화동(和同)한다. ㅇ比(비)—편파적이고 일시적 이득을 위해 한패가 된다.

解說 군자(君子)와 소인(小人)에 대해 공자는 "성인을 만나보기는 어렵다. 그러나 군자를 만나보는 것은 가능할 것이다.(聖人吾不得而見之矣 得見君子者 斯可矣)" 〈述而篇 7-25〉라고 했다. 요(堯)·순(舜) 같은 성인은 좀처럼 나타나지 않을 것이고, 따라서 보기 어려울 것이다. 그러나 군자는 만나볼 수 있을 것이라고 한 것이다. 신분

이나 계층을 막론하고 누구나 잘 배우고 덕을 행하면 군자가 될 수 있다. 그래서 공자는 평민 출신의 학생들을 모아 배양하고 군자로 육성하고, 그들을 중심으로 이상적인 덕치(德治)를 성취하려고 했던 것이다. 그러므로 군자는 인정(仁政)을 실현할 막중한 사명이 있다. 일반적인 소시민과 다르다. 《논어》에는 군자와 소인을 대비한 구절이 많다. 대도(大道)를 가는 사람이 군자이고 자기 한몸만을 위하는 옹졸한 자가 소인이다.

공자가 말했다. '군자는 대의명분을 밝히고, 소인은 물질적 이득만을 밝힌다.(子曰 君子喩於義 小人喩於利).' 〈里仁篇 4-16〉 공자가 말했다. '군자는 태연하지만 남에게 교만하지 않는다. 소인은 남에게 교만하지만 태연하지 못하다(子曰 君子泰而不驕 小人驕而不泰).' 〈里仁篇 4-26〉 공자가 말했다. '군자는 조화협동하되 부화뇌동하지 않는다. 소인은 부화뇌동하되 조화협동하지 않는다(子曰 君子和而不同, 小人同而不和).' 〈子路篇 13-23〉

공자가 말했다. '군자는 (마음이나 태도가) 평안하고 늠름하다. 소인은 항상 불안하고 근심스럽다(子曰 君子坦蕩蕩 小人長戚戚).' 〈述而篇 7-36〉 공자가 말했다. '군자는 (득실과 성패를) 자신의 덕행에서 구한다. 소인은 (요행이나 이득을) 남으로부터 얻으려고 한다(子曰 君子求諸己 小人求諸人).' 〈衛靈公篇 15-21〉

공자가 말했다. '군자는 작은 일에는 쓰일 수 없으나, 큰 일을 맡아 다스릴 수는 있다. 소인은 큰 일을 맡아 다스릴 수는 없으나, 작은 일에는 쓰일 수 있다(君子不可小知 而可大受也 小人不可大受可小知也).' 〈衛靈公篇 15-34〉 공자가 말했다. '군자는 다른 사람의 장점을 취하고 키워서 완성되게 하고, 다른 사람의 단점을 덮어 누르고 나타나지 않게 한다. 소인은 이와 반대다(子曰 君子成人之美, 不成人之惡 小人反是).' 〈顔淵篇 12-16〉

공자가 말했다. '군자는 도의를 가장 높이 친다. 군자가 만약에 용감하기만 하고 도의를 저버리면 난을 일으키게 될 것이다. 소인이 용감하기만 하고 도의를 저버리면 도적질을 하게 된다(子曰 君子義以爲上 君子有勇而無義爲亂 小人有勇而無義爲盜亂).' 〈陽貨篇 17-23〉

2-15. 공자가 말했다. "배우기만 하고 사색하지 않으면 사리에 어둡고, 사색만 하고 배우지 않으면 위태롭다."

原文 子曰, 學而不思則罔하고 思而不學則殆니라.

註解 ○學(학)－스승의 가르침을 받거나 고전을 통해서 배우다. 시습(時習)이 따라야 한다. ○而不思(이불사)－그러나 자신이 사색하고 사리를 탐구하지 않으면. ○罔(망)－사리나 의리(義理)에 어둡다. ○殆(태)－도리를 모르고 독단에 빠지니까 위태롭고 불안하다.

解說 사람은 배워야 한다. 특히 고전을 배워야 한다. 그래야 인류 역사의 흐름이나 문화의 발전 과정 및 성현들의 높은 사상과 예지를 알 수 있다. 동시에 우리는 스스로 사색을 해야 한다. 그래야 깊은 도리와 의리를 터득하고 활용해서 바른 삶을 살고 동시에 새로운 문화를 창조할 수 있다. 즉 '넓은 배움[博學]과 깊은 사색[愼思]'을 겸해야 한다.

《집주(集註)》에서 정자(程子)는 다음과 같이 말했다. "박학·심문·신사·명변·독행의 다섯 가지에서 하나만 빠져도 진정한 배움이 아니다(博學 審問 愼思 明辯 篤行 五者廢其一 非學也)." 박학(博學)은 넓게 배움이다. 심문(審問)은 세밀하게 묻는 것이다. 신사(愼思)는 신중하게 깊이 생각함이다. 명변(明辯)은 선악시비를 밝게 분별함이다. 그리고 스스로 터득한 바른 도리를 독실하게 실천해야 한다. 그것이 독행(篤行)이다. 공자는 '지행일치(知行一致)'와 '온고지신(溫故知新)'을 강조했다. 바르게 행하기 위해서는 넓게 배우고 깊이 생각해서 바른 도리를 터득해야 한다.

2-16. 공자가 말했다. "이단을 배우면 해로울 뿐이다."

原文 子曰, 攻乎異端이면 斯害也而니라.

註解 ㅇ攻乎異端(공호이단)－이단을 배우거나, 몰두하면. 공(攻)은 전공(專攻)의 뜻. '이단의 학문을 공격한다'는 설도 있으나, 적절하지 않다. 호(乎)＝어(於). 이단(異端)은 유교(儒教)에서 높이는 '시(詩)·서(書)·예(禮)·악(樂)' 이외의 제자백가(諸子百家)의 잡서(雜書)나 학설(學說), 특히 양자(楊子)와 묵자(墨子) 등의 책이나 사상. ㅇ斯害已而(사해이이)－그런 것들은 해가 될 뿐이다.

解說 주자(朱子)는 말했다. "이단은 성인의 도가 아니고, 다른 한 쪽의 설이다. 양자나 묵자 같은 것이다.(異端非聖人之道 而別爲一端 如楊墨是也)." 그러나, 공자 시대에는 시(詩)·서(書)·예(禮)·악(樂) 및 육예(六藝) 등을 주로 학습했을 것이다. 당시에는 미처 육경(六經)이 확정되지 않았다. 유교는 '공간과 시간을 통합한 우주의 이법(理法)인 절대선의 천도(天道)를 바탕으로 수신(修身)·제가(齊家)·치국(治國)·평천하(平天下)'하는 일관된 도리다. 천도(天道)는 '일대지도(一大之道)'다. 개체와 전체, 현재와 영원을 통합한 도리다. 이는 곧 세계대동(世界大同)과 역사발전(歷史發展)의 진리다. 또 유교는 '인간의 선본성(善本性)을 계발하고 덕(德)을 쌓고 더 나아가 남을 잘살게 해주는 수기치인(修己治人)'을 강조한다. 그러므로 유교

를 정통(正統)이라고 하는 것이다. 한편 무(無)를 강조하는 도가(道家) 사상이나, 철저한 개인주의를 강조하는 양자 및 무차별적 겸애(兼愛)를 주장하는 묵자를 이단이라고 보았다.

2-17. 공자가 말했다. "유야, 네게 앎에 대하여 가르쳐 주마. 아는 것을 안다 하고, 모르는 것을 모른다 함이, 바로 앎이니라."

原文 子曰, 由야 誨女知之乎인저. 知之爲知之오 不知爲不知이 是知也니라.

註解 ㅇ由(유)-공자가 사랑한 수제자의 한 사람, 공자보다 9세 연하였다. 성은 중(仲), 이름은 유(由), 자는 자로(子路), 계로(季路)라고도 한다. 노(魯)나라 사람으로 지나칠 정도로 용감했다. 따라서 성미가 급하며 신중하지 못했으므로 공자로부터 꾸지람을 듣기도 했다. ㅇ誨女(회여)-너에게 가르쳐 준다. 여(女)=너 여(汝). ㅇ知之(지지)-안다는 것, 앎. 지(之)는 앞에 있는 말이 동사임을 나타내는 허사(虛詞). ㅇ不知爲不知(부지위부지)-모르는 것을 모른다고 한다. ㅇ是知也(시지야)-그것이 곧 앎이다. .

解說 자로는 《논어》에 자주 등장하는 수제자로 공자의 사랑을 받았다. 그래서 '유야!'하고 친근하게 이름으로 부른 것이다. 그러나 성격이 호탕하고 성급한 것이 흠이었다. 그래서 공자가 자주 그를 탓하기도 했다. 《논어》 〈술이편(述而篇)〉에 있다. 자로가 물었다. '"선생님께서 만약에 대군을 동원하신다면 누구를 쓰겠습니까?" 그러자 공자가 말했다. "맨주먹으로 범을 잡고 맨발로 강물을 건너며 죽어도 뉘우치지 않는 그런 자는 쓰지 않겠다(子路曰 子行三軍 則誰與. 子曰 暴虎馮河 死而無悔者 吾不與也)" 〈7-10〉.' 경솔한 자로

가 신중하지 못하고 또 모르는 것도 아는 척하고 나섰던 것이다. 그러므로 공자가 '앎과 모름'을 잘 가리라고 충고한 것이다.

2-18. 자장이 녹(祿)을 구하는 법을 묻자, 공자가 말했다. "많이 듣되 의아스러운 것을 빼놓고 나머지를 신중히 말하면 허물이 적을 것이다. 또 많이 보되 확고하지 못한 것을 빼놓고 나머지만을 행하면 뉘우침이 적을 것이다. 말에 허물이 적고, 행동에 뉘우침이 적으면 녹은 스스로 얻게 마련이다."

原文 **子張**이 **學干祿**한대 **子曰, 多聞闕疑**오 **愼言其餘**면 **則寡尤**이며 **多見闕殆**오 **愼行其餘 則寡悔**니 **言寡尤**하며 **行寡悔**면 **祿在其中矣**니라.

註解 ㅇ子張(자장)－공자의 제자, 성은 전손(顓孫), 이름은 사(師), 자가 자장이다. 진(陳)나라 사람으로 공자보다 48세 연소했다. ㅇ學干祿(학간록)－녹봉을 얻는 방법을 배우고자 한다. 즉 벼슬에 올라 녹봉을 받는 방법을 질문했다. ㅇ多聞闕疑(다문궐의)－많이 듣고 배우되 의아스러운 것은 빼놓다. 대궐 궐(闕)은 여기서는 결할 결(缺). ㅇ愼言其餘(신언기여)－나머지, 즉 확실한 것만을 신중하게 말하다. ㅇ則寡尤(즉과우)－그러면 곧 허물이 적다. ㅇ多見闕殆(다견궐태)－많이 보고 알되 불확실하고 애매한 것들은 빼놓다. ㅇ愼行其餘(신행기여)－나머지 확실한 것만을 행한다. ㅇ言寡尤(언과우)－말에 허물이 적고. ㅇ行寡悔(행과회)－행동에 뉘우칠 바가 적으면. ㅇ祿在其中矣(녹재기중의)－녹봉이 그 속에 있게 마련이다. 자연히 벼슬을 얻게 된다.

解說 공자의 이상은 도덕정치를 실현하는 것이었다. 그러므로 정치에 참여하는 선비들이 우선 자기수양을 하고 도덕을 실천하는 군

자가 되어야 한다. 군자는 배우고 박학다식해야 한다. 그러나 스스로 깊이 생각해서 절대선(絶對善)의 천도를 기준으로 하고 선악시비(善惡是非)를 가려야 한다. 그리고 옳고 바른 것만을 말하고 행해야 한다. 그러면 언행이 도덕에 맞게 되며, 따라서 도덕정치에 참여할 수 있다. "말에 허물이 없고 행함에 뉘우침이 없으면 자연히 벼슬에 올라 봉록을 받게 된다.(言寡尤 行寡悔 祿在其中矣)"라고 공자는 낙관하고 있다.

그러나 공자의 낙관은 도덕정치를 전제로 한다. 도가 행해지지 않는 난세에서는 도덕적인 사람이 배제되고 반대로 간악하게 술책을 농하거나 무모하게 폭력을 휘두르는 자들이 득세하고 부를 탈취한다. 그러므로 역사적으로나 또 현실적으로나 많은 지식인들이 타락하고 '벼슬과 재물을 얻기 위해' 악덕한 통치자나 세도가에 붙어먹는 경우가 많다.

그러나 공자는 다음과 같이 말했다. "군자는 도를 구할 뿐 밥을 구하지 않는다. 농사를 지어도 굶주릴 수 있으나, 배우면 저절로 녹을 얻을 수 있다. 군자는 도를 염려하되, 가난을 염려하지 않는다.(子曰 君子謀道 不謀食 耕也 餒在其中矣 學也 祿在其中矣 君子憂道 不憂貧." 〈衛靈公篇 15-32〉

당시 공자 밑에 모여든 학생들 중에는 평민 계층이 많았으며 따라서 배워서 입신출세하고 벼슬을 얻고자 한 청년들이 많았을 것이다. 그러므로 자장이 "어떻게 하면 벼슬에 올라 녹봉을 받을 수 있을까요?"라며 노골적으로 물었을 것이다. 그러나 공자는 "밥보다 도를 더 생각하라."고 말했다. 즉 군자는 '자기 한 사람 먹고 사는 것보다, 도덕정치의 실현을 염원하고 노력해야 한다'고 강조한 것이다.

2-19. 애공이 물었다. "어떻게 하면 백성들이 따르겠소?"

공자가 대답했다. "곧은 사람을 들어 굽은 사람 위에 쓰면 백성이 따르고, 굽은 사람을 들어 곧은 사람 위에 쓰면 백성이 따르지 않습니다."

原文 哀公이 問曰, 何爲 則民服이니까? 孔子對曰, 擧直錯諸枉 則民服하고 擧枉錯諸直 則民不服이니이다.

註解 ㅇ哀公(애공)—노(魯)나라 군주, 성은 희(姬), 이름은 장(蔣), 애(哀)는 시호(諡號). 정공(定公)의 아들로 뒤를 이어 자리에 올랐다. 그때 공자는 나이 58세(기원전 494년)로 노나라에 있었다. 그러나 즉시 노를 떠나 여러 나라를 유력했다. 애공 14년(기원전 481년) 봄에 기린(麒麟)이 잡히자, 공자는 "나의 길이 막혔다."라며 한탄하고 쓰던 《춘추》를 멈추었다. 그리고 3년 후 74세로 서거했다. ㅇ何爲則民服(하위즉민복)—어떻게 하면 백성이 따르겠느냐? ㅇ擧直錯諸枉(거직조제왕)—곧은 사람을 등용해서 나쁜 사람 위에 앉게 한다. 조(錯)=둘 조(措), 제(諸)='지어(之於)'를 합친 자로 '제'로 읽는다. ㅇ擧枉錯諸直(거왕조제직)—굽은 것을 들어 바른 것 위에 놓다. ㅇ則民不服(즉민불복)—그러면 백성들이 복종하지 않는다.

解說 바른 사람을 등용해야 한다. 간악하고 악덕한 사람을 등용해서 쓰면 나라는 결딴난다. 선인이 못살고 악인이 잘살면 사회정의가 전도되고 따라서 사람들이 악덕정치에 등을 돌리며, 그 결과는 통치체제가 붕괴되게 마련이다.

2-20. 계강자가 물었다. "백성들로 하여금 (윗사람에게) 공경과 충성을 바치게 하고 동시에 (일을 잘하도록) 권하려면 어떻게 하면 되

겠소?"

이에 공자가 말했다. "(당신 자신이) 백성들에게 장중하고 엄숙한 태도로 임하면 (백성들이) 공경할 것이며, (당신 자신이) 효도하고 자애를 베풀면 (백성들이) 충성할 것이며, 선량한 사람을 등용하고 재능없는 사람을 잘 가르치면, 그것이 곧 사람들로 하여금 일을 잘 하게 권하는 것이오."

原文 **季康子問, 使民敬忠以勸**이면 **如之何**이까? **子曰, 臨之以莊 則敬**하고 **孝慈 則忠**하고 **擧善而教不能 則勸**이니라.

註解 ㅇ季康子(계강자)－노(魯)나라의 경(卿)으로 이름은 비(肥), 강(康)은 시호다. 노나라의 세도가인 삼환씨(三桓氏)의 한 집안, 즉 계손씨(季孫氏)의 당주(當主)다. 당시 그는 노나라의 장군과 재상을 겸해, 그 세력이 임금보다 컸다. ㅇ使民(사민)－백성들로 하여금. ㅇ敬忠(경충)－(자기를) 공경하고 (자기에게) 충성하게 한다. ㅇ以勸(이권)－그리고 (백성들로 하여금 각자 생업에) 힘을 쏟도록 권장하다. ㅇ如之何(여지하)－어떻게 하느냐? ㅇ臨之以莊(임지이장)－(당신이 먼저) 백성들 앞에 장엄(莊嚴 : 예의범절을 엄격히 지키고 위엄있는 태도)한 태도로 임한다. ㅇ則敬(즉경)－그러면 (백성들이 당신을) 공경하게 된다. ㅇ孝慈(효자)－(당신이) 부모에게 효도하고 아랫사람에게 자애(慈愛)를 베풀다. ㅇ則忠(즉충)－그러면 (백성들이 당신에게) 충성한다. ㅇ擧善(거선)－선량한 사람을 등용하다. ㅇ教不能(교불능)－못하는 사람을 교육하고 교화한다. ㅇ則勸(즉권)－그러면 백성들이 스스로 권면하게 된다.

解說 앞에서 공자는 애공(哀公)에게 "곧고 강직한 사람을 등용해서 굽고 사악한 사람 위에 쓰라.(擧直錯諸枉)"고 충고했다. 그러나 당시의 노나라 임금은 삼환씨(三桓氏)에게 눌려 제대로 임금 노릇을 하지 못했다.

한편 삼환씨 중에서도 가장 세도가 큰 계손씨(季孫氏)의 당주(當主) 계강자(季康子)가 "백성들로 하여금 나에게 공경과 충성을 바치게 하고 동시에 각자가 일을 잘하게 권하려면 어떻게 하면 되겠소?" 하고 묻자, 공자는 "당신 자신이 먼저 윤리도덕의 규범을 잘 지키고 몸가짐을 장중하고 엄숙하게 하고, 또 부모에게 효도하고 백성에게 자애를 베푸시오. 그리고 선량한 사람을 등용하고 재능 없는 사람을 잘 가르쳐 그들도 일을 할 수 있게 하시오. 그러면 당신은 백성들의 존경과 충성을 받을 것이며 또 백성들이 스스로 저마다의 생업에 힘쓸 것이오."라고 덕치(德治)의 근본 도리를 말해 주었다.

계강자는 계환자(季桓子)의 아들이며, 계환자는 공자를 어느 정도 존중하고 생전에 자기 아들에게 "내가 죽은 다음에 공자에게 예(禮)를 물으라."고 말한 적이 있었다. 결국 공자는 애공에게는 무도하고 참월(僭越)한 계강자를 누르라 하고, 계강자에게는 예의범절과 효도를 지키고 백성을 사랑하며 또 교화하라고 따끔하게 말했다. 집권자는 선량한 사람을 등용하고 간악한 자를 추방해야 한다. 그래야 정의와 질서가 유지된다. 한편 임금을 보좌할 신하는 신분의 고하를 막론하고 솔선하여 예의범절을 지키고 백성을 사랑하며 백성들의 교화에 힘을 쏟아야 한다. 그것이 나라를 다스리는 정도(正道)이다.

2-21. 어떤 사람이 공자에게 물었다. "선생께서는 왜 정치를 하지 않으십니까?"

이에 공자가 말했다. "《서경》에 '효도하고 효도하며 형제에게 우애롭게 한다. 그 효도와 우애를 정치에 나타낸다.'라고 했으니 효제도 역시 정치이거늘 어찌 따로 정치할 것이 있겠소?"

原文 **或**이 **謂孔子曰, 子奚不爲政**이니까? **子曰, 書云 孝**

乎인저 **惟孝**하며 **友于兄弟**하며 **施於有政**이라 **是亦爲政**이니 **奚其爲爲政**이리오?

註解 ㅇ或(혹)－어떤 사람. ㅇ謂孔子曰(위공자왈)－공자에게 말했다. 위(謂)는 ……에게 말하다. ㅇ子(자)－선생님, 존칭. ㅇ奚(해)－왜, 어찌하여. ㅇ不爲政(불위정)－정치를 하지 않다. ㅇ書云(서운)－《서경(書經)》에 있다. 서(書)는 '옛날 제왕의 글'의 뜻으로, 공자 시대에는 《서경》을 서(書)라고 했다. 한대(漢代)에 《상서(尙書)》, 송대(宋代)에 《서경》이라 했다. ㅇ孝乎惟孝(효호유효)－효도하고 오직 효도한다. 강조한 말. ㅇ友于兄弟(우우형제)－형제에게 우애롭게 하다. ㅇ施於有政(시어유정)－(효제의 덕행을) 옮기고 확대해서 정치를 하다. ㅇ是亦爲政(시역위정)－그렇게 하는 것도 역시 정치이다. ㅇ奚其爲爲政(해기위위정)－어찌 (따로) 정치를 하랴? 위위정(爲爲政)에서 앞의 위(爲)는 동사, '위정(爲政 : 정치하다)'이 목적어.

解說 공자의 정치관은 인(仁)을 실현하는 것이다. 인을 쉽게 말하면 인류애, 혹은 휴머니즘이라고 말할 수 있다. 인은 선천적으로 주어진 인심(仁心)에서 우러나오는 덕행이다. 즉 서로 사랑하고 협동하여 하나의 공동체를 꾸미고 다 함께 번영하고 발전할 수 있는 바탕이 되는 덕행이다.

가정적 차원에서는 '부모는 자식을 자애하고, 자식은 부모에게 효도한다.(父慈子孝)'. '형은 아우를 우애하고 아우는 형을 공경한다.(兄友弟恭)'. 이를 요약해서 효(孝)와 제(弟=悌)라고 한다. 효는 부모와 자식간의 종적(縱的)인 '사랑의 협동'이다. 제는 형제간의 횡적(橫的)인 사랑의 협동이다. 종은 시간을 상징하고, 횡은 공간을 상징한다. 그러므로 '종적 횡적 사랑과 협동' 곧 '우주적 사랑과 협동'이다. 인(仁)은 곧 '우주적 사랑과 협동'이다. 인을 실천하는 덕행의 기본은 효제(孝悌)이며, 기타 충(忠)·신(信)·지(智)·용(勇) 등의 덕행들이 있다.

앞에서 유자(有子)는 "효와 제가 인을 이룩하는 근본이다(孝弟也者 爲仁之本)." 〈學而篇 1-2〉라고 말했다. 그러므로 공자는 "효와 제의 덕행을 실천하는 것이 곧 인의 정치를 실현하는 것과 같다."고 말한 것이다.

공자에게 "왜 정치를 안하십니까?"하고 물은 사람이 생각하는 정치는 간악한 권모술수를 농하고 무력을 행사하는 정치이다. 그러나 공자가 생각하는 정치는 인정(仁政)이다. 인정은 효제(孝弟)를 바탕으로 한다. 그러므로 공자는 효제를 실천하면 곧 인정에 참여하고 있는 것이다. 왜 포악무도한 악덕정치를 따로 할 필요가 있겠느냐 하고 반박한 것이다. 공자의 말을 바르게 알려면 공자의 사상을 깊이 알아야 한다.

2-22. 공자가 말했다. "사람이 신의가 없으면 그 쓸모를 알 수 없다. (소가 끄는) 큰 수레에 멍에가 없거나, (말이 끄는) 작은 수레에 멍에 갈고리가 없으면, 어떻게 끌고 갈 것인가?"

原文 **子曰, 人而無信**이면 **不知其可也**라 **大車無輗**하며 **小車無軏**이면 **其何以行之哉**리오.

註解 ㅇ人而無信(인이무신)－사람이 신의가 없으면, 언행일치(言行一致)를 신(信)이라 한다. ㅇ不知其可也(부지기가야)－그의 가함을 알지 못한다. 가(可)는 사람답다, 혹은 쓸 수 있다. ㅇ大車(대거)－소가 끄는 짐을 싣는 큰 수레. ㅇ輗(예)－끌채 끝의 멍에를 매는 테, '멍에 끝의 가로지른 나무로 소의 목에 얹은 가로나무를 붙들어 매는 테(轅端橫木 縛軛以駕牛者)'. ㅇ小車(소거)－말이 끄는 경쾌한 작은 수레. ㅇ軏(월)－

끌채 끝의 멍에를 매는 테, '멍에 끝에 굽은 갈고리로 균형을 잡아, 말의 멍에를 매게 하는 것(轅端上曲鉤 衡以駕馬者)'. ㅇ其何以行之哉(기하이행지재)－그 무엇으로, 혹은 어떻게 바르게 갈 수 있느냐?

解說 사람은 신의(信義)를 지켜야 한다. 바르게 말하고 바르게 행동해야 한다. 그래야 더불어 함께 사는 공동생활을 영위할 수가 있다. 바르다고 함은 절대선(絶對善)인 하늘의 도리를 기준으로 한다. 이기적(利己的) 탐욕이나 관능적 쾌락에 치우치면 바르게 될 수가 없다. 서로 속이고 무력으로 싸우며 남을 살상하고 남의 재물을 탈취하게 된다. 그와 같은 약육강식(弱肉强食)의 악덕사회에는 진정한 신의가 없다. 그러므로 오늘의 인류사회는 갈팡질팡하고 악덕과 범죄가 판을 치고 있다.

2-23. 자장이 "앞으로 10대의 일을 알 수 있습니까?"하고 물었다.

이에 공자가 대답했다. "은은 하의 예를 따랐으니 비교해 보면 더하고 뺀 것을 알 수 있고, 주는 은의 예를 따랐으니 비교해 보면 더하고 뺀 것을 알 수 있다. 그러므로 혹 주의 예를 계승만 한다면 앞으로 백 대의 일도 알 수 있다."

原文 **子張**이 **問, 十世可知也**이까? **子曰, 殷因於夏禮**하니 **所損益可知也**하며 **周因於殷禮**하니 **所損益可知也**이니 **其或繼周者**면 **雖百世**라도 **可知也**니라.

註解 ㅇ十世(십세)－10대(代), 세(世)는 부자(父子)가 세대를 교차하는 30년, 주자는 '왕이 성을 바꾸고 천명을 받는 것을 1세라 한다.(王者易姓受命爲一世)'고 하여, 왕조의 교체로 보았다. ㅇ可知也(가지

야)—(앞으로 10대의 일을) 알 수 있느냐? 야(也)를 호(乎)로도 썼다. ㅇ夏(하)—기원전 2200~1760년. 우왕(禹王)이 순(舜)의 선양을 받고 건국, 걸왕(桀王) 때에 망했다. ㅇ殷(은)—기원전 1760~1122년. 탕왕(湯王)이 건국, 주왕(紂王) 때에 망했다. ㅇ周(주)—기원전 1122~221년. 문왕(文王)·무왕(武王)·주공단(周公旦)이 주(紂)를 치고 건국, 춘추(春秋) 전국(戰國)을 거쳐 마침내 진시황(秦始皇)이 천하를 통일했다. ㅇ因(인)—바탕으로 하다, 옛날의 문화를 계승하다. ㅇ禮(예)—예치(禮治)·예악(禮樂) 혹은 천리(天理)에 합당한 문물제도의 뜻. ㅇ所損益(소손익)—가감(加減)한 것. 시대나 필요에 따라 더하거나 줄인 것. ㅇ繼周者(계주자)—주나라의 예를 계승하면, 혹은 계승한 것이라면. ㅇ雖百世(수백세)—비록 백 대 후라도.

解說 하(夏)·은(殷)·주(周), 세 왕조를 삼대(三代)라고 한다. 각 왕조는 성왕(聖王)에 의해 건국되고 초창기에는 천도(天道)를 따라 지덕(地德)을 세우는 이상적인 정치를 폈다. 그러나 말기에는 포악무도한 악덕 군주에 의해 멸망했다. 즉 하의 마지막 왕 걸(桀)이 은(殷)나라의 탕왕(湯王)에게 타도되었고, 다시 은의 마지막 왕 주(紂)가 주(周)나라의 무왕에게 추방되었다. 이와 같이 악덕한 폭군이 쫓겨나고 덕있는 성왕이 나타나 새 나라를 세우고 천자(天子)의 자리에 오르는 것을 역성혁명(易姓革命)이라고 한다. 즉 하늘이 천명(天命)으로 실덕(失德)한 임금을 몰아내고 새로운 유덕자(有德者)로 하여금 천자가 되게 한다. 그러므로 하늘의 명을 받은 천자는 하늘을 잘 모시고 하늘의 뜻과 도리를 따라 천하 만민을 인애(仁愛)하는 덕치(德治)를 펴야 한다.

예(禮)라는 글자는 '하늘로부터 내려받은 천리(天理)를 실천한다'는 뜻이다. 예치(禮治)는 내면적으로는 천리를 따르고 실천하는 덕치(德治)이다. 외형적으로는 우주의 질서를 바탕으로 문물제도를 정하고 신분·계층·위계·질서 등을 엄격히 준수하는 정치다. 예치(禮

治)는 곧 진선미(眞善美)를 통합한 정치의 예술화다. 예치는 절대선인 천도를 예술로 승화한 정치의 이상적 표현이다. 이와 같은 예치가 완성된 것이 바로 주나라였다. 주는 천명을 받고 악덕한 주(紂)를 추방하고 왕도덕치(王道德治)를 폈으며, 특히 주공단(周公旦)이 이상적인 문물제도 및 예악과 의례를 제정하여 정치 및 사회의 규범을 확정했다. 우주의 도리, 즉 천도·천리는 영구불변이다.

그래서 공자는 "혹 주의 예치를 계승만 한다면 앞으로 백 대의 일도 알 수 있다.(其或繼周者 雖百世可知也)"고 말한 것이다. 그러나 반대로 편파적인 이기주의(利己主義)나 변동이 심한 관능적 욕구를 채우기 위한 악덕정치를 펴면 세상은 혼란에 빠지고 당장 내일도 예측할 수 없게 된다.

2-24. 공자가 말했다. "내가 모실 귀신이 아닌데 제사지내는 것은 아첨이다. 정의를 보고 나서서 실천하지 않는 것은 곧 용기가 없음이다."

原文 子曰, 非其鬼而祭之이 諂也요 見義不爲이 無勇也라.

註解 ㅇ非其鬼(비기귀)－자기가 모실 귀신이 아닌 귀신, 신령. 귀(鬼)는 돌아갈 귀(歸)와 통한다. '인신을 귀라고 한다(人神曰鬼).' 〈정현(鄭玄)〉. 귀(鬼)는 죽은 사람이나 선조의 영혼. 천자(天子)는 천신(天神)에 제사지내고, 제후(諸侯)는 지기(地祇)에 제사지내고, 사(士)나 서민(庶民)은 자기 선조를 제사지낸다. ㅇ諂(첨)－비굴하게 굽혀서 덕을 바란다. ㅇ見義不爲(견의불위)－정의로운 일을 (눈앞에 두고) 나서서 행하지 않는다. ㅇ無勇(무용)－용기가 없다. 용기와 만용은 다르다.

解說 공자는 하늘의 도리가 행해지는 경우에만 벼슬하고 녹봉을

받으라고 말했다. 포악무도한 임금 밑에서는 녹봉을 받아먹으면 안 된다. 그것이 도의(道義)다. 도의를 따르고 지키고 실천하는 것이 진정한 용기다. 만용(蠻勇)을 부리고 폭력을 휘두르는 것은 참다운 용기가 아니다. 한편 자기 선조가 아닌데, 남의 선조를 모시고 제사지내는 것은 예(禮)나 효(孝)에 어긋난다. 특히 권력이나 부귀를 누리는 집안의 제사에 참여한다면, 그것은 아첨이라고 단정한 것이다.

《좌전(左傳)》에 '귀신은 같은 종족이 아니면 제사를 받지 않는다'〈僖公 31년〉. 또 《예기(禮記)》에는 '모실 제사가 아닌데 모시는 것을 음사(淫祀)라고 한다. 음사는 복이 없다.'〈曲禮 下〉라고 했다.

제3편 팔일편(八佾篇)

편명(篇名)으로 내세운 팔일(八佾)은 '천자(天子)가 종묘에서 제사지낼 때 연주하는 무악(舞樂)의 이름'이다. 고대 중국에서는 예악(禮樂)을 가지고 정치를 바로잡고 백성을 교화했다. 그러므로 〈위정편〉 다음에 〈팔일편〉을 놓았다.

형병(邢昺)은 소(疏)에서 다음과 같이 말했다. "정치를 잘하기 위해서는 예악보다 더 좋은 것이 없다. 예는 임금을 안정되게 하고 백성을 다스린다. 악은 기풍이나 풍속을 항상 변화하게 한다. 그러므로 예악을 잘 활용하면 나라가 안정되고, 예악을 다스리지 못하면 나라가 위태롭게 된다. 그러므로 이 편에서는 예악의 득실을 논했다.(爲政之善 莫善於禮樂 禮以安上治民 樂以移風易俗 得之則安 失之則危 故此篇論禮樂得失也)." 주자는 말했다. "제3편은 모두 26장이다. 전편 끝의 두 장과 함께 다 예악에 관한 것들을 논했다.(凡二十六章 通前篇末二章 皆論禮樂之事)."

오늘의 정치는 주로 법치(法治)를 바탕으로 한다. 즉 법으로 기틀을 잡아주고 법을 이탈하면 형법으로 벌을 준다. 동시에 오늘의 모든 나라들은 오직 부국강병(富國强兵)에만 골몰하고 있다. 따라서 국민 개개인의 심성 함양과 윤리도덕 실천에는 별로 관심이 없다. 이에 국민들이 날로 도덕적으로 타락하고 금전과 무력 만능주의에 빠져 이기적(利己的) 탐욕을 채우기 위해 아귀다툼을 하며 온갖 사회적 병폐를 자아내고 있다. 따라서 법치주의 자체가 근본적으로 붕괴되고 있는 것이다. 사람들이 도(道)를 상실하고 도덕적으로 타락하면 법치도 붕괴되게 마련이다.

공자는 2천5백 년 전에 법치와 예치를 비교해서 말했다. "정법(政法)으로 이끌고 형법으로 다지면 백성들은 죄를 모면하되 부끄러움을 안 느낀다. 그러나 덕으로 이끌고 예로써 다지면 염치를 알고 또 바르게 된다.(道之以政 齊之以刑 民免而無恥 道之以德 齊之以禮 有恥且格)." 〈爲政篇 2-3〉 국민을 도덕적으로 높이는 덕치(德治)가 곧 예치(禮治)이고, 하늘의 도리를 따르고 실천하는 바른 정치이다.

3-1. 공자가 계씨를 비판하여 말했다. "팔일을 뜰에서 춤추게 하다니, 이런 짓을 감히 할 수 있다면, 장차 그 무슨 짓인들 하지 못할 것인가?"

原文 孔子謂季氏하시되 八佾舞於庭하니 是可忍也면 孰不可忍也오.

註解 ㅇ謂季氏(위계씨)－계씨를 탓하며 말하다, 계씨를 비판하여 말하다. 당시 노(魯)나라의 실권은 '맹손씨(孟孫氏)·숙손씨(叔孫氏)·계손씨(季孫氏)'의 세 집안이 잡고 있었다. 이들은 원래 노 환공(桓公)에서 나왔으므로 삼환(三桓)이라고도 불렀다. 대대로 막강한 권력을 세습하고 군주를 무시하고 참월(僭越)한 짓을 자행했다. 그중에도 계손씨의 횡포가 가장 심했다. 여기서도 그가 대부(大夫)의 신분으로 사당에 제사를 드릴 때에, 무엄하게 팔일(八佾)을 추게 했으므로, 공자가 심하게 탓한 것이다. ㅇ八佾(팔일)－천자의 무악(舞樂)이다. 천자만이 종묘에 제사를 드릴 때 팔일의 무악을 연주한다. 노(魯)는 주공(周公)의 아들 백금(伯禽)이 세운 나라였으므로 노임금은 팔일을 출 수 있었다. 일(佾)

은 열(列)로 팔일은 8열이며, 1열에 8명이 춤을 춘다. 그러므로 팔일은 '8×8=64명'이다. 제후(諸侯)는 '6×6=36명' 경대부(卿大夫)는 '4×4=16명', 사(士)는 '2×2=4명'이 춤을 추게 되어 있다. 인원수에 대해서는 다른 설도 있다. ㅇ舞於庭(무어정)-제사를 올리는 자기집 사당의 뜰에서 춤을 추게 하다. ㅇ是可忍也(시가인야)-직역하면 '이를 참을 수 있다면'의 뜻이다. 그러나 이때의 인(忍)은 '어려움을 참고 견디다'의 뜻이 아니고 '잔인한 마음으로 무지막지한 범죄적 행위를 거리낌없이 저지르다'의 뜻이다. 즉 경(卿)이나 대부의 신분으로 감히 팔일의 무악을 연주케 하는 '무지막지한 짓을 거리낌없이 할 수 있다면'의 뜻이다. ㅇ孰不可忍也(숙불가인야)-장차는 그 어떤 나쁜 짓인들 못하겠느냐?

解說 《좌전(左傳)》 소공(昭公) 25년에 대략 다음과 같은 기록이 있다. 노나라 임금이 체제(禘祭)를 올리려고 했으나, 무악을 출 무인(舞人)들이 계평자(季平子)의 집에 갔으므로 예를 갖추지 못했다. 그때가 바로 공자 나이 36세 때의 일이다. 그러므로 공자가 참월한 계씨를 혹독하게 비난했던 것이다. 더욱 "장차는 그 어떤 나쁜 짓인들 못하겠느냐.(孰不可忍也)"고 말한 공자의 예언이 사실로 나타났다. 즉 그후에 노나라의 임금 소공(昭公)이 삼환씨(三桓氏)의 세력을 꺾으려다가 실패하고 도리어 쫓겨 국외로 망명하는 불상사가 발생했던 것이다. 예(禮)는 하늘의 도리를 바탕으로 정해진 엄격한 위계질서의 법도다. 예를 어긴 자가 마침내 임금을 몰아냈던 것이다.

예(禮)는 '보일 시(示)'와 '예도 예(豊 : 古字)'를 합한 글자다. '시(示)'는 '하늘이 내려주는 계시(啓示)'의 뜻이다. '예(豊)'는 '제물[曲]을 받침대[豆] 위에 괴어놓고 절한다'는 뜻이다. 결국 '예(禮)'는 '받침대 위에 귀중한 제물을 괴고 절하고 하늘로부터 계시를 내려 받는다'는 뜻글자이다. '예(禮)'를 '예(礼)'라고도 쓴다. 즉 '사람이 절하고 계시[示]를 받는다'는 뜻이다.

한편 예(禮)는 성운학적(聲韻學的)으로 '이(理)와 이(履)'에 통한다. '이(理)'는 천리(天理), 즉 하늘의 도리이다. '이(履)'는 밟고 가다, 실천한다는 뜻이다. 《설문해자(說文解字)》에 '사신치복(事神致福)'이라고 풀이했다. 즉 신을 섬기고 복을 누린다는 뜻이다. 결국 예(禮)는 하늘의 도리를 받들고 행해서 복을 누린다는 뜻이다.

우주천지 자연만물은 천도를 따라 질서정연하게 운행하고 있다. 하늘의 법도 및 엄격한 위계질서, 수리의 정확성을 적용하여 정치사회에 있어서의 상하존비(上下尊卑)의 모든 사람들이 지킬 문물제도, 예의범절 및 격식이나 복식(服飾)을 정하고 실천하는 것이 예치(禮治)이다. 내면적으로 천리를 따르는 예치는 외형적으로 정해진 문물제도와 예악(禮樂)을 존중하고 활용한다. 예악(禮樂)의 예(禮)는 '예의범절 및 의식 의례' 등이다. 악(樂)은 '풍(風)·아(雅)·송(頌)'의 음악이다. 예(禮)는 성(性)을 바로잡고, 악(樂)은 정(情)을 다스린다. 성은 마음이나 정신에 깃들이고 있는 선본성(善本性), 즉 윤리도덕성이다. 정은 육신이나 동물적 본능을 바탕으로 한 욕구나 감정을 총합한 말이다.

인간도 동물이다. 그러므로 동물적 본능, 그리고 욕구 및 감정을 바탕으로 행동한다. 배가 고프면 음식을 찾고 슬프면 통곡한다. 이때에 만약 이성이나 도덕성으로 동물성을 억제하거나 조절하지 않으면 그 행동이 야만적이고 포악하게 된다. 따라서 성(性)으로써 정(情)을 억제하고 조절해야 한다. 동시에 음악으로써 정을 순화해야 한다. 음악은 천지 자연만물의 생동(生動)하는 절주(節奏)를 표현한 예술이다. 따라서 음악은 인간의 원색적 감정을 순화하고 조화시켜 준다.

그러므로 옛날에는 국가적인 차원에서 우아한 정악(正樂)을 제정해서 정치에 활용했던 것이다. 즉 예(禮)로써 언행을 바르게 하고, 악(樂)으로써 감정을 순화했던 것이나. 이와 같은 예치와 예악의 깊은 뜻과 그 효용을 바르게 알아야겠다. 예치는 법치(法治)보다 월등 높은 단계의 덕치(德治)다. 천도(天道)를 따라 지덕(地德)을 세우기 위한 정치가 곧 예치이다. 예의(禮儀)나 예악(禮樂)이 문란하면 국가의 틀이 무너지고 아울러 국민의 기풍이 타락하게 된다.

3-2. 세 대부의 집에서 제사를 끝낼 때, 옹의 시를 읊었다.

이에 대해서 공자가 말했다. "《시경》 옹편에 '제후들이 천자를 도우니 기뻐하시는 천자의 모습이 아름답다'고 했다. 이 시를 어찌하여 그들 세 대부의 사당에서 취해 쓰느냐?"

原文 **三家者以雍徹**이러니 **子曰, 相維辟公**이어늘 **天子穆穆**을 **奚取於三家之堂**인고?

註解 ㅇ三家(삼가)－노나라를 혼란케 하고 권세를 독점하고 있는 삼환씨(三桓氏), 즉 맹손(孟孫)·숙손(叔孫)·계손(季孫) 세 집. ㅇ以雍徹(이옹철)－옹(雍)은 《시경(詩經)》 〈주송(周頌)〉에 있는 시편. 주나라 천자가 선조의 제사를 마치고, 찬(饌)을 물릴 때에, 이 시를 낭송했다. ㅇ徹(철)－거둔다. 제물이나 제기를 물린다. ㅇ相維辟公(상유벽공)－'돕는 사람이 바로 제후니라'. 옹편의 구절. 상(相)은 돕다, 유(維)는 어조사로 앞의 말을 강조한다. 벽공(辟公)은 제후. ㅇ天子穆穆(천자목목)－역시 옹편의 구절. 천자의 모습이 화목하다, 목(穆)은 그윽하고 아름답다. ㅇ奚取於三家之堂(해취어삼가지당)－어찌 세 집안의 제사에 그 시를 취해 쓰는가? (그 시는 천자의 제사를 읊은 시다.)

解說 예(禮)의 격식은 신분에 따라 다르며, 저마다 엄격히 지켜야 한다. 그러나 삼환(三桓)은 대부(大夫)인데 천자의 격식을 취했다. 그래서 공자가 비판한 것이다. 그들은 옹편(雍篇)의 '상유벽공(相維辟公) 천자목목(天子穆穆)'의 뜻도 모르고 자기네의 제사에 낭송한다며, 그들의 무식을 탓한 것이다.

3-3. 공자가 말했다. "사람이 어질지 못하면 예는 무엇할 것이며, 사람이 어질지 못하면 악은 무엇할 것인가?"

原文 子曰, 人而不仁이면 如禮何며 人而不仁이면 如樂何오?

註解 ㅇ人而不仁(인이불인)－사람이면서 어질지 않다. 즉 인간의 탈을 썼으나 속에 '남을 사랑하고 도와주려는 인심(仁心)'이 없고 반대로 수심(獸心)을 바탕으로 하고 동물처럼 행동한다. 수심은 곧 '남을 속이거나 살상(殺傷)하고 남의 재물을 탈취하여 나의 탐욕을 채우려는 악덕한 마음'이다. ㅇ如禮何(여례하)－형식적으로 예를 차려도 아무런 소용이 없다는 뜻. 여하(如何)는 어찌할 것이냐? 무엇할 것이냐? ㅇ如樂何(여악하)－음악을 연주한들 무엇에 쓰랴? 아무 소용이 없다는 뜻.

解說 사람은 인심(仁心)을 바탕으로 인덕(仁德)을 세워야 한다. 속에 수심(獸心)을 품고 악덕을 자행하는 자가 겉으로 예악(禮樂)을 꾸미고 예치(禮治)를 가장해도 아무런 소용이 없다. 공자가 높이는 왕도덕치(王道德治)는 '인심(仁心)을 바탕으로 하여 서로 사랑하고 협동하여 함께 잘살고 또 행복을 누리는 평화세계를 창건하는 인덕(仁德)의 정치, 즉 인정(仁政)이다.' 그러므로 공자는 '무력으로 백성을 억압하는 법치(法治)'보다 '사랑으로 백성을 교화하는 예치(禮治)'를 높이고 앞세웠으며, 그 전범(典範)을 주공단(周公旦)이 제정한 문물제도나 예악(禮樂)에 두었던 것이다. 그러나 삼환씨(三桓氏) 같은 무도한 자들이 예를 문란하게 악용하고 있으므로 신랄하게 탓한 것이다.

3-4. 임방이 예의 근본을 묻자, 공자가 말했다. "큼직한 질문이로군!

예는 사치하느니보다는 검소해야 한다. 장례는 모든 절차를 이것저것 갖추기보다는 진심으로 애통해야 한다."

原文 林放이 問 禮之本한대 子曰, 大哉라 問이여 禮는 與其奢也론 寧儉이오 喪은 與其易也론 寧戚이니라.

註解 ㅇ林放(임방)－노(魯)나라 사람. 〈정현(鄭玄)〉. 《사기(史記)》〈중니제자열전(仲尼弟子列傳)〉에는 보이지 않는다. ㅇ禮之本(예지본)－예의 기본. ㅇ大哉問(대재문)－큰 질문이다, 거창한 질문이로구나! 술어 '대재(大哉)'가 먼저 왔다. ㅇ與其奢也寧儉(여기사야영검)－사치하느니보다 차라리 검소하게 한다. 여기(與其)……영(寧)은 ……하느니보다, 차라리 ~한다. 상관접속사(相關接續詞). ㅇ喪與其易也寧戚(상여기역야영척)－상례는 이것저것을 다 갖추기보다는 마음으로 애통해라. 역(易)은 모든 절차를 다 갖추고 하나하나를 형식적으로 대충대충 치른다는 뜻이다.

解說 길례(吉禮) 같은 모든 의식(儀式)은 형식면에서 사치하게 꾸미는 것보다 경건한 마음으로 검소하고 알차게 치르는 것이 좋다. 한편 흉례(凶禮)인 장례를 치를 때에는 여러 가지 복잡한 절차를 형식적으로 대충대충 치르면 안된다. 속에서 우러나오는 애도의 정을 바탕으로 차근차근 모든 절차를 차분하게 거행해야 한다. 절차를 생략하라는 뜻이 아니다. 옛날의 의식 절차에는 다 깊은 뜻이 담겨져 있다.

3-5. 공자가 말했다. "오랑캐 나라에 임금이 있다 해도, 중화의 여러 나라에 임금이 없는 경우보다 못하다."

原文 子曰, 夷狄之有君이 不如諸夏之亡也니라.

註解 ㅇ夷狄之有君(이적지유군)—오랑캐 나라에 임금이 있다 해도. ㅇ不如(불여)—……만 하지 못하다. ……보다 못하다. ㅇ諸夏(제하)—중화에 있는 여러 나라. ㅇ亡(망)—무(無)와 통한다. 임금이 없다. 《집주(集註)》는 '이적의 나라도 임금이 있는데, 중화의 여러 나라에 임금이 없다'는 뜻으로 풀이했다.

解說 중하(中夏) 혹은 중화(中華)라는 명칭은 천하의 중심을 차지하는 문화 국가라는 뜻이다. 여름 하(夏)는 여름에 나무가 자라고 지엽(枝葉)이나 꽃이 무성하다는 뜻으로 꽃 화(華)에 통한다. 한편 주변에 있는 미개의 야만족을 일괄해서 오랑캐라고 일컬었다. 즉 동이(東夷)·서융(西戎)·북적(北狄)·남만(南蠻)이 다 오랑캐이다. 오랑캐들은 문화나 윤리도덕이 없고, 오직 동물적 삶만을 영위한다. 설사 추장이나 통치자가 있다 해도, 근본적으로는 미개의 야만 집단이다.

그러므로 중하의 문화국가와는 근본적으로 다르며, 설사 중하의 문화국가가 혼란에 휘말려 일시적으로 임금이 없다 해도 오랑캐와는 비교가 안된다. 역사적 사실로 노나라의 임금 소공(昭公)이 삼환씨(三桓氏)에 밀려, 국외로 망명하고 7년간 임금이 없었다. 그래도 노나라는 주공단(周公旦)이 세운 정통의 문화국으로 오랑캐와는 격이 다르다는 것을 공자가 힘주어 강조한 말일 것이다.

3-6. 계씨가 태산에서 제사를 지내려 하자, 공자가 (계씨의 가신인) 염유에게 물었다. "자네는 막을 수 없는가?" 염유가 "제 힘으로는 못하겠습니다."라고 대답하자, 공자가 말했다. "아! 태산의 신을, (예를 물었던) 임방만큼도 중하게 여기시 않는구나."

原文 季氏旅於泰山이러니 子謂冉有曰, 女弗能救與아?

對曰, 不能이로소이다. **子曰, 嗚呼**라 **曾謂泰山**이 **不如林放乎**아.

註解 ㅇ季氏(계씨)―무도하게 참월(僭越)한 계손씨. ㅇ旅於泰山(여어태산)―태산에 제사를 지내다. ㅇ旅(여)―임시로 지내는 제사를 여제(旅祭)라 한다. ㅇ泰山(태산)―노나라에 있는 명산(名山), 오악(五岳)의 하나. 하늘 제사는 천자가 지내고, 영지 내의 산천(山川)은 제후가 지낸다. 그런데 대부 신분인 계씨가 무엄하게 태산에 제사를 지내려 했다. ㅇ子謂冉有曰(자위염유왈)―그래서 공자가 염유(冉有)에게 말했다. 염유는 공자의 제자로, 성이 염(冉), 이름은 구(求), 자는 자유(子有). 노나라 사람으로 공자보다 29세 연소했다. 자로(子路)와 함께 정사(政事)에 뛰어났다. 당시 그는 계씨의 집사(執事)로 있었다. ㅇ女弗能救與(여불능구여)―네가 (계씨의 무도한 짓을 못하게) 말릴 수 없느냐? 구(救)는 구제한다. 여기서는 나쁜 짓을 못하게 말린다는 뜻. ㅇ不能(불능)―제 힘으로는 못하겠다. ㅇ嗚呼(오호)―아! 감탄사. ㅇ曾謂(증위)―그렇다면 너는 생각하느냐? 증(曾)=내(乃), 위(謂)는 생각하다, 말한다. ㅇ泰山不如林放乎(태산불여임방호)―태산의 신을 임방(林放)보다 못하게 여기느냐? 임방은 〈八佾篇 3-4〉에서 예의 근본을 물은 사람이다. 태산의 신이 임방만큼도 예를 모를 거라고 생각하느냐? 태산의 신은 영험하다. 그러므로 무도한 제사를 받지 않는다. 그런즉 '네가 계씨에게 무도한 제사를 지내도 아무 소용이 없다고 말해서 안 지내게 말리라'는 뜻이다.

解說 **제사(祭祀)의 깊은 뜻**―

공자는 '괴(怪)·력(力)·난(亂)·신(神)'을 논하지 않았다. 즉 비현실적인 괴이(怪異)한 일, 포악무도한 무력행사, 사회질서를 문란케 하는 난동(亂動) 및 미신적인 믿음 등을 배제했다. 공자는 어디까지나 인본주의(人本主義), 현실주의(現實主義), 합리주의(合理主義), 실증적 역사주의(歷史主義) 및 평화적 문화주의(文化主義)를 바탕으로 윤리도덕이 시행되는 선세계(善世界) 창건을 주장했다. 동시에 공자는 "사람이 지키고 행할 도덕을 힘써 실천하고, 귀신을 공경하되 멀리함이 슬기다.(民務之義 敬鬼神而遠之 可謂知矣)" 〈雍也篇 6-22〉라고도 말했다. 즉 미신적 혹은 맹신적으로 귀신을 믿는 것보다, 도덕 실천을 참다운 슬기〔知〕라고 말했다.

따라서 공자의 사상은 종교 사상이 아니고, 학문과 도덕적 실천을 강조한 교육 사상이라 하겠다. 동시에 공자는 천(天)과 천명(天命)의 절대성을 믿었다. 그러나 불가사의한 천이나 천명을 철학적으로 천착하거나 설명하지 않았다. 다만 도(道)를 따르고 행하라고 가르쳤다. 특히 공자는 천도를 따른 예치(禮治)의 전범(典範)을 주공단(周公旦)의 문물제도에 두었다. 그러므로 공자도 천신(天神)과 지기(地祇)에 대한 제사 및 선조 부모에 대한 제사를 중시했다. 제(祭)는 접(接)의 뜻이 있다. 즉 하늘과 땅과 선조의 귀신이나 신령과 접한다는 뜻이다. 결국 제사도 민행(民行)이며, 종국적으로는 천도(天道)를 따라 지덕(地德)을 세우는 실천적인 덕행이다. 특히 선조에 대한 제사는 정리(情理)에서 효도의 연장이다. 고인을 추모하고 신령과 접하고 정신과 사업을 계승 발전케 하는 의식이 바로 제사이다.

3-7. 공자가 말했다. "군자는 다투지 않는다. 불가피한 경쟁은 활쏘기뿐이다. 그때에는 서로 절하고 사양하며 당에 오르고, 내려와 술을 마시니, 그 다툼도 군자다운 다툼이다."

原文 **子曰, 君子無所爭**이니 **必也射乎**인저 **揖讓而升**하야 **下而飮**하나니 **其爭也君子**니라.

註解 ㅇ君子無所爭(군자무소쟁)－군자는 다투거나 싸우는 바가 없다.

ㅇ必也(필야)－어쩔 수 없이 (경쟁을 하는 것은). ㅇ射乎(사호)－활쏘기다, 궁술 경기다. ㅇ揖讓(읍양)－읍(揖)은 두 손을 앞에 모아 잡고 절함. 양(讓)은 서로 양보한다. ㅇ升(승)－당에 올라가 활을 쏘다. ㅇ下(하)－활을 쏜 다음에 내려온다. ㅇ飮(음)－술을 마신다. 활쏘기를 마치고, 이긴 사람이 진 사람에게 술을 마시게 한다. ㅇ其爭也君子(기쟁야군자)－그 다투는 태도가 어디까지나 군자다웠다.

解說 군자는 육예(六藝)를 교양의 필수과목으로 이수했다. 즉 '예(禮)·악(樂)·사(射)·어(御)·서(書)·수(數)'다. 그 중에 사와 어는 무술 혹은 운동 경기에 해당하며, 기술 연마를 위해서 경연대회를 개최하는 수가 있었다. 이때에 군자는 서로 기량을 경쟁한다. 그 때에도 예절을 잘 지켜야 한다. 옛날의 궁술대회(弓術大會)에는 대사(大射)·빈사(賓射)·연사(燕射)·향사(鄕射) 등이 있었다. 《예기(禮記)》나 《의례(儀禮)》에 절차가 적혀 있다. 특히 대사(大射)는 예의 덕행이 뛰어난 사람을 뽑는 행사였다.

3-8. 자하가 물었다. "시에 '곱게 웃는 품 아름답고, 아리따운 검은 눈동자, 흰 분으로 더욱 빛나네'라고 있는데, 무슨 뜻입니까?" 공자가 대답했다. "그림 그릴 때에는 흰 칠을 나중에 한다." 자하가 다시 "예로써 뒷마무리를 한다는 뜻이군요."하고 말하자, 공자가 말했다. "나의 말을 계발하는 자가 바로 자네 상(商)이로군. 비로소 함께 시를 말할 수 있노라."

原文 子夏問曰, 巧笑倩兮며 美目盼兮여 素以爲絢兮라하니 何謂也이니까? 子曰, 繪事後素니라. 曰, 禮後乎인저. 子曰, 起予者는 商也라 始可與言詩已矣로다.

註解 ㅇ子夏(자하)－〈學而篇 1-7〉 참고. ㅇ巧笑(교소)－곱고 아름답게 웃는다, 교(巧)는 호(好)와 같다. ㅇ倩兮(천혜)－아름답고 예쁘다. 《집주(集註)》는 보조개〔口輔〕로 풀었다. ㅇ美目盼兮(미목반혜)－아름다운 눈과 검은 눈동자. 반(盼)을 주자(朱子)는 '검은 눈동자와 흰 눈알이 분명하다(目黑白分也)'라고 풀었다. ㅇ素以爲絢兮(소이위현혜)－여기서는 '흰 분으로 화장을 하여 더욱 눈이 부시도록 예쁘다'로 풀이한다. 《시경》 위풍(衛風) 석인편(碩人篇)에 '교소천혜(巧笑倩兮) 미목반혜(美目盼兮)'의 두 구절이 있는데, 위공(衛公)의 왕비 장강(莊姜)의 아름다움을 읊은 구절이다. '소이위현혜(素以爲絢兮)'는 지금의 《시경》에는 없다. 그러나 옛날에는 있었을 것이며, 역시 장강의 아름다운 모양을 그린 글귀일 것이다. ㅇ繪事後素(회사후소)－그림을 그릴 때에는 흰 칠을 맨 나중에 한다. 《주례(周禮)》〈고공기(考工記)〉에 '그림을 그리는 일에 있어서는 흰 칠하는 것을 맨 나중에 한다(繪畫之事 後素功)'라고 있다. ㅇ禮後乎(예후호)－예가 뒤라는 뜻이군요. ㅇ起予者(기여자)－내가 한 말의 뜻을 계발하고 밝게 나타내는 사람. ㅇ商(상)－자하의 이름. ㅇ始可(시가)－비로소 ……할 수 있다. ㅇ與言詩(여언시)－함께 《시경》의 뜻을 말한다. 함께 《시경》에 대하여 논한다. ㅇ已矣(이의)－어미 조사. ……이다, ……로다.

解說 먼저 문장 표현의 묘미(妙味)에 대한 설명을 하겠다. 스승인 공자와 제자 자하가 서로 짧게 토막말을 주고받았다. 처음에 자하가 《시경》의 구절 "교소천혜(巧笑倩兮) 미목반혜(美目盼兮) 소이위현혜(素以爲絢兮)"의 뜻을 질문했다. 그러나 공자는 직접 그 뜻풀이를 하지 않고, "회사후소(繪事後素)"라며 차원이 높은 대답을 했다. 그러자 총명한 제자가 알아차리고 "예후호(禮後乎)"라는 말씀이군요라며 비약적으로 높은 차원의 깨달음을 밝혔다. 이에 공자가 기뻐서 칭찬하며, "바로 네가 나의 깊은 뜻을 밝혀냈구나. 함께 《시경》을 논할 수 있구나."하고 흡족하게 여겼다. 참으로 이심전심(以心傳心)하는 사제간의 격조높은 대화다.

이들의 대화의 핵심은 바로 '인격 완성의 마지막을 예로써 마무리해야 한다.'는 뜻이다. 그것을 먼저 《시경》의 구절을 내세웠고, 이어 '그림을 그릴 때, 먼저 찬란하게 채색을 하고 아름답게 꾸미되, 마지막으로 흰 가루[素粉]를 뿌려 전체를 수수하게 조화함과 같다'고 비유했다. 즉 《시경》의 시를 예도(禮道)와 인격 수양에 연결한 것이다. 이것을 바로 시교(詩敎)라 한다.

주자(朱子)의 《집주》는 '회사후소(繪事後素)'를 다음과 같이 풀었다. '그림을 그리는 일은 소(素) 다음에 한다. 먼저 흰 가루를 바닥에 뿌리어 바탕을 만들고 그 다음에 채색을 한다. 마치 사람의 경우 좋은 바탕이 있은 다음에 문화적으로 꾸밀 수 있음과 같다(繪事 繪畫之事也 後素 後於素也 謂先以粉地爲質 而後施五采 猶人有美質然後可加文飾).'

3-9. 공자가 말했다. "하(夏)의 예를 내가 말할 수 있으나, 후손의 나라인 기(杞)에 실증할 사물이 부족하고, 은(殷)의 예도 내가 말할 수 있으나, 후손의 나라인 송(宋)에도 실증할 사물이 부족하다. 문헌이 모자라는 탓이다. 문헌만 충분하면 내가 충분히 실증할 수 있다."

原文 **子曰, 夏禮**를 **吾能言之**나 **杞不足徵也**며 **殷禮**를 **吾能言之**나 **宋不足徵也**는 **文獻不足故也**니 **足則吾能徵之矣**리라.

註解 ○夏禮(하례)－하나라의 문물제도. ○吾能言之(오능언지)－내가 능히 말할 수 있다. ○杞(기)－주 무왕이 하 우왕(禹王)의 후예 동루공(東樓公)으로 하여금 우왕의 제사를 지내게 하기 위해 세운 나라. 현 하남성 기현(杞縣)에 있었다. ○不足徵(부족징)－증거할 사물이 부족하다.

징(徵)=증거 증(證). ㅇ殷(은)－탕왕(湯王)이 세운 나라. ㅇ宋(송)－주 무왕이 은나라 주왕(紂王)의 서형 미자(微子)를 봉하여 탕왕의 제사를 지내게 한 나라. 현 상구현(商丘縣)에 있었다. ㅇ文獻(문헌)－고문과 전적 및 자료. 헌(獻)을 현인(賢人)으로 풀기도 한다.

解說 공자는 하(夏)·은(殷)·주(周) 3대의 문화 전통을 계승하고 특히 주나라 초기에 정착된 문물제도와 예악(禮樂)을 활용해서 인정(仁政)과 예치(禮治)를 구현하고자 했다. 그러나 하나라, 은나라의 문물제도를 증거할 역사적 유물이 부족하여 잘 알 수 없음을 한탄한 것이다.

3-10. 공자가 말했다. "체(禘) 제사를 지낼 때, 울창주를 뿌린 다음 그 이상을 나는 보고 싶지 않다."

原文 **子曰, 禘自旣灌而往者**는 **吾不欲觀之矣**로라.

註解 ㅇ禘(체)－천자만이 종묘에서 하늘과 함께 시조(始祖)를 모시는 큰 제사다. 주(周) 성왕(成王)이 주공단(周公旦)에게만 특별히 체제를 허락했었다. 그러나 그후에도 제후국(諸侯國)인 노(魯)나라에서 계속 체제를 지냈다. 이는 도에서 벗어난 비례(非禮)이다. ㅇ灌(관)－제사를 시작할 때 울창주(鬱鬯酒)의 향기를 시동(尸童)에게 풍기고 술을 땅에 뿌려서 강신(降神)을 비는 절차를 관이라 한다. ㅇ自旣灌而往者(자기관이왕자)－이미 울창주를 뿌린 다음에 진행되는 제사 절차를. ㅇ吾不欲觀之(오불욕관지)－나는 보고 싶지 않다.

解說 공자가 보기 싫다고 한 데는 무슨 까닭이 있을 것이다. 《집주(集註)》에서 조백순(趙伯循)은 대략 다음과 같이 말했다. "체제는 천자만이 지내는 큰 제사다. 건국의 시조와 아울러 하늘과 먼 선조

들을 함께 모신다. 성왕(成王)이 주공(周公)의 공이 크므로 그에게 체제를 허락했다. 그러나 제후의 나라인 노나라가 계속 체제를 지내는 것은 예에 어긋난다." 또 공자가 보기 싫다고 한 다른 이유로 다음과 같은 것이 있다. '울창주를 뿌릴 때까지는 제사를 지내는 노나라의 군신들이 정성을 들이고 긴장한다. 그러나 그 다음에는 군신들이 해이해지고 정성이 부족하므로 볼 수 없다고 한 것이다.' 결국 예법에도 어긋나고 정성도 부족하여 비례(非禮) 중에서도 비례이기 때문에 공자가 보지 않겠다고 한 것이다.

3-11. 어떤 사람이 체제에 대하여 묻자, 공자가 말했다. "모르겠소. 만약에 그 뜻을 잘 아는 사람이 천하를 다스린다면 마치 이 위에 천하를 놓고 보는 듯할 것이오."하며 자기 손바닥을 가리켰다.

原文 **或問禘之說**한대 **子曰, 不知也**로라 **知其說者之於天下也**에 **其如示諸斯乎**인저 하고 **指其掌**하시다.

註解 ㅇ或問禘之說(혹문체지설)－어떤 사람이 체제에 대한 설명을 해달라고 요청했다. ㅇ不知也(부지야)－모르겠소. ㅇ知其說者(지기설자)－체제에 대한 설명을 할 수 있는 사람이라면. ㅇ於天下也(어천하야)－(만약 그 사람이) 천하를 다스린다면. ㅇ其如示諸斯乎(기여시제사호)－기여는 '그것은 마치 ……와 같다.' 시제사(示諸斯)는 '천하를 이 위에 놓고 지시함과' (같을 것이다). 시(示)는 지시한다, 볼 시(視)로도 풀이한다. 제사(諸斯)=지어사(之於斯)는 (천하를) 이 위에 놓고. ㅇ指其掌(지기장)－손바닥을 가리키다. 즉 '천하를 손바닥 위에 놓고 다스리듯이 쉬울 것이다'라는 뜻.

解說 체제(禘祭)는 천자(天子)만이 '보본추원(報本追遠)'하기 위

해서 지내는 제사다. '보본추원'은 곧 '천명을 내려 천하를 다스리게 한 하늘과 건국의 시조에 보답하고 아울러 먼 조상들을 추모함이다.' 그런데 노나라의 참월(僭越)한 실권자가 건방지게 체제에 대한 말을 묻자, 공자는 "나는 모르겠소."하고 외면하고 '체제는 천하를 다스리는 제사'임을 암시했다.

3-12. (공자는) 제사 때는 조상이 앞에 계시는 듯이 정중한 태도를 취했고, 산천의 신을 모실 때는 신이 앞에 있는 듯 경건했다. 공자가 말했다. "제사에 참석하지 않으면, 제사를 지내지 않음과 같다."

原文 **祭如在**하시며 **祭神如神在**러시다. **子曰, 吾不與祭**면 **如不祭**니라.

註解 ○祭如在(제여재)—선조의 제사를 지낼 때에는 마치 선조가 살아서 앞에 계신 듯이 정중하게 모신다. ○祭神如神在(제신여신재)—(선조 이외의 다른) 신을 제사지낼 때에는 신령이 살아있는 듯이 경건하게 받들고 모신다. ○吾不與祭(오불여제)—내가 직접 제사에 참여하지 않으면. ○如不祭(여부제)—제사를 안 지낸 것과 같다.

解說 정자(程子)는 '제는 선조에 대한 제사이고, 제신은 그 외의 신을 제사함이다(祭 祭先祖也, 祭神 祭外神也)'라고 주(注)했다. 황간(皇侃)도 '앞의 제는 인귀(人鬼)를 제사지내고, 뒤의 제는 백신(百神)을 제사지냄이라' 했다. 주자(朱子)는 '문인들이 공자가 제사지낼 때에 정성스럽게 함을 적은 것이다(愚謂 此門人記孔子祭祀之誠意)'라 했다. 범씨(范氏)는 《집주》에서 말했다. "정성이 있어야 신이 있고, 정성이 없으면 신이 없게 된다. 그러니 경건하지 않을 수 있으랴

(有其誠則有其神 無其誠則無其神 可不謹乎).” 〈참고란〉 참조.

参考 정성(精誠)과 신령(神靈)에 대하여 —

공자는 천(天)의 실재(實在)와 실체(實體)를 인식하고 또 믿었을 것이다. 그러나 그는 천을 철학적으로 설명하지 않았고 또 종교적으로 믿고 의지하라고 주장하지도 않았다. 아울러 천도(天道)나 천명(天命)에 대한 철학적 설명도 하지 않았다. 다만 천도와 천명을 따라 저마다의 자리에서 윤리도덕을 실천하라고 가르쳤다. 즉 공자는 일상적인 실천을 중시했으며, 그 실천의 근본을 효도(孝道)에 두었다. 효(孝)의 좁은 뜻은 '자식이 부모를 섬기고 공양함'을 말한다. 그러나 효도의 큰 뜻은 곧 '대를 이어가면서 인류의 역사 문화를 계승 발전하는 도리'이다. 그러므로 유교에서는 '나보다 먼저 태어나, 선역사(善歷史)와 선문화(善文化)를 계승 발전시킨 선인(先人)들, 특히 나의 조상과 부모를 공경하고 높인다.'

선조나 부모에 대한 공경과 봉양은 생사(生死)를 통해 여일(如一)하게 해야 한다. 생시(生時)에도 잘 모시고 사후(死後)에도 잘 모신다. 그러므로 장례(葬禮)와 제사(祭祀)를 강조한다. 도덕의 실천을 중시하는 유교에서는 신령(神靈)과 귀신(鬼神)의 실재나 실체에 대해서도 철학적으로 깊이 천착하지 않는다. 어디까지나 현실적으로 살아있는 인간의 정리(情理)를 바탕으로 신령과 귀신을 섬기고 모시고 또 제사지낸다. 정(情)은 심정, 애정 및 정서를 말한다. 돌아가신 부모에 대하여 애도하는 심정과 감사하는 마음과 과거를 회상하며 느끼는 여러 가지 정서를 함께 모아 경건하게 제사를 지낸다. 그러면 새삼 고인이 살아있는 모습 그대로 나타날 것이다.

한편 이(理)는 이성적인 도리다. 내가 태어나 잘살고 있는 것이 근본적으로는 부모의 덕택이고 또 선인들이 남겨준 문화유산의 덕택이다. 그러므로 제사를 모시고 추념하고 감사해야 한다. 정성껏 제사를 모시면 신령이 나에게 새로운 힘을 줄 것이다. 그러므로 선조나 부모에 대한 제사를 지내야 한다. 동물은 제사를 지내지 않는다.

3-13. 왕손가가 물었다. "방 안에 아첨하느니보다 부엌에 아첨하라고 한 말은 무슨 뜻입니까?"

공자가 말했다. "그렇지 않소. 하늘에 죄를 지으면 빌 곳이 없는 법이오."

原文 **王孫賈問曰, 與其媚於奧**론 **寧媚於竈**라하니 **何謂也**잇가? **子曰, 不然**하다. **獲罪於天**이면 **無所禱也**니라.

註解 ㅇ王孫賈(왕손가)－위(衛)나라의 대부, 성은 왕손(王孫), 이름이 가(賈), 위나라 영공(靈公) 밑에서 군사권을 쥐고 있었다. ㅇ與其媚於奧(여기미어오)－방 안의 신을 섬기고 아첨하느니. 미(媚)는 아첨하다, 오(奧)는 구석방에 있는 신. ㅇ寧媚於竈(영미어조)－차라리 부엌의 신을 섬기고 아첨하라. 조(竈)는 부엌에 있는 신. '여기(與其)……, 영(寧)은 ……하느니, 차라리 ……하라'. ㅇ何謂也(하위야)－(이같은 속담이 있는데) 당신은 어떻게 생각하시오? ㅇ不然(불연)－아니다, 그렇지 않다. ㅇ獲罪於天(획죄어천)－하늘에 죄를 지으면. ㅇ無所禱也(무소도야)－빌 곳이 없다.

解說 공자가 위(衛)나라에 갔을 때, 즉 기원전 497년경의 일일 것이다. 왕손가는 위나라의 군사권을 장악한 실력자였다. 그가 속담을 들먹이며 은근히 '자기를 섬기라'는 뜻을 비치자, 공자는 따끔하게 일침을 가했다. "하늘 앞에 죄를 지으면, 용서를 빌 곳이 없다." 이때의 하늘을 주자는 이(理)라고 풀었다. 공자는 참월한 왕손가의 비례(非禮)와 야심을 눈치채고 하늘이 있음을 알려주었다.

3-14. 공자가 말했다. "주나라는 하(夏)와 은(殷) 두 대를 본받았으므로 문물제도가 빛난다. 나는 주를 따르겠다."

原文 **子曰, 周監於二代**하니 **郁郁乎文哉**라 **吾從周**하리라.

解說 ㅇ周監於二代(주감어이대)－주나라의 문물제도는 하(夏)와 은(殷) 두 왕조의 좋은 점을 본받은 것이다. ㅇ郁郁乎文哉(욱욱호문재)－그 문화가 찬연하다. 술어가 앞에 왔다. 욱욱호(郁郁乎)는 찬연히 빛나다. ㅇ吾從周(오종주)－나는 주나라의 문화를 따르리라.

解說 공자는 도덕적으로 타락하고 혼란한 춘추시대(春秋時代)를 주나라 초기의 문물제도를 바탕으로 안정되게 하려고 애를 썼다. 그렇다고 공자의 사상을 퇴보적이라고 오해하면 안된다. 역사와 문화는 과거의 좋은 전통 위에서 발전하게 마련이다. 우선 그가 높이는 주나라의 문물제도가 하(夏)·은(殷) 두 왕조의 장점을 따서 이루어진 찬연한 것임을 밝혔다. 공자의 인정(仁政)이나 덕치(德治)는 바로 이와 같은 역사적 발전관 위에서 성취되는 것이다.

공자는 덮어놓고 고대의 문물제도를 묵수(墨守)하자는 것이 아니다. '온고이지신(溫故而知新)'하려는 정통적 역사 발전주의자였다. 특히 도덕의 근원을 절대선(絶對善)인 천도를 기준으로 했으므로 고대의 성왕(聖王)과 그들의 선양(禪讓)을 높였던 것이다. 예나 지금이나 사람들이 동물적 이기심을 바탕으로 물질적 탐욕을 채우면 도덕적으로 타락하고 서로 싸우고 쟁탈하게 된다.

3-15. 공자께서 태묘에 들어가 제사지낼 때, 모든 일을 일일이 물으셨다. (그러자) 어떤 사람이 말했다. "누가 저 추인의 아들이 예를

안다고 했느냐? 태묘에 들어가 일일이 묻더라."

공자가 듣고 말했다. "그게 바로 예이니라."

原文 **子入大廟**하사 **每事問**하신대 **或曰, 孰謂鄹人之子**를 **知禮乎**아? **入大廟**하여 **每事問**하니 **子聞之**하시고 **曰, 是禮也**니라.

註解 ㅇ大廟(태묘)－대(大)를 태로 읽는다. 제후(諸侯)의 시조를 모신 묘. 노나라에서는 주공단(周公旦)을 모셨다. ㅇ每事問(매사문)－하나하나 질문한다. 대묘에서 제사지내는 절차나 격식 등 모든 것을 일일이 묻는다. ㅇ孰謂(숙위)－누가 ……라고 말했나? ㅇ鄹人之子(추인지자)－추(鄹)는 지명, 곡부(曲阜) 근처의 읍(邑), 공자의 부친 숙량흘(叔梁紇)이 다스리던 곳. '추 사람의 아들'은 공자. ㅇ是禮也(시례야)－그렇게 하는 것이 바로 예니라.

解說 공자가 노(魯)에서 벼슬했을 때의 일일 것이다. 공자는 예에 통달했다고 이름이 높았다. 그런데 태묘에서 제사를 도울 때에 모든 격식이나 절차를 일일이 묻자, 어떤 사람이 "누가 저런 사람을 두고 예를 안다고 말했나?"하고 핀잔했다.

그러자 공자는 "그게 바로 예다."라고 못을 박았다. 《집주》에서 윤씨(尹氏)가 말했다. "예는 경건하게 거행해야 한다. 알아도 묻는 것이 신중한 태도의 극치니라(禮者敬而已矣 雖知亦問 謹之至也)."

3-16. 공자가 말했다. "활을 쏠 때에 가죽 뚫는 것을 주장하지 않는 것은 힘이 동등하지 않기 때문이다. 그것이 옛날 활쏘기의 도였다."

原文 **子曰, 射不主皮**는 **爲力不同科**니 **古之道也**니라.

註解 ㅇ射不主皮(사부주피)－향사례(鄕射禮)에서 활을 쏠 때에는 과녁인 가죽을 꿰뚫는 것을 주로 하지 않는다. ㅇ爲力不同科(위력부동과)－그 이유는 힘의 등급이 같지 않기 때문이다. ㅇ古之道也(고지도야)－그렇게 하는 것이 옛날 군자(君子)의 궁술도(弓術道)였다.

解說 여기서 말하는 사(射)는 전쟁이나 사냥을 위한 활쏘기가 아니고, 군자들이 거행하는 사례(射禮)로, 대사(大射)·연사(燕射)·향사(鄕射) 등이다. 대사는 천자가 주최하고, 연사는 제후가 주최하고, 향사는 지방의 장이 주최한다. 사례는 예악(禮樂)에 맞추어 거행하는 일종의 의식이다.

'사불주피(射不主皮)'는 《의례(儀禮)》〈향사례편(鄕射禮篇)〉에 있는 구절이다. 주자는 '화살이 가죽 과녁을 관통하는 것을 주로 삼지 않고, 과녁에 적중하는 것을 주로 삼는다'고 풀었다. 피(皮)는 가죽 과녁이다. 사적의 바탕은 네모진 무명이고 그 한복판에 둥근 가죽 과녁이 있다. '위력부동과(爲力不同科)'를 주자는 '사부주피(射不主皮)'와 연결하고 '힘의 등급이 같지 않기 때문이다'로 풀었다. 고주(古注)는 '힘의 등급에 따라 차별적으로 부역을 과한다'로 풀었다. 역시 공자가 '무력행사로 전락한 활쏘기를 한탄한 것'으로 봄이 좋다.

參考 **공자**(孔子)**와 향사례**(鄕射禮) —

《예기(禮記)》〈사의편(射義篇)〉에 있다. 공자가 향리(鄕里)에서 활쏘기 대회를 주최한다는 말에 많은 사람들이 모였다. 활쏘기 기량을 발휘해서 벼슬에 오르려는 사수(射手)들과 구경꾼들이었다. 특히 후자는 공자 같은 학자가 어떻게 무술대회를 심판하는가 하고 의아하게 여겼다. 그러나 공자는 시작에 앞서, 제자 자로(子路)로 하여금 사수들을 모아놓고 큰 소리로 "과거에 전쟁에서 패배한 적이 있는 장군이나, 망국(亡國)의 대부 및 남의 집안의 뒤를 계승하려고 노리는 자들은 물러나거라."하고 선수의 자격을 좁혔다. 이에 약 반수에 달하는 사수들이 탈락했다.

다음에 다른 제자가 나와서 외쳤다. "젊은 사람으로는 효제(孝悌)를 독실히 실천하는 사람, 늙은 사람으로는 예를 잘 지키고 또 사회의 악습(惡習)에 물들지 않은 사람만이 나와라." 이에 또 많은 사람들이 탈락했다. 그러자 또 다른 제자가 나와서 엄숙하게 말했다. "평생 배우기를 좋아하고, 예의범절을 지키고 늙도록 언행(言行)을 단정히 한 사람만이 활쏘기에 참가하라."

이렇게 해서 공자는 예의와 윤리도덕적으로 흠잡을 데 없는 착실한 사람만을 뽑아 활쏘기 대회에 참가시켰던 것이다. 활쏘기도 사람이 하는 것이다. 그러므로 사람다운 사람이 활쏘기를 해야지, 동물만도 못할 만큼 포악무도한 자가 활을 잘 쏘고 무력을 휘두르면 인류사회를 문란케 한다. 《예기》〈사의편〉에 다음과 같은 말이 있다. "옛날의 천자는 활쏘기로써 제후, 경대부(卿大夫) 및 사(士)를 선발했다. 그러므로 활쏘기는 남자가 반드시 배워야 할 일이다. (활쏘기를 익힌 바탕 위에) 다시 예악으로 인간의 품격이나 언행을 문화적으로 높였다(古者天子以射選諸侯卿大夫士　射者男子之事也　因而飾之而禮樂也)."

3-17. 자공이 고삭례에 바치는 희생양을 그만두려고 하자, 공자가 말했다. "사야! 너는 양을 아까워하지만, 나는 제례를 더 중하게 여긴다."

原文 **子貢**이 **欲去告朔之餼羊**한대 **子曰, 賜也**아 **爾愛其羊**이니 **我愛其禮**니라.

註解 ㅇ子貢(자공)－〈學而篇 1-15〉 참고. ㅇ去(거)－그만두다, 희생

양을 치우다. ㅇ告朔(고삭)－초하루를 고하는 제사, 고삭례(告朔禮). 고(告)를 곡(梏)으로 읽기도 한다. ㅇ餼羊(희양)－양의 생고기를 제물로 바치다, 희생양. ㅇ賜(사)－자공의 이름. ㅇ爾愛其羊(이애기양)－너는 희생양을 애석하게 여긴다, 아까워한다. ㅇ我愛其禮(아애기례)－나는 고삭례 자체를 사랑한다, 중하게 여긴다.

解說 천자가 섣달에 다음해의 달력을 제후에게 반포하면, 제후들은 그것을 사당에 보관하고, 매달 초하루에 희생양을 바치어 제사를 지내고, 백성들에게 일력(日曆)과 그에 맞는 행사를 알린다. 그 제사를 고삭례라고 한다. 그러나 노나라에서는 문공(文公) 이래 임금이 친히 고삭례를 거행하지 않고, 형식적으로 희생양만 제물로 바쳤다. 그래서 경제에 밝은 자공이 희생양을 그만두자고 말한 것이다. 그러나 공자는 '형식적인 예라도 지켜야 한다. 그러면 실질적인 예가 부흥된다'는 생각으로 '나는 예를 사랑하고 중하게 여긴다'고 말한 것이다. 재물보다 전통과 제례를 존중하라는 뜻이다.

3-18. 공자가 말했다. "임금 섬김에 예를 다하는 것을 남들은 아첨한다고 말한다."

原文 **子曰, 事君盡禮**를 **人以爲諂也**로다.

註解 ㅇ事君(사군)－임금을 잘 섬긴다. ㅇ盡禮(진례)－예를 다하다, 즉 충성과 정성을 다 바치다. ㅇ人(인)－다른 사람들. ㅇ以爲(이위)－……라고 생각한다, ……라고 친다. ㅇ諂(첨)－아첨하다, 비굴하게 굽히거나 비위를 맞추고 득을 보려고 함을 아첨이라 한다.

解說 공자는 한때 노나라에서 벼슬을 하고 임금을 섬겼다. 공자는

천도(天道)·천리(天理)를 따라 정성과 충성을 다해서 임금을 섬기고 덕정(德政)을 펴려고 진력했다. 그러나 당시 노나라의 실권은 삼환씨(三桓氏)가 잡고 전횡무도했는데 노나라 임금을 무시했으며, 다른 많은 선비들도 그들 밑에서 녹봉을 받아먹고 있었다. 그러므로 공자가 노나라 임금을 섬기고, 충성하는 것을 도리어 아첨한다고 오해하고 비난의 말을 했던 것이다.

그러나 공자는 대도(大道)의 원칙을 지켰다. 원칙적으로 하늘은 덕 있는 사람에게 천명(天命)을 내려 나라를 세우게 한다. 그러므로 임금을 섬기고 충성하는 것은 당연한 일이다. 반대로 천도와 천명을 어기는 악덕한 인간이나, 도를 모르고 재물이나 목전의 이득만을 취하려는 소인배들은 공자 같은 대인(大人) 군자(君子)를 도리어 아첨하는 사람이라고 곡해한다.

오늘의 사회 기풍도 같다. 악덕한 세상에서는 선량한 사람을 바보 취급하는 수가 많다.

3-19. 정공이 물었다. "임금이 신하를 쓰고, 신하가 임금을 섬기는 데는 어떻게 해야 합니까?"

공자가 대답했다. "임금은 예의로써 신하를 쓰고, 신하는 충성으로써 임금을 섬겨야 합니다."

原文 **定公問, 君使臣**하며 **臣事君**하되 **如之何**이까? **孔子對曰, 君使臣以禮**하며 **臣事君以忠**이니이다.

註解 ㅇ定公(정공)－기원전 509~495년 재위. 노(魯)의 군주, 양공(襄公)의 아들, 이름은 송(宋), 시호가 정(定)이다. 공자가 그를 섬기고 삼환(三桓)의 세력을 누르려고 했으나, 실패하고 노를 떠났다(기원전

497년, 공자 56세). ㅇ君使臣(군사신)－임금이 신하를 쓰다. ㅇ臣事君(신사군)－신하가 임금을 섬기다. ㅇ如之何(여지하)－어떻게 하느냐? 어떻게 하면 좋으냐? ㅇ對(대)－대답하다. ㅇ以禮(이례)－예로써 한다. 즉 예양(禮讓)하며 신하를 부린다. ㅇ以忠(이충)－충성으로써 임금을 섬긴다.

解說 예의(禮義)의 깊은 뜻은 절대선(絶對善)의 하늘의 도리를 따라 바르고 좋게 한다는 뜻이다. 예의는 상호간에 쌍무적(雙務的)으로 지키고 행해야 한다. 임금은 예양(禮讓)하고 신하는 충성(忠誠)한다. 그래야 하늘의 도리를 따르는 예치(禮治)가 성취된다. 만약에 임금이 포악무도한데 신하가 그에게 충성을 한다면, 결과적으로는 임금의 범죄적 악덕을 조장해 주는 꼴이 된다. 그러한 충성은 진정한 충성이 아니고 악덕 범죄에 가담하는 꼴이 된다. 임금이 도에서 벗어나면 충신은 충간(忠諫)해야 한다.

3-20. 공자가 말했다. "《시경》의 관저편은 즐거우나 문란하지 않고, 애처로우나 마음을 상하게 하지 않는다."

原文 **子曰, 關雎**는 **樂而不淫**하고 **哀而不傷**이니라.

註解 ㅇ關雎(관저)－《시경》〈국풍(國風)〉 첫머리의 시다. '관관 소리를 내고 우는 징경새는 모래톱에 있네, 요조한 숙녀는 군자의 좋은 짝이로다(關關雎鳩 在河之洲 窈窕淑女 君子好逑)'로 시작되므로 시제(詩題)를 관저(關雎)라 했다. ㅇ樂而不淫(낙이불음)－즐거우면서도 도를 넘거나 문란하지 않다. 음(淫)은 '넘친다, 혹은 도가 지나치다'로 푼다. 주자는 '음이란 즐거움이 지나쳐 그 중정을 잃는 것이다.(淫者 樂之過而失其正者也)'라고 풀었다. ㅇ哀而不傷(애이불상)－애달프지만 (도를 넘어

사람의 마음이나 몸을) 상하게 하지 않는다. 주자는 '상이란 애달퍼한 나머지 중화를 해치는 것이다.(傷者 哀之過而害於和者也)'라고 풀었다.

解說 애락(哀樂)은 인간의 기본 감정이다. 슬플 때에는 슬퍼하고 즐거울 때에는 즐거워함은 자연스러운 감정의 표출이다. 그러나 감정을 원색적으로 나타내거나 과격하게 표현하는 것은 문화적이 아니다. 특히 쾌락이 도를 넘으면 문란하고 음탕하게 될 것이다. 반대로 슬픔이나 비통이 도를 넘으면 심신(心身)을 해치게 된다. 그러므로 교양있는 군자는 감정 표출을 예술적·시적(詩的)으로 해야 한다.

'낙이불음(樂而不淫) 애이불상(哀而不傷)'이란 구절은 《좌전(左傳)》에도 거의 같은 말이 보인다. 즉 양공(襄公) 29년에 오(吳)의 계찰(季札)이 노나라에 와서 빈(豳)의 노래를 듣고 '낙이불음(樂而不淫)'이라 하고, 또 송(頌)의 노래를 듣고 '애이불수(哀而不愁) 낙이불황(樂而不荒)'이라고 했다. 그러므로 '낙이불음(樂而不淫) 애이불상(哀而不傷)'은 옛날에 시가를 총체적으로 평한 말일 것이다.

현재 전하는 《시경》 관저편(關雎篇)의 서문을 보면 다음과 같다. '관저편의 시는 후비의 덕을 읊은 것으로 《시경》 〈국풍〉의 첫 번째의 시다. 관저편의 시로써 천하 만민들을 바람처럼 나부끼게 하고 아울러 부부의 도리를 바로잡게 하려는 것이다. 그러므로 이 시를 지방 사람들에게 적용하고 또 전국적으로 만민에게도 적용케 한다. 〈국풍(國風)〉의 풍(風)은 '바람이 불어 나부끼게 한다'는 뜻이다. 즉 덕풍(德風)으로 백성들을 감동케 하고, 교화한다는 뜻이다(關雎 后妃之德也 風之始也 所以風天下 而正夫婦也 故用之鄉人焉 用之邦國焉 風風也教也 風以動之 教以化之).'

관저편의 시편을 '낙이불음(樂而不淫)'이라고 평할 수는 있어도, '애이불상(哀而不傷)'이라고 평할 수는 없다. 따라서 공자가 '관저(關雎)'라고 한 뜻도 좁게 관저편의 시를 논한 것이 아니고, '관저로 시작되는 《시경》'이란 뜻으로 볼 수 있다. 공자가 앞에서 "《시경》에 있는 3백 편의 시를 한마디로 평하면 사념에 사악함이 없다.(詩三百 一言以蔽之 思無邪)" 〈爲政篇 2-2〉라고 말한 것과 같이 《시경》 전체를 '즐거우나 슬퍼하거나 도를 넘치지 않는다'라고 중정(中正)·중화(中和)의 경지를 칭찬한 말이라고 봄이 좋다. 한편 공자의 이 말은 '《시경》의 가사를 평한 것이 아니고, 음악을 평한 것이다'라고 하는 설도 있다. 공자는 음악에 대한 감각이 뛰어났다. 예치(禮治)에서는 '시악무(詩樂舞)'를 중시한다. 시(詩)는 인간의 상념(想念)이나 정서(情緖)를 예술적으로 표현한다. 따라서 시를 통해서 상하(上下)가 서로 교통감응(交通感應)할 수 있다. 그래서 공자는 산시(刪詩)하여 시교(詩敎)에 활용했던 것이다.

参考 **《시경》 서문에 나타난 시교**(詩敎) —

공자는 《시경》을 교양의 필수과목으로 가르쳤고 또 시를 덕치에 활용하려고 했다. 고대의 성왕들은 지방의 기풍과 정치의 득실을 살피기 위해서 채시관(采詩官)으로 하여금 민간의 시를 수집하게 했고, 약 3천 편의 시가 남아 있었다. 이들을 공자가 추려서 305편으로 정리한 것이 오늘 전하는 《시경》이다. 《시경》 서문에서 시의 교화 작용을 다음같이 논했다. '시는 속에 있는 의사가 표출된 것이다. 마음 속에 있을 때는 뜻이다. 그 뜻이 말로 표출되면 시가 된다(詩者志之所之也 在心爲志 發言爲詩).' '인간의 감정은 속에서 동하고 말로 표현된다. 그러나 말로 부족하므로 한숨짓고 탄식한다. 한탄해도 부족하므로 길게 노래한다. 영가(永歌)를 해도 부족하므로 자기도 모르게 손과 발로 춤을 추는 것이다(情動於中 而形於言 言之不足 故嗟歎之 嗟歎之不足 故永歌之 永歌之不足 不知手之舞之 足之踏之也).'

'사람의 감정이 소리를 타고 표출되고, 그 소리가 아름답게 엮어진 것이 곧 음악이다. 그래서 잘 다스려지는 나라의 음악은 편안하고 즐겁다. 정치가 온화하기 때문이다. 혼란한 세상의 음악은 원망스럽고 노엽다. 정치가 어긋났기 때문이다. 패망한 나라의 음악은 애달프고 사무친다. 백성들이 곤고하기 때문이다(情發於聲 聲成文 謂之音. 治世之音 安以樂 其政和, 亂世之音 怨以怒 其政乖, 亡國之音 哀以思 其民困.).' '그런고로 정치의 득실을 바로잡고, 하늘과 땅을 움직이고, 귀신들을 감동케 하는 데는 시보다 더 효과적인 것이 없다. 그래서 선왕들은 시를 가지고 부부의 도리를 바르게 잡고, 백성들로 하여금 부모에 효도하고 윗사람을 공경하게 하고 또 윤리 도덕을 독실하게 실천하도록 하고 사회의 기풍을 미화하고 아울러 백성들의 습속을 향상하게 했던 것이다(故正得失 動天地 感鬼神 莫近於詩. 先王以詩經夫婦 成孝敬 厚人倫 美教化 移風易俗).'

3-21. 애공이 재아에게 사(社)에 대하여 묻자, 재아가 대답했다. "하의 임금은 소나무를 심었고, 은나라 사람들은 잣나무를 심었고, 주나라 사람들은 밤나무를 심었습니다." 그리고 덧붙여 "주나라가 밤나무를 심은 것은 백성들을 전율시키고자 한 것입니다."라고 말했다.

이 말을 듣고 공자가 말했다. "이미 이루어진 일이니 말하지 않으며, 끝난 일이니 간하지 않겠고, 지난 일이니 허물하지 않겠다."

原文 哀公이 問社於宰我한대 宰我對曰, 夏后氏는 以松이요 殷人은 以柏이요 周人은 以栗이니 曰 使民戰栗이니이다. 子聞之하시고 曰, 成事라 不說하며 遂事라 不諫하며 既往이라 不咎로라.

註解 ㅇ哀公(애공)-정공(定公)의 뒤를 이어 즉위한 노나라의 군주.

애(哀)는 시호로, 비극적인 임금이라는 뜻을 포함한다. 애공 14년(기원전 481년)에 기린(麒麟)이 잡혔고, 2년 후에 공자가 74세로 사망했다. ㅇ社(사)－토지신(土地神)을 모시는 곳을 사라 한다. 높게 단을 쌓고 신주(神主)의 상징으로 나무를 심었다. 따라서 사수(社樹)는 나라마다 달랐다. ㅇ宰我(재아)－공자의 제자, 성이 재(宰), 이름이 아(我), 자는 자아(子我)다. 언어와 웅변에 뛰어났다. ㅇ夏后氏(하후씨)－하(夏)나라의 시조 우(禹)임금. 순(舜)의 선양(禪讓)을 받았으므로 후(后)라고 높였다. '하이읍양수선위군(夏以揖讓受禪爲君) 고포지칭후(故褒之稱后)"〈白虎通〉. ㅇ殷人(은인)－은나라 사람. 은은 인민의 마음을 따라 나라를 세웠으므로 인(人)이라 했다. '인인득지(因人得之) 고왈인야(故曰人也)'〈白虎通〉. ㅇ柏(백)－잣나무. ㅇ周人(주인)－주나라도 인민의 마음을 따라 나라를 세웠으므로 인(人)이라 했다. ㅇ栗(률)－밤나무. ㅇ使民戰栗(사민전율)－백성들로 하여금 전율케 한다. ㅇ子聞之(자문지)－(나중에) 공자가 재아가 이렇게 말했다는 것을 알고. ㅇ成事(성사)－이미 성취된 일. ㅇ遂事(수사)－이미 다 이루어진 일. ㅇ旣往(기왕)－이미 다 지나간 일. ㅇ咎(구)－허물을 탓하다.

解說 애공(哀公)이 재아(宰我)에게 사수(社樹)에 대한 질문을 하게 된 동기를 애공 4년에 박(亳)의 사(社)가 불에 탔기 때문일 거라고 한다. 박은 은(殷)나라 도읍이 있었던 곳이다. 그러므로 은나라의 사수는 백(柏)이라고 대답하면 될 것을 재아가 하나라의 사수는 송(松)이고, 주나라의 사수는 율(栗)이라고 늘어놓고, 특히 '주나라에서 밤나무를 심은 것은 백성들을 떨게 하기 위해서다'라는 군소리까지 덧붙였다. 뒤에 그런 말을 듣고 공자가 못마땅하게 여기며 "이미 지나간 일이니, 어쩔 수 없다."라고 말했으나, 사실은 재아를 크게 꾸짖은 것이다.

애공은 평소에 삼환씨(三桓氏)의 횡포를 미워하여 분개하고 있었으며, 그 사정을 재아도 잘 알고 있었다. 그러므로 재아가 사수를 내세워 은근히 애공에게 분기(奮起)하라고 충동한 것이다. 사실 그후에 애공은 삼환씨를 토벌하려다가 도리어 패하고 국외로 망명했다. 공자는 이미 그와 같은 노나라의 파국을 예상하고 있었으므로 재아의 경솔한 행동을 꾸짖은 것이다. 《집주(集注)》에서 윤씨(尹氏)는 다음과 같이 풀이했다. '옛날에는 각각 토질에 적합한 나무를 골라서 사수의 이름을 정했다. 나무에서 뜻을 취한 것이 아니다. 재아가 모르고 함부로 대답했으므로 공자가 책망한 것이다(古者各以所宜木名其社 非取義於木也 宰我不知 而妄對 故夫子責之).'

3-22. 공자가 말했다. "관중의 기량은 작았다."

어떤 사람이 "관중은 검박하였습니까?"하고 묻자, 공자가 말했다. "관씨는 삼귀대를 꾸몄고, 가신들에게 겸직을 안시켰으니, 어찌 검박하다 말하랴."

"그렇다면 예를 알고 지켰나요?"하고 묻자, 공자가 말했다. "임금이 나무로 문을 가리거늘 관중도 나무로 문을 가렸다. 또 임금이 화친을 위해 반점을 차려놓거늘 관중도 반점을 차렸다. (만약) 그가 예를 안다면 누가 예를 모르겠느냐?"

原文 **子曰, 管仲之器小哉**라. **或曰, 管仲**은 **儉乎**이까? **曰, 管氏有三歸**하며 **官事**를 **不攝**하니 **焉得儉**이리오. **然則管仲**은 **知禮乎**이까? **曰, 邦君**이야 **樹塞門**이어늘 **管氏亦樹塞門**하며 **邦君**이 **爲兩君之好**에 **有反坫**이어늘 **管氏亦有反坫**하니 **管氏而知禮**면 **孰不知禮**리오.

註解 ㅇ管仲(관중)－성이 관(管), 이름은 이오(夷吾), 자가 중(仲)이

다. 공자보다 약 2백 년 전 사람으로 제(齊)나라의 환공(桓公)을 도와 패권(覇權)을 잡게 한 탁월한 정치가다. 그러나 여기서 공자는 예치(禮治)나 덕치(德治)란 면에서 그를 비판하고, 그의 기량이나 기국(器局)이 작다고 한 것이다. ㅇ器(기)－기량, 기국. ㅇ儉乎(검호)－검소하고 검박(儉朴)했느냐? ㅇ三歸(삼귀)－설이 많다. '성씨가 다른 세 여자를 취했다.'《古注》. 혹은 '호화로운 대(臺), 즉 삼귀대를 축조했다.'《集註》. 혹은 '3개의 저택을 지었다.' 최근에는 '시조(市租)의 10분의 3을 받았다.'(楊伯峻) 등이다. 여기서는 《집주》의 설을 따라, 삼귀대(三歸臺)로 풀었다. ㅇ官事不攝(관사불섭)－관의 일을 처리함에 있어, 가신(家臣)들에게 겸직(兼職)하게 하지 않았다. 관중은 대부의 신분이다. 그의 가신들은 겸직해야 한다. 그런데 관중은 저마다 전문직을 두어 관사(官事)를 처리케 했다. ㅇ焉得儉(언득검)－어찌 절약하고 검소했다고 말하랴? ㅇ知禮乎(지례호)－예를 알고 실천했느냐? ㅇ邦君(방군)－나라의 임금. ㅇ樹塞門(수색문)－주자는 수(樹)는 병장(屛障), 색(塞)을 덮을 폐(蔽)로 풀었다. 대문 안에 병장을 세워 밖에서 안이 들여다보이지 않게 한 구조물이다. 관자가 대부의 신분으로 병장을 세운 것은 예에 어긋난다. ㅇ爲兩君之好(위양군지호)－두 나라 임금의 우호를 위해서. ㅇ有反坫(유반점)－반점(反坫)을 차려놓다. 반점은 흙을 돋구어 만든 대, 술을 마시고 주인은 동점(東坫)에, 손은 서점(西坫)에 잔을 놓는다. ㅇ而知禮(이지례)－(그러고도) 예를 안다고 하면. ㅇ孰(숙)－누구, 어느 누구를 (예를 모르는 사람이라고 하랴?)

解說 관중(管仲)은 관포지교(管鮑之交)로 알려진 정치가다. 정치적 수완이 탁월하여 제나라의 환공(桓公)을 패자(覇者)가 되게 했다. 《논어》에도 공자가 관중의 정치적 업적을 인정한 글이 보인다. 그러나 여기서는 '관중은 기량이 좁은 사람이다.'라고 평했다. 즉 왕도덕치(王道德治)면에서 보면 관중의 도량이 작다는 뜻이다. 아울러 관중이 대부의 신분으로 '삼귀대(三歸臺)'를 설치하고, 가신들에게 겸직을 않게 하고, 병장(屛障)을 세우고 또 반점(反坫)을 설치한 것

들이 다 도리에 어긋남을 지적한 것이다.

3-23. 공자가 노나라의 대사에게 음악에 대해서 말했다. "나도 음악을 알 만합니다. 처음 음악을 연주할 때에는 오음(五音)을 합해서 성대하게 시작하고, 이어 저마다의 소리를 힘껏 내게 하되 전체가 잘 조화되게 하고, 아울러 각각의 소리가 분명하면서도 부드럽게 이어짐으로써 연주를 완성합니다."

原文 **子語魯大師樂 曰, 樂**은 **其可知也**니 **始作**에 **翕如也**하야 **從之**에 **純如也**하며 **皦如也**하며 **繹如也**하야 **以成**이니라.

註解 ㅇ子語魯大師樂(자어로대사악)－공자가 노나라 대사에게 음악에 대한 말을 하다. ㅇ大師(대사)－악관(樂官)의 장. ㅇ樂(악)－여기서는 음악 연주의 뜻. ㅇ樂其可知也(악기가지야)－(나도) 음악 연주에 대해서 알 만하다. ㅇ始作(시작)－연주를 시작할 때. ㅇ翕如(흡여)－다함께, 모두 합치다. 여(如)는 허사(虛詞)로 별 뜻이 없다. ㅇ從之(종지)－이어서, 혹은 종(縱)으로 보고, 마음대로 소리를 내게 하다. ㅇ純如(순여)－화합하다, 조화되다. ㅇ皦如(교여)－각각 소리를 분명하게 한다. ㅇ繹如(역여)－길고 부드럽게 이어지다. ㅇ以成(이성)－그렇게 해서 연주를 완성하다.

解說 공자는 예와 더불어 악에도 통달했다. 그러므로 노나라의 악관장(樂官長)에게 음악 연주에 대한 말을 한 것이다. 전체적으로는 성대하게 연주하되 각 악기 소리를 분명하게 내면서 전체가 조화되어야 한다. 동시에 부드럽게 여음이 이어지면서 연주를 맺으라고 말했다.

3-24. 의(儀)의 봉인(封人)이 공자를 뵙고자 하며 말했다. "군자가 이곳에 오시면 제가 모두 찾아뵈었습니다."

이에 공자의 수행원이 안내해서 공자를 뵙게 했다. (면회를 마치고) 나오면서 (봉인이 공자의 제자들에게) 말했다. "여러분들은 선생님께서 벼슬을 잃으셨다고 뭘 걱정하십니까? 천하에 도가 없어진 지 오래되었으므로 하늘이 선생님으로 하여금 목탁을 삼고자 하신 것입니다."

原文 **儀封人**이 **請見曰, 君子之至於斯也**에 **吾未嘗不得見也**로라. **從者見之**한대 **出曰, 二三子**는 **何患於喪乎**리오? **天下之無道也久矣**라 **天將以夫子爲木鐸**이시리라.

註解 ㅇ儀封人(의봉인)－의(儀)는 지명(地名), 위(衛)나라에 있었다. 봉인(封人)은 국경 지대를 다스리는 관리. 혹은 세금을 걷는 관리라고도 한다. ㅇ請見(청현)－알현을 청하다, 뵙고자 한다. ㅇ君子之至於斯也(군자지지어사야)－군자가 이곳에 오시면. 군자는 주어, 지(之)는 주어와 술어를 연결하는 허자, 지(至)는 '오다, 도달하다', 어사(於斯)는 '이곳에'. ㅇ吾未嘗不得見也(오미상부득견야)－나는 전에 만나보지 않은 일이 없다. 미상불(未嘗不)은 전에 ……하지 않은 일이 없다. 반드시 ……하다. ㅇ從者見之(종자현지)－공자의 시종이 공자에게 알현하게 했다. ㅇ出(출왈)－(봉인이 알현을 마치고) 나와서 (공자의 제자들에게) 말하다. ㅇ二三子(이삼자)－여러분. ㅇ何患於喪乎(하환어상호)－어찌 선생님이 벼슬 잃으신 것을 걱정하십니까? 상(喪)을 주자(朱子)는 '공자가 벼슬을 상실하다'로 풀었다. 혹 '천하의 도가 상실했다'로 풀 수도 있다. ㅇ天下之無道也久矣(천하지무도야구의)－천하에서 도가 행해지지 않은 지가 퍽 오래되었다. ㅇ天將以夫子爲木鐸(천장이부자위목탁)－하늘이 장차 선생님을 (모든 사람에게 도를 깨우쳐 줄) 목탁으로 삼으려 하고 있다. 장

(將)은 '장차 ……하려 한다.'의 뜻. 이부자(以夫子)는 선생님을, 위목탁(爲木鐸)은 목탁으로 삼다. 목탁은 나라의 정령(政令)을 알릴 때에 길에서 흔들어 소리를 내는 쇠 방울, 문사(文事)에는 혀가 나무로 된 것을 흔들었고 무사(武事)에는 혀가 쇠로 된 것을 흔들었다.

解說 공자가 노나라에서 실각하고 위(衛)나라 국경을 넘어갈 때의 일일 것이다. 즉 노나라 정공(定公) 13년, 공자 나이 56세 때의 일이다. 위나라 국경지대를 방비하고 다스리던 봉인은 평소에도 국경을 오가는 군자(君子), 즉 학식이 많고 덕이 높은 선비들을 꼭 만났다. 그래서 공자에게 알현을 청한 것이다. 그리고 공자를 만나고 밖으로 나오면서 제자들에게 말했다. "천하에 도가 없어진 지 오래되었으므로 하늘이 선생님으로 하여금 천하를 깨우치고 가르치는 목탁을 삼고자 한다." 《집주(集註)》에 있다. '상(喪)은 곧 관직을 잃고 나라를 떠났다는 뜻이다(喪謂失位去國).' '하늘이 공자로 하여금 자리를 잃고 천하 사방을 두루 돌아다니면서 가르침을 퍼뜨리게 한 것이다. 마치 목탁을 도로에서 울리고 사람에게 따르게 한 것과 같다(天使夫子失位 周流四方 以行其教 如木鐸之徇于道路也).'

의(儀)의 봉인(封人)은 공자가 세계적인 성인이 될 것을 알아차린 것이다. 공자는 관중(管仲) 같은 정략가가 아니다. 물론 무력으로 천하를 제압하는 패도(覇道)와는 정반대로 절대선(絶對善)의 천도를 따르는 왕도덕치(王道德治)와 인정(仁政)을 세계적인 차원에서 구현하려는 성인이었다. 이러한 공자의 위상을 의봉인(儀封人)은 예지했던 것이다.

3-25. 공자가 순임금의 소(韶) 음악을 "가장 아름답고 또 가장 좋다."고 평했으나, 무왕의 무(武) 음악에 대해서는 "가장 아름답기는 하지만 가장 좋지는 않다."고 말했다.

原文 子謂韶하시되 盡美矣요 又盡善也라 하시고 謂武하시되 盡美矣요 未盡善也라 하시다.

註解 ㅇ子謂韶(자위소)－공자가 소(韶)를 말하다, 평하다. ㅇ韶(소)－순(舜)임금이 제작한 무악(舞樂). 순은 성왕(聖王)이므로 그의 음악도 진선진미(盡善盡美)하다. ㅇ盡美矣(진미의)－최고로 아름답다. 진(盡)은 다하다, 가장. ㅇ武(무)－주 무왕(周武王)이 제작한 무악, 그는 무력으로 주(紂)를 토벌했으므로 그의 음악은 '아름답기는 해도 좋지는 않다.'

解說 음악은 인간의 생각이나 감정을 반영한다. 그러므로 음악을 들으면 그 음악을 제정한 사람의 사상이나 심성 및 그 사회나 나라의 기풍을 알 수 있다. 순(舜)은 요(堯)로부터 선양(禪讓)을 받은 나라를 다시 우(禹)에게 선양했다. 그러므로 덕치의 극치이며 따라서 그가 제작한 음악도 진선진미(盡善盡美)하다. 한편 주 무왕(周武王)은 하늘 편에 서서 민심(民心)을 업고, 포악무도한 은 주왕(殷紂王)을 무력으로 토벌했다. 그러므로 그의 음악은 "아름답기는 해도, 최고로 좋은 것은 아니다."라고 평했다. 《좌전(左傳)》 양공(襄公) 29년(기원전 544년)에 오(吳)나라의 계찰(季札)이 노나라에 와서 소악(韶樂)과 무악(武樂)을 듣고 이와 비슷하게 평했다.

3-26. 공자가 말했다. "위에 있으면서 관대하지 못하고, 예를 행하되 경건하지 못하고, 장사를 치르면서 애도하지 않으면, 내가 무엇으로 (그런 사람의 쓸모 있음을) 보겠는가?"

原文 子曰, 居上不寬며 爲禮不敬하며 臨喪不哀면 吾何以觀之哉리오.

註解 ㅇ居上(거상)－윗자리에 앉아 남을 다스리다. ㅇ不寬(불관)－너그럽지 않다. ㅇ爲禮(위례)－예를 행한다. ㅇ不敬(불경)－경건하고 공경하지 않는다. ㅇ臨喪(임상)－부모의 장례를 치르고 또 복상(服喪)한다. ㅇ不哀(불애)－진심으로 애도하지 않으면. ㅇ何以(하이)－무엇을 가지고. ㅇ觀之(관지)－그 사람의 인품이나 잘잘못을 보다. ㅇ哉(재)－반의(反意)를 나타내는 어조사. '……하랴? ……할 수 있으랴?'

解說 예(禮)라는 한자는 이(理)와 이(履)에 통한다. 크게는 절대선(絶對善)의 천리(天理)를 이행(履行)한다는 뜻이다. 따라서 사람은 경건하게 천리를 받들고 실천해야 한다. 그러므로 《예기(禮記)》 첫머리에서 '불경하지 않음이다.(毋不敬)'라 했고, 주(注)에 '예는 경을 주로 한다.(禮主於敬)'라고 했다.

아랫사람에게 관대하게 대하는 것은 인애(仁愛)에 통한다. 경건한 태도로 예의범절을 지키고 행해야 한다. 특히 부모님의 상례(喪禮)를 진정으로 애척(哀戚)하는 마음으로 치러야 한다. 그러하지 못하다면, 그 사람의 인품이 모자라는 것이다.

제4편 이인편(里仁篇)

형병(邢昺)은 "제4편 〈이인편〉은 인(仁)을 밝혔다. 인은 가장 큰 선행을 일컫은 말이다. 군자가 인을 체득하면 필연적으로 예악을 행하게 된다. 그러므로 제3편 〈팔일편(八佾篇)〉 다음에 놓았다.(此篇明仁 仁者善行之大名也 君子體仁必能行禮樂 故以次前也)"〈十三經註疏〉고 말했다. 제4편은 총 26장이다.

이인(里仁)의 이(里)는 동사로 '살다, 처하다, ……에 있다'의 뜻이다. 즉 '마음이나 몸을 인(仁)에 머물게 한다'는 뜻이다.

인(仁)은 '사람만이 지니고 있는 착한 마음, 즉 인심(仁心)'이자 동시에 그 인심을 바탕으로 하여 '서로 사랑하고 함께 잘사는 덕행 즉 인덕(仁德)'을 합한 말이다. 그러므로 인(仁)을 현대적으로 '인류애를 바탕으로 한 협동'이라고 뜻을 요약할 수 있다.

인심(仁心)에 반대되는 마음이 '동물적 사심(邪心)'이다. 이기적 탐욕을 채우기 위해서 남을 살상하고 남의 재물을 탈취하려는 사악한 마음이다. 개인이나 국가가 저마다 사심을 바탕으로 하여 서로 싸우고 전쟁을 하기 때문에 오늘의 인류사회는 약육강식(弱肉强食)의 아수라장으로 전락하고 있는 것이다. 이대로는 안된다. '남을 잡아먹으려는 동물적 사심'을 버리고 '서로 사랑하고 함께 잘사는 인(仁)'으로 돌아가야 한다. 이를 공자는 '극기복례위인(克己復禮爲仁)' 〈顔淵篇 12-1〉이라 했다. 즉 '동물적 탐욕을 극복하고 천리(天理)를 실천하는 예에 돌아가는 것이 인이다'라고 했다. 하늘의 도리는 다른 것이 아니다. '서로 사랑하고 협동하면 함께 잘산다'는 절대선(絶對善)의 진리다. 동시에 하늘의 소생인 인간의 본성은 절대로 잔인을 바탕으로 한 것이 아니고, 서로 사랑하고 협동하는 인심을 바탕으로 하고 있는 것이다. 잔인한 사심은 동물적·이기적 탐욕에서 나오는 것이다. 그런데 예나 지금이나 욕심에 눈먼 어리석은 자들은 '나만의 동물적 탐욕을 채우려고 서로 아귀다툼을 하며 인류를 총체적으로 멸망으로 이끌고 있다. 이래서는 안된다. 눈을 뜨고 참 진리를 알자.

4-1. 공자가 말했다. "인(仁)에 사는 것이 아름답고 좋다. 스스로 택하여 인에 처하지 않으면 어찌 지혜롭다 하겠느냐."

原文 **子曰, 里仁**이 **爲美**하니 **擇不處仁**이면 **焉得知**리오.

註解 ㅇ里仁(이인)—'인에 산다, 인에 처하다'로 풀이했다. 즉 '자신의 몸이나 마음을 인의 경지에 있게 한다'는 뜻이다. 한마디로 인(仁)이라고 하지만, 그 속에는 '인심(仁心)·인행(仁行)·인덕(仁德)'이 다 포함되어 있다. '이인(里仁)'은 '어진 마음을 지니고 어질게 행동하고 인덕을 세우다'의 뜻을 다 포함한다. ㅇ爲美(위미)—아름답고 좋다. 미(美)는 '양(羊)+대(大)'의 합자(合字)로서 '실질적으로 큰 양이 좋고 아름답다'는 뜻이다. 미는 '진선미(眞善美)'를 다 포함한다. ㅇ擇(택)—선택한다. (자기가 처하고 살 곳을) 선택한다. ㅇ不處仁(불처인)—인의 경지에 처하지 않으면. ㅇ焉得知(언득지)—어찌 안다고 하겠느냐? 언득(焉得)은 어찌 [illegible]를 얻었다고 하랴? 지(知)는 앎, 지혜. 언득지(焉得知)는 어찌 참다운 지혜를 터득했다고 말하랴?

解說 '이인위미(里仁爲美)'에 대한 풀이가 여러 가지 있다. 《고주

(古注)》는 '인자(仁者)가 살고 있는 마을이 아름답고 좋다.(居仁者之里爲美)'(鄭玄). 혹은 '자기가 사는 마을도 어진 땅이라야 아름답고 좋다고 친다.(所居之里 尙以仁地爲美)'(皇侃)라고 풀었다. 《집주(集註)》는 '마을에 어질고 후덕한 습속이 있어야 아름답다.(里有仁厚之俗 爲美)'(朱子)고 풀었다. '택불처인(擇不處仁) 언득지(焉得知)'도 뜻풀이가 조금씩 다르다. 주자는 '자기가 거처할 마을을 택하여 살면서, 자신이 인에 처하지 않는다면 곧 시비를 분별하는 본심을 잃은 것이 되며, 따라서 지혜를 얻었다고 할 수 없다.(擇里而不居於是焉 則失其是非之本心 而不得爲知矣)'고 풀었다. 황간(皇侃)은 '하물며 몸둘 곳은 선택하면서 인도(仁道)에 처하지 않으면 어찌 슬기롭다 하랴?(況擇身所處 而不處仁道 安得知乎)'고 풀었다. 그러나 이 책에서는 이들의 설을 취하지 않고 맹자(孟子)의 설을 바탕으로 했다. 다음을 참조하라.

參考 '이인위미(里仁爲美)'에 대한 맹자의 설 —

〈공손추 상(公孫丑 上)〉에 있다. '공자가 말했다. "인에 처신하는 것이 좋고 아름답다. 그러나 자신의 선택으로 인에 처하지 않으니, 어찌 슬기롭다 하겠느냐?" 무릇 인은 하늘이 사람에게 내려준 가장 존귀한 혜택이다. 인은 모든 사람이 안락하게 살 수 있는 보금자리다. (인에 처하고 사는 것을) 아무도 막고 방해하지 않거늘, 자기가 스스로 불인(不仁)하게 살고 있으니, 곧 슬기롭지 못하니라(孔子曰 里仁爲美 擇不處仁 焉得智 夫仁天之尊爵也 人之安宅也 莫之禦而不仁 是不智也).'

맹자의 말을 깊이 음미해야 한다. 우선 '인(仁)은 천지존작야(天之尊爵也)'에 대해서 생각해보자. '하늘이 내려준 귀중한 작위〔天之尊爵〕'는 '하늘이 사람에게 내려준 가장 존귀한 선본성(善本性)'이다. 사람이 만물의 영장으로 존귀한 까닭은 바로 사람이, 하늘이 내려준

인(仁)의 성품을 지니고 있기 때문이다. 만약에 인성(仁性)이 없다면 동물과 다를 바 없을 것이다. 인성을 바탕으로 서로 사랑하고 협동해서 문화를 창조하고 발전시키고 있다. 그러므로 맹자는 '인은 모든 사람이 안락하게 살 수 있는 집(人之安宅)'이라고 한 것이다. 하늘은 사람에게 인성(仁性)을 부여하고 아울러 역사와 문화를 창조적으로 발전시킬 수 있는 탁월한 지혜와 능력도 부여해 주었다. 그러므로 인(仁)을 바탕으로 지능(知能)을 활용해야 한다. 반대로 동물적 이기적 탐욕을 바탕으로 지능을 악용하면 인류사회는 혼란에 빠진다.

하늘은 인간에게 선본성(善本性)인 인성(仁性)을 내려주었다. 그러므로 인간은 본성적으로 인심(仁心)을 바탕으로 인(仁)을 행하고, 인덕(仁德)을 세울 수 있다. 그렇게 하는 것이 인간 본래의 모습이다. 그런데 현실적으로 사람들은 왜 인덕(仁德)을 세우지 않고 반대로 악덕(惡德)만을 행하고 있나? 그래서 맹자는 "아무도 인을 말리거나 방해하는 것도 아닌데 왜 기를 쓰고 악덕한 짓을 하느냐? 그것은 무식하고 지혜롭지 못하기 때문이다.(莫之禦 而不仁 是不智也)"라고 말한 것이다.

동서고금을 막론하고 총체적으로 인류는 성현(聖賢)의 가르침을 외면하고 반대로 동물적·이기적 탐욕을 채우기 위해 온갖 악덕을 자행해 왔다. '공자의 인애(仁愛), 석가의 자비(慈悲) 및 예수의 사랑' 등의 가르침보다, 인간이나 인류는 악덕한 정치에 휘말렸다. 그러므로 역사적 현실은 언제나 약육강식(弱肉强食)의 참상이 반복되었던 것이다. 그러면서 그와 같은 악덕을 악덕으로 생각하지 않고 당연시하고 있는 것이다. 이보다 더 크고 심각한 무식이 또 있겠는가? 그래서 공자는 '택불처인 언득지(擇不處仁 焉得知)'이라고 말한 것이다.

사람은 넓게 배우고 많이 알고 따라서 생각이 깊고 몸가짐이 신중하면 나쁜 짓을 안한다. 일시적으로 남을 속이거나 살상(殺傷)을 하고 남의 재물을 탈취하는 범죄를 자행하는 자는 결국 머리가 나쁜 자들이다. 특히 가장 무식하고 악덕한 자들이 곧 인정(仁政)이나 덕치(德治)를 외면하는 정치인들이다. 그들은 간악한 권모술수(權謀術數)와 무자비한 무력으로 자기만의 탐욕을 채우고 있다. 한마디로 대도(大道)를 모르고 소도(小道)만 알기 때문이다.

4-2. 공자가 말했다. "어질지 못한 사람은 곤궁에 오래 처해 있지 못하며 반대로 안락함도 오래 누리지 못한다. 인자는 인에 안주하고 지자는 인을 이용한다."

原文 子曰, 不仁者는 不可以久處約이며 不可以長處樂이니 仁者는 安仁하고 知者는 利仁이니라.

註解 ㅇ不仁者(불인자)-어질지 못한 사람, 인(仁)을 자각하지 못하고 따라서 인을 행하지 못하는 사람. 동물적 본능으로만 행동하는 사람. '불인자(不仁者)'는 곧 잔인하고 악덕한 사람. ㅇ不可以(불가이)-……할 수 없다. ㅇ久處(구처)-오래 처하다, 머물러 있다. ㅇ約(약)-여기서는 '곤궁, 빈곤'의 뜻. ㅇ長處(장처)-오래 처하다. ㅇ樂(낙)-약(約)의 반대, 즉 '안락과 부귀를 누리다'의 뜻. ㅇ仁者安仁(인자안인)-인자는 인 그 자체에 안주한다. 인자는 본성적으로 어질다. 따라서 인을 자연스럽게 행한다. 그러므로 인을 행하고 인덕을 세우는 것을 편하고 즐겁게 여긴다. ㅇ知者利仁(지자리인)-슬기롭고 지혜로운 사람은 인을 이용한다. 즉 인을 행하는 것이 좋고 이롭다는 것을 알고 인을 행해서 득을 본다는 뜻.

解說 먼저 경문(經文)에 대한 주소(註疏)를 음미해 보겠다. '불인자(不仁者) 불가이구처약(不可以久處約) 불가이장처락(不可以長處

樂)'에 대하여 —《고주(古注)》는 '인덕(仁德)이 바로 서지 못한 사람은 오래 곤궁하게 되면 비행을 저지르고(久困則爲非), 또 (오래 편안하고 부귀를 누리면) 교만해지고 음란하게 된다.(必驕泆)'(孔安國)고 했다.

《집주(集註)》는 '어질지 않은 사람은 〈본성적인〉 인심(仁心)을 상실했으므로 곤궁한 처지에 오래 있게 되면 반드시 문란하게 되고 반대로 오래 안락과 부귀를 누리면 반드시 교만하고 음란하게 된다.(不仁之人 失其本心 久約必濫 久樂必淫)'(朱子)고 풀었다.

'인자안인(仁者安仁)'에 대하여 — 고주(古注)는 '오직 본성이 어진 사람만이 인덕을 자연스럽게 체득한다. 고로 인에 안주한다.(惟性仁者 自然體之 故安仁)'(包咸)라 했고, 《집주》는 '참다운 인자만이 인의 경지에 안주하고 (언행에 있어) 인덕에서 벗어나는 법이 없다.(惟仁者則安其仁 而無適不然)'(朱子)라고 풀이했다.

'지자리인(知者利仁)'에 대하여 — 고주는 '인덕이 좋은 줄 알기 때문에 (이득을 얻으려고) 행한다.(知仁爲美 故利而行之)'(王肅)라고 했다. 한편 《집주》는 다음과 같이 풀었다. '슬기로운 사람은 (인이 이롭다는 것을 알고) 인을 이용한다. 그리고 변함없이 인도(仁道)를 지킨다. 무릇 (양자가 인을 행함에 있어) 깊고 얕음이 같지는 않지만, (다 인을 행했으니, 인덕을) 외형적 사물에 박탈되지 않게 된 것이다.(知者則利於仁 而不易所守 蓋雖深淺之不同 然皆非外物所能奪矣)'(朱子).

參考 (1) 인(仁)의 실천과 인간의 세 가지 유형 —

제2장에서 공자는 인의 실천을 기준으로 하고 사람들을 크게 세 가지 유형으로 분류했다. 즉 '불인자(不仁者), 인자(仁者) 및 지자(知者)' 등이다.

① 불인자(不仁者) : 다시 둘로 나눌 수 있다. '인심(仁心)이 없고

따라서 인을 행하지 않는 사람'과 '극단적으로 잔인하고 악덕한 짓을 행하는 사람'의 두 가지가 있다. 이들은 다 인심(仁心)을 바탕으로 살아야 한다는 것을 모르고, 동물적 삶만이 전부라고 생각하고 따라서 동물적 삶만을 살고 있다. 이들은 숭고한 정신세계를 모르고 오직 물질적 이득(利得)이나 관능적 쾌락만을 추구한다. 특히 후자는 자기의 탐욕을 채우기 위해 남을 속이거나, 살상(殺傷)하는 일을 예사로 저지른다. 그러므로 곤궁하게 되면 범죄를 저지른다. 한편 부귀를 누리면 교만하고 음란하게 된다.

② 인자(仁者) : 본성적인 인심을 바탕으로 인을 행하는 사람이다. 마음과 몸이 하나가 되어 인(仁)을 행한다. 그러므로 그는 인에 안주한다.

③ 지자(知者) : 여기서 말하는 지(知)는 정신적 윤리, 도덕적 지식이나 지혜를 말한다. 과학적 지식이나 기능(技能)도 물론 넓은 의미의 지(知)에 포함된다. 그러나 여기서 말하는 지혜는 '과학 기술을 도덕적으로 활용하는 슬기와 지혜'의 뜻이다. 그런 사람이라야 이지적(理智的)으로 인(仁)을 행하는 것이 좋고 아름답다는 것을 안다. 따라서 인을 행한다.

유감스럽게도 오늘의 많은 사람들은 '불인자(不仁者)'에 속한다. 인심(仁心=人心)을 바탕으로 살지 않고 반대로 동물적 사심(邪心=私心)을 바탕으로 서로 쟁탈(爭奪)하고 있다. 그래서 인류사회가 총체적으로 타락하고 위기에 빠진 것이다.

(2) 인(仁)에 대한 진립부(陳立夫) 교수의 현대적 뜻풀이 —

진립부 교수는 《인리학개설(人理學槪說)》에서 대략 다음과 같이 인의 뜻풀이를 현대적으로 했다.

인은 동류의식(同類意識)을 바탕으로 한 공생(共生) 공존(共存) 공진화(共進化)하는 실천 윤리의 덕행이다. 인류가 태고 때부터 오늘까지 총체적으로 역사와 문화를 계승하고 또 발전을 계속해 온 핵심이 바로 인덕(仁德)이다. 앞으로도 인류는 인덕에 따라 평화와 발전을 지속할 것이며, 종국에는 인류대동(人類大同)의 이상을 구현(具現)할 것이다.

4-3. 공자가 말했다. "인자만이 (참되게) 사람을 사랑할 줄도 알고 (반대로) 미워할 줄도 안다."

原文 **子曰, 唯仁者**이 **能好人**하며 **能惡人**이니라.

註解 ㅇ唯(유)－다만, 오직. ㅇ仁者(인자)－인덕(仁德)을 갖춘 사람. ㅇ能好人(능호인)－능히 공평하게 남을 사랑하고 좋아할 수 있다. ㅇ能惡人(능오인)－능히 사심없이 남을 미워할 수도 있다. 단 인자는 사람 자체를 미워하지 않는다. 그 사람의 악덕(惡德)을 미워한다. 인자는 우매하고 악한 사람도 넓은 아량으로 품고 교화해서 바른 사람이 되게 한다.

解說 인자(仁者)는 선본성(善本性)인 인심(仁心)을 바탕으로 인도(仁道)를 행하고 인덕(仁德)을 세우는 인격자다. 그 반대가 불인자(不仁者)다. 동물적 탐욕이나 관능적 쾌락을 채우기 위해 남을 속이거나 살상(殺傷)하고 남의 재물을 탈취한다. 그는 사도(邪道)에 빠져 사리사욕(私利私慾)을 채운다. 그러므로 선과 악을 가리지 못한다. 오직 정도(正道)를 지키고 대의명분(大義名分)을 밝히는 인자만이 선악시비를 바르게 판단하고 아울러 선량한 사람과 사악한 자를 구분할 수 있다.

고주(古注)는 다음과 같이 풀었다. '오직 인덕있는 사람은 사물에 대한 사심이 없다. 그러므로 좋은 사람 나쁜 사람을 심판할 수 있다(唯有仁德者 無私於物 故能審人之好惡也)'(正義). 《집주(集註)》는 다음과 같이 풀었다. '무릇 사심이 없어야 비로소 호오(好惡)가 도리에 맞게 된다. 즉 정자가 말한 바 공정하게 된다(蓋無私心 然後好惡當於理 程子所謂得其公是也)'(朱子). '선을 좋아하고 악을 미워함은 천하 모든 사람이 다같이 느끼는 심정이다. 그러나 사람들이 항상 정도(正道)를 잃는 이유는 마음에 매어있는 (사리사욕)을 스스로 극복하지 못하기 때문이다. 오직 인자만이 사심이 없으며 따라서 호오를 바르게 가릴 수 있다.(好善而惡惡 天下之同情也 然人每失其正者 心有所繫 而不能自克也 惟仁者無私心 所以能好惡也)'(游氏).

이 3장은 '인자가 바르게 선악을 가릴 수 있음'을 말한 것이다. 단 인자는, 우매하고 악한 사람까지 가르치고 깨우쳐 착한 사람이 되도록 애를 쓴다.

參考 **인자**(仁者)**와 삼달덕**(三達德) —

인자(仁者)나 군자(君子)와 반대되는 사람을 불인자(不仁者) 혹은 소인(小人)이라 한다. 소인은 사리사욕에 마음이 흐려, 선악시비를 바르게 분별하지 못한다. 따라서 선인과 악인도 바르게 식별할 수 없다. 소인배들은 작당하여 무소불위(無所不爲)의 악덕(惡德)을 자행한다. 그리고 그것을 삶의 전부라고 착각한다. 한마디로 무식하기 때문이다. 그러므로 동물성을 탈피하고 사람다운 사람, 즉 인자나 군자가 되기 위해서는 바르게 배워야 한다.

《논어》에서 자하(子夏)가 말했다. "넓게 배우고 뜻을 독실하게 세우고 (일상의 생활이나 주변 사물을 통해서) 절실하게 묻고 친근하게 생각하면 그 속에 인이 있다.(博學而篤志 切問而近思 仁在其中矣)" 〈子張篇 19-6〉. 사람은 누구나 바르게 배우고 독실하게 실천하면 인자(仁者)가 될 수 있다. 그래서 공자가 《논어》 첫 장에서 '학이시습지(學而時習之) 불역열호(不亦說乎)'라고 학습(學習)을 강조한 것이다.

인(仁)의 실천이나 구현(具現)은 멀리 있는 것이 아니다. 모든 개개인이 자신의 본성 속에 있는 인성(仁性)을 계발하고 실천하면 인류세계에 '인의 꽃'이 만발하게 된다. 공자는 말했다. "인이 멀리 있느냐? 아니다. 내가 인을 원하면 바로 인이 온다.(仁遠乎哉 我欲仁 斯仁至矣)" 〈述而篇 7-29〉.

공자가 최고의 덕목으로 내세운 인(仁) 속에는 여러 가지 많은 덕목(德目)이 포함되어 있다. 특히 최고의 덕목인 '큰 인' 속에는 '지(知)·인(仁)·용(勇)'의 삼달덕(三達德)이 포함되어 있다. 그러므로 인자(仁者)는 '지(知)·인(仁)·용(勇)'을 다 갖춘 군자(君子)라야 한다. '착하고 정에 약하고 비행동적인 사람'은 참다운 인자가 될 수 없다. '총명하고 적극적으로 남을 사랑하고 정의를 과감하게 실천하는 사람'이라야 비로소 인자라 할 수 있다.

지(知)는 참다운 인식이다. 절대선(絶對善)의 천도(天道)를 기준으로 인생관 및 세계관을 확립하고 실천하는 지혜다. '작은 인(仁)'은 인간애와 인류애를 포함한 '사랑'이다. 그리고 '용(勇)'은 바른 도리와 정의를 행동으로 과감하게 실천한다는 뜻이다. 결국 인자는 '천도를 따라 실천적으로 만민 만물을 적극적으로 사랑하는 지식인, 휴머니스트(Humanist)'이다.

하늘은 우주천지 자연만물을 창조하고 또 만물을 더욱 번식하고 발전케 하고 있다. 그러므로 하늘의 도리는 바로 '만물이 시간의 흐름에 따라 더욱 번성하고 발전하는 도리'이다. 동시에 천도는 광명정대(光明正大)하고 공평무사(公平無私)하고 영구불변(永久不變)하는 절대선(絶對善)의 진리이다. 그러므로 성현(聖賢)들이 천도를 높이고 따르라고 한 것이다.

오늘의 세계는 소인배들이 권력이나 무력 및 재물을 독점하고 국가를 지배하고 있다. 따라서 인류사회가 날로 타락하고 악화되어 마침내 지구촌을 약육강식(弱肉强食)의 처참한 사냥터로 전락케 한 것이다.

4-4. 공자가 말했다. “진실로 뜻을 인에 두면 악덕이 없다.”

原文 子曰, 苟志於仁矣면 無惡也이니라.

註解 ㅇ苟(구)－진실로. 만약으로 풀기도 한다. ㅇ志於仁矣(지어인의)－뜻을 인에 두면, 의(矣)는 조사. 인(仁)을 행하겠다고 뜻을 세우면. ㅇ無惡也(무악야)－나쁜 짓을 안할 것이다. ‘무오(無惡)’로 읽고 남을 미워하지 않는다. 혹은 남에게 미움을 받지 않음으로 풀기도 하나, 취하지 않는다.

解說 《고주(古注)》는 ‘구(苟)는 참으로의 뜻이다. 이 글은 진실로 뜻을 인에 둘 수 있다면 다른 행동도 악함이 없을 것임을 말한 것이다.(苟誠也 此章言 誠能志在於仁 則其餘行終無惡也)’(《正義》)로 풀었다. 한편 《집주(集註)》는 다음같이 풀었다. ‘구(苟)는 참으로의 뜻이다. 지(志)는 마음이 가는 곳이다. 그 마음이 진실로 인에 가 있으면 그는 반드시 악한 일을 안할 것이다.(苟誠也 志者心之所之也 其心誠在於仁 則必無爲惡之事矣)’(朱子). ‘참으로 뜻을 인에 두어도, 잘못된 거동이 없지 않을 것이다. 그러나 악을 행하는 일은 없을 것이다(苟志於仁 未必無過擧也 然爲惡則無矣)’(楊氏).

악덕은 인도(仁道)를 모르거나 외면하고, 반대로 사리사욕이나 관능적 쾌락만을 추궁함으로써 야기되는 것이다. 바르게 배우고 인심(仁心)을 계발하고 인덕(仁德)을 세우려는 뜻, 고귀한 목적의식을 가진다면 악한 짓을 안하게 될 것이다. 특히 정치인들이 대동(大同) 사상인 인(仁)을 알고 인덕(仁德)을 세우려고 노력해야 한다. 소도(小道)를 따르지 말고 대도(大道)를 따라야 한다.

4-5. 공자가 말했다. “부귀는 누구나 탐내는 바지만, 정도(正道)로써

얻은 것이 아니면 누리지 마라. 빈천은 누구나 싫어하는 바지만, 정도로써 주어진 것이 아니라도 구태여 마다하지 마라. 군자가 인도(仁道)를 떠나면 어찌 군자라 일컫겠느냐? 군자는 식사하는 시간일지라도 인도를 어기지 말고, 다급한 순간에도 반드시 인도에 의지하고, 넘어져 뒤집히는 경우에도 반드시 인도에 있어야 한다.”

原文 **子曰, 富與貴是人之所欲也**나 **不以其道得之**어든 **不處也**하며 **貧與賤是人之所惡也**나 **不以其道得之**라도 **不去也**니라. **君子去仁**이면 **惡乎成名**이리오. **君子無終食之間違仁**이니 **造次**에 **必於是**하며 **顚沛**에 **必於是**니라.

註解 ㅇ富與貴(부여귀)－부(富)는 돈이나 재물이 많음, 귀(貴)는 지위가 높고 세도를 부림. 합해서 부귀라고 함. ㅇ是人之所欲也(시인지소욕야)－부귀는 모든 사람이 원하는 것이다. 소욕(所欲)은 구하는 바, 탐내는 것. ㅇ不以其道得之(불이기도득지)－정당(正當)한 도리로 얻은 것이 아니면, ‘불(不)’은 ‘이기도득지(以其道得之)’ 전체에 걸린다. ‘이기도(以其道)’는 그에 합당한 도리로써, ‘득지(得之)’는 그것을 얻음. ㅇ不處也(불처야)－처하고 누리지 않는다. ㅇ貧與賤(빈여천)－가난하고 또 신분이 천하다. ㅇ是人之所惡也(시인지소오야)－빈천은 모든 사람이 싫어하는 바다. ㅇ不以其道得之(불이기도득지)－빈천하게 될 합당한 도리로써 빈천하게 된 것이 아니라면, 즉 자신은 선량하게 인도(仁道)를 따르고 행했으나, 사회가 타락하고 부도덕해서 악인들이 판을 치기 때문에 도리어 인자나 군자가 빈천하게 되었다는 뜻. ㅇ不去也(불거야)－(설사 빈천하다고 해도) 구태여 그 빈천을 모면하려고 하지 않는다. 세상이 무도해서 내가 빈천한 것이다. 그러니 군자는 안빈낙도(安貧樂道)한다. ㅇ君子去仁(군자거인)－군자가 인도(仁道)에서 이탈하고 인덕(仁德)을 안 지킨다면. ㅇ惡乎成名(오호성명)－어찌 군자라는 이름을 지닐 수 있겠느냐? 고주(古注)는 ‘인을 떠나면, 즉 군자라는 이름을 얻을 수 없

다.(去仁 則不得成名爲君子也)'(正義)라고 했다. 성명(成名)을 사회적 명성을 얻음으로 풀기도 하나, 취하지 않는다. ㅇ無終食之間違仁(무종식지간위인)－식사를 마치는 사이에도 인을 어기지 마라. ㅇ造次必於是(조차필어시)－조차(造次)는 다급한 때, 필어시(必於是)는 반드시 인을 지키다, 인도에 의지한다. ㅇ顚沛必於是(전패필어시)－넘어지고 뒤집히는 순간에도 반드시 인을 지키다. 전패(顚沛)는 넘어지고 뒤집힌다.

解說 절대선(絶對善)의 도가 행해지는 세상에서는 당연히 인자(仁者)가 부귀를 누리고 불인자(不仁者)가 빈천하게 마련이다. 그러나 악덕한 사회에서는 악인들이 무도하게 권력·지위·재물을 독점한다. 따라서 선량한 사람들이나 특히 인도를 굳게 지키는 인자나 군자들은 빈천에 몰리게 마련이다. 그렇다고 인자나 군자들마저 인도(仁道)를 버리고 무조건 부귀만을 추구하면 세상은 더욱 악화(惡化)될 것이다.

군자는 '수사선도(守死善道)'해야 한다. 생명을 걸고 절대선의 인도(仁道)를 지키고 또 항상 어디에서나 인덕(仁德)을 세우도록 애써야 한다.

비록 곤궁한 처지에 떨어져도 악덕에 굴복하거나 타협하지 말고 안빈낙도(安貧樂道)하며, 인도(仁道)를 지키고 인덕(仁德)을 높이는 의연한 자세를 견지해야 한다.

4-6. 공자가 말했다. "나는 지금까지 참으로 인을 좋아한 사람이나, 진실로 불인을 미워한 사람을 보지 못했다. 인을 좋아한 사람은 더할 게 없고, 불인을 미워한 사람도 그 나름대로 인을 행하며, 불인한 일이 자기 몸에 덮치지 못하게 할 것이다."

"단 하루만이라도 힘을 쏟아 인을 행하려고 했는데, 힘이 모자라서 인을 이루지 못한 그런 사람을 나는 아직 보지 못했다. 그런 사람이 있을 법도 하나, 나는 아직 보지 못했다."

原文 **子曰, 我未見好仁者**와 **惡不仁者**로라. **好仁者**는 **無以尙之**오 **惡不仁者**는 **其爲仁矣**에 **不使不仁者**로 **加乎其身**이니라. **有能一日**에 **用其力 於仁矣乎**아 **我未見力不足者**로라 **蓋有之矣**어늘 **我未之見也**로다.

註解 ㅇ我未見(아미견)－나는 아직 보지 못했다. 그런 사람이 없었다는 뜻. ㅇ好仁者(호인자)－진실로 인을 좋아하고 인을 행하는 사람. ㅇ惡不仁者(오불인자)－참으로 인에 어긋나는 것을 미워하는 사람. ㅇ無以尙之(무이상지)－(인을 좋아하고 인을 행하니까) 그 이상 더 좋을 것이 없다. 최고로 좋다는 뜻. ㅇ其爲仁矣(기위인의)－(불인을 미워하는 자도) 그 나름대로는 인을 행한다. ㅇ不使不仁者(불사불인자)－불인한 사람이나 일을 ……하지 못하게 한다. ㅇ加乎其身(가호기신)－자기 몸에 가하다. '불사불인자가호기신(不使不仁者加乎其身)'은 불인한 자로 하여금 자신에게 불인을 가하지 못하게 한다.《집주(集註)》는 '불인자(不仁者)'를 '불인한 일'의 뜻으로 풀었다. '불인을 미워하는 사람은 참으로 불인이 나쁘다는 것을 안다. 고로 자신이 인을 행하는 바탕에 있어, 반드시 불인한 일들을 잘라내고 자기 몸에 미치지 못하게 한다.(惡不仁者 眞知不仁之可惡 故其所以爲仁者 必能絶去不仁之事 而不使少有及於其身)'〈朱子〉. ㅇ有能一日 用其力 於仁矣乎(유능일일 용기력 어인의호)－능히 단 하루라도 자기의 힘을, 인을 행하는 데 쓸 수 있다면. ㅇ我未見(아미견)－나는 아직 못 보았다. ㅇ力不足者(역부족자)－힘이 모자라서 (인을 이루지 못한 사람). ㅇ蓋有之矣(개유지의)－아마 그런 사람도 혹 있겠지. ㅇ我未之見也(아미지견야)－(그러나) 나는 아직 그런 사람을 보지 못했다. 즉 '인을 행하려고 힘을 썼는데, 힘이 모자라서 인을 이루지 못했다는 그런 사람은 없을 것'이라는 뜻.

解說 제6장에는 세 가지 유형의 사람이 나온다.

① '호인자(好仁者)' : 인을 좋아하고 인을 행하는 사람이다. 더 바랄

게 없다. ② '오불인자(惡不仁者)' : 불인을 미워하는 사람. 진실로 인에 어긋나는 사람이나 인에 어긋나는 일을 미워한다. 따라서 나쁜 영향이 자신에게 미치지 않게 함으로써 인을 지킨다. 이들은 정도의 차이는 있으나 결과적으로는 다 인덕(仁德)을 세운다. 그러나 이런 부류의 사람들이 많지 않고 또 보기 어렵다. 그래서 공자는 '아미견호인자 오불인자(我未見 好仁者 惡不仁者)'라고 한 것이다. ③ '일일용기력어인(一日用其力於仁)' : 하루만이라도 자기의 힘을 인에 쓰는 사람. 사람은 누구나 태어날 때부터 착한 인성(仁性)을 지니고 있게 마련이다. 다만 사리사욕을 채우려는 동물적 욕구 때문에 착한 본성이 흐려지는 것이다. 그러나 사람은 누구나 단 하루 정도는 힘을 쏟으면 인을 행할 수 있다. 그리고 그 정도의 힘은 누구나 다 가지고 있다. 그 힘조차 없다고 할 사람은 없을 것이다. 그러므로 누구나 다 하루만이라도 힘을 쏟으면 그만한 인덕을 세울 수 있음을 시사한 말이다. 결국 힘이 모자라서가 아니고 뜻이 없기 때문이다.

4-7. 공자가 말했다. "사람의 과실에는 저마다의 유형이 있다. 그러므로 과실만 보고도 그 사람의 인덕을 알 수 있다."

原文 **子曰, 人之過也**는 **各於其黨**이니 **觀過**에 **斯知仁矣**니라.

註解 ㅇ人之過也(인지과야)－사람이 잘못을 한다, 혹은 사람의 과실은. ㅇ各於其黨(각어기당)－저마다 그 유형이 다르다, 당(黨)을 유(類)·유형(類型)·부류(部類)·향당(鄕黨)의 뜻으로 풀기도 한다. ㅇ觀過(관과)－그 사람의 과실을 보면. ㅇ斯知仁(사지인)－그 사람의 인덕(仁德)이 어느 정도인가를 안다. 인(仁)을 인(人)으로 보고, 그 사람의 인품을

알 수 있다고 풀기도 한다.

解說 사람은 누구나 실수를 하고 과실을 저지른다. 그리고 사람의 인품이나 인덕의 정도에 따라 그 실수나 과실의 유형도 다르게 마련이다. 《집주(集註)》는 다음과 같이 풀이했다. '정자가 말했다. 사람의 과실도 저마다의 유형을 따른다. 군자는 항상 후덕함에서 실수를 하고, 소인은 항상 야박함에서 실수를 한다. 군자는 사랑에 지나치고, 소인은 잔인함에 지나친다. 윤씨가 말했다. 과실을 살피면 즉 그 사람이 인덕 있는 사람인지, 불인한 사람인지를 알 수 있다.(程子曰 人之過也 各於其類 君子常失於厚 小人常失於薄 君子過於愛 小人過於忍 尹氏曰 於此觀之 則人之仁不仁 可知矣)'(朱子).

당(黨)을 향당의 뜻으로 보고, 사람의 과실은 그 사람이 속하고 있는 향당이나 환경에 따라 다르게 된다로 풀기도 한다.

4-8. 공자가 말했다. "아침에 도를 듣고 깨달으면 저녁에 죽어도 좋다."

原文 **子曰, 朝聞道**면 **夕死**라도 **可矣**니라.

註解 ㅇ朝聞道(조문도)－아침에 도를 듣고 깨닫는다. 문(聞)은 말을 듣거나 배워서 깨닫고 안다는 뜻. 주자는 도(道)를 '사물당연지리(事物當然之理)'라고 했다. ㅇ夕死可矣(석사가의)－저녁에 죽어도 좋다. 도의 터득이 인생의 중대사라는 뜻.

解說 공자의 말치고는 과격하다. 그만큼 신념에 찬 말이기도 하며, 듣는 사람으로 하여금 도의 중요함을 알게 한다. 그러나 공자는 도에 대한 명확한 정의를 내린 적이 없다. 그래서 자공(子貢)이 "인

간의 본성이나 하늘의 도리에 대한 선생님의 깊은 말씀은 좀처럼 들을 수가 없다(夫子之言性與天道 不可得而聞而已矣)." 〈公冶長篇 5-13〉고 말했다. 《논어》에는 도를 말한 구절이 퍽 많고 저마다 그 뜻이나 내용이 다르다.

그러나 여기서 공자가 듣고자 한 도는 주로 주공단(周公旦)이 제정한 예치(禮治)의 도일 것이다. 노나라에는 주공이 제정한 문물제도가 비교적 많이 보존되어 있다. 그러나 수백 년의 세월이 흘러서 자세하게 알 수가 없었을 것이다. 그래서 공자는 노자(老子)를 찾아가 묻기도 했던 것이다. 예치(禮治)의 도는 곧 인정(仁政)과 덕치(德治)의 도이며, 그것은 절대선인 천도를 따른 것이다. 선왕(先王)들이 천도를 따라 덕치를 한 것처럼 공자는 주공의 예치의 도를 활용하여 이상적인 인정(仁政)을 실현하려고 했던 것이다.

4-9. 공자가 말했다. "선비가 도에 뜻을 두고서도, 나쁜 옷이나 나쁜 음식을 부끄럽게 여긴다면 함께 도를 논할 수 없다."

原文 **子曰, 士志於道 而恥惡衣惡食者**는 **未足與議也**니라.

註解 ㅇ士(사)－선비. 문자학적으로는 일[事]을 처리하는 사람. 옛날에는 신분을 '제후(諸侯＝군주)·경(卿)·대부(大夫)·사(士)·서인(庶人)'으로 나누었다. ㅇ志於道(지어도)－도에 뜻을 둔다. 즉 인도(仁道)를 따라 인정(仁政)을 펴겠다는 뜻을 둔다. ㅇ而恥惡衣惡食者(이치악의악식자)－그러면서 나쁜 옷을 입고 나쁜 음식 먹는 것을 창피하게 여기는 사람. ㅇ未足(미족)－아직 부족하다, 자격미달이다. ㅇ與議(여의)－함께 의논한다. 함께 인정(仁政)이나 덕치(德治)를 논할 수 없다는 뜻.

解說 선비나 군자는 학문과 덕행을 바탕으로 왕도덕치(王道德治)

에 참여하는 인자(仁者), 즉 휴머니스트다. 그러므로 그들은 외형적인 물질생활보다 내면적인 도덕생활을 중시해야 한다. 특히 정치에 참여하는 선비가 재물을 탐내거나 사치를 하면, 도덕적으로 타락하게 마련이다. 또 야(野)에 처하여 가난하게 사는 선비도 안빈낙도(安貧樂道)해야 한다. 그런 선비라야 함께 인도(仁道)를 논할 수 있다. 《논어》에서 공자는 말했다. "군자는 도를 구할 뿐, 밥을 구하지 않는다(君子謀道 不謀食)." "군자는 도를 걱정하되 가난을 걱정하지 않는다(君子憂道 不憂貧)." 〈衛靈公篇 15-32〉

4-10. 공자가 말했다. "군자는 천하 만사에 있어, 어느 한 가지만을 옳다고 고집하지도 않고, 또 안된다고 부정하지도 않는다. 만사에 대의를 따른다."

原文 **子曰, 君子之於天下也**에 **無適也**하며 **無莫也**하야 **義之與比**니라.

註解 ㅇ君子之於天下也(군자지어천하야)－군자는 천하의 모든 사람을 대하거나 혹은 모든 사물을 처리함에 있어. ㅇ無適(무적)－(어느 하나만을) 옳다고 주장하는 일이 없다. ㅇ無莫(무막)－(어느 하나만을) 안된다고 배척하는 일도 없다. ㅇ義之與比(의지여비)－옳고 바른 의리를 따른다. 비(比)를 《집주(集註)》는 '종(從), 즉 따르다'로 풀었다. 고주(古注)는 '친(親)'으로 풀었다. ㅇ適(적)·莫(막)－해석이 여러 가지 있으며, 서로 상충되기도 하다. 《집주》는 '적(適)을 오로지 주장함(專主), 막(莫)을 승낙하지 않음(不肯)'(朱子), '적(適)은 가(可), 막(莫)은 불가(不可)'(謝氏)라고 풀었다. 《고주》는 '무적(無適)·무막(無莫)은 탐하거나 그리워함이 없다(無所貪慕也)'(何晏), '적(適)은 적(敵)으로 반대한다, 막(莫)은 모(慕)로 좋아하다'(鄭玄), '적(適)은 후(厚), 막(莫)은 박(薄)'(正義)으

로 풀기도 했다.

解說 군자는 모든 사람이나 사물을 공평무사하게 보고 또 처리한다. 사사로운 감정이나 이해관계에 매이면 자연히 시야가 편협하게 되고 또 편파적 고집이나 주장을 하게 마련이다. 군자는 항상 대도(大道)와 대의명분(大義名分)을 밝힌다. 그러므로 도를 기준으로 옳고 그름을 결정하며, 따라서 사람이나 이해에 따라 편협한 주장이나 고집을 세우지 않는다.

4-11. 공자가 말했다. "군자는 덕을 생각하고 소인은 땅을 생각한다. 군자는 법을 생각하고 소인은 혜택만을 생각한다."

原文 **子曰, 君子**는 **懷德**하고 **小人**은 **懷土**하며 **君子**는 **懷刑**하며 **小人**은 **懷惠**니라.

註解 ㅇ君子(군자)－학덕(學德)을 겸비하고 덕치(德治)에 참여하는 선비. ㅇ懷德(회덕)－덕치를 생각하다, 덕의 정치를 펴서 백성들에게 덕을 베풀어줄 일만을 생각한다. 회(懷)를 안(安)으로 풀기도 한다. 즉 덕치에 안주(安住)하고 만족한다. ㅇ小人(소인)－자기 혼자만의 물질적 이득을 구하는 사람. ㅇ懷土(회토)－토지만을 생각한다. 좋은 땅에서 안주하고 싶어 한다, 혹은 농사지을 토지를 많이 갖고자 한다. ㅇ懷刑(회형)－형(刑)을 법(法)으로 본다. 즉 어떻게 하면 법을 잘 시행할까 생각한다. 혹은 백성들이 형벌에 걸리지 않기를 바란다. ㅇ懷惠(회혜)－남으로부터 은혜를 받을까 생각한다.

解說 《고주(古注)》는 '임금이 덕으로써 교도(敎導)하면 백성들이 저마다 사는 고장에 안주하고, 임금이 형법으로 제어하고 바르게 잡

아주면 백성들은 은혜 내려주기를 기다린다.'로 풀이했다.

《집주(集註)》에서 주자(朱子)는 '회덕(懷德)을 굳게 선(善)을 지킨다. 회토(懷土)를 사는 고장이 편안한 데 만족한다. 회형(懷刑)을 법을 두려워한다. 회혜(懷惠)를 이득을 탐한다.'로 풀이하고 또 '군자와 소인의 취향이 같지 않음은 공과 사의 간격이다.(君子小人趣向不同 公私之間而已)'라고 덧붙였다.

4-12. 공자가 말했다. "이익만을 바라고 행동하면 원망이 많다."

原文 **子曰, 放於利而行**이면 **多怨**이니라.

註解 ㅇ放(방)－의(依 : 의지하다)로 풀이한다. ㅇ放於利而行(방어리이행)－자기만의 이득을 얻고자 행동한다. ㅇ放於利(방어리)－'이득을 얻고자 방자하게 군다'로 풀어도 된다. ㅇ多怨(다원)－많은 사람의 원망을 산다.

解說 이 말은 주로 위정자에게 한 말이다. 즉 이(利)보다 덕(德)을 높여야 한다는 뜻이다. 실지로 당시 노나라의 실권자 계강자(季康子)가 개인의 이익만을 위하여 나라를 문란케 하고 있었다. 그러나 이 말은 모든 사람들에 대한 교훈이기도 하다.

자신의 이익만을 취하면 남들과 상충하고 서로 싸우게 마련이다. 사리사욕(私利私慾)에 눈이 멀어서 잔인하게 남을 밀어내고 나만의 이득을 취하면 많은 사람의 원한을 산다. 공자는 말했다. "눈앞의 이득을 보면, 의를 생각하라.(見利思義)"〈憲問篇 14-13〉. 인자(仁者)나 군자(君子)는 나만의 물질적인 이득보다 모든 사람을 잘살게 하는 인덕(仁德)을 앞세운다.

《집주(集註)》에서 주자는 말했다. "공안국(孔安國)은 방(放)을 의

(依)로 풀었다. 다원(多怨)은 많은 사람의 원한을 취한다는 뜻이다(孔氏曰 放依也 多怨謂多取怨)."

정자(程子)는 다음과 같이 풀었다. '자기만의 이득을 바라면 반드시 남을 해치게 되며, 따라서 많은 사람의 원한을 산다(欲利於己 必害人 故多怨).'

4-13. 공자가 말했다. "예의 본질인 사양심을 가지고 나라를 다스릴 수 있다면 아무런 문제가 없다. (그러나) 예의 본질인 사양심을 가지고 나라를 다스리지 못한다면 형식적인 예만 가지고 어찌하겠느냐?"

原文 **子曰, 能以禮讓**이면 **爲國乎**에 **何有**며 **不能以禮讓爲國**이면 **如禮何**리오?

註解 ㅇ禮讓(예양)－예의와 양보라는 뜻도 있다. 그러나 여기서는 예의 본질인 사양심(辭讓心)으로 풀었다. '사양은 예의 실질이다.(讓者 禮之實也)' 〈朱子〉. '사양하는 마음이 예의 바탕이다.(辭讓之心 禮之端也)' 〈孟子〉. ㅇ爲國(위국)－나라를 다스린다. ㅇ能以禮讓爲國乎(능이예양위국호)－(임금이) 능히 예양(禮讓)으로써 나라를 다스릴 수 있다면. ㅇ何有(하유)－아무런 문제나 어려움이 없다. 아주 쉽게 다스릴 수 있다는 뜻. ㅇ不能以禮讓爲國(불능이예양위국)－(임금이) 예양하지 못하고 나라를 다스린다면. ㅇ如禮何(여례하)－예는 무엇에 쓰랴? 형식적인 예가 있어도 아무런 소용이 없다는 뜻.

解說 앞에서 공자는 말했다. "위정자가 어질지 않으면 형식적인 예악은 쓸모가 없다.(人而不仁 如禮何 人而不仁 如樂何)" 〈八佾篇 3-3〉. 여기서는 특히 예양(禮讓)을 강조했다. 예(禮)의 핵심은 사양

하는 마음이다. 사양하는 마음은 인심(仁心)에 직통한다. '자기의 욕심을 억제하고 하늘의 도리에 돌아감이 인이다.(克己復禮 爲仁)' 〈顔淵篇 12-1〉

4-14. 공자가 말했다. "자리 없음을 걱정하지 말고, 나설 수 있는 바탕 만들기를 걱정하라. 나를 몰라준다고 걱정하지 말고, 알려질 만한 일하기를 구해라."

原文 **子曰, 不患無位**요 **患所以立**하며 **不患莫己知**오 **求爲可知也**니라.

註解 ㅇ不患無位(불환무위)－벼슬자리 없음을 걱정하다. 위(位)는 지위·관직·작위(爵位). ㅇ患所以立(환소이립)－어떻게 하면 자리에 오를 수 있을까를 걱정한다. 소이(所以)는 ……하는 바탕, ……하는 수단이나 방법. 옛날에는 입(立)을 위(位)의 뜻으로도 썼다. ㅇ不患莫己知(불환막기지)－(남들이) 나를 알아주지 않음을 걱정하지 않는다. '막기지(莫己知)'＝'막지기(莫知己)'. 지(知)의 목적어. 기(己)가 부정사(不定詞) 막(莫) 다음에 왔다. '부정사＋목적어＋동사'. ㅇ求爲可知(구위가지)－알려지기를 구한다, 알려지게 하기를 구한다.

解說 공자는 《논어》 첫머리에서 "남이 나를 알아주지 않아도 노여워하지 않으니 군자가 아니겠느냐.(人不知而不慍 不亦君子乎)" 〈學而篇 1-1〉라고 말했다. 도(道)가 행해지는 좋은 세상에서는 학문과 덕행을 겸비한 군자가 인정을 받고 또 벼슬자리에 오를 것이다. 그러나 그것은 이상(理想)이다. 대개의 경우는 도가 행해지지 않고 따라서 군자보다 소인배(小人輩)들이 득세하고 부귀를 누린다. 그런데도 노여워하지 않기는 참으로 어렵다. 더욱이 안빈낙도(安貧樂道)하

면서 끝없는 자기 노력으로 세상에 알려지기를 기대하는 것은 초인간적이라 하겠다.

4-15. 공자가 말했다. "삼(參)아! 나의 도는 하나로 꿰뚫고 있다." 증자가 "네."하고 대답했다.

공자가 나간 다음, 다른 제자가 증자에게 "무슨 뜻입니까?"하고 물었다. 이에 증자가 말했다. "선생님의 도는 충과 서일 따름이다."

原文 **子曰, 參乎**아 **吾道**는 **一以貫之**니라. **曾子曰 唯**라. **出**이어시늘 **門人**이 **問曰, 何謂也**이까? **曾子曰, 夫子之道**는 **忠恕而已矣**니라.

註解 ㅇ參(삼)－증자의 이름. 자는 자여(子輿). ㅇ吾道一以貫之(오도일이관지)－내가 지키고 행하는 도는 일(一)로써 관통한다. ㅇ道(도)－천도(天道) 혹은 인도(仁道). 여기서는 주로 인도(仁道)의 뜻일 것이다. ㅇ一(일)－'큰 하나'는 천(天), '작은 하나'는 인(仁). ㅇ唯(유)－네! 즉시 잘 알았다는 뜻이 포함된 응답. '유(唯)는 즉시 응답하고 의문이 없다는 뜻이다.(唯者 應之速 而無疑者也)'《집주(集註)》. ㅇ子出(자출)－공자가 방에서 나가다. ㅇ門人問(문인문)－다른 문인이 증자에게 물었다. ㅇ何謂也(하위야)－선생님이 하신 말씀은 무슨 뜻입니까? ㅇ夫子之道(부자지도)－선생님께서 지키시고 행하시는 도(道), 여기서는 주로 인도(仁道)의 뜻이다. ㅇ忠恕(충서)－충성(忠誠)과 관서(寬恕), 충(忠)은 적극적인 인(仁), '자신의 최선을 다함을 충이라 한다.(盡己之謂忠)'《집주(集註)》. 서(恕)는 소극적인 인(仁). '자기의 마음이나 처지를 미루어 (남을) 헤아리는 것을 서라 한다.(推己之謂恕)'《집주(集註)》.

解說 공자가 "내가 지키고 행하는 도는 하나로 꿰뚫는다.(吾道一

以貫之)"고 말했다. 도(道)에는 크고 작은 도가 있다. '큰 도'는 절대선의 천도(天道)이고, '작은 도'는 인도(人道)=인도(仁道)이다. 공자가 '하나로 꿰뚫는다고 말한 뜻'은 '천도와 인도'를 '하나로 꿰뚫는다는 뜻'일 것이다. 그러나 증자는 다른 제자에게 '작은 도', 즉 인도(仁道)의 뜻으로 좁히고 또 인을 다시 '충(忠)과 서(恕)'로 나누어 설명해 주었다.

인(仁)에는 '적극적인 인'과 '소극적인 인'이 있다. 남을 적극적으로 사랑하는 것을 충(忠)이라 한다. '내가 나서고 싶을 때 먼저 남을 내세우고, 내가 얻고자 할 때 먼저 남으로 하여금 얻게 하는 것(己欲立而立人 己欲達而達人)' 〈雍也篇 6-30〉이 곧 충이다. 한편 나의 처지나 마음을 미루어 촌탁(忖度)하고 남의 잘못을 용서하거나 혹은 남의 불행을 위로해 주는 소극적인 사랑을 서(恕)라고 한다. '내가 싫어하는 바를 남에게 강요하지 마라.(己所不欲 勿施於人)'〈顔淵篇 12-2〉가 곧 서다.

고주(古注)는 다음같이 풀었다. '내가 행하는 바 도는 오직 하나의 도리이다. 그것으로써 천하 만사의 도리를 통괄한다.(我所行之道 唯用一理 以統天下萬事之理也)'(正義). 이 풀이는 '큰 도'를 말한 것이다. 《집주(集註)》도 공자가 말한 도를 '큰 도'의 뜻으로 풀었다. '지성으로 만물을 생육하고 쉬지 않는 것이 도의 본체다. 그러므로 저마다 다른 만물이 다 하나의 도를 근본으로 삼고 있는 것이다. 만물이 저마다 제 자리를 얻고 생성하는 것이 도의 운용이다. 하나의 근본이 되는 도에서 만물이 나오고 운용되고 있는 것이다. 그러므로 '일이관지'의 실제를 볼 수 있다.(蓋至誠無息者 道之體 萬殊之所以一本也 萬物各得其所者 道之用也 一本之所以萬殊也 以此觀之 一以貫之之實 可見矣)'(朱子). 정자(程子)는 '충은 천도이고, 서는 인도(忠天道 恕人道)'라고 절충해서 풀었다.

4-16. 공자가 말했다. "군자는 의를 밝히고, 소인은 이를 밝힌다."

原文 子曰, 君子는 喩於義하고 小人은 喩於利니라.

註解 ㅇ君子喩於義(군자유어의)－군자는 의를 밝힌다. 유(喩)는 약삭빠르게 밝히고 찾는다. 의(義)는 정의(正義), 도의(道義). 사리에 합당하고 좋은 것을 의(義)라 한다. 의(義)는 마땅할 의(宜). ㅇ小人喩於利(소인유어리)－소인은 사사로운 이득, 물질적인 이득만을 밝힌다. 《집주(集註)》에 있다. '의(義)는 하늘의 도리에 합당한 것이다. 이(利)는 인간의 욕정이 탐하는 것이다.(義者天理之所宜. 利者人情之所欲)'(朱子). 이때의 '인간의 욕정'이란 곧 동물적 육체를 바탕으로 한 욕심이나 정욕의 뜻이다.

解說 인간은 동물적 육체만의 존재가 아니다. 만물의 영장인 인간은 고귀한 정신을 바탕으로 윤리도덕적 삶을 살기도 한다. 혹심한 이기주의와 끝없는 탐욕으로 재물이나 관능적 쾌락만을 추구하는 천박한 자를 소인이라고 한다. 한편 대국적인 안목으로 전체 인민의 행복을 위해 살신성인(殺身成仁), 혹은 사생취의(捨生取義)하는 군자도 있다.

과학 기술이 고도로 발달하고 재물이 풍요로운 오늘의 세계에도 군자와 소인이 있다. 과학 기술, 재물을 전인류의 행복과 발전을 위해 선용하는 사람은 군자다. 반대로 과학 기술, 재물을 악용하고 자기의 탐욕을 채우려는 자는 소인이다. 특히 과학 기술, 재물을 무력화(武力化)하고 남을 억압하거나, 남의 재물을 탈취하는 '소인의 나라'가 많다. 그러면서 '소인의 삶'이 전부라고 착각하고 '군자의 삶'이 있다는 것을 모른다. 동양의 정신문명을 배워야 한다.

4-17. 공자가 말했다. "어진 이를 보면 그와 같이 되기를 생각하고,

어질지 못한 자를 보면 스스로 깊이 반성한다."

原文 子曰, 見賢思齊焉하며 見不賢而內自省也니라.

註解 ㅇ見賢(견현)-자기보다 더 현명한 사람을 본다. ㅇ思齊(사제)-그 사람같이 현명해지려고 생각한다. ㅇ見不賢(견불현)-나보다 현명하지 못한 사람을 보면. ㅇ內自省(내자성)-자기 마음속으로 스스로 반성한다.

解說 여기서 말하는 현명한 사람은 정신적·도덕적으로 현명한 사람이다. 자기에게 주어진 선본성(善本性)을 깨닫고 인심(仁心)을 바탕으로 '모든 사람이나 자연만물을 사랑하고 육성하는' 인자(仁者)란 뜻이다. 그와 반대로 현명하지 못한 사람은 수심(獸心)을 바탕으로 동물적·육체적 삶만을 사는 사람이다. 불현자(不賢者) 속에는 물질과 향락만을 추구하고 남을 속이거나 살상하고 남의 재물을 탈취하는 악덕한 사람도 있다.

세상에는 나보다 잘난 사람, 혹은 나보다 못난 사람이 있게 마련이다. 그러므로 남을 거울로 삼아 자신을 반성하고 수양을 해야 한다. 과실을 저지르는 못난 사람을 보면 나는 어떨까 하고 반성한다. 한편 나보다 잘난 사람을 보면, 나도 노력해서 그 사람과 같이 되려고 분발해야 한다. 요는 자신을 바르게 알아야 한다. 자신을 바르게 알기는 어렵다. 그러므로 정신교육과 인격도야가 필요하다. 배우지 않으면 동물적 존재에 머물게 된다.

4-18. 공자가 말했다. "부모를 섬김에 있어 간언을 부드럽게 올린다. 설혹 나의 뜻이 받아들여지지 않아도 여전히 공경해 모시고 어기지

말아야 하며 또 (간하기) 힘이 들어도 원망하지 않아야 한다."

原文 子曰, 事父母하되 幾諫이니 見志不從하고 又敬不違하며 勞而不怨이니라.

註解 ㅇ事父母(사부모)－자식이 부모를 섬길 때, 혹은 자식이 부모를 섬기는 도리에 있어. ㅇ幾諫(기간)－기(幾)는 작을 미(微). (부모가 크게 잘못한 경우에는) 자식은 조용히 나타나지 않게 간언을 올린다. ㅇ見志不從(견지부종)－견(見)은 내가 본다, 살피다, 안다. 지(志)는 부모의 뜻. 즉 부모가 (나의 간언을) 받아들이고 따르지 않을 것이라는 기색을 살피고 안다. ㅇ又敬不違(우경불위)－그래도 역시 부모를 공경하고 부모의 뜻에 어긋나지 않게 한다. ㅇ勞(노)－노(勞)는 간언을 올리기가 어렵고 힘이 든다는 뜻, '부모로부터 꾸지람을 듣거나 심지어 매를 맞는다'는 뜻으로 풀기도 한다. 양백준(楊伯峻)은 왕염손(王念孫)의 설을 따라 '자식이 우려하다'로 풀었다. ㅇ而不怨(이불원)－그래도 자식은 결코 부모를 원망하지 않는다.

解說 자식은 자기를 낳고 키워준 부모에게 효도를 해야 한다. 그러나 효도는 맹종(盲從)이나 곡종(曲從)이 아니다. 《효경(孝經)》 〈간쟁장(諫爭章)〉에 있다. 증자(曾子)가 "감히 묻겠습니다. 자식이 무조건 부모의 영을 듣고 따르는 것이 효도입니까?(敢問 子從父之令 可謂孝乎)"라고 묻자, 공자는 "그게 무슨 소리인가?(是何言與)"하고 반문하고 간언의 필요성을 역설했다. "아버지에게 간쟁(諫爭)을 하는 아들이 있어야 아버지 자신이 불의에 빠지지 않는다.(父有爭子則身不陷於不義)"라고 말했다. 또 "불의 앞에서는 아들은 부모에게 불가불 간쟁을 올려야 하고, 신하는 불가불 임금에게 간쟁해야 한다.(當不義 子不可以不爭於父 臣不可以不爭於君)"라고 했다.

자식이 부모에게 간언을 올리되, 무례한 태도를 취하면 안된다.

부모의 심정이나 기색을 살피면서 슬기롭게 올려야 한다. 즉 기간(幾諫)해야 한다. 그리고 부모가 즉시 자식의 간언을 받아들이지 않고 따르지 않더라도 자식은 전과 같이 부모를 공경하고 부모의 뜻을 어기지 말아야 한다. 고주(古注)는 다음과 같이 말했다. "부모의 뜻이 나의 간언을 따르지 않는다는 기색을 살피고 알아도 자식은 역시 공경하고 부모의 뜻을 어기지 말아야 한다. 그러면서 끝내 나의 간언을 들으시게 한다.(見父母志有不從己諫之色지 則又當恭敬不敢違父母意 而遂己之諫)"(包咸).

《예기(禮記)》에 다음과 같이 있다. '부모에게 허물이 있으면, 자식은 기색을 화하게 가라앉히고 부드러운 소리와 즐거운 표정으로 간언을 올린다. 만약 간언이 받아들여지지 않아도 자식은 더욱 부모를 공경하고 효도해야 한다. 그리고 부모님 기분이 좋을 때 다시 간언을 올린다.(父母有過 下氣柔聲怡色以諫 諫若不入 起敬起孝 說則復諫)'. '부모가 (간언하는 자식에게) 노하고 역정을 내고, 매질을 하여 자식이 피를 흘리는 일이 있어도 자식은 감히 부모를 미워하거나 원망하면 안된다. 더욱 공경하고 더욱 효도해야 한다.(父母怒不悅 而撻之流血 不敢疾怨 起敬起孝也)'〈內則篇〉. 이러한 기록이 다 《논어》의 공자의 말을 바탕으로 한 것이다. 주자의 《집주(集註)》도 대체로 이상과 같은 뜻으로 풀이했다.

4-19. 공자가 말했다. "부모가 생존해 계시면 멀리 여행가지 않으며, 부득이 가는 경우에는 반드시 행방을 알려야 한다."

原文 子曰 父母在어시든 不遠遊하며 遊必有方이니라.

註解 ㅇ父母在(부모재)－부모가 살아 계시면. ㅇ不遠遊(불원유)－멀

리 여행하지 않는다. 먼곳으로 여행가지 않는다. ㅇ遊必有方(유필유방)－불가피하게 여행가는 경우에는 (부모에게) 행방이나 장소를 알린다. 유방(有方)을 '일정한 장소'의 뜻으로 풀기도 한다. 혹은 '몸가짐이나 언행을 방정하게 하다'로 풀기도 한다.

解說 부모의 자식 사랑이나 자식에 대한 걱정은 끝없다. 효도는 물질적인 봉양도 중하지만 보다 정신적으로나 심정적으로 부모를 편하게 해 올려야 한다. 그러므로 가능하면 부모 생존시에는 자식은 먼곳으로 여행가지 않아야 한다. 불가피하게 여행가는 경우에는 연락 장소를 알려야 한다. 그래야 유고시(有故時)에 연락할 수 있고 또 달려올 수 있을 것이다. 그래도 부모는 항상 객지에 있는 자식 걱정을 하게 마련이다. 《집주(集註)》는 '자식이 부모의 마음을 자기 마음으로 할 수 있는 것이 곧 효도다.(子能以父母之心爲心 則孝矣)'〈范氏〉라고 풀었다. 고주(古注)에서 황간(皇侃)은 '필유방(必有方)'의 풀이로 다음과 같은 《예기(禮記)》〈곡례편(曲禮篇)〉의 구절을 인용했다. '자식된 사람이 지킬 예절은 다음과 같다. 외출할 때는 반드시 알리고, 귀가하면 반드시 찾아뵙고 인사한다. 반드시 정해진 곳에 가서 놀며, 반드시 보람있는 일을 몸에 익혀야 한다.(爲人子之禮 出必告 反必面 所游必有常 所習必有業)'.

4-20. 공자가 말했다. "3년을 두고 선친의 도를 고치지 않아야 가히 효라고 말할 수 있다."

原文 **子曰, 三年**을 **無改於父之道**라야 **可謂孝矣**니라.

解說 〈학이편(學而篇)〉 2장 후반부와 같은 구절. 〈1-2〉 참고.

4-21. 공자가 말했다. "부모의 연세를 잘 기억해야 한다. 한편으로는 기쁘고 한편으로는 두렵기만 하다."

原文 **子曰, 父母之年**은 **不可不知也**니 **一則以喜**오 **一則以懼**니라.

註解 ㅇ 不可不知(불가부지)—알지 않으면 안된다. '지(知)는 기억(記憶)의 뜻이다.'《集註》. ㅇ一則以喜(일즉이희)—한편으로는 장수하시는 것을 기뻐하고. ㅇ一則以懼(일즉이구)—한편으로는 날로 노쇠하시는 것을 두려워한다.

解說 인간의 생사(生死)는 원천적으로는 하늘이 주관한다. 사랑하는 자식이 병들어 죽는 경우, 부모라도 어쩔 수 없이 보내게 마련이다. 효자의 경우도 같다. 날로 노쇠해 가는 부모의 수명을 인간의 힘으로 연장할 수는 없다. 다만 주어진 시간을 아껴서 효도를 해야 한다. 이를 애일지성(愛日之誠)이라 한다. 늙은 부모를 모신 자식은 하루를 아껴서 정성껏 효도를 다해야 한다.

4-22. 공자가 말했다. "옛사람이 말을 함부로 하지 않은 것은, 자신의 실천이 따르지 못할 것을 부끄러워하기 때문이었다."

原文 **子曰, 古者**에 **言之不出**은 **恥躬之不逮也**니라.

註解 ㅇ古者(고자)—옛날 사람. ㅇ言之不出(언지불출)—말을 함부로 하지 않음. 목적어 언(言)이 앞에 나왔다. ㅇ恥(치)—부끄럽게 여기다, 창피하게 여긴다. ㅇ躬之(궁지)—'궁지행(躬之行)'과 같음. 자신의 행동이나 실천. ㅇ不逮(불체)—미치지 못한다, 따르지 못한다.

解說 언행일치를 신(信)이라 한다. '문(文) · 행(行) · 충(忠) · 신(信)'을 사교(四敎)라 하고 높인다. 군자는 말보다 행동이 민첩해야 한다.

4-23. 공자가 말했다. "단속함으로써 실패한 경우는 거의 없다."

原文 子曰, 以約失之者鮮矣니라.

註解 ㅇ約(약)—마음으로 긴장하고 언행을 단속하다. 아울러 씀씀이를 절약하고 또 행사를 간약(簡約)하게 한다. ㅇ失之(실지)—실패한다, 손실을 입다.

解說 약(約)은 '조여 맨다'는 뜻이다. 개인이나 국가나 절검(節儉)해야 흥한다. 반대로 방심(放心), 사치(奢侈)하고 모든 일을 방만하게 하면 결국에는 쇠망(衰亡)한다.

4-24. 공자가 말했다. "군자는 말은 어눌하되 행동은 민첩하고자 한다."

原文 子曰, 君子는 欲訥於言 而敏於行이니라.

註解 ㅇ欲(욕)— ……하고자 한다, ……하기를 바란다. ㅇ訥於言(눌어언)—말을 더듬거리다. 말을 신중하게 한다는 뜻. ㅇ而(이)—그러나. ㅇ敏於行(민어행)—행동은 민첩하게 한다.

解說 앞에는 "일은 민첩하게 하고, 말은 신중하게 한다.(敏於事

而愼於言)" 〈學而篇 1-14〉는 공자의 말이 있다.

4-25. 공자가 말했다. "덕은 외롭지 않다. 반드시 이웃이 있다."

原文 **子曰, 德不孤**라 **必有鄰**이니라.

註解 ㅇ德不孤(덕불고)—덕은 외롭지 않다. 덕행을 행하면 (반드시 호응하는 사람이 있다는 뜻). ㅇ必有鄰(필유린)—반드시 이웃이 있다. 유(有)는 같은 부류, 즉 덕에 호응하고 함께 덕행을 하는 동류(同類)가 있다는 뜻.

解說 역사적 현실로 정치 사회에서는 악덕이 판을 친다. 그러나 선본성(善本性)을 지닌 사람들은 총체적으로 선덕(善德)에 가담한다. 그래서 인류 역사는 총체적으로 선하게 발전하는 것이다. 공자의 사상은 선지향적(善指向的) 낙관주의(樂觀主義)다.

4-26. 자유가 말했다. "임금을 섬김에 지나치게 자주 간언하면 욕을 보게 되고, 붕우간에도 지나치게 자주 충고를 하면 소원해진다."

原文 **子游曰, 事君數**이면 **斯辱矣**요 **朋友數**이면 **斯疏矣**니라.

註解 ㅇ子游(자유)—공자의 제자, 성은 언(言), 이름은 언(偃), 자는 자유(子游), 문학에 뛰어났다. ㅇ事君數(사군삭)—임금에게 너무 자주 간언을 올리면. ㅇ斯辱矣(사욕의)—마침내는 욕을 보게 된다. ㅇ朋友數(붕우삭)—친구에게도 너무 자주 충고나 간언하면. ㅇ斯疏矣(사소의)—그로 인해 사이가 멀어진다.

解說 신하는 임금에게 충간(忠諫)하고 붕우는 서로 충고(忠告)하는 것이 좋다. 그러나 상대방의 자존심이나 체면을 손상하지 않는 범위 안에서 성실하게, 동시에 담담한 태도로 해야 한다. 지나칠 정도로 자주 하거나, 상대방에게 불쾌감을 줄 정도로 끈질기게 하면 결국은 사이가 벌어지게 마련이다.

《집주(集註)》에 다음과 같은 말이 있다. "임금을 섬길 때에, 내가 올린 언행을 임금이 행하지 않으면 내가 물러나야 한다. 친구를 선도할 때, 나의 좋은 충고를 받아들이지 않으면 즉시 그만두어야 한다.(事君 諫不行 則當去 導友 善不納 則當止)"(胡氏). 임금과 신하 및 붕우 사이는 의로써 맺어진다. 한쪽이 의를 잃으면 상호간의 관계가 성립되지 않는다.

제5편 공야장편(公冶長篇)

공야장(公冶長)은 제5편 제1장 첫머리에 나오는 사람의 이름이다. 이 편에는 여러 사람에 대한 인물을 평한 말들이 많다. 간결하면서도 요령있는 말로 여러 사람에 대한 현명한 자질, 슬기와 지혜, 인덕과 강직 및 선악 득실을 논평했다. 아울러 인간의 이상형(理想型)과 사람을 등용해 쓰는 법도 암시했다.

이 책은 《십삼경주소본(十三經註疏本)》을 따라서 총28장으로 나누었다. 단 주자(朱子)는 제1장, 제2장을 합쳐서 총27장으로 줄였다.

5-1. 공자가 공야장을 평해서 "그는 사위로 삼을 만하다. 비록 그가 포승에 묶여 감옥에 있으나, 그의 죄는 아니다."라고 말하고, 자기 딸을 그에게 시집보냈다.

原文 子謂公冶長하시되, 可妻也로라. 雖在縲紲之中이나 非其罪也라 하시고 以其子妻之하시다.

註解 ㅇ謂(위)－여기서는 평한다는 뜻. ㅇ公冶長(공야장)－공자의 제자, 성이 공야(公冶), 이름은 장(長), 자는 자장(子長). 노(魯)나라 사람, 혹은 제(齊)나라 사람이라고도 한다. 《논어》에는 여기 한 번 나온다. ㅇ可妻(가처)－처(妻)는 동사로 풀이한다. 즉 (자기 딸을 그에게 주어)

처로 삼게 할 만하다, 즉 사위로 삼을 만하다. ㅇ雖(수)—비록. ㅇ在縲絏之中(재류설지중)—류(縲)는 검은 새끼줄, 설(紲)은 매다[繫]. 《집주본(集註本)》은 '설(絏)'로 썼다. 즉 감옥에 묶여 있으나. ㅇ非其罪也(비기죄야)—그의 죄가 아니다, 그는 무죄라는 뜻. ㅇ以其子妻之(이기자처지)—이기자(以其子)는 자기 딸로써, 자기 딸을 주어, 처지(妻之)는 처가 되게 했다. 즉 그에게 시집보냈다.

解說 공자의 인품은 온화하다. 그러나 인자(仁者)이므로 선악시비(善惡是非)를 밝게 가리는 혜안(慧眼)이 있다. 동시에 의(義)를 용감하게 실천한다. 한마디로 공자는 신의(信義)를 높인다. 그래서 감옥에 갇혀있는 공야장의 무죄를 믿었고 또 자기의 딸을 그에게 시집보냈다. 군자나 인자는 정의의 결단력이 있게 마련이다. 공야장에 대해서는 자세히 알 수 없다. 《고주(古注)》에서 황간(皇侃)은 새들의 소리를 알아들었으며, 죄없이 살인 혐의를 받았다고 했다.

5-2. 공자가 남용을 평하여 "나라에 도가 있을 때는 버림받지 않고, 나라에 도가 없을 때에도, 형벌이나 주륙을 (받지 않고) 모면할 사람이다."라고 말하고, 형의 딸을 그에게 시집보냈다.

原文 子謂南容하시되, 邦有道에 不廢하며 邦無道에 免於刑戮이라 하시고 以其兄之子妻之하시다.

註解 ㅇ子謂(자위)—공자가 평했다. ㅇ南容(남용)—공자의 제자로 성이 남궁(南宮), 이름은 괄(适), 자는 자용(子容)이다. 남궁자용(南宮子容)을 줄여 남용(南容)이라 했다. 일설에는 노(魯)나라 사람, 남궁도(南宮韜)(《孔子家語》)라고 한다. ㅇ邦有道(방유도)—나라에 도가 있다, 즉 인도(仁道)가 있고 인정(仁政)이 행해진다. ㅇ不廢(불폐)—버림받지 않

고 등용된다는 뜻. ㅇ邦無道(방무도)－나라에 도가 없어도, 즉 나라에 악덕 정치가 펴진다 해도. ㅇ免於刑戮(면어형륙)－형벌이나 살육을 면한다. ㅇ以其兄之子妻之(이기형지자처지)－형의 딸을 그에게 시집가게 했다.

解說 남용(南容)은 학식이 많고 덕행이 높은 군자였다. 특히 그는 언행(言行)을 신중히 했다. 그러므로 치세(治世)에는 등용될 것이다. 그러나 난세(亂世)라 해도 형법에 저촉되지 않을 것이다. 이 점에서 공야장보다 한층 무난한 사람이라 하겠다. 그래서 공자는 자기의 딸은 용감한 정의의 사나이에게 출가시키고, 형의 딸은 탈없는 남용에게 시집보냈을 것이다. 그러나 《집주(集註)》에서 정자(程子)는 이상과 같이 공자가 배려했다는 설을 반대했다.

5-3. 공자가 자천을 평하여 말했다. "군자로다, 이 같은 사람은! 그러나 노나라에 군자가 없다면, 그가 어찌 그렇게 학문과 덕행을 터득했겠느냐?"

原文 **子謂子賤**하시되, **君子哉**라 **若人**이여 **魯無君子者**면 **斯焉取斯**리오?

註解 ㅇ子賤(자천)－노나라 사람으로 공자의 문인. 공자보다 49세 나이가 어리다. 성은 복(宓), 이름은 부제(不齊), 자가 자천(子賤). ㅇ君子哉若人(군자재약인)－군자로다, 이 사람이야말로. 이런 사람이 진짜로 군자라는 뜻. 강조를 위해 '군자재(君子哉)'를 앞에 냈다. ㅇ魯無君子(노무군자)－노나라에 (그를 가르친) 군자가 없었다면. ㅇ斯焉取斯(사언취사)－그가 어떻게 그와 같은 학식과 덕행을 터득했겠느냐? 앞의 사(斯)는 자천, 뒤의 사(斯)는 학문과 덕행의 뜻.

解說 《설원(說苑)》이나 《한시외전(韓詩外傳)》에 대략 다음과 같은 기록이 있다. '자천이 어버이같이 섬기고 배운 사람이 3명, 형같이 섬긴 사람이 5명, 벗으로 사귄 사람이 12명, 스승으로 받든 사람이 1명 있었다. 그들로부터 효(孝)와 제(悌) 및 기타의 덕행을 배우고 익혔으며, 그들은 다 성덕군자(盛德君子)로 노나라 사람이었다.'

앞에서 공자는 "어진 사람이 사는 마을이 아름답고 좋다.(里仁爲美)" 〈里仁篇 4-1〉고 말했다. 결국 공자는 노나라에 군자가 많음과 아울러 잘 배워서 훌륭한 군자가 된 자천을 함께 칭찬한 것이다.

5-4. 자공이 공자에게 "저는 어떻습니까?"하고 묻자, 공자가 대답했다. "너는 그릇이다."

자공이 다시 "무슨 그릇입니까?"하고 묻자, 공자가 대답했다. "호련이다."

原文 **子貢問曰, 賜也**는 **何如**하니이까? **子曰, 女**는 **器也**니라. **曰, 何器也**니이꼬? **曰 瑚璉也**니라.

註解 ㅇ子貢(자공)－공자의 수제자, 이름이 사(賜). ㅇ賜也何如(사야하여)－자공이 자신의 이름을 대고 "사는 어떻습니까?"하고 질문했다. ㅇ女(여)－너, 여(女)＝너 여(汝). ㅇ器也(기야)－그릇이다. 기물같이 쓰일 것이다. ㅇ何器也(하기야)－어떤 그릇입니까? ㅇ瑚璉(호련)－종묘(宗廟)에서 쓰는 귀중한 기물, 서직(黍稷)을 괴어 담는 옥기.

解說 자공(子貢)은 언어(言語)에 뛰어났고 이재(理財)에도 밝았다. 그래서 공자는 "사(賜)는 통달했으니, 정치에 종사해도 아무 걱정이 없다.(賜也達 於從政乎何有)" 〈雍也篇 6-6〉고 말한 바 있다.

여기서도 공자는 "너는 종묘 제사에서 쓰이는 호련 같은 좋은 그릇이다"라고 칭찬했다. 즉 높은 벼슬에 올라, 귀하게 쓰일 것이라는 뜻이다. 그러나 공자는 "군자는 기물 같은 존재가 아니다.(君子不器)"라고 말한 바도 있다. 즉 군자는 원리원칙을 운영하는 지도자가 되어야 한다. 기물같이 남에게 쓰이는 기능적인 존재가 되지 말라는 뜻이었다. 공자의 인물평은 솔직하고 가혹하다. 그러나 기물치고는 최고의 기물이 된다고 섭섭지 않게 칭찬해 주었다.

5-5. 어떤 사람이 말했다. "옹은 인덕은 있으나, 구변이 없군요." 공자가 말했다. "어찌 말 잘할 필요가 있겠는가? 남을 대할 때 말재주만을 부리면 자주 남에게 미움을 받게 된다. 나는 옹의 인덕에 대해서는 모르겠다. 그러나 어찌 말 잘할 필요가 있겠는가?"

原文 **或曰, 雍也**는 **仁而不佞**이로다. **子曰, 焉用佞**이리오? **禦人以口給**하여 **屢憎於人**하나니 **不知其仁**이어니와 **焉用佞**이리오?

註解 ㅇ或曰(혹왈)－어떤 사람이 (공자에게 그의 제자 옹에 대한) 말을 했다. ㅇ雍(옹)－공자의 제자. 성은 염(冉), 이름이 옹(雍), 자는 중궁(仲弓), 노나라 사람으로 인덕은 있었으나, 구변이 없었다. ㅇ雍也仁而不佞(옹야인이불녕)－(선생님의 제자) 옹은 인덕은 있으나, 말재주가 없군요. 녕(佞)은 지금은 아첨한다는 뜻으로 쓰이나, 원래는 말재주가 있다는 뜻이다. ㅇ焉用佞(언용녕)－왜 구변이 좋아야 하느냐? 말재주는 무엇에 쓰려느냐? ㅇ禦人(어인)－사람들에게 대하다, 남에게 응수하거나, 응답한다. ㅇ以口給(이구급)－구급으로써 하면. 구급(口給)을 주자(朱子)는 구변(口辯)으로 풀었다. 고주(古注)는 급(給)을 기민(機敏)하다, '약삭빠르고 재치있다'로 풀었다. ㅇ禦人以口給(어인이구급)－사람을

대하고 다스릴 때에 말재주만으로 하면. ○屢憎於人(누증어인)－항상 남에게 미움을 산다. 누(屢)는 자주, 언제나, 항상. ○不知其仁(부지기인)－(공자가) "나는 그의 인덕에 대해서는 잘 모르겠다."고 말했다. 공자가 자기 제자의 인덕을 모를 까닭이 없다. 상대방이 인덕보다 더 언변을 높이는 무식쟁이니까, 공자는 "나도 잘 모르겠다."고 말한 것이다. ○焉用佞(언용녕)－'그러나 언변만 좋아서 무엇하겠느냐?'

解說 여기에 나오는 어떤 사람은 아마 당시 노나라의 실권을 잡고 있는 삼환씨(三桓氏) 일파에 속하는 사람일 것이다. 그 자가 공자의 문하생 중 한 사람인 염옹(冉雍)을 등용하려고 생각했을 것이고 ―. 그래서 공자에게 와서 "선생님의 제자, 옹은 인덕은 있으나, 말재주가 없는 것 같더군요."하고 말했다. 즉 그 자는 '사람을 다스리기 위해서는 구변이 뛰어나야 한다'고 믿고 있는 것이다. 이에 공자는 "말재주를 무엇에 쓰려고 하느냐?(焉用佞)"를 두 번 되풀이했다.

공자의 속생각은 다음과 같았을 것이다. '인정(仁政)을 펴기 위해서는 인덕(仁德)있는 사람이면 족하다.' '그런데 당신은 인정을 펼 생각이 없다. 그래서 나의 제자 옹의 인덕은 인정하면서, 도리어 그의 말재주 없음을 걱정하고 있는 것이다.' 그러기에 공자는 "말재주는 무엇에 쓰려느냐? 인덕으로 다스려야 한다. 덕없이 약삭빠르게 말재주로 백성들을 속이면, 결국에는 미움을 사게 마련이다."라고 따끔하게 일침을 놓았던 것이다.

한편 공자가 "나는 그의 인덕에 대해서는 잘 모르겠다."고 한 말 속에는 두 가지 뜻이 숨어 있다. 하나는 '과연 당신 자신이 인덕이 무엇인지 알고 하는 소리냐?'라는 뜻이고, 다른 하나는 '자기의 제자를 자기가 자랑할 수 없다'는 겸손한 마음이 숨어 있을 것이다. 좌우간 이 구절은 간결하지만 한 토막의 연극이나 소설같은 생생한 기록이다. 인정(仁政)은 본성 속에 있는 인심(仁心), 즉 '참사랑'을 바탕으로 해야 한다. 외형적이고 기만적인 선전이나 구호로 국민을 속이는 것은 오래 가지 못한다. 결국에는 국민에게 미움을 받고 축출당하게 마련이다. 이와 같은 원칙을 공자는 2천5백 년 전에 말했다. 그런데도 오늘의 정치는 여전히 악덕과 협잡만을 되풀이하고 있다.

5-6. 공자가 칠조개에게 벼슬을 시키려 하자, "저는 아직 벼슬을 감당할 자신이 없습니다."라고 대답했다.

이에 공자가 기뻐했다.

原文 **子使漆彫開**로 **仕**하신대 **對曰, 吾斯之未能信**이로소이다. **子說**하시다.

註解 ㅇ子使漆彫開仕(자사칠조개사)－공자가 칠조개로 하여금 벼슬을 하게 하자. ㅇ漆彫開(칠조개)－공자의 제자. 노나라 사람, 성은 칠조(漆彫), 본명은 계(啓), 자가 자개(子開). 공자보다 11년 아래, 《상서(尙書)》 공부에 몰두하고 벼슬에 나가지 않았다. ㅇ仕(사)－출사, 나가서 벼슬을 하다. ㅇ對曰(대왈)－대답해서 말했다. ㅇ吾斯之未能信(오사지미능신)－나는 아직 그렇게 할 자신이 없다. ㅇ斯之(사지)－그렇게 하다. 인도(仁道)를 따라서 덕치(德治)를 행할 자신이 없다는 뜻. '사지(斯之)'는 '미능신(未能信)' 다음에 올 것을, 강조하기 위해 앞에 내세웠다. ㅇ未能信(미능신)－아직 (그렇게 할) 자신을 가질 수 없다는 뜻. ㅇ子說(자열)－공자가 기뻐했다.

解說 공자가 칠조개에게 "그만하면 나가서 벼슬을 해도 좋다."고 출사를 권했다. 공자가 그의 학문이나 능력을 인정한 것이다. 그러나 칠조개는 "아직 그렇게 할 자신을 가질 수 없다."며 스스로 사양했다. 그래서 공자는 속으로 기뻐했던 것이다. '그렇게 함[斯之]'은 곧 인도(仁道)를 따라서 왕도덕치(王道德治)를 편다는 뜻이다. 제자들

중에는 어서 벼슬에 올라 녹봉을 받으려고 갈망한 사람이 많았을 것이다. 그러므로 '아직 자신이 없다'고 겸손해하는 그를 기쁘게 생각했던 것이다.

5-7. 공자가 말했다. "도가 이루어지지 않으니, 뗏목을 타고 바다에 뜰까 한다. 이때에 나를 따를 자는 자유일 것이다."

자로가 이 말을 듣고 기뻐했다. 그러자 공자가 말했다. "유는 용맹을 좋아함이 나보다 더하다. 그러므로 사리를 바르게 재량하지 못한다."

原文 **子曰, 道不行**이라 **乘桴**하야 **浮于海**하리니 **從我者**는 **其由與**인저. **子路聞之**하고 **喜**한대 **子曰, 由也**는 **好勇過我**하니 **無所取材**니라.

註解 ㅇ道不行(도불행)－천하에 도가 행해지지 않는다. ㅇ乘桴(승부)－뗏목을 타고, 부(桴)는 마룻대 부. ㅇ浮于海(부우해)－바다에 뜨다, 바다를 건너, 구이(九夷)가 산다는 곳으로 간다. ㅇ從我者(종아자)－나를 따라갈 사람. ㅇ其由與(기유여)－그는 바로 유, 자네일 것이다. 유(由)는 자로의 이름. ㅇ子路聞之(자로문지)－자로가 그 말을 듣고. ㅇ喜(희)－기뻐하다. ㅇ好勇過我(호용과아)－나보다 더 용맹을 좋아한다. ㅇ無所取材(무소취재)－《집주(集註)》는 재(材)를 재(裁)로 보고, 모든 일을 바르게 재량(裁量)하지 못한다는 뜻으로 풀이했다. 고주(古注)는 뗏목을 만들 재료를 구할 수 없다, 혹은 재(材)를 재(哉)로 보고 (지나치게 용기가 많은 자로를) '취할 수 없다'로 풀기도 한다.

解說 도가 행해지지 않는 현실에 실망한 공자가 가설적인 농담을 자로와 주고받았다. 그러면서 지나치게 용맹하고 사려가 깊지 못한

자로를 은근히 훈계했다. 서로 믿는 사이이기에 극단적인 가설을 내걸고 농담조로 가르칠 수 있었던 것이다.

5-8. 맹무백이 "자로는 인덕이 있습니까?"하고 묻자, 공자는 "잘 모르겠소."하고 말했다.

맹무백이 거듭 묻자, 공자는 대답했다. "유(由)는 천승의 나라에서 군사를 다스릴 수 있으나, 그의 인덕에 대해서는 알지 못합니다."

"구(求)는 어떠합니까?"하고 묻자, 공자가 대답했다. "구는 천 호의 도읍이나, 백 승의 경·대부 집에서 읍장이나 가신 노릇을 할 수는 있으나, 그의 인덕에 대해서는 알지 못합니다."

"적(赤)은 어떠합니까?"하고 묻자, 공자가 대답했다. "예복에 속대를 띠고 조정에 나가서 빈객들과 응대하게 할 수 있습니다. 그러나 그의 인덕에 대해서는 알지 못합니다."

原文 孟武伯이 問, 子路仁乎이꼬? 子曰, 不知也로라. 又問한대 子曰, 由也는 千乘之國에 可使治其賦也어니와 不知其仁也로라. 求也는 何如니이꼬? 子曰, 求也는 千室之邑과 百乘之家에 可使爲之宰也어니와 不知其仁也로라. 赤也는 何如니이꼬? 子曰, 赤也는 束帶立於朝하야 可使與賓客言也이어니와 不知其仁也로라.

註解 ㅇ孟武伯(맹무백)－노나라의 대부(大夫)로 참월(僭越)하게 행동한 맹손씨(孟孫氏)의 당주(當主)다. 그의 조부 맹희자(孟僖子)는 공자를 존경했으며, 그의 아들 맹의자(孟懿子)로 하여금 공자에게 예(禮)를 배우게 했다. 맹의자의 아들이 맹무백이며, 그도 공자와 접촉이 있었

다. 〈爲政篇 2-5, 2-6〉 참고. ㅇ問子路仁(문자로인)－실권을 쥐고 있는 맹무백이 공자에게 '자로의 인덕이 어떠하냐?'고 물었다. ㅇ不知也(부지야)－(공자가) '나는 모르겠소'하고 대답했다. 왜 공자가 '모르겠다'고 대답했을까? 맹무백이 노나라 임금을 무시하고 예를 어기고 있었으며, 그는 인정(仁政)과 예치(禮治)와는 거리가 먼 자였다. 그런데 그가 공자의 제자들의 인덕에 대해서 물었으므로 '모른다'고 대답했던 것이다. ㅇ由也(유야)－나의 제자 유(由), 즉 자로(子路)는. ㅇ千乘之國(천승지국)－전차(戰車) 천 대를 동원할 수 있는 나라, 즉 제후국(諸侯國). ㅇ可使治其賦也(가사치기부야)－그로 하여금 (제후국의) 군사(軍事)를 다스리게 할 수 있다. 부(賦)를 주자는 병(兵)이라 풀었다. 그러나 조세(租稅), 부역(賦役) 등을 포함해서 정치 전반의 뜻으로 풀이할 수도 있다. ㅇ求(구)－공자의 제자, 염구(冉求). 〈八佾篇 3-6〉 참고. ㅇ千室之邑(천실지읍)－천 호(千戶)가 있는 큰 마을, 도읍. ㅇ百乘之家(백승지가)－대부가 다스리는 지역, 전차 백 대를 차출할 수 있는 대부의 나라. ㅇ宰(재)－모든 일을 주재하는 총책임자, 가신(家臣)이나 장(長). ㅇ赤(적)－공자의 제자. 성은 공서(公西), 이름이 적(赤), 자는 자화(子華), 공자보다 42년 어리다. ㅇ束帶(속대)－(예복을 입고) 띠를 매고. 즉 관복을 차려 입고의 뜻. ㅇ立於朝(입어조)－조정에 나가 서다. ㅇ與賓客言(여빈객언)－빈객과 응대함.

解說 공자는 학문과 덕행을 겸비한 군자를 배양하고, 그들이 정치에 참여하기를 바랐다. 그러나 맹무백 같은 무도한 자 밑에서 벼슬하는 것은 원치 않았다. 그런데 인(仁)을 모르는 그가 공자의 제자들의 인덕에 대해 물었으므로 "나도 모른다."고 대답했다. 그러나 제자의 능력에 대해서는 높이 평가했던 것이다.

5-9. 공자가 자공에게 "너와 안회는 누가 더 나으냐?"하고 묻자, 자공이 대답했다. "제가 어찌 감히 안회를 바라볼 수 있겠습니까? 안

회는 하나를 듣고 열을 알지만, 저는 하나를 듣고 두 개를 알 뿐입니다."

이에 공자가 말했다. "안회만 못하리라. 나와 네가 다같이 그만 못하니라."

原文 **子謂子貢曰, 女與回也**로 **孰愈**오? **對曰, 賜也**는 **何敢望回**리이꼬. **回也**는 **聞一以知十**하고 **賜也**는 **聞一以知二**하노이다. **子曰, 弗如也**니라 **吾與女**의 **弗如也**하니라.

註解 ㅇ子謂子貢曰(자위자공왈)－공자가 자공에게 물었다. ㅇ女與回(여여회)－너와 안회, 여(女)＝여(汝), 회(回)는 안회(顏回) 즉 안연(顏淵). 〈爲政篇 2-9〉 참고. ㅇ孰愈(숙유)－누가 더 우수하냐? 나을 유(愈)＝이길 승(勝). ㅇ賜(사)－자공(子貢)의 이름. ㅇ何敢望回(하감망회)－어찌 감히 안회를 바라볼 수 있습니까? ㅇ聞一以知十(문일이지십)－하나를 듣고 열을 안다. ㅇ聞一以知二(문일이지이)－하나를 듣고 둘을 안다. ㅇ弗如也(불여야)－같을 수 없다, 같지 않다. ㅇ吾與女(오여여)－나하고 너 둘이 다같이 (그보다 못하다).

解說 자공(子貢)은 구변이 좋고 돈벌이를 잘하는 현실주의자였다. 이와 대조되는 제자가 안빈낙도(安貧樂道)하는 안회(顏回)였다. 공자는 자공에게 물었다. "너하고 안회 둘 중에, 누가 낫다고 생각하느냐?" 그러자 자공이 재치있게 대답했다. "제가 어찌 안회를 따르겠습니까? 안회는 하나를 들으면 열을 압니다. 그러나 저는 하나를 들으면 둘을 알 뿐입니다." 즉 자기가 못하다는 것을 자인한 것이다. 그러자 공자가 "너만이 아니다. 나도 안연을 못 따라간다."라고 말하며, 솔직하게 대답한 자공을 칭찬할 겸 위로해 주었다.

《집주(集註)》에 있다. '하나를 듣고 열을 아는 것은 상지(上智)의 자질이며, 생이지지(生而知之) 다음간다. 하나를 듣고 둘을 아는 것은 중인(中人) 이상의 자질이며, 배움으로써 아는 경지이다.(聞一知十 上知之資 生知之亞也 聞一知二 中人以上之資 學而知之之才也)'(胡氏).

안연이나 자공은 다 공문(孔門) 십철(十哲)에 드는 수제자로, 두 사람 모두 뛰어났다. 안연에 대해서 공자는 〈위정편(爲政篇)〉에서 다음과 같이 칭찬한 바 있다. "내가 안회와 종일토록 말을 해도, 한 마디의 반대도 없이 흡사 어리석은 사람 같았다. 그러나 그가 물러나 사사롭게 처하는 품을 살피니 (가르침을) 충분히 계발하고 실천하더라. 그러니 안회는 어리석은 사람이 아니다.(子曰 吾與回言終日不違如愚 退而省其私 亦足以發 回也不愚)" 〈2-9〉.

한편 자공에 대해서도 〈학이편(學而篇)〉에서 다음같이 칭찬했다. "사야! 비로소 너와 함께 시를 논할 수 있구나. 과거를 말해주면 미래를 아는구나.(子曰 賜也 始可與言詩已矣 告諸往而知來者)" 〈1-15〉. 그러나 자공은 '천명을 감수하지 않고 돈벌이에 힘을 썼다(不受命而貨殖焉).' 그래서 공자는 자공에게 안회와 자신을 비교하고 스스로 반성할 기회를 주었던 것이다. 사려가 깊은 단수 높은 교육이라 하겠다.

5-10. 재여가 낮잠을 자자, 공자가 말했다. "썩은 나무는 조각할 수 없고, 거름흙으로 쌓은 담장은 흙손질을 할 수가 없다. 재여 같은 인간을 나무라서 무엇하겠는가?"

또 공자가 말했다. "전에 나는 남을 대할 때, 그의 말을 듣고 그의 행실을 믿었으나, 이제 나는 남을 대할 때, 그의 말을 듣고서도 그의 행실을 살피게 되었다. 재여로 해서 내가 이렇게 사람 대하는 태도를 고치게 된 것이다."

原文 **宰予晝寢**이어늘 **子曰, 朽木**은 **不可雕也**며 **糞土之牆**은 **不可杇也**니 **於予與**에 **何誅**리오. **子曰, 始吾於人也**에 **聽其言而信其行**이러니 **今吾於人也**에 **聽其言而觀其行**하노니 **於予與**에 **改是**로라.

註解 ㅇ宰予(재여)-공자의 제자, 재아(宰我). 이름이 여(予). 〈八佾篇 3-21〉 참고. ㅇ晝寢(주침)-낮잠을 자다. ㅇ朽木不可雕(후목불가조)-후목(朽木)은 썩은 나무, 조(雕)는 조각. ㅇ糞土之牆不可杇也(분토지장불가오야)-분토(糞土)는 거름흙, 장(牆)은 담장, 불가오(不可杇)는 흙손질할 수 없다. ㅇ於予與何誅(어여여하주)-재여 같은 사람에 대해서 어찌 책망을 하겠느냐? 어여여(於予與)는 재여에 대해서, 여(與)는 어조사. 하주(何誅)는 어찌 책망을 하랴? 어찌 꾸지람을 하랴? ㅇ始吾於人也(시오어인야)-처음에 나는 사람에 대해서. ㅇ聽其言(청기언)-그 사람의 말을 듣고. ㅇ信其行(신기행)-그의 행실을 믿었다. ㅇ今吾於人也(금오어인야)-지금 나는 사람에 대해서. ㅇ觀其行(관기행)-그의 행실을 보게 되었다. ㅇ於予與改是(어여여개시)-재여에 대해서 이렇게 태도를 바꾸었다.

解說 공자의 말치고는 가혹하리만큼 신랄(辛辣)하다. 그만큼 공자의 노여움과 꾸지람이 컸던 것이다. 즉 재여를 '썩은 나무, 거름흙의 담'에 비유하고 또 "재아 때문에 말만 믿지 않고 말과 행동을 함께 살피게 되었다."는 말까지 덧붙였던 것이다.

'언어에는 재여와 자공(言語 宰予子貢)'(先進篇 11-3)이라고 할만큼 그는 말을 잘했다. 그러나 말이 신중하지 못하고 인덕이 부족했다.

노나라의 애공(哀公)이 토지신(土地神)을 모시는 사(社)에 심는 나무에 대해서 물었을 때, 재아는 "주나라에서 밤나무를 심은 것은 백성을 전율케 하기 위해서였다.(周人以栗 使民戰栗也)" 〈八佾篇

3-21〉라고 엉뚱한 말을 해서 공자의 노여움을 산 일이 있다.

특히 "부모의 상을 3년간 모시는 것은 너무 기니까, 한 1년 정도로 줄이면 어떠하냐?" 〈陽貨篇 17-21〉라고 질문했다가, 공자를 노엽게 만든 일도 있었다.

장차 인정(仁政)과 덕치(德治)에 참여할 군자는 자강불식(自强不息)하고 학문을 익히고 덕행을 쌓아야 한다. 그런데 낮잠을 잤으니, 공자가 그를 혹독하게 책망한 것이다. 《집주(集註)》에서는 다음과 같이 풀었다. '군자는 배움에 있어, 한결같이 날로 부지런히 쉬지 않고 배워야 하며, 기력이 다 지쳤을 때만 쉬어야 한다. 그런데 재아가 낮잠을 잤으니 이보다 더한 자포자기(自暴自棄)가 있겠느냐? 그래서 선생이 책망한 것이다.(君子之學 惟日孜孜 斃而後已 惟恐其不及也 宰我晝寢 自棄孰深焉 故夫子責之)'(范氏). '주침(晝寢)'을 다른 뜻으로 풀이하는 설도 있으나, 취하지 않는다.

5-11. 공자가 "나는 아직 강직한 사람을 못 보았다."고 말하자, 어떤 사람이 대답했다. "신장이 강직합니다."

그러나 공자가 말했다. "신장은 욕심쟁이다. 어찌 강직할 수 있겠는가?"

原文 **子曰, 吾未見剛者**로다. **或對曰, 申棖**이니이다. **子曰, 棖也**는 **慾**이어니 **焉得剛**이리오.

註解 ㅇ未見(미견)－아직 보지 못했다. ㅇ剛者(강자)－진짜로 굳센 사람. 인덕(仁德)을 지향하고 실천하려는 마음이나 뜻이 굳은 사람. 《집주(集註)》는 '견강불굴(堅强不屈)'이라고 풀었다. ㅇ申棖(신장)－공자의 제자, 노나라 사람. ㅇ棖也慾(장야욕)－신장은 욕심쟁이다, 욕심이 많다.

ㅇ焉得剛(언득강)－어찌 강직할 수 있겠느냐?

解說 공자가 말하는 강자(剛者)는 굳게 인도(仁道)를 지키고 또 살신성인(殺身成仁)하는 사람의 뜻이다. 고집이 세고 주먹질 잘하는 사람이 아니다. 곧 맹자(孟子)가 말하는 대장부(大丈夫)다. '부귀해도 타락하지 않고, 빈천해도 절조를 지키고, 위세나 무력에도 굴하지 않는 사람이 대장부다.(富貴不能淫 貧賤不能移 威武不能屈 此之謂大丈夫)' 〈滕文公 下〉. 대장부로서 '수사선도(守死善道)'하기 위해서는 이기적 탐욕을 극복해야 한다. 사리사욕(私利私慾)에 빠지면 진정한 인덕(仁德)을 세울 수 없다. 인(仁)을 지향하는 휴머니스트는 물질에 대한 욕심, 권력이나 지위를 얻으려는 욕심, 관능적 쾌락을 추구하는 욕정 등을 초월해야 한다.

5-12. 자공이 말했다. "저는 남이 저에게 억지를 가하는 것도 원치 않고, 저 또한 남에게 억지를 가하고자 원치도 않습니다."

공자가 말했다. "사야, 네가 해낼 수 있는 바가 아니다."

原文 **子貢曰, 我不欲人之加諸我也**하고 **吾亦欲無加諸人**하나이다. **子曰, 賜也**아 **非爾所及也**니라.

註解 ㅇ我不欲(아불욕)－나는 ……을 원치 않는다. ㅇ人之加諸我也(인지가제아야)－남이 나에게 억지를 가하는 것, 남이 나에게 억지나 불의를 가하다. 앞의 '불욕(不欲)'의 목적어구, '인(人 : 주어)＋지(之)＋가제아(加諸我 · 술어)'. 이때의 지(之)는 목적구에서 주어와 술어를 연결하는 조사(助詞). ㅇ加諸我(가제아)－가지어아(加之於我)와 같다. 그것을 나에게 가하다. 가(加)는 물질적이든 정신적이든 압박을 가한다, 불

의한 일을 강요한다, 이때의 지(之)는 가(加)의 목적어, 즉 부당한 압박 혹은 불의. ㅇ吾亦欲(오역욕)－나 역시 ……하기를 바란다. ㅇ無加諸人(무가제인)－남에게 가하는 일이 없기를, 전체가 앞의 욕(欲)의 목적어. ㅇ賜也(사야)－사(賜)는 자공의 이름, 공자가 친근감을 나타내기 위해서 이름을 불렀다. ㅇ非爾所及(비이소급)－네가 미칠 바가 아니다. (너는 아직 그 경지에 미치지 못한다).

解說 공자는 "내가 원치 않는 것을 남에게 시키지 않는다.(己所不欲 勿施於人)"고 말했다. 소극적인 인(仁)에 해당하는 서(恕)를 말한 것이다. 자공의 말도 '서'에 해당한다. 그러나 공자는 '너는 아직 멀었다.'라고 그의 분발을 촉구했다.

5-13. 자공이 말했다. "선생님의 문물제도에 관한 말씀은 들을 수가 있으나, 선생님의 인간의 본성이나 천도에 대한 말씀은 좀처럼 들을 수가 없다."

原文 **子貢曰, 夫子之文章**은 **可得而聞也**어니와 **夫子之言性與天道**는 **不可得而聞也**니라.

註解 ㅇ夫子之文章(부자지문장)－문장(文章)은 전적(典籍)만이 아니고, 예(禮)와 악(樂)을 비롯한 문물이나 의용(儀容)까지를 포함한다. 《집주(集註)》에는 '문장은 외형으로 나타난 덕이며, 위의나 문사가 다 문장이다.(文章 德之見於外者 威儀文辭 皆是也)'(朱子)라 했고, 《고주(古注)》는 '장(章)은 명(明)이다. 문채와 형질을 갖추고 밝게 나타나는 것으로서 귀로 듣고 눈으로 볼 수 있다.(章明也 文彩形質著見 可以耳目循)'〈何晏〉라고 풀었다. 즉 문장은 '글'이란 뜻이 아니고, '문화적으로 빛나는 문물제도, 육예(六藝) 및 예의범절' 등의 뜻이다. ㅇ可得而聞(가

득이문)—선생이 말을 함으로써 학생들이 듣고 알 수 있다. ㅇ夫子之言性與天道(부자지언성여천도)—선생이 말하는 바, 인간의 본성과 천도에 대해서는, 즉 본성과 천도에 대한 선생님의 말씀. 《집주(集註)》는 다음과 같이 풀었다. '성(性)은 사람이 본성적으로 받아 지니고 있는 천리이다. 천도는 천리 자연의 본체로, (천리나 천도의) 실체는 같은 이(理)이다.(性者 人所受之天理 天道者 天理自然之本體 其實一理也)'(朱子). 즉 천도나 천리는 다 무형의 실체로 형이상(形而上)의 이라는 뜻이다. ㅇ不可得而聞也(불가득이문야)—두 가지 뜻으로 풀 수 있다. 하나는 '선생님이 별로 말을 하지 않기 때문에 잘 들을 수가 없다.' 다른 하나는 '선생의 말이 너무 심오하기 때문에 잘 알아들을 수가 없다.' 고주(古注)는 다음과 같이 풀었다. '성(性)은 사람이 (하늘로부터) 받고 삶을 누리는 바(본성)이다. 천도(天道)는 원형(元亨) 일신(日新)의 도리로, 깊고 미묘한 것이다. 그러므로 말로만 듣고 알 수 있는 것이 아니다.(性者 人之所受以生也 天道者 元亨日新之道 深微 故不可得而聞也)'(何晏). 〈해설 및 참고〉 참조.

解說 공자의 교육정신은 학문과 덕행을 겸비한 군자들을 배양해서 타락한 정치를 개혁하고 예치(禮治)와 인정(仁政)을 재건하려는 것이었다. 그 전범(典範)을 역사적으로 실증된 주(周)나라의 문물제도에 두었다. 그러므로 공자는 형이상(形而上)의 철학적 개념이나 명제(命題)를 논리적으로 풀이하는 것보다, 《시(詩)》·《서(書)》를 위시한 고대의 전적(典籍)이나 문물제도 및 육예(六藝) 등의 교양과목과 사회생활에 필요한 도덕적 예의범절 등을 바르게 알고 실천하고 몸에 익히게 하는 것을 중시했다. 고로 공자는 '배우고 익힘[學習]'을 강조했다. 그래서 자공이 '부자지문장(夫子之文章) 가득이문야(可得而聞也)'라고 했던 것이다.

한편 공자는 '인간의 본성(本性)이나, 절대(絶對)인 하늘, 혹은 절대선(絶對善)의 하늘의 도리'에 대한 철학적인 천착이나 설명을 별로 하지 않았다. 이에 자공이 '부자지언성여천도(夫子之言性與天道)

불가득이문야(不可得而聞也)'라고 한 것이다.

《고주(古注)》의 '천도자(天道者) 원형일신지도(元亨日新之道) 심미(深微)'를 형병(邢昺)은 대략 다음같이 풀이했다. '《역경》 건괘에 있다. 건도(乾道)는 '원형리정'이다(易乾卦云 乾元亨利貞)'. '문언전은 말했다. 건(乾)은 만물을 생육(生育)하는 선(善)의 근원이다. 형(亨)은 (만물을 성취한다는 뜻으로) 만물의 미(美)를 합한 것이다. 이(利)는 (음양이 화합하고 바르다는 뜻으로) 만물을 아름답고 이롭게 한다. 정(貞)은 (곧게 지킨다는 뜻으로) 사물의 근간이다(文言曰 元者善之長也 亨者嘉之會也 利者義之和也 貞者事之幹也)'.

'천도는 하늘의 본체와 본성이며, 만물을 낳고 양육하는 실체적 도리를 말한다(謂天之體性 生養萬物)'. '하늘의 도리는 계속해서 만물을 낳고 양육하고, 멈추지 않고 새롭게 한다. 그러므로 날로 새롭다고 한 것이다.(天之爲道 生生相續 新新不停 故曰日新也)'(正義).

参考 **천**(天)**과 천명**(天命) **및 천도**(天道) —

공자는 하늘에 대한 철학적 설명이나 신앙을 강조하지 않았다. 그러나 동시에 공자는 '하늘〔天〕, 천명(天命) 및 천도(天道)'를 부정하지도 않았다. 그는 무언중에 하늘을 믿고 의지하고 있었다는 구절을 《논어》에서 발견할 수 있다. 몇 개를 추려보겠다.

① 천(天)에 대한 생각 : 공자는 말했다. "하늘은 말이 없다. (그러나, 하늘은) 춘하추동(春夏秋冬) 사계절을 운행하고 아울러 만물을 생육(生育)하고 있다. (그러면서도) 하늘은 말이 없다.(天何言哉 四時行焉 百物生焉 天何言哉)". 〈陽貨篇 17-19〉. 즉 자연에 실재하는 현상을 보고 하늘과 하늘의 도리를 터득하라는 말이다.

② 천(天)에 대한 믿음과 신념 : 공자는 하늘은 선덕(善德)을 편들고 또 문화를 지켜준다고 믿고 또 낙관했다. 송(宋)나라에서 환퇴(桓魋)라는 자가 공자를 죽이려고 한 일이 있었다. 그때 공자는 말했다.

"하늘이 나에게 덕을 내려주었으니, 환퇴 같은 자가 나를 어찌하겠느냐?(天生德於予 桓魋其如予何)." 〈述而篇 7-22〉. 또 공자가 광(匡)에서 위험에 빠진 일이 있었다. 그때에는 "하늘이 바른 문화를 멸하려 하지 않거늘, 광인(匡人)들이 (문화를 계승한) 나를 어찌하겠느냐?(天之未喪斯文也 匡人其如予何)." 〈子罕篇 9-5〉라고 했다. 즉 하늘이 도덕과 문화를 담당한 자기를 지켜준다는 신념의 표현이다.

③ 하늘은 절대(絶對)다 : '하늘에 죄를 지면, 그 이상 빌 데가 없다.(獲罪於天 無所禱也)' 〈八佾篇 3-13〉. '인간의 생사는 하늘이 주고, 부귀도 하늘에 매여 있다(死生有命 富貴在天).' 〈顔淵篇 12-5〉. 즉 하늘이 절대자다. 따라서 인간은 하늘의 뜻과 도리를 따라야 한다. 만약에 어기거나 죄를 지면 다시는 빌 곳도 없다고 했다.

④ 하늘은 불의의 재난이나 슬픔도 준다 : 공자는 가장 사랑하는 수제자 안연(顔淵)이 죽자 통곡하며 말했다. "아! 슬프다! 하늘이 나를 버리시는구나, 나를 버리시는구나!(噫天喪予 天喪予)." 〈先進篇 11-9〉. 또 제자 염백우(冉伯牛)가 문둥병에 걸리자, 공자는 창너머로 손을 뻗어 그의 손을 잡고 탄식했다. "끝났노라, 천명이로다. 이 사람이 이런 병에 걸리다니! 이 사람이 이런 병에 걸리다니!(亡之命矣夫 斯人也 而有斯疾也 斯人也 而有斯疾也)." 〈雍也篇 6-10〉.

⑤ 천명(天命) : 하늘이 내리는 절대적 명령을 인간은 자기의 뜻이나 힘으로는 어쩔 수 없고 꼭 따라야 한다. 크게는 우주의 운행과 이법(理法), 자연만물의 생성 변화 등의 모든 현상, 작게는 인간의 생사(生死), 빈부귀천(貧富貴賤) 및 국가의 흥망성쇠(興亡盛衰)와 시운(時運) 등이 다 인간의 힘보다는 하늘에 의해서 좌지우지(左之右之)된다. 이러한 것을 막연히 천명이라고 한다. 공자가 '오십이지천명(五十而知天命)'했다고 한 것은 곧 '절대인 하늘 앞에 미미한 인간의 힘의 한계를 알게 되었다'는 뜻이다.

⑥ 경건한 자세와 성실한 노력 : 공자는 숙명론이나 맹신을 주장하

지 않고, 경건하게 하늘과 천도를 따르되 어디까지나 인간의 성실한 노력으로 인애(仁愛)가 넘치는 세계의 창건을 주장했다. 그래서 위대한 것이다.

5-14. 자로는 가르침을 듣고, 그것을 미처 실천하지 못했으면, 또 다른 가르침 듣기를 두려워했다.

原文 子路는 有聞이요 未之能行하여선 唯恐有聞하더라.

註解 ○子路(자로)－공자가 사랑한 수제자, 지나칠 정도로 과감한 행동파였다. 〈公冶長篇 5-7〉 참고. ○有聞(유문)－공자의 가르침을 듣다. ○未之能行(미지능행)－가르침을 미처 실천하지 못하다. 지(之)는 가르침. ○唯恐(유공)－이를 두려워하다. 유(唯)＝유(惟)로 다만, 오직, '이것'의 뜻도 있다. 공(恐)의 목적어는 '유문(有聞)'이다. 즉 또 가르침의 말 듣기를 두려워했다.

解說 이 글은 아마 다른 제자가 자로를 평한 말일 것이다. 《집주(集註)》에서 범씨(范氏)는 다음같이 말했다. "자로는 좋은 말을 들으면 과감하게 반드시 실천했다. 다른 문인이 자신은 (자로에) 미치지 못한다고 생각하고 (자로의 장점을) 밝히고 기록한 것이다. 자로같이 해야 비로소 (실천을) 과감히 한 것이라고 말할 수 있다(子路聞善 勇於必行 門人自以爲不及也 故著之 若子路 可謂能用其勇矣)." 《고주(古注)》에서 황간(皇侃)은 말했다. "자로는 타고난 성품이 과감하고 결단성이 있었다. 말을 하면 반드시 그날로 실천했다(子路稟性果決 言無宿諾)." 《중용(中庸)》에 있다. '넓게 배우고, 자세히 묻고, 신중하게 생각하고, 밝게 분별하고, 독실하게 실천해라.(博學之, 審問之, 愼思之, 明辯之, 篤行之).' 군자(君子)는 곧 절대

선(絶對善)의 도를 배우고 그를 행동으로 실천하는 지식인이다.

5-15. 자공이 물었다. "공문자에게 어찌하여 문이라는 시호를 붙였습니까?"

공자가 말했다. "재질이 명민한데도 배우기를 좋아했고, 아랫사람에게 묻기를 부끄러워하지 않았으므로 시호를 문이라 한 것이다."

原文 **子貢問曰, 孔文子**를 **何以謂之文也**니이까? **子曰, 敏而好學**하며 **不恥下問**이라 **是以謂之文也**니라.

註解 ㅇ孔文子(공문자)－위(衛)나라의 대부. 성은 공(孔), 이름은 어(圉), 문(文)은 시호(諡號). ㅇ謂之文(위지문)－그의 시호를 문(文)이라 하다. ㅇ敏而好學(민이호학)－타고난 재질이 명민한데도 배우기를 좋아했다. ㅇ不恥下問(불치하문)－아랫사람에게 묻기를 부끄러워하지 않았다.

解說 자공이 새삼스럽게 물은 까닭이 있다. 공문자(孔文子)가 대숙질(大叔疾)에게 전처(前妻)를 버리고 자기 딸 공길(孔佶)로 하여금 들어앉게 했다. 그러나 대숙질이 전처의 누이와 내통했으므로 공문자가 노하고 대숙질을 치려고 했으며, 이에 대숙질이 송(宋)나라로 피했다. 그러자 공문자는 대숙질의 동생 유(遺)를 세우고 자기 딸 공길을 다시 그의 처로 삼게 했다. 이렇게 복잡하게 엉킨 불미한 과거가 있었기 때문에 자공이 물은 것이다. 그러나 공자는 그가 '민이호학(敏而好學) 불치하문(不恥下問)'하는 장점이 있으니, 시호를 문(文)이라 할 만하다고 긍정했다.

5-16. 공자가 자산을 평해 말했다. "그가 지닌 바, 군자의 도에 네

가지가 있으니, 몸가짐을 공손히 하였고, 윗사람 섬김에 충성을 다했고, 백성을 보양함에 은혜로웠고, 백성을 부림에 의로웠다."

原文 子謂子産하시되, 有君子之道四焉이니 其行己也恭하며 其事上也敬하며 其養民也惠하며 其使民也義니라.

註解 ㅇ子謂子産(자위자산)－공자가 자산을 평했다. ㅇ子産(자산)－정(鄭)나라 대부(大夫), 원명은 공손교(公孫僑), 자산은 자다. 춘추시대의 이름난 정치가로 22년간 재상으로 있으면서, 진(晉)과 초(楚) 두 강대국 사이에 끼어있는 작은 정나라를 잘 지키고 또 내정면에서도 많은 공을 세웠다. 공자 나이 30세 때(기원전 522년) 사망했다. ㅇ有君子之道四(유군자지도사)－군자로서 지킨 도리와 (덕행이) 네 가지 있다. ㅇ其(기)－그는, 혹은 그것은. ㅇ行己也恭(행기야공)－자기 몸가짐에 있어서는 남에게 공경하고 겸손한 태도를 지녔다. ㅇ事上也敬(사상야경)－윗사람을 섬김에 있어서는 경건하고 엄숙한 태도를 지녔다. ㅇ養民也惠(양민야혜)－백성을 양육함에 있어서는 자애롭고 또 은혜롭게 했다. ㅇ其使民也義(기사민야의)－백성을 부리고 쓸 때에는 올바르고 대의에 합당하게 했다.

解說 공자의 인물평치고는 최고의 찬사다. 남의 인덕(仁德)을 네 가지나 열거하고 칭찬한 예는 별로 없다. 《논어》〈헌문편(憲問篇)〉에도 공자가 자산을 "은혜를 베푸는 사람이다.(惠人)"라고 말했다. 《좌전(左傳)》 소공(昭公) 20년에 다음과 같은 말이 있다. '자산이 사망했다는 말을 듣자, 공자는 눈물을 흘리면서 말했다. "자산의 인애(仁愛)는 옛사람의 유풍(遺風)이 스며 있다(及子產卒 仲尼聞之 出涕曰 古之遺愛也)."' 자산은 공자의 출생 2년 전(기원전 554년)에 정(鄭)나라의 경(卿)이 되었고 다시 10년 후에는 재상이 되어, 진·초 사이에 있는 약소국 정나라를 부강하게 만든 명상(名相)이다.

당시 제(齊)나라에는 안영(晏嬰), 진(晉)나라에는 숙향(叔向) 같은 현상(賢相)이 있었다. 이들 현상의 존재는 군자의 정치 참여를 바라는 공자에게는 고무적인 일이었다. 그 중에도 자산의 영향이 컸다. 그는 정나라와 인접국가 간의 평화적 공존 및 문화·경제 교류면에서도 막대한 영향력을 행사했던 것이다. 특히 자산은 동기(銅器)에 명문(銘文)을 박아 중국 최초의 성문법을 제정했다. 기타 농업정책이나 조세제도를 혁신함으로써, 은(殷)의 주술적(呪術的) 신권정치 및 주(周)의 제정일치(祭政一致)를 혁파하는 기운을 돋았다. 즉 자산은 현상시대(賢相時代)의 대표자로, 공자에 앞서, 합리주의·법치주의를 실천한 선구자였다.

공자는 '생이지지(生而知之)'한 성현이다. 그는 맹목적인 복고주의자(復古主義者)가 아니다. 그는 무조건 역사를 옛날로 돌리려는 퇴보주의자가 아니다. 공자는 역사와 시대의 변화와 발전을 직감한 진보주의적 휴머니스트였다. 그는 자기가 처했던 춘추시대(春秋時代)가 하극상(下剋上)의 난세임을 통탄하고 개혁하려고 애를 썼다. 동시에 서주(西周)의 영주봉건제(領主封建制)가 지주봉건제(地主封建制)로 넘어가는 과도기라는 역사인식을 직감하고 있었을 것이다. 다만 역사적 발전을 무력적 정벌이나 혁명에 의존하지 않고, 고대의 역사적 전통과 교훈을 바탕으로 합리적이고 동시에 만민을 사랑하는 인애(仁愛)를 바탕으로 한 예치(禮治)·인정(仁政)·덕치(德治)로 성취하려고 했던 것이다.

5-17. 공자가 말했다. "안평중은 남과 잘 사귀었다. 오래되어도 남을 잘 공경했다."

原文 子曰, 晏平仲은 善與人交로다 久而敬之오녀.

註解 ㅇ晏平仲(안평중)－성은 안(晏), 이름은 영(嬰), 자는 중(仲), 시호가 평(平), 제(齊)나라의 명상(名相)으로, 공자보다 나이가 많은 실용주의적인 정치가. ㅇ久而敬之(구이경지)－사귄 지 오래되어도 상대를 공경했다.

解說 공자의 이 말이 언제 한 말인지는 잘 알 수 없다. 그러나 공자는 두 번, 안영(晏嬰)을 만났다. 첫 번째는 나이 30세(기원전 522년) 때로, 제(齊)나라 경공(景公)이 안영과 함께 노(魯)나라를 방문했을 때고, 두 번째는 노나라 소공(昭公)이 제나라로 망명하자, 공자도 제나라에 갔었다. 나이 35세(기원전 517년) 때였다. 제나라에 간 공자는 제나라 대부(大夫) 고소자(高昭子)를 통해서 경공을 알현했다.

경공이 정치의 요체를 묻자, 공자는 "군군(君君) 신신(臣臣) 부부(父父) 자자(子子)"(顏淵篇 12-11)라고 대답했고, 또 당시 경공이 궁전을 신축하고 국가의 재물을 낭비하므로 "씀씀이를 절약해야 한다."고 말했다. 본래 어리석고 줏대가 없는 경공은 공자를 등용해 쓰려고 했으나, 전대(前代)부터 임금을 보좌하고 특히 제나라 백성의 절대 신임을 받는 안영이 반대함으로써 취소되었으며, 이에 공자가 서둘러 제나라를 떠났던 것이다. 안영이 반대한 큰 이유는 다른 것이 아니었다. 안영은 근검절약과 실용주의를 높였으므로, 지나치게 허례허식을 차리고 낭비를 조장하는 유교적 의식주의를 반대했기 때문이다.

5-18. 공자가 말했다. "장문중이 큰 거북을 두고, 기둥 끝에 산을 새기고, 대들보에는 무늬를 그렸으니, 어찌 그를 지혜롭다 하겠는가?"

原文 **子曰, 臧文仲**이 **居蔡**하되 **山節**하며 **藻梲**하니 **何如其知也**리오.

註解 ㅇ臧文仲(장문중)－성이 장손(臧孫), 이름은 진(辰), 자는 중(仲), 시호가 문(文)이다. 노(魯)나라의 대부(大夫)로, 삼환(三桓)이 득세하기 전에 오랫동안 나라를 잘 다스렸다. 공자보다 66년 전(기원전 617년)에 사망함. ㅇ居蔡(거채)－큰 거북을 집에 두었다. 거(居)는 지니다, 집에 두다. 채(蔡)는 채 지방의 특산품인 큰 거북, 크기가 1척 2촌이나 된다. 원래는 천자만이 종묘에 두고 대사 때마다 길흉(吉凶)을 점복(占卜)했다. 그것을 대부인 장문중이 참월(僭越)하게 자기 집에 두었던 것이다. ㅇ山節(산절)－절(節)은 기둥머리, 두공(斗拱). 기둥 끝에 산(山)을 조각한 것을 산절(山節)이라 함. ㅇ藻梲(조절)－절(梲)은 양상단주(梁上短柱), 마룻대를 걸치게 한 들보 위의 짧은 기둥. 조(藻)는 무늬를 그리다. '산절(山節), 조절(藻梲)'은 큰 거북을 기르는 집의 내부 장식이다. ㅇ何如其知也(하여기지야)－어찌 그를 지혜롭다고 하랴?

解說 공자의 인물평은 예(禮)를 기준으로 했다. 그러므로 장문중의 정치적 능력이나 공적을 무시하고 그가 신분상의 예를 어긴 것을 가혹하게 비난했다. 《논어》 〈위령공편(衛靈公篇)〉에서도 공자는 다음과 같이 말했다. "장문중은 자리를 훔친 자라 하겠다.(臧文仲其竊位者與)"(15-14). 《좌전(左傳)》 문공(文公) 2년에도 공자가 그를 책하는 말이 있다.

5-19. 자공이 물었다. "영윤(令尹) 자문(子文)은 세 차례나 출사하여 영윤이 되어도 기뻐하는 빛이 없었고, 세 차례나 그만두어도 노여워하는 빛이 없었으며, 또한 자리를 물릴 때에는 전임 영윤의 정사를 반드시 신임 영윤에게 일러주었으니, 그는 어떻습니까?"

이에 공자가 말했다. "충성스럽다." "인(仁)이라 하겠습니까?"하고 묻자, 공자는 대답했다. "아직 지혜롭지 못하니, 어찌 인을 얻었다 하겠는가?"

자장이 또 물었다. "최저가 제(齊)나라 임금 장공(莊公)을 시해하자, 진문자는 10승의 말을 버리고 제나라를 떠나 다른 나라에 갔으며, 거기서도 역시 '우리나라의 최저 같다.'고 말하고 떠났으며, 다시 다른 나라에 가서도 역시 '우리나라의 최저 같다.'고 말하고 떠났으니, 그는 어떻습니까?"

공자가 "청렴결백하다."라고 말하자, 자장이 "인이라 하겠습니까?" 하고 묻자, 공자가 대답했다. "아직 지혜롭지 못하니, 어찌 인을 얻었다 하겠는가?"

原文 **子張**이 **問曰, 令尹子文**이 **三仕爲令尹**호대 **無喜色**하며 **三已之**호대 **無慍色**하야 **舊令尹之政**을 **必以告新令尹**하니 **何如**하니이꼬? **子曰, 忠矣**니라. **曰, 仁矣乎**이꼬? **曰, 未知**로라 **焉得仁**이리오. **崔子弑齊君**이어늘 **陳文子有馬十乘**이러니 **棄而違之**하고 **至於他邦**하야 **則曰 猶吾大夫崔子也**라 하고 **違之**하며 **之一邦**하야 **則又曰 猶吾大夫崔子也**라 하고 **違之**하니 **何如**하니이꼬? **子曰, 清矣**니라. **曰, 仁矣乎**이꼬? **曰, 未知**로라 **焉得仁**이리오.

註解 ㅇ子張(자장)－공자의 제자. 〈爲政篇 2-18〉 참고. ㅇ令尹(영윤)－관명(官名), 재상. ㅇ子文(자문)－초(楚)나라의 대부(大夫), 성은 투(鬪), 이름은 누(穀), 자는 자문(子文), 어려서 호랑이 젖을 먹고 자랐으므로 어토유(於菟乳)라고도 한다. ㅇ三仕爲令尹(삼사위영윤)－세 번 혹은 여러 번 출사하고 영윤이 되었다. ㅇ無喜色(무희색)－각별히 기뻐하는 빛이 없었다. ㅇ三已之(삼이지)－세 번이나 그만두고 물러났다. ㅇ無慍色(무온색)－각별히 노여워하는 기색도 없었다. ㅇ舊令尹之政(구영윤지정)－구 영윤의 정사. ㅇ必以告新令尹(필이고신영윤)－반드시 새

영윤에게 고하고 인계했다. 즉, 사사롭게 숨기는 일이 없었다는 뜻. ㅇ何如(하여)－그 인품이 어떠합니까? ㅇ忠矣(충의)－충성되다. ㅇ仁矣乎(인의호)－인이라 하겠습니까? ㅇ未知(미지)－아직 지혜롭지 못하다. 주자(朱子)는 '잘 모르겠다'로 풀었으나, 취하지 않는다. ㅇ焉得仁(언득인)－어찌 인덕을 얻었다고 하겠느냐? ㅇ崔子(최자)－제(齊)나라의 대부, 최저(崔杼). ㅇ弑齊君(시제군)－제나라의 임금을 죽이다. 시(弑)는 아랫사람이 윗사람을 죽임. 제군(齊君)은 제나라의 장공(莊公). 최저의 처와 통하다가 시살(弑殺)되었다. ㅇ陳文子(진문자)－제나라의 대부, 성이 진(陳), 이름은 수무(須無), 시호가 문(文). ㅇ有馬十乘(유마십승)－말 40필을 소유하고 있다. 승(乘)은 말 4필. ㅇ棄而違之(기이위지)－말을 다 버리고 (그 나라를) 떠났다. 어길 위(違)＝갈 거(去). ㅇ至於他邦(지어타방)－다른 나라에 가서. ㅇ猶吾大夫崔子也(유오대부최자야)－(그 나라를 다스리는 사람도) 역시 우리나라의 최저같이 무도하다. ㅇ之一邦(지일방)－또 다른 나라로 가다. ㅇ淸矣(청의)－청렴결백하다.

解說 인자(仁者)는 '지(智)·인(仁)·용(勇)' 삼달덕(三達德)을 갖추어야 한다. 우선 많이 배우고 바르게 알아야 한다. 절대선(絶對善)의 천도(天道＝宇宙의 理法), 인간의 선본성(善本性)을 위시하여, 역사관·세계관·가치관이 확립되어야 참다운 군자, 인자가 될 수 있다.

공자는 영윤 자문의 충성과 또 진문자의 청렴을 인정했다. 그러나 "그들의 지(知)가 아직 모자란다. 그러므로 어찌 인덕을 얻었다고 하랴?"하고 엄하게 비평했다. 인자는 부분적인 기능이나 덕행만으로는 될 수 없음을 밝힌 말이다.

이들 두 사람은 사회의 일반적 통념으로는 존경을 받을 만하다. 그런 점에서 공자도 "그만하면, 충성스럽다. 청렴하다."고 인정했던 것이다.

《국어(國語)》에 '투자문(鬪子文)이 세 번 영윤이 되었으나, 그는 하루 먹을 양식도 저축한 것이 없었다. 백성을 긍휼히 대했기 때문이다.'라는 기록이 있다. 그러나 국가적으로는 인정(仁政)을 펴지 못했다.

진자문의 경우도 자기 혼자 망명하고 청렴하게 지낸 것은 좋으나, 자기 나라에서 최저 같은 역적의 세력과 싸우지 못한 것을 은근히 풍자했을 것이다. 즉 살신성인(殺身成仁)하지 못한 것을 불만스럽게 여겼을 것이다.

5-20. 계문자는 세 번 생각한 후에 실천했다. 공자가 그 말을 듣고 말했다. "두 번이면 된다."

原文 **季文子三思而後**에 **行**하더니 **子聞之**하시고 **曰, 再斯可矣**니라.

註解 ○季文子(계문자)－노(魯)나라의 대부로, 계손씨(季孫氏)의 3대(代), 이름은 명보(名父), 시호가 문(文), 지나치게 신중한 사람이었다. ○三思而後行(삼사이후행)－무슨 일이든지 세 번이나 심사숙고한 다음에 거행했다. ○再斯可矣(재사가의)－두 번이면 된다, 족하다.

解說 《좌전(左傳)》에는 계문자(季文子)가 박학하고 재주와 슬기를 겸한 사람이며, 또한 만사를 심사숙고하고 충성스럽게 처리했다고 적혀 있다. 그러나 공자는 그가 과단성 없이 지나치게 생각을 많이 함으로써 일을 잘못했음을 탓한 것이다. 지나친 심사숙고는 우유부단(優柔不斷)에 통한다. 《집주(集註)》에서 주자(朱子)는 다음과 같이 지적했다. '예를 들면, 그가 진(晉)나라에 사신으로 갈 때에, 진나라 임금이 병을 앓는다는 말을 듣고, 상을 당할 경우, 자기가 행할 예(禮)를 미리 알아보았다는 일이 (지나치게 생각함이다).(若使晉而求遭喪之禮以行 亦其斯也).'

한편 정자(程子)는 다음과 같이 주를 달았다. '악을 행하는 사람은 생각하지 않는다. 생각함은 선을 행하는 것이다. 그러나 두 번 생각하면 족하다. 세 번이나 생각하면 사사로운 뜻이 끼어들어서 도리어 혼란하게 된다.'

5-21. 공자가 말했다. "영무자는 나라에 도가 있으면 아는 척했고, 나라에 도가 없으면 어리석은 척했다. 그의 아는 척하는 품은 누구나 따를 수 있으나, 그의 어리석은 척하는 품은 누구나 따를 수 없느니라."

原文 **子曰, 甯武子 邦有道 則知**하고 **邦無道 則愚**하니 **其知**는 **可及也**어니와 **其愚**는 **不可及也**니라.

註解 ㅇ甯武子(영무자)－위(衛)나라의 대부, 성은 영(甯), 이름은 유(兪), 시호가 무(武)였다. ㅇ邦有道則知(방유도즉지)－나라에 도가 있으면, 아는 척하고 나가서 현실참여(現實參與)를 한다. ㅇ邦無道則愚(방무도즉우)－나라에 도가 없으면 어리석은 척하고 물러나 은퇴한다. ㅇ其知可及也(기지가급야)－그가 아는 척하고 현실참여하는 품은 따를 수 있다. ㅇ其愚不可及也(기우불가급야)－그가 어리석은 척하고 물러나 은퇴하는 품은 따를 수 없다.

解說 일반적으로는 위와 같이 풀이할 수 있다. 그러나 《집주(集註)》는 《좌전(左傳)》을 바탕으로 대략 다음과 같이 해석했다. '영무자는 위나라 문공(文公)과 성공(成公) 때 출사했다. 문공 때에는 도가 행해졌으며, 영무자는 별로 나타날 만한 일을 하지 않았다. (즉 그는 슬기롭게 모든 공을 임금에게 돌렸다.) 성공 때에는 노가 행해지지 않았다. (그래도 그는 어리석게도) 위험을 무릅쓰고 진심갈력(盡心竭力)하고 임금을 도왔으며, 자신도 잘 보전했다. 이와 같은 어

리석음은 따르기 어렵다.'

5-22. 공자가 진나라에서 말했다. "돌아가자! 돌아가자! 우리 고장의 젊은이들은 뜻이 크고 진취적이긴 하지만 조잡하고 알차지 못하며, 또한 문화적으로 찬연하게 빛나고 문채를 이루지만 바르게 재량할 줄 모른다. (그러니, 돌아가서 가르쳐 주자.)"

原文 子在陳하사 曰, 歸與歸與인저 吾黨之小子狂簡하여 斐然成章이요 不知所以裁之로다.

註解 ㅇ子在陳(자재진)－공자는 56세 때에 노나라를 뒤로 하고 여러 나라를 유력(遊歷)했으며, 진나라에도 두 번 들렀었다. 진은 현 하남성(河南省) 남쪽에 있던 작은 나라. 당시 진(晉)과 초(楚)의 싸움으로 진나라도 전화를 입었다. ㅇ歸與(귀여)－돌아가자! ㅇ吾黨之小子(오당지소자)－당(黨)은 향당(鄕黨), 지역사회의 뜻. 여기서는 우리 노나라의 뜻. 소자(小子)는 젊은이들, 청소년들. ㅇ狂簡(광간)－광(狂)은 이상이 높고 진취적이다, 간(簡)은 뜻이 크다. ㅇ斐然成章(비연성장)－비연(斐然)은 문화적으로 찬연하게 빛난다. 성장(成章)은 아름답게 문양(紋樣)과 문채(文彩)를 이루다. ㅇ不知所以裁之(부지소이재지)－그것들을 어떻게 재량하고 활용할지를 모른다. 소이(所以)는 방법, 재(裁)는 재량하고 활용한다.

解說 공자는 56세에 노나라를 떠나 여러 나라를 방랑했으며, 68세에 돌아왔다. 이 말은 아마 60세경, 진나라에 있을 때에 한 말일 것이다. 사방을 주유(周遊)하고 도(道)가 없음을 본 공자가, 차라리 문화전통이 빛나는 고국에 돌아가, 고국의 청년들을 교육하자는 뜻을 피력한 것이다.

5-23. 공자가 말했다. "백이와 숙제는 지난날의 악을 생각하지 않았다. 따라서 그들은 남을 원망하는 일도 드물었다."

原文 **子曰, 伯夷叔齊**는 **不念舊惡**이라 **怨是用希**니라.

註解 ㅇ伯夷叔齊(백이숙제)－백이는 형, 숙제는 동생, 고죽국(孤竹國)의 왕자. ㅇ不念舊惡(불념구악)－불념(不念)은 생각하지 않는다, 구악(舊惡)은 지난날의 악한 일. ㅇ怨是用希(원시용희)－원(怨)은 원망, 혹은 후회한다. 시용(是用)은 '시이(是以)'로, 앞의 '원(怨)'을 강조한 조사. 희(希)=드물 희(稀), 적다, ……한 일이 없다.

解說 사마천(司馬遷)은 '백이와 숙제'를 《사기(史記)》〈열전(列傳)〉의 첫머리에 내세울 만큼 그들을 높였다. 그들에 대한 고사를 간략히 추려보겠다.

형 백이와 동생 숙제는 고죽국의 왕자였다. 백이는 부왕(父王)이 평소에 동생 숙제에게 자리를 물려주려고 하는 뜻을 잘 알고 있었으므로, 부왕 사망 후, 주(周) 문왕(文王)의 덕을 흠모하고, 주나라로 갔다. 그러자 동생 숙제도 뒤따라 주나라로 갔으며, 결국 셋째가 왕위를 계승했다.

그러나 이들이 주나라에 갔을 때는 문왕이 죽고, 그의 아들 무왕(武王)이 은(殷)나라 주왕(紂王)을 치려고 출동하고 있었다. 이에 그들은 앞으로 나가서, 무왕의 말고삐를 잡고 말했다. "부친의 상례도 다 마치지 않고, 군대를 동원하는 것은 불효(不孝)요, 은나라의 신하로서 임금을 치려는 것은 불충(不忠)입니다."

그러자 출동하던 주나라 군사들이 칼을 뽑아 당장에 백이 숙제를 참하려 했다. 그때에 군사(軍師) 강태공(姜太公)이 큰 소리로 "그들은 의인(義人)이다."라고 외치며 제지했으므로 살아남을 수 있었다.

그러나 백이 숙제는 주나라가 천하를 통일한 다음에도, 불의(不

義)를 저지른 주나라의 곡식을 먹을 수 없다 하고, 수양산에 들어가, 고사리를 따먹다가 결국은 아사(餓死)했다.

그들은 정의(正義)와 청백(淸白)을 대표하는 인물이다. 원래 정의감이 강하고 청렴결백한 사람은 무도한 악인을 미워하게 마련이다. 그러나 백이 숙제는 남의 악덕을 막으려고 했을 뿐, 사람 자체를 미워하거나 원망하지 않았다. 이 점을 공자가 높이 평한 것이다.

《집주(集註)》에서 주자(朱子)는 맹자의 말을 인용했다. '그들은 악한 임금의 나라에서 벼슬하지 않고, 악한 사람과는 말도 하지 않고, 같은 향당의 사람이라도 그의 관(冠)이 바르지 않으면, 모른 척하고 멀리 떠났으니, 흡사 자신들이 오염될까 두려워하는 듯했다(其不立於惡人之朝 不與惡人言 與鄕人立 其冠不整 望望然去之 若將浼焉).' 그리고 주자는 다시 말했다. "그들의 지조가 이와 같이 높고 꼿꼿했으니, 당연히 포용하는 바가 없을 듯하다. 그러나 미워하던 사람이 능히 고치면 미워하지 않았다. 그러므로 사람들도 그들을 원망하지 않았다(其介如此 宜若無所容矣 然其所惡之人 能改卽止 故人亦不甚怨之也)."

주자는 '원시용희(怨是用希)'를 '남이 그들을 원망하지 않았다'로 풀었다. 그러나 이 책은 '백이 숙제가 지난 악을 생각하지 않고 또 남을 원망하지 않았다'로 풀었다. 〈술이편(述而篇)〉에 있다. 자공(子貢)이 "백이 숙제는 원망했습니까?"하고 묻자, 공자는 "인을 구하고 인을 얻었으니, 무엇을 원망하랴.(求仁而得仁 又何怨乎)"라고 대답했다.

5-24. 공자가 말했다. "누가 미생고를 정직하다고 하는가? 어떤 사람이 그에게 초를 얻고자 하자, 그가 초를 이웃집에서 얻어다 주었다."

原文 **子曰, 孰謂微生高直**고? **或**이 **乞醯焉**이어늘 **乞諸其隣而與之**로다.

註解 ㅇ孰謂(숙위)－누가 ……라고 말하나? 부정의 뜻이 담겨져 있다. ㅇ微生高(미생고)－《집주(集註)》에는 '성이 미생(微生), 이름이 고(高), 노(魯)나라 사람으로, 강직하다고 알려졌다.'고 설명했다. 〈해설〉 참고. ㅇ直(직)－강직하다, 정직하다. ㅇ或乞醯(혹걸혜)－어떤 사람이 초를 구걸하다. 초 혜(醯). ㅇ乞諸其鄰(걸제기린)－초를 자기 이웃집에서 구걸하다, 제(諸)=지어(之於). ㅇ而與之(이여지)－그래가지고 그 사람에게 주다.

解說 여기서는 대략 '자기 집안에 없는 것을 이웃에서 얻어다가 준 것은 정직하지 못하다.'로 풀이했다. 《고주(古注)》나 《집주(集註)》도 같게 풀었다. 그러나 다음과 같은 새 풀이도 있다. 미생고(微生高)는 미생고(尾生高)다. 그는 한 여인과 다리 밑에서 상봉하자고 약속을 했다. 그러나 그 여인은 오지 않았고 한편 강물이 불어나자, 그는 고지식하게 나무다리 들보를 껴안고 기다리다가 죽었다. 더없이 고지식하고 강직한 사람이다. 그러나 "그 사람이 이웃에서 초를 꾸어다가 남을 도와주었으니, 고지식하기만 하지 않고 인정에 넘치는 일면도 있지 않으냐?"하고 공자가 반문한 것으로 해석할 수도 있다(楊伯峻, 劉寶楠의 설을 바탕으로 함).

5-25. 공자가 말했다. "겉으로 말을 잘 꾸미고 낯빛을 부드럽게 하고 지나치게 공손한 척하는 태도를 좌구명이 창피하게 여겼거니와, 나도 창피하게 여긴다. 또 속의 원한을 숨기고 친한 척하는 것을 좌구명이 창피하게 여겼는데, 나도 창피하게 여긴다."

原文 子曰, 巧言令色足恭을 左丘明恥之하니 丘亦恥之하노라. 匿怨而友其人을 左丘明恥之하니 丘亦恥之하노라.

註解 ㅇ巧言(교언)－말을 간교하게 잘한다. ㅇ令色(영색)－안색이나 표정을 아름답게 꾸민다. ㅇ足恭(주공)－주(足)는 과(過), 지나치게 공손한 태도를 취한다. '교언영색(巧言令色)'은 〈學而篇 1-3〉 참고. ㅇ左丘明(좌구명)－성이 좌구(左丘), 이름이 명(明). 《고주(古注)》는 노(魯)나라의 대부라고 했으나, 잘 알 수 없다. ㅇ恥之(치지)－창피하게 여긴다. ㅇ丘亦恥之(구역치지)－구(丘)는 공자의 이름, '나도 역시 창피하게 여긴다.' ㅇ匿怨(익원)－마음속에 품은 원한이나 노여움을 숨기고. ㅇ友其人(우기인)－상대를 친애하는 척한다.

解說 가장된 애교를 부리거나 아첨을 하는 것은 상대를 속이고 자기의 욕구를 채우려는 술책이다. 한편 속에 품은 원한이나 노여운 감정을 숨기고 반대로 친근하고 친애하는 척하는 태도는 상대방의 허를 찌르려는 음모라 하겠다. 복검구밀(腹劍口蜜)이란 말이 있다. 속에 칼을 품고 입으로는 달콤한 말을 흘린다. 이와 같은 이중적 행동은 비도덕적이고 범죄에 직통한다.

5-26. 안연과 자로가 공자를 모시고 곁에 앉아 있었다. 공자가 말했다. "너희들의 소망하는 바를 각기 말해보지 않겠느냐?"

자로가 말했다. "좋은 말과 수레와 가벼운 가죽옷을 얻어, 벗들과 같이 나눠 쓰다가, 끝내 헐어 못쓰게 된다 해도 유감스럽게 여기지 않겠습니다."

안연이 말했다. "착한 일을 남에게 자랑하지 않고, 남에게 힘드는 일을 강요하지 않겠습니다."

자로가 "선생님께서 원하시는 바를 듣고 싶습니다."하자, 공자가 말했다. "노인들을 편하게 해주고, 벗들에게는 신의를 지키며, 연소자들을 사랑으로 품고자 한다."

原文 **顔淵 季路侍**러니 **子曰, 盍各言爾志**리오. **子路曰, 願車馬**와 **衣輕裘**로 **與朋友共**하야 **敝之而無憾**하노이다. **顔淵曰, 願無伐善**하며 **無施勞**하노이다. **子路曰, 願聞子之志**하노이다. **子曰, 老者安之**하며 **朋友信之**하며 **少者懷之**니라.

註解 ㅇ顔淵(안연)－〈爲政篇 2-9〉 참고. ㅇ季路(계로)－〈爲政篇 2-17〉 참고. ㅇ侍(시)－시좌(侍坐), 스승을 모시고 곁에 앉아 있다. ㅇ盍(합)－'하불(何不)'을 합친 글자. 어찌 ……하지 않느냐? ㅇ各言爾志(각언이지)－각자 자신의 뜻을 말하다, 너 이(爾). ㅇ願(원)－원한다, ……하고 싶다. ㅇ車馬(거마)－수레와 말. ㅇ衣輕裘(의경구)－의(衣)는 동사, 입다, 경구(輕裘)는 가벼운 가죽이나 털옷. ㅇ與朋友共(여붕우공)－벗들과 같이 나눠 쓰다, 공유하다. ㅇ敝(폐)－헐어 못쓰게 되다. ㅇ無憾(무감)－유감이 없다. ㅇ無伐善(무벌선)－선을 자랑하지 않음. 벌(伐)은 자랑하다. ㅇ無施勞(무시로)－(남에게) 힘드는 일을 시키지 않는다. 노(勞)는 힘들고 어려운 일. 시(施)는 시키다, 강요하다. ㅇ願聞子之志(원문자지지)－선생님의 뜻을 듣고 싶다. ㅇ老者安之(노자안지)－노인을 편안하게 모신다, 목적어가 앞에 나왔다. ㅇ朋友信之(붕우신지)－붕우에게는 신의를 지킨다. ㅇ少者懷之(소자회지)－어린 사람들을 사랑한다.

解說 각자의 인품에 따라 각자의 소망도 틀린다. 자로는 활동적이고, 동지애(同志愛)에 넘친다. 한편 안회는 자기 수양을 중시하고 남을 괴롭하지 않겠다는 뜻을 밝혔다. 이는 소극적인 인(仁), 즉 서(恕)를 비친 것이다. 그러나 공자의 소망은 적극적으로 모든 사람에게 인애(仁愛)를 베풀고자 했다. ①'노자안지(老者安之)' : 노인은 비록 현재는 노쇠했으나, 과거에는 젊었고 또 사회와 역사 및 문화 발전에 기여했던 선배들이다. 그러므로 그들의 뒤를 이은 군자는 그들을 안락하게 받들고 모셔야 한다. ②'붕우신지(朋友信之)' : 오늘의 사회, 국가 역사 및 문화 발전을 담당한 군자, 지식인들은 동지애로

결합하고 서로 신의(信義)를 돈독히 지키고 종국적으로 인정(仁政)과 덕치(德治)를 달성해야 한다. ③'소자회지(少者懷之)' : 사회·국가 역사 및 문화를 물려받고 더욱 발전시킬 청소년 후진들을 참다운 사랑으로 품고 바르게 교육해야 한다. 청소년에 대한 참다운 사랑은 그들을 동물적 존재에서 정신적 존재, 관능적 쾌락보다도 인덕(仁德)을 높이는 군자가 되게 교육하고 훈련하는 것이다. 이상 세 가지는 결국 세대간의 모든 사람들이 서로 사랑하고, 역사와 문화를 계승 발전케 하는 인(仁)의 실천이다. 공자의 인(仁)에는 역사적 발전관이 깊이 살아있다.

5-27. 공자가 말했다. "다 되었구나! 나는 아직까지 자기의 잘못을 보고 스스로 마음속으로 자책할 수 있는 사람을 보지 못했다."

原文 **子曰, 已矣乎**라 **吾未見能見其過**하고 **而內自訟者也**로라.

註解 ㅇ已矣乎(이의호)－다 되었구나, 모든 것이 끝났노라. (절망하는 말). 〈자한편(子罕篇)〉에도 '이의호(已矣乎)'가 보인다. '공자가 말했다. "하늘에서는 봉황새가 날아오지 않고, 황하에서는 하도(河圖)가 나타나지 않는구나, 이제 나도 모든 것이 끝났노라!"(子曰 鳳凰不至 河圖不出 吾已矣夫)' 〈9-9〉. ㅇ吾未見(오미견)－나는 아직 보지 못했다. ㅇ能(능)－능히 ……할 수 있다. ㅇ見其過(견기과)－자기의 허물을 보고. ㅇ內自訟者(내자송자)－마음속으로 자신을 책망하는 사람. 송(訟)은 자책하다.

解說 아마 이 말은 안연(顔淵)이 죽은 다음에 한 말일 것이다. 공자는 안연을 "배우기를 좋아했고, 노여움을 남에게 옮기지 않았고,

과실을 두 번 거듭하지 않았다. 그러나 불행하게도 단명으로 죽었다(好學 不遷怒 不貳過 不幸短命死矣)."〈雍也篇 6-3〉고 말한 바 있다. 안연처럼 "자기의 과실을 깊이 자책하는 사람이 없다."고 탄식한 것이다. 그러나 이 말은 일반적인 교훈으로 풀이해도 좋다. 포악한 하극상(下剋上)의 난세에서 온갖 악덕을 거듭하면서, 아무도 자신을 깊이 자책하고 반성하는 사람이 없으니, 절망이라는 뜻을 피력한 것이다. 악덕을 악덕인 줄 모르니, 세상은 더욱 악덕하게 되는 것이다. 그러므로 바르게 배워야 한다.

5-28. 공자가 말했다. "집 열 채가 있는 작은 마을에도 반드시 충성과 신의에 있어서는 나 같은 사람이 있을 것이다. 그러나 나만큼 배우기를 좋아하지는 않을 것이다."

原文 **子曰, 十室之邑**에 **必有忠信如丘者焉**이어니와 **不如丘之好學也**니라.

註解 ㅇ十室之邑(십실지읍)－열 가구 정도가 있는 작은 마을, 실(室)은 가구, 집. ㅇ必有忠信如丘者(필유충신여구자)－필유(必有)는 반드시 있다. 충신(忠信)에 있어서는……. 여구자(如丘者)는 구 같은 사람. 구(丘)는 공자의 이름. ㅇ不如丘之好學(불여구지호학)－불여(不如)는 같을 수 없다, 구지호학(丘之好學)은 내가 배우기 좋아함. 즉 나같이 배우기 좋아하는 사람은 없다.

解說 공자의 사상을 깊이 이해하지 못하면 자기과시(自己誇示)인 말로 오해할 말이다. 공자는 《논어》 첫 장에서 '학이시습지(學而時習之)'를 강조했다. 사회의 지도층이 될 군자는 일반적인 교양과목이나 사회 규범으로서의 예의범절을 잘 배워야 한다. 그러나 공자가 배양

하려는 군자는 어디까지나 포악무도한 난세를 개혁하고 인정(仁政) 덕치(德治)를 창건하는 혁신적인 군자다. 따라서 그들은 세속적인 명리(名利)나 부귀영화(富貴榮華)에 미혹되지 않고, 철저하게 수사선도(守死善道)해야 한다. 그러므로 그들은 절대선(絶對善)의 천도(天道)를 깊이 배워 깨닫고 실천해야 한다. 타고난 성품이 좋아서 충신(忠信)하는 것도 좋다. 그러나 도에 대한 신념이 없으면 무도한 군주 밑에서 녹을 받는 타락한 선비가 될 것이다.

제6편 옹야편(雍也篇)

옹야편(雍也篇)은 총 30장이다. 이 편도 앞의 〈공야장편(公冶長篇)〉과 같이 인물을 평한 구절이 많다. 그러나 전반부는 대체로 폄책(貶責)하는 말이 많고, 후반부는 대체로 칭찬하는 말이 많다.

특히 후반부에서는 인(仁), 지(知) 및 군자(君子) 등에 대한 구절이 많으므로 공자의 사상을 연구하는 데 크게 도움이 될 것이다.

주자(朱子)의 《사서집주(四書集註)》에는 이 편을 총 28장으로 나누었다.

6-1. 공자가 말했다. "옹, 그대는 가히 남면할 만하다."

原文 **子曰, 雍也**는 **可使南面**이로다.

註解 ㅇ雍(옹)－공자의 제자, 자가 중궁(仲弓)이다. 〈公冶長篇 5-5〉 참고. ㅇ可使南面(가사남면)－가히 '남면'할 만하다. 대궐에서 임금은 남쪽을 바라보고, 신하는 북쪽을 바라보고 앉는다. 지방 관청에서도 장은 남면(南面)한다. 즉 중궁은 많은 신하나, 부하를 다스릴 만하다는 뜻이다.

解說 공자가 제자인 염옹(冉雍)을 다정하게 이름을 불러가면서, "옹아, 자네 인품은 가히 남면하고 백성을 다스릴 만하다."고 말한

것은 파격적인 칭찬이다. 이렇게 말하는 공자는 물론 현실적으로 중궁이 임금이 되어, 한 나라를 다스린다는 뜻이 아니다. 중궁의 도량이나 식견 및 덕행이 '가히 남면할 만하다'고 인정한 것이다. 〈선진편(先進篇)〉 5장에도 중궁이 덕행에 뛰어났다고 했다. 주자는 이 장과 다음의 2장을 합해서 한 장으로 만들었다.

6-2. 중궁이 "자상백자는 어떠합니까?"하고 묻자, 공자가 말했다. "가하다, 그는 소탈하고 대범하다."

중궁이 다시 반문했다. "몸가짐을 경건하게 하면서 소탈하고 대범한 태도로 백성에게 대하면, (더욱) 좋지 않습니까? 몸가짐도 소탈 대범하고 남에게 대하는 태도도 소탈 대범하면, 지나치게 소탈 대범하지 않겠습니까?"

그러자 공자가 말했다. "그대의 말이 옳다."

原文 **仲弓**이 **問子桑伯子**한대 **子曰, 可也簡**이니라. **仲弓曰, 居敬而行簡**하여 **以臨其民**이면 **不亦可乎**이까? **居簡而行簡**이면 **無乃大簡乎**아. **子曰, 雍之言**이 **然**이라.

註解 ㅇ子桑伯子(자상백자)－주자는 '노(魯)나라 사람이다'라고 주석했으나, 확실치 않다. ㅇ可也(가야)－가하다, 쓸 만하다. ㅇ簡(간)－소탈하고 대범하다. 황간(皇侃)은 '소탈 대범하고 자질구레하지 않다.(疏大無細行也)'라고 했다. ㅇ居敬而行簡(거경이행간)－자신의 몸가짐을 경건하게 하면서 동시에 남에게 소탈하고 대범하게 대한다. ㅇ以臨其民(이림기민)－백성들에게 임한다, 대한다. ㅇ不亦可乎(불역가호)－더욱 좋지 않습니까? ㅇ居簡而行簡(거간이행간)－자신의 몸가짐도 소탈하고 대범하게 하고 동시에 남에게도 소탈하고 대범하게 대한다면. ㅇ無乃大簡乎

(무내대간호)—즉 지나치게 대범하고 소탈하지 않습니까? ㅇ雍之言然(옹지언연)—옹의 말이 옳다. 그대의 말이 옳으니라.

解說 《설원(說苑)》에 '자상백자(子桑伯子)가 의관을 갖추지 않고 있는 것을(不衣冠而處)' 공자는 "바탕이 좋고 가식이 없다.(質美而無文)"라고 말했다는 고사가 보인다. 위에서 공자가 '가야간(可也簡)'이라고 한 것은 좋은 의미에서 '그는 소탈하고 대범하니, 그만하면 쓸 만하다'고 긍정한 것이다. 그러나, 중궁이 "자신의 몸가짐을 경건히 하고 남에게는 소탈 대범하게 대하면 더욱 좋지 않습니까?" 하고 반문하자, 공자가 "옳다, 자네 말이 옳다."고 동의했다. '경건하게 함〔居敬〕'은 '예를 지키고 사물을 엄숙하게 처리함'이다.

6-3. 애공이 "제자 중에서 누가 가장 배우기를 좋아합니까?"하고 묻자, 공자가 대답했다. "안회(顔回)가 배우기를 좋아했습니다. 그는 노여움을 옮기지 않고, 과실을 두 번 거듭하지 않았습니다. 불행하게도 죽어, 지금은 없습니다. 그 후로는 (그만큼) 배우기 좋아하는 자가 누군지 알지 못합니다."

原文 **哀公**이 **問, 弟子孰爲好學**이니이꼬? **孔子對曰, 有顔回者 好學**하여 **不遷怒**하며 **不貳過**하더니 **不幸短命死矣**라, **今也則亡**하니 **未聞好學者也**니이다.

註解 ㅇ哀公(애공)—노(魯)나라의 임금. 〈爲政篇 2-19〉 참고. ㅇ弟子孰爲好學(제자숙위호학)—제자들 중에 누가 제일 배우기를 좋아하느냐? ㅇ有顔回者好學(유안회자호학)—안회가 배우기를 좋아한다. 유(有)는 현상(現象)을 나타내는 동사. 굳이 '있다'라고 번역할 필요가 없다. 자(者)

는 단락을 표시하는 조사(助詞). ㅇ不遷怒(불천노)—노여움을 남에게 옮기지 않는다. 옮길 천(遷). ㅇ不貳過(불이과)—잘못이나 과실을 두 번 되풀이하지 않는다. ㅇ不幸(불행)—불행하게도. ㅇ短命(단명)—단명으로, 명이 짧아서. ㅇ今也則亡(금야즉망)—지금에는 이 세상에 없습니다. ㅇ未聞好學者也(미문호학자야)—아직까지 그만큼 배우기 좋아하는 사람이 있다는 말을 듣지 못했다.

解說 공자의 제자는 약 3천 명, 육예(六藝)에 통한 자만도 72명이었다. 그 중에서도 안회(顔回)가 가장 공자의 신임과 사랑을 받았었다. 따라서 그의 죽음은 공자에게 큰 타격을 주었다. 〈선진편(先進篇)〉에서는 계강자(季康子)가 "제자 중에 누가 배우기를 좋아하느냐?"고 묻자, 공자는 거의 같은 말로 "유안회자호학(有顔回者好學), 불행단명사의(不幸短命死矣) 금야즉망(今也則亡)."이라고 대답했다. 배움은 곧 덕행에 이어진다. 그러므로 공자는 여기서 '불천노(不遷怒) 불이과(不貳過)'라 했고, 다음에서는 "참으로 안회는 어질도다. 한 그릇 밥과, 한 쪽박 물을 들며, 누추한 마을에 살고 있다. 남들 같으면, 그 고난을 참지 못하겠거늘, 그는 (가난해도 도를 지키는) 즐거움을 잘 간직하고 있다. 참으로 안회는 어질도다." 〈6-11〉 라고 칭찬했다.

공자가 14년간의 방랑을 마치고 고국인 노나라로 돌아온 때는 그의 나이 68세로 이미 노쇠했다. 남은 희망을 후진에게 걸어야 했다. 그런데 장남 백어(伯魚)가 나이 51세로 죽고, 이어 가장 사랑하던 제자 안회가 나이 41세로 죽었으니, 그 얼마나 애석하고 애통했으랴? 특히 안회의 죽음은 공자에게 절망감을 안겨주었다. 〈선진편〉에 있다. '안연이 죽자, 공자가 통탄하며 말했다. "아! 나를 하늘이 버리고 망치게 하는구나!"(顔淵死 子曰 噫天喪予 天喪予).' 〈11-9〉. '안연이 죽자, 공자가 통곡했다(顔淵死 子哭之慟).' 〈11-10〉.

6-4. 자화가 사신이 되어 제나라로 떠나가자, 염구가 자화의 모친을 위해서 곡식 주기를 청했다. 이에 공자가 "여섯 말 네 되를 주라." 고 말했다. 염구가 좀더 많이 주자고 청하자, 공자가 "열여섯 말을 주어라."하고 말했다.

그러나 염구는 여든 섬을 주었다. 이에 공자가 말했다. "자화는 제나라로 갈 때에, 살진 말을 타고, 가볍고 값진 가죽옷을 입었다. 내가 들은 바, '군자는 남이 궁핍하고 몰릴 때에는 돕고 보태주되, 부유하게 사는 사람에게는 더 보태고 재물을 늘려주지 않는다'고 하더라."

原文 **子華使於齊**러니 **冉子爲其母請粟**한대 **子曰, 與之釜**하라. **請益**한대 **曰, 與之庾**하라 하니 **冉子與之粟五秉**하니 **子曰, 赤之適齊也**에 **乘肥馬**하고 **衣輕裘**하니 **吾聞之也**하니 **君子周急**이오 **不繼富**라호라.

註解 ㅇ子華(자화)－공자의 제자, 이름은 공서적(公西赤), 자(字)가 자화. 〈公冶長篇 5-8〉 참고. ㅇ使於齊(사어제)－사신으로 제나라에 가다. 자화는 의용(儀容)이 뛰어나 외교사절에 적합했다. ㅇ冉子(염자)－공자의 제자, 염구(冉求). 〈八佾篇 3-6〉 참고. ㅇ爲其母請粟(위기모청속)－자화의 모친에게 곡식 주기를 청했다. ㅇ與之(여지)－자화의 모친에게 ……를 주어라. ㅇ釜(부)－양(量)의 단위, 약 6두(斗) 4승(升). ㅇ請益(청익)－더 많이 주기를 청한다. ㅇ庾(유)－약 16두(斗). ㅇ冉子與之粟五秉(염자여지속오병)－염자가 자화의 모친에게 곡식 5병(秉)을 주었다. 1병(秉)은 약 16석(石). ㅇ赤之適齊也(적지적제야)－자화가 사신으로 제나라에 갈 때에. ㅇ乘肥馬(승비마)－살진 말을 타고. ㅇ衣輕裘(의경구)－가벼운 가죽옷을 입었다. ㅇ吾聞之也(오문지야)－나는 들은 바 있다, 나는 알고 있다. ㅇ君子周急(군자주급)－군자는 부족한 사람을 보

태준다. 가난에 몰리고 궁핍한 사람을 도와준다. ○不繼富(불계부)－재물이 풍족한 사람에게 더 보태주지 않는다.

解說 자화가 사신으로 외국으로 가자, 염구가 자화의 집에 엄청나게 많은 재물을 보내주었다. 말하자면 핑계를 대고 나라의 재물을 노략질한 것이다. 이에 공자는 마땅찮게 여기고 "군자주급(君子周急) 불계부(不繼富)"라며 핀잔을 주었다.

자화는 가난하지 않다. 그의 모친에 대한 인사로 부(釜 : 6두 4승) 정도쯤 보내주는 것은 좋다. 많아야 유(庾 : 16두)면 족하다. 그런데 염구는 부(釜)의 백 배에 해당하는 5병(秉)을 보내주었다. 이러한 처사는 분명히 국가 재물을 도둑질하는 행위다.

공자는 〈술이편(述而篇)〉에서 말했다. "구해 가져도 무관한 재물이라면, 그것을 얻기 위해서 말채찍을 드는 마부라도 되겠다. 그러나 구하면 안되는 부당한 재물이라면, (탐내지 않고) 내가 즐기는 바 도를 따르겠다.(子曰 富而可求也 雖執鞭之士 吾亦爲之 如不可求 從吾所好)" 〈7-11〉. 또 공자는 〈계씨편(季氏篇)〉에서 말했다. "부족한 것을 걱정하지 않고, 고르지 못함을 걱정한다. 가난을 걱정하지 않고 편안하지 않음을 걱정한다(不患寡 而患不均 不患貧 而患不安)." 〈16-1〉. 의(義)를 따라 나라의 녹봉을 받아야 한다.

본문에서 염구(冉求)를 '염자(冉子)'라고 '자(子)'를 붙여서 존칭한 것은, 아마도 이 글을 쓰거나 추린 사람이 그의 제자이기 때문일 것이다.

6-5. 원사(原思)가 영읍의 책임자로 있을 때, 공자가 그에게 곡식 9백 석을 주자, 그가 (너무 많다며) 사양했다. 이에 공자가 말했다. "사양하지 마라. 이웃 마을 사람들이나 향당의 사람들에게 나눠 주

면 되지 않느냐."

原文 **原思爲之宰**러니 **與之粟九百**이어시늘 **辭**한대, **子曰, 毋**하여 **以與爾鄰里鄉黨乎**인저.

註解 ㅇ原思(원사)-공자의 제자로 청빈했다. 성은 원(原), 이름은 헌(憲), 공자보다 16세 어리다. 노(魯) 혹은 송(宋)나라 사람이라고 함. ㅇ爲之宰(위지재)-지(之)는 '공자의 영읍(領邑)', 재(宰)는 다스리는 총책임자. 공자는 노(魯)나라에서 중도(中都)의 재(宰)가 되었을 때, 혹은 사공(司空)이나 사도(司徒) 벼슬에 올랐을 때에 영지를 가지고 있었다. ㅇ與之(여지)-그에게 주다. ㅇ粟九百(속구백)-곡식 9백 석. ㅇ辭(사)-사퇴하다. 사양하다. ㅇ毋(무)-사양하지 말고 받아라. ㅇ以與(이여)-그리고 그것을 ……에게 주어라. ㅇ爾鄰里(이린리)-네 이웃 마을의 사람들. ㅇ鄉黨乎(향당호)-향당의 사람들에게 (주면 된다). 호(乎)는 '……하면 좋다'의 뜻을 나타내는 어조사.

解說 바로 앞에서는 염구(冉求)가 잘사는 자화(子華)에게 많은 곡식을 주자, "군자는 궁핍한 사람을 도와주되, 부자에게 재물을 더 얹어주지 않는다."고 말했다. 그러나 여기서는 영읍(領邑)을 다스리는 원사(原思)에게 곡식을 많이 주면서 말했다. "사양하지 말고 받아라. 그리고 이웃 사람들이나, 마을 사람들에게 나눠 줘라." 공자는 '부익부(富益富) 빈익빈(貧益貧)'을 싫어했다. 주자는 '4장, 5장'을 합해서 '제3장'이라 했다.

6-6. 공자가 중궁에게 말했다. "밭을 가는 소의 새끼라노, 그 털색이 붉고 뿔이 바르다면, 설사 (사람들이 그것을) 희생으로 쓰려고 하지 않아도, 산천의 신들이 (어찌) 내버려두겠는가?"

原文 **子謂仲弓曰, 犁牛之子 騂且角**이면 **雖欲勿用**이나 **山川其舍諸**아?

註解 ㅇ子謂仲弓曰(자위중궁왈)－공자가 중궁에게 말하다. ㅇ犁牛之子(이우지자)－이우(犁牛)는 밭을 가는 일소, 혹은 얼룩소, 지자(之子)는 그 새끼. 얼룩소 리(犁). ㅇ騂(성)－붉은색. ㅇ且(차)－또. ㅇ角(각)－뿔이 바르게 나다. ㅇ雖欲勿用(수욕물용)－비록 사람들이 제사에 희생으로 쓰지 않으려고 해도. ㅇ山川(산천)－산천, 산천의 신들이. ㅇ其(기)－기(豈)와 같다. '그 어찌?' 강조의 어조사. ㅇ舍諸(사제)－그것을 버리다. 사(舍)=버릴 사(捨), 제(諸)='지(之)+어(於)'

解說 중궁(仲弓)은 염옹(冉雍)이며, 공자가 "옹은 남쪽을 바라보고 남들을 다스릴 만하다.(雍也可使南面)"〈雍也篇 6-1〉고 칭찬한 제자다. 그가 자기의 출신이 미천함을 한탄하자, 공자가 이상과 같은 비유로써 그를 달래준 것이다. 본인의 덕성이나 능력이 뛰어나면, 비록 무식하고 부도덕한 위정자들은 모르고, 따라서 등용하지 않는다 해도, 어찌 천지 산천의 신령들이 내버려두겠느냐? 반드시 때가 되면 크게 쓰일 것이다. 공자의 제자들은 대부분 평민(平民) 출신이다. 그들을 군자로 배양해서 인정(仁政)과 덕치(德治)를 펴고자 했다. 당시는 무도한 난세이고 또 권력을 세습하고 있었다. 따라서 이것을 혁파하려고 공자는 애를 쓰고 또 바랐던 것이다.

6-7. 공자가 말했다. "안회는 마음으로 서너 달을 두고도 인(仁)을 어기지 않는다. 그러나 다른 사람들은 하루나, 한 달에 한 번 정도 어쩌다가 인에 이를 뿐이다."

原文 **子曰, 回也**는 **其心三月**이 **不違仁**이오 **其餘**는 **則日**

月至焉而已矣니라.

註解 ㅇ回也(회야)－안회(顔回)는. 야(也)는 단락을 나타내는 조사. ㅇ其心(기심)－그 마음가짐, 그 마음. ㅇ三月(삼월)－3개월간을. 여러 달, 혹은 오랫동안의 뜻. ㅇ不違仁(불위인)－인을 어기지 않는다. ㅇ其餘(기여)－다른 사람들. ㅇ日月至(일월지)－하루에 한 번, 혹은 한 달에 한 번, 어쩌다가 인에 이른다. 언(焉)은 종결의 뜻을 나타내는 조사. ㅇ而已矣(이이의)－……일 따름이다. ……할 뿐이다.

解說 공자가 안회(顔回)를 칭찬하는 말이다. 《집주(集註)》에서 주자(朱子)는 다음과 같이 풀이했다.

'3개월이라고 한 것은 오랜 세월이라는 뜻이다. (여기서 말한) 인(仁)은 마음속에 인덕을 품고 있다는 뜻이다. 마음이 인에서 멀어지지 않는다 함은 곧 사사로운 욕심이 없고 인덕을 품고 있다는 뜻이다(三月言其久 仁者心之德 心不遠仁者 無私欲 而有其德也).' '일월지언자(日月至焉者)라고 말한 뜻은 혹 하루에 한 번, 혹은 한 달에 한 번 이른다는 뜻이다. 즉 인의 경지에 어쩌다가 도달하되, 오래 지속하지 못한다는 뜻이다(日月至焉者 或日一至焉 或月一至焉 能造其域 而不能久也).' 사리사욕(私利私慾)을 극복해야 인심(仁心)을 지니고 인덕(仁德)을 세울 수 있다.

6-8. 계강자가 "중유는 정치에 참여할 만합니까?"하고 묻자, 공자가 대답했다. "유는 과단하니, 정치에 참여해도 아무 문제가 없습니다."

계강자가 "자공은 정치에 참여할 만합니까?"하고 묻자, 공자가 대답했다. "사는 통달했으니, 정치에 참여해도 아무 문제가 없습니다."

계강자가 "염구는 정치에 참여할 만합니까?"하고 묻자, 공자가 대답했다. "구는 재주가 있으니, 정치에 참여해도 아무 문제가 없습니다."

原文 季康子問, 仲由可使從政也與이까? 子曰, 由也果하니 於從政乎에 何有리오. 曰, 賜也可使從政也與이까? 曰, 賜也達하니 於從政乎에 何有리오. 曰, 求也可使從政也與이까. 曰, 求也藝하니 於從政乎何有리오.

註解 ㅇ季康子(계강자)－노나라의 실권을 잡은 참월(僭越)한 대부(大夫), 후에는 노의 소공(昭公)을 몰아냈다. 〈八佾篇 3-1〉 참고. ㅇ仲由(중유)－자로(子路)의 자(字). 과단성이 있고, 용감했다. ㅇ可使從政(가사종정)－가히 정치에 종사하게 할 수 있을까? 종정(從政)은 정치에 참여한다. ㅇ也與(야여)－……일까요? 야(也)는 어조사. 여(與)는 의문어조사. ㅇ由(유)－자로의 이름. ㅇ果(과)－과단성이 있다. ㅇ於從政乎(어종정호)－정치에 종사하는 데. 어(於)는 전치사, 호(乎)는 어조사. ㅇ何有(하유)－무슨 문제나 어려움이 있나? 아무 문제 없다. ㅇ賜(사)－자공(子貢)의 이름. ㅇ達(달)－사리에 통달하다. ㅇ求(구)－곧 염유(冉有)이다. 〈八佾篇 3-6〉 참고. ㅇ藝(예)－재주가 많다.

解說 〈공야장편(公冶長篇) 5-8〉에서는 노나라의 대부인 맹무백(孟武伯)이 공자에게 자로(子路)·염구(冉求)·공서적(公西赤) 등의 인덕(仁德)을 물었다. 이에 대해 공자는 각자가 다 정치적으로 다른 특성을 가지고 있다고 자랑스럽게 대답했다.

이번에는 무도한 세도가인 계강자가 자로(子路)·자공(子貢)·염구(冉求) 등을 "정치에 참여시킬 수 있겠는가?" 하고 묻자, 공자는 각자의 특성을 들고, 그들 모두를 정치에 참여시켜도 아무 문제가 없다며 자기의 제자들을 두둔했다. 자기가 배양한 제자에 대한 자신과 신임이 넘치는 대답이었다.

그러나, 공자의 대답 속에는 다음과 같이 계강자를 깨우치고 타이르는 속셈이 포함되어 있다. "그대는 바른 정치가 무엇인지를 모른다. 따라서 그대 밑에는 진짜로 쓸 만한 인재가 없다. 그러니 물을 것도 없이, 나의 제자를 등용하라."

《집주(集註)》에서 주자(朱子)는 다음과 같이 말했다. "정치에 종사함[從政]은 곧 대부가 된다는 뜻이다. 과(果)는 곧 과감하고 결단성이 있다는 뜻이다. 달(達)은 곧 모든 사리에 잘 통한다는 뜻이다. 예(藝)는 곧 다재다능하다는 뜻이다(從政謂爲大夫 果有決斷 達通事理 藝多才能)." 한편 정자(程子)는 뜻을 보충했다. "비단 세 사람만이 아니라, 다른 사람도 각자의 특성을 잘 취하면 다 쓸 수 있다고 말한 것이다(非惟三子 人各有所長 能取其長 皆可用也)."

6-9. 계씨가 민자건을 비(費)의 읍장으로 삼으려 하자, 민자건이 사자(使者)에게 말했다. "나를 위해 그대가 잘 거절해 주시오. 만약에 다시 나를 부른다면, 나는 반드시 문수강에 가있을 것이오."

原文 **季氏使閔子騫**으로 **爲費宰**한대 **閔子騫曰, 善爲我辭焉**하라. **如有復我者**면 **則吾必在汶上矣**로리라.

註解 ㅇ季氏(계씨)—노나라에서 실권을 잡고 있는 계손씨(季孫氏) 일가. 실제 인물이 누구인지는 알 수 없다. ㅇ閔子騫(민자건)—공자의 제자, 성은 민(閔), 이름은 손(損), 자가 자건(子騫)이다. 공자보다 나이가 15년 어리며, 특히 덕행에 있어 안연 다음가는 제자였다. ㅇ使閔子騫爲費宰(사민자건위비재)—민자건을 비의 재로 삼으려 하다. ㅇ費(비)—계손씨 영지의 중심 도시. ㅇ宰(재)—여기서는 읍장(邑長). ㅇ善(선)—적절

하게. 잘. ㅇ爲我(위아)－나를 위해, 나를 대신해서. ㅇ辭(사)－거절하다. ㅇ如有復我者(여유부아자)－만약에 다시 나를 부른다면. ㅇ則吾必在汶上矣(즉오필재문상의)－(그때에는) 나는 반드시 문수(汶水) 강가에 있을 것이다. 문수는 제(齊)와 노(魯) 국경을 흐르는 강물. 상(上)은 근처, 혹은 북쪽의 뜻도 있다. 문상(汶上)은 문수 북쪽, 즉 제나라로 가겠다는 뜻.

解說 계손씨(季孫氏)는 노나라의 질서를 문란케 하는 삼환씨(三桓氏)를 대표하는 세도가였다. 그러므로 덕행이 높은 민자건이 그들 밑에서 벼슬하기를 단호히 거절한 것이다. 도(道)가 있으면 나가서 참여하고, 도가 없으면 물러나 은퇴하는 것이 진정한 군자(君子)이다.

6-10. 염백우가 질병에 걸리자, 공자가 문병가서 창문으로 그의 손을 잡고 말했다. "이럴 리가 없는데! 운명이로구나! 이런 사람이 이런 병에 걸리다니! 이런 사람이 이런 병에 걸리다니!"

原文 **伯牛有疾**이어늘 **子問之**하실새 **自牖執其手**하사 **曰, 亡之**러니 **命矣夫**라. **斯人也 而有斯疾也**할새 **斯人也 而有斯疾也**할새.

註解 ㅇ伯牛(백우)－공자의 제자, 성은 염(冉), 이름은 경(耕), 자가 백우(伯牛), 노나라 사람으로 공자보다 나이가 7년 어렸다. 덕행에 있어, 안연(顔淵)·민자건(閔子騫) 다음으로 꼽혔다. ㅇ有疾(유질)－악질(惡疾)에 걸리다. 《회남자(淮南子)》에는 나병(癩病 : 문둥병)이라 했다. ㅇ子問之(자문지)－공자가 그를 문병하다. ㅇ自牖(자유)－창문으로, 창문 밖에서 손을 뻗어. ㅇ執其手(집기수)－병자의 손을 잡고. ㅇ亡之(망지)－

두 가지 설이 있다. '백우같이 덕있는 사람이 이같은 악질에 걸릴 리가 없는데'(翟灝). '질병이 심하여 살아날 수 없다'(孔安國). 이 책에서는 전자를 취했다. ㅇ命矣夫(명의부)－운명이로구나. ㅇ斯人也(사인야)－이렇게 덕이 있는 사람이, 덕있는 이 사람이. ㅇ而(이)－그런데도. ㅇ有斯疾也(유사질야)－이러한 질병에 걸리다니.

解說 공자는 하늘과 하늘의 도리가 절대선(絶對善)임을 믿고 또 낙관했다. 그러나 덕(德)있는 제자 염백우가 악질에 걸리자, 심히 낙담하고, "그럴 리가 없는데! 참으로 운명은 알 수 없구나."하고 처연하게 한탄했다.

6-11. 공자가 말했다. "참으로 회는 어질다. 한 그릇 밥과 한 쪽박 물을 먹으며 누추한 거리에 살고 있으면, 남들은 그 괴로움을 참지 못하거늘, 회는 그 즐거움을 변치 않으니, 참으로 회는 어질도다."

原文 **子曰, 賢哉**라 **回也**여 **一簞食**와 **一瓢飮**으로 **在陋巷**을 **人不堪其憂**어늘 **回也不改其樂**하니 **賢哉**라 **回也**여.

註解 ㅇ賢哉回也(현재회야)－현명하다, 안회는! 안회는 참으로 어질다! ㅇ一簞食(일단사)－한 그릇의 밥을 먹는다. 대광주리 단(簞). 밥 식(食)을 여기서는 '사'로 읽음. ㅇ一瓢飮(일표음)－한 쪽박의 물을 마신다. 박 표(瓢). ㅇ在陋巷(재루항)－누추한 마을에 살고 있다. 좁을 루(陋), 거리 항(巷). ㅇ人不堪其憂(인불감기우)－다른 사람은 그 고생스러움을 감내하지 못한다. 견딜 감(堪). 근심할 우(憂). ㅇ不改其樂(불개기락)－그 즐거움을 변하지 않는다. 안빈낙도(安貧樂道)의 삶을 변하지 않는다

解說 무도하고 폭력이 난무하는 난세에서는 악덕한 사람들이 득세

하고 잘산다. 반대로 양심적인 지식인이나, 참다운 군자(君子) 및 인자(仁者 : humanist)는 못살게 마련이다. 그래도 그들은 악덕(惡德)한 권력이나 재물에 굴하지 않고, 안빈낙도(安貧樂道)한다. 즉 악덕에 타협하지 않고 신념을 가지고 가난하게 살면서 정도(正道)를 지키는 삶 속에서 진정한 즐거움을 느끼는 것이다. 공자는 말했다. "빈여천(貧與賤) 시인지소오야(是人之所惡也) 불이기도득지(不以其道得之) 불거야(不去也)" 〈里仁篇 4-5〉.

6-12. 염구가 "선생님의 도를 좋아하지 않는 것은 아니라, 힘이 부족합니다."라고 변명하자, 공자가 말했다. "힘이 모자라는 사람은 도중에서 그만두지만, 지금 자네는 스스로 선을 긋고 움츠리고 있네."

原文 **冉求曰, 非不說子之道**언마는 **力不足也**로이다. **子曰, 力不足者**는 **中道而廢**하니라 **今女畫**이로다.

註解 ㅇ冉求(염구)－공자의 제자, 이름이 구(求), 자는 자유(子有), 염유(冉有)라고도 부른다. 〈八佾篇 3-6〉 참고. ㅇ非不說(비불열)－좋아하지 않는 것이 아니다. ㅇ子之道(자지도)－선생님이 가르치신 도리나 덕행. ㅇ力不足(역부족)－힘이 모자라서 (실천을 못한다는 뜻). ㅇ中道而廢(중도이폐)－(일단 시작하고 가다가) 도중에서 그만둔다. ㅇ今女畫(금여획)－지금 자네의 경우는 스스로 한계를 정하고 (안하고 있다는 뜻).

解說 '의를 보고, 행하지 않으면 용기가 없다(見義不爲 無勇也).' 고 한다. 염구(冉求)는 성품이 착실했으나 소극적이었다. 그래서 공자는 〈선진편(先進篇)〉에서, "구는 후퇴하는 성품이다.(求也退)" 〈11-21〉라고 했다. 또 팔일편(《八佾篇 3-6장》)에서도 공자가 염구를 탓한 일이 있었다. '무도하게 세도를 부리는 계씨(季氏)가 (노나라 임

금에게만 허락된) 태산에서 제사를 올리려 하자(季氏旅於泰山).' 공자가 '계씨의 가신으로 있는 염구'에게 "자네가 막을 수 없나?(女弗能救與)"하고 물었으며, 이에 "제 힘으로는 못하겠습니다.(不能)"라고 대답한 일이 있었다. 이와 같은 염구에게 자극을 주고자, 엄한 어조로 탓한 것이다.

6-13. 공자가 자하에게 말했다. "그대는 군자다운 유학자가 되어라, 소인과 같은 유학자가 되지 마라."

原文 **子謂子夏曰, 女爲君子儒오 無爲小人儒하라.**

註解 ㅇ子謂子夏曰(자위자하왈)－공자가 자하에게 말하다. ㅇ女(여)－너 여(汝)와 같다. ㅇ君子儒(군자유)－군자다운 유학자. ㅇ無爲(무위)－되지 마라. 되면 안된다. ㅇ小人儒(소인유)－소인과 같은 유학자.

解說 군자(君子)와 소인(小人)을 대략 다음과 같이 대비(對比)한다. '군자는 대의명분을 밝히고, 소인은 물질적 이득만을 밝힌다(君子喩於義 小人喩於利).' 〈里仁篇 4-16〉.

'군자는 태연자약하면서도 남에게 교만하지 않는다. 소인은 남에게 교만하지만 태연자약하지 못하다(君子泰而不驕 小人驕而不泰).' 〈里仁篇 4-26〉.

'군자는 조화 협동하되 부화뇌동하지 않는다. 소인은 부화뇌동하되 조화 협동하지 않는다(子曰 君子和而不同, 小人同而不和).' 〈子路篇 13-23〉.

'군자는 득실 성패를 자신에서 구한다. 소인은 요행이나 이득을 남으로부터 얻으려고 한다(君子求諸己 小人求諸人).' 〈衛靈公篇 15-21〉.

'군자는 다른 사람의 장점을 취하고 키워서 완성되게 하고, 다른 사람의 단점을 덮어 누르고 나타나지 않게 한다. 소인은 이와 반대다(子曰 君子成人之美, 不成人之惡 小人反是).' 〈顔淵篇 12-16〉.

6-14. 자유가 무성의 읍재가 된 다음에, 공자가 말했다. "자네는 좋은 사람을 구했느냐?"

자유가 대답했다. "담대멸명이라는 자가 있습니다. 그는 좁은 지름길을 가지 않고, 공무가 아니면, 제 방에 오지 않습니다."

原文 **子游爲武城宰**러니 **子曰, 女得人焉爾乎**아? **曰, 有澹臺滅明者**하니 **行不由徑**하며 **非公事**어든 **未嘗至於偃之室也**니이다.

註解 ㅇ子游(자유)－공자의 제자, 성은 언(言), 이름은 언(偃). 〈爲政篇 2-7〉 참고. ㅇ爲武城宰(위무성재)－무성(武城)의 읍재(邑宰), 읍장(邑長)이 되다. 무성은 노나라 도성 밑에 있는 읍. ㅇ得人焉爾乎(득인언이호)－좋은 사람을 구했는가? '언이호(焉爾乎)'는 다 어조사, '……했는가?'의 뜻. ㅇ澹臺滅明(담대멸명)－성이 담대(澹臺), 이름이 멸명(滅明), 자는 자우(子羽), 노나라 무성 사람이며 역시 공자의 제자로, 나이가 39세 어리다. ㅇ行不由徑(행불유경)－좁은 지름길을 가지 않는다. 군자는 대도(大道)를 간다. ㅇ非公事(비공사)－공무가 아니면. ㅇ未嘗至(미상지)－한번도 (저의 방에) 오지 않는다. ㅇ於(어)－……에. ㅇ偃之室(언지실)－저의 방, 언(偃)은 자유의 이름.

解說 무성의 읍장이 된 자유가, 같은 제자 중에서 담대멸명을 등용해 쓴 것은 잘한 일이다. 담대멸명은 공자의 제자답게 행동이 공

명정대하고, 사사롭게 찾아와서 은밀하게 말을 하거나, 일을 꾸미지 도 않는다.

6-15. 공자가 말했다. "맹지반은 공을 자랑하지 않았다. 후퇴하게 되자, 후미에서 적을 막았으며, 성문에 들어올 무렵에는 말에 채찍질을 하면서, '일부러 뒤처지는 것이 아니고, 말이 늦어서 뒤에 처진 것일세.'라고 말했다."

原文 子曰, 孟之反은 不伐이로다. 奔而殿하여 將入門할새 策其馬曰 非敢後也라 馬不進也라 하니라.

註解 ㅇ孟之反(맹지반)－노나라의 대부, 성은 맹, 이름은 지측(之側), 자가 지반이다. 《좌전(左傳)》 애공(哀公) 11년에 대략 다음과 같은 기록이 있다. '노나라의 군대가 제(齊)와 싸워 패하고 후퇴하자, 맹지반이 뒤에 처져, 추격하는 적군을 막음으로써 아군이 무사히 성안으로 돌아왔다.' ㅇ不伐(불벌)－자기의 공을 자랑하지 않는다. ㅇ奔(분)－싸움에 패하고 후퇴한다. ㅇ殿(전)－뒤에 처지다. 뒤떨어질 전(殿). ㅇ將入門(장입문)－성문에 들어오려 하자. ㅇ策其馬(책기마)－자기 말을 채찍질하며. ㅇ非敢後也(비감후야)－감히 뒤에 처지려고 한 것이 아니다. ㅇ馬不進也(마부진야)－말이 잘 뛰지 않아서 (별 수 없이) 뒤에 떨어진 것이다.

解說 후퇴하는 아군의 뒤에 처져서 추격하는 적을 막고, 아군을 무사히 성안으로 돌아오게 한 그는 용감한 무사이다. 동시에 '살신성인(殺身成仁)'을 몸소 실천했으니, 그는 바로 참다운 인자이다. 아울러 자기의 공을 자랑하지 않고 '말이 잘 뛰지를 않아서, 뒤에 처졌다' 겸손한 태도를 취한 것은 곧 군자의 덕행이다. 적극적으로 남에게 인덕(仁德)을 베풀되, 공을 내세우지 않는 겸손의 미덕을 겸해

야 한다.

6-16. 공자가 말했다. "축타의 웅변이 없이 다만 송조의 미모만 있다면, 오늘 같은 세상에서 화를 모면하기 어려울 것이다."

原文 子曰, 不有祝鮀之佞이며 而有宋朝之美면 難乎免於今之世矣니라.

註解 ㅇ祝鮀(축타)－축(祝)은 제사를 관장하는 제관(祭官), 타(鮀)는 이름, 자는 자어(子魚), 위(衛)나라 대부로 구변이 좋았다. ㅇ佞(녕)－말재주, 구변. ㅇ宋朝(송조)－송(宋)의 공자(公子), 이름은 조(朝), 미남이었다. 위령공(衛靈公)의 부인 남자(南子)의 옛날 애인으로, 남자 덕택에 대부가 되었다. ㅇ美(미)－미모, 아름다운 모습. ㅇ難乎免(난호면)－면하기 어렵다.

解說 축타(祝鮀)는 〈헌문편(憲問篇)〉에도 나온다. 위나라의 영공(靈公)이 무도했으나, 망하지 않은 이유를 공자가 말했다. "중숙어(仲叔圉)가 외국에서 오는 빈객을 잘 대하고, 축타(祝鮀)가 종묘를 잘 다스리고, 왕손가(王孫賈)가 군대를 잘 다스렸기 때문이다." 한편 《좌전》에는 '축타가 영공을 따라 국제회의에 가서 뛰어난 언변으로 유리한 자리를 차지했다'는 기록이 있다.

이 제16장은 '만약에 말재주 없이, 다만 아름다운 용모만으로는, 난세를 잘살기 어렵다는 뜻'으로 풀이한다. 즉 외모(外貌)를 중시하면 안된다는 뜻이 내포되어 있다. 《집주(集註)》는 '구변도 없고, 용모도 없으면, 세상의 화를 면하기 어렵다'로 풀이한다. 이 책에서는 전자를 택했다.

6-17. 공자가 말했다. "누가 나가는 데, 문을 통하지 않을 수 있겠는가? 그렇거늘 어찌하여 선왕의 도를 따르지 않는가?"

原文 **子曰, 誰能出不由戶**리오마는 **何莫由斯道也**오?

註解 ㅇ出不由戶(출불유호)－출입하는 데, 문을 통하지 않는다. ㅇ何莫(하막)－어찌하여 ……하지 않는가? ㅇ由斯道(유사도)－선왕(先王)의 좋은 도를 따르다. 도(道)를 인도(仁道)로 풀이해도 된다.

6-18. 공자가 말했다. "질박함이 겉치레를 누르면 촌스럽고, 겉치레가 질박함을 누르면 수다스럽다. 질박함과 겉치레가 서로 잘 어울려야 비로소 군자다우니라."

原文 **子曰, 質勝文則野**요 **文勝質則史**니 **文質**이 **彬彬 然後**에 **君子**니라.

註解 ㅇ質(질)－소박하고 질박한 바탕. ㅇ勝(승)－이긴다, 누른다. ㅇ文(문)－외식적(外飾的), 문화적(文化的) 꾸밈. ㅇ野(야)－야하다, 촌스럽다, 저속하다. ㅇ史(사)－(글과 말을 잘하는 史官처럼) 말이 많고 수다스럽다는 뜻. ㅇ文質(문질)－문화적인 꾸밈과 소박한 바탕. ㅇ彬彬(빈빈)－서로 잘 어울리고 아름답게 빛난다. ㅇ然後君子(연후군자)－그래야 비로소 군자답다, 군자라 하겠다. ㅇ文質彬彬(문질빈빈)－바탕이 되는 선본성(善本性) 위에 학문과 예의를 곁들여야 빛나는 군자가 될 수 있다.

6-19. 공자가 말했다. "사람의 삶은 곧게 마련이다. 곧지 않으면서, 사는 것은 요행히 죽음을 면하고 있는 것이다."

原文 **子曰, 人之生也直**하니 **罔之生也**는 **幸而免**이니라.

註解 ㅇ人之生也直(인지생야직)－사람이 삶을 누리기 위해서는 곧아야 한다. 곧으니까 사람이 사는 것이다. ㅇ罔之(망지)－망(罔)은 무(無)와 같다, 지(之)는 직(直)이다. 즉 곧지 않고서. ㅇ生也(생야)－살고 있는 것은. ㅇ幸而免(행이면)－요행히 죽음을 면하고 있는 것이다. 죽음을 면한 것은 요행일 뿐이다.

6-20. 공자가 말했다. "도를 알기만 하는 자는 좋아하는 사람만 못하고, 좋아하는 자는 즐기는 사람만 못하다."

原文 **子曰, 知之者**는 **不如好之者**요 **好之者**는 **不如樂之者**니라.

註解 ㅇ知之者(지지자)－도를 알기만 하는 사람. ㅇ不如(불여)－……와 같지 않다. ……만 못하다. ㅇ好之者(호지자)－도를 좋아하는 사람. ㅇ樂之者(낙지자)－도를 즐겁게 여기는 사람.

解說 이상에서 말하는 도(道)는 하늘의 도리다. 하늘은 천지·자연·만물의 창조주이다. 따라서 하늘의 도리를 곧게 따르고 지켜야 바르게 살 수 있다. 사람만이 알고 실천할 수 있다. 알고 행하는 단계에 '지(知)·호(好)·락(樂)'의 3단계가 있다.

6-21. 공자가 말했다. "중급 이상 가는 사람에게는 심오한 철학을 말해도 좋으나, 중급 이하의 사람에게는 심오한 철학을 말할 수 없다."

原文 子曰, 中人以上은 可以語上也이어니와 中人以下는 不可以語上也니라.

註解 ㅇ中人以上(중인이상)－지성이나 덕행이 중간 이상 되는 사람. ㅇ可以語(가이어)－말해도 된다. 말할 수 있다. ㅇ上(상)－심오한 철학적인 말이나 학문.

解說 일반적으로 사람은 다 같은 사람이라고 말한다. 외형적·동물적 존재로서의 모든 사람은 다 같다. 즉 누구나 다 음식을 취하고 활동하고 또 일한다. 아울러 사회적 존재로서, 모든 사람의 정치적 권리나 의무 및 인권은 다 같다.

그러나 내면적 정신이나 인격면에서 볼 때, 모든 사람은 절대로 같지 않다. 특히 학문이나 지식을 습득하고, 윤리도덕 및 효도 효행을 실천하는 면에서 볼 때, 사람은 그 정도나 양상이 천차만별이다.

여기서 공자가 말한 '중인이상(中人以上)' 즉 '중치 이상의 사람'은 곧 '학식이나 덕행면에서 중인 이상'이라는 뜻이다.'

'가이어상(可以語上)'의 '상(上)'은 '형이상(形而上)'에 속하는 철학 혹은 윤리도덕에 관한 학문적 원리나 설명, 혹은 정신이나 인격에 속하는 덕행이라는 뜻이다.

6-22. 번지가 지(知)에 대해서 묻자, 공자가 대답했다. "백성들을 교화해서 잘살게 하는 도의정치에 힘을 써야 한다. (아울러) 귀신을 공경하고 받들되, (현실적으로는) 적당히 거리를 두는 것을 지라고 말할 수 있다."

다시 인덕(仁德)에 대해서 묻자, 공자가 대답했다. "인덕은 곧 어려운 일을 남보다 앞서서 감당하고, 보답은 남보다 뒤처져서 얻어야 한다. 그래야 비로소 인덕이라 말할 수 있다."

原文 **樊遲問知**한대 **子曰, 務民之義**요 **敬鬼神而遠之**면 **可謂知矣**니라. **問仁**한대 **曰, 仁者先難而後獲**이면 **可謂仁矣**니라.

註解 ㅇ樊遲(번지)－공자의 제자, 〈爲政篇 2-5〉 참고. ㅇ知(지)－앎. 지혜, 여기서는 '다스림'으로 확대 해석할 수 있다. ㅇ務民之義(무민지의)－무(務)는 힘들여 실천한다. 민지의(民之義)도 여기서는 '백성들을 바르게 교화해서, 잘살게 하는 일'의 뜻으로 푼다. 왕숙(王肅)은 '백성을 바르게 교화하고 잘살게 다스리는 바탕에 힘을 쓴다.(務所以化道民之義)'라고 풀었다. ㅇ敬鬼神(경귀신)－경(敬)은 공경하고 모신다. 귀(鬼)는 선조의 신령, 신(神)은 천지 산천의 신령. 즉 선조나 천지 산천에 대한 제사를 모시고, 공경을 하지만. ㅇ而遠之(이원지)－그러나 (현실로 백성을 다스리는 政事면에서는)(귀신을 맹목적으로 믿고 따르지 말고) 적당히 거리를 두고 멀리 한다. 즉 정사를 합리적, 인간 본위로 처리한다는 뜻. ㅇ可謂知矣(가위지의)－'슬기롭다, 지혜롭다, 잘 다스린다'고 말할 수 있다. ㅇ問仁(문인)－인덕(仁德)에 대해서 묻다. ㅇ仁者(인자)－자(者)를 '단락을 표시하는 조사'로 본다. 인자(仁者 : hmanist)로 풀이하면, 앞뒤가 잘 맞지 않는다. ㅇ先難(선난)－남보다 앞서서 어려운 일을 감당하고 처리한다. ㅇ後獲(후획)－이득이나 보답 및 녹봉(祿俸) 등은 남보다 뒤처져서 받는다. ㅇ可謂仁矣(가위인의)－그래야, 비로소 인덕이라 말할 수 있다.

解說 공자 사상의 핵심은 바로 '합리적, 인본주의적 도덕정치의 구현(具現)'이었다. 당시의 모든 나라들은 종족(宗族) 중심의 도시국가로, 제정일치(祭政一致)의 신권통치(神權統治)의 틀을 벗어나지 못했다. 한편, 왕족이나 귀족들은 도덕적으로 극심하게 타락했으며 아

울러 하극상(下剋上)의 풍조가 만연하고 있었다. 그러므로 공자는 학문과 덕행을 겸비한 군자들을 배양하여, 현실 정치에 참여시킴으로써 '합리적, 인본주의적 인정(仁政)과 덕치(德治)'를 구현하려고 했던 것이다.

여기서 공자에게 '지(知)와 인(仁)'에 대해서 물은 번지(樊遲)는 당시 벼슬을 살고 있었을 것이다. 그러므로 공자는 "백성을 교화해서 잘살게 해주는 것이 지(知 : 알고 다스림, 참다운 지혜)이다."라고 말했다. 또 '귀신을 경이원지(敬而遠之)'하라고도 말했다. 한편 "남보다 앞서서 고생하고, 보답은 남보다 뒤처져서 받아야 한다. 그것이 인덕이다."라고 말한 것이다.

공자는 맹목적으로 신령에게 복을 비는 기복신앙이나, 미신적인 신권정치를 반대했다. 그렇다고 공자는 잘 알 수 없는 신령이나 귀신을 '단정적으로 없다'고 부정도 하지 않았다. 잘 모르는 것은 긍정도 부정도 하지 않았다. 그러나 역사적으로 오랫동안 전해 내려온 관례를 따라 '귀신을 경이원지'하라고 말한 것이다.

6-23. 공자가 말했다. "슬기로운 사람은 물을 좋아하고, 어진 사람은 산을 좋아한다. 슬기로운 사람은 움직이고, 어진 사람은 고요하다. 슬기로운 사람은 삶을 즐기고, 어진 사람은 수명을 누린다."

原文 **子曰, 知者**는 **樂水**하고 **仁者**는 **樂山**이니 **知者**는 **動**하고 **仁者**는 **靜**하며 **知者**는 **樂**하고 **仁者**는 **壽**니라.

註解 ㅇ知者(지자)－지적인 사람, 지혜롭고 재주가 많은 사람. ㅇ樂水(요수)－물을 좋아한다. '지자요수(知者樂水)'를 포함(包咸)은 '슬기로운 사람은 흡사 물이 끝없이 흐르듯이 자기의 재주와 지식을 활용해서

세상을 다스리는 것을 즐긴다.(知者樂運其才知 以治世 如水流 而不知已)'라고 주(注)했다. ㅇ仁者(인자)－어질고 인덕을 갖춘 사람. ㅇ樂山(요산)－산을 좋아한다. '인자요산(仁者樂山)'을 하안(何晏)은 다음과 같이 주했다. '어진 사람은 흡사 굳고 안정되고 움직이지 않는 산이 만물을 품고 생육하는 품을 즐긴다(仁者樂 如山之安固 自然不動 而萬物生焉).' ㅇ知者動(지자동)－지적인 사람은 활동적이다. ㅇ仁者靜(인자정)－어진 사람은 욕심이 없고 허정(虛靜)하다. ㅇ知者樂(지자락)－지적인 사람은 현실적으로 인생을 즐긴다. ㅇ仁者壽(인자수)－어진 사람은 수명이 길어, 장수한다.

解說 지적인 사람은 자기의 지식이나 재주를 활용해서, 이곳 저곳으로 옮겨 다니며, 현실적 즉물적(卽物的)으로 인생을 즐겁게 산다. 이에 비해 인덕을 갖춘 사람은 확고부동한 자세로 천도를 지키면서 만물을 품고 생육한다. 그러므로 하늘을 따라 장수한다.

6-24. 공자가 말했다. "제나라가 한 번 변하면, 노나라같이 되고, 노나라가 한 번 변하면, 도에 맞는 나라가 된다."

原文 **子曰, 齊一變**이면 **至於魯**하고 **魯一變**이면 **至於道**니라.

註解 ㅇ齊(제)－현 산동성(山東省) 일대에 있었던 부강(富强)한 나라였다. ㅇ一變(일변)－조금만 좋게 변하면. ㅇ至於魯(지어로)－노나라같이 될 것이다. '노(魯)'는 산동성 곡부(曲阜)를 도읍으로 한 작은 나라. 그러나 주(周)나라의 문물제도가 비교적 많이 남아있는 나라였다. ㅇ至於道(지어도)－노나라가 약간만 잘 변하면, 옛날의 주나라같이 도가 행해지는 좋은 나라가 될 수 있다는 뜻이다. 제(齊)나라의 시조는 태공망(太公望), 노나라의 시조는 주공단(周公旦)이며, 다 같이 주나라의 문화 전통을 이어받았다.

6-25. 공자가 말했다. "고에 모가 없다면, 어찌 고라 하랴, 어찌 고라 하랴!"

原文 **子曰, 觚不觚**면 **觚哉 觚哉**아.

註解 ㅇ觚(고)－모가 난 술잔을 고라 한다. ㅇ不觚(불고)－(이름만 고라고 하면서도) 모가 나지 않는다면. ㅇ觚哉(고재)－어찌 그것을 고라고 말하겠는가? 실물과 이름이 맞아야 한다. 임금은 임금다워야 하고, 신하는 신하다워야 한다. 그렇지 못하기 때문에 나라가 문란해지는 것이다. 고(觚)에 대해서는 다른 설도 있다.

6-26. 재아가 물었다. "인자는 우물에 사람이 빠졌다고 속이면 당장 달려가 우물에 들어갑니까?"

공자가 말했다. "어찌 그렇게 하겠느냐? 군자는 가기는 하겠지만, 남의 속임수에 빠지지는 않을 것이다. 일시적으로 속는다 해도, 끝내 사리에 어둡지는 않을 것이다."

原文 **宰我問曰, 仁者**는 **雖告之曰 井有仁焉**이라도 **其從之也**로소이끄? **子曰, 何爲其然也**리오? **君子可逝也**인정 **不可陷也**며 **可欺也**인정 **不可罔也**니라.

註解 ㅇ宰我(재아)－공자의 제자, 말을 잘했다. 〈公冶長篇 5-10〉 참고. ㅇ仁者(인자)－어진 사람, 인덕을 행하는 사람. ㅇ雖(수)－비록, 여기서는 가령, 혹의 뜻으로 푼다. ㅇ告之曰(고지왈)－인자에게 말한다. ㅇ井有仁焉(정유인언)－우물에 사람이 빠졌다. 인(仁)을 인(人), 혹은 인자(仁者)로 풀기도 한다. ㅇ其從之也(기종지야)－그 인자가 (사람을

건지려고) 우물에 들어가느냐? ㅇ何爲其然也(하위기연야)-어찌 그렇게 하겠느냐? ㅇ君子可逝也(군자가서야)-(인자는 고사하고) 군자라도, 그를 (거짓말로 속여서 우물에) 가게 할 수는 있을 것이다. ㅇ不可陷也(불가함야)-그러나 군자를 함정에 빠지게 할 수는 없다. ㅇ可欺也(가기야)-일시적으로 속일 수는 있다. ㅇ不可罔也(불가망야)-사리나 도리에 어둡게 할 수는 없다.

解說 인자나 군자는 학식이 있고, 사리를 명석하게 판단한다. 그러므로 남들이 쉽사리 그를 속일 수 없다.

6-27. 공자가 말했다. "군자는 글을 널리 배우되 예로써 단속해야 한다. 그래야 비로소 도에서 어긋나지 않을 것이다."

原文 子曰, 君子博學於文이오 約之以禮면 亦可以弗畔矣夫인저.

註解 ㅇ博學於文(박학어문)-글을 널리 배우다, 고전의 글을 넓게 많이 배운다. 문(文)은 주로 '시(詩)·서(書)·예(禮)·악(樂)·역(易)·춘추(春秋)' 등의 육경(六經)의 글들이다. 그 속에는 선왕의 도와 문물제도, 역사 기록 및 평가 등이 적혀 있다. ㅇ約之以禮(약지이례)-예로써 조이고 단속한다. 즉 광범하게 많은 지식을 일관된 도리로써 요약하고 통괄한다는 뜻. 예(禮)에는 두 가지 뜻이 있다. 내면적으로는 천리(天理)이고, 외형적으로는 예절(禮節)이다. 그러므로 학식을 일관된 천리로 통괄하고, 인격이나 언행을 예의범절로 단속한다는 뜻이다. ㅇ弗畔(불반)-도에 어긋나지 않는다. ㅇ矣夫(의부)-'……하리라'의 뜻을 나타내는 어조사.

解說 '박문약례(博文約禮)'라는 성어의 출전이다. 학문과 지식을

넓게 습득하되, 일관된 도리로 통괄하고 동시에 예의범절에 맞게 행동해야, 그 학식이 국가에 유익하게 쓰인다. 군자(君子)나 인자(仁者)는 학문과 덕행으로 백성들을 교화 선도하고 동시에 인정(仁政)과 덕치(德治)에 참여하는 엘리트이다. 그러므로 그의 학식이나 인격 및 언행이 절대선(絶對善)인 천도천리(天道天理)에 부합되게 요약해야 한다.

예의(禮儀)나 예절(禮節)도 근본적으로는 절대선인 하늘의 도리를 기준으로 한 사회적 행동규범이다. 학문이나 과학 기술을 '동물적·이기적 탐욕을 채우기 위한 수단으로 악용하면' 세계와 인류가 고통받게 된다.

6-28. 공자가 남자를 만나자, 자로가 좋아하지 않았다. 이에 공자가 굳게 다져 말했다. "나에게 잘못이 있다면, 하늘이 미워할 것이다, 하늘이 미워할 것이다."

原文 **子見南子**하신대 **子路不說**이어늘 **夫子矢之曰, 予所否者**이면 **天厭之 天厭之**시리라.

註解 ㅇ子見南子(자견남자)－공자가 남자(南子)를 만났다. 남자는 위(衛)나라 영공(靈公)의 부인이며, 음란한 여자로 알려졌다. ㅇ子路不說(자로불열)－성격이 과격하고 정의감이 강한 자로가 좋아하지 않았다. ㅇ夫子(부자)－선생, 즉 공자. ㅇ矢之曰(시지왈)－맹서하고 말하다. ㅇ予所否者(여소부자)－내가 잘못한 일이 있으면. ㅇ天厭之(천염지)－하늘이 미워할 것이다.

解說 남자(南子)는 위(衛) 영공(靈公)의 부인으로, 미남자 송조(宋朝)와 내통하는 등, 품행이 음란했다. 그러나 그녀는 위나라 정치

에 간섭하고 있었다. 그러므로 여러 나라를 유력하면서 자기의 말을 듣고 자기를 등용해 줄 임금을 찾아다니던 공자가 위나라에 가자, 남자가 먼저 공자와 만나자고 자청했다. 이를 처음에는 거절했다. 그러나 위 영공을 만나려면, 자기를 먼저 만나야 한다고 해서, 부득이 가서, 예에 어긋나지 않게 휘장[帷] 너머로 그녀를 만났다. 그러나 사려가 깊지 못하고 저돌적인 자로가 불쾌한 태도를 내보였다. 이에 공자가 '만약 내가 잘못했다면, 하늘이 벌을 내릴 것이다.'라고 말한 것이다. 자로가 '성인의 도가 크고, 덕이 온전함(聖人道大德全)'을 몰랐기 때문이다.

6-29. 공자가 말했다. "중용의 덕은 지극하다. 그런데 사람들이 이를 소홀히 한 지, 너무나 오래되었구나."

原文 **子曰, 中庸之爲德也, 其至矣乎**인저 **民鮮久矣**니라.

註解 ㅇ中庸之爲德也(중용지위덕야)－중용이 덕이다, 중용이 덕이 된다. 여기서는 방편상 '중용의 덕'으로 풀었다. ㅇ其至矣乎(기지의호)－(중용의 덕이) 지극히 좋은 것이다. ㅇ民鮮(민선)－사람들이 (중용의 덕을) 따르고 실천하지 않는다. ㅇ久矣(구의)－오래되었다.

解說 중용(中庸)을 일반적으로 '양쪽의 극단이 아닌, 중간의 절충점'으로 생각하고 있으나, 그러한 해석은 본래의 깊은 뜻이 아니다. 《집주(集註)》의 풀이를 보겠다. '중은 넘치지도 않고, 반대로 모자라지도 않는다는 뜻이다. 용은 평범하고 항상 (쓰인다는) 뜻이다.(中者 無過不及之名也 庸平常也)'. 즉 중용은 모든 사람이 언제나, 일상적으로 따르고 실천할 수 있는 합당한 덕이라는 뜻이다.

한편 정자(程子)는 다음같이 풀었다. '한쪽으로 치우치지 않음을 중이라 하고, 변하지 않는 것을 용이라 한다(不偏之謂中 不易之謂庸).' '중은 천하만물에 다 통하는 큰 도리이고, 용은 천하의 일정불변하는 도리이다.(中者天下之正道 庸者天下之定理)' 결국 중용은 우주 천지만물을 생성화육(生成化育)하는 하늘의 도리, 즉 천도(天道)라 하겠다. 사람은 하늘에 의해서 태어나 살고 있다. 따라서 하늘의 도리를 따라 살아야 한다. 이때에 자기의 처지에 가장 잘 맞는 도리를 곧 중용이라고 한다. 그런데 사람들은 천도를 따르지 않고, 동물적 · 본능적 욕심만을 따르고 있다.

6-30. 자공이 물었다. "만약 백성들에게 널리 베풀고, 많은 사람을 구제해 줄 수 있다면 어떻습니까? 인이라 할 수 있겠습니까?"

공자가 대답했다. "어찌 인이라고만 하겠느냐? 반드시 성인의 경지라고 말하겠다. 요임금 순임금도 그렇게 하지 못함을 걱정했다. 원래 인이란 내가 서고자 할 때, 남을 서게 하고, 내가 도달하고자 할 때, 남을 도달하게 하는 것이다. 가까운 자기를 가지고 남의 입장을 알아차리는 것이 인을 행하는 방도이다."

原文 子貢曰, 如有博施於民 而能濟衆한대 何如니이꼬? 可謂仁乎이꼬? 子曰, 何事於仁이리오 必也聖乎인저 堯舜도 其猶病諸시니라. 夫仁者는 己欲立而立人하며 己欲達而達人이니라. 能近取譬면 可謂仁之方也已니라.

註解 ㅇ子貢(자공)－공자의 제자, 〈學而篇 1-10〉 참고. ㅇ如有(여유)－만약에 ……하면. ㅇ博施於民(박시어민)－백성들에게 널리 베풀다. ㅇ而能濟衆(이능제중)－아울러 모든 사람들을 구제하고 제도한다. 제중(濟衆)을

공안국(孔安國)은 '백성들을 환난에서 구제한다.(濟民於患難)'라고 주를 달았다. ㅇ何如(하여)-어떠하냐? ㅇ可謂仁乎(가위인호)-그런 행동을 인행(仁行), 인덕(仁德)이라고 말할 수 있겠습니까? 그런 경지를 인(仁)이라 말할 수 있겠습니까? ㅇ何事於仁(하사어인)-어찌 인이라고만 하겠는가? 형병(邢昺)은 '인만이 아니다.(不啻於仁)'라고 주를 달았다. ㅇ必也聖乎(필야성호)-반드시 성인(聖人)의 경지라 하겠다. ㅇ堯舜(요순)-요임금이나 순임금. ㅇ其猶病諸(기유병제)-그들도 그런 경지에 도달하지 못함을 걱정했다. ㅇ夫仁者(부인자)-무릇 인이라고 하는 것은. ㅇ己欲立(기욕립)-내가 서고자 할 때, 혹은 차지하려고 하는 자리나 지위. ㅇ而立人(이입인)-이(而)는 '그러나, 도리어'의 뜻. 입인(立人)은, (내가 서지 않고) 남을 서게 한다, 남에게 자리를 준다. ㅇ己欲達(기욕달)-내가 도달하려는 곳, 혹은 달성하려는 일. ㅇ達人(달인)-남으로 하여금 도달케 한다, 달성케 한다. ㅇ能近取譬(능근취비)-능히 가까운 자기의 욕구나 처지를 바탕으로 하고, 남의 욕구나 처지를 알고 또 채워 주는 것. 주자(朱子)는 '비(譬)'를 '깨우칠 유(喩)'라고 풀이했다. '능근취비(能近取譬)'는 곧 '이기급인(以己及人)'이다. 즉 '자기의 욕구나 처지를 미루어 남으로 하여금 달성케 함이다.' ㅇ仁之方也已(인지방야이)-인을 실천하는 방도이다.

解說 인(仁)의 근본 의미는 '사람들이 서로 사랑하고 협동하여 함께 잘사는 공동체를 꾸미는 기본적인 덕목'이다. 그러나 모든 것을 인식하고 실천하는 것은 '나'를 주체로 한다. 그러므로 나를 중심으로 인의 뜻을 다음과 같이 풀이할 수 있다. '남을 사랑하고 남을 도와서 잘되게 하는 덕행이다.'

'나'와 '남'의 관계는 다양하게 마련이다. 사람은 누구나 '자식'으로 태어난다. 그러므로 '나'는 자기를 낳고 양육해준 부모를 사랑하고 받들어야 한다. 그것이 효도이고, 인(仁)의 바탕이고 시발점이다. 그리고 '사랑'을 '형제·붕우·일가 친척·이웃·동포·국민 및 인류 전체'에 뻗어야 한다. 따라서 인은 점차로 확대되게 마련이다. 남을 진정으로 사랑하려면, 나의 욕구나 처지를 곧 남의 욕구나 처지로 생각하고 만족시켜 주어야 한다. 그것이 '이기급인(以己及仁)'이다. 정치적으로는 '만민을 나같이 생각하고 사랑하고 잘살게 해주어야 한다.' 그것이 바로 인정(仁政)이다.

제7편 술이편(述而篇)

술이편(述而篇)은 총 37장으로서, 주로 공자의 생각이나 언행을 적은 글이 많다. 아울러 현인(賢人)·군자(君子) 및 인자(仁者)들의 덕행을 논술했다. 주자(朱子)는 '성인들이 겸손한 태도로 남을 잘 가르치고 또 점잖은 몸가짐과 행적에 대한 글들이 많이 추려져 있다'고 했다. 《논어(論語)》 중에서도 정채(精彩)로운 글귀들이 가장 많이 추려져 있다.

7-1. 공자가 말했다. "전술(傳述)했을 뿐, 창작하지 않았다. 옛것을 믿고 좋아했다. 나를 노팽에 비기고자 한다."

原文 **子曰, 述而不作**하며 **信而好古**를 **竊比於我老彭**하노라.

註解 ○述(술)−전술(傳述)하다. 즉 옛날의 고전을 전하고 서술하다. ○不作(부작)−자기가 독단적으로 창작하지 않았다. ○信而好古(신이호고)−옛날의 학문이나 사상 및 문물제도 등을 믿고, 좋아하고 학습했다는 뜻. ○竊(절)−'몰래, 숨어서', 겸손의 뜻을 나타낸다. 즉 외람되게. ○比於我老彭(비어아노팽)−(외람되게) 나를 노팽(老彭)에 비기고자 한다. 노팽에 대해서는 설이 많다. 여기서는 '은(殷)나라의 현명한 대부(大夫)로, 옛날의 역사적 사실을 잘 서술했다'는 포함(包咸)의 설을 따른다. 정현(鄭玄)은 '노담(老聃)과 팽조(彭祖) 두 사람'이라고 했으나, 취하지 않는다.

解說 문화는 역사적으로 발전한다. 그러므로 공자는 주공단(周公

旦)의 예치(禮治)의 도리와 문물제도 및 고대의 전적을 열심히 연구하고 아울러 그것들을 현실에 맞게 해석하고 적용하고자 했다.

7-2. 공자가 말했다. "묵묵히 속으로 깊이 깨닫고, 배우기에 물리지 않고, 남을 깨우치기에 게으르지 않다. 이런 일만을 내가 하고 있는 것이다."

原文 **子曰, 默而識之**하며 **學而不厭**하며 **誨人不倦**이 **何有於我哉**오.

註解 ㅇ默而識之(묵이식지)－무언간에 깊이, 속으로 깨닫고 안다. 즉 심덕(心德)을 닦는다. ㅇ學而不厭(학이불염)－열심히 배우고 물리지 않는다. 싫을 염(厭). ㅇ誨人不倦(회인불권)－정성껏 독실하게 남을 가르친다. 가르칠 회(誨). 게으를 권(倦). ㅇ何有於我哉(하유어아재)－무엇이 나에게 있는가? 나는 다만 그렇게 할 뿐이다.

解說 '묵이식지(默而識之)'는 '자연 만물의 깊은 도리를 무언간에 깨달아 알고 아울러 속으로 심덕(心德)을 닦는다'는 뜻이다. '학이불염(學而不厭)'은 '선왕(先王)의 덕치(德治)의 도리와 역사적 업적을 적은 고전 및 주(周)나라 초기의 이상적인 예치(禮治)와 문물제도 등을 열심히 물리지 않고 학습한다'는 뜻. '회인불권(誨人不倦)'은 '자기가 터득한 도리와 학문 지식을 남에게 정성껏 독실하게 가르친다'는 뜻. 공자의 이상은 학문과 덕행을 겸비한 군자(君子)를 양성해서, 도덕과 윤리가 실천되는 인정(仁政)과 덕치(德治)를 구현하는 것이었다. 그러기 위해서 공자는 '사물의 도리를 알고 마음속의 덕성을 함양하고, 넓게 배우고 익히고, 남에게 가르쳤다.' 이 세 가지가

곧 '묵식(默識) · 학습(學習) · 회인(誨人)'이다.

7-3. 공자가 말했다. "덕을 닦지 못함과, 학문을 익히지 못함과, 의로움을 듣고도 옮아가지 못함과, 옳지 않음을 고치지 못함이, 곧 나의 근심거리다."

原文 **子曰, 德之不脩**와 **學之不講**과 **聞義不能徙**하며 **不善不能改**이 **是吾憂也**니라.

註解 ㅇ德之不脩(덕지불수)－덕을 닦지 않는다, 목적어 '덕(德)'이 앞에 나왔다. '불수(不脩)'가 동사, '지(之)'는 목적어와 동사를 연결하는 허사(虛詞). ㅇ學之不講(학지불강)－강(講)은 크게 두 가지 뜻이 있다. '학문의 깊은 뜻을 스스로 강구(講究)한다.' '학문을 남에게 강론(講論)한다.' 불강(不講)은 '학문을 강구하지도 않고 또 강론하지도 않는다.' ㅇ聞義不能徙(문의불능사)－문(聞)은 듣고 알다, 문의(聞義)는 견선(見善)과 같다. 즉 '의롭고 좋은 줄 알면서 옮아가지 못한다.' ㅇ不善不能改(불선불능개)－좋지 않은 것을 스스로 고치지 못함. ㅇ是吾憂也(시오우야)－이상과 같은 것을 나는 우려한다.

解說 마음으로나 몸으로 덕(德)을 닦고 행하지 않는다. 배운 바 학문을 스스로 강구하지도 않고 또 남에게도 강의해 주지 않는다. 정의에 편들지도 않는다. 개과천선(改過遷善)하지도 못한다. 이상의 네 가지를 다 못하면, 결국 '악덕(惡德)하고, 무식(無識)하고, 불의(不義) 무도(無道)한 악인'이 된다. 개인이 악하면 그 사회와 나라도 악해진다. 이상세계의 창건은 개인의 선화(善化)를 바탕으로 하게 마련이다. 그러므로 공자는 결국 '사람과 세상이 다 함께 개과천선하지 못하는 것을 걱정한 것이다.'

7-4. 공자가 집안에 한가하게 있을 때에는, 그 표정이 느긋하고 또 그 마음이 온화했다.

原文 子之燕居에 申申如也하시며 夭夭如也러시다.

註解 o燕居(연거)－집에 한가하게 있을 때. o申申如(신신여)－표정이나 태도가 부드럽고 느긋하다. o夭夭如(요요여)－마음이 온화하고 즐겁다.

7-5. 공자가 말했다. "참으로 심히 노쇠했구나! 이토록 오랫동안 주공을 다시 꿈에 보지 않게 되었으니!"

原文 子曰, 甚矣라 吾衰也여 久矣라 吾不復夢見周公이로다.

註解 o甚矣吾衰也(심의오쇠야)－심하게 내가 노쇠했구나! o久矣(구의)－오래되었다. o吾不復夢見周公(오불부몽견주공)－내가 다시 주공을 꿈에 보지 못하게 된 것이.

解說 주공(周公)－이름은 단(旦), 그러므로 주공단(周公旦)이라고도 한다. 주(周)나라의 시조인 문왕(文王)의 아들이며 또 무왕(武王)의 동생이다. 무왕이 무력으로 은(殷)의 포악무도한 주왕(紂王)을 토벌할 때 형을 도왔으며, 건국 후에는 예악(禮樂)을 비롯하여, 주나라의 모든 문물제도를 제정하여, 예치(禮治)와 덕정(德政)의 기틀을 마련한 위대한 학자·사상가·정치가 및 군사전략가였다. 그러므로 공자가 주왕조 창건에 혁혁한 공을 세운 주공을 존경할 만했다. 그러나 공자가 그를 꿈에 볼 정도로 흠모한 이유는 각별했다. 즉 주공의 혁신적인 종교사상에 있었다. 여기서 먼저, 은주혁명(殷周革命)의

역사적 의미를 고찰해 보겠다.

제도면에서 은(殷 : 기원전 1766~1122년)의 말기와 주(周) 초기는 다 같은 노예제도였다. 국력이나 생산력면에서는 6백 년 역사를 지닌 은이 오히려 서쪽에 새로 대두한 주를 능가했다. 그런데 왜, 중원의 강대국인 은이 서부의 신흥 소국인 주에게 패했을까? 그 큰 요인을 종교신앙과 도덕의식에서 찾아야 한다.

은나라나 주나라는 다 종교적 권위의 정점(頂點)인 군주(君主)를 모시고, 하늘의 절대명령, 즉 천명(天命)을 받들고 따르는 신권정치(神權政治)를 폈다. 그러나 그 내용면에서는 크게 차이가 있다.

은나라는 주술적(呪術的) 점복(占卜)에 의해 천명의 소재를 파악하고 또 해석했다. 따라서 천명을 받은 군왕의 권위는 절대적이었으므로, 그는 안하무인격으로 무도한 폭정을 펴고 백성을 학대하고 또 순사(殉死)를 강요했던 것이다. 그러므로 통치자와 백성들은 완전히 분리되어 있었다.

한편 주나라, 특히 주공 이후의 주나라에서는 절대적인 천명(天命)을 인간본위의 이성(理性)으로 파악하고 해석했다. 즉 하늘은 '덕있는 사람에게 천명을 내려 백성을 다스리게 한다.' '임금이 덕을 잃으면 하늘은 천명을 거두고, 덕있는 다른 사람에게 내린다'고 해석했다. 그러므로 주나라의 신권사상은 도덕적 합리주의의 양상을 띠게 되었다. 한편 사회질서와 신분의 위계를 유지하기 위해서 하늘의 도리를 바탕으로 여러 가지 문물제도를 제정했던 것이다. 그러므로 공자가 주공의 발전적인 의식과 업적을 평가한 것이다.

7-6. 공자가 말했다. "도에 뜻을 두고, 덕을 지키고, 인을 의지하고, 육예를 익힌다."

原文 子曰, 志於道하며 據於德하며 依於仁하며 游於藝니라.

註解 ㅇ志於道(지어도)－도(道)에 뜻을 둔다. 도는 크게는 절대선(絶對善)의 하늘의 도리, 선왕(先王)의 덕치(德治)의 도리, 작게는 주공(周公)의 예치(禮治)의 원리와 문물제도이다. 지(志)는 지향(志向)한다. ㅇ據於德(거어덕)－거(據)는 거점으로 삼고 지킨다. 주자(朱子)는 '거는 잡고 지킨다는 뜻이다.(據者執守之意)'라고 풀었다. 덕(德)은 득(得)에 통한다. 도를 따르고 실천해서 얻어진 좋은 성과를 덕이라 한다. '덕(德)'은 '마음으로 터득된 심덕(心德)'과 '행동으로 나타난 덕행(德行)'을 합한 것이다. 따라서 '거어덕(據於德)'은 곧 '마음이나 행동 면에서 굳게 덕을 지키고 덕을 세운다'의 뜻이다. ㅇ依於仁(의어인)－인(仁)은 인도(仁道)와 인애(仁愛)를 합친 말이다. 모든 일을 인에 의지해서 해야 한다. 무력이나 속임수를 바탕으로 하면 안된다. ㅇ游於藝(유어예)－예(藝)는 예(禮)·악(樂)·사(射)·서(書)·어(御)·수(數). 군자나 선비는 육예(六藝)를 잘 배우고 익혀야 한다.

解說 이상은 인정(仁政)과 덕치(德治)에 참여할 군자(君子)나 선비[士]가 지녀야 할 기본 강령이다. '도(道)·덕(德)·인(仁)·예(藝)'의 넷은 '핵심목표와 실천과정'을 포괄한다. 즉 먼저 도의 달성을 목적으로 삼고, 도를 따라 덕을 세워야 한다. 덕을 세우기 위해서는 인(仁 : humanism)에 의지하고, 문화적인 행동이 육예(六藝)를 통해서 인정과 덕치를 실현해야 한다. 무력이나 권모술수를 가지고 남을 위협하거나 속이는 정치는 악덕이다.

7-7. 공자가 말했다. "속수의 예 이상을 치른 사람에게, 나는 가르치지 않은 바 없다."

原文 子曰, 自行束脩以上은 吾未嘗無誨焉이로다.

註解 ㅇ自行束脩以上(자행속수이상)－속수 이상을 행한 사람부터. 자

(自)는 '부터'. ㅇ束脩(속수)－수(脩)는 육포(肉脯), 속(束)은 묶음. 옛날 스승에게 가르침을 청할 때, 육포 열 줄을 엮은 다발을 예물로 바쳤다. ㅇ吾未嘗無誨焉(오미상무회언)－나는 전에 가르치지 않은 일이 없다. 최소한의 예물을 바치고, 배우려는 성의를 표시한 사람을 제자로 삼고 가르쳐 주었다. 가르칠 회(誨).

7-8. 공자가 말했다. "알지 못해 분발하지 않으면 계발해 주지 않고, 표현하지 못해 더듬거리지 않으면 말을 일러주지 않고, 한 구석을 들어 보이면 나머지 세 구석을 알만큼 반응하지 않으면 더는 가르치지 않는다."

原文 子曰, 不憤이어든 不啓하며 不悱어든 不發호되 擧一隅에 不以三隅反이어든 則不復也니라.

註解 ㅇ憤(분)－알려고 분발하다. ㅇ悱(비)－하고 싶은 말을 표현할 줄 몰라 더듬거리는 품. ㅇ擧一隅(거일우)－한 구석을 들어 보인다. ㅇ不以三隅反(불이삼우반)－세 구석을 스스로 알 만큼 반응하지 않으면. ㅇ不復(불부)－다시, 더 (가르치지) 않는다. 교육은 본인이 배우고자 애를 써야 한다.

7-9. 공자는 상을 당한 사람 곁에서 음식을 드실 경우, 배부르게 드시는 일이 없으셨다.

공자는 그날에 곡을 하시면 종일 노래를 부르지 않으셨다.

原文 子食於有喪者之側에, 未嘗飽也러시다. 子於是日에 哭則不歌러시다.

註解 ㅇ子食於(자식어)－공자가 ……에서 음식을 든다. ㅇ有喪者之側(유상자지측)－상을 당한 사람 곁에서. ㅇ未嘗飽也(미상포야)－한 번도 배불리 든 일이 없었다. ㅇ子於是日(자어시일)－공자는 그날. ㅇ哭(곡)－조상(弔喪)하고 곡을 한 (날에는). ㅇ則不歌(즉불가)－하루 종일 노래를 하지 않았다.

解說 공자는 제자 번지(樊遲)에게 효(孝)를 다음과 같이 설명한 일이 있다. '부모가 살아계시면 예로써 섬기고, 돌아가시면 예로써 상례를 치르고, 제사도 예로써 모셔야 한다.(生事之以禮 死葬之以禮 祭之以禮).' 〈爲政篇 2-5〉.

인간의 존엄성을 높이는 '효(孝)와 예(禮)'에서, 장례(葬禮)는 중요한 자리를 차지한다. '남의 죽음[死]'을 마음속으로부터 애도하고, 행동적으로도 경건하고 신중하게 모셔야 한다. 죽음에 대한 슬픔을 공감하고 함께 나누는 것이 인(仁)이다. 그러므로 효자(孝子)는 부모의 분묘 곁에 초려(草廬)를 엮고 거상(居喪)한다. 남의 집 상사(喪事)에 조문(弔問) 가서도, 정중하게 애도해야 한다. 현명한 공자는 눈물도 많고 감정도 섬세했다. 그러므로 그는 조문 가서 배불리 음식을 들지 않았고, 또 그날은 노래도 하지 않았다.

7-10. 공자가 안연에게 말했다. "알아서 써주면 나가서 도를 행하고, 버리면 물러나 은둔한다. 아마 나하고 자네만이 그렇게 할 수 있으리라."

이에, 자로가 나서서 "선생님께서 삼군을 부리시는 경우에는 누구와 함께 하시겠습니까?"하고 묻자, 공자가 말했다. "맨주먹으로 범을 잡으려 하고, 맨발로 강물을 건너가려 하다가, 숙어도 뉘우치지 않는 그런 무모한 자와는 함께 하지 않겠다. 일 처리에 앞서, 겁낼 줄 알고, 잘 도모하여 반드시 성사시키는 그런 사람과 함께 하겠다."

原文 **子謂顏淵曰, 用之則行**하고 **舍之則藏**은 **唯我與爾有是夫**인저. **子路曰, 子行三軍**이면 **則誰與**시리이꼬? **子曰, 暴虎馮河**하여 **死而無悔者**를 **吾不與也**니 **必也臨事而懼**하며 **好謀而成者也**니라.

註解 ㅇ子謂顏淵曰(자위안연왈)－공자가 제자 안연에게 말했다. ㅇ用之則行(용지즉행)－남이나 위정자가 나를 써주면, 나가서 도를 행한다. ㅇ舍之則藏(사지즉장)－나를 버리면 물러나 몸을 숨긴다. 은둔한다. 사(舍)＝사(捨). ㅇ唯我與爾(유아여이)－오직 나와 그대만이. ㅇ有是夫(유시부)－그렇게 할 것이다. ㅇ子路曰(자로왈)－자로가 나서서 말했다. ㅇ子行三軍(자행삼군)－(만약) 선생님께서 삼군(三軍)을 동원하고 군사행동을 하시는 경우에는. 삼군은 약 5만의 병력으로 대군(大軍)이다. ㅇ則誰與(즉수여)－그때에는 누구와 함께 하시겠습니까? ㅇ暴虎(포호)－맨주먹으로 범을 잡으려 한다. ㅇ馮河(빙하)－맨발로 강물을 건너가려 한다. ㅇ死而無悔者(사이무회자)－죽어도 뉘우치지 않는 (그런 무모한 사람). ㅇ吾不與也(오불여야)－나는 함께 하지 않겠다. ㅇ必也(필야)－반드시, 어디까지나. ㅇ臨事而懼(임사이구)－큰 일을 앞에 두고, 겁을 내고 조심을 한다. ㅇ好謀而成(호모이성)－신중하게 도모하고 반드시 성취한다.

解說 이 10장은 한 토막의 막간극과 같다. 공자가 사랑하는 두 제자, 즉 안연과 자로와 자리를 같이 하고 있다.

묵묵히 덕을 실천하는 안연에게는 더없을 정도로 칭찬하면서, 무모하고 과감한 행동파 자로에게는 무안할 정도로 핀잔을 주면서, 자로를 깨우쳐 주고 있다.

안연에게 말한 '용행사장(用行舍藏)'은 성인의 경지다. 공자가 안연에게 "너는 성인의 경지에 도달했다."고 칭찬을 한 것이다. 그러자 성미가 급하고 용맹을 자랑하는 자로가, 나서서 엉뚱한 가설을 내걸고 자기 자랑을 유도하려고 했다. 즉 "대군을 동원하는 경우에는 저를 앞세우실 것이 아닙니까?"하고 자신만만하게 나선 것이다.

그러나 공자는 '맨주먹으로 범을 잡으려 하고, 맨발로 강물을 건너가려 하다가, 죽어도 뉘우치지 않는 그런 무모한 자(暴虎馮河 死而無悔者)'는 안된다. 설사 전쟁을 해도, "큰 일을 앞에 두고 겁낼 줄 알고, 신중하게 계획을 세워서 반드시 성공하게 하는 그런 사람과 함께 하겠다.(必也 臨事而懼 好謀而成者)"라며 따끔하게 핀잔을 줌으로써 자로에게 신중하고 자중할 것을 깨우쳐주었다. 공자는 무조건하고 비전(非戰), 반전(反戰)을 주장하지 않았다. 자위(自衛)와 정의(正義)를 위한 성전(聖戰)을 신중하게 인정했다.

7-11. 공자가 말했다. "부를 구해도 될 만한 좋은 세상이라면, 채찍을 드는 천직에도 나는 종사하겠다. 그러나 부를 구하면 안되는 세상이라면, 나는 내가 좋아하는 바 도를 따르겠다."

原文 **子曰, 富而可求也**이면 **雖執鞭之士**라도 **吾亦爲之**어니와 **如不可求**인데는 **從吾所好**하리라.

註解 ㅇ富而可求也(부이가구야)—부(富)를 구해도 될 만큼 좋은 세상이라면. 부(富)는 재물이나 금전. '이(而), 야(也)'는 별 뜻이 없는 허사. 가구(可求)는 구할 만하다. ㅇ雖執鞭之士(수집편지사)—비록 채찍을 드는 천한 사람, '집편지사(執鞭之士)'는 시장터에서 채찍을 들고 정리하는 경비원, 혹은 고관이 행차할 때 채찍을 들고 벽제하는 하인배. ㅇ吾亦爲之(오역위지)—나도 역시 종사하겠다 ㅇ如不可求(여불가구)—만약에 부를 구할 수 없은 만큼 (세상이 문란하다면) ㅇ從吾所好(종오소호)—내가 좋아하는 바 도를 따라 살겠다. 즉 안빈낙도(安貧樂道)하겠다.

解說 공자는 〈술이편(述而篇)〉에서는 "의롭지 못하게 부귀를 누리는 것을, 나는 뜬구름처럼 여긴다.(不義而富且貴 於我如浮雲)" 〈3-15〉라고 말했다. 즉 도를 어기고, 악덕하게 권력을 잡고 부귀영화를 누리는 것을 반대한 것이다. 그러므로 〈태백편(泰伯篇)〉에서는 "나라에 도가 없는데, 부귀를 누리는 것은 창피한 노릇이다.(邦無道 富且貴焉 恥也)" 〈8-13〉라고 말했다. 그러나 도가 행해지는 바른 세상에서는 적극적으로 나서서 사회참여를 하고, 공을 세워서 돈도 벌고 또 이름도 내야 한다. 학덕겸비(學德兼備)한 선비가 못되면, 시장의 경비원 같은 천직(賤職)에라도 종사해야 한다.

7-12. 공자께서 가장 신중하게 여긴 일은 재계와 전쟁과 질병이었다.

原文 子之所愼은 齊·戰·疾이러시다.

註解 ㅇ子之所愼(자지소신)—공자가 신중하게 여기고 대처한 일들. ㅇ齊(제)—재계할 재(齋)와 같다. 제사 전에 목욕재계(沐浴齋戒)를 함. ㅇ戰(전)—나라의 운명을 건 전쟁. ㅇ疾(질)—인간의 생명을 좌우하는 질병.

7-13. 공자께서 제나라에 계실 때, 석 달 동안, 소(韶)라는 음악을 들으시고, 고기맛까지 잊으셨다. 그리고 말했다. "음악이 이렇게까지 훌륭한 경지에 이르리라고는 생각도 못했다."

原文 子在齊聞韶하시고 三月不知肉味하사 曰, 不圖爲樂之至於斯也호라.

註解 ㅇ子在齊聞韶(자재제문소)－공자가 35세에 제(齊)에 가서, 소(韶) 음악을 들었다. 소는 순(舜)임금 때의 음악이라고 한다. ㅇ三月不知肉味(삼월부지육미)－(음악에 도취되어) 3개월간, 고기맛을 잊을 정도였다. ㅇ不圖(부도)－뜻하지 않게. ㅇ爲樂之至於斯也(위악지지어사야)－음악이 이렇게 훌륭한 지경에까지 이르렀구나.

解說 공자는 음악에도 정통했다. '소 음악을 진선진미하다고 말했다(子謂韶 盡美矣 又盡善矣).' 〈八佾篇 3-25〉.

7-14. 염유가 "선생님은 위나라의 임금을 도우실까요?"하고 묻자, 자공이 "글쎄, 내가 물어보지."하고 들어가, 공자에게 "백이 숙제는 어떠한 사람입니까?"하고 물었다.

공자가 "옛날의 현인이다."라고 대답하자, 자공이 다시 "그들은 원망했습니까?"하고 물었으며, 공자가 다시 말했다. "그들은 인을 얻으려 했다가, 인을 얻었거늘, 어찌 원망했겠느냐?" 이에, 자공이 나와서 염유에게 말했다. "선생님은 위나라 임금을 도우시지 않으실 거다."

原文 **冉有曰, 夫子爲衛君乎**아? **子貢**이 **曰, 諾**다 **吾將問之**호리라. **入曰, 伯夷叔齊何人也**이꼬? **曰, 古之賢人也**니라. **曰, 怨乎**이꼬? **曰, 求仁而得仁**이어니 **又何怨**이리오. **出曰, 夫子不爲也**시리라.

註解 ㅇ冉有(염유)－공자의 제자. 〈八佾篇 3-6〉 참고. ㅇ夫子爲衛君乎(부자위위군호)－선생님이 위나라의 임금을 도울까? ㅇ子貢(자공)－공자의 제자. 〈學而篇 1-10〉 참고. ㅇ諾(낙)－네, 그래. 가벼운 대답. ㅇ吾

將問之(오장문지)－내가 물어보마. ㅇ入(입)－(공자가 있는 방에) 들어가. ㅇ伯夷叔齊(백이숙제)－은(殷) 말기, 고죽국(孤竹國)의 왕자. 서로 왕의 자리를 양보하고, 주(周)로 갔으며, 마침 주 무왕이 은을 치려고 하자, 앞을 막고 '불효 불충'이라고 간했는데, 주나라 건국 후에는 수양산(首陽山)에 들어가 아사(餓死)한 의인(義人) 형제. 〈公冶長篇 5-23〉 참고. ㅇ古之賢人(고지현인)－옛날의 현명한 사람. ㅇ怨乎(원호)－남이나 하늘을 원망했을까요? ㅇ求仁而得仁(구인이득인)－스스로 인을 구하고 또 인을 행했다. ㅇ又何怨(우하원)－어찌 또 원망하고 후회했으랴? ㅇ夫子不爲也(부자불위야)－선생님은 위나라 임금을 도우시지 않으실 거다.

解說 여기 나오는 위(衛)나라의 임금은 출공(出公), 이름은 첩(輒), 영공(靈公)의 손자이며, 괴외(蒯聵)의 아들이다. 영공의 부인이 평판이 나쁜 남자(南子)다. 기원전 496년에 괴외는 남자를 살해하려다가 실패하고 송(宋)과 진(晉)으로 망명했다. 영공이 죽고 손자 첩(輒)이 뒤를 이은 것은 기원전 493년이다. 그러자 영공의 아들, 괴외가 돌아와서 임금이 되려고 했으며, 이에 첩, 즉 출공(出公)이 군대를 동원하여, 자기 아버지 괴외의 귀국을 막았다.

그후 기원전 480년, 망명했던 괴외(蒯聵)가 위나라에 돌아와서, 임금자리에 올랐다. 그가 곧 장공(莊公)이다. 한편 아들 첩은 노(魯)에 망명했으며, 다시 기원전 478년에 아버지 장공을 쫓아내고 다시 위나라 임금이 되었다. 부자간의 치열한 싸움을 공자는 좋게 보지 않았다.

한편 공자가 초(楚)에서 위나라에 온 때가 출공(出公) 4년(기원전 489년)이며, 공자의 나이 63세였다. 이와 같은 상황에서 염유(冉有)와 자공(子貢)이 '선생님이 출공을 도와 일을 하실까? 안하실까?' 하고 의문을 품었다. 이에 재치있는 자공이 직접 묻지 않고, '백이 숙제(伯夷叔齊)에 대한 인물평'을 통해서 '선생님은 출공을 돕지 않으실 거라는 해답'을 얻은 것이다. '백이 숙제'는 서로 왕의 자리를 양보하고 또 주무왕(周武王)의 말고삐를 잡고 출정을 반대한 의인(義人)이자 인인(仁人)이다. 공자가 '백이 숙제'를 높이 평가한 이상 위나라의 추악한 싸움에 끼어들지 않을 것이었다.

7-15. 공자가 말했다. "거친 밥을 먹고 물을 마시고, 팔을 굽혀 베개 삼아도, 그 속에 즐거움이 있다. 의롭지 않게 부를 누리고 귀한 자리를 차지하는 것은 나에게는 뜬구름과 같다."

原文 **子曰, 飯疏食飮水**하고 **曲肱而枕之**라도 **樂亦在其中矣**니 **不義而富且貴**는 **於我如浮雲**이니라.

註解 ㅇ飯疏食(반소사)－반(飯)은 동사로 '먹는다', 소사(疏食)는 거친 밥, 잡곡밥, 혹은 채식(菜食). 식(食)을 '사'로 읽는다. ㅇ飮水(음수)－냉수를 마신다. ㅇ曲肱(곡굉)－팔을 굽혀. ㅇ枕之(침지)－베개 삼고 베다. ㅇ樂亦在其中矣(낙역재기중의)－도를 지키며, 청렴하게 사는 즐거움이 그 속에 있다. ㅇ不義而富且貴(불의이부차귀)－의롭지 않은 방법으로 부귀를 누린다, 혹은 부귀를 누리되, 의롭지 못하면. ㅇ於我如浮雲(어아여부운)－나에게는 뜬구름과 같다, 무의미하고 허망하다.

解說 도(道)가 행해지는 좋은 세상에서는 도덕적이고 선량한 사람이 부귀(富貴)를 누리게 마련이다. 반대로 무도(無道)하고 타락한 난세(亂世)에서는 악덕한 사람들이 부귀를 가로채게 마련이다. 이 장은 악덕한 난세에 처한 경우를 말한 것이다. 제11장의 "부를 구해도 될 만한 좋은 세상이라면, 채찍을 드는 천직에도 나는 종사하겠다. 그러나 부를 구하면 안되는 세상이라면, 나는 내가 좋아하는 바도를 따르겠다."는 말과 같은 뜻이다. 도(道)는 곧 '공간과 시간을 통합한 우주의 도리'이다. 크게 도를 깨닫고, 역사적으로 인류의 문

화 발달을 살필 수 있는 사람은 '의롭지 않은 부귀'를 바라지도 않고 또 누리지도 않는 법이다.

7-16. 공자가 말했다. "앞으로 몇 년만 더 살게 해주어, 쉰 살까지 역(易)을 배울 수 있다면, 큰 허물이 없을 것이다."

原文 子曰, 加我數年하야 五十以學易이면 可以無大過矣리라.

註解 ㅇ加我數年(가아수년)－(하늘이) 몇 년만 더 살게 해준다. ㅇ五十以學易(오십이학역)－50세까지 《역경(易經)》을 배우고 익힌다. ㅇ無大過(무대과)－큰 과실이 없다. 이 말은 공자가 나이 45, 6세 때 한 말이다. 그러나 《집주(集註)》는 '오십(五十)'을 '졸(卒)'로 보고, '끝까지 《역경》을 배우다'로 풀었다. 《사기(史記)》 〈공자세가(孔子世家)〉에 '가아수년(假我數年) 약시아어역(若是我於易) 즉빈빈의(則彬彬矣)'라는 말이 있으며, 그때 공자의 나이가 70세였다. 그러므로 《집주》는 '오십(五十)'을 '졸(卒)'의 오기(誤記)라고 한 것이다. 단 16장과 〈공자세가〉의 말을 별도로 보면 된다.

7-17. 공자가 정음(正音)으로 말한 것은 《시경》과 《서경》을 읽고 또 집례할 때였다.

原文 子所雅言은 詩書執禮 皆雅言也러시다.

註解 ㅇ子所雅言(자소아언)－공자가 아음(雅音)으로 말한 것은. 아음은 정음(正音), 표준음. ㅇ詩書執禮(시서집례)－《시경》과 《서경》을 읽을

때와, 예를 집행할 때였다. ㅇ皆雅言(개아언)−다 정음을 발음했다. 아언(雅言)은 곧 정음(正音)으로서 천하를 지배하는 주(周)의 조정에서 쓰던 우아한 표준음이다.

7-18. 섭공이 자로에게 공자의 사람됨을 물었으나, 자로가 대답하지 않았다. 그러자 공자가 자로에게 말했다. "자네 왜, 말하지 않았나? 이렇게 말할 것이지. '그분은 분발하면 먹는 것도 잊고, 도를 즐기므로 모든 근심을 잊으며, 늙는 것조차 알지 못한다'고, 말하지 않았나!"

原文 **葉公 問孔子於子路**어늘 **子路不對**한대 **子曰, 女奚不曰 其爲人也 發憤忘食**하며 **樂以忘憂**하여 **不知老之將至云爾**오.

註解 ㅇ葉公(섭공)−초(楚)나라의 대부(大夫), 섭현(葉縣)을 다스렸으므로 섭공이라 했다. 성은 심(沈), 이름은 제량(諸梁), 자는 자고(子高). ㅇ女奚不曰(여해불왈)−여(女)는 여(汝), 해(奚)는 하(何), 너는 왜 말하지 않았나? ㅇ其爲人也(기위인야)−그 사람됨이. ㅇ發憤忘食(발분망식)−발분(發憤)하면 먹는 일도 잊는다. 발분은 배워서 알려고 분발한다. ㅇ樂以忘憂(낙이망우)−도를 따르고 사는 즐거움에 넘쳐, 세속적인 근심 걱정을 다 잊는다. ㅇ不知(부지)−알지 못한다. ㅇ老之將至(노지장지)−늙음이 닥쳐오는 것도 (모른다). ㅇ云爾(운이)−그렇게 말할 것이지!

解說 공자의 학문과 구도(求道) 정신을 표현한 구절이다. '발분망식(發憤忘食)'은 먹는 것도 잊고, 학문에 분발한다는 뜻이고, '낙이망우(樂以忘憂)'는 곧 '안빈낙도(安貧樂道)'이다. 학문을 통해 진리를 터득하고, 그 진리를 따르고 행하면서 살면, 그 즐거움은 더없이 크

게 마련이다. 그러므로 세속적인 근심 걱정을 잊고, 자신이 늙는 줄도 모르게 된다. '조문도(朝聞道) 석사가의(夕死可矣)'의 경지다.

7-19. 공자가 말했다. "나는 태어나면서부터 모든 것을 안 사람이 아니다. 옛것을 좋아하여 부지런히 탐구해서 알게 된 것이다."

原文 **子曰, 我非生而知之者**라 **好古**하여 **敏以求之者也**로라.

註解 ㅇ我非(아비)－나는 ……한 사람이 아니다. ㅇ生而知之者(생이지지자)－태어나면서 스스로 모든 것을 안 사람. ㅇ好古(호고)－옛날의 서적이나, 학문 및 문물제도, 특히 선왕(先王)의 예악(禮樂)이나 덕치(德治)의 도리. ㅇ敏以求之者也(민이구지자야)－부지런히 배워서 그것들을 탐구한 것이다. 이때의 '자(者)'를 '……한 사람'이라고 풀이할 수도 있다. 그러나, '자(者), 야(也)'를 다 단락의 허사로 보는 것이 좋다.

解說 공자는 〈양화편(陽貨篇)〉에서 말했다. "사람의 본성은 다 비슷하다. 학습에 따라 서로 다르게 된다(子曰 性相近也 習相遠也)." 〈17-3〉. 그러므로 공자는 부지런히 잘 배우면 누구나 다 성인 군자가 될 수 있다고 믿었고 또 그렇게 가르쳤다. 여기서 "나는 태어나면서부터 모든 것을 안 사람이 아니다."라고 말한 것도, 제자들을 학문적으로 분발케 하기 위한 것이다.

인류의 문화는 과거의 역사나 문화의 전통을 바탕으로 하고 발달하게 마련이다. 그러므로, "옛것을 부지런히 배워야 한다." 공자는 다음과 같이도 말했다. "나는 옛것을 전술(傳述)하고, 새로 만들지 않았다. 옛것을 믿고 배우기를 좋아했다(述而不作 信而好古)." 〈述而篇 7-1〉. "묵묵히 깨닫고, 물리지 않고 배우고, 열심히 가르친다(默而識之 學而不厭 誨人不倦)." 〈述而篇 7-2〉.

7-20. 공자는 괴변·폭력·난동 및 귀신 등에 대해서는 별로 말하지 않았다.

原文 子不語 怪·力·亂·神이러시다.

註解 ㅇ子不語(자불어)—공자 사상의 핵심은 합리적인 인본주의를 바탕으로 한 인정(仁政)과 덕치(德治)였다. 그러므로 그는 다음과 같은 것에 대한 언급을 하지 않았다. ㅇ怪(괴)—비현실적·비합리적 괴이(怪異)나 이변(異變). ㅇ力(력)—무도(無道)하고 비평화적인 무력이나 폭력 등을 반대했다. ㅇ亂(란)—절대선(絶對善)의 도리와 사회질서를 어지럽히는 난동(亂動). ㅇ神(신)—주술적(呪術的)·무속적(巫俗的) 미신이나 신권통치(神權統治) 등을 포함한다.

解說 공자사상의 핵심은 '인(仁)'이다. '어질 인(仁)은 사람과 사람이 서로 사랑하고 함께 잘사는 공동체를 구성하기 위한 윤리도덕의 최고 덕목이다.' 이는 곧 '현실적·합리적·이성적·실용적 인본주의(Humanism)'이다. 동시에 공자는 전통을 바탕으로 한 역사발전을 높이고 있다. 특히 은(殷)나라의 주술적 신권통치를 혁파하고, 새로 인본주의적 도덕정치를 실천한 주공(周公)의 예치(禮治)의 도리와 문물제도를 본으로 삼았다. 그러므로 공자는 '괴(怪)·력(力)·란(亂)·신(神)'을 자기의 정치철학에서 배제했던 것이다. 《집주(集註)》에서 사량좌(謝良佐)는 다음과 같이 말했다. "성인은 상도(常道)를 강조하고 괴변을 배척한다. 도덕을 주장하고 무력을 배제한다. 예치(禮治)를 높이고 난동을 반대한다. 인간을 본위로 하고 귀신을 멀리한다(聖人語常不語怪 語德不語力 語治不語亂 語人不語神)."

7-21. 공자가 말했다. "세 사람이 가면, 그 중에 반드시 나의 스승이

있다. 그 중에서 좋은 점을 골라서 내가 따르고, 좋지 않은 점은 거울 삼아 고치도록 한다.”

原文 **子曰, 三人行**에 **必有我師焉**이니 **擇其善者而從之**오 **其不善者而改之**니라.

註解 ㅇ三人行(삼인행)—세 사람이 함께 길을 간다, 행동한다는 뜻으로 풀 수도 있다. ㅇ擇其善者(택기선자)—나보다 선한 사람을 택해서. ㅇ從之(종지)—내가 따른다. ㅇ改之(개지)—나의 잘못을 고친다.

7-22. 공자가 말했다. “하늘이 선천적으로 덕을 나에게 부여해 주었거늘, 환퇴가 나를 어떻게 해치랴?”

原文 **子曰, 天生德於予**시니 **桓魋其如予何**리오.

註解 ㅇ天生德於予(천생덕어여)—일반적으로는 ‘하늘이 천생으로 나에게 덕을 내려주었다’로 풀이한다. 그러나 ‘생덕어여(生德於予)’의 뜻을 ‘나로 하여금 이 세상의 덕을 발생케 했다’로 해석할 수도 있다. ㅇ桓魋(환퇴)—송(宋)나라의 사마(司馬), 성은 향(向), 이름은 퇴(魋), 송 환공(桓公)의 후손이라, 환퇴라 했다. 공자가 노나라에 갔을 때, 이 자가 공자를 죽이려 했다. 그 때에 공자가 제자에게 한 말이다. ㅇ其如予何(기여여하)—(하늘이 나에게 덕을 내려주었거늘) 환퇴가 나를 어찌하겠느냐? 절대선인 하늘에 대한 믿음과 낙관이 넘치는 말이다.

7-23. 공자가 말했다. “자네들은 내가 무엇을 숨기고 있다고 생각하는가? 나는 숨긴 것이 없네! 내가 하는 일로서 자네들과 같이 하

지 않은 것이 없네! 나는 바로 그런 사람일세!"

原文 子曰, 二三子는 以我爲隱乎아? 吾無隱乎爾로라 吾無行而不與二三子者니 是丘也니라.

註解 ㅇ二三子(이삼자)－자네들, 그대들. ㅇ以我爲隱乎(이아위은호)－내가 (무엇을) 숨긴다고 생각하는가? ㅇ吾無隱乎爾(오무은호이)－나는 숨긴 것이 없다. 호이(乎爾)는 허사. ㅇ吾無行而不與二三子者(오무행이불여이삼자자)－내가 행한 것으로 그대들에게 보이지 않은 것이 없다. 여(與)는 보일 시(示). ㅇ是丘也(시구야)－그것이 바로 구(丘)다. 구(丘)는 공자의 이름.

7-24. 공자는 네 가지를 가르치셨다. 글·덕행·충성·신의였다.

原文 子以四教하시니 文·行·忠·信이니라.

註解 ㅇ子以四教(자이사교)－공자는 네 가지를 가르쳤다. ㅇ文(문)－고전의 글, 학문. ㅇ行(행)－실천, 행실, 덕행. ㅇ忠(충)－성심으로 최선을 다하는 것을 충이라 한다. ㅇ信(신)－말과 행동이 일치함, 신의를 지킴.

解說 '문행충신(文行忠信)'을 사교(四教)라고 한다. 이는 곧 글을 배우고 언행을 수양하여, 사회에 나가서, 사물을 처리함에 최선을 다하고 아울러 모든 사람에게 신의를 잘 지키라는 가르침이다.

7-25. 공자가 말했다. "성인을 내가 만나볼 수 없다면, 군자라도 만

나볼 수 있으면 좋겠다."

공자가 말했다. "선인을 내가 만나볼 수 없다면, 항심(恒心) 있는 사람이라도 만나볼 수 있으면 좋겠다. 없으면서도 있는 체하고, 비어도 찬 것같이 하고, 가난해도 태연해야 하니, 항심 있기도 참으로 어렵다."

原文 子曰, 聖人을 吾不得而見之矣어든 得見君子者면 斯可矣니라. 子曰, 善人을 吾不得而見之矣어든 得見有恒者면 斯可矣니라. 亡而爲有하며 虛而爲盈하며 約而爲泰면 難乎有恒矣니라.

註解 ㅇ聖人(성인)－하늘과 같은 경지에서 인덕(仁德)을 베푸는 사람. 주공(周公) 같은 사람. ㅇ不得而見之(부득이견지)－만나볼 수 없다. ㅇ得見君子(득견군자)－군자라도 만나볼 수 있으면. ㅇ君子(군자)－학문과 덕행을 겸비하고, 인정(仁政)과 덕치(德治)에 참여하는 지식인. 엘리트. ㅇ斯可矣(사가의)－(그것만으로도) 좋다. ㅇ善人(선인)－착한 사람, 적극적으로는 도(道)를 따르고 행하는 사람, 최소한도 악한 일을 않는 사람. ㅇ有恒者(유항자)－항심(恒心)을 가진 사람, 항심은 한결같은 마음. ㅇ亡而爲有(망이위유)－망(亡)은 무(無)와 같다. 즉 없어도 있는 척한다. ㅇ虛而爲盈(허이위영)－비어도 가득 찬 것같이 한다. ㅇ約而爲泰(약이위태)－가난에 쪼들려도 태연자약하다. ㅇ難乎有恒矣(난호유항의)－참으로 어렵다, 항심을 지니기가.

解說 이 장에서 공자는 '성인(聖人)·군자(君子)·선인(善人)·유항자(有恒者)' 등 네 단계의 품격을 들었다. 최고의 경지는 천하에 인덕(仁德)을 베푼 성왕(聖王) 및 주공(周公) 같은 분이다. 공자 당대에도 성인을 볼 수 없다. 그러므로 인정(仁政)과 덕치(德治)에 참

여할 군자라도 있었으면 좋겠다고 말한 것이다. 사실 공자는 군자를 양성하여 도덕정치를 실현하고자 했다.

그러나 혼란하고 타락한 춘추시대에는 군자들이 끼어들 자리가 없었다. 악덕한 자들이 부당하게 권세를 가로채 가지고, 무력과 술수로 자기네들의 야욕을 채우기에 급급한 때였다. 그래서 공자는 선인(善人)이나 최소한 '항심(恒心)을 지닌 사람'이라도 나오기를 바랐던 것이다. '선인'은 국가의 기강을 바로잡는 사람이다. 〈자로편(子路篇)〉에서 공자는 말했다. '선인이 나라를 백년간 다스리면, 잔학한 자들을 억제하고 따라서 잔인한 살상을 제거할 수 있을 것이다. 그것만으로도 좋겠다.(子曰 善人爲邦百年 亦可以勝殘去殺矣 誠哉是言也).' 〈13-11〉. 이렇게 잔인한 살상을 제거하는 선인의 정치를 기대하지 못한다면, 최소한 '유항자(有恒者)'라도 있어야 하겠다고 말했다.

'유항자'는 '한결같은 마음, 즉 항심(恒心)을 지닌 사람'이다. '항심을 지닌 사람'은 곧 '항상 변하지 않는 절대선의 하늘의 도리를 따르고 지키려는 마음을 품은 사람이다. 그는 최소한 현실의 악덕과 타협하지 않는다. 또 세속적인 명리(名利)에 미혹되어 타락하는 일도 없다.' 공자는 '유항자'를 다음같이 설명했다. '없어도 있는 척한다(亡而爲有).' '비어도 가득 찬 것같이 한다(虛而爲盈).' '가난에 쪼들려도 태연자약하다(約而爲泰).' 이상은 곧 '안빈낙도(安貧樂道)'의 경지다. 나라가 부패하고 위정자가 타락해도 선비들이 '항심'을 지니고 '안빈낙도'하면 다시 부흥할 수 있다.

7-26. 공자는 낚시질은 했으나, 그물질은 하지 않았고, 주살로 잠자는 새를 쏘지 않았다.

原文 子釣而不綱하시며 弋不射宿이러시다.

註解 ㅇ釣(조)－낚시질하다. ㅇ不綱(불강)－그물질은 하지 않았다. 즉 물흐름을 가로질러 그물을 치고 고기를 잡지는 않았다. 강(綱)을 '한 줄에 여러 개의 낚싯바늘을 단 것'이라고 하는 설도 있다. ㅇ弋(익)－주살. 화살에 실이 달렸다. ㅇ不射宿(불사숙)－잠자는 새, 혹은 앉아있는 새를 쏘지 않았다.

7-27. 공자가 말했다. "잘 알지도 못하면서 함부로 일하는 사람이 있으나, 나는 그렇게 하지 않는다. 많이 들은 중에서 좋은 것을 택하여 좇았고, 많이 본 중에서 골라 기술한다. 이렇게 하는 것이 천생의 총명 다음가는 슬기다."

原文 子曰, 蓋有不知而作之者아 我無是也로라. 多聞하야 擇其善者而從之하며 多見而識之 知之次也니라.

註解 ㅇ蓋(개)－무릇, 대략. ㅇ有不知而作之者(유부지이작지자)－'유(有)…… 자(者)'는 ……하는 사람이 있다. '부지이작지(不知而作之)'는 알지 못하면서 일을 한다. ㅇ我無是(아무시)－나는 그렇게 하지 않는다. ㅇ擇其善(택기선)－좋은 것을 택해서. ㅇ識之(지지)－기록한다, 기억한다. ㅇ知之(지지)－생이지지(生而知之)의 뜻.

7-28. 호향 사람들과는 같이 말하기 어려웠다. 그런데 공자가 그곳 아이를 만나자, 제자들이 당황해했다.

이에 공자가 말했다. "그 아이가 앞으로 나가려는 것을 내가 거들어 준 것이다. 뒤로 물러나고자 하는데, 내가 거들어 준 것이 아니다. 덮어놓고 심하게 할 게 무엇이냐? 사람이 자신을 깨끗이 가다듬고 나오면 그 깨끗함을 받아주어야 한다. 과거에 구애될 게 없다."

原文 互鄕難與言이러니 童子見커늘 門人惑한대 子曰, 與其進也오 不與其退也니 唯何甚이리오? 人潔己以進이어든 與其潔也요 不保其往也니라.

註解 ㅇ互鄕(호향)-호향이라는 마을, 호(互)는 거스를 오(忤)와 통한다. ㅇ難與言(난여언)-(호향 사람들은 반대를 잘하기 때문에) 함께 말하기가 어렵다. ㅇ童子見(동자견)-호향의 어린아이를 공자가 만나주었다. ㅇ門人惑(문인혹)-공자의 제자가 당혹했다. ㅇ與其進(여기진)-여(與)는 편들다, 도와주다. 그 아이가 앞으로 나가려고 하기에 거들어 준 것이다. ㅇ不與其退(불여기퇴)-그 아이가 후퇴하려는 것을 도와준 것이 아니다. ㅇ唯何甚(유하심)-덮어놓고 왜 그들에게 혹심하게 대하느냐? ㅇ人潔己以進(인결기이진)-사람이 자신의 마음을 깨끗이 하고, 정진하려고 하면. ㅇ與其潔(여기결)-그 깨끗한 정진을 도와주어야 한다. ㅇ不保其往(불보기왕)-그 과거에 매이거나 집착하면 안된다. 선입관(先入觀)에 사로잡히면 안된다. 제자들이 잘못된 선입관으로 호향 사람들을 기피하는 것을 탓한 것이다.

7-29. 공자가 말했다. "인이 멀리 있는가? 아니다. 내가 인을 바라면, 당장에 인이 앞에 나타난다."

原文 子曰, 仁遠乎哉아? 我欲仁이면 斯仁至矣니라.

註解 ㅇ仁遠乎哉(인원호재)-인이 멀리 있나? 아니다, 인은 멀리 있는 것이 아니다. ㅇ我欲仁(아욕인)-내가 인을 원하고 바라면. ㅇ斯仁至(사인지)-당장 그 자리에 인이 나타난다.

解說 인(仁)은 공자가 가장 강조한 최고의 덕목이다. 《논어》에 백

번 이상이나 언급되었다. 그러므로 제자들도 인은 너무 높아서, 보통 사람은 도저히 도달하거나, 실천할 수 없는 것이라고 생각했을 것이다. 그래서 공자는 말했다. "인은 바로 내가 원하면, 당장 앞에 나타난다." 이 말은 곧 오늘날의 우리에게 한 말이다. 인(仁)은 사람이 서로 사랑하고 함께 잘사는 공동체를 꾸미는 윤리의 덕목이다. 인은 곧 휴머니즘(Humanism)이다. 사람이면 누구나 천성으로 '인심(仁心)'을 가지고 있다.

그러므로 그 '인심'을 발휘하면 곧 인덕(仁德)을 세울 수 있다. 그런데 왜 '인심을 따라 인덕을 세우기가 어렵고 힘이 드는가?' 그 이유는 다름이 아니다. '나 자신이 숭고한 인간이며, 따라서 인심이 있다는 것을 모르고, 반대로 나는 동물적 존재에 불과하며, 따라서 동물적 이기주의만으로 행동하기 때문이다.' 그러므로 '내가 동물이 아닌 숭고한 인간이며, 나는 본래 인심을 지니고 있다. 그러므로 동물적 이기주의적 욕심을 극복하고 인덕을 세워야 한다'는 것을 알고, 또 실천하려고 원하면 되는 것이다.

7-30. 진(陳)나라의 사패(司敗)가 공자에게 "선생님의 나라, 노(魯)나라의 임금, 소공은 예를 알았나요?"하고 묻자, 공자는 "알았지요." 하고 대답하고, 자리에서 물러났다.

그러자 사패가 공자의 제자 무마기(巫馬期)에게 읍하고, 앞에 나오라고 하며 말했다. "내가 듣고 알기에, 군자는 편을 들지 않는다고 하였소. 그런데 군자 역시 편을 드시는구려. 소공이 오(吳)나라에서 부인을 취했으며, 성이 같으므로 오맹자(吳孟子)라고 불렀소. 그런 소공이 예를 안다고 하면, 그 누가 예를 모르겠소?"

이를 무마기가 공자에게 전하자, 공자가 말했다. "나는 행복하다. 약간의 잘못이 있어도, 남이 반드시 알아차리는구나."

原文 **陳司敗問, 昭公**이 **知禮乎**이꼬? **孔子曰, 知禮**시니라. **孔子退**커늘 **揖巫馬期 而進之 曰, 吾聞君子**는 **不黨**이라 하니 **君子亦黨乎**아. **君取於吳**하니 **爲同姓**이라 **謂之吳孟子**라 하니 **君而知禮**면 **孰不知禮**리오. **巫馬期以告**한대 **子曰, 丘也幸**이로다 **苟有過**어든 **人必知之**오녀.

註解 ㅇ陳司敗(진사패)－진(陳)나라의 법무장관, 사패(司敗)는 관직명(官職名), 법무장관에 해당한다. ㅇ問昭公(문소공)－노(魯)나라의 임금, 소공(昭公)에 대해서 물었다. ㅇ知禮乎(지례호)－예를 알았습니까? ㅇ退(퇴)－그 자리에서 물러나다. ㅇ揖(읍)－가슴 앞에 두 손을 모으고 절하는 격식. ㅇ巫馬期(무마기)－공자의 제자. 성이 무마(巫馬), 이름은 시(施), 자가 기(期). ㅇ進之(진지)－무마기로 하여금 앞에 나오게 하다. ㅇ吾聞(오문)－나는 듣고 또 알고 있다. ㅇ君子不黨(군자부당)－군자는 편파적으로 편을 들지 않는다. ㅇ君取於吳(군취어오)－노나라의 임금 소공이 오나라에서 부인을 취했다. ㅇ爲同姓(위동성)－성이 같으므로, 노(魯)와 오(吳)는 같은 희성(姬姓)이다. ㅇ謂之吳孟子(위지오맹자)－부인을 오맹자라고 불렀다. 오희(吳姬)라고 해야 할 것을 고쳐 부른 것이다. ㅇ巫馬期以告(무마기이고)－제자 무마기가 공자에게 고했다. ㅇ丘也幸(구야행)－나는 행복하다, 구(丘)는 공자의 이름. ㅇ苟有過(구유과)－만약 과실이 있으면. ㅇ人必知之(인필지지)－남이 반드시 (나의 과실을) 알게 한다, 혹은 남이 알아차린다.

解說 노(魯)나라 소공(昭公)은 삼환씨(三桓氏)의 세력을 무력으로 치려다가 반대로 패하고, 제(齊)나라로 망명했다. 공자도 제나라에 갔다. 이때가 소공 25년(기원전 517년)이며, 공자 나이 35세 때였다. 그후 소공은 다시 환국(還國)하지 못하고 객지에서 죽은 비극의 임금이었다.

그 전에 소공은 오나라에서 부인을 취했다. 노와 오는 같은 희(姬)성이다. 그래서 오희(吳姬)라고 할 것을 오맹자(吳孟子)라고 이름을 고쳐 불렀다. 이는 동성(同姓)을 취하면 안된다는 예를 어긴 것이다. 이를 두고, 진나라의 법무장관이 공자에게 "소공은 예를 압니까?" 하고 물은 것이다. 그러나 공자는 자기 나라 임금을 폄할 수가 없어, 일부러 다른 말을 한 것이다. 그리고 자기의 어려운 처지를 알아준 것을 다행으로 여긴 것이다.

7-31. 공자는 남과 같이 노래를 부를 때, 남이 잘 부르면, 반드시 그로 하여금 다시 부르게 하고, 그 다음에 함께 맞추어 노래를 불렀다.

原文 **子與人歌而善**이어든 **必使反之**하시고 **而後和之**러시다.

註解 ㅇ子與人歌(자여인가)—공자는 남과 같이 노래를 부를 때. ㅇ必使反之(필사반지)—반드시 그로 하여금 반복케 하고. ㅇ而後和之(이후화지)—그런 다음에 화창(和唱)했다.

7-32. 공자가 말했다. "학문에 있어서는 나도 남만 못하지 않다. 그러나 군자답게 실천하는 데는 아직 충분한 경지에 이르지 못했다."

原文 **子曰, 文莫吾猶人也**아 **躬行君子**는 **則吾未之有得**호라.

註解 ㅇ文莫吾猶人也(문막오유인야)—《집주(集註)》는 '문에 있어서는 나도 남만 못하겠는가?'로 풀었다. 《고주(古注)》는 '문막(文莫)'을 '열심히 공부함'으로 해석했다. ㅇ躬行君子(궁행군자)—군자의 도를 몸소 행함

에 있어. ㅇ吾未之有得(오미지유득)—나는 아직도 다하지 못함이 있다.

7-33. 공자가 말했다. "성인과 인자 같은 경지를 내가 어찌 감히 바라겠느냐? 고작해야 배우고 따라 행하는 것을 싫어하지 않고, 남을 가르치는 일에 게으르지 않을 뿐이라고 말할 수 있을 것이다."

이에 공서화가 말했다. "바로 그것을 제자들이 본받고 행하지 못하는 것입니다."

原文 **子曰, 若聖與仁**은 **則吾豈敢**이리오? **抑爲之不厭**하며 **誨人不倦**은 **則可謂云爾已矣**니라. **公西華曰, 正唯弟子不能學也**로소이다.

註解 ㅇ若聖與仁(약성여인)—성인이나 인자 같은 경지. ㅇ吾豈敢(오기감)—내가 어찌 감히 바라겠느냐? ㅇ抑(억)—하지만, 고작해야. ㅇ爲之不厭(위지불염)—위(爲)는 학(學), 물리지 않고 배우고 행한다. ㅇ誨人不倦(회인불권)—회(誨)는 교(敎), 가르치는 일에 게으르지 않다. ㅇ可謂云(가위운)—말할 수 있다. ㅇ爾已矣(이이의)—뿐이다. ㅇ公西華(공서화)—공자의 제자. 〈公冶長篇 5-8, 雍也篇 6-4〉 참고. ㅇ正唯(정유)—바로 그것을. ㅇ弟子不能學(제자불능학)—제자들이 본받고 따르지 못한다.

解說 공자의 겸사(謙辭)다. 자신을 겸손하게 말한 것이다. 같은 〈술이편(述而篇)〉 앞에서도 "자왈(子曰) 묵이식지(默而識之) 학이불염(學而不厭) 회인불권(誨人不倦) 하유어아재(何有於我哉)" 〈7-2〉라고 겸손하게 말했다. 그러나, '평생 물리지 않고 도를 배우고 행하는 것이 곧 성인의 경지고, 게으름 피우지 않고 부지런히 남에게 도를 가르쳐 주는 것이 곧 인자이다.'

7-34. 공자가 심하게 병을 앓자, 자로가 기도를 드리자고 했다. 이에 공자가 "그런 일이 있느냐?"하고 묻자, 자로가 "있습니다. 뇌문에 위로는 천신에게 빌고, 아래로는 지기에게 빈다고 했습니다."라고 말했다. 그러자 공자가 말했다. "나는 하늘에 빈 지 오래이다."

原文 **子疾病**이시어늘 **子路請禱**한대 **子曰, 有諸**아? **子路對曰, 有之**하니 **誄曰 禱爾于上下神祇**라 하더이다. **子曰, 丘之禱久矣**니라.

註解 ㅇ疾病(질병)－심하게 병을 앓다. ㅇ子路請禱(자로청도)－자로가 기도를 드리자고 청했다. ㅇ有諸(유제)－그런 일이 있느냐? 그런 선례가 있느냐? ㅇ誄(뢰)－죽은 사람의 생전의 공덕을 칭송하고 명복을 비는 글. 뇌문(誄文), 뇌사(誄辭). ㅇ禱爾(도이)－기도를 드리다, 이(爾)는 지(之)로 막연한 목적어. ㅇ于(우)－……에게. ㅇ上下神祇(상하신기)－'상신하기(上神下祇)'와 같다, 위로는 천신에게, 아래로는 지기에게. ㅇ丘之禱久矣(구지도구의)－내가 기도를 한 지 오래되었다. 구(丘)는 공자의 이름.

解說 공자는 "귀신을 적당히 모시되, 멀리하는 것이 지혜롭다.(敬鬼神而遠之 可謂知矣)"고 말했다. 또 '공자는 괴력난신을 말하지 않았다.(子不語怪力亂神)'. 공자가 병을 앓자, 자로가 하늘에 빌자고 말하자, 공자가 "나는 하늘에 기도드린 지 오래다."라고 말했다. 그 뜻은 다음이 아니다. 공자가 말하는 기도는 '인간의 선의(善意)와 정성(精誠)을 바쳐 배우고 일하는 것이다'. 철저한 인본주의다.

7-35. 공자가 말했다. "사치하면 불손하게 되고, 검약하면 고루하게

되기 쉽다. 불손한 것보다 차라리 고루한 것이 낫다."

原文 **子曰, 奢則不孫**하고 **儉則固**니 **與其不孫也**론 **寧固**니라.

註解 ㅇ奢則不孫(사즉불손)—사치한 생활을 하면, 남에게 불손하고 거만을 떨게 된다. ㅇ儉則固(검즉고)—지나치게 절약하고 검소하면, 남에게 고루하게 된다. ㅇ與其不孫也寧固(여기불손야녕고)—차라리 불손한 것보다, 고루한 편이 낫다. 여기(與其)……영(寧)~은 차라리 ……보다, ~가 좋다.

7-36. 공자가 말했다. "군자는 마음이 평탄하고 너그러우며, 소인은 항상 겁내고 두려워한다."

原文 **子曰, 君子**는 **坦蕩蕩**이요 **小人**은 **長戚戚**이니라.

註解 ㅇ君子(군자)—학문과 덕을 갖춘 사람. ㅇ坦蕩蕩(탄탕탕)—탄(坦)은 평탄하고, 평정(平靜)하다. 탕탕(蕩蕩)은 넓고 너그럽다. ㅇ小人(소인)—눈앞의 잔 이득만을 추구하는 동물적 이기주의자. ㅇ長戚戚(장척척)—항상, 언제나, 초조하고 겁을 내고, 두려워한다.

解說 군자는 인류의 평화 및 문화 발전에 헌신하는 휴머니스트다. 모든 사람이 형제가 된다. 반대로 소인은 동물적 탐욕을 바탕으로 온갖 악덕을 행한다. 그러므로 모든 사람이 적이 되게 마련이다.

7-37. 공자는 온순하시되 엄숙하고, 위엄이 있으시되 무섭지 않고,

공손하시되 안도감을 주신다.

原文 子는 溫而厲하시며 威而不猛하시며 恭而安이러시다.

註解 ㅇ溫而厲(온이려)－온화하면서도 엄숙하다. ㅇ威而不猛(위이불맹)－위엄이 있으면서도 사납지 않다. ㅇ恭而安(공이안)－정중하고 겸손하면서 동시에 남에게 안도감을 준다.

解說 공자의 위대한 성품을 묘사한 말이다. 공자의 인품은 중화(中和)를 얻었으므로 신비롭게 보일 것이다. 《논어》에는 여러 곳에 공자의 탁월한 인품을 묘사한 말이 많다.

제8편 태백편(泰伯篇)

형병(邢昺)은 제8편 〈태백편〉의 특성을 대략 다음과 같이 요약해서 말했다. "예양(禮讓)하고, 인효(仁孝)의 덕행을 실천한 현인 및 군자들에 관한 구절이 많다. 아울러 배움을 권장하고 몸가짐을 바르게 하며, 도(道)를 지키고 바르게 다스리는 도리를 논한 글들이 많다. 첫 장의 태백(泰伯)을 위시하여 요(堯)·순(舜)·우(禹) 등 성왕(聖王)이나 현인(賢人)들을 칭찬했으며, 예악(禮樂)에 관해서도 말을 했다."

8-1. 공자가 말했다. "태백은 지극히 덕이 높은 사람이라 하겠다. 세 차례나 천하의 임금자리를 양보했으면서, 은밀히 했으므로, 백성들이 그의 미덕을 칭송조차 못했다."

原文 **子曰, 泰伯**은 **其可謂至德也已矣**로다. **三以天下讓**하되 **民無得而稱焉**이오녀.

註解 ㅇ泰伯(태백)－주(周)나라 문왕(文王)의 백부(伯父)다. 문왕의 조부 태왕(大王)에게는 세 아들이 있었다. 태백(泰伯)·중옹(仲雍)·계력(季歷)이다. 계력이 바로 문왕의 부친이다. 태왕은 은(殷)나라의 제후로 있을 때, 자기의 뒤를 셋째 아들 계력을 거쳐, 계력의 아들 창(昌 : 문왕의 이름)이 계승하기를 바랐다. 이에 부친의 뜻을 살핀 '태백과 중옹'이 말없이 주나라를 떠나, 남쪽 형만(荊蠻)의 땅인 오(吳)로 가서, 만

인처럼 단발문신(斷髮文身)하고 몸을 숨겼다. 이에 태왕이 죽은 후, 계력이 뒤를 이었고, 다시 문왕이 자리에 올랐다. ㅇ其可謂至德(기가위지덕)-그는 가히 지극한 덕을 갖춘 사람이라 말할 수 있다. ㅇ也已矣(야이의)-어조사. ㅇ三以天下讓(삼이천하양)-세 번이나 천하를 양보하다. ㅇ民無得而稱焉(민무득이칭언)-백성들이 (그의 덕을) 칭송할 수조차 없었다.

解說 《논어》에서 공자가 '지극히 덕이 높은 사람이라 하겠다.(其可謂至德也已矣)'라고 칭찬한 것은 이 장과, 제20편 〈요왈편(堯曰篇)〉에서 문왕(文王)을 칭찬한 것뿐이다. 그만큼 공자는 태백을 높이 평가했다. 태백이 부친 태왕(大王)의 의중을 살피고 말없이 형만의 땅으로 가서 단발문신(斷髮文身)했기 때문에, 문왕이 뒤를 이었고, 그의 아들 무왕과 주공이 주나라를 창건할 수 있었다. 그러므로 태백은 부친의 뜻에 따라, 천하를 유능한 문왕에게 양보한 것이다. 동시에, 태백은 자기의 지극한 미덕을 남이 알지 못하게 실천했다. 남들이 알게 행하는 덕보다, 남모르게 행하는 덕이 더 크다. 자기의 공덕(功德)을 내세우지 않는 것은 군자나 현인의 미덕이다.

태백의 부친 태왕(大王) 때의 주나라는 은(殷)나라에 예속된, 서방의 작은 제후국(諸侯國)에 불과했다. 만약 그때에, 태왕의 아들들이 임금자리를 서로 다투었다면, 셋째 아들 계력(季歷)과 그의 아들 문왕(文王)이 뒤를 이을 수 없었을 것이고, 주 왕조의 창건도 없었을 것이다. 그러므로 공자는 태백의 공덕을 지극히 높이 평가한 것이다. 당시 현실적으로 모든 나라에서는 임금자리를 놓고, 얼마나 추악한 비극이 속출하고 있었던가? 춘추 말기의 난맥상을 보며, 더욱 태백을 칭송했던 것이다. '삼이천하양(三以天下讓)'을 정현(鄭玄)은 대략 다음같이 풀이했다. '태백이 남쪽으로 가서 계력을 상주(喪主)되게 한 것이 일양(一讓), 계력이 왕이 되어도 돌아오지 않은 것이 이양(二讓), 형만의 땅에 숨은 것이 삼양(三讓)이다.'

8-2. 공자가 말했다. “공손하되 예가 따르지 않으면 헛수고만 하게 되고, 신중하되 예가 따르지 않으면 두려워하게 되고, 용감하되 예가 따르지 않으면 난폭하게 되고, 강직하되 예가 따르지 않으면 강박(强迫)하게 된다.

군자가 부모를 독실하게 사랑하면, 백성들의 인풍(仁風)이 흥성하게 되고, 군자가 옛친구를 버리지 않으면 백성들의 덕풍(德風)이 후하게 된다.”

原文 **子曰, 恭而無禮則勞**하고 **愼而無禮則葸**하고 **勇而無禮則亂**하고 **直而無禮則絞**니라. **君子篤於親 則民興於仁**하고 **故舊不遺 則民不偸**니라.

註解 ㅇ恭而無禮(공이무례)－공손하게 하되, 예가 없다. 공손하게 하되, 예가 따르지 못하면. ㅇ勞(로)－고생스럽다, 도로(徒勞)한다. ㅇ愼而無禮(신이무례)－신중하되 예가 따르지 않으면. ㅇ葸(사)－겁내고 두려워함. ㅇ勇而無禮(용이무례)－용감하되 예가 따르지 않으면. ㅇ亂(란)－난폭하고 문란하다. ㅇ直而無禮(직이무례)－강직하되 예가 따르지 않으면. ㅇ絞(교)－졸라 매다, 강박(强迫), 각박(刻薄). ㅇ篤於親(독어친)－부모에게 효도를 독실하게 한다. ㅇ民興於仁(민흥어인)－백성들 사이에도 인풍(仁風)이 흥성하게 된다. ㅇ故舊不遺(고구불유)－고구(故舊)는 옛친구, 유(遺)는 소홀히 하다, 버리다. ㅇ偸(투)－주자(朱子)는 박(薄)이라 했다, 박정(薄情). 불투(不偸)는 박정하지 않다, 인심이 후하게 된다.

解說 예(禮)는 개인적으로는 인간의 행동을 미화하고 사회적으로는 모든 사람을 조화하고 질서를 바로잡아 주는 예술적 규범(規範)이다. 예가 없으면, 인간이나 사회는 동물적 존재로 전락하고, 무력이 판을 치는 약육강식(弱肉强食)의 원시상태로 돌아갈 것이다. 예

(禮)의 기본도리는 절대선(絶對善)인 천리(天理)를 바탕으로 한다. 그러므로 예를 따르고 실천함은 곧 천리를 따르고 행함이다. 우주천지 자연만물은 큰 조화 속에서 생존하고 발전하게 마련이다. 그러므로 예를 따르고 실천하면, 모든 사람들이 큰 조화 속에서 저마다, 바르게 삶을 누리고 발전할 수 있다.

〈학이편(學而篇)〉에서 유자(有子)가 말했다. "예의 작용은 조화를 귀하게 여긴다(禮之用和爲貴)." 〈1-12〉. 예로써 조절하고 절도있게 해야 한다. 예가 따르지 않으면 '공(恭)·신(愼)·용(勇)·직(直)' 같은 장점이 도리어 '노(勞)·사(葸)·란(亂)·교(絞)' 같은 단점이 된다. 그러므로 공자는 중화(中和)의 미를 살린 예절로써 조절하라고 가르쳤던 것이다.

한편 위에서 아래를 다스리고 지도하는 군자들은 자신들이 솔선수범(率先垂範)해야 한다. 군자가 먼저 부모를 친애하고 효도하면, 백성들도 본을 받고 서로 사랑하고 협동하여, 민간에 인(仁)의 기풍이 흥성하게 될 것이다.

아울러 군자들이 신의를 지키고, 우정을 돈독히 하면, 백성들도 서로 우정과 신의를 돈독히 할 것이며, 따라서 서로 박정하게 친구를 버리고, 학대하는 일이 없을 것이다. 〈안연편(顔淵篇)〉에서 공자는 말했다. "군자의 덕은 바람 같고, 소인의 덕은 풀 같다. 풀은 바람을 만나면 반드시 나부끼게 마련이다(君子之德風也 小人之德草也 草上之風必偃)." 〈12-19〉.

8-3. 증자가 병을 앓자, 제자들을 불러 말했다. "내 발을 펴 보아라! 내 손을 펴 보아라! 《시경》에 '전전긍긍하여 깊은 못 가에 서있는 듯, 얇은 얼음을 밟듯 하라'고 했다. (그러므로 나는 그간 몸을 조심하였는데) 이제부터는 내가 걱정을 면하게 되었구나! 제자들아!"

原文 曾子有疾하자 召門弟子曰, 啓予足하며 啓予手하라. 詩云, 戰戰兢兢 如臨深淵하며 如履薄氷이라 하니 而今而後에야 吾知免夫와라 小子아.

註解 ㅇ曾子(증자)－공자의 제자, 효도(孝道)로 이름이 높았다. ㅇ有疾(유질)－병을 앓다. ㅇ召門弟子曰(소문제자왈)－문인(門人)과 제자들을 불러서 말하다. 문인은 스승과 같은 집에 살면서, 배우고 가사를 돌보는 제자. ㅇ啓予足(계여족)－나의 발을 펴서 보아라. ㅇ詩云(시운)－《시경》〈소아(小雅)〉 소민편(小旻篇)에 있다. ㅇ戰戰兢兢(전전긍긍)－두려워하고 조심하고 삼가다. 전전(戰戰)은 공구(恐懼), 긍긍(兢兢)은 계신(戒愼). ㅇ如臨深淵(여림심연)－깊은 물 가에 있는 듯이(조심한다). 즉 한 발만 잘못 디디면 추락한다. ㅇ如履薄氷(여리박빙)－얇은 얼음을 밟고 걸어가듯이 조심하고 겁을 낸다. ㅇ而今而後(이금이후)－이제부터는. ㅇ吾知免夫(오지면부)－나는 비로소 면하게 됨을 알겠다. 부(夫)는 어조사. 즉 '부모로부터 물려받은 몸을 불감훼손(不敢毁損)하는 중책'을 면하게 되었다는 뜻. ㅇ小子(소자)－그대들이여 !

解說 부모가 준 몸을 온전하게 간직해야, 부모에게 효도하고 또 문화를 계승 발전시킬 수 있다. 그러므로《효경(孝經)》에서 '신체발부(身體髮膚) 수지부모(受之父母) 불감훼손(不敢毁損) 효지시야(孝之始也)'라고 했다.

8-4. 증자가 병에 걸리자 맹경자가 문병을 왔다.

이에 증자가 그에게 말했다. "새가 죽으려 할 때는 울음소리가 애처롭고, 사람이 죽으려 할 때는 그의 말이 착합니다. 군자로서 소중히 여길 바 세 가지의 예도가 있습니다. 몸놀림을 예에 맞게 하면 난폭을 멀리할 것이며, 안색을 예에 맞게 지니면 신의를 가까이할 것이며, 말을 예에 맞게 하면 비천한 억지를 멀리할 것입니다. 제사 때 제기를 다루는 일은 전담자에게 맡기십시오."

原文 曾子有疾이어늘 孟敬子問之러니 曾子言曰. 鳥之將死에 其鳴也哀하고 人之將死에 其言也善이니라. 君子所貴乎道者三이니 動容貌에 斯遠暴慢矣며 正顔色에 斯近信矣며 出辭氣에 斯遠鄙倍矣니 籩豆之事 則有司存이니라.

註解 ㅇ曾子有疾(증자유질)－증자가 병에 걸렸다. ㅇ孟敬子(맹경자)－노(魯)의 대부. 이름은 첩(捷), 맹무백(孟武伯)의 아들, 경자(敬子)는 시호. ㅇ問之(문지)－문병을 하다. ㅇ鳥之將死(조지장사)－새가 죽으려 할 때. ㅇ其鳴也哀(기명야애)－그 울음소리가 애처롭다. ㅇ人之將死(인지장사)－사람이 죽으려 할 때. ㅇ其言也善(기언야선)－그가 하는 말이 착하다. ㅇ君子所貴乎道者三(군자소귀호도자삼)－군자가 귀중하게 여기는 도리가 셋 있다. 도(道)는 예도(禮道), 예절의 도리. ㅇ動容貌(동용모)－용모(容貌)는 의용(儀容)의 뜻. 예에 맞는 몸가짐과 몸놀림, 태도. 동(動)은 몸을 움직이다, 놀리다. 즉 예에 맞는 행동거지. ㅇ斯遠暴慢矣(사원폭만의)－사(斯)는 즉(卽), 원(遠)은 멀리한다. 폭만(暴慢)은 포악과 모욕, 즉 나의 몸가짐이 예절에 맞으면, 남들의 포악이나 모욕을 멀리할 수 있다는 뜻. ㅇ正顔色(정안색)－얼굴 표정이나 기색을 예에 맞게 바르고 엄숙하게 하면. ㅇ斯近信矣(사근신의)－남의 신뢰를 가까이한다, 즉 신뢰를 얻게 된다. ㅇ出辭氣(출사기)－말씨나 말투를 바르고 점잖게 한다. ㅇ鄙倍(비배)－비(鄙)는 비근하다, 천박하다. 배(倍)는 도리에 어긋나다. ㅇ籩豆(변두)－변(籩)은 대줄기로 만든 제기. 과일을 담는다. 두(豆)는 나무로 만든 제기. 식혜나 김치 등을 담는다. ㅇ則有司存(즉유사존)－전담하는 사람이 있게 마련이다.

解說 증자가 "조지장사(鳥之將死)에 기명야애(其鳴也哀)하고 인

지장사(人之將死)에 기언야선(其言也善)이니라."고 전제한 것은 '내 말을 잘 듣고 명심하라'는 뜻이다.

인간과 인간이 서로 접촉하고 서로 영향을 줄 때에, 대충 세 가지 길을 통한다. 그 하나는 총체적인 의용(儀容)으로 나타나는 행동거지, 그 둘은 얼굴 표정과 기색, 그 셋은 말씨와 말투다. 이 셋을 예절에 맞게 바르고 단정하고 신중하고 무게있게 하면, 남들이 나에게 무례하게 대하지 않을 것이다.

군자는 남을 지도하는 사람이다. 그러므로 몸가짐과 얼굴 표정과 언사를 예도(禮道)에 맞게 해야 한다. 그러면 사람들도 군자를 존경하고 따르게 될 것이다. 특히 "실무를 전임자에게 맡기라."고 말한 이유가 있다. 즉 노나라 도공(悼公)이 서거하자, 맹경자가 신하의 예를 어기고 방약무인격으로 행동했으며, 격식에 따라 죽을 먹지 않고 밥을 먹었다. 그래서 정해진 격식을 따르는 것도 중요하지만, 보다 더 기본적인 군자의 예도를 지켜야 함을 강조한 것이다.

8-5. 증자가 말했다. "유능하면서도 무능한 사람에게도 묻고, 학식이 많은데도 적은 사람에게도 묻고, 있으면서도 없는 척하고, 차있는데도 빈 것처럼 하며, 남에게 욕을 보아도 마주 대들고 다투지 않는다. 옛날의 나의 벗으로 이런 태도를 취한 사람이 있었다."

原文 **曾子曰, 以能問於不能**하며 **以多問於寡**하며 **有若無**하며 **實若虛**하며 **犯而不校**를 **昔者吾友嘗從事於斯矣**러니라.

註解 ㅇ以能問於不能(이능문어불능)－이능(以能)은 능력이 있으면서, 문어불능(問於不能)은 능력 없는 사람에게도 물어본다. ㅇ以多問於寡(이다문어과)－학식이나 견문이 많으면서 적은 사람에게도 물어본다.

ㅇ有若無(유약무)－있으면서 없는 척한다. 즉 도(道)를 터득해 알고 있으면서 모르는 척한다. ㅇ實若虛(실약허)－덕(德)이 가득 차있으면서, 텅빈 듯한다. ㅇ犯而不校(범이불교)－남이 침범하거나 무례하게 덤벼도, 그를 상대하고 다투거나 싸우지 않는다. ㅇ昔者(석자)－옛날에, 자(者)는 단락을 표시하는 허사. ㅇ嘗(상)－이전에. ㅇ從事於斯矣(종사어사의)－그렇게 했다, 그런 일을 모두 행했었다.

解說 군자는 모든 사람을 지도하고 교화해서 좋은 공동체를 창건하고 인정(仁政)과 덕치(德治)를 구현해야 한다. 따라서 공동체의 모든 사람과 호흡을 같이 하고, 함께 앞으로 나가야 한다. 그러므로 군자는 항상 겸손한 태도로 남에게 묻고, 남에게 문제를 제기하고, 남으로 하여금 생각하게 하고 아울러 분발케 해야 한다.

8-6. 증자가 말했다. "어린 임금의 보필을 부탁할 수 있고, 백 리 사방의 나라의 운명을 맡길 수 있고, 존망이 달린 위급한 때에도 절개를 굽히지 않는 그런 사람을 군자라 할 수 있을까? 그런 사람이 바로 군자니라."

原文 **曾子曰, 可以託六尺之孤**하며 **可以寄百里之命**이오 **臨大節而不可奪也**면 **君子人與**아? **君子人也**니라.

註解 ㅇ可以(가이)－……할 수 있다. ㅇ託六尺之孤(탁육척지고)－탁(託)은 뒤를 보아달라고 부탁한다, 육척지고(六尺之孤)는 어린 임금, 고(孤)는 아버지를 잃은 아들, 육척(六尺)은 15세 이하의 아이의 키. ㅇ寄百里之命(기백리지명)－사방 백 리가 되는 제후(諸侯)의 나라의 운명이나 정치를 맡기다. 영(令)은 정령(政令)의 뜻도 있다. ㅇ臨大節(임대절)－흥망성쇠가 걸린 중대한 고비에 임해서도. ㅇ不可奪(불가탈)－뜻과

절개를 굽히거나, 꺾지 않는다. ㅇ君子人與(군자인여)－군자다운 사람이라 하겠는가?

解說 제8편 〈태백편(泰伯篇)〉은 총 21장이다. 그 중 5개 장이 증자의 말이다. 증자는 인품이 온유돈후(溫柔敦厚)하고, 특히 효성스러웠다. 그래서 제3장에는 "부모에게 물려받은 몸을 온전하게 간직했다."고 말했으며, 제4장 및 제5장에서는 '군자의 예도'를 강조했다. 그러나 제6장과 제7장에서 그는 의연한 군자의 기개를 말했다. 즉 군자는 자기 혼자서 나라를 책임질 수 있어야 한다. 아울러 생사를 걸고, 대의명분과 절개를 지켜야 한다고 씩씩하게 말했다.

8-7. 증자가 말했다. "선비는 반드시 뜻이 넓고 굳세어야 한다. 임무가 무겁고 갈 길이 멀기 때문이다. 인(仁)을 제 임무로 삼고 있으니 역시 무겁지 않겠는가? 죽은 다음에야 멈출 것이니, 그 길이 역시 멀지 않겠는가?"

原文 **曾子曰, 士不可以不弘毅**니 **任重而道遠**이니라. **仁以爲己任**이니 **不亦重乎**아 **死而後已**니 **不亦遠乎**아.

註解 ㅇ士(사)－선비, 인정(仁政)과 덕치(德治)를 달성할 군자. 정치 참여자. ㅇ不可以不(불가이불)－……하지 않으면 안된다. ㅇ弘毅(홍의)－뜻이 넓고 행동이 의연하다. ㅇ任重(임중)－맡은 임무가 중대하다. ㅇ道遠(도원)－갈 길이 멀다. ㅇ仁以爲己任(인이위기임)－인의 달성을 자기 임무로 삼고 있다. ㅇ不亦重乎(불역중호)－역시 중대하지 않으냐? ㅇ死而後已(사이후이)－죽은 다음에 비로소 가는 것을 멈출 것이다. ㅇ不亦遠乎(불역원호)－역시 갈 길이 멀고, 목적하는 바가 원대하지 않으냐?

解說 여기서 말하는 사(士)는 인(仁)의 구현(具現)을 위해 학문과 덕행을 겸비하고, 정치에 참여하는 선비로, 군자 혹은 인자를 다 포함한다. 하극상(下剋上)이 성행하는 무도한 세계에서 인도(仁道)를 실천하고 인덕(仁德)을 세우는 일이 얼마나 어렵겠는가? 그러므로 "뜻을 넓고 굳세게 지녀야 한다."고 말했다. 바로 앞에서는 "뜻과 절개를 굽히지 마라."고 했다. 선비는 인의 구현에 생명을 걸고, 평생의 중대사로 삼아야 한다.

8-8. 공자가 말했다. "시로써 감흥을 돋아올리고, 예로써 행동거지를 바르게 세우고, 음악으로써 성정을 완성시킨다."

原文 子曰, 興於詩하며 立於禮하며 成於樂이니라.

註解 ㅇ興於詩(흥어시)-《시경》을 공부하여 감흥을 돋아올린다. ㅇ立於禮(입어례)-예를 따르고 실천하여 언행이나 몸가짐을 바르게 세우다. ㅇ成於樂(성어악)-음악으로 성정(性情)을 조화하고 완성되게 한다. 성(性)은 이성, 지성. 정(情)은 감정, 정서. 《시경》을 공부해야, 자연과 삶에 대한 감흥을 바르게 돋아올릴 수 있다. 예로써 사회규범을 바르게 세운다. 음악으로 성정을 조화하고 온전한 인격자가 되게 해야 한다.

8-9. 공자가 말했다. "백성들로 하여금 바른 도리를 따라오게 할 수는 있어도, 그들로 하여금 깊은 이유를 알게 할 수는 없다."

原文 子曰, 民은 可使由之요 不可使知之니라.

註解 ㅇ民可使由之(민가사유지)-백성들로 하여금 따르게 한다, 혹은

따르게 할 수는 있다. ㅇ不可使知之(불가사지지)－도리의 깊은 뜻이나, 이유를 알게 할 수는 없다.

解說 공자의 정치사상을 우민정책이라고 곡해하면 안된다. 공자의 덕치(德治) 목표는 백성들을 교화해서 저마다 도(道)를 깨닫고 행하게 하는 것이었다. 그리고 덕(德)은 남에게 알지 못하게 베풀어야 한다. 하늘은 말없이 만물을 생육화성(生育化成)한다. 덕치도 무위자연(無爲自然)의 경지에 도달해야 한다.

8-10. 공자가 말했다. "용맹을 좋아하고 가난을 심하게 싫어하면 난동하게 된다. 어질지 못한 사람을 심하게 미워해도 난동하게 된다."

原文 **子曰, 好勇疾貧**이 **亂也**요 **人而不仁**을 **疾之已甚**이 **亂也**니라.

註解 ㅇ好勇(호용)－만용을 좋아한다, 무력이나 주먹 휘두르기를 좋아한다. ㅇ疾貧(질빈)－심하게, 극도로 가난을 싫어한다. ㅇ亂(란)－그런 사람은 난동하게 마련이다. ㅇ人而不仁(인이불인)－사람됨이 어질지 못하다. ㅇ疾之已甚(질지이심)－주자(朱子)는 '어질지 못한 사람을 심하게 미워하면, 그 사람으로 하여금 난동하게 만든다'로 풀이했다.

8-11. 공자가 말했다. "만약에 주공의 훌륭한 재능을 지니고 있어도, 남에게 교만하거나 혹은 인색하면, 기타는 볼 것이 없다."

原文 **子曰, 如有周公之才之美**로도 **使驕且吝**이면 **其餘不足觀也已**니라.

註解 ㅇ如有(여유)－만약 ……을 가지고 있어도. ㅇ周公之才之美(주공지재지미)－주공의 뛰어난 재주와 그 재주의 미덕, 즉 주공과 같은 훌륭한 재주. ㅇ使(사)－가령. ㅇ驕且吝(교차린)－남에게 교만하고 인색하게 한다면. ㅇ其餘不足觀(기여부족관)－기타는 볼 가치가 없다.

8-12. 공자가 말했다. "3년을 배우고, 녹봉에 뜻을 두지 않는 사람을 쉽게 볼 수 없다."

原文 **子曰, 三年學**에 **不至於穀**을 **不易得也**니라.

註解 ㅇ三年學(삼년학)－3년간 글을 배우고. ㅇ不至於(부지어)－……에 이르지 않는다. ㅇ穀(곡)－벼슬에 올라 녹봉을 받는다. ㅇ不易得也(불이득야)－그런 사람을 쉽게 볼 수 없다. 그런 사람은 드물다.

解說 공자의 학문정신은 '수기치인(修己治人)'이다. 그러나, 옛날에도 벼슬이나 녹봉을 얻고자 공부한 사람이 없지 않았다.

8-13. 공자가 말했다. "독실하게 믿고 배우기를 좋아하고, 죽음으로써 도를 지키고 높여야 한다. 위태로운 나라에는 들어가지 말고, 문란한 나라에는 살지 마라. 천하에 도가 있으면 나타나고, 도가 없으면 숨어라. 나라에 도가 있는데 가난하고 미천하면 부끄러운 노릇이오, 나라에 도가 없는데도 부하고 고귀하면 부끄러운 노릇이다."

原文 **子曰, 篤信好學**하며 **守死善道**니라. **危邦不入**하고 **亂邦不居**하며 **天下有道則見**하고 **無道則隱**이니라. **邦有道**에 **貧且賤焉**이 **恥也**며 **邦無道**에 **富且貴焉**이 **恥也**니라.

註解 ㅇ篤信好學(독신호학)-(선왕의 도를) 독실하게 믿고, 배우기를 좋아해라. ㅇ守死善道(수사선도)-죽을 때까지 생명을 걸고 착한 도를 지키고 따른다. ㅇ危邦不入(위방불입)-위태롭게 기운 나라에는 들어가 벼슬하지 않는다. ㅇ亂邦不居(난방불거)-도덕이나 기강이 문란한 나라에는 들어가 살지 않는다. ㅇ天下有道則見(천하유도즉견)-천하에 도가 행해지면, 나타나 현실 참여를 하고. ㅇ無道則隱(무도즉은)-도가 없고 행해지지 않으면, 은퇴한다. ㅇ邦有道(방유도)-나라에 도가 있는데. ㅇ貧且賤焉(빈차천언)-가난하고 천하게 살면. ㅇ恥也(치야)-창피한 노릇이다. ㅇ邦無道(방무도)-나라에 도가 없는데. ㅇ富且貴焉(부차귀언)-부귀를 누려도 (창피하다).

解說 사람은 절대선(絶對善)의 도(道)를 독실하게 믿고 실천해야 한다. 죽을 때까지 생명을 걸고 도를 지켜야 한다. 즉 '수사선도(守死善道)'해야 한다.

방(邦)은 제후(諸侯)가 다스리는 나라다. 도 없는 위태로운 나라에는 들어가 살거나, 벼슬을 하면 안된다. 천하(天下)는 천자(天子)가 다스리는 세계적 국가다. 천하에 도가 행해진다면, 나가서 현실참여를 하고, 평화세계 창건에 기여해야 한다. 그러나 도가 행해지지 않는다면 물러나 은퇴해야 한다. 무도(無道)한 나라나, 무도한 천하에서 벼슬하고 녹봉을 받는 것은 범죄에 가담하는 것이다. 그러므로 "무도즉은(無道則隱)하고" 또 "방무도(邦無道)에 부차귀언(富且貴焉)이 치야(恥也)니라."라고 했다.

한편 "천하유도즉견(天下有道則見)하고" "방유도(邦有道)에 빈차천언(貧且賤焉)이 치야(恥也)니라."라고 말했다. 자기가 능력이 없으므로 도가 행해지는 나라나, 그런 천하에 참여를 못하고 따라서 가난하고 천하게 사는 것이다. 그러므로 창피한 노릇이라고 말한 것이다. 공자는 무조건 빈천하게 살라고 한 것이 아니다. 도가 행해지는 선세계(善世界)에서는 군자들이 부귀를 누리게 마련이다.

8-14. 공자가 말했다. "그 자리에 있지 않으면, 그 정사를 논하지 마라."

原文 子曰, 不在其位하얀 不謀其政이니라.

註解 ㅇ不在其位(부재기위)-그 자리에 있지 않으면. 기위(其位)는 곧 정책을 담당하는 자리에서 책임을 진다는 뜻. ㅇ不謀其政(불모기정)-그 정치를 도모하거나 정책을 논하지 않는다.

解說 이상적인 정치, 착한 정치는 군자를 중심으로 하고 이뤄진다. 학문도 덕행도 없는 자가, 무력으로 통치하는 것은 범죄적 행위다. 한편, 학문도 식견도 없는 우민들이 함부로 정치 비판을 하는 것도 삼가야 한다.

8-15. 공자가 말했다. "노(魯)의 악사 지(摯)가 초기에 연주한 관저의 종장은 아름답게 귀에 가득 차 넘쳐흘렀다."

原文 子曰, 師摯之始에 關雎之亂이 洋洋乎 盈耳哉라.

註解 ㅇ師摯(사지)-노(魯)나라 악관(樂官)의 대사(大師). 지(摯)는 이름. ㅇ始(시)-초기에. 시(始)에 대해서는 여러 가지 설이 많다. ㅇ關雎之亂(관저지란)-《시경》 관저편을 연주한 종장(終章), 난(亂)은 악곡(樂曲)의 종장. ㅇ洋洋乎(양양호)-아름다운 음악 소리가 넘쳐 퍼지다. ㅇ盈耳哉(영이재)-귀에 가득 차다.

解說 공자는 음악에도 정통했다. 이 장은 해석상 문제가 많다. 여기서는 주자(朱子)의 설을 따랐다.

8-16. 공자가 말했다. "방자하면서 강직하지 않고, 무식하면서 성실하지 않고, 무능하면서 신의마저 없는 사람은 나도 어찌해야 좋을지 모르겠다."

原文 **子曰, 狂而不直**하며 **侗而不愿**하며 **悾悾而不信**을 **吾不知之矣**로라.

註解 ㅇ狂而不直(광이부직)-광(狂)은 방자하다, 열광적이다, 직(直)은 곧고 정직하다. ㅇ侗而不愿(동이불원)-동(侗)은 무지, 무식하다. 원(愿)은 성실하다, 선량하다. ㅇ悾悾而不信(공공이불신)-공공(悾悾)은 무능하다, 신(信)은 믿음, 신의. ㅇ吾不知之矣(오부지지의)-나는 (그런 사람을) 어찌해야 할지 모르겠다. 별 도리가 없다는 뜻.

解說 동물적 생존을 전부라고 알고, 관능적 자극만을 충족하려는 오늘날의 청년들이 바로 이에 해당된다.

8-17. 공자가 말했다. "학문은 따라가지 못할 듯이 서둘러 배우고, 배운 것을 잃을까 겁을 내야 한다."

原文 **子曰, 學如不及**이오 **猶恐失之**니라.

註解 ㅇ學如不及(학여불급)-아무리 배워도 따라갈 수 없다는 듯이 부지런히 배워야 한다. ㅇ猶恐失之(유공실지)-흡사 배운 것을 잃을까 겁을 내고, 복습을 하고 익혀야 한다.

解說 촌음(寸陰)을 아끼고 부지런히 배워야 한다. 그리고 복습하고 실천해서 몸에 익혀야 한다.

8-18. 공자가 말했다. “참으로 높고 위대하도다! 우와 순은 천하를 지니고 다스리면서도, 다른 사람에게 선양했다.”

原文 子曰, 巍巍乎 舜禹之有天下也 而不與焉이여.

註解 ㅇ巍巍乎(외외호)－높고 위대하다! ㅇ舜禹(순우)－고대의 성천자(聖天子). ㅇ有天下(유천하)－천하를 지니고 다스렸으나. ㅇ不與(불여)－자신이 관여하지 않았다. 즉 무위자연의 도를 따라 다스렸고, 또 천하를 다른 현인에게 선양(禪讓)했다.

解說 이 장부터 앞으로 4장은 요(堯)·순(舜)·우(禹)의 위대함을 칭송한 말이다. 요는 순에게 천하를 선양했고, 순은 우에게 선양했다. 이들은 다 현명한 사람에게 천하를 다스리게 했다. 즉 대동이상(大同理想)을 실천한 것이다.

8-19. 공자가 말했다. “위대하도다! 요의 임금됨이여! 높고 위대하도다! 오직 하늘만이 그토록 높고 클 수 있나니, 요는 하늘을 따라 본받았노라! 그 덕이 넓고넓어 백성들이 말로 칭송할 수 없노라! 높고높은 그의 공적이여! 그의 문물이 찬연히 빛을 발하리라!”

原文 子曰, 大哉라 堯之爲君也여 巍巍乎 唯天이 爲大시어늘 唯堯則之하시니 蕩蕩乎 民無能名焉이로다. 巍巍乎 其有成功也여 煥乎 其有文章이여.

註解 ㅇ大哉(대재)－크고 위대하다. ㅇ堯之爲君也(요지위군야)－요의 임금되심이여. ㅇ巍巍乎(외외호)－높고 크다. ㅇ唯天爲大(유천위대)－오

직 하늘만이 그렇게 높고 크다. ㅇ唯堯則之(유요칙지)－다만 요임금만이 하늘을 본받고 따른다. ㅇ蕩蕩乎(탕탕호)－요임금의 덕이 사방에 넘치고 퍼진다. ㅇ民無能名焉(민무능명언)－백성들이 말로 칭송할 수 없다. ㅇ其有成功也(기유성공야)－그가 공적을 세우다. ㅇ煥乎其有文章(환호기유문장)－환(煥)은 빛나다. 유문장(有文章)은 아름답게 문채(紋彩)가 나다.

解說 요임금의 덕치는 무위자연(無爲自然)의 천도(天道)와 일치했으며, 최고의 경지였다.

8-20. 순은 신하 다섯 명을 가졌었는데 천하가 잘 다스려졌다. 무왕은 "나에게는 좋은 신하가 열 명 있다."고 말했다. 공자는 이에 대해서 말했다. "인재를 얻기가 어렵다고 했는데, 참 그렇지 않으냐? 당우 이후로는 주나라 때가 가장 흥성했는데 그 중 부인이 있었으니, 나머지는 아홉 명뿐이었다. 주나라는 천하의 3분의 2를 가졌으면서도 여전히 은나라에 복종했으니, 주나라의 덕은 참으로 지극한 것이라고 말할 수 있다."

原文 **舜有臣五人 而天下治**니라. **武王曰, 予有亂臣十人**호라. **孔子曰, 才難**이 **不其然乎**아 **唐虞之際 於斯爲盛**하니 **有婦人焉**이라 **九人而已**니라. **三分天下**에 **有其二**하사 **以服事殷**하시니 **周之德**은 **其可謂至德也已矣**로라.

註解 ㅇ舜有臣五人(순유신오인)－순임금은 다섯 명의 충신이 있었다. 사공(司空) 우(禹)는 토목 치수를 담당했고, 후직(后稷) 기(棄)는 농업을 담당했고, 사도(司徒) 설(契)은 교육 교화를 담당했고, 사구(司寇)

고요(皐陶)는 사법을 담당했고, 백익(伯益)은 산택(山澤) 수렵(狩獵)을 담당했다. ㅇ武王(무왕)-주나라 문왕(文王)의 아들, 주공(周公)의 형. 은(殷)의 폭군 주(紂)를 방벌하고 주나라를 창건했다. ㅇ予有亂臣十人(여유란신십인)-나에게는 나라를 다스리는 데 기여한 신하가 열 명 있었다. 난(亂)은 치(治)의 뜻. 아버지 문왕의 후(后) 태사(太似), 동생 주공단(周公旦), 소공석(召公奭), 군사 태공망(太公望), 필공(畢公), 영공(榮公), 태전(太顚), 굉요(閎夭), 산의생(散宜生), 남궁괄(南宮适) 등 열 명이다. ㅇ才難(재난)-인재를 얻기가 어렵다. ㅇ不其然乎(불기연호)-안 그러하냐? ㅇ唐虞之際(당우지제)-당(唐)은 요임금의 나라, 우(虞)는 순임금의 나라. 지제(之際)는 이하(以下), 이래(以來)의 뜻. ㅇ於斯爲盛(어사위성)-(요·순이래) 주나라 때가 가장 흥성했다. ㅇ有婦人焉(유부인언)-10명 중 부인이 있으니. ㅇ九人而已(구인이이)-9명뿐이다. ㅇ三分天下有其二(삼분천하유기이)-천하의 3분의 2를 차지하고 있었다, 즉 문왕(文王)의 덕이 만민에게 미쳤다는 뜻. ㅇ以服事殷(이복사은)-그래도 은나라를 섬기고 복종했다. ㅇ至德(지덕)-지극한 덕이라 하겠다.

解說 임금도 훌륭해야 하지만, 그 밑에 좋은 신하가 있어 보필해야 덕치(德治)를 할 수 있다. 순임금 때에는 충신 다섯 명이 도와서 이상적인 덕치를 폈다. 주 무왕은 열 명의 뛰어난 인재들의 힘을 얻어 천하를 바로잡을 수 있었다. 인재를 얻는 것이 더없이 중하다.

한편 주 문왕(周文王)은 덕으로써 천하 만민의 인심을 거의 다 얻어 가지고 있었다. 그래도 실질적으로는 은나라를 섬기고 복종했다. 그러므로 공자는 지극한 덕이라고 말한 것이다. '삼분천하유기이(三分天下有其二) 이복사은(以服事殷)' 이하를 다른 장으로 구분하는 설도 있다.

8-21. 공자가 말했다. "우에 대해서 나는 비난할 수 없다. 그는 자기

먹는 음식을 절약하고, 제사지낼 때 귀신은 지성껏 모셨다. 자기는 옷을 검소하게 입으면서 예복인 불면을 아름답게 꾸몄다. 자기가 사는 궁전은 조촐하게 꾸몄으나, 전답의 물도랑 건설에는 전력을 쏟았다. 우에 대해서 나는 흠잡을 수가 없다."

原文 子曰, 禹는 吾無間然矣로라. 菲飮食 而致孝乎鬼神하시며 惡衣服 而致美乎黻冕하시며 卑宮室 而盡力乎溝洫하시니 禹吾無間然矣로라.

註解 ㅇ禹吾無間然矣(우오무간연의)－나는 우를 비난할 수 없다, 간(間)은 흠잡다, 비난하다. 간(間)을 비교할 수 없을 만큼 거리가 멀다, 탁월하다로 풀이할 수도 있다. ㅇ菲飮食(비음식)－자기가 드는 음식을 각박하게 절약하다. ㅇ致孝乎鬼神(치효호귀신)－제사 때, 선조의 귀신을 효성으로 받들어 모시다. ㅇ惡衣服(악의복)－자기가 입는 옷은 나쁘고 털털하게 한다. ㅇ致美乎黻冕(치미호불면)－지극히 아름답게 꾸민다. 불면(黻冕)은 제복(祭服). 불(黻)은 가죽으로 된 무릎 덮개. 면(冕)은 관(冠). ㅇ卑宮室(비궁실)－궁전을 낮게 조촐하게 세운다. ㅇ盡力乎溝洫(진력호구혁)－구혁(溝洫)은 도랑, 즉 관개수로(灌漑水路)를 전력을 기울이어 개간하고 건설하다.

解說 이상은 고대 성왕들의 위대함과 높은 공덕을 기술했다. 요(堯)·순(舜)에 대해서는 그들의 선양(禪讓)을 높였고, 우(禹)에 대해서는 그의 치수(治水)의 공과 특히 근검 절약한 미덕을 높였으며, 주 문왕 및 무왕의 지극한 덕과 업적을 칭송했다.

제9편 자한편(子罕篇)

〈자한편(子罕篇)〉은 주로 공자의 덕행을 기술한 글이 많다. 그래서 고대 성현(聖賢)들의 덕을 기술한 〈태백편(泰伯篇)〉 다음에 놓았다고 형병(邢昺)은 말했다.

9-1. 공자는 세속적인 이득을 천명이나 인덕과 함께 결부해서 말하지 않았다.

原文 子는 罕言利하시며 與命하시며 與仁이러시다.

註解 ○子罕言(자한언)－공자는 거의 말하지 않았다. 한(罕)은 드물다. ○利(이)－세속적 이득. ○與命(여명)－천명과 함께. ○與仁(여인)－인덕과 함께.

解說 위의 해석은 청(淸)의 초순(焦循)의 풀이를 따랐다. 공자는 도덕적으로 타락한 세상에서, 설사 세속적인 이득을 얻고 또 부귀영화를 누리는 것을 '하늘이 복을 내렸다, 혹은 인덕이 있어서 그렇다'는 식으로 말하지 않았다는 뜻이다. 악덕한 세상에서 잘사는 것은 악덕하기 때문이다. 제1장을 '공자는 이(利)·명(命)·인(仁)을 거의 말하지 않았다'로 해석하기도 하지만, 공자 사상의 핵심과 어긋난다.

공자 사상의 중심은 인(仁)이다. 그러므로 인에 대해서는 수없이 많은 말을 했다. 한편 명(命)에 대해서도 "아! 절망적인 천명이로다!

이 사람이 이런 병에 걸리다니!"〈雍也篇 6-10〉. "도가 행해지고 안하고도 천명이다."〈憲問篇 14-38〉라고 했다.

9-2. 달항의 마을 사람이 말했다. "참 크기도 하다. 공자는! 박학다식하면서도, 한 가지 특출한 기능으로 그의 명성을 내게 할 수가 없으니!"

이 말을 들은 공자가 제자에게 말했다. "내가 무엇을 가지고 이름을 내야 할까? 수레 모는 일로 이름을 낼까? 활 쏘는 일로 이름을 낼까? 차라리 수레 모는 일로 이름을 내리라."

原文 **達巷黨人曰, 大哉**라 **孔子**여 **博學而無所成名**이로다. **子聞之**하시고 **謂門弟子曰, 吾何執**고 **執御乎**아 **執射乎**아 **吾執御矣**로리라.

註解 ㅇ達巷黨(달항당)－달(達)은 마을의 이름, 자세히 알 수 없다. 항당(巷黨)은 마을. ㅇ大哉孔子(대재공자)－위대하다, 공자는! ㅇ博學(박학)－박학다식하고 또 다능다재(多能多才)하다. ㅇ而(이)－그러나. ㅇ無所成名(무소성명)－명성을 낼 만한 특출한 기능이 없다. 혹은 '공자의 위대함을 말로써 표현할 수가 없다'로 해석할 수도 있다. ㅇ謂門弟子曰(위문제자왈)－공자가 제자들에게 말했다. ㅇ吾何執(오하집)－내가 무엇을 가지고 특출하다고 이름을 내랴? ㅇ執御乎(집어호)－수레 모는 기술을 가지고, 특출하다고 이름을 내랴? ㅇ射(사)－활 쏘는 기술.

解說 공자는 우주의 심오한 도를 만인에게 깨우치고자 한 '지성선사(至聖先師)'였다, 그러므로 평범한 마을 사람들은 그의 높은 경지를 알지 못하고 "특출한 기능이 없다.(無所成名)"고 말했다. 이를 공자가 유머러스하게 받아서 대답한 것이다.

9-3. 공자가 말했다. "삼실의 면관을 쓰는 것이 예법에 맞는다. 지금 사람들이 명주실의 면관을 쓰는 것은 절검하기 위해서다. 나도 여러 사람들을 따르겠다. 당 아래서 배례하는 것이 예법인데, 지금 사람들이 당 위에서 배례하는 것은 교만한 짓이다. 비록 여러 사람들과 어긋나지만, 나는 아래에서 배례하겠다."

原文 子曰, 麻冕이 禮也어늘 今也純하니 儉이라 吾從衆하리라. 拜下이 禮也어늘 今拜乎上하니 泰也라 雖違衆이나 吾從下하리라.

註解 ㅇ麻冕(마면)-삼실로 만든 검은 면관, 예관(禮冠), 제관(祭冠). ㅇ禮也(예야)-예법이다. ㅇ今也純(금야순)-지금 여러 사람들이 명주실로 만든 관을 쓴다. ㅇ儉(검)-(그 이유는) 절약하기 위해서다. ㅇ吾從衆(오종중)-나도 여러 사람을 따르겠다. ㅇ拜下(배하)-신하가 당 아래에서 임금에게 절을 한다. ㅇ今拜乎上(금배호상)-지금은 당 위에서 절을 한다. ㅇ泰也(태야)-거만하고, 교만하기 때문이다. ㅇ雖違衆(수위중)-비록 여러 사람들과 다를지라도. ㅇ吾從下(오종하)-나는 예법대로 아래에서 절을 하겠다.

解說 예법(禮法)을 존중하고 실천하되, 예법의 근본원리와 기본정신을 이해하고 따라야 한다. 근검 절약하는 것도 예의 기본에 맞는다. 그러므로 명주실로 만든 제관을 쓸 수도 있다. 한편 교만은 예에 어긋난다. 그러므로 당 위가 아니고, 아래에서 절을 해야 한다.

9-4. 공자는 다음의 네 가지를 하지 않았다. 사사로운 뜻이 없었다, 반드시 그렇다는 단정을 내리지 않았다, 고집에 매이지 않았다, 독단적인 아집이 없었다.

原文 **子絶四**러시니 **毋意**하고 **毋必**하고 **毋固**하고 **毋我**러시다.

註解 ㅇ子絶四(자절사)－공자는 절대로 네 가지를 하지 않았다. ㅇ毋(무)－……하지 않았다. ㅇ意(의)－사사로운 생각, 제멋대로의 생각, 자의(恣意). ㅇ必(필)－꼭 그렇다는 단정. 혹은 독단적인 기대. ㅇ固(고)－완고한 고집. ㅇ我(아)－아집(我執), 이기적 자기 주장.

解說 군자는 공인(公人)이며, 도(道)를 따라 정성을 다해야 한다.

9-5. 공자가 광(匡)에서 위태로운 지경에 빠졌을 때 말했다. "문왕은 이미 돌아가셨지만, 그분이 남긴 문화는 나에게 전해져 있지 않으냐? 하늘이 그의 문화를 없애려고 했다면, 후세 사람들이 그 문화에 관여하지 못했을 것이다. 하늘이 그 문화를 없애려고 하지 않으니, 광의 사람인들 나를 어찌 해치겠느냐?"

原文 **子**이 **畏於匡**이러시니 **曰, 文王旣沒**하시니 **文不在茲乎**아? **天之將喪斯文也**신댄 **後死者 不得與於斯文也**어니와 **天之未喪斯文也**시니 **匡人**이 **其如予何**리오?

註解 ㅇ子畏於匡(자외어광)－공자가 광(匡)에서 위협을 받았다, 위험에 빠졌다. 광(匡)은 위(衛)의 지명. 해설 참고. ㅇ文王(문왕)－주 문왕(周文王). 무왕(武王)의 아버지. 인덕(仁德)이 높아, 천하의 3분의 2가 그에게 귀속되었으며, 그 바탕 위에서 무왕의 방벌(放伐)이 성공할 수 있었다. ㅇ旣沒(기몰)－이미 죽었다. ㅇ文不在茲乎(문부재자호)－(문왕을 정점으로 한 주나라의) 문화 전통은 지금 우리에게 전해져 있지 않으냐? ㅇ天之將喪斯文也(천지장상사문야)－하늘이 그 문화와 전통을 없애고자 했다면. 사문(斯文)은 주나라의 문화, 즉 예치(禮治)와 덕치

(德治)의 문물제도. ㅇ後死者(후사자)－문왕보다 뒤에 죽은 사람, 즉 후세의 사람. ㅇ不得與(부득여)－(그 문화에) 참여하거나, 관여하지 못했을 것이다. ㅇ天之未喪斯文也(천지미상사문야)－하늘이 그 문화를 없애려고 하지 않는 이상. ㅇ匡人(광인)－광의 사람들이. ㅇ其如予何(기여여하)－나를 어찌하랴? 나를 어떻게 해칠 수 있으랴? 기(其)는 강조의 뜻을 나타내는 허사.

解說 공자가 위(衛)나라에서 진(陳)나라로 가는 길에 광(匡)이라는 지방에 들어갔다. 그러나 그곳 사람들이 공자 일행을 갑자기 포위하고 위협을 가했다. 그 이유는 그곳 사람들이 공자 일행을 '전에 그곳에 침입해서 난동을 쳤던 양호(陽虎) 일당'으로 오해했기 때문이다. 이에 공자 일행은 5일간이나 구치되고 생명의 위협까지 받아야 했던 것이다. 이런 긴박한 상황에서 공자가 "하늘이 인덕 높은 문왕을 정점으로 한 주(周)나라의 사문(斯文)을 지키고 그 문화의 빛과 전통을 후세에 전하고 있는 이상, 사문을 이어받고, 천하에 전파하려는 우리를 해칠 수 없을 것이다."라고 태연하게 말했다. 〈술이편(述而篇)〉에서도 공자는 "하늘이 나에게 덕을 심어주었거늘, 환퇴가 나를 어찌하랴?(天生德於予, 桓魋其如予何)" 〈7-22〉고 말했다. 공자는 절대선(絶對善)의 천도(天道)를 따른 문화의 전통과 발전을 굳게 믿고 있었다.

9-6. 오나라의 태재가 자공에게 "선생께서는 성인이실까? 어찌 그렇게 다능하신가?"하고 묻자, 자공이 말했다. "물론 하늘이 선생님을 성인 되게 하셨지만 선생님 자신도 본래 다능하셨습니다."

이 말을 듣고, 공자가 말했다. "태자는 나를 잘 안다고 하리라. 나는 어려서 천했으므로 미천한 일에 다능한 것이다. 군자가 다능해야 하느냐? 아니다, 다능하지 않다."

(이에 대하여) 자장이 덧붙였다. "선생님께서 전에 '내가 등용되지 않아서 재능이 있다.'고 말씀하셨다."

原文 **大宰問於子貢曰, 夫子**는 **聖者與**아 **何其多能也**오. **子貢曰, 固天縱之將聖**이고 **又多能也**시니라. **子聞之曰, 大宰知我乎**아 **吾少也賤**이라 **故多能鄙事**호니 **君子多乎哉**아 **不多也**니라. **牢曰, 子云 吾不試 故**로 **藝**라 하시니라.

註解 ㅇ大宰(태재)－오(吳)나라의 재상(宰相) 비(嚭), 태재는 재상. 《좌전(左傳)》에 보면, 애공(哀公) 12년에 태재 비(嚭)와 자공(子貢)이 만났다는 기록이 있다. 그때에 이 문답(問答)이 있었을 것이다. 애공 12년이면, 기원전 483년으로, 공자의 나이 69세 때였다. ㅇ問於子貢(문어자공)－자공에게 물었다. ㅇ夫子(부자)－선생님, 공자. ㅇ聖者與(성자여)－성인일까? 성인이라 할 수 있을까? ㅇ何其多能也(하기다능야)－어찌 그렇게 다능하냐? ㅇ固(고)－당연히, 물론. ㅇ縱(종)－풀어놓다, 마냥 ……하게 허락하다. ㅇ將(장)－장차, 거의. ㅇ又多能也(우다능야)－또 (선생이) 원래 다능하다. ㅇ大宰知我乎(태재지아호)－태재는 참으로 나를 안다고 하리라, 나를 아는 사람이니라. ㅇ吾少也賤(오소야천)－나는 어려서 미천했었다. ㅇ故多能鄙事(고다능비사)－그러므로 미천한 일에 다능하다. 비(鄙)는 천하고 속되다. ㅇ君子多乎哉(군자다호재)－군자는 다능다재(多能多才)해야 하랴? ㅇ不多也(불다야)－다능하지 않다, 다능할 필요가 없다. ㅇ牢(로)－공자의 제자, 자장(子張). ㅇ子云(자운)－(전에) 선생님이 말씀하셨다. ㅇ吾不試(오불시)－나는 남에게 등용되지 못했다. ㅇ故藝(고예)－그래서 많은 기능과 재주를 배웠다.

解說 오(吳)나라의 태재(大宰) 비(嚭)가 "부자성자여(夫子聖者與), 하기다능야(何其多能也)"라고 물은 말 속에는 부정적으로 비꼬는 뜻이 있다. 즉 "당신의 스승 공자는 참으로 성인일까? 성인이라

면서 어찌 그렇게 이것저것 잡스런 일들을 잘할 수 있겠느냐?"하는 투가 숨어 있다.

공자도 《논어》에서 '군자불기(君子不器)'라고 했다. 즉 군자는 원리(原理)를 운용하는 지도자다. 이것저것 잡사를 처리하는 기능공, 직능공이 아니다. '그런데, 자타가 성인이라고 인정하는 공자가 왜 그렇게 속된 잡일들을 잘할 수 있나?'하고 의아하게 여긴 것이다.

이에 대해, 충실한 제자 자공은, 아무런 의심도 없이, "고천종지장성(固天縱之將聖) 우다능야(又多能也)"라고 마냥 선생을 칭송했다. 그러나 본인인 공자는 달랐다. 도리어 "그자야말로 나를 바르게 아는 사람이다."라고 말한 다음, 다시 "내가 어려서 미천했으므로 다능다재하다."고 솔직하게 말하고, 또 "성인은 고사하고 군자도 다능하거나 다재하지 않다."고 덧붙였다. 공자의 말 속에는 자신을 겸손해하는 뜻과 아울러 어려서 미천해도, 학문과 덕행을 높이면 누구나 군자가 될 수 있다는 뜻이 함축되어 있다.

9-7. 공자가 말했다. "내가 아는 것이 있겠는가? 아는 게 별로 없다. 그러나 비천하고 무식한 사람이라도 나에게 성실하게 물어오면, 나는 아는 것을 모두 털어서 알려주고자 한다."

原文 子曰, 吾有知乎哉아? 無知也로라 有鄙夫問於我호되 空空如也라도 我叩其兩端而竭焉하노라.

註解 ㅇ吾有知乎哉(오유지호재)－나에게 아는 것이 있겠는가? 호재(乎哉)는 의문 조사. ㅇ無知也(무지야)－아는 것이 없다. ㅇ鄙夫(비부)－비천하고 무식한 사람. ㅇ問於我(문어아)－나에게 묻는다. ㅇ空空如也(공공여야)－태도가 성실하고 겸허하다. 공(空)＝정성 공(悾). ㅇ我叩其兩端(아고기양단)－양쪽 모든 것을 다 털다. 두드릴 고(叩). 양단(兩端)

은 '양쪽 다'의 뜻. 본말(本末), 시종(始終), 상하(上下), 원근(遠近) 등을 포함한다는 뜻. ㅇ竭(갈)-다하다.

解說 공자는 항상 겸손하게 자기는 별로 아는 것이 없다고 말했다. 다만 열심히 배우고 성실하게 익히고 행한다고 말했다. 모든 사람들을 분발시켜 배우게 하기 위해서다. 〈술이편(述而篇)〉에서는 "나는 천생으로 아는 사람이 아니다. 옛날 학문을 좋아하고 부지런히 배웠다(我非生而知之者 好古敏以求之者)." 〈7-19〉 라고 말했다. 여기서는 비천하고 무식한 사람이라도 성실한 태도로 배워 알려고 한다면, 나는 정성껏 가르쳐 주겠다고 말했다. 인간의 본성은 다 착하다. 그러므로 누구나 바르게 잘 배우면, 심성(心性)을 함양하고 인격을 높일 수 있다. 그러므로 나보다 많이 아는 사람에게는 내가 배우고, 나보다 못한 사람에게는 내가 가르쳐 주어야 한다.

9-8. 공자가 한탄하며 말했다. "하늘에서 봉황새도 오지 않고, 황하에서는 도문도 나오지 않으니, 나도 그만이구나!"

原文 **子曰, 鳳鳥不至**하며 **河不出圖**하니 **吾已矣夫**인저.

註解 ㅇ鳳鳥不至(봉조부지)-하늘에서는 봉황새가 내려오지 않는다. 봉조(鳳鳥)는 봉황(鳳凰), 성군(聖君)이 덕치(德治)를 펴면 나타난다고 하는 상서로운 신조(神鳥). ㅇ河不出圖(하불출도)-황하(黃河)에서는 하도(河圖)가 나타나지 않는다. 하도(河圖)는 성왕(聖王)이 나타나면 황하에서, 용마(龍馬)가 그 등에 신비한 도문(圖文)을 지고 나타난다고 한다. ㅇ吾已矣夫(오이이부)-나도 그만이구나, 나도 이미 끝났구나. 이 이상 더 어찌할 도리가 없구나.

解說 《집주(集註)》에서 주자는 다음과 같이 주를 달았다. '봉황새

는 영조(靈鳥)로, 순(舜)임금 때에 나타나서 춤을 추었고, 문왕(文王) 때에는 기산(岐山)에서 울었다. 하도(河圖)는 황하(黃河)에서 나온 용마(龍馬)의 등에 그려진 그림인데, 복희(伏羲) 때에 나타났다. 이들은 다 성왕(聖王)의 출현을 알리는 상서로운 징조다.'

봉황새와 하도가 나오지 않는 것은 성왕(聖王)이 나오지 않는 징조다. 그러므로 공자가 "이미 다 끝났다!"고 한탄한 것이다. 성왕이 나와야 절대선(絶對善)인 천도(天道)를 따르는 '예악(禮樂)의 인정(仁政), 덕치(德治)'가 실현되고, 진정한 '평천하(平天下)'가 창건될 것이다. 그런데 성왕이 나타날 징조가 보이지 않으므로 공자가 크게 한탄한 것이다.

9-9. 공자는 상복을 입은 사람을 보거나, 혹은 관복 차림을 한 사람이나 소경이 나타나면 상대가 연소자라도 반드시 일어나 예를 차리고 또 그 앞을 지나갈 때에는 총총걸음으로 걸었다.

原文 子見齊衰者와 冕衣裳者와 與瞽者하시고 見之에 雖少必作하시며 過之必趨러시다.

註解 ㅇ子見(자견)－공자가 보다. ㅇ齊衰者(재최자)－엄격히 말하면 재최(齊衰)는 어머니의 상복. 그러나 여기서는 부모의 상복을 입은 사람의 뜻이다. 참최(斬衰)는 아버지의 상복. ㅇ冕衣裳者(면의상자)－관모(冠帽)를 쓰고 예복(禮服)이나 관복(官服)을 입은 사람. 면(冕)은 관(冠), 의(衣)는 상의(上衣), 상(裳)은 하의(下衣). ㅇ瞽者(고자)－앞을 못보는 사람, 장님. ㅇ見之(현지)－(자기 앞에) 나타난다. 혹은 우연히 만나다. ㅇ雖少(수소)－비록 연소자라도. ㅇ必作(필작)－반드시 일어나(예를 차린다는 뜻). ㅇ過之(과지)－(공자가) 그들 앞을 지나갈 때는.

ㅇ趨(추)-총총걸음으로 지나가다.

解說 공자가 높이는 인(仁)은 적극적으로는 남을 사랑하고 도와주는 것이고, 소극적으로는 남의 어려운 처지를 이해하고 동정하는 것이다. 인을 사회적인 행동규범으로 나타낸 것이 예(禮)이다. 곧 예를 차린다는 것은 인을 사회적으로 실천함이다. 예는 모든 사람에게 적절하게 차리고 가려야 한다. 부귀를 누리는 세도가에게도 예를 차리되, 일반 서민이나 소경 같은 장애인(障礙人)에게도 적절하게 예를 차려야 한다. 특히 부모의 상을 당하고 거상(居喪)하는 사람에게는 경건한 태도로 대해야 한다. 공자는 몸소 실천했다.

9-10. 안연이 감탄하며 말했다. "선생님은 우러러볼수록 더욱 높고, 뚫고 들어갈수록 더욱 굳다. 앞에 있는 듯이 보였다가 홀연히 뒤에 있는 듯하기도 하다. 선생님은 차근차근 사람을 유도하고 계발하신다. 학문으로써 나의 식견을 넓게 해주시고, 예로써 나의 언행을 단속해 주신다. 그만두려 해도 그만둘 수 없으므로, 나도 모르게 나의 재능을 다해서 좇아 배우고 따라가려 한다. 그러나 선생님은 더욱 우뚝 높은 지표를 내세우시므로, 좇아가려고 해도 끝내 좇을 도리가 없다."

原文 **顔淵**이 **喟然歎曰, 仰之彌高**하며 **鑽之彌堅**하며 **瞻之在前**이러니 **忽焉在後**로다. **夫子 循循然 善誘人**하사 **博我以文**하시고 **約我以禮**하시니라. **欲罷不能**하야 **旣竭吾才**하니 **如有所立**이 **卓爾**라. **雖欲從之**나 **末由也已**로라.

註解 ㅇ顔淵(안연)-공자가 가장 아끼던 수제다. 〈爲政篇 2-9〉 참고.

ㅇ喟然歎曰(위연탄왈)－위연(喟然)은 탄식하다, 크게 감동하다, 탄왈(歎曰)은 감탄하며 말하다. ㅇ仰之彌高(앙지미고)－우러러보면 볼수록 더욱 높다. ㅇ鑽之彌堅(찬지미견)－(안으로) 뚫고 들어가면 갈수록 더욱 굳다. ㅇ瞻之在前(첨지재전)－보면 앞에 있는 듯하다가. ㅇ忽焉在後(홀언재후)－홀연히 뒤에 있는 듯하다. ㅇ循循然(순순연)－차근차근, 질서 있게. ㅇ善誘人(선유인)－잘 가르치고 유도하고 계발한다. ㅇ博我以文(박아이문)－학문으로 나의 학식이나 식견을 넓힌다. ㅇ約我以禮(약아이례)－예로써 나의 언행을 단속한다. 약(約)은 단속하고 틀을 잡는다. 예(禮)는 예의범절. ㅇ欲罷不能(욕파불능)－(배우기를) 그만두려 해도, 그만둘 수 없다. ㅇ旣竭吾才(기갈오재)－(자기도 모르게) 미리 자기의 재능을 다해서. 이미 기(旣)는 여기서 자기가 미리 서둘러의 뜻. 다할 갈(竭). ㅇ如(여)－흡사 ……와 같다. ㅇ有所立卓爾(유소립탁이)－선생님이 내세운 바 목표나, 지표가 우뚝 높고 높다. 탁이(卓爾)는 높다. ㅇ雖欲從之(수욕종지)－비록 좇아가서 (그 목표에) 이르려고 해도. ㅇ末由也已(말유야이)－도저히 할 수가 없다, 말(末)=무(無), 유(由)는 좋은 방법, 방도.

解說 안연(顔淵)은 과묵(寡默)했다. 그래서 공자도 "내가 안연에게 하루종일 말을 해도, 그는 반론을 제기하지 않는다. 흡사 어리석은 사람 같다(吾與回言終日 不違如愚)."〈爲政篇 2-9〉라고 말했다. 그러나 그가 입을 열고 공자의 인품과 학덕(學德)을 높인 이 말은 최고의 명언이다. 공자에 대한 최고의 평가라 하겠다.

9-11. 공자가 심하게 병을 앓자, 자로가 문인으로 하여금 공자의 가신이 되게 하고 (장례에 참석케 하고자 꾸몄다).

후에 병이 소강상태에 들어가자, 공자가 말했다. "그간 오래도록 자로가 속여왔구나! 가신 없는 나에게 가신이 있는 것처럼 꾸몄으니, 누구를 속이려는 것이냐? 하늘을 속이자는 것이냐? 또한 나는 가신들 앞에서 죽느니보다는 차라리 그대들 앞에서 죽는 것이 좋을 것이다. 또 내가 비록 성대하게 장례를 치르지 못한다 해도, 길에서 죽도록 그대들이 내버려 두겠는가?"

原文 **子疾病**이시어늘 **子路使門人**으로 **爲臣**이러니 **病間曰, 久矣哉**라 **由之行詐也**여 **無臣而爲有臣**하니 **吾誰欺**오? **欺天乎**아 **且予與其死於臣之手也**론 **無寧死於二三子之手乎**아. **且予縱不得大葬**이나 **予死於道路乎**아.

註解 ○子疾病(자질병)－병이 심하다. 위독하다. 질(疾)은 병을 앓다. 병(病)을 더욱 심하게 앓다. ○子路(자로)－공자의 수제자 중의 한 사람, 적극적인 행동파. 〈爲政篇 2-17〉 참고. ○使門人爲臣(사문인위신)－문인들을 가신(家臣)으로 꾸미다. 문인은 문하생, 학생들. 옛날에는 제후(諸侯)만이 죽기 전에 가신을 두고 상례 준비를 할 수 있었다. 그러나 당시 대부(大夫)들도 예법을 어기고 가신을 두었다. 공자는 전에 노(魯)나라의 대부를 지냈다. 그러나 벼슬에서 물러났으므로 가신을 둘 수 없었다. 그런데도 의협(義俠)한 자로가 공자를 위해 가신을 꾸몄던 것이다. ○病間(병간)－병이 좋아지다, 약간 차도가 있게 되자. ○久矣哉(구의재)－오래되었다, 오랫동안. ○由之行詐也(유지행사야)－자로가 (오랫동안) 사기를 쳤구나. 유(由)는 자로의 이름. ○無臣而爲有臣(무신이위유신)－가신을 둘 수 없는 나에게 가신을 있게 했으니. ○吾誰欺(오수기)－내가 누구를 속이랴? ○欺天乎(기천호)－하늘을 속이랴? ○且(차)－또. ○與其死於臣之手也(여기사어신지수야)－가짜로 꾸민 가신들의 손에 죽느니보다는. 여기(與其)는 '……하느니보다는'. ○無寧(무녕)－'도리어 ……하리라' 이때의 무(無)는 아무 뜻이 없다 ○死於二三子之手乎(사어이삼자지수호)－자네들 몇 사람들 손에 죽는 것이 좋다. ○縱(종)－설사, 비록. ○不得大葬(부득대장)－성대한 상례를 지낼 수는 없어도. ○予死於道路乎(여사어도로호)－내가 길에서 죽기야 하겠느냐?

解說 의협(義俠)한 자로(子路)는 스승의 권위와 체면을 세우고자 했다. 그러나 스승 공자는 예(禮)를 지키라고 깨우친다. 무도한 난세에 처한 그들의 서러운 생활의 한 토막이다.

9-12. 자공이 물었다. "여기 아름다운 옥이 있다면, 궤 안에 감춰 두시겠습니까? 혹은 좋은 값을 놓는 사람을 찾아 파시겠습니까?"

공자가 말했다. "팔고 말고, 팔고 말고! 나는 값을 놓을 사람을 기다리고 있다."

原文 **子貢曰, 有美玉於斯**하니 **韞匵而藏諸**이꼬? **求善賈而沽諸**이꼬? **子曰, 沽之哉**라 **沽之哉**라 **我待賈者也**로라.

註解 ㅇ有美玉於斯(유미옥어사)－아름다운 옥이 여기 있으면. ㅇ韞匵(온독)－온(韞)은 장(藏), 감추다. 독(匵)은 독(櫝), 궤. ㅇ藏諸(장제)－그것을 저장하겠느냐? 제(諸)=지호(之乎). ㅇ求善賈(구선가)－구(求)는 구하다, 찾는다. 가(賈)는 값 가(價), 또는 장사 고(賈)로 읽고, 상인으로 풀 수도 있다. ㅇ而沽諸(이고제)－혹은 그것을 팔겠느냐? 고(沽)는 팔다. ㅇ沽之哉(고지재)－팔겠노라. ㅇ待賈(대가)－살 사람을 기다린다, 좋은 값을 기다린다.

解說 공자의 정치 참여를 암시한 말이다. 난세(亂世)에 나타나지 말고 숨으라고 말한 뜻은 악(惡)에 가담하지 말라는 뜻이다. 학문과 덕행을 겸비한 군자는 난세를 바로잡고, 인정(仁政)과 덕치(德治)를 펴서, 만민을 잘살게 하고 아울러 천하를 평화롭게 할 책임이 있다. 그러나 현실적으로 통치자들이 우매하거나 혹은 포악무도하기 때문에 선비들을 등용하지 않고 있는 것이다. 공자는 하루 빨리 현명한 임금이 나오기를 바라고 있었다.

9-13. 공자가 동쪽 오랑캐 땅에 가서 살고자 했다. 이에 어떤 사람이 "누추한 곳에 어떻게 살겠습니까?"하고 말하자, 공자가 말했다. "군자가 자리잡고 살면 어찌 누추하겠소?"

原文 **子欲居九夷**러시니 **或曰, 陋**커늘 **如之何**이꼬? **子曰, 君子居之**면 **何陋之有**리오?

註解 ㅇ子欲居(자욕거)－공자가 (동쪽 오랑캐 땅에 가서) 살고자 했다. ㅇ九夷(구이)－동방의 오랑캐 나라. 황간(皇侃)은 '현토(玄菟)·낙랑(樂浪)·고려(高麗)·만식(滿飾)·부갱(鳧更)·삭가(索家)·동도(東屠)·왜인(倭人)·천비(天鄙)'라고 주를 달았다. ㅇ陋(누)－누추하다, 미개하고 비문화적이다. ㅇ如之何(여지하)－어찌하겠느냐? 어떻게 사느냐? ㅇ君子居之(군자거지)－군자가 그곳에 가서 살면. ㅇ何陋之有(하루지유)－왜 누추하겠느냐? (군자의 감화를 받아서 문화적으로 발전하고 변하게 된다는 뜻).

解說 〈공야장편(公冶長篇)〉에서 공자는 "도가 행하여지지 않으니, 뗏목을 타고 바다로 갈까 한다.(道不行 乘桴 浮于海)" 〈5-6〉라고 말했다. 이번에는 동방의 오랑캐 땅으로 가겠다고 말했다. 문화의 꽃이 피어나야 할 중화(中華), 즉 중하(中夏)가 타락하고 악덕이 횡행하는 데 크게 실망하고 차라리 떠나고 싶다고 말한 것이다.

이에 어떤 사람이 "미개의 야만인들이 사는 땅에서 어떻게 살겠습니까?"하고 걱정하자, 공자가 말했다. "군자가 가서 살면 교화되고, 문화도 발전하게 마련이다." 군자의 감화력(感化力)를 굳게 믿는 동시에, 정도(正道)를 찾지 못하는 중하(中夏)에 대한 불만을 터뜨린 것이다.

9-14. 공자가 말했다. "내가 위나라에서 노나라로 돌아온 후에 음악이 바로잡혔고, 아(雅)와 송(頌)도 제자리를 얻었다."

原文 **子曰, 吾自衛反魯 然後**에 **樂正**하야 **雅頌**이 **各得其所**하니라.

註解 ㅇ自衛反魯(자위반로)－위나라에서 노나라로 돌아오다. 공자가 14년간의 편력(遍歷)을 마치고 돌아온 때는 애공(哀公) 11년(기원전 484년)이다. 공자의 나이 68세 때다. 그후 73세로 서거할 때까지, 약 5년간 강학(講學)과 고전 정리 및 문물제도를 바로잡는 데 애를 썼다. 《시경(詩經)》도 그 중에 포함된다. ㅇ然後(연후)－그런 다음에. ㅇ樂正(악정)－음악을 바로잡다. ㅇ雅頌(아송)－아(雅)는 주(周)의 왕실(王室)이나 귀족들의 향연(饗宴)에서 연주하던 악곡(樂曲), 송(頌)은 종묘에서 제사지낼 때의 무악(舞樂)이다. ㅇ各得其所(각득기소)－모든 것이 저마다 바르게 되었다.

解說 노(魯)나라는 본래 주공(周公)을 시조로 모시는 나라로, 다른 나라보다 주나라의 예악(禮樂)이나 문물제도의 전통이 잘 보전되어 있는 나라다. 그러나 오랜 세월이 지나고 또 춘추시대(春秋時代)의 혼란으로 제모습을 크게 손상했다. 그러므로 공자가 말년에 제국(諸國) 유력(游歷)을 마치고 돌아오자, 예악(禮樂) 및 고전(古典) 등을 정리하고 바로잡았다. 오늘날 전하는 《시경(詩經)》에 있는 305편의 시는 바로 공자가 정리한 것이다. 당시 공자는 3천여 편의 시들을 추려, 305편으로 편집했다. 이를 공자의 산시설(刪詩說)이라고 한다. 시의 정리에는 필연적으로 그 악곡(樂曲)과 무곡(舞曲)이 포함되었다.

9-15. 공자가 말했다. "밖에 나가서는 공경을 섬기고, 집안에서는 부형을 섬기고, 상례를 정성을 다 기울여 치르며, 술로 인해 문란해지지 않는다. 이런 것들을 나는 쉽게 행할 수 있다."

原文 **子曰, 出則事公卿**하고 **入則事父兄**하며 **喪事**를 **不敢不勉**하며 **不爲酒困**이 **何有於我哉**오.

註解 ㅇ出(출)－밖에 나가다, 즉 출사(出仕)하다. ㅇ事公卿(사공경)－사(事)는 섬기다. 공경(公卿)은 삼공(三公)과 구경(九卿), 조정의 고관들. ㅇ入(입)－집안에서는. ㅇ事父兄(사부형)－부모형제를 잘 섬긴다, 효제(孝悌)의 도를 다한다. ㅇ喪事(상사)－상례(喪禮)를 치르다. ㅇ不敢不勉(불감불면)－면(勉)은 힘과 정성을 다하다, 즉 정성을 다하지 않을 수 없다. ㅇ不爲酒困(불위주곤)－술 때문에 난잡하게 되지 않는다. ㅇ何有於我哉(하유어아재)－나에게는 아무것도 아니다, 쉽게 행할 수 있다.

9-16. 공자가 냇가에서 말했다. "가는 것들이 흐르는 물과 같다. 밤낮없이 쉬지 않는구나!"

原文 **子在川上曰, 逝者如斯夫**인저 **不舍晝夜**로다.

註解 ㅇ子在川上曰(자재천상왈)－공자가 냇가에서 흐르는 물을 보고 말했다. 천상(川上)의 상(上)은 부근. ㅇ逝者(서자)－가는 것들. ㅇ如斯夫(여사부)－이 물과 같구나! ㅇ不舍晝夜(불사주야)－사(舍)는 쉬다, 밤낮을 가리지 않고 흐르고 지나가다. 만물은 다 왔다가 간다.

9-17. 공자가 말했다. "덕 좋아하기를 여자 좋아하듯이 하는 사람을 나는 아직 보지 못했다."

原文 **子曰, 吾未見好德**을 **如好色者也**케라.

註解 ㅇ吾未見(오미견)－나는 아직 보지 못했다. ㅇ好德(호덕)－덕을 좋아하기를. ㅇ如好色者(여호색자)－여자 좋아하듯 하는 사람.

解說 당시의 임금들이나 경대부(卿大夫)들은 성도덕면에서 극도로 타락했었다.

9-18. 공자가 말했다. "학문을 비유컨대, 산을 쌓아올림과 같다. 흙 한 삼태기가 모자라는데 그만두었다 하면 그것은 내가 그만둔 것이다. 또 비유컨대 땅을 평탄하게 고르는 데 있어, 흙 한 삼태기를 덮어도 진척하거늘, 그것도 내가 하는 것이다."

原文 **子曰, 譬如爲山**에 **未成一簣**하야 **止**도 **吾止也**라. **譬如平地**에 **雖覆一簣**나 **進**도 **吾往也**니라.

註解 ㅇ譬如爲山(비여위산)－산을 만드는 것에 학문을 비유한다. ㅇ未成一簣(미성일궤)－한 삼태기 흙이 모자라서 산이 완성되지 못했다. 삼태기 궤(簣). ㅇ止(지)－(산 만들기를) 중지한다. ㅇ吾止也(오지야)－자신이 그만둔 것이다. ㅇ譬如平地(비여평지)－땅을 평탄하게 고르는 일에 비유한다. ㅇ雖覆一簣(수복일궤)－비록 한 삼태기 흙을 덮어도. ㅇ進(진)－일이 진척된다. ㅇ吾往也(오왕야)－자신이 나서서 일을 한 것이다. 학문을 하고 안하고는 나 자신의 책임이라는 뜻이다.

9-19. 공자가 말했다. "말해 준 것을 게으르지 않고 행한 사람은 회(回)일 것이다."

原文 子曰, 語之而不惰者는 其回也與인저.

註解 ㅇ語之(어지)-말해주다. 지(之)는 말해주는 대상을 표시하는 형식 목적어. ㅇ不惰(불타)-게을리하지 않고 행한다. ㅇ其回也與(기회야여)-그런 사람은 안회(顔回)일 것이다.

9-20. 공자가 안회를 평하여 말했다. "아깝구나! (그가 죽다니!) 나는 그가 앞으로 나가는 것만 보았지, 그 자리에 머무는 것을 보지 못했다."

原文 子謂顔淵曰, 惜乎라 吾見其進也요 未見其止也호라.

註解 ㅇ子謂顔淵曰(자위안연왈)-공자가 죽은 안연을 회상하고 평가하며 말했다. ㅇ惜乎(석호)-아깝게도 그가 죽었구나! ㅇ吾見(오견)-나는 보았다. ㅇ其進也(기진야)-그는 학문이나 덕행에 있어, 언제나 앞으로 나아가기만 했다. ㅇ未見(미견)-본 일이 없다, 보지 못했다. ㅇ其止也(기지야)-중지하거나 멈추어 서있는 것을 (보지 못했다.)

解說 죽은 다음에 비평한 말이다. 그래서 '안연(顔淵)'이라고 성과 이름을 함께 적었다. 공자가 안연을 칭찬한 말은 여러 곳에 보인다.

9-21. 공자가 말했다. "싹은 났으나 꽃을 피지 못하는 것도 있으며, 꽃은 피었지만 열매를 맺지 못하는 것도 있을 것이다."

原文 子曰, 苗而不秀者 有矣夫며 秀而不實者 有矣夫인저.

註解 ㅇ苗(묘)-싹이 나다, 학문 공부에 비유한 말. ㅇ不秀者(불수

자)—꽃을 피지 못한다. ㅇ有矣夫(유의부)—있을 것이다. ㅇ秀而不實者(수이불실자)—꽃은 피지만, 열매를 맺지 못하는 것.

解說 글을 배우기 시작하고 사물의 도리를 아는 것을 '싹이 돋아난다'고 비유했다. 박학다식한 경지가 곧 꽃이 피어난 경지다. 학문이 덕으로 화하고 남에게 인덕(仁德)을 베푸는 것이 곧 열매를 맺는 경지이다.

9-22. 공자가 말했다. "젊은 후배들을 두려워해야 한다. 장래의 그들이 오늘의 우리만 못할 거라고 어찌 알겠는가? (우리보다 더 잘할 것이다.) 그러나 후배라도 40, 50이 되었건만 이름이 알려지지 않으면, 역시 두려운 존재가 못된다."

原文 子曰, 後生可畏니 焉知來者之不如今也리오? 四十五十而無聞焉이면 斯亦不足畏也已니라.

註解 ㅇ後生可畏(후생가외)—후생(後生)은 뒤에 태어난 후배, 젊은 학자들. 가외(可畏)는 두려울 만하다. 학문적으로 더 발전할 것이니, 경외(敬畏)할 만하다. ㅇ焉知(언지)—어찌 알겠는가? 어찌 ……라고 말하랴? ㅇ來者之不如今也(내자지불여금야)—후배 학자들이 오늘의 우리만 못하다. ㅇ四十五十(사십오십)—나이 40이나 50세가 되어도. 장년기로 사회의 지도층이다. ㅇ無聞焉(무문언)—학문과 덕행으로 세상에 이름을 내지 못하면. ㅇ斯亦不足畏也已(사역부족외야이)—그 또한 두려워할 바 못된다.

解說 공자 사상의 저변에는 인류의 역사와 문화가 시대와 더불어 더욱 발전한다는 '역사적 발전관(發展觀)'이 깊이 흐르고 있다. 아울

러 공자는 역사와 문화 발전을 담당할 후배 학자들의 학문과 덕행도 더욱 향상되고 발전한다고 믿었다. 그러므로 '후생가외(後生可畏)'라고 말한 것이다. 그러나 후생(後生)들이 공부를 안하면 아무 소용이 없다. 후배 학자들이 선배가 이룩하고 물려준 학문이나 문화유산을 열심히 학습하고, 그 위에 새로운 창조(創造)를 가해야 한다. 이를 공자는 '온고지신(溫故知新)'이라고 했다.

군자(君子)는 학문과 덕행을 겸비하고, 절대선(絶對善)의 도(道)를 따라 사회를 개혁하고, 인정(仁政)과 덕치(德治)의 구현(具現)을 위해 사회적으로 활동하고 작용해야 한다. 〈헌문편(憲問篇)〉에서 '덕 있는 사람은 반드시 말이 있다.(有德者必有言)' 〈14-5〉라고 했다. 군자나 인자(仁者) 같은 휴머니스트는 적극적으로 사회악(社會惡)을 고발하고 아울러 정도(正道)를 만인에게 알려주어야 한다. 유교의 학문정신은 적극적인 현실참여이다. 단 악덕에 붙어먹는 것을 절대로 배척했다. 그러므로 군자나 지식인은 철저하게 악덕을 배척하고 적극적으로 정도를 높여야 한다. 그러면 반드시 사회적으로 이름을 내게 될 것이다. 이름이 안나는 것은 무능하기 때문이다.

9-23. 공자가 말했다. "법도에 맞는 말을 따르지 않을 수 있겠느냐? 그러나 그 말을 따라 잘못을 고치는 것이 더욱 귀중하다. 부드럽게 타이르는 말이 듣기에 즐겁지 않겠느냐? 그러나 그 말의 참뜻을 찾아내는 것이 더욱 귀중하다. 즐거워만 하고 참뜻을 알지 못하거나 따르기만 하고 고치지 않는다면, 나로서도 어찌할 도리가 없느니라."

原文 子曰, 法語之言은 能無從乎아? 改之爲貴니라. 巽與之言은 能無說乎아? 繹之爲貴니라. 說而不繹하며 從而不

改면 吾末如之何也已矣니라.

註解 ㅇ法語之言(법어지언)－법어(法語)를 '바르게 타이르다'의 뜻으로 푼다. 즉 법도에 맞게 하라고 타이르는 말. ㅇ能無從乎(능무종호)－따르지 않을 수 있느냐? ㅇ改之爲貴(개지위귀)－잘못을 고치는 것이 더 귀중하다. ㅇ巽與之言(손여지언)－부드럽게 타이르는 말, 유순할 손(巽). ㅇ能無說乎(능무열호)－기뻐하지 않을 수 있겠느냐? ㅇ繹之爲貴(역지위귀)－속에 있는 뜻을 찾아서 아는 것이 더욱 귀중하다. 풀어낼 역(繹). ㅇ說而不繹(열이불역)－(부드럽게 타이르는 말을 듣고) 기뻐하기만 하고 참뜻을 알지 못하면. ㅇ從而不改(종이불개)－바른 말을 듣고 따르기만 하고 잘못을 고치지 않는다면. ㅇ吾末如之何也已矣(오말여지하야이의)－말(末)＝무(無)와 같다. 여지하(如之何)는 어찌 하다, 야이의(也已矣)는 다 어조사.

解說 직설적인 충고를 들으면 잘못을 고치고, '간접적인 권고'를 들으면 진의를 파악하고 자기의 덕을 높여야 한다.

9-24. 공자가 말했다. "충성하고 신의를 지켜라. 나보다 못한 사람을 벗으로 삼지 마라. 잘못이 있으면 꺼리지 말고 고쳐라."

原文 子曰, 主忠信하며 毋友不如己者요 過則勿憚改니라.

註解 ㅇ主(주)－주자(朱子)는 위주(爲主)로 보고 하라로 풀었다. ㅇ忠(충)－충성, 자기의 최선을 다한다는 뜻. 악덕한 임금에게 굴종(屈從)하는 것이 충이 아니다. ㅇ信(신)－신의(信義)를 지키다, 도(道)에 맞는 말을 하고 말한 것을 실천함. ㅇ毋友(무우)－벗으로 삼지 마라. ㅇ不如己者(불여기자)－학문이나 덕행이 나보다 월등하게 모자라는 사람. ㅇ過(과)－과실, 허물이 있으면. ㅇ勿憚改(물탄개)－고치는 데 꺼리지 마라.

꺼리지 말고 바로 고쳐라.

解說 벗은 서로 인덕(仁德)을 높여야 한다. 못한 사람은 가르쳐 준다.

9-25. 공자가 말했다. "삼군의 총사령관을 빼앗을 수는 있으나, 필부의 뜻을 빼앗을 수는 없다."

原文 **子曰, 三軍**은 **可奪帥也**어니와 **匹夫**는 **不可奪志也**니라.

註解 ㅇ三軍(삼군)－제후(諸侯)의 나라의 대군. ㅇ可奪帥也(가탈수야)－대장, 총사령관을 빼앗을 수 있다. 장수 수(帥). ㅇ匹夫(필부)－신분이 낮은 사나이. ㅇ志(지)－뜻이나 마음을 (뺏을 수 없다).

9-26. 공자가 말했다. "다 떨어진 솜옷을 입고, 여우나 담비 털옷을 입은 사람과 함께 서있어도 부끄러워하지 않는 사람은 자로(子路)일 것이다."

자로가 《시경》에 있는 '해치지도 않고 탐내지도 않으니, 어찌 좋지 않겠는가?'라는 구절을 종신토록 외우고자 하자, 공자가 말했다. "그러한 도리만으로 어찌 선하다고 하랴?"

原文 **子曰, 衣敝縕袍**하야 **與衣狐貉者**로 **立而不恥者**는 **其由也與**인저. **不忮不求**면 **何用不臧**이리오 **子路終身誦之**한대 **子曰, 是道也**로 **何足以臧**이리오.

註解 ㅇ衣敝縕袍(의폐온포)－의(衣)는 입는다, 폐(敝)는 해질 폐(弊), 온(縕)은 수삼, 시(枲)는 모시풀 시. 포(袍)는 두루마기 같은 외의(外

衣). ㅇ與(여)－……와 함께. ㅇ衣狐貉者(의호학자)－여우나 담비 털옷을 입은 사람, 의(衣)는 입다, 여우 호(狐), 담비 학(貉). ㅇ立(입)－(함께 어울려) 서있다. ㅇ而不恥者(이불치자)－그래도 부끄럽게 여기지 않는 사람. ㅇ其由也與(기유야여)－그는 자로(子路)일 것이다. 자로의 이름이 유(由). ㅇ不忮不求(불기불구)－해치지도 않고, 욕심스럽게 구하지도 않는다. 기(忮)는 해치다, 구(求)는 탐욕을 부린다. ㅇ何用不臧(하용부장)－어찌 좋지 않으랴? 용(用)＝위(爲), 장(臧)은 착하다. '불기불구(不忮不求) 하용부장(何用不臧)'은 《시경(詩經)》 패풍(邶風) 웅치편(雄雉篇)의 구절. ㅇ子路終身誦之(자로종신송지)－자로가 종신 그 구절을 외우고자 했다. ㅇ是道也(시도야)－그 정도의 도(道)를. ㅇ何足以臧(하족이장)－어찌 선하다고 하랴? 부족하다는 뜻.

解說 가난해도 의연한 자로에게 더욱 정진하라고 말한 것이다.

9-27. 공자가 말했다. "겨울의 날씨가 추운 다음에, 비로소 소나무나 잣나무가 늦게 시드는 것을 알 수 있다."

原文 **子曰, 歲寒然後**에 **知松柏之後彫也**니라.

註解 ㅇ歲寒(세한)－그 해의 날씨가 몹시 춥다. ㅇ然後(연후)－그런 다음에. ㅇ知(지)－(비로소) 알 수 있다. ㅇ松柏之後彫也(송백지후조야)－소나무나 잣나무가 늦게 시든다는 것을 (안다). 소나무 송(松), 잣나무 백(柏), 조(彫)＝시들 조(凋).

解說 난세(亂世)에 참다운 충신을 알 수 있다는 비유이기도 하다.

9-28. 공자가 말했다. "지혜로운 사람은 미혹되지 않고, 인애로운 사

람은 걱정하지 않고, 용감한 사람은 두려워하지 않는다."

原文 **子曰, 知者不惑**하고 **仁者不憂**하고 **勇者不懼**니라.

註解 ㅇ知者不惑(지자불혹)－도(道)를 터득하고 지혜로운 사람은 미혹되지 않는다. ㅇ仁者不憂(인자불우)－어질고 인덕을 갖춘 사람은 걱정하지 않는다. ㅇ勇者不懼(용자불구)－정의를 용감하게 실천하는 사람은 두려워하지 않는다.

解說 '지(知)·인(仁)·용(勇)' 세 가지는 군자의 삼달덕(三達德)이다. 절대선(絶對善)인 천도(天道), 즉 우주의 이법을 깨닫고 실천하는 사람이 지자(知者)다. 만민 만물을 사랑하고 덕을 베푸는 사람이 인자(仁者)다. 정의를 위해 용감하게 실천하는 사람이 용자(勇者)다. 이 셋을 합한 사람이 군자다. 그러므로 군자는 '불혹(不惑), 불우(不憂), 불구(不懼)'한다.

9-29. 공자가 말했다. "함께 배울 수는 있어도 같이 도를 지켜 갈 수는 없으며, 함께 도를 지켜 간다 해도 같은 입장이나 위치에 나설 수는 없으며, 함께 나선다 해도 같이 권형을 맞출 수는 없다."

原文 **子曰, 可與共學**이오도 **未可與適道**며 **可與適道**오도 **未可與立**이며 **可與立**이오도 **未可與權**이니라.

註解 ㅇ可與共學(가여공학)－함께 같이 배울 수는 있어도. ㅇ未可(미가)－……할 수는 없다. ㅇ與適道(여적도)－같이 도를 따라 나가다. ㅇ可與立(가여립)－사회에 나가 서다. 혹은 입장이나 위치를 같이하다. ㅇ權(권)－(일 처리에 있어) 권형(權衡)을 맞추다. 즉 각자의 재량으로 임시

변통하다.

解說 글을 배우는 목적과 과정은 크게 3단계로 나눌 수 있다. 우선 절대선(絶對善)의 도(道)를 깨닫고 실천하여 인격을 완성해야 한다. 그 다음에는 사회나 국가에 나아가 좋은 일꾼이 되어야 한다. 그리고 자기가 맡은 직책이나 일을 잘 처리해야 한다.

그러므로 비록 함께 글을 배웠다 해도, 사람마다 입장이나 처지가 다르고 또 일처리에 있어서도 주어진 주변 여건이 다르게 마련이다. 그러므로 권형(權衡)을 맞추어 적절하게 성취해야 한다. 특히 국가를 다스리고 백성을 잘살게 해주는 정치에는 여러 가지 변수가 따르게 마련이다.

그러므로 고지식하게 원리원칙만을 고집하면 안된다. 장소와 때에 따라, 임시변통으로 적절하게 처리해야 한다. 그렇다고 대도(大道)를 이탈하거나, 무자비한 무력을 휘두르면 안된다. 어디까지나 인정(仁政)과 덕치(德治)를 지향해야 한다.

9-30. '당체꽃이 펄럭이는데, 어찌 임 생각 않으리요만, 너무나 멀구나!'

(이 시를 두고) 공자가 말했다. "진정으로 생각함이 아닌 것이다. (진정으로 생각한다면) 어찌 멀고 말고가 있겠느냐?"

原文 唐棣之華여 偏其反而로다. 豈不爾思리요마는 室是遠而니라. 子曰, 未之思也언정 夫何遠之有리오?

註解 ㅇ唐棣之華(당체지화)―당체의 꽃이여! 당체(唐棣)는 아가위나무. ㅇ偏其反而(편기반이)―꽃잎이 펄럭펄럭 날리는 품. 치우칠 편(偏),

반(反)=뒤칠 번(飜). ㅇ豈不爾思(기불이사)-어찌 그대를 생각하지 않겠느냐? ㅇ室是遠而(실시원이)-그대의 집이 너무 멀다. ㅇ未之思也(미지사야)-(진정으로) 생각하지 않는 것이다. ㅇ夫何遠之有(부하원지유)-(진정으로 생각한다면) 어찌 멀다고 하겠느냐?

解說 공자의 파격적인 말이다. 상대를 사랑하고 그리워하는 남녀의 사랑 노래의 아름다운 시구를 가지고 정성과 행동의 일관성을 깨우치고자 했다. 참다운 정성이 있으면 멀다는 핑계를 대지 않을 것이다. 《시경》에는 '당체지화(唐棣之華)여 편기반이(偏其反而)로다 기불이사(豈不爾思)리요마는 실시원이(室是遠而)니라'라는 구절이 보이지 않는다.

공자는 〈술이편(述而篇)〉에서 다음과 같이 말했다. "인을 멀다고 하겠느냐? 내가 인을 원하면, 인은 바로 이른다.(仁遠乎哉 我欲仁 斯仁至矣)" 〈7-29〉.

제10편 향당편(鄕黨篇)

제10편 〈향당편(鄕黨篇)〉은 《논어》 중에서도 특수한 편이다. 주로 공자의 일상생활에 관한 여러 가지 사항을 자세히 기술했다. 즉 공(公)과 사(私)에 걸쳐 예(禮)와 악(樂)을 실천한 공자의 성실하고 근엄한 생활의 여러 면모를 문인들이 적은 기록들을 추린 것이다. 이러한 기록 속에서 공자가 예악(禮樂)을 어떻게 해석하고 행동화했는가도 알 수 있다. 《고주(古注)》는 25장, 《신주(新注)》는 17장으로 분류했다. 이 책에서는 《신주》를 따랐다.

10-1. 공자는 향당에서는 누구에게나 공손하고 성실했으며, 말도 잘하지 못하는 사람 같았다. 그러나 종묘나 조정에서는 명석하게 말을 잘하되 지극히 신중했다.

原文 孔子於鄕黨에 恂恂如也하사 似不能言者러시다. 其在宗廟朝廷하사는 便便言하사대 唯謹爾러시다.

註解 ㅇ孔子於鄕黨(공자어향당)－공자가 향당(鄕黨)에 있어서는. 향당은 향리나 마을, 주대(周代)의 지방구역(地方區域)의 제도로 5백 호를 당(黨), 25당 즉 12,500호를 향(鄕)이라 했다. ㅇ恂恂如也(순순여야)－겸손하고 성실하고 온순했다. 순(恂)은 정성, 여(如)는 같다로서 ……와 같은 태도를 취했다. ㅇ似不能言者(사불능언자)－흡사 말을 잘 못하는 사람 같았다. ㅇ其在宗廟朝廷(기재종묘조정)－그가 종묘나 조정

에 있을 때에는. ㅇ便便言(편편언)－또박또박 명석하게 말을 한다. ㅇ唯謹爾(유근이)－유(唯)는 지극히, 근(謹)은 근엄하고 성실하다, 이(爾)는 어조사로 연(然)과 같다.

10-2. 조정에서 하대부와 말할 때에는 강직한 태도로 했고, 상대부에게 간쟁할 때에는 화락(和樂)한 태도로 했다.

임금 앞에서는 지극히 공경하는 태도와 아울러 엄하게 위의(威儀)를 차렸다.

原文 朝에 與下大夫言에 侃侃如也하시며 與上大夫言에 誾誾如也러시다 君在시어든 踧踖如也하시며 與與如也러시다.

註解 ㅇ朝(조)－조정에서. ㅇ與下大夫言(여하대부언)－하대부와 말할 때에는, 고대의 신분 계층은 '제후(諸侯)·경(卿)·대부(大夫)·사(士)'로 나누었다. 경을 상대부(上大夫), 대부를 하대부(下大夫)라고도 했다. ㅇ侃侃如也(간간여야)－주자(朱子)는 강직(剛直)으로 풀었다. 강직할 간(侃). ㅇ與上大夫言(여상대부언)－상급자인 경(卿)에게 말한다. 즉 간쟁(諫諍)을 한다는 뜻. ㅇ誾誾如也(은은여야)－온화하고 즐거운 태도로. 온화할 은(誾). ㅇ君在(군재)－임금이 계시면, 임금 면전에서는. ㅇ踧踖如也(축적여야)－신중하고 공손한 태도, 삼갈 축(踧), 공손할 적(踖). ㅇ與與如也(여여여야)－엄숙하게 위의(威儀)를 차렸다.

解說 고대에는 여러 신하들은 해 뜨기 전에 조정에 들어갔고, 해가 뜨면서 군왕(君王)이 나와 조회(朝會)를 했다. 한때 공자도 대부가 되어 조회에 참석했으며, 조회 전에 다른 대부 및 경들과 정사에 관한 말을 나누었을 것이다. 그리고 임금 면전에서는 지극히 신중하고 엄숙하게 위의(威儀)를 차렸을 것이다.

10-3. 임금이 불러 내빈을 접대하라고 하면, 엄숙한 낯빛으로 발걸음을 빨리하였다.

함께 서있는 여러 내빈에게 읍할 때에는, 손을 좌우로 돌려 읍했다. 그때에도 옷의 앞뒷자락이 가지런히 출렁일 뿐이었다.

빨리 종종걸음으로 나아갈 때의 자세가 단정했다.

내빈이 물러가면, 반드시 (임금에게) '손님은 뒤돌아보지 않고 잘 갔습니다.'하고 복명해 올렸다.

原文 君召使擯이시어든 色勃如也하시며 足躩如也러시다. 揖所與立하시대 左右手러시니 衣前後 襜如也러시다. 趨進에 翼如也러시다. 賓退에 必復命曰, 賓不顧矣라 하시다.

註解 ㅇ君召使擯(군소사빈)－임금이 불러, 외국에서 온 손님을 접대하게 한다. ㅇ色勃如也(색발여야)－색(色)은 표정과 안색, 발여(勃如)는 긴장하고 엄숙하게 변한다. 야(也)는 어조사. ㅇ足躩如也(족각여야)－발걸음을 총총히 빨리 한다. 바삐 갈 각(躩). ㅇ揖所與立(읍소여립)－주빈(主賓)과 함께 와서 (동서로 나뉘어) 서있는 다른 손님들에게 읍(揖)을 할 때는. 읍(揖)은 가슴 앞에 두 손을 마주잡고 가볍게 절한다. ㅇ左右手(좌우수)－마주잡은 손의 방향을 좌우로 돌리다. ㅇ衣前後(의전후)－옷자락이 가볍게 앞뒤로 출렁인다. ㅇ襜如也(첨여야)－첨(襜)은 행주치마. 그것이 가지런하다란 뜻. ㅇ趨進(추진)－종종걸음으로 빨리 앞으로 나가다. 달릴 추(趨). ㅇ翼如也(익여야)－익(翼)은 단정하다는 뜻. ㅇ賓退(빈퇴)－사신들이 물러가다. ㅇ必復命曰(필복명왈)－반드시 복명하고 아뢰었다. ㅇ賓不顧矣(빈불고의)－손님들이 (흡족하고 안심해서) 뒤돌아보지 않고 갔습니다.

10-4. 대궐 문에 들어갈 때에는 몸을 굽혀 절하는 듯, 송구스러워하

는 모양이 흡사 문이 좁아서 들어가지 못하는 듯하였다.

서는 경우에는 문 가운데에 서지 않으시고, 들어갈 때에는 문지방을 밟지 않으셨다.

임금이 계시던 자리를 지나갈 때에는 표정과 안색을 엄숙하게 하고, 총총걸음으로 지나갔으며, 말이 모자라는 듯이 과묵하였다.

옷자락을 잡고 층계를 밟고 당에 오를 때도 절하는 듯이 송구스러운 품으로 숨을 죽여 호흡을 하지 않는 듯하셨다.

당에서 나와, 층계를 하나만 내려와도 안색을 펴 화락한 낯을 지으셨고, 층계를 다 내려와 총총걸음으로 나가실 때의 품은 단정하고 아름다우셨으며, 제자리로 돌아가시는 태도는 신중하고 경건하셨다.

原文 入公門하실새 鞠躬如也하사 如不容이러시다. 立不中門하시며 行不履閾이러시다. 過位하실새 色勃如也하시며 足躩如也하시며 其言이 似不足者러시다. 攝齊升堂하실새 鞠躬如也하시며 屛氣하사 似不息者러시다. 出降一等하사는 逞顔色하사 怡怡如也하시며 沒階하사는 趨進翼如也하시며 復其位하사는 踧踖如也러시다.

註解 ㅇ入公門(입공문)-공문(公門)은 제후(諸侯)의 궁성(宮城)의 문, 여기서는 노나라 임금의 대궐 문을 들어가다. ㅇ鞠躬如也(국궁여야)-국궁(鞠躬)하는 듯한다. 국궁은 상반신을 숙이고 정중하게 하는 절. ㅇ如不容(여불용)-흡사 (문이 좁아서, 몸이) 들어가지 않는 듯하다. ㅇ立不中門(입부중문)-대문 한가운데 서지 않는다 ㅇ行不履閾(행불리역)-대문을 지나갈 때에 문지방을 밟지 않는다. 밟을 리(履), 문지방 역(閾) ㅇ過位(과위)-(정해진) 임금의 자리. (설사 임금이 없어도, 그 자리를 지나갈 때에는). ㅇ色勃如也(색발여야)-색(色)은 표정과 안색, 발여(勃

如)는 긴장하고 엄숙하게 변한다. ㅇ足躩如也(족각여야)－발걸음을 총총히 빨리 한다. 바삐 갈 각(躩). ㅇ其言似不足者(기언사부족자)－말이 모자라는 듯이, 입을 다물고 침묵하다. ㅇ攝齊升堂(섭자승당)－옷자락을 잡고 당에 오르다. 잡을 섭(攝), 가지런할 자(齊), 자(齊)를 여기서는 '자'로 읽는다. 제후의 공당(公堂)은 높이가 7척(七尺)이며, 매 척마다 계단이 있다. 당에 오르기 위해서는 옷자락을 손으로 잡고 치켜들어야 한다. ㅇ屛氣(병기)－숨을 죽이다. ㅇ似不息者(사불식자)－흡사 숨을 안 쉬는 듯하다. ㅇ出降一等(출강일등)－임금 앞에서 나와 당의 층계를 한 단계 내려오다. ㅇ逞顔色(영안색)－(긴장을 풀고) 얼굴을 펴다, 풀 령(逞). ㅇ怡怡如也(이이여야)－즐겁고 기쁜 듯하다. 기쁠 이(怡). ㅇ沒階(몰계)－층계를 다 내려오다. ㅇ趨進(추진)－잰걸음으로 나가다. ㅇ翼如也(익여야)－단정하고 아름답다. 〈10-3〉 참고. ㅇ復其位(복기위)－원 위치로 돌아가다. ㅇ踧踖如也(축적여야)－신중하고 공손한 태도. 삼갈 축(踧), 공손할 적(踖).

10-5. 공자가 (사신으로 가서) 규(圭)를 손에 들고 (다른 나라 임금에게) 바칠 때에는, 몸을 굽히고 송구스러운 태도로 마치 그 무게를 감당하기 어려운 듯했다. 규를 위로 들어올릴 때에는 읍하는 듯, 아래로 내릴 때에는 물건을 넘겨주는 듯했으며, 얼굴 표정과 안색을 신중하고 두려워하는 듯하고, 발걸음을 땅에 대고 끄는 듯이 총총히 옮겼다.

그 후 예물을 진상할 때에는 부드럽고 화평한 낯을 지었다. 다시 개인적으로 회견할 때에는 몹시 즐거운 표정을 지었다.

原文 執圭하사대 鞠躬如也하사 如不勝하시며 上如揖하시고 下如授하시며 勃如戰色하시며 足蹜蹜如有循이러시다. 享禮에 有容色하시며 私覿에 愉愉如也러시다.

註解 ㅇ執圭(집규)—규(圭)를 손에 들고 (상대방 임금에게) 바치다. 규는 옥(玉)으로 만든 패 같은 것으로, 제후(諸侯)가 다른 나라에 가는 사신에게 내려준다. 사신은 이를 다른 나라 임금에게 바쳐 올린다. ㅇ鞠躬如也(국궁여야)—국궁하고 정중한 자세로 바쳐 올린다. ㅇ如不勝(여불승)—마치 무거워서 들기 어려운 듯한다. 규는 자기 나라의 임금이 내려준 귀중한 것이기 때문에, 소중하게 받든다는 뜻. ㅇ上如揖(상여읍)—규를 위로 들어올릴 때는 읍하는 듯한다. ㅇ下如授(하여수)—규를 아래로 내려, 넘겨줄 때는 물건을 넘겨주는 높이로 한다. ㅇ勃如戰色(발여전색)—발여(勃如)는 엄숙하다, 전색(戰色)은 두려워하는 기색을 띠다. ㅇ足蹜蹜(족축축)—발걸음을 좁게 딛는다. 종종걸음칠 축(蹜). ㅇ如有循(여유순)—발을 땅에 대고 밀듯이 걷는다. ㅇ享禮(향례)—규를 바치고 난 다음에, 여러 가지 예물을 상대방 임금에게 올리는 의식. ㅇ有容色(유용색)—부드러운 표정을 짓는다. ㅇ私覿(사적)—사사롭게 대면하다. 볼 적(覿). ㅇ愉愉如也(유유여야)—유쾌하고 즐거운 표정을 하다.

解說 공자는 군왕의 사신으로 외국에 가서, 그 나라 임금을 예방한 일이 없었다. 그러므로 이 글은 격식을 논한 글일 것이다.

10-6. 군자는 보라색과 붉은색으로 옷깃을 장식하지 않는다. 다홍색과 자주색으로 속옷을 만들지 않는다.

여름 더울 때에는 고운 베나 거친 베옷을 겉에 입고 밖에 나간다. 검정 옷을 입을 때에는 검은 양 가죽옷을 받쳐입고, 흰옷을 입을 때에는 어린 사슴의 가죽옷을 받쳐입고, 누런 옷을 입을 때에는 여우의 가죽옷을 받쳐입는다.

평상 입는 가죽옷은 길게 하되, 오른쪽 소매는 짧게 한다. 반드시 잠옷을 마련하며, 그 길이가 키의 한 배 반이나 되게 한다. 사사로이 집안에 편히 있을 때에는 여우나 담비의 두꺼운 털을 바닥에 깔고 않는다.

탈상한 다음에는 다시 패옥(佩玉)을 찬다. 유상(帷裳)이 아니면, 천을 좁게 대어 입는다. 염소 가죽으로 만든 옷과 검은 관을 쓰고, 조문하지 않는다.

매월 초하룻날에는 반드시 조복 차림으로 조정에 간다.

原文 君子는 不以紺緅飾하시며 紅紫로 不以爲褻服이러시다. 當暑하사 袗絺綌을 必表而出之러시다. 緇衣엔 羔裘요 素衣엔 麑裘요 黃衣엔 狐裘러시다. 褻裘長하되 短右袂러시다. 必有寢衣하시니 長一身有半이러라. 狐貉之厚로 以居러시다. 去喪하사는 無所不佩러시다. 非帷裳이어든 必殺之러시다. 羔裘玄冠으로 不以弔러시다. 吉月에 必朝服而朝러시다.

註解 ㅇ君子不以紺緅飾(군자불이감추식)－군자는 보라색과 붉은색으로 옷깃이나 소매끝을 장식하지 않는다. 감색 감(紺), 검붉을 추(緅), 꾸밀 식(飾). ㅇ紅紫不以爲褻服(홍자불이위설복)－다홍색과 자주색으로 속옷을 만들지 않는다. 붉을 홍(紅), 자줏빛 자(紫), 속옷 설(褻). ㅇ當暑(당서)－여름, 더울 때에는. ㅇ袗絺綌(진치격)－홑으로 된 고운 베나 거친 베옷. 홑옷 진(袗), 고운 갈포 치(絺), 거친 갈포 격(綌). ㅇ必表而(필표이)－반드시 겉에 입고. ㅇ出之(출지)－외출하다, 밖에 나가다. ㅇ緇衣(치의)－검은 옷, 검은 비단 치(緇). ㅇ羔裘(고구)－어린양의 가죽옷. 새끼양 고(羔), 가죽옷 구(裘). ㅇ素衣(소의)－흰 옷. ㅇ麑裘(예구)－어린 사슴의 가죽옷. 사슴 새끼 예(麑). ㅇ黃衣(황의)－누런 옷. ㅇ狐裘(호구)－여우 가죽옷. 여우 호(狐). ㅇ褻裘長(설구장)－집안에서 입는 가죽의 평상복. ㅇ短右袂(단우메)－오른쪽 소매를 짧게 한다. 일하기 편하게. ㅇ必有寢衣(필유침의)－반드시 자리옷은. 유(有)는 뒤에 걸린다. 침의(寢衣)를 이불이라고 풀이하기도 한다. ㅇ長一身有半(장일신유반)－길

이가 키의 한 배 반이 된다. ㅇ狐貉之厚(호학지후)－두꺼운 여우나 담비의 털가죽, 담비 학(貉). ㅇ以居(이거)－집안에서는 (바닥에 깔고) 앉아 있다. ㅇ去喪(거상)－상을 마치면, 탈상(脫喪)한 다음에는. ㅇ無所不佩(무소불패)－모든 패물을 차다. 군자는 옥(玉)을 찬다, 옥은 덕을 상징한다. 찰 패(佩). ㅇ非帷裳(비유상)－예복이 아니고, 집에서 입는 평상복에는. 유상(帷裳)은 곧 예복(禮服)이다. 상(裳)은 아래에 걸치는 치마로, 주름을 잡았다. 휘장 유(帷), 치마 상(裳). ㅇ必殺之(필쇄지)－(예복이 아닌 평상복에는 주름을 잡는 대신) 천 토막을 꿰맸다. 살(殺)은 '쇄'로 읽음. ㅇ羔裘(고구)－어린양의 가죽옷. ㅇ玄冠(현관)－검은 관모. ㅇ不以弔(불이조)－조문하지 않는다. ㅇ吉月(길월)－매달 초하루, 월삭(月朔). ㅇ必朝服而朝(필조복이조)－반드시 정식으로 조복을 입고, 조정에 간다.

解說 이 장에 대한 설도 크게 둘이 있다. 하나는 공자의 생활 격식을 기술한 것이라는 설이고, 다른 하나는 일반적으로 군자의 격식을 적은 글이라고 하는 설이다. 이 책에서는 후자의 설을 따랐다.

10-7. 재계(齋戒)할 때에 입는 명의는 반드시 삼베로 만든 것이었다. 재계할 때에는 반드시 음식을 평소와 다르게 했으며, 거처하는 자리도 반드시 평소와 다르게 했다.

原文 **齊必有明衣**러시니 **布**러라. **齊必變食**하시며 **居必遷坐**러시다.

註解 ㅇ齊(재)－재(齋)와 같음. 재계할 때에는. ㅇ必有明衣布(필유명의포)－반드시 명의를 삼베로 만들었다. 유(有)는 현상을 표시하는 동사로 '명의포(明衣布)' 전체에 걸린다. 명의(明衣)는 목욕한 다음에 입는 깨끗한 옷. 포(布)는 마포(麻布), 삼베. ㅇ齊必變食(제필변식)－재계할

때에는 반드시 음식도 평소와 다르게 했다. ㅇ居必遷坐(거필천좌)－거처하는 자리도 반드시 평소와 다르게 했다.

解說 제사에 앞서 10일 간, 정성스럽게 목욕재계(沐浴齋戒)를 해야 한다. 그래야 선조의 신령이 강림하고 제사를 받을 수 있다.

10-8. 밥은 정미한 쌀밥을 싫어하지 않으시고, 회는 가늘게 썬 것을 싫어하지 않으셨다.

밥이 상하여 쉰 것과, 생선이 상하고 고기가 부패한 것을 먹지 않으셨다. 빛깔이 나쁜 것을 먹지 않았으며, 냄새가 나쁜 것을 먹지 않았으며, 익히지 않은 것을 먹지 않았으며, 제철이 아닌 것을 먹지 않으셨다.

바르게 자른 것이 아니면 먹지 않으시고, 간이 맞지 않는 것을 먹지 않으셨다.

고기가 많아도 밥보다 더 많이 먹지 않으셨으며, 술은 정한 양은 없으나, (술 마시고) 흐트러지는 일이 없으셨다.

저잣거리에서 산 술과 육포는 먹지 않으셨다. 생강은 물리지 않고 들었으나, 많이 들지는 않으셨다.

관가에서 제사지내고 물린 고기는 하루 밤을 넘기지 않았으며, 집에서 제사지내고 물린 고기는 사흘을 넘기지 않았다. 사흘이 지난 것은 먹지 않으셨다.

음식을 들 때에는 말을 하지 않았으며, 잠자리에서는 말을 하지 않으셨다.

비록 잡곡밥이나 나물국이라도 반드시 엄숙하게 고수레를 하셨다.

原文 食不厭精하시며 膾不厭細러시다. 食饐而餲와 魚餒

而肉敗를 不食하시며 色惡不食하시며 臭惡不食하시며 失飪不食하시며 不時不食이러시다. 割不正이어든 不食하시며 不得其醬이어든 不食이러시다. 肉雖多나 不使勝食氣하시며 唯酒無量하사대 不及亂이러시다. 沽酒市脯를 不食하시며 不撤薑食하시며 不多食이러시다. 祭於公에 不宿肉하시며 祭肉은 不出三日하시더니 出三日이면 不食之矣니라. 食不語하시며 寢不言이러시다. 雖疏食菜羹이라도 瓜祭하시대 必齊如也러시다.

註解 ㅇ食不厭精(식불염정)－식(食)은 밥, 불염(不厭)은 싫어하지 않는다. 정(精)은 정백미(精白米)로 지은 흰 쌀밥. ㅇ膾不厭細(회불염세)－회는 잘게 썬 것을 싫어하지 않는다. 회 회(膾). ㅇ食饐而餲(식의이애)－음식이 썩거나, 맛이 변하다. 쉴 의(饐), 쉴 애(餲). ㅇ魚餒而肉敗(어뇌이육패)－생선이 썩어 냄새가 나고 고기가 썩어 살이 뭉그러진다. 주릴 뇌(餒). ㅇ色惡(색악)－음식의 빛깔이 변한 것. ㅇ臭惡(취악)－냄새가 악하게 나다. 냄새 취(臭). ㅇ失飪(실임)－잘 익지 않은 것, 익힐 임(飪). ㅇ不時不食(불시불식)－제철이 아닌 음식은 먹지 않는다. ㅇ割不正(할부정)－바르게 자르지 않은 것. ㅇ不得其醬(부득기장)－간이 맞지 않는 것. ㅇ肉雖多(육수다)－비록 고기 반찬이나 음식이 많이 있어도. ㅇ不使勝食氣(불사승식기)－주식보다 더 많이 먹지 않는다. 식기(食氣)는 주식의 기운, 분량. ㅇ唯酒無量(유주무량)－다만 술은 한량이 없다, 분량을 한정하지 않는다. ㅇ不及亂(불급란)－술을 마시고 흐트러지는 일이 없다. ㅇ沽酒市脯不食(고주시포불식)－시장이나 가게에서 산 술이나 육포(肉脯)는 먹지 않는다. 팔 고, 살 고(沽), 저자 시, 팔 시(市), 포 포(脯). ㅇ不撤薑食(불철강식)－식사가 끝나도, 생강은 물리지 않고 먹는다. 소화에 도움이 된다. 생강 강(薑). ㅇ不多食(부다식)－(생강은) 많이 먹지 않는다. (일반적으로 음식을) 많이 먹지 않는다로도 푼다. ㅇ祭於公(제어공)－나라 혹은 관에서 공적인 제사를 지내다. ㅇ不宿肉(불숙육)－제

사에 썼던 고기를 묵히지 않는다. ㅇ祭肉(제육)－집에서 사사로이 제사를 지내다. ㅇ不出三日(불출삼일)－제사에 쓴 음식은 사흘을 넘기지 않는다. ㅇ出三日(출삼일)－사흘을 넘긴 것은. ㅇ不食之矣(불식지의)－먹지 않는다. ㅇ食不語(식불어)－식사를 할 때에는 말을 하지 않는다. ㅇ寢不言(침불언)－취침시에는 말을 하지 않는다. ㅇ雖疏食(수소식)－비록 거친 잡곡밥이라도. ㅇ菜羹(채갱)－야채로 끓인 국이라도. ㅇ瓜祭(과제)－과(瓜)는 필(必)로 고친다. 제(祭)는 고수레의 뜻. 먹기 전에 음식을 조금 떼어 귀신에게 바친다. ㅇ必齊如也(필제여야)－반드시 제사지낼 때처럼 경건하게 한다.

解說 공자가 높이는 예(禮)는 곧 생활의 예술미(藝術美)이기도 하다. 예는 사치나 낭비와는 다르다. 공자는 의식생활(衣食生活)을 예에 맞게 했다.

일견 까다롭게 느껴지지만 그 속에는 합리적인 의미가 내포되어 있다.

10-9. 자리가 바르지 않으면, 앉지 않으셨다.

原文 席不正이어든 不坐러시다.

註解 ㅇ席不正(석부정)－자리가 바르지 않다, 즉 '예법에 맞지 않으면'의 뜻. ㅇ不坐(부좌)－앉지 않았다.

解說 예법(禮法)은 사회질서를 바로잡는 기본 법도이다. 법률보다 한 단계 높은 도덕윤리의 기강이다. '석부정(席不正)'을 확대 해석하면, 도(道)에 어긋나는 벼슬자리라고 풀이할 수 있다. 좁게 해석하면 질서에 어긋나는 자리'라고 해석할 수 있다.

10-10. 마을 사람들과 함께 술을 마실 때에는 지팡이를 짚은 노인들이 나간 다음에 따라 나갔다.

마을 사람들이 역귀를 쫓는 굿을 할 때에는 조복을 입고 동쪽 섬돌에 서있었다.

原文 鄕人飮酒에 杖者出이어든 斯出矣러시다. 鄕人儺에 朝服而立於阼階러시다.

註解 ○鄕人飮酒(향인음주)－마을 사람들이 다 모여서 함께 술을 마시는 의식, 향음례(鄕飮禮)라고 한다. 친목과 경로(敬老)를 위해서 벌이는 술잔치. 향인(鄕人)은 지역 공동체의 사람들. ○杖者出(장자출)－지팡이를 짚은 노인. 《예기(禮記)》 〈왕제편(王制篇)〉에 '50세에는 집에서 지팡이를 짚고, 60세에는 향리에서 지팡이를 짚는다'고 있다. ○斯出矣(사출의)－비로소 (뒤따라) 나가다. 사(斯)＝즉(則). ○儺(나)－나례, 주로 연말에 한다. 역귀를 쫓아내는 의식으로, 굿 같은 것. 역귀 쫓을 나(儺). ○朝服(조복)－조정에 갈 때 입는 예복. ○阼階(조계)－동쪽의 섬돌, 동편 층계 조(阼), 섬돌 계(階).

解說 과학이 발달하고, 사회가 변천하며 아울러 서양의 개인주의가 팽배한 현대사회에서는 동양의 윤리도덕, 특히 효도(孝道)나 경로(敬老)를 소홀히 하기 쉽다. 그러나 깊이 생각해야 한다. '나'를 생육(生育)해준 부모, '나'보다 앞서서 역사와 문화를 계승하고 발전케 한 노인들의 덕택으로 '오늘의 내'가 있고 또 문화생활을 누리고 있는 것이다. 그러므로 부모나 선인(先人)들에게 감사하고 잘 받들고 섬겨야 한다. '오늘의 나'도 얼마 후에는 노인이 된다.

10-11. 자기 대신 남을 다른 나라에 보내어, 안부를 묻게 할 적에는, 그에게 두 번 절을 하고 전송했다.

계강자가 약을 보내주자, 공자는 절을 하며 받고 말했다. "나는 이 약을 잘 알지 못하므로, 감히 먹을 수가 없다."

原文 **問人於他邦**하실새 **再拜而送之**러시다. **康子饋藥**이어늘 **拜而受之曰, 丘未達**이라 **不敢嘗**이라 하시다.

註解 ㅇ問人於他邦(문인어타방)－남으로 하여금 다른 나라에 가서 안부를 묻게 한다. ㅇ再拜而送之(재배이송지)－공자는 자기 대신 가는 사람, 즉 사자(使者)에게 절을 두 번 하고 전송했다. ㅇ康子(강자)－계강자(季康子), 노나라의 참월(僭越)한 세도가. 〈爲政篇 2-20〉 참고. ㅇ饋藥(궤약)－약을 들라고 보내준다. 먹일 궤(饋). ㅇ丘(구)－공자의 이름. ㅇ未達(미달)－잘 알지 못한다. ㅇ不敢嘗(불감상)－감히 약을 먹지 못하겠다. 맛볼 상(嘗).

10-12. 마구간에 불이 나서 탔다. 공자가 퇴청하여 "사람이 상했느냐?"고 물었으나, 말에 대해서는 묻지 않았다.

原文 **廏焚**이어늘 **子退朝曰, 傷人乎**아 하시고 **不問馬**하시다.

註解 ㅇ廏焚(구분)－마구간 구(廏), 불사를 분(焚).

10-13. 임금이 음식을 하사하면 반드시 자리를 바르게 고쳐 앉고 먼저 맛을 보았다.

임금이 생고기를 하사하면 반드시 익혀서 선조 제사상에 올렸다. 임금이 산 짐승을 하사하면 반드시 사육했다.

임금을 모시고 먹을 때에는 임금이 고수레를 하면, (임금을 위하여) 먼저 맛을 보았다.

병들어 누웠을 때, 임금이 문병 와서 보면, 머리를 동쪽으로 두고, 몸에 조복을 걸치고, 그 위에 큰 띠를 걸쳤다.

임금이 오라고 명하면, 수레가 준비되기를 기다리지 않고 먼저 떠났다.

태묘에 들어가서는 모든 일을 하나하나 물었다.

原文 **君賜食**이시어든 **必正席先嘗之**하시고 **君賜腥**이시어든 **必熟而薦之**하시고 **君賜生**이시어든 **必畜之**러시다. **侍食於君**에 **君祭**어시든 **先飯**이러시다. **疾**에 **君**이 **視之**어든 **東首**하시고 **加朝服拖紳**이러시다. **君**이 **命召**어시든 **不俟駕行矣**러시다. **入太廟**하사 **每事問**이러시다.

註解 ㅇ君賜食(군사식)－임금이 음식을 하사한다. ㅇ必正席(필정석)－반드시 자리를 바르게 고쳐 앉고. ㅇ先嘗之(선상지)－공자가 먼저 맛을 본다, 먼저 먹었다. ㅇ賜腥(사성)－생고기를 하사하다. 비릴 성(腥). ㅇ必熟而薦之(필숙이천지)－반드시 익혀서 제사상에 올린다. 익을 숙(熟), 천거할 천(薦). ㅇ賜生(사생)－살아 있는 짐승을 하사한다. ㅇ畜(축)－사육한다. ㅇ侍食於君(시식어군)－임금을 모시고 식사를 한다. ㅇ君祭(군제)－임금이 제식(祭食)한다. 제식(祭食)은 즉 고수레. ㅇ先飯(선반)－임금이 제식을 했으니까, 배석하는 신하는 다른 격식을 차리지 않고 먹으면 된다. 선(先)은 임금보다 먼저 먹는다는 뜻이 아니다. 아울러 임금 앞에서 감히 손님 행세를 하지 않고 자진해서 든다는 뜻이다. ㅇ疾(질)－질병이 나다. 병을 앓다. ㅇ君視之(군시지)－임금이 와서 볼 때에는. ㅇ東首(동수)－머리를 동쪽으로 두고 눕는다. ㅇ加朝服(가조복)－조복을 위에 걸치다. ㅇ拖紳(타신)－큰 띠를 걸치다. 끌 타(拖), 큰 띠 신(紳). ㅇ君命召(군명소)－임금이 부르면. ㅇ不俟駕(불사가)－수레를 준비하는 동안을 기다리지 않고. 기다릴 사(俟), 멍에 가(駕). ㅇ入太廟 每事問(입태묘 매사문)－〈八佾篇 3-15〉 참고.

10-14. 벗이 죽고, 돌아갈 곳이 없으면, "우리집에 빈소를 차리라."고 말하셨다. 벗이 준 것은 비록 수레나 말같이 귀중한 것이라도, 제사 지낸 고기가 아니면 절하지 않으셨다.

原文 **朋友死**하여 **無所歸**어든 **曰於我殯**이라 하시다. **朋友之饋**는 **雖車馬**라도 **非祭肉**이어든 **不拜**러시다.

註解 ㅇ朋友死(붕우사)—붕우가 죽었을 때, 친구가 죽었을 때. ㅇ無所歸(무소귀)—뒤를 봐줄 상주(喪主)가 없거나, 빈소가 없으면. ㅇ於我殯(어아빈)—우리집을 빈소로 쓰라고 (말했다). 염할 빈(殯). ㅇ朋友之饋(붕우지궤)—친구가 물건을 보내주다. 보내줄 궤(饋). ㅇ雖車馬(수거마)—비록 수레나 말같이 귀중한 물건이라도. ㅇ非祭肉(비제육)—제육이 아니면. ㅇ不拜(불배)—절하지 않았다.

10-15. 잘 때는 죽은 사람처럼 (뻗은 자세로) 자지 않았으며, 집에 한가롭게 있을 때에는 위용을 차리지 않으셨다.

부모의 상복을 입은 사람을 보면, 아무리 친한 사이라도 엄숙하게 얼굴빛을 고쳤고, 면관을 쓴 사람이나 소경을 보면, 아무리 친한 사이라도 반드시 예모를 갖추셨다. 상복을 입은 사람에게는 모르는 사이라도 식(式)의 예를 하셨으며, 부판의 상복을 입은 사람에게도 식의 예를 하셨다.

성찬이 나오면 반드시 정색하고 주인에게 경의를 표하셨다.

우레가 치고 바람이 심하게 불 때에는 반드시 얼굴빛이 변하셨다.

原文 **寢不尸**하시며 **居不容**이러시다. **見齊衰者**하시고 **雖狎**이나 **必變**하시며 **見冕者與瞽者**하시고 **雖褻**이나 **必以貌**러시다. **凶服者**를 **式之**하시며 **式負版者**러시다. **有盛饌**이어든 **必變色**

而作이러시다. 迅雷風烈에 必變이러시다.

註解 ㅇ寢不尸(침불시)－잘 때에는 시체 같은 모양으로 자지 않는다. 주검 시(尸). ㅇ居不容(거불용)－집안에 한거(閑居)할 때에는 의용(儀容)을 갖추지 않는다. ㅇ見齊衰者(견재최자)－부모의 상복을 입은 사람을 보면. 재최(齊衰)는 '자최'로도 읽는다. 원래는 모친의 상복, 여기서는 부모의 상복으로 해석한다. 부친의 상복은 참최(斬衰). ㅇ狎(압)－친근하고 허물없는 사이. ㅇ變(변)－얼굴빛이 변한다, 정색한다. ㅇ冕者(면자)－면관(冕冠)을 쓰고 예복 차림을 한 사람. ㅇ瞽者(고자)－소경, 앞 못보는 사람. ㅇ褻(설)－친한 사이, 항상 보는 사이. 친압할 설, 더러울 설(褻). ㅇ貌(모)－용모를 엄숙하게 하다, 예에 맞게 갖추다. ㅇ凶服者(흉복자)－흉례(凶禮)는 장례(葬禮), 즉 장례를 치르기 위한 상복을 입은 사람. ㅇ式之(식지)－식(式)의 예를 한다. 수레 앞의 가로지른 나무를 잡고 절하는 것을 식례라 한다. ㅇ式負版者(식부판자)－부판자에게 식례를 한다. 부판(負版)은 상복의 일종. 《고주(古注)》는 호적(戶籍)이나 도적(圖籍)을 짊어진 사람이라고 했으나, 여기서는 맞지 않는다. ㅇ有盛饌(유성찬)－남이 성찬을 차려 바친다. ㅇ必變色(필변색)－반드시 정색을 하고. ㅇ作(작)－일어나서 경의를 표한다. ㅇ迅雷(신뢰)－어수선하게 우레가 치다. ㅇ風烈(풍렬)－심하게 바람이 불다.

10-16. 수레에 탔을 때는 반드시 똑바로 서서 손잡이를 잡으셨다. 수레 안에서는 돌아보지 않고, 말을 빨리 하지 않고, 손가락질을 하지 않으셨다.

原文 升車하사 必正立 執綏러시다. 車中에 不內顧하시며 不疾言하시며 不親指러시다.

註解 ㅇ升車(승차)－수레를 타다. ㅇ必正立(필정립)－반드시 바른 자

세로 서다. ㅇ執綏(집수)－손잡이를 잡다. 잡을 집(執), 수레 손잡이 수(綏). ㅇ車中(차중)－수레 안에서는. ㅇ不內顧(불내고)－이곳저곳 돌아보지 않는다. ㅇ不疾言(부질언)－말을 빨리 하지 않는다. ㅇ不親指(불친지)－이것저것 손가락질하지 않는다.

10-17. 꿩이 사람의 기색을 살피고, 날아올라가 빙빙 돌다가 다시 다시 내려와 앉았다. 공자가 "산 계곡 다리에 있는 암꿩이 때를 만났구나, 때를 만났구나!"하고 말하셨다. 자로가 그 꿩을 잡아올리자, 공자가 세 번 냄새를 맡고, 일어나셨다.

原文 **色斯擧矣**하야 **翔而後集**이니라. **曰, 山梁雌雉**이 **時哉時哉**인저, **子路共之**한대 **三嗅而作**하시다.

註解 ㅇ色斯擧矣(색사거의)－꿩이 사람의 기색을 살피고 하늘로 날아 올라가다. ㅇ翔(상)－하늘에서 한 바퀴 돌다. ㅇ後集(후집)－다시 내려와 앉는다. ㅇ山梁(산량)－산 계곡 다리, 교량(橋梁). ㅇ雌雉(자치)－암꿩. 암컷 자(雌), 꿩 치(雉). ㅇ時哉(시재)－때를 만나다. 꿩이 물을 먹고 모이를 쪼아먹는 때가 되었다는 뜻. ㅇ子路共之(자로공지)－자로가 그 꿩을 잡아 공자에게 바치다. 공(共)＝이바지할 공(供). ㅇ三嗅(삼후)－세 번 냄새를 맡다. ㅇ作(작)－일어나다. .

解說 설이 많고 해석하기 어려운 구절이다. 공자가 산길을 가다가, 꿩을 보고 "저 꿩도 때를 만나, 물 마시고 모이를 쪼게 되었구나."하고 말했다. 공자의 말 속에는 자기의 불우(不遇)를 비유한 뜻이 담겨져 있을 것이다. 그러나 생각이 깊지 못하고 과감하기만 한 자로가, 나중에 그 꿩을 잡아서 공자의 식탁에 올려놓았다. 이에 공자는 세 번 냄새만 맡아보았을 뿐 먹지 않고, 밥상에서 일어났다. 대략 이상이 《고주(古注)》의 풀이다. 이상이 《논어》 전10편(前十篇)이다.

제11편 선진편(先進篇)

공자가 제자들을 평한 말이 많다. 직설적으로 한 평도 있고, 혹은 간접적으로 서로 비교하면서 서로의 특성을 대조한 평도 있다. 형병(邢昺)은 대략 다음과 같이 말했다. "앞의 제10편은 주로 공자가 향당(鄕黨)에서 행한 성인의 행실을 기술했으며, 이 편에서는 제자들의 슬기로운 행실을 기술했다. 이들 두 편은 성인과 현인의 행실을 이어서 논한 것으로 역시 좋은 글들이다."

《집주(集註)》에서 주자(朱子)는 대략 다음과 같이 말했다. "이 편은 주로 제자들의 현명한 행실 혹은 그렇지 못한 것을 말한 것으로 총 25장으로 되어 있다." 호인(胡寅)은 말했다. "이 편에는 민자건(閔子騫)의 행실을 말한 것이 4장이나 있으며, 그 중의 하나는 곧바로 민자(閔子)라고 존칭했다. 아마 민자의 문인이 기술한 글일 것이다."

11-1. 공자가 말했다. "선배들은 예악에 대해서 촌사람 같다고 하고, 후배들은 예악에 대해서 군자답다고 말한다. 그러나 내가 만일 (어느 한 쪽을) 택한다면 곧 선배들을 따르겠다."

原文 子曰, 先進이 於禮樂에 野人也요 後進이 於禮樂에 君子也라 하나니 如用之 則吾從先進호리라.

註解 ○先進(선진)－초기의 공자의 제자들, 즉 선배들. 자로(子路)·

민자건(閔子騫)·칠조개(漆雕開) 등. ㅇ於禮樂(어예악)-예악에 대하는 태도나, 예악을 다루는 솜씨. ㅇ野人也(야인야)-고풍(古風)이 있고 소박하여 야인(野人)답다. ㅇ後進(후진)-후기의 문하생들, 후배들. 자하(子夏)·자유(子游)·자장(子張) 등. ㅇ君子也(군자야)-세련되고 화려하여 문화인답다. ㅇ如用之(여용지)-만약에 이들 둘 중의 하나를 택해서 쓴다면. ㅇ吾從先進(오종선진)-나는 야인다운 선배들의 태도를 따르겠다.

解說 '선진(先進), 후진(後進)'에 대해서는 설이 많다. '선진, 후진'을 '다같이 나가서 정치에 참여한 선비'로 본다. 황간(皇侃)은 '오제(五帝)까지의 선비들을 선진, 삼왕(三王) 이후의 선비들을 후진'으로 보았다. 옛날에는 예악을 소박하게 꾸미고 지켰으므로 야인(野人)과 같다고 했으며, 후세에는 예악을 화려하게 꾸미고 지켰으므로 군자답다고 했다. '문질빈빈(文質彬彬)'한 것을 군자라 한다. 그러나 공자는 화려(華麗)한 것보다 차라리 소박(素朴)한 것을 추켜세우고자 했다. 여기서는 '선진, 후진'을 공자의 문하생 중의 '초기의 선배들과 후기의 후배들'의 뜻으로 풀이했다.

11-2. 공자가 말했다. "나를 따라 진과 채에서 고생을 한 제자들은 아무도 벼슬에 오르지 못했구나. 덕행으로는 안연·민자건·염백우·중궁이 뛰어났고, 언어에는 재아·자공이 뛰어났고, 정사에는 염유와 계로가 뛰어났고, 문학에는 자유와 자하가 뛰어났다."

原文 子曰, 從我於陳蔡者 皆不及門也로라. 德行엔 顔淵閔子騫冉伯牛仲弓이오 言語엔 宰我子貢이오 政事엔 冉有季路이오 文學엔 子游子夏니라.

註解 ㅇ從我於陳蔡者(종아어진채자)－나를 따라 진(陳)과 채(蔡) 두 나라에 가서 고생을 한 제자들. ㅇ皆不及門也(개불급문야)－그들은 다 벼슬의 문에 오르지 못하고 출세하지 못했다. ㅇ德行(덕행)－덕행에 뛰어난 사람은. ㅇ顔淵(안연)－〈爲政篇 2-9〉 참고. ㅇ閔子騫(민자건)－〈雍也篇 6-9〉 참고. ㅇ冉伯牛(염백우)－염경(冉耕), 〈雍也篇 6-10〉 참고. ㅇ仲弓(중궁)－염옹(冉雍) 〈雍也篇 5-5〉 참고. ㅇ言語(언어)－말재주, 언변과 설득력. ㅇ宰我(재아)－자아(子我), 〈八佾篇 3-21〉 참고. ㅇ子貢(자공)－〈學而篇 1-10〉 참고. ㅇ政事(정사)－여기서는 주로 행정 능력의 뜻이다. ㅇ冉有(염유)－염구(冉求), 〈八月篇 3-6〉 참고. ㅇ季路(계로)－자로(子路), 중유(仲由), 〈爲政篇 2-17〉 참고. ㅇ文學(문학)－여기서는 고전 학문의 뜻. ㅇ子游(자유)－언언(言偃), 〈爲政篇 2-7〉 참고. ㅇ子夏(자하)－복상(卜商), 〈學而篇 1-7〉 참고.

解說 공자가 진(陳)과 채(蔡)나라에서 고생한 때는 그의 제국 편력(諸國遍歷) 후반기에 속한다. 즉 공자는 나이 56세 때(기원전 497년)에 고국 노(魯)를 떠나, 13년간이나 여러 나라를 유력(遊歷)했고, 나이 69세에 되돌아왔다.

특히 진과 채, 두 나라에서는 먹을 양식까지도 결핍할 정도로 막심한 고초를 겪었다. 이때에 수행했던 많은 제자들이 함께 고생을 했으며, 그들이 끝내 벼슬에 오르지 못했다고 한탄을 한 것이다. 주자(朱子)는 '불급문야(不及門也)'를 '지금은 모두 우리 문하에 있지 않다'는 뜻으로 주를 달았다.

하단(下段)은 '사과십철(四科十哲)'을 말한 것이다. 즉 '덕행·언어·정사·문학'이 '사과'이다. 그리고 각 분야에서 뛰어난 제자 열 사람을 '십철'로 내세웠다. 십철이란 칭호는 당 현종(唐玄宗)대에 붙인 것이다. 십철 중에 '증자(曾子)'나 '자장(子張)' 같은 고제자(高弟子)가 빠졌으므로, 《집주(集註)》에서 정자(程子)는 세속적인 논이라고 말했다.

11-3. 공자가 말했다. "안회는 나에게 도움을 주는 사람이 아니다. 그는 내 말을 잘 이해하고 기쁘게 따르고 행했다."

原文 **子曰, 回也**는 **非助我者也**로다. **於吾言**에 **無所不說**이로다.

註解 ㅇ回(회)—회(回)는 안연(顔淵)의 이름. ㅇ非助我者也(비조아자야)—나를 도와주는 사람이 아니다. ㅇ於吾言(어오언)—나의 말에 있어, 나의 말에 대하여. ㅇ無所不說(무소불열)—기뻐하지 않는 바가 없다. 무슨 말을 해도 잘 이해하고 기쁘게 따라 행한다.

解說 공자는 풍자적으로 "나를 도와주는 사람이 아니다."라고 말했다. 그러나 '무슨 말을 해도 알아듣고, 기쁘게 따르고 실천한다'는 말로, 안연의 높은 경지를 칭찬하고 있다.

11-4. 공자가 말했다. "민자건은 참으로 효성스럽다. 그의 부모 형제가 그를 효제라고 칭찬하는 말을 비난할 사람이 아무도 없을 것이다."

原文 **子曰, 孝哉**라 **閔子騫**이여. **人不間於其父母昆弟之言**이로다.

註解 ㅇ孝哉(효재)—참으로 효성스럽다. ㅇ閔子騫(민자건)—공자의 제자, 이름은 손(損), 자가 자건(子騫). ㅇ人不間(인불간)—다른 사람이 비난할 수 없다, 이론(異論)을 제기할 수 없다. ㅇ於其父母昆弟之言(어기부모곤제지언)—그의 부모나 형제들이 그를 효제(孝悌)라고 하는 말에 대하여, (다른 사람이 이의를 제기하지 않았다). 《집주(集註)》에서는 '민자건이 부모형제에 대하여 효제했다는 말에, 다른 사람이 이의를 제기하

지 않는다'로 풀기도 했다.

解說 이십사효도설(二十四孝圖說)에 민자건(閔子騫)의 고사가 있다. 어려서 친어머니를 여읜 민자건 형제는 계모 밑에서 자라야 했다. 계모는 자기의 소생 두 아들만을 사랑하고 민자건 형제를 박대했다. 하루는 아버지가 민자건에게 마차를 몰게 했다. 그런데 어린 민자건이 몹시 추위를 타고 오들오들 떨었다. 괴이하게 여긴 아버지가 자세히 실사해보니, 계모가 친자식의 옷에는 솜을 넣고, 전처의 두 아들 옷에는 갈대꽃을 넣어 입힌 것을 알았다.

이에 노발대발한 아버지가 계모를 내쫓으려 하자, 민자건이 말했다. "어머님이 계시면, 저 혼자 춥지만, 안계시면, 우리 형제 셋이 다 추워야 합니다. 그러니 노여움을 거두십시오." 이에 계모가 회개하여 일가가 단란했으며 민자건 형제들이 우애롭게 지냈다. 결국 민자건의 효성이 일가를 감동시켰던 것이다.

11-5. 남용이 백규의 시를 세 번이나 되풀이하고 외웠으므로 공자가 자기 형님의 딸을 그에게 시집보냈다.

原文 **南容**이 **三復白圭**어늘 **孔子以其兄之子**로 **妻之**하시다.

註解 ㅇ南容(남용)－남궁괄(南宮括), 자는 자용(子容)이다. 〈公冶長篇 5-2〉 참고. ㅇ三復(삼부)－세 번이나 거듭해서 외다. 삼(三)은 여러 번, 거듭 되풀이해서. ㅇ白圭(백규)－《시경》〈대아(大雅)〉 억편(抑篇)의 시다. ㅇ以其兄之子(이기형지자)－자기 형님의 딸을. ㅇ妻之(처지)－남용에게 시집보냈다.

解說 백규(白圭)의 시는 다음과 같다. '백규의 흠은 오히려 고칠 수도 있으나, 잘못한 말은 어찌할 수 없다(白圭之玷 尙可磨也 斯言

之玷 不可爲也).' 백규는 백옥(白玉)으로 만든 규(圭)로 사신이 지니고 가서 다른 나라 임금에게 바치는 장방형(長方形)의 옥패(玉牌)다. 점(玷)은 흠, 옥패에 난 결함. 남용(南容)은 신중한 사람이다. 공자는 〈공야장편(公冶長篇)〉에서 말했다. "나라에 도가 있으면 등용될 것이다. 도가 없어도 형벌에 걸리지 않을 사람이다." 〈5-2〉.

11-6. 계강자가 제자에 대해서 물었다. "누가 배우기를 좋아합니까?" 공자가 대답했다. "안회라는 사람이 배우기를 좋아했는데, 불행하게도 단명으로 죽었으며, 지금에는 없습니다."

原文 **季康子 問弟子 孰爲好學**이니이꼬? **孔子對曰, 有顔回者好學**하더니 **不幸短命死矣**라 **今也則亡**하니라.

註解 ㅇ季康子(계강자)—노(魯)나라의 참월한 세도가. 〈爲政篇 2-20〉, 〈雍也篇 6-8〉 참고. ㅇ孰爲好學(숙위호학)—누가 배우기를 좋아하느냐? ㅇ有顔回者好學(유안회자호학)—안회라는 사람이 배우기를 좋아했다, 안회가 배우기를 좋아했다. ㅇ不幸短命死(불행단명사)—불행하게도 단명으로 죽었다. ㅇ今也則亡(금야즉망)—지금에는 (배우기 좋아하는 자가) 없다. 이때의 호학은 '배운 것을 행동으로 실천한다'는 뜻.

解說 안회(顔回)는 앞에서 여러 번 나왔다. 노나라의 애공(哀公)도 이와 같은 질문을 했으며, 이에 대해서 공자는 자세하게 대답했다. 〈雍也篇 6-7〉 참고.

11-7. 안연이 죽자, (그의 아버지) 안로가 공자의 수레로 (자기 아들의) 덧관을 마련해 달라고 간청했다.

이에 공자가 말했다. "재주가 있거나 없거나 (부모는) 다같이 자기 자식이라 말한다. 내 자식 이(鯉)가 죽었을 때도, 나는 관만 있었지, 덧관은 없었다. 나는 걸어다니면서까지 아들의 덧관을 마련해 줄 수가 없었으니, 그 이유는 내가 대부의 말석에 참여한 적이 있었기 때문에, 걸어다닐 수 없기 때문이다."

原文 **顔淵**이 **死**커늘 **顔路 請子之車以爲之槨**한대 **子曰, 才不才**에 **亦各言其子也**니 **鯉也死**커늘 **有棺而無槨**하니 **吾不徒行**하야 **以爲之槨**은 **以吾從大夫之後**라 **不可徒行也**니라.

註解 ㅇ顔淵死(안연사)—안연이 죽자. ㅇ顔路(안로)—안연의 아버지, 이름은 유(由), 혹은 무요(無繇). 역시 공자의 제자였다. ㅇ請子之車以爲之槨(청자지차이위지곽)—청(請)은 청하다, 자지차(子之車)는 공자의 수레로, 이위지곽(以爲之槨)은 덧관을 마련하다, 관(棺)은 속 널, 곽(槨)은 외관(外棺). ㅇ才不才(재부재)—재주가 있으나 없으나. ㅇ亦各言其子也(역각언기자야)—역시 부모는 다 자기 자식이라고 한다. ㅇ鯉也死(이야사)—이(鯉)가 죽었을 때, 이는 공자의 아들, 자는 백어(伯魚). 야(也)는 허사(虛詞). ㅇ有棺而無槨(유관이무곽)—관만 있었지, 곽이 없었다. ㅇ吾不徒行以爲之槨(오부도행이위지곽)—불(不)은 '도행(徒行) 이위지곽(以爲之槨)'을 다 부정한다. '내가 (수레 없이 걸어가면서) 아들의 곽을 만들어 줄 수 없다.' ㅇ以吾從大夫之後(이오종대부지후)—나는 대부의 말석을 따라가야 하기 때문에. 이(以)는 이유, 까닭으로. ㅇ不可徒行也(불가도행야)—걸어갈 수가 없다.

解說 공자는 안연(顔淵)을 사랑했으며 그가 죽자, "아아! 하늘이 나를 버리셨다.(噫 天喪予 天喪予)"라고 탄식했다(다음 장). 한편 안연의 부친 안로(顔路)가 공자에게 "선생님의 수레를 임시변통해서,

안연의 덧관을 만들게 해주세요."하고 청하자, 공자는 이를 거절하면서 말했다. "내 자식이 죽었을 때도, 덧관을 마련해 주지 않았다. 나는 대부의 말석을 좇는 신분이므로, 수레 없이 걸을 수가 없다." 인정을 위해 예절을 어길 수 없음을 분명히 밝힌 것이다. 공자는 69세에 50세 되는 아들 이(鯉)를 잃었고, 다시 72세에는 41세 되는 안연을 잃었다. 공자의 비탄이 얼마나 컸으랴. 그래도 공자는 자기 신분에 맞는 예도(禮道)와 예절(禮節)을 지켜야 했다.

11-8. 안연이 죽자, 공자가 한탄했다. "아아! 하늘이 나를 버리셨다, 하늘이 나를 버리셨다."

原文 **顔淵死 子曰, 噫**라 **天喪予**샷다 **天喪予**샷다.

註解 ㅇ噫(희)－아아! ㅇ天喪予(천상여)－하늘이 나를 버리다.

11-9. 안연이 죽자, 공자가 통곡하며 소리내어 울었다. 따라갔던 제자가 "선생님께서 통곡하셨다."고 말하자, 공자가 말했다. "내가 통곡을 했다고? 허기는 그를 위해 통곡하지 않으면, 누구를 위해 통곡하겠느냐?"

原文 **顔淵**이 **死**커늘 **子 哭之慟**하신대 **從者曰, 子慟矣**사로이다. **曰, 有慟乎**아 **非夫人之爲慟**이오 **而誰爲**리오?

註解 ㅇ子哭之慟(자곡지통)－공자가 통곡하고 소리내어 울다. 곡(哭)은 크게 소리내어 울다. 통(慟)은 곡보다 한층 더 슬피 운다. ㅇ從者(종자)－따라갔던 제자. ㅇ有慟乎(유통호)－통곡을 했다고? 내가 통곡을

했다고? ㅇ非夫人之爲慟(비부인지위통)－그 사람을 위해 통곡하지 않으면. ㅇ而誰爲(이수위)－그러면 누구를 위해 통곡을 하느냐?

解說 앞의 7장에서 냉철하게 예를 지키던 공자도 이렇게 인정에 흐르고 눈물을 흘렸다. "그를 위해 통곡하지 않으면, 누구를 위해 통곡하겠느냐?" 이때 공자 나이 72세로 그가 죽기 2년 전이다. 사람의 죽음을 심각하게 여기고 엄숙하게 대하면서 마냥 통곡하는 공자는 참으로 인정 많고 눈물 흘릴 줄 아는 평범한 사람이라 하겠다. 그러므로 우리는 더욱 공자의 말에 끌리는 것이리라. 특히 죽음을 엄숙하게 대하고 아울러 예도(禮道)와 예절(禮節)을 중시함으로써, 공자는 상례와 제사를 더없이 중시했던 것이다. 상례와 제사를 높이는 유교 사상의 깊은 뜻을 바르게 이해해야 한다.

11-10. 안연이 죽자, 문인들이 성대하게 장사를 지내려고 하는 것을 공자가 "안된다."고 말했다.

그러나 문인들이 성대하게 장사를 지내 주었다. 이에 공자가 말했다. "안회는 나를 친아버지처럼 생각해 주었으나, 나는 그를 친자식처럼 대해 주지 못했다. 그것은 나 때문이 아니고, 너희들 몇 사람 때문이다."

原文 **顔淵死**커늘 **門人欲厚葬之**한대 **子曰, 不可**하니라. **門人**이 **厚葬之**한대 **子曰, 回也**는 **視予猶父也**어늘 **予不得視猶子也**호니 **非我也**라 **夫二三子也**니라.

註解 ㅇ欲厚葬之(욕후장지)－장사(葬事)를 성대하게 지내 주려고 하다. ㅇ回也(회야)－안회는. ㅇ視予猶父也(시여유부야)－나를 친아버지처

럼 보았다. ㅇ予不得視猶子也(여부득시유자야)—그러나 나는 친자식처럼 돌봐주지 못했다. ㅇ非我也(비아야)—나 때문에 그런 것이 아니다. ㅇ夫二三子也(부이삼자야)—너희들 몇 사람 때문이다.

解說 예도(禮道)를 어기면 군자가 아니다. 공자는 안회를 친자식처럼 사랑하고, 그의 장례도 예도에 맞기를 바랐다. 그러나 주책없는 제자 몇 사람이 안회의 장례를 예도에 어긋나게 성대히 치른 결과, 도리어 안회를 욕되게 했음을 탓한 것이다. 안회에 대한 지극한 사랑이 넘친다. '너희들 몇 사람'이라고 말할 뿐, 안회의 부친 안로(顔路)의 이름을 들지 않았음에 주의해야 한다.

11-11. 자로가 귀신 섬기는 일에 대해 묻자, 공자가 말했다. "사람도 제대로 섬기지 못하는데 어찌 귀신을 섬길 수 있겠느냐?"

(자로가 다시) "감히 죽음에 대해 묻고자 합니다." 하자, 공자가 말했다. "삶에 대해서도 잘 모르는데 어찌 죽음에 대해 알겠느냐?"

原文 季路 問事鬼神한대 子曰, 未能事人이면 焉能事鬼리오? 敢問死하노이다. 曰, 未知生이면 焉知死리오?

註解 ㅇ季路(계로)—자로(子路), 중유(仲由). ㅇ事鬼神(사귀신)—귀신을 섬긴다. 즉 제사지낼 때 모시는 신령을 어떻게 섬기면 좋으냐고 물었다. 하늘이나 산천(山川)에 대해서는 신(神), 죽은 사람에 대해서는 귀(鬼)라고 한다. ㅇ未能事人(미능사인)—살아 있는 사람도 잘 섬기지 못하면서. ㅇ焉能事鬼(언능사귀)—어떻게 귀신을 섬길 수 있겠느냐? ㅇ敢問死(감문사)—감히 죽음에 대해서 묻겠습니다. ㅇ未知生(미지생)—삶을 잘 알지 못하면서, '지생(知生)'은 '삶의 본질과 의미를 바르게 안다'는 뜻과 아울러 '바르게 산다'는 뜻이 다 포함되어 있다. 지(知)는 알

고 행한다는 뜻이다. ㅇ焉知死(언지사)-어찌 죽음에 대해서 알겠느냐?

解說 공자의 철학이나 사상은 '살아 있는 사람'을 바탕으로 한다. 우주천지 자연만물을 창조하고 주재하는 '절대의 신'이나 '사후의 영혼세계'에 중점을 두지 않는다. 다만 '우주천지 자연 속에 태어나 현실적으로 살고 있는 인간이 따라야 할 바른 도리와 바른 행실'에 중점을 둔다. 바른 도리는 곧 우주의 이법(理法)이다. 우주는 곧 공간(空間)과 시간(時間)이다. 그러므로 우주의 이법은 곧 공간과 시간을 통합한 도리로 이를 한마디로 천도(天道)라고 한다.

우주천지 자연만물은 천도에 의해서 생성(生成)·변화(變化)·번식하고 있다. 그 중에서 만물의 영장인 인간만이 '사랑의 공동체'를 형성하고 아울러 대를 이어가면서 역사와 문화를 계승하고 더욱 창조적으로 발전케 하고 있다. 절대명령인 천명(天命)에 의해서 이승에 태어나 삶을 누리는 사람은 절대선(絶對善)의 천도를 따라 살아야 한다. 그러므로 사랑을 바탕으로 자연 만물과 사람들을 사랑하고 함께 잘사는 공동체를 꾸미고 동시에 역사와 문화를 계승 발전케 해야 한다. 그것이 곧 이승에 태어나 사는 인간 삶의 바른 길이다. 이는 곧 공자의 현실적·실천적·지성적 인생 철학사상이다.

공자도 내면적으로는 절대신(絶對神)의 존재와 그 권위 및 작위(作爲)를 경외(敬畏)했으며 따라서 제사를 인정하고 높였던 것이다. 즉 천신(天神)이나 지기(地祇), 혹은 산천의 신령(神靈) 및 선조의 귀신을 모시고 제사지내는 것을 중시했다. 그러나 공자는 제사를 유신론 혹은 미신적으로 파악하지 않고 예치(禮治)의 일환으로 높였던 것이다. 그러므로 '경귀신(敬鬼神) 이원지(而遠之)'라고 했다.

공자는 미신적인 귀신을 인간적인 신령으로 승화시켰다. 즉 자신의 삶의 근원이 바로 하늘과 선조라는 것을 인식하고, 영적으로 교감(交感) 교통(交通)하고 아울러 감사하기 위해서 제사를 높였던 것이다. '제사 제(祭)'는 '접할 접(接)'과 뜻이 통한다. 고대의 미신적이고 맹목적인 신령이나 귀신에 대한 기복신앙(祈福信仰)을 인간의식의 우주적 확대로 전환한 것이다. 이는 곧 인간의 자아의식(自我意識)을 동물적 차원에서 정신적·우주적 차원으로 확대한 것이다.

11-12. (공자를 모시는 데) 민자건은 공손했고, 자로는 강직했고, 염유와 자공은 부드러웠다. 이에 공자는 즐거운 듯이 말했다. "유 같은 사람은 천수를 다 누리기 어려울 것이다."

原文 閔子는 侍側에 誾誾如也하고 子路는 行行如也하고 冉有 子貢은 侃侃如也어늘 子樂하시며 曰, 若由也는 不得其死然이로다.

註解 ㅇ閔子(민자)－민자건(閔子騫). ㅇ侍側(시측)－공자를 모시고 곁에 앉아 있다. ㅇ誾誾如也(은은여야)－은은(誾誾)은 공손하고 부드럽고 즐거운 듯하다. 여야(如也)는 ……한 듯하다. ㅇ子路(자로)－중유(仲由). ㅇ行行如也(행행여야)－고지식하고 강직하다. ㅇ冉有(염유)－염구(冉求). 〈八佾篇 3-6〉 참고. ㅇ子貢(자공)－〈學而篇 1-10〉 참고. ㅇ侃侃如也(간간여야)－화락(和樂)한 모양. ㅇ子樂(자락)－공자가 즐거운 낯을 하고. ㅇ曰(왈)－말하다. 《집주(集註)》에는 '왈(曰)'이 없다. ㅇ若由也(약유야)－자로 같은 사람은, 유(由)는 자로의 이름. ㅇ不得其死然(부득기사연)－부득(不得)은 ……하지 못한다, 기사(其死)는 제 죽음, 즉 수를 다 누리고 죽는다는 뜻. 연(然)＝언(焉), 어조사.

解說 공자가 모처럼 한가하게 제자들과 자리를 같이하고 흐뭇한 미소를 띠고 있다. 스승 곁에 배석한 제자들의 품은 저마다 특색이 있다.

그 중에서도 가장 과감하고 강직한 행동파인 자로를 보니, 걱정이 앞섰다. 도가 행해지는 좋은 세상이라면 크게 활약하고 공을 세울 것이다. 그러나 도가 없는 난세를 어떻게 무사히 넘길 수 있을까? 공자의 제자들에 대한 사랑과 걱정이 교차하는 대목의 글이다.

11-13. 노나라 사람이 장부라는 창고를 만들자, 민자건이 말했다. "옛날 것을 그대로 두고 쓰면 어떠한가? 무엇 때문에 반드시 고쳐야 하는가?"

이 말을 듣고 공자가 말했다. "그 사람은 말이 없는 사람이지만, 말을 하면 반드시 사리에 맞게 한다."

原文 魯人이 爲長府러니 閔子騫이 曰, 仍舊貫如之何오? 何必改作이리오. 子曰, 夫人不言이언정 言必有中이니라.

註解 ㅇ魯人(노인)－노나라 사람, 즉 실권을 행사하고 있던 계씨(季氏). ㅇ爲長府(위장부)－장부라는 창고를 만들었다. 〈해설 참고〉. ㅇ閔子騫(민자건)－〈雍也篇 6-9〉 참고. ㅇ仍舊貫(잉구관)－옛날 그대로 따르고 쓰다. 仍(인할 잉)＝因(인할 인), 관(貫)은 일 사(事)의 뜻이다. ㅇ如之何(여지하)－어떠한가? ㅇ何必改作(하필개작)－무엇 때문에 꼭 고칠 필요가 있나? ㅇ夫人不言(부인불언)－저 사람은 평소에 말을 잘 안한다. ㅇ言必有中(언필유중)－말을 하면 반드시 사리에 맞게 한다. 적중한다.

解說 민자건은 계씨가 자기를 비(費)의 재(宰)로 삼으려 하자, 거절한 일이 있다(《公冶長篇 6-9》). 그 정도로 신중한 사람이 마침내 입을 열고 계씨의 횡포(橫暴)를 비난했다. 그 이유를 《집주(集註)》는 대략 다음과 같이 풀이했다. 장부(長府)는 재물 창고다. 옛날 것을 그냥 쓰지 않고, 새로 개축함으로써 백성의 막대한 노력과 재물

을 탕진한 것을 비난한 것이다(다른 설도 있다).

11-14. 공자가 말했다. "자로 정도의 거문고로 어찌 우리 문중에서 타는가?"

이에 제자들이 자로를 존경하지 않게 되자, 공자가 다시 말했다. "자로는 그만하면 당에는 오를 수 있다. 아직 실에 들 만하지 못할 뿐이다."

原文 **子曰, 由之鼓瑟**을 **奚爲於丘之門**고? **門人**이 **不敬子路**한대 **子曰, 由也**는 **升堂矣**오 **未入於室也**니라.

註解 ㅇ由之鼓瑟(유지고슬)－자로 정도로 거문고를 타면서, 고(鼓)는 타다, 슬(瑟)은 큰 거문고, 25현 또는 27현의 거문고. ㅇ奚爲(해위)－어찌 ……하는가? ㅇ於丘之門(어구지문)－공자의 문중에서, 구(丘)는 공자. ㅇ門人不敬子路(문인불경자로)－다른 문인들이 자로를 존경하지 않는다. ㅇ由也(유야)－자로의 거문고. ㅇ升堂矣(승당의)－당에는 오를 만하다. 당(堂)은 대청, 내당. ㅇ未入於室也(미입어실야)－아직은 실에 들어갈 정도는 아니다. 실(室)은 안방, 내실.

解說 음악은 온화돈유(溫和敦柔)해야 한다. 성격이 억센 자로가 거문고를 타자, 자연히 그 소리가 굳고 억세게 들렸을 것이다. 이에 음악을 잘 알고 예민하게 분별하는 공자가 "저런 솜씨로 어찌 우리 문중에서 거문고를 타는가?"라고 비판했다. 그런데 다른 제자들이 자로를 존경하지 않게 되자, 공자가 당황하고 다시 말을 바꾸어 "자로의 학문이나 거문고 실력은 승당(升堂)은 했다. 아직 입실(入室)할 만하지 못하다는 뜻이다."라고 수정했다.

11-15. 자공이 물었다. "사와 상은 누가 더 현명합니까?"

공자가 말했다. "사는 지나치고 상은 미치지 못한다."

자공이 "그러면 사가 더 낫습니까?"하고 묻자, 공자가 말했다. "지나친 것은 미치지 못함과 같다."

原文 子貢이 問, 師與商也 孰賢이니이꼬? 子曰, 師也는 過하고 商也는 不及이니라. 曰, 然則師愈與이꼬? 子曰, 過猶不及이니라.

註解 ㅇ師與商也(사여상야)－사와 상은, 사(師)는 자장(子張)의 이름, 상(商)은 자하(子夏)의 이름. 야(也)는 단락을 표시하는 조사. ㅇ孰賢(숙현)－누가 더 현명한가? ㅇ師也過(사야과)－사는 지나치다. ㅇ商也不及(상야불급)－상은 미치지 못한다. ㅇ然(연)－그러면. ㅇ師愈與(사유여)－사가 (상보다) 더 나으냐? 여(與)는 의문을 나타내는 조사. ㅇ過猶不及(과유불급)－지나친 것도 못 미치는 것과 같다.

解說 '과유불급(過猶不及)'의 출전이다. 만사의 도리를 말할 때나, 일을 처리함에 있어서나, 도(道)에 맞아야 한다. 모자라거나 못 미치거나 하면 안되지만, 반대로 지나치거나 넘치거나 해도 안된다. 도에 맞고 적당한 것을 중용(中庸)이라고 한다. 공자는 〈옹야편(雍也篇)〉에서 말했다. "중용의 덕은 지극하다. 그러나 사람들은 중용의 덕을 오래 지니지 못하는구나.(中庸之爲德也 其至矣乎 民鮮久矣)".

11-16. 계씨가 노의 임금보다 더 부자인데도, 염구가 그를 위해서 무거운 세금을 부과하고 심하게 거둬들임으로써 계씨의 재물을 더욱 불려 주었다. 이에 공자가 말했다. "염구는 나의 제자가 아니다. 자

네들이 전고를 울리고 그를 공격해도 좋다."

原文 季氏富於周公이어늘 而求也爲之聚斂而附益之한대 子曰, 非吾徒也로소니 小子이 鳴鼓而攻之可也니라.

註解 ㅇ季氏(계씨)－노나라의 참월(僭越) 무도한 대부(大夫), 임금을 무시하고 세도를 부렸다. ㅇ富於周公(부어주공)－주공(周公)보다 더 부자였다, 주공은 곧 노나라의 임금. ㅇ而(이)－그런데도. ㅇ求也(구야)－염구(冉求)가. ㅇ爲之(위지)－계씨를 위해서. ㅇ聚斂(취렴)－무거운 세금을 부과하고 백성들로부터 재물을 거두었다. ㅇ而附益之(이부익지)－그래가지고 계씨의 재물을 더욱 불려주었다. ㅇ非吾徒也(비오도야)－(도에 어긋난 짓을 한) 염구는 나의 제자가 아니다. ㅇ小子(소자)－애들아, 자네들. ㅇ鳴鼓(명고)－전고(戰鼓)를 두드리고. 공격하라는 북을 울리고. ㅇ攻之(공지)－염구를 공격해도. ㅇ可也(가야)－좋다.

解說 염구(冉求)는 정치적 수완이 있었으며, 한때 그가 계씨(季氏)의 가신(家臣)으로 행정을 담당한 일이 있었다.

그때에 백성에게 중세(重稅)를 부과하고 재물을 거두어들여서, 결과적으로 백성을 고생시키고 반대로 계씨의 재산을 더욱 불어나게 해주었다. 이에 공자는 인정(仁政)을 저버린 염구를 혹독하게 나무란 것이다.

11-17. 시는 우직하고, 삼은 둔하다. 사는 치우치고, 유는 거칠다.

原文 柴也는 愚하고 參也는 魯하고 師也는 辟하고 由也는 喭이니라.

註解 ㅇ柴也愚(시야우)－공자의 제자, 이름이 시(柴), 자는 자고(子羔), 우(愚)는 우직하다. ㅇ參也魯(삼야로)－삼(參)은 증자(曾子)의 이름. 노(魯)는 우둔하다. ㅇ師也辟(사야벽)－사(師)는 자장(子張)의 이름, 벽(辟)은 편벽되다, 치우치다. ㅇ由也喭(유야언)－유(由)는 자로(子路)의 이름, 언(喭)은 속되고 조잡하다.

解說 주로 결점을 들어 그들의 특성을 말했다. 〈이인편(里仁篇)〉에서도 공자는 말했다. "허물이나 잘못을 보면 그 인덕이나 인간됨을 알 수 있다.(觀過 斯知仁)" 〈4-7〉.

11-18. 공자가 말했다. "안회는 도에 가까웠다. 그러나 그는 가난하여 자주 쌀궤가 비었다. 자공은 천명을 받지 않고, 재물을 불렸다. 그러나 슬기로운 그의 추측은 거의 적중했다."

原文 **子曰, 回也**는 **其庶乎**오 **屢空**이니라. **賜**는 **不受命**이요 **而貨殖焉**이니 **億則屢中**이니라.

註解 ㅇ回也(회야)－안연, 안회. 야(也)는 단절을 나타내는 조사. ㅇ其庶乎(기서호)－그는 도에 가까웠다. 거의 다 도를 깨닫고 행했다는 뜻. 가까울 서(庶). ㅇ屢空(누공)－가난하여 자주 쌀궤가 비었다. ㅇ賜(사)－자공. ㅇ不受命(불수명)－천명을 받지 않는다, 즉 가난을 감수하지 않고, 혼탁한 난세에는 군자는 가난하게 마련이다. ㅇ貨殖焉(화식언)－재물을 불렸다, 언(焉)은 조사. ㅇ億則屢中(억즉루중)－그의 억측이나 추측이 흔히 잘 적중했다. 억(億)＝생각 억(臆).

解說 여기서도 특성의 양면을 들었다. 도를 잘 깨닫고 행한 안회는 항상 식량이 떨어졌으며, 가난에 시달렸다. 반면 자공은 군자의

숙명적인 가난을 감수하지 않고, 난세에서도 슬기롭게 돈벌이를 잘 했다.

그러나 자공의 경우는 '억측이 잘 적중했다'는 말로 바른 태도가 아님을 암시하고 있다.

11-19. 자장이 선인의 도를 묻자, 공자가 말했다. "옛날의 성인의 발자취를 밟고 따르지 않으면, 깊은 방에 들어가지 못한다."

原文 **子張**이 **問善人之道**한대 **子曰, 不踐迹**이나 **亦不入於室**이니라.

註解 ㅇ善人之道(선인지도)－선인의 도리. 선인(善人)은 어질고 착한 사람. 주자(朱子)는 '바탕은 좋지만 아직 배우지 않은 사람(美質而未學者也)'이라고 풀이했다. ㅇ不踐迹(불천적)－옛날 성현의 발자취를 따르지 않으면. ㅇ亦不入於室(역불입어실)－역시 깊은 방에 들어갈 수 없다.

解說 위의 해석은 유보남(劉寶楠)의 설을 따랐다. 성현의 가르침을 따르고 실천해야 착한 사람이 된다.

11-20. 공자가 말했다. "변론을 잘한다고 편을 들지만, 과연 그 사람이 군자일까? 외모만 장중하게 꾸미는 사람은 아닐까?"

原文 **子曰, 論篤**을 **是與**면 **君子者乎**아? **色莊者乎**아?

註解 ㅇ論篤(논독)－말을 잘한다, 변론이나 언론이 뛰어나다. ㅇ是與(시여)－그것을 편든다, 추켜세운다. ㅇ君子者乎(군자자호)－(과연 그 사람이) 군자일까? ㅇ色莊者乎(색장자호)－외모만 장대하게 꾸미는

사람.

解說 이상은 주자(朱子)의 풀이를 따랐다. 《고주(古注)》는 이 장을 앞의 장과 하나로 묶어, 선인(善人)의 조건으로 '논독시여(論篤是與), 군자자호(君子者乎), 색장자호(色莊者乎)'를 들었다. 즉 '선인은 언론이 독실해야 한다, 행동이 군자다워야 한다, 용모가 장중해야 한다'는 뜻으로 해석했다.

11-21. 자로가 "좋은 말을 들으면 즉시 행해야 합니까?"하고 묻자, 공자가 "부형이 계시니, 어떻게 네 판단만으로 행할 것이냐?"라고 대답했다.

(이번에는) 염유가 "좋은 말을 들으면 즉시 행해야 합니까?"하고 묻자, 공자가 "들은 즉시 행하라."고 대답했다.

이에 공서화가 아뢰었다. "유가 '들은 즉시 행할까요?'라고 묻자 '부형이 계신데' 하시더니, 구가 '들은 즉시 행할까요?'라고 묻자 '들은 즉시 행하라'고 하시니, 저로서는 어느 쪽이 옳은지 헷갈립니다. 감히 그 연유를 묻고자 합니다."

이에 공자가 말했다. "구는 소극적이니까 적극적으로 나서라 했고, 유는 남보다 훨씬 적극적이니까 뒤로 물러서게 한 것이다."

原文 子路 問聞斯行諸이꼬? 子曰, 有父兄이 在하니 如之何 其聞斯行之리오. 冉有 問聞斯行諸이꼬? 子曰, 聞斯行之니라. 公西華曰, 由也問 聞斯行諸어늘 子曰 有父兄在라하시고 求也問 聞斯行諸어늘 子曰 聞斯行之라하시니 赤也惑하야 敢問하노이다. 子曰, 求也는 退 故로 進之하고 由也는

兼人 故로 退之호라.

註解 ㅇ聞斯行諸(문사행제)－좋은 말을 들으면, 즉시 행하다. 사(斯)＝즉(卽), 행제(行諸)는 그것을 행하다. ㅇ有父兄在(유부형재)－집안에 부형이 계시다, 즉 부형에게도 의논을 해야 한다는 뜻. ㅇ如之何(여지하)－어떻게 (너만의 생각이나 결정으로 행동을 하느냐?) ㅇ聞斯行之(문사행지)－들은 바를 곧 행한다. 《집주본(集註本)》은 '여지기문사행지(如之其聞斯行之)'로 지(之) 다음의 하(何)가 없다. ㅇ公西華(공서화)－공자의 제자, 이름이 적(赤), 〈雍也篇 6-3〉 참고. ㅇ由(유)－자로의 이름. ㅇ求(구)－염구의 이름. ㅇ赤(적)－공서화의 이름. ㅇ惑(혹)－헷갈린다, 알 수가 없다. ㅇ敢問(감문)－감히 (다르게 대답한 까닭을) 묻겠다. ㅇ求也退(구야퇴)－염구는 성품이 소극적이다. ㅇ故進之(고진지)－고로 적극적으로 나서게 한 것이다. ㅇ由也兼人(유야겸인)－자로는 남보다 훨씬 적극적이다. ㅇ故退之(고퇴지)－그래서 뒤로 물러나게 한 것이다.

解說 공자는 때와 장소 및 사람에 따라 적절하게 말하고 가르쳤다. 여기서도 성품이 적극적인 사람은 행동을 자제하게 하고, 반대로 소극적인 사람은 적극적으로 나서게 가르치고 있다.

11-22. 공자가 광(匡)이란 곳에서 난을 당하였을 때, 안연이 뒤늦게 오자, 공자가 "나는 그대가 죽은 줄 알았다."고 말했다.

그러자 안연이 아뢰었다. "선생님이 계신데, 제가 어찌 죽습니까?"

原文 子 畏於匡하실새 顔淵이 後러니 子曰, 吾以女爲死矣로라. 曰, 子在어시니 回何敢死리이꼬?

註解 ㅇ子畏於匡(자외어광)－공자 일행이 위(衛)나라의 광(匡)이란

곳에서 위험한 처지에 빠진 일이 있었다. 〈子罕篇 9-5〉 참고. ㅇ顔淵後(안연후)－안연이 뒤늦게 왔다. ㅇ吾以女爲死矣(오이녀위사의)－나는 그대가 죽은 줄 생각했다. '이(以)~위(爲)……'는 '~을 ……라 생각하다.' ㅇ子在(자재)－선생님이 계신데. ㅇ回何敢死(회하감사)－제가 어찌 감히 죽겠습니까?

解說 공자 일행이 위(衛)에서 진(陳)으로 가는 도중 광(匡)이라는 곳에서 폭도들의 공격을 받은 일이 있었다. 그때의 공자와 안연의 대화다. 공자의 말에는 사랑하는 제자에 대한 염려의 정이 넘치고, 안연의 말에는 인도(仁道)의 구현(具顯)을 위해 진력하는 스승에 대한 믿음이 넘치고 있다. 자식이나 제자는 아버지와 스승을 믿고 따라야 한다. 그래야 역사 문화가 계승되고 발전한다.

11-23. 계자연이 "중유와 염구는 대신이라고 할 수 있습니까?"하고 묻자, 공자가 말했다.

"나는 당신이 색다른 질문을 할 줄 알았는데, 고작 유와 구에 대해 묻는군요. 이른바 대신은 바른 도리로써 임금을 섬기고, 그렇지 못하면 물러나는 사람을 말합니다. 지금의 유와 구는 이른바 신하 속에는 들 수 있겠지요."

계자연이 "그렇다면 주인이 하고자 하는 일에 따르기는 합니까?" 하고 묻자, 공자가 말했다.

"아비와 임금을 시해하는 일에는 그들도 따르지 않을 것입니다."

原文 **季子然**이 **問, 仲由冉求**는 **可謂大臣與**이꼬? **子曰, 吾以子爲異之問**이러니 **曾由與求之問**이로라. **所謂大臣者**는 **以道事君**하다가 **不可則止**하나니 **今由與求也**는 **可謂具臣矣**

니라. **曰, 然則從之者與**이꼬? **子曰, 弑父與君**은 **亦不從也**리라.

[註解] ○季子然(계자연)－노나라의 실권자 계씨(季氏) 일파, 일설에는 계환자(季桓子)의 동생, 즉 계강자(季康子)의 숙부라고도 한다. ○仲由(중유)－자로(子路). ○冉求(염구)－자유(子有). 자로와 자유는 한때 계씨 밑에서 벼슬을 했다. ○可謂大臣與(가위대신여)－이른바 대신이라고 말할 수 있을까? ○以子爲異之問(이자위이지문)－당신이 색다른 질문을 하는 줄 알았다. ○曾(증)－여전히, 전과 같이. ○由與求之問(유여구지문)－자로와 염구에 대한 질문이로군. ○以道事君(이도사군)－바른 도리로써 임금을 섬긴다. ○不可則止(불가즉지)－안되면 그만둔다. ○可謂具臣矣(가위구신의)－평범한 신하로 꼽힐 수는 있다. 주자(朱子)는 '신하의 수를 채운다(謂備臣數矣)'라고 풀이했다. ○然則從之者與(연즉종지자여)－그렇다면 (주인의 명령에는) 잘 따르겠군요. ○弑父與君(시부여군)－아버지나 임금을 시해하라는 (그런 명령에는). ○亦不從也(역부종야)－그들도 역시 따르지 않을 것이다.

[解說] 노(魯)나라의 임금을 무시하며 참월(僭越)하고 무도하게 실권을 전횡(專橫)하고 있는 삼환씨(三桓氏)의 한 집안인 계씨(季氏)에 대한 공자의 불만이 잘 나타난 구절이다.

계자연(季子然)이 이름 높은 공자의 일급가는 제자 '자로와 염구'를 자기 밑에 가신(家臣)으로 채용하고, 공자에게 "그들은 이른바 대신(大臣)이겠지요?"하고 자랑스럽게 물었다. 그러나 공자는 "대신은 도(道)로써 임금을 섬기는 사람이다. 도가 행해지지 않으면 물러나는 사람이다."라고 퉁명스럽게 대답했다. 그 말 속에는 다음과 같은 뜻이 포함되어 있다. "당신은 무도한 대부(大夫)다. 대신을 거느릴 수 없다. 무도한 당신 밑에 있는 그들은 여러 가신 중의 하나일 뿐이다."

이에 계자연이 "그러면 상전의 명은 잘 따르겠군요?"하고 묻자, 공자는 다시 일침을 놓았다. "대부라 할지라도 도에 맞는 명령을 내려야 한다. 무도하게 자기 아버지나 임금을 시해하라는 따위의 명령은 그들일지라도 따르지 않을 것이다."

《논어》에는 삼환씨(三桓氏)의 처사를 비판한 글들이 많다. 그 중에도 이 구절은 정면으로 그들을 부정한 것이라 하겠다.

11-24. 자로가 자고로 하여금 계씨의 영지인 비(費)의 읍재가 되게 하자, 공자가 말했다. "남의 집 아들을 망치게 하는구나."

이에 자로가 아뢰었다. "백성을 다스리는 일도 있고, 사직을 받드는 일도 있으며, (그것을 통해 도를 배우고 익힐 수 있습니다) 어찌 반드시 책 읽는 것만을 학문이라고 하겠습니까?"

그러나 공자가 말했다. "그러므로 말 잘하는 자가 밉다는 것이다."

原文 **子路 使子羔**로 **爲費宰**한대 **子曰, 賊夫人之子**로다. **子路曰, 有民人焉**하며 **有社稷焉**하니 **何必讀書 然後**에 **爲學**이리꼬? **子曰, 是故**로 **惡夫佞者**하노라.

註解 ○子羔(자고)－공자의 제자, 고영(高榮). ○爲費宰(위비재)－위(爲)는 되게 하다, 비(費)는 계씨(季氏)의 도읍(都邑), 재(宰)는 장(長), 즉 읍장(邑長). ○賊(적)－해친다, 망친다. ○夫人之子(부인지자)－남의 아들, 부(夫)는 어조사, 무릇, 혹은 저. ○有民人焉(유민인언)－(실제로 돌봐주어야 할) 인민이 있다, 즉 백성을 다스리는 일을 한다는 뜻. ○有社稷焉(유사직언)－사직은 국가, 즉 나라를 섬기고 받드는 일을 한다. ○何必(하필)－어찌, 반드시. ○讀書然後(독서연후)－책을 읽는 공부를 해야만. ○爲學(위학)－학문이라고 말하랴? ○是故(시고)－그러니까.

ㅇ惡(오)－미워한다. 싫어한다. ㅇ夫佞者(부녕자)－간교하게 말 잘하는 사람. 궤변(詭辯)하는 사람.

解說 학문과 덕행을 닦고 쌓은 다음에 정치에 참여해야 한다.

11-25-1. 자로·증석·염유·공서화가 공자를 모시고 앉아 있었다. 그러자 공자가 말했다. "내가 약간 나이가 많다고 해서 어려워 마라. 그대들은 평소에 '나를 남이 몰라준다'고 말하지만, 만약 그대들을 알아서 써준다면 어떻게 하겠느냐?"

原文 子路 曾晳 冉有 公西華 侍坐러니 子曰, 以吾一日長乎爾나 毋吾以也하라. 居則曰 不吾知也라 하나니 如或知爾면 則何以哉오?

註解 ㅇ曾晳(증석)－증자(曾子)의 아버지, 공자의 문인, 이름은 점(點). ㅇ侍坐(시좌)－스승을 모시고 앉아 있다. ㅇ以吾一日長乎爾(이오일일장호이)－이(以)는 ……라고 해서, ……이기 때문에, 이(爾)는 너, 너희들, '오일일장호이(吾一日長乎爾)'는 '내가 약간 너희들보다 나이가 많다.' ㅇ毋吾以也(무오이야)－나를 어렵게 여기지 말고 (소신껏 말을 해라). ㅇ居則曰(거즉왈)－평소에 말하다. ㅇ不吾知也(불오지야)－나를 알아주지 않는다고 (불평하다, 말하다.) ㅇ如或知爾(여혹지이)－만약에 혹 너희들을 알아주고 (등용한다면). ㅇ則何以哉(즉하이재)－즉 어떻게 하겠느냐?

解說 제25장은 길다. 《집주(集註)》는 전체를 '11단(段)'으로 나누었다. 여기서는 '6단'으로 나누어 풀이하겠다. 공자가 모처럼 한가하게 사랑하는 네 사람의 제자 즉 '자로·증석·염유·공서화'와 함께

앉아있게 되자 말했다. "만약에 어떤 나라 임금이 너희들을 인정해서 등용해 준다면, 너희들은 나가서 어떻게 하겠느냐?"고 물었다. 이에 제자들이 각자 자기의 생각을 솔직하게 말했던 것이다.

11-25-2. 자로가 불쑥 나서서 말했다. "천승(千乘)의 제후의 나라가 강대국 사이에 끼어 더더욱 무력 침략을 받고, 아울러 기근이 들어 궁핍해도, 제가 나서서 다스리면 3년 안으로 나라를 강하게 만들고 백성들에게 방정한 길을 알게 하겠습니다."

공자가 빙그레 웃었다.

原文 **子路 率爾而對曰, 千乘之國**이 **攝乎大國之間**하야 **加之以師旅**로 **因之以饑饉**이어든 **由也爲之**면 **比及三年**하야 **可使有勇**이요 **且知方也**케 호리이다. **夫子哂之**하시다.

註解 ㅇ率爾(솔이)—불쑥, 당돌하게 나서서. ㅇ千乘之國(천승지국)—전차(戰車) 천 대를 동원할 수 있는 제후(諸侯)의 나라. 당시의 노(魯)·위(衛)·정(鄭) 같은 나라. ㅇ攝乎大國之間(섭호대국지간)—강대국 사이에 끼어 있다. 섭(攝)은 '잡히다, 압박을 받다'의 뜻. ㅇ加之以師旅(가지이사려)—(강대국들이) 무력 침공을 가한다. 사려(師旅)는 군대, 사(師)는 2천5백 명, 여(旅)는 5백 명의 군대. ㅇ因之以饑饉(인지이기근)—무력 침공으로 인하여 기근에 시달린다. ㅇ由也爲之(유야위지)—유가 나서서 나라를 다스린다면, 유(由)는 자로의 이름. ㅇ比及三年(비급삼년)—대략 3년이면, 비(比)는 대략, 근(近)의 뜻. ㅇ可使有勇(가사유용)—(나라의 힘을) 끌어올려 강하게 만든다. ㅇ且知方也(차지방야)—또한 (백성들에게는) 방정한 도리를 알게 한다. ㅇ夫子哂之(부자신지)—공자가 빙그레 웃었다. 비웃을 신(哂).

11-25-3. "구야! 너는 어떠하냐?" (공자가 묻자, 염유가 대답했다.)
"사방 6, 70리 혹은 더 작아서 5, 60리쯤 되는 나라를 제가 맡아 다스린다면 3년 정도로 민생을 풍족하게 할 수 있을 겁니다. 그러나 예악은 (제 힘으로는 못하므로) 다른 군자를 기다리겠습니다."

原文 **求**아 **爾**는 **何如**오? **對曰, 方六七十**과 **如五六十**에 **求也爲之**면 **比及三年**하야 **可使足民**이어니와 **如其禮樂**엔 **以俟君子**호리다.

註解 ㅇ求(구)－염유(冉有)의 이름. ㅇ爾何如(이하여)－네 생각은 어떠하냐? 너는 어떻게 하겠느냐? ㅇ方六七十(방륙칠십)－사방이 6, 70리의 작은 나라. ㅇ如(여)－혹은. ㅇ求也爲之(구야위지)－제가 맡아 다스린다면. ㅇ比及三年(비급삼년)－3년 정도면. ㅇ可使足民(가사족민)－민생을 풍족하게 하겠다. ㅇ如其禮樂(여기예악)－(그러나) 예악에 대해서는 (저의 힘으로는 어려우므로). ㅇ以俟君子(이사군자)－다른 군자를 기다리겠다.

11-25-4. "적아! 너는 어떠하냐?" (하고 묻자, 공서화가 대답했다.)
"제가 할 수 있는 바가 아니고, 배우고자 원하는 바를 아뢰겠습니다. 종묘의 제사나 제후들의 회합 때에 검은 예복과 예관을 갖추어 차리고 군자의 예를 돕고 싶습니다."

原文 **赤**아 **爾**는 **何如**오? **對曰, 非曰能之**라 **願學焉**하노이다. **宗廟之事**와 **如會同**에 **端章甫**로 **願爲小相焉**하노이다.

註解 ㅇ赤(적)－공서화(公西華)의 이름. ㅇ非曰能之(비왈능지)－제가

할 수 있다는 뜻이 아니라. ㅇ願學焉(원학언)－제가 배우고자 하는 바를 (말하겠다). ㅇ宗廟之事(종묘지사)－종묘에 제사를 모시는 일. ㅇ如會同(여회동)－혹은 제후들이 회동할 때에. ㅇ端章甫(단장보)－단(端)은 현단(玄端)의 예복, 즉 검은 예복, 장보(章甫)는 치포(緇布), 검은 감으로 만든 예관(禮冠). ㅇ願爲小相焉(원위소상언)－의식을 행할 때의 보좌관 되기를 원한다. 상(相)은 의식을 집행하는 사람, 소(小)는 보좌관.

11-25-5. "점아! 너는 어떠하냐?" (공자가 물었다.)

증석은 조용히 거문고를 타고 있다가, 크게 한바탕 소리를 튕기고 거문고를 놓고 일어서서 대답했다.

"저는 세 사람의 생각과 다릅니다."

"무슨 걱정이냐? 각자가 제 뜻을 말하는 것이다."

(이에 증석이 말했다.) "늦은 봄에 봄옷을 만들어 입고, 관을 쓴 벗 대여섯과 아이들 6, 7명과 같이 기수에서 목욕하고 기우제 드리는 곳에서 바람을 쐬고 노래를 부르다가 돌아오겠습니다."

공자가 찬성 감탄하면서 "나도 너와 같다."고 말했다.

原文 **點**아 **爾**는 **何如**오? **鼓瑟希**러니 **鏗爾 舍瑟而作**하야 **對曰, 異乎三子者之撰**호이다. **子曰, 何傷乎**리오? **亦各言其志也**니라. **曰, 莫春者**에 **春服旣成**이어든 **冠者五六人**과 **童子六七人**으로 **浴乎沂**하고 **風乎舞雩**하야 **詠而歸**호리이다. **夫子 喟然歎曰, 吾與點也**하노라.

註解 ㅇ點(점)－증석(曾晳)의 이름. ㅇ鼓瑟希(고슬희)－거문고를 조용히 타다가, 희(希)=드물 희(稀). ㅇ鏗爾(갱이)－쨍하고 크게 소리를 내다, 금옥 소리 갱(鏗). ㅇ舍瑟而作(사슬이작)－거문고를 놓고 일어나

서, 작(作)은 일어서다. ㅇ異乎三子者之撰(이호삼자자지찬)－세 사람의 생각과 다르다, 찬(撰)은 마음속에 품은 생각. ㅇ何傷乎(하상호)－무슨 걱정이냐? ㅇ亦各言其志也(역각언기지야)－역시 각자 자기의 뜻을 말하는 것이다. ㅇ莫春者(모춘자)－늦은 봄에, 막(莫)＝저물 모(暮), 자(者)는 단락을 표시하는 허사. ㅇ春服旣成(춘복기성)－봄옷을 잘 차려 입고, 춘복(春服)은 우제(雩祭)를 올리는 제복. ㅇ冠者(관자)－관을 쓴 사람, 성년이 된 사람. 나이 20에 관을 쓴다. ㅇ童子(동자)－아이들. ㅇ浴乎沂(욕호기)－기수(沂水)에서 목욕을 한다. 기(沂)는 노(魯)의 성읍(城邑) 남쪽에 있는 강, 그 강가에 우제(雩祭)를 지내는 무우단(舞雩壇)이 있다. ㅇ風乎舞雩(풍호무우)－무우단에서 바람을 쐬다. ㅇ詠而歸(영이귀)－(선왕의 덕을) 노래 부르고 돌아온다. ㅇ喟然歎曰(위연탄왈)－위연(喟然)도 감탄하다, 탄(歎)도 감탄하다. ㅇ吾與點也(오여점야)－나는 증석에 찬성한다.

11-25-6. 세 사람이 나가고 증석만이 뒤에 처졌다.

증석 : "세 사람의 말을 어떻게 생각하십니까?"

공자 : "저마다의 뜻을 말했을 뿐이다."

증자 : "선생님께서는 왜 유의 말을 듣고 웃으셨습니까?"

공자 : "나라는 예로써 다스려야 하는데 그의 말이 겸양하지 못해서 웃은 것이다."

증석 : "구가 말한 것도 나라를 다스리겠다는 뜻이 아닙니까?"

공자 : "사방 6, 70리이건 또는 5, 60리이건 역시 나라가 아니겠느냐? 구가 작은 나라의 경제만을 잘하겠다고 말한 것은 겸손을 보인 것이다."

증석 : "그렇다면 적이 말한 것도 나랏일이 아니겠습니까?"

공자 : "종묘에 제사드리는 일과, 제후들의 회동하는 일이 어찌 제후의 일이 아니겠느냐? 가장 큰 국가의 일이다. 그런데 적이 지나

치게 겸손하여 작은 일을 돕겠다고 말했으니, 그러면 누가 그보다 큰 일을 돕는단 말이냐?"

原文 **三子者出**커늘 **曾晳**이 **後**러니 **曾晳曰, 夫三子者之言**이 **何如**하니이꼬? **子曰, 亦各言其志也已矣**니라. **曰, 夫子何哂由也**시니이꼬? **曰, 爲國以禮**어늘 **其言**이 **不讓**이라 **是故**로 **哂之**호라. **唯求則非邦也與**이꼬? **安見方六七十**과 **如五六十而非邦也者**리오. **唯赤則非邦也與**이꼬? **宗廟會同**이 **非諸侯而何**오? **赤也 爲之小**면 **孰能爲之大**리오?

註解 ㅇ三子者出(삼자자출)－자로·염유·공서화 세 사람이 나갔다. ㅇ曾晳後(증석후)－증석은 뒤에 남았다. ㅇ夫子何哂由也(부자하신유야)－선생님께서 왜 자로의 말을 듣고 웃으셨습니까? ㅇ爲國以禮(위국이례)－예로써 나라를 다스린다. ㅇ其言不讓(기언불양)－자로의 말은 공손하지 않았다. ㅇ是故哂之(시고신지)－그래서 그를 웃은 것이다. ㅇ唯求則非邦也與(유구즉비방야여)－허기는 염구가 말한 것도 나라 다스리는 일이 아닙니까? ㅇ安~而非邦也者(안~이비방야자)－어찌 ……-이라면 나라 다스리는 일이 아니겠느냐? ㅇ見方六七十(견방륙칠십)－사방이 6, 70이라면, 견(見)은 '본다'는 뜻이 아니고, '사방 넓이가 ……이다'의 뜻. ㅇ如五六十(여오륙십)－혹은 5, 60이라면. ㅇ唯赤則非邦也與(유적즉비방야여)－허기는 공서화의 말도 나라 다스리는 일이 아니겠느냐? ㅇ宗廟(종묘)－종묘에 제사지내다. ㅇ會同(회동)－제후들이 회동하다. ㅇ非諸侯而何(후이하)－(종묘에 제사 지내는 일과 제후가 회동하는 일이) 결국 제후가 할 일이고 동시에 나라를 다스리는 일이다. ㅇ赤也爲之小(적야위지소)－공서화는 그것은 작은 일을 보좌한다고 말하지만. ㅇ孰能爲之大(숙능위지대)－그렇다면 누가 큰 일을 보좌한다는 말이냐? (그것이 바로 큰 일이다).

解說 《논어》 중에서 가장 긴 글이다. 방편상 한 장을 여섯 절로 나누어 풀이했다. 《고주(古注)》는 '1장'으로 추렸고, 《집주(集註)》는 '11장'으로 세분했다.

공자가 자로(子路)·증석(曾晳)·염유(冉有)·공서화(公西華) 등 제자에게 "만약 오늘의 실권자들이 우리를 알아서 써준다면 어떻게 하겠느냐? 각자 자기의 생각을 말해보라."고 유도했다. 이에 자로가 성급하게 직설적으로 "3년이면 약소국을 부강한 나라로 만들 수 있다."고 큰소리를 쳤다. 이에 공자가 웃었다. 자로가 예악(禮樂)의 덕치(德治)를 말하지 않고, 부국강병(富國强兵)만 말했기 때문이다.

한편 염유와 공서화도 역시 "나서서 정치를 하겠다."고 말했다. 다만 그들은 자로보다 겸손한 태도로 자기의 포부를 피력했다.

그러나 증석은 "저는 그들과 생각이 다릅니다."라고 전제하고 말했다. "늦은 봄에 새로 봄옷을 입고, 어른 아이들이 함께 어울려, 기수(沂水)에서 목욕하고, 기우제를 지내는 무우단(舞雩壇)에서 선왕(先王)의 덕을 칭송하는 노래를 부르겠다."고 말했다. 이는 곧 '현재는 때가 아니니까 나서서 정치에 참여하지 않고, 물러나 덕을 쌓고, 덕풍(德風)을 진작하겠다'는 뜻이다. 이에 공자가 크게 감탄하고 말했다. "나도 네 생각에 찬동한다."

제12편 안연편(顔淵篇)

안연편은 총 24장으로 구성되었다. 형병(邢昺)은 대략 다음과 같이 설명했다. '이 편에는 논한 바 내용이 많다. 우선 인정(仁政)의 도리를 밝히고 아울러 그 인정을 달성하는 길을 말했다. 그리고 군신(君臣)과 부자(父子)가 시켜야 할 예(禮), 미혹(迷惑)을 분별하고 옥사를 처결하는 일, 군자의 학문과 덕행 등이 다 언급되었으며, 이들 가르침은 다 성현의 격언이며 동시에 벼슬에 나가는 기본 단계이다. 그러므로 〈선진편(先進篇)〉 뒤에 이 편을 엮었다.'

여기서도 공자는 제자들의 인품이나 정도에 따라 대답을 달리하고 있다. 특히 안연(顔淵)과 자장(子張)이 인(仁)에 대해서 묻자, 공자가 세계적인 차원에서 인을 설명했다. 그만큼 두 제자를 높이 평가한 것이다.

12-1-1. 안연이 인에 대해서 묻자, 공자가 대답했다.

"자신의 이기적 욕심을 극복하고 천리에 돌아가는 것이 곧 인의 실천이다. 하루만이라도 (임금이) 이기적 욕심을 극복하고 천리에 돌아가면, 천하 만민이 다 인에 돌아가게 된다. 인의 실천은 자기자신에게 달려 있는 것이다. 남에게 달려 있는 것이겠는가?"

原文 顔淵 問仁한대 子曰, 克己復禮 爲仁이니 一日克己復禮면 天下歸仁焉하나니 爲仁이 由己 而由人乎哉아.

註解 ㅇ顔淵問仁(안연문인)－안연이 이(仁)에 대해서 물었다. 〈해설 참고〉. ㅇ克己復禮(극기복례)－자기의 이기적 탐욕(貪慾)을 극복하고 천리에 돌아가 따르고 실천한다. 이상은 《집주(集註)》의 풀이를 바탕으로 했다. 《고주(古注)》는 약간 다르다. '극기(克己)'를 마융(馬融)은 '약신(約身)'이라 했다. 즉 몸을 단속하고 엄숙하게 행동한다는 뜻이다. 공안국(孔安國)은 '몸이 능히 예에 돌아오는 것이 곧 인이다.(身能反禮則爲仁)'라고 풀었다. 형병(邢昺)은 다음과 같이 유현(劉炫)의 설을 인용했다. '극은 이긴다는 뜻이고, 기는 몸을 말한다(克訓勝也 己謂身也).' '몸에는 기욕이 있으므로 마땅히 예의로 정제해야 한다. (이때에) 기욕과 예의가 싸우게 되니, 예의로 하여금 기욕을 이기게 하면, 몸이 예에 되돌아가게 되며, 이렇게 하는 것이 곧 인을 이룩함이다(身有嗜慾 當以禮義齊之 嗜慾與禮義戰 使禮義勝嗜慾 身得復歸於禮 如是乃爲仁也).' ㅇ爲仁(위인)－'인을 성취하다, 인을 이룩하다. 인을 행하고 인덕을 세우다' 한편 '(……이 바로) 인이다'로 해석하기도 한다. ㅇ一日克己復禮(일일극기복례)－단 하루라도 (임금이나 제후가) '극기복례'하면, (당시의 모든 나라의 임금들은 이기적 탐욕을 채우는 데에만 골몰했다). ㅇ天下歸仁焉(천하귀인언)－천하의 만민들이 다 인으로 되돌아갈 것이다. ㅇ爲仁由己(위인유기)－인을 실천하고 인덕을 세우는 것은 바로 나 자신에 달려 있다. ㅇ而由人乎哉(이유인호재)－남에게 달려 있겠느냐? 이(而)는 반전(反轉)의 뜻을 나타내는 접속사.

解說 인(仁)은 공자 사상의 핵심이며, 최고의 덕목이다. 《논어》에는 인(仁)을 논한 구절이 근 백 개 가까이나 된다. 그러나 공자는 인에 대한 정의를 딱 떨어지게 내리지 않았다. 그 이유는 인(仁)이란 글자가 포괄하는 뜻이 엄청나게 많고 광범하기 때문이다. 한 글자 속에 많은 뜻이나 내용을 압축한 것이 한문·한자의 특색이다. 그러므로 인(仁)을 설명할 때에도 '상대, 장소 및 경우'에 따라 저마다 다르게 설명했던 것이다.

그 중에서 인의 뜻을 잘 요약한 구절을 몇 개 추리면 다음과 같다. 제자 번지(樊遲)가 인을 묻자, 공자는 "인은 남을 사랑함이다.(愛人)" 〈顔淵篇 12-22〉라고 대답했다. 즉 인은 인간애(人間愛)·인류애(人類愛)의 근간이다.

자공(子貢)이 "백성에게 넓게 베풀고 많은 사람을 구제할 수 있다면 인이라 말할 수 있습니까?(如能博施於民 而能濟衆者 何如 可謂仁乎)"하고 묻자, 공자가 대답했다. "그것을 어찌 인이라고만 말하랴? 그 정도라면 반드시 성(聖)의 경지다. 요임금·순임금도 그렇게 하려고 애를 쓴 경지다. 인(仁)은 내가 나서고 싶을 때나 자리에, 남을 내세우고, 내가 도달코자 하는 바를 남으로 하여금 도달케 하는 것이다. 즉 나를 가지고 남을 촌탁하는 것이 인을 이루는 방도이다(夫仁者 己欲立而欲人 己欲達而達人 能近取譬 可謂仁之方也已)." 〈雍也篇 6-30〉. 내가 하고 싶은 바를 남으로 하여금 달성케 하는 덕행이 곧 적극적인 인이다. 소극적 인은 곧 '내가 원치 않는 것을 남에게 강요하지 않는 것이다(己所不欲 勿施於人).' 〈顔淵篇 12-2, 衛靈公篇 15-24〉

보다 큰 인(仁)은 '나의 몸을 죽이고 나라나 모든 사람을 위한 인덕을 세우는 것이다.(殺身以成仁)' 〈衛靈公篇 15-9〉

이상에서 보듯이 인(仁)은 '남을 진정으로 사랑하고 남을 잘 되게 하는 실천적인 덕행이다'. 남을 진정으로 사랑하고 남을 높이기 위해서는 '나 자신의 동물적·이기적 탐욕'을 극복해야 한다. 그러므로 주자는 극기(克己)를 '사리사욕(私利私慾)을 극복함이다'라고 풀이한 것이다.

다음으로 '예에 돌아간다[復禮]'를 해석함에 있어, 주자는 '예는 천리의 절문이다(禮者 天理之節文)'라고 풀이했다. 주자의 말뜻을 깊이 알아야 한다. '예(禮)'는 좁게는 예의범절(禮儀凡節)의 뜻이고, 크게는 국가적인 차원의 '문물(文物)·제도(制度)·의례(儀禮) 및 예악(禮樂)' 등의 모든 '문화적인 격식'을 다 포함한다. 이와 같은 '문화적인 격식'이 있어야 국가 사회 및 가정의 '위계(位階) 질서(秩序)'가 바르게 선다. 그러므로 '예(禮)는 사회의 질서를 바로잡고 모든 사람이 함께 잘사는 공동체를 구성하고 또 유지하는 문화적 문물제도 및 예의범절을 통합한 말이다'.

오늘의 타락한 정치세계에서는 복잡다단한 법률로써 사람의 행동을 규제하고 사회의 질서를 유지한다. 그러나 옛날의 도덕 사회에서는 예(禮)로써 인정(仁政)과 덕치(德治)를 실행하려고 했다.

다음으로 주자가 말한 '천리(天理)의 절문(節文)'을 자세히 설명하겠다. 먼저 '천리(天理)'에 대한 설명을 하겠다.

천리는 곧 우주(宇宙)의 이법(理法)이다. 우(宇)는 공간을 말하고, 주(宙)는 시간을 말한다. 그러므로 우주는 곧 '공간과 시간의 통합체'이다. 따라서 우주를 한마디로 '천(天)'이라고 한 것이다. 그러므로 천리(天理)는 곧 '우주의 이법'이다. 자연과학에서 높이는 자연법칙(自然法則)도 천리에 포함된다.

'공간과 시간을 통합한 천(天)'은 절대(絶對)이다. 그 절대를 기독교에서는 인격신(人格神)으로 본다. 그리고 유교에서는 '이(理)의 극치, 즉 태극(太極)' 혹은 '이(理)'라고 인식한다. 따라서 '절대가 만물을 창조하고 모든 현상을 주재한다'고 믿는 점에서는 기독교와 유교가 같다.

그러므로 천리(天理)는 곧 '인간을 포함한 자연 만물을 창조하고 아울러 시간의 흐름에 따라 생성·변화·번식·발전케 하는 절대의 도리·진리'이다. 천리(天理)는 광명정대(光明正大)하고 공평무사(公平無私)하고 영구불변(永久不變)하는 도리이다. 동시에 천리(天理)는 대자연의 조화 속에서 만물을 고르게 '생성화육(生成化育)'하는 '절대선(絶對善)'의 도리이다. 그러므로 동양사상은 천도를 높이고 따르라고 하는 것이다. 과학자가 자연법칙을 존중하고 활용하듯이 인간 및 인류는 천도를 따르고 행해야 바르게 잘살고 또 좋은 공동체, 즉 선세계(善世界)를 형성할 수 있다.

그러므로 모든 사람을 잘살게 하는 정치(政治)도 천리(天理)를 따르고 실천해야 한다. 천리를 안 따르고 동물적 · 이기적 탐욕을 바탕으로 남을 살상(殺傷)하고 남의 재물을 탈취하기 때문에, 오늘의 인류 세계가 위기에 빠진 것이다.

다음으로 '절문(節文)'에 대한 설명을 하겠다. '절(節)'은 조절한다는 뜻이다. '문(文)'은 '문화적으로 표현된 문물(文物) · 제도(制度) · 의례(儀禮) 및 예악(禮樂) 등의 모든 격식'을 한마디로 엮은 말이다. 그러므로 '천리(天理)의 절문(節文)'은 곧 '절대선인 하늘의 도리를 바탕으로 자연 만물 및 모든 사람을 조절하여 선세계(善世界)를 창건하고 또 유지하기 위한 문화적인 문물제도이다.'

'극기복례위인(克己復禮爲仁)'의 뜻을 현대적으로 요약하면 다음과 같다. '나의 동물적 · 이기적 탐욕을 극복하고 천리를 바탕으로 한 문물제도 및 예의범절을 따르고 실천하는 것이 곧 사랑과 인덕(仁德)이 넘치는 진정한 평화세계 창건에 직결된다.'

여기서 우리는 냉철하게 오늘의 악덕 세계를 살펴보자. 오늘의 인류나 모든 나라의 악덕 정치는 절대선(絶對善)의 천리(天理)를 따르지 않고 반대로 동물적 · 이기적 탐욕을 바탕으로 하고 서로 싸우고 쟁탈하는 아귀도(餓鬼道)의 악덕정치에 골몰하고 있으며, 따라서 약육강식(弱肉强食)의 생지옥(生地獄)을 연출하고 있다.

12-1-2. 안연이 "그 조목을 일러주십시오."하자, 공자가 말했다.

"예가 아니면 보지 말고, 예가 아니면 듣지 말고, 예가 아니면 말하지 말고, 예가 아니면 행하지 마라."

안연이 말했다. "제가 비록 불민하지만, 말씀대로 실천하겠습니다."

原文 **顔淵曰, 請問其目**하노이다. **子曰, 非禮勿視**하며 **非**

禮勿聽하며 非禮勿言하며 非禮勿動이니라. 顔淵曰, 回雖不敏이나 請事斯語矣로리이다.

注解 ㅇ請問(청문)−묻겠습니다, 일러주십시오. ㅇ其目(기목)−인을 이루는 항목, 조목, 행동 강령. ㅇ非禮(비례)−예가 아니면, 예에 어긋나는 것은. ㅇ勿視(물시)−보지 마라. ㅇ勿動(물동)−움직이지 마라, 행하지 마라. ㅇ回雖不敏(회수불민)−제가 비록 민첩하지 못해도. 회(回)는 안연의 이름. 불민(不敏)은 약삭빠르지 못하다, 즉 우둔하다. ㅇ請事斯語矣(청사사어의)−말씀대로 실천하겠습니다. 사(事)는 행한다, 실천한다.

解說 주자는 '예는 천리의 절문(節文)'이라고 했다. 즉 '절대선(絶對善)의 천리를 바탕으로 하고 조절하여 사회질서를 바로잡고, 만민이 다같이 잘살고 번성하는 공동체를 이루는 행동 및 생활의 문화적 규범이라'는 뜻이다. 그러므로 예에 어긋나는 일을 일체 하지 말아야 인덕(仁德)을 세울 수 있다.

12-2. 중궁이 인에 대해 묻자, 공자가 말했다.

"문밖에 나가 사람을 대할 때에는 큰손님을 뵙는 듯이 하고, 백성들을 부릴 때에는 큰제사를 모시는 듯이 해야 한다. 또 내가 원치 않는 바를 남에게 강요하지 마라. (그렇게 하면) 나라에서도 집안에서도 원망이 없게 될 것이다."

중궁이 말했다. "제가 비록 불민하지만, 말씀대로 실천하겠습니다."

原文 仲弓이 問仁한대 子曰, 出門如見大賓하며 使民如承大祭하고 己所不欲을 勿施於人이니 在邦無怨하며 在家無怨하니라. 仲弓이 曰, 雍雖不敏이나 請事斯語矣로리이다.

註解 ㅇ仲弓(중궁)－염옹(冉雍), 공자가 "옹은 남면하고 백성을 다스릴 만하다(雍也可使南面)."〈雍也篇 6-1〉고 말한 바 있다. ㅇ問仁(문인)－인에 대해서 묻다. ㅇ出門(출문)－대문 밖으로 나가 사람을 대할 때에는. ㅇ如見大賓(여견대빈)－큰손님을 뵙는 듯이 정중하게 한다. 대빈(大賓)은 국빈(國賓)이나 공경(公卿). ㅇ使民(사민)－백성을 부려 쓰다. ㅇ如承大祭(여승대제)－큰 제사를 모시는 듯이 신중하게 한다. 대제(大祭)는 체(禘)나 교(郊)와 같은 국가의 제사. 체(禘)는 임금이 시조를 하늘에 배향하는 제사, 교(郊)는 천지(天地)를 모시는 제사. ㅇ己所不欲(기소불욕)－나 자신이 원치 않는 바의 여러 가지 일. ㅇ勿施於人(물시어인)－남에게 강요하지 않는다. ㅇ在邦無怨(재방무원)－국가적인 차원에서도 원망이 없다. ㅇ在家無怨(재가무원)－가정적인 차원에서도 원망이 없다. ㅇ雍雖不敏(옹수불민)－저 옹이 비록 불민(不敏)하지만. 불민은 민첩하지 못하다, 우둔하다. ㅇ請事斯語矣(청사사어의)－선생님의 말씀대로 실천하겠습니다. 청(請)은 겸손의 뜻을 나타낸다. ……하겠다.

解說 인(仁)의 뜻의 핵심은 '남을 사랑하고 공경하고 받들어, 그가 훌륭한 사람이 되고 아울러 잘살게 내가 행동적으로 도와줌이다.' 부모가 자식을 사랑으로 양육하는 것이 인이다. 스승이 제자들을 바르고 착하게 가르쳐, 좋은 인재로 배양하는 것이 인이다. 나라를 다스리는 사람이 상하(上下)의 모든 사람들을 공경하고 정사(政事)를 신중히 처리하는 것이 곧 인이다. 한편 '내가 하기 싫은 것을 남에게 강요하지 않는 것도' 인이다. 사람은 누구나 남에게 살상(殺傷)되기를 싫어한다. 그런데 오늘날의 국제정치는 강대국이 무력으로 약소국을 지배하고 재물을 탈취하고 있다. 그것이 곧 불인(不仁)이다.

12-3. 사마우가 인에 대해서 묻자, 공자가 말했다. "인은 말을 신중하게 하는 것이다." 이에 사마우가 "말을 신중하게 하는 것이 곧 인

이겠습니까?"하고 재차 묻자, 공자가 말했다. "행하기 어려우니, 말을 신중하게 아니할 수 있겠느냐?"

原文 **司馬牛問仁**한대 **子曰, 仁者**는 **其言也訒**이니라. **曰, 其言也訒**이면 **斯謂之仁已乎**이꼬? **子曰, 爲之難**하니 **言之得無訒乎**아.

註解 ㅇ司馬牛(사마우)―공자의 제자, 이름은 이(犁) 혹은 경(耕), 자가 자우(子牛). 송(宋) 나라 환퇴(桓魋)의 동생. 경솔하게 말을 많이 했다. ㅇ其言也訒(기언야인)―(행동에 앞서) 말을 신중하게 함이다. 기언(其言)은 '자기가 행하려는 일에 대한 말' 인(訒)은 참을 인(忍). 혹은 어려울 난(難)의 뜻으로 '함부로 말을 하지 않고, 신중하게 한다'는 뜻. ㅇ斯謂之仁已乎(사위지인이호)―그것이 곧 인입니까? 말을 신중하게 하는 것을 곧 인이라 합니까? ㅇ爲之難(위지난)―인은 행하고 실천하기 어렵다. 지(之)는 인(仁). ㅇ言之得無訒乎(언지득무인호)―인에 대한 말을 신중하게 하지 않을 수 있느냐?

解說 앞에 나왔듯이 안연(顔淵)과 중궁(仲弓)도 인(仁)에 대해 같은 질문을 했다. 이에 대한 공자의 대답은 저마다 다르다. 덕행이 높은 안연에 대해서는 '극기복례 위인(克己復禮 爲仁)'이라 대답했고, 정치 능력이 높은 중궁에 대해서는 "윗사람을 공경하고 정사(政事)를 신중히 처리하여 모든 사람에게 원망을 받지 않는 것이 곧 인이다."라고 대답했다. 그러나 경솔하고 떠벌리기 좋아하는 사마우(司馬牛)에게는 "행하기에 앞서 말을 신중하게 하는 것이 곧 인이다."라고 대답했다. 그러나 사마우가 공자의 말뜻을 알아듣지 못하고 "신중하게 말하는 것이 곧 인입니까?"하고 반문하자, 공자가 다시 말했다. "인은 물론 모든 덕행은 행하기 어렵다. 그러니 말하기를 어렵게 여기고 신중하게 해야 한다." 공자의 말 뒤에는 사마우를 탓하는 뜻

이 숨어있다. "너같이 말을 함부로 하는 자는 인덕은 고사하고, 다른 덕행도 행할 수 없다."

공자는 〈자로편(子路篇)〉에서 말했다. "강직하고 의연하고 소박하고 과묵한 것이 인에 가깝다.(剛毅木訥 近仁)" 〈13-27〉. 한편 "말을 간교하게 잘하고, 표정을 그럴싸하게 꾸미는 인간은 인심(仁心)이나 인덕(仁德)이 없다.(巧言令色 鮮矣仁)" 〈學而篇 1-2〉고도 말했다.

12-4. 사마우가 군자에 대해서 묻자, 공자가 대답했다. "군자는 두려워하지도 않고 겁내지도 않는다."

사마우가 "두려워하지도 않고 겁내지도 않으면, 그것으로 군자라 하겠습니까?"하고 거듭 묻자, 공자가 말했다. "속으로 살펴서 허물이 없거늘 어찌 두려워하며 겁을 내겠느냐?"

原文 **司馬牛 問君子**한대 **子曰, 君子**는 **不憂不懼**니라. **曰, 不憂不懼**면 **斯謂之君子已乎**이꼬? **子曰, 內省不疚**어니 **夫何憂何懼**리오?

註解 ㅇ問君子(문군자)－군자의 길, 혹은 군자가 취할 태도에 대해서 묻다. ㅇ君子(군자)－학문과 덕행을 겸비하고 인정(仁政)과 덕치(德治)에 참여하는 선비, 지식인. 군자는 지(知)·인(仁)·용(勇) 삼달덕(三達德)을 갖추어야 한다. ㅇ不憂不懼(불우불구)－근심이나 걱정하지 않고 겁내고 두려워하지 않는다. ㅇ斯謂之君子已乎(사위지군자이호)－그렇게 하는 것만으로 군자라 할 수 있습니까? ㅇ內省不疚(내성불구)－마음속으로 살펴보아도 허물이 없다. 구(疚)는 병(病), 즉 허물이나 죄가 될 만한 병폐. ㅇ夫(부)－무릇, 발어(發語)의 어조사, 여기서는 '허니, 그러하니'의 뜻. ㅇ何憂何懼(하우하구)－어찌 걱정을 하고 겁을 내는가?

解說 마음속에 인심(仁心)을 덕행(德行)으로 나타내는 사람이 곧 군자(君子)다. 군자는 절대선의 천도(天道)를 알고[知], 모든 사람을 사랑[仁]하고, 도의를 용감하게 실천[勇]한다. 하늘과 하나가 된 군자는 걱정하고 겁낼 것이 없게 마련이다(다음 절 참조).

12-5. 사마우가 걱정하며 "남들은 다 형제들이 있는데, 저만 형제가 없군요."하고 말하자, 자하가 그에게 말했다.

"저는 '생사는 명을 따르고, 부귀는 하늘에 매여 있다'고 들었습니다."

"또 저는 '군자로서 몸가짐을 경건히 하고, 일 처리를 도를 따라 실수 없이 하고, 아울러 남에게 공손하고 예절 바르게 대하면, 사해 안의 모든 사람들이 다 형제가 된다'고 들었습니다. 그러니 군자인 당신이 어찌 형제 없음을 걱정하십니까?"

原文 **司馬牛 憂曰, 人皆有兄弟**어늘 **我獨亡**로다. **子夏曰, 商**은 **聞之矣**로니 **死生**이 **有命**이오 **富貴 在天**이라호라. **君子 敬 而無失**하고 **與人恭 而有禮**면 **四海之內 皆兄弟也**니 **君子 何患乎無兄弟也**리오?

註解 ○司馬牛憂曰(사마우우왈)—사마우가 걱정스럽게 말했다. ○人皆有兄弟(인개유형제)—다른 사람은 다 형제가 있다, 즉 형제들이 서로 사랑하고 서로 도우면서 잘산다는 뜻. ○我獨亡(아독망)—나만 형제가 없다. 즉 형제다운 형제가 없다는 뜻. ○子夏(자하)—공자의 제자, 성은 복(卜), 이름은 상(商). ○商聞之矣(상문지의)—나, 상은 들었다, 들어서 알고 있다. ○死生有命(사생유명)—죽거나 살거나 다 명이다. 즉 생사(生死)는 천명(天命)에 따른다. 천명은 곧 하늘이 절대적인 명령으로 준다는 뜻이 포함되어 있다. ○富貴在天(부귀재천)—부귀는 하늘에 있다.

즉 부귀를 하늘이 내려준다는 뜻. 이때의 천(天)은 우주적인 차원의 운세와 때를 포괄한 뜻이다. ㅇ君子(군자)－군자로서, 즉 군자다운 인격자로서. ㅇ敬而無失(경이무실)－몸가짐을 경건히 하고 일처리를 도에 맞게 한다. 무실(無失)은 도(道)를 잃지 않는다는 뜻. ㅇ與人(여인)－모든 사람에게. ㅇ恭而有禮(공이유례)－공손하게 대하고 또 예의바르게 대한다. ㅇ四海之內(사해지내)－동서남북 모든 지상 세계, 즉 세계의 모든 사람이란 뜻. ㅇ皆兄弟也(개형제야)－모두가 서로 형제가 된다. ㅇ君子何患乎無兄弟也(군자하환호무형제야)－군자가 어찌 형제가 없다고 걱정하겠느냐?

解說 사마우(司馬牛)는 송(宋)나라 사람으로, 형제가 5명 있었다. 그러나 형제들이 다 악덕하고 서로 싸우며, 국가적으로 문제가 많았다. 그래서 사마우가 걱정하고[憂] 두려워하면서[懼] 고민을 한 것이다. 특히 형 환퇴(桓魋)는 송나라에서 반란을 일으키고 국외로 도망을 했으며, 한때는 공자를 시해하려고 한 일도 있었다. 그러나 사마우는 공자의 제자로서 군자의 도를 잘 지켰다. 이에 공자가 "마음속에 가책을 받을 허물이 없고, 떳떳하거늘 왜 걱정하고 겁을 내느냐?(內省不疚 夫何憂何懼)"하고 위로를 해주었다.

한편 자하(子夏)도 다음과 같이 사마우를 타이르고 위로했다. "생사와 부귀는 사람의 힘을 초월한 절대적인 천명으로 결정되거나 주어진다. 그러므로 생사 부귀는 하늘의 뜻에 맡겨야 한다." "군자의 도를 지키고 몸가짐을 경건히 하고, 일처리를 도에 따라 실수 없이 하고, 아울러 남에게 공손하고 예절바르게 대하면, 사해 안의 모든 사람들이 다 형제가 된다. 그러니 군자인 당신이 어찌 형제 없음을 걱정하십니까?" '사생유명(死生有命) 부귀재천(富貴在天)'은 옛부터 전하는 고어, '군자(君子)…… 사해지내(四海之內) 개형제야(皆兄弟也)'는 공자로부터 들은 말일 것이다.

12-6. 자장이 총명에 대해서 묻자, 공자가 대답했다.

"물이 스며들어 적시듯이 은근히 하는 참언이나, 피부로 느껴질 듯이 절박한 하소연에 넘어가지 않아야 총명하다고 말할 수 있다. 더욱이 물이 스며들어 적시듯이 은근히 하는 참언이나, 피부로 느껴질 듯이 절박한 하소연에 넘어가지 않아야 비로소 멀리 내다볼 수 있게 된다."

原文 **子張**이 **問明**한대 **子曰, 浸潤之譖**이 **膚受之愬 不行焉**이면 **可謂明也已矣**니라. **浸潤之譖**이 **膚受之愬 不行焉**이면 **可謂遠也已矣**니라.

註解 ㅇ問明(문명)—사람을 밝게 보는 총명, 밝은 분별력. ㅇ浸潤之譖(침윤지참)—물이 스며들어 푹 젖게 하는 듯, 은근히 하는 참언. ㅇ膚受之愬(부수지소)—피부로 느낄 수 있게 노골적으로 절박하게 하는 호소나 참소. ㅇ不行焉(불행언)—(참언이나 호소를 듣고도) 넘어가지 않고 또 따르지 않으면. ㅇ可謂明也已矣(가위명야이의)—비로소 사람이나 사물을 밝게 보고 또 안다고 말할 수 있다. ㅇ可謂遠也已矣(가위원야이의)—멀리 앞을 내다본다고 말할 수 있다.

解說 바르고 어진 덕치(德治)를 펴기 위해서는 바르고 어진 선비를 등용해서 써야 한다. 그러므로 위정자는 사람을 밝게 보는 총명이 있어야 한다. 간흉(奸凶)한 참언(讒言)이나 참소(讒訴)에 넘어가지 않고 또 물리칠 수 있어야 한다.

12-7. 자공이 정치에 대해서 묻자, 공자가 대답했다. "백성의 식량을 충족하게 하고, 나라의 무력을 충실하게 하고 아울러 모든 사람

이 (나라를) 믿게 해야 한다."

자공이 "만부득이 한 가지를 버려야 한다면, 셋 중에 어느 것을 먼저 버려야 합니까?"하고 묻자 공자가 말했다. "무력 강화 정책을 버려야 한다."

자공이 또 "만부득이 한 가지를 더 버려야 한다면 나머지 둘 중에 어느 것을 버려야 합니까?"하고 묻자, 공자가 말했다. "식량 충족 정책을 버려야 한다. 자고로 사람은 다 죽게 마련이다. 그러나 사람들이 믿지 않으면, 나라가 존립할 수 없다."

原文 **子貢**이 **問政**한대 **子曰, 足食 足兵**이면 **民信之矣**리라. **子貢曰, 必不得已而去**인댄 **於斯三者**에 **何先**이리이꼬? **曰, 去兵**이니라. **子貢曰, 必不得已而去**인댄 **於斯二者**에 **何先**이리이꼬? **曰, 去食**이니 **自古皆有死**어니와 **民無信不立**이니라.

註解 ㅇ問政(문정)－정치의 요체를 물었다. ㅇ足食(족식)－백성들의 식량을 충족하게 한다. 즉 식량 정책을 잘 다스린다. ㅇ足兵(족병)－병(兵)은 무력이나 군비, 즉 무력을 충실하게 강화한다. ㅇ民信之矣(민신지의)－백성들이 나라를 믿는 일, 즉 백성들로 하여금 나라를 믿고 따르게 함이다. ㅇ必不得已而去(필부득이이거)－부득이하게 버려야 한다면. ㅇ於斯三者何先(어사삼자하선)－셋 중의 어느 것을 먼저 버려야 하느냐? ㅇ去兵(거병)－무력 강화 정책을 버린다. ㅇ去食(거식)－식량 충족 정책을 버린다. ㅇ自古皆有死(자고개유사)－자고로 사람은 다 죽게 마련이다. ㅇ民無信不立(민무신불립)－백성들이 믿지 않으면, 나라가 설 수 없다.

解說 언변이 좋고 돈벌이 잘하는 자공(子貢)이 정치의 요체(要諦)를 묻자, 공자가 대답했다. "백성들의 배를 채워주고 나라의 무력을

강화하고 아울러 국가에 대한 신망을 높여야 한다." 이는 곧 '민생(民生), 국방(國防) 및 국가에 대한 국민의 신망(信望)'을 말한 것이며, 오늘의 일반적인 정치관과 다를 바 없다.

그러나 이 세 가지 기본정책에 대한 비중이나 정책 수행 순서에 있어, 공자의 생각은 일반과 달랐다. 즉 공자는 '국민의 신망'을 가장 중시하고, 그 다음이 민생문제, 또 그 다음이 국방문제라고 말한 것이다. 패도(覇道)의 악덕정치에서는 '무력강화와 경제발전'을 앞세운다. 즉 '힘과 돈'으로 백성을 다스리고자 한다. 그러나 공자의 도덕정치(道德政治)에서는 '국민의 신망'을 앞세운다. 국민의 신망을 얻기 위해 '국가를 다스리는 위정자'는 인덕(仁德)을 갖추고 인정(仁政)을 펴야 한다. 안 그러면 국민의 신망을 얻을 수 없다.

오늘의 세계는 심각한 위기에 빠져 있다. 즉 '과학 기술과 재물을 송두리째 무력(武力)으로 화하고, 이기적 탐욕을 채우기 위해 남을 살상(殺傷)하고 남의 재물을 탈취하는 데 골몰하고 있다.' 이대로 가다가는 공멸(共滅)한다. 위기극복을 위해서 유교의 도덕정치 사상을 바르게 알아야 한다.

12-8. 위나라 대부 극자성이 말했다. "군자는 본질(本質)만을 높이면 된다. 어찌 문식(文飾)을 가하려 하는가?"

이에 대하여 자공이 말했다. "아깝게도 그대의 군자에 대한 설은 맞지 않습니다. 빨리 달리는 사두마의 수레도 (한번 내뱉은) 실언(失言)을 뒤쫓아갈 수 없다고 했습니다. 문식이 본질이고, 본질이 문식이라고 하여 (그 두 가지의 차이를 인정하지 않는다면) 호랑이나 표범의 가죽이 개나 양의 가죽과 같다고 하는 격입니다."

原文 棘子成이 曰, 君子는 質而已矣니 何以文爲리오? 子

貢이 曰, 惜乎라 夫子之說이 君子也나 駟不及舌이로다. 文猶質也며 質猶文也니 虎豹之鞹이 猶犬羊之鞹이니라.

註解 ㅇ棘子成(극자성)－위(衛)나라의 대부, 기타는 미상. ㅇ君子質而已矣(군자질이이의)－군자는 바탕이 되는 본질만 높이면 된다. ㅇ何以文爲(하이문위)－어찌 외형적인 문식(文飾)을 꾸미느냐? ㅇ惜乎(석호)－아깝다, 가석하다. ㅇ夫子之說君子也(부자지설군자야)－당신이 말하는 군자에 대한 의견은 (틀린다는 뜻). ㅇ駟不及舌(사불급설)－빨리 달리는 사두마차(四頭馬車)도 혀〔舌〕 즉 말〔言〕을 따를 수 없다. 잘못한 말을 돌이킬 수 없다. ㅇ文猶質也(문유질야)－문이 곧 질이다. ㅇ虎豹(호표)－호랑이나 표범. ㅇ鞹(곽)－털을 뽑은 속 가죽. ㅇ犬羊(견양)－개나 양.

解說 군자는 내면적 학문과 덕성과 외면적 문화적 꾸밈과 태도 및 행동거지가 일치해야 한다.

12-9. 애공이 유약에게 "금년에는 기근이 들어 국가의 비용이 모자라니 어떻게 하면 좋겠소?"하고 묻자, 유약이 "왜 '10분지 1을 받는 세법'을 쓰지 않으십니까?"하고 되물었다.

애공이 "지금 '10분의 2를 받는 세법'으로도 내가 모자라는데, 어떻게 '10분지 1을 받는 세법'을 쓰겠소?"했다. 이에 유약이 말했다. "백성이 풍족하면 더불어 임금이 부족하겠습니까? 백성이 부족하면 더불어 임금이 풍족하겠습니까?"

原文 哀公이 問於有若 曰, 年饑 用不足하니 如之何오? 有若이 對曰, 盍徹乎시니이꼬? 曰, 二도 吾猶不足이어니 如

之何 其徹也리오? 對曰, 百姓이 足이면 君孰與不足이며 百姓이 不足이면 君孰與足이리이꼬?

註解 ㅇ哀公(애공)－노나라 애공(기원전 494년에 즉위). 애공 16년에 공자가 사거했다. ㅇ有若(유약)－공자의 제자, 유자(有子), 〈學而篇 1-2〉 참고. ㅇ年饑(연기)－금년에 기근이 들었다. ㅇ用不足(용부족)－나라의 씀씀이가 부족하다. ㅇ如之何(여지하)－어떻게 하면 좋으냐? ㅇ盍徹乎(합철호)－왜 철(徹)을 아니 쓰느냐? 철(徹)은 '10분의 1을 거두는 세법'. ㅇ二(이)－여기서는 '10분의 2를 거두는 세법'을 쓰고 있다는 뜻. ㅇ吾猶不足(오유부족)－그래도 내가 부족한데. ㅇ如之何其徹也(여지하기철야)－어떻게 철(徹)의 세법을 쓰겠느냐? ㅇ君孰與不足(군숙여부족)－임금이 누구와 더불어 부족하랴?

解說 백성을 잘살게 해야 임금이나 나라도 부(富)하게 된다.

12-10. 자장이 덕을 높이고 미혹을 분별하는 일에 대해서 묻자, 공자가 말했다.

"충성과 신의를 중하게 여기고, 도의를 실천하는 것이 곧 덕을 높이는 일이다. 내가 좋아하면 그가 살기를 바라고, 내가 미워하면 그가 죽기를 바라지만, 그와 같이 살기를 바랐다가 또 죽기를 바라는 것이 곧 미혹이다."

(참으로 부하기 때문이 아니라, 단지 다를 뿐이다.)

原文 子張이 問崇德辨惑한대 子曰, 主忠信하며 徙義 崇德也니라. 愛之란 欲其生하고 惡之란 欲其死하나니 旣欲其生이오 又欲其死 是惑也니라. (誠不以富오 亦祇以異로다.)

註解 ㅇ子張(자장)-〈爲政篇 2-18〉 참고. ㅇ崇德(숭덕)-덕을 높인다, 숭(崇)은 높인다, 가득 채운다[充]. 덕(德)은 인덕(仁德). ㅇ辨惑(변혹)-미혹(迷惑)이나 의혹(疑惑)을 분별한다. ㅇ主忠信(주충신)-주(主)는 중하게 여긴다, 힘을 쓰다. 충(忠)은 '정성으로 최선을 다함'이다. 신(信)은 '언행일치(言行一致)로 신의를 지킴'이다. ㅇ徙義(사의)-(사리사욕에 매이지 않고) 도의를 따르고 실천한다. ㅇ愛之欲其生(애지욕기생)-내가 사랑하고 좋아하면, 그가 살기를 바라고. ㅇ惡之欲其死(오지욕기사)-내가 미워하고 싫으면 그가 죽기를 바란다. ㅇ旣欲其生(기욕기생)-전에는 그가 살기를 바라고. ㅇ又欲其死(우욕기사)-다시 이번에는 그가 죽기를 바란다. ㅇ是惑也(시혹야)-(그렇게 오락가락 하는 것이) 미혹이다. ㅇ誠不以富(성불이부) 亦祗以異(역지이이)-이 구절은 잘못 끼어든 것이다. 〈季氏篇 16-12〉에 들어가야 할 것이다.

解說 도덕(道德)의 바른 뜻을 알아야 한다. 도(道)는 절대선(絶對善)인 천도(天道)이다. 그 천도를 따르고 행해서 얻은 좋은 성과를 덕(德)이라 한다.

간악하고 음흉한 권모술수를 써서 재물이나 권력을 획득하는 것은 범죄적 악덕이다. 진정한 덕(德)은 곧 인덕(仁德)이다. 그러므로 덕을 높이기 위해서는 인심(仁心)을 바탕으로 남에게 성실하고 또 신의를 잘 지켜야 한다.

충(忠)은 '최선을 다한다'는 뜻이다. 국가의 중심인 임금에게 충성하는 것도 물론 충이다. 그러나 동시에 모든 사람들에게도 성실하게 대하고 또 자신이 최선을 다해서 사랑하고 받들어야 한다. 그것이 곧 충이다. 아울러 말과 행동이 일치하는 신의(信義)를 지키고 높여야 한다. 사회에 나가서 행동할 때는 사리사욕(私利私慾)을 극복하고 사회적 정의(正義)나 도의(道義)를 굳게 지키고 실천해야 한다. 그러므로 공자가 '숭덕(崇德)'은 곧 '주충신(主忠信)과 사의(徙義)'라고 말한 것이다.

절대선의 천도를 따르면 미혹하고 길을 잃지 않을 것이다. 그러나 사람들은 자기의 욕심이나 이해관계를 바탕으로 행동한다. 그래서 미혹하고 길을 잃는 것이다. 그 한 예를 '좋아하면 살기를 바라고, 미우면 죽기를 바란다'는 말로 들었다. '생사는 천명이다(死生有命).' 그런데 자기의 감정을 기준으로 인간의 생사를 결정하려고 한다. 이보다 더 큰 미혹이 있겠는가?

12-11. 제나라의 경공이 공자에게 정치에 대해서 묻자, 공자가 대답했다. "임금은 임금다워야 하고, 신하는 신하다워야 하고, 아비는 아비다워야 하고, 자식은 자식다워야 합니다."

이에 경공이 말했다. "좋은 말이오! 참으로 임금이 임금답지 못하고, 신하가 신하답지 못하고, 아비가 아비답지 못하고, 자식이 자식답지 못하면, 비록 곡식이 창고에 가득한들 내가 어찌 먹을 수 있겠소?"

原文 **齊景公**이 **問政於孔子**한대 **孔子 對曰, 君君 臣臣 父父 子子**니이다. **公曰, 善哉**라. **信如君不君**하며 **臣不臣**하며 **父不父**하며 **子不子**면 **雖有粟**이나 **吾得而食諸**아?

註解 ㅇ齊景公(제경공)－제(齊)나라 경공(景公 : 기원전 547~490년 재위), 이름은 저구(杵臼), 영공(靈公)의 아들. 대부(大夫) 최저(崔杼)가 자기 처와 밀통한 장공(莊公)을 죽이고 대신 내세운 임금. 경공은 장기간 자리를 지켰으나, 대부들의 세력을 억제하지 못하고, 나라도 바르게 다스리지 못했다. 공자는 경공을 두 번 만났다. 노(魯) 소공(昭公) 20년에 경공이 노나라에 왔을 때와, 25년 공자가 제나라에 갔을 때다. 이 대화를 언제 한 것인지는 알 수 없다. ㅇ君君(군군)－임금이 임금다워야 한다, 임금이 덕으로써 다스려야 한다. 동시에 상하(上下)의 위계(位階)와 질

서(秩序)가 바르게 서야 한다는 뜻. ㅇ臣臣(신신)－신하가 신하답다, 즉 신하의 도리와 본분을 잘 지킨다는 뜻. ㅇ父父(부부)－아버지가 아버지답게 자식을 애육(愛育)하고 가정을 다스려야 한다. ㅇ子子(자자)－자식이 자식다워야 한다. 부모를 섬기고 효도를 해야 한다. ㅇ善哉(선재)－참 좋은 말이다! ㅇ信如君不君(신여군불군)－참으로 임금이 임금다울 수 없다면. 임금이면서 임금 노릇을 제대로 할 수 없다면. ㅇ子不子(자부자)－자식이 자식의 도리를 다하지 않는다면. ㅇ雖有粟(수유속)－비록 곡식이 있어도. 비록 곡식이 창고에 가득한들. ㅇ吾得而食諸(오득이식제)－내가 어찌 먹을 수 있겠소?

解說 국가나 가정은 공동체다. 공동체가 잘 유지되고 더욱 발전하려면, 공동체의 구성원들이 자기의 위치와 본분을 잘 지키고 또 저마다의 직분과 역할을 충분히 수행해야 한다. 공자가 말한 "군군(君君), 신신(臣臣), 부부(父父), 자자(子子)"가 바로 이런 뜻이다. 각자가 주체(主體)가 되어 서로 사랑하고 협동하여 공동체를 형성하고 발전시키는 것이 인정(仁政)이요 덕치(德治)이다. 공자 사상의 깊은 뜻을 바르게 알자.

12-12. 공자가 말했다. "한 마디 말로써 판결을 내릴 수 있는 사람은 유일 것이다."(자로는 승낙한 일을 묵히는 법이 없다.)

原文 **子曰, 片言**에 **可以折獄者**는 **其由也與**인저. **子路**는 **無宿諾**이리라.

註解 ㅇ片言(편언)－한마디 말, 편파적인 말, 혹은 한쪽 말이라는 설도 있으나, 취하지 않는다. ㅇ可以折獄者(가이절옥자)－재판이나 옥사를 판결하고 해결할 수 있는 사람. 절(折)은 판결을 내린다. ㅇ其由也與(기

유야여)－그런 사람은 유(由)일 것이다. 유는 자로의 이름. ㅇ子路無宿諾(자로무숙낙)－자로는 승낙한 일을 묵히는 법이 없다. (이는 편집자의 기록이다.)

12-13. 공자가 말했다. "송사를 처리하는 일은 나도 남과 같지만, (나의 경우는) 반드시 송사 자체를 없게 하려고 한다."

原文 **子曰, 聽訟**이 **吾猶人也**나 **必也使無訟乎**인저.

註解 ㅇ聽訟(청송)－공사를 듣고 재판한다. ㅇ吾猶人也(오유인야)－나도 남과 같이 할 수 있다. ㅇ必也使無訟乎(필야사무송호)－(나는 기필코) 사람들에게 송사 자체가 없게 하겠다.

解說 백성들의 선본성(善本性)을 계발하고 인격을 도야(陶冶)하고, 사람들을 교화해서 저마다 윤리 도덕을 실천케 하는 것이 덕치(德治)의 기본이다. 그렇게 되면 자연히 송사 자체가 없어질 것이다.

12-14. 자장이 정치에 대해서 묻자, 공자가 말했다.
"자리에 있으면 게을리하지 말고, 충성껏 일을 처리하라."

原文 **子張**이 **問政**한대 **子曰, 居之無倦**하며 **行之以忠**이니라.

註解 ㅇ居之無倦(거지무권)－벼슬자리에 있으면, 절대로 게으르면 안 된다. ㅇ行之以忠(행지이충)－일처리를 충성으로써 해야 한다. 충(忠)은 마음속으로 정성을 다하고 또 도(道)를 따라서 자신이 최선을 다한다는 뜻이다. 무도한 임금 밑에서 맹목적으로 복종하는 것은 충성이 아니다.

12-15. 공자가 말했다. "널리 학문을 배우고, 예절로 단속을 해야, 도에 어긋나지 않게 될 것이다."

原文 子曰, 博學於文이오 約之以禮면 亦可以弗畔矣夫인저.

註解 ㅇ博學於文(박학어문)－박학(博學)은 널리 배우다, 문(文)은 '고전·학문·역사 및 옛날의 문물제도' 등을 포함한다. ㅇ約之以禮(약지이례)－약(約)은 요약하다, 단속하다. 예(禮)는 내면적으로는 천리(天理), 외형적으로는 예의범절. ㅇ亦可以弗畔矣夫(역가이불반의부)－역시 도(道)에 어긋나지 않게 될 수 있을 것이다.

解說 '박문약례(博文約禮)'해야 한다. 박학다식하되, 마음과 몸을 단속하고 예의범절을 지켜야 도(道)에서 벗어나지 않게 될 것이다.

12-16. 공자가 말했다. "군자는 남의 장점을 도와 더욱 아름답게 해주고, 남의 단점을 눌러 악하게 되지 않게 한다. 그러나 소인은 이와 반대로 한다."

原文 子曰, 君子는 成人之美하고 不成人之惡하나니 小人은 反是니라.

註解 ㅇ成人之美(성인지미)－남의 장점을 들어 훌륭한 사람이 되게 한다. ㅇ不成人之惡(불성인지악)－남의 단점을 시정하여 악인이 되지 않게 한다. ㅇ小人反是(소인반시)－소인배들은 남을 더욱 나쁜 사람이 되게 한다.

12-17. 계강자가 공자에게 정치에 대해서 묻자, 공자가 말했다. "정

치는 바로잡는 것입니다. 그대가 앞장서서 바르게 하면, 그 누가 감히 바르지 않게 하겠나이까?"

原文 季康子 問政於孔子한대 孔子對曰, 政者는 正也니 子帥以正이면 孰敢不正이리오?

註解 ㅇ季康子(계강자)－노나라의 참월무도한 대부. ㅇ政者正也(정자정야)－정치는 만사를 바르게 틀잡는 것이다. ㅇ帥(수)－앞장서서, 솔선수범하여. ㅇ孰敢不正(숙감부정)－누가 감히 부정할 수 있으랴?

12-18. 계강자가 도둑을 걱정하여 공자에게 묻자, 공자가 말했다. "우선 당신 자신이 탐욕하지 않으면, 비록 상을 준다고 해도, 도둑질할 사람이 없을 것이오."

原文 季康子 患盜하야 問於孔子한대 孔子對曰, 苟子之不欲이면 雖賞之라도 不竊하리라.

註解 ㅇ患盜(환도)－도둑이 많음을 걱정하여. ㅇ問於孔子(문어공자)－그 대책을 공자에게 물었다. ㅇ苟(구)－가령, 적어도. ㅇ子之不欲(자지불욕)－그대 자신이 탐욕하지 않으면. ㅇ雖賞之不竊(수상지부절)－비록 상을 준다고 해도, 사람들이 도둑질하지 않을 것이다.

12-19. 계강자가 정치에 대해서 물으면서 공자에게 말했다. "만약 무도한 사람을 사형에 처하고, 백성들로 하여금 도를 지키게 하면 어떻겠소?"

이에 공자가 말했다. "당신은 정치를 하겠다면서 어찌 살인을 하려고 하십니까? 당신이 선하려고 애를 쓰면, 백성들이 선하게 됩니다. 군자의 덕은 바람과 같고, 소인의 덕은 풀과 같은 것입니다. 풀은 바람이 불면 반드시 쓸리어 따르게 마련입니다."

原文 **季康子 問政於孔子曰, 如殺無道**하야 **以就有道**인댄 **何如**하니이꼬? **孔子對曰, 子爲政**에 **焉用殺**이리오? **子欲善**이면 **而民**이 **善矣**러니 **君子之德**은 **風**이요 **小人之德**은 **草**라 **草上之風**이며 **必偃**하느니라.

註解 ○如殺無道(여살무도)－만약에 무도한 사람을 사형에 처하고. ○以就有道(이취유도)－(백성들로 하여금) 도를 따르고 지키게 하면. ○子爲政焉用殺(자위정언용살)－그대는 정치를 함에 있어, 어찌 사람을 죽이려고 하시오. 어찌 언(焉). ○子欲善(자욕선)－그대가 선하기를 원한다, 선하게 하려고 노력하면. ○而民善矣(이민선의)－그에 따라 백성들이 착하게 된다, 선하게 한다. ○君子之德風(군자지덕풍)－임금이나 위정자의 덕은 바람과 같다. ○小人之德草(소인지덕초)－백성이나 서민들의 덕은 풀과 같다. ○草上之風(초상지풍)－풀 위에 바람이 불면, 지풍(之風)은 바람이 가면. ○必偃(필언)－반드시 바람에 나부낀다. 쓰러질 언(偃).

解說 근본적으로 인정(仁政)과 덕치(德治)의 바른 도리를 알 까닭이 없는 계강자가 "말 안 듣는 자를 사형하면 백성들이 순순히 따를 것이 아니냐?"고 형벌 강화의 뜻을 내비치자, 공자가 크게 핀잔을 주었다. "왜 살인의 정치를 하려느냐? 위정자가 선정을 지향하면 백성늘은 작하게 된다." 그리고 비유를 들어 말했다. "다스리는 사람은 바람이고 다스림을 받는 백성은 풀과 같다. 위에서 훈훈한 덕풍(德風)이 불면, 아래에 있는 풀들은 나부끼게 마련이다." 무지막지한 계

강자가 알아들었을까?

12-20. 자장이 "선비는 어떻게 하면 통달했다고 할 수 있습니까?"하고 묻자, 공자가 "네가 말하는 통달이란 무슨 뜻이냐?"고 반문했다. 이에 자장이 "제후의 나라에서도 반드시 이름이 나고, 경대부의 영지에도 반드시 이름이 나는 것입니다."라고 대답했다. 그러나 공자가 말했다.

"그것은 명성이지 통달이 아니다. (참으로 통달하는 사람은) 성품이 소박 강직하고 정의를 사랑하고, 남의 말을 깊이 살피고, 남의 기색을 관찰하고 또 신중한 태도로 남에게 겸손해한다. 그래야 제후의 나라에서도 통달할 수 있고 또 경대부의 영지에서도 통달할 수가 있는 것이다."

"그러나 명성을 얻기만 하는 사람은 겉으로는 인을 취하는 척하면서 실제로는 인에 어긋나는 짓을 한다. 그러면서도 자기의 처신에 대해서 의아하게 여기지 않는 사람이다. 이들이 곧 제후의 나라에서도 이름을 내고, 경대부의 영지에서도 이름을 내는 것이다."

原文 **子張**이 **問士 何如**라야 **斯可謂之達矣**니이꼬? **子曰, 何哉**오 **爾所謂達者**여? **子張**이 **對曰, 在邦必聞**하며 **在家必聞**이니이다. **子曰, 是**는 **聞也**라 **非達也**니라. **夫達也者**는 **質直而好義**하며 **察言而觀色**하야 **慮以下人**하나니 **在邦必達**하며 **在家必達**이니라. **夫聞也者**는 **色取仁而行違**요 **居之不疑**하나니 **在邦必聞**하며 **在家必聞**이니라.

註解 ㅇ士何如(사하여)－선비가 어떻게 하면. ㅇ斯可謂之達矣(사가

위지달의)－비로소 통달한다고 말할 수 있느냐? 사(斯)는 비로소. 달(達)은 통달, 달성. ㅇ何哉 爾所謂達者(하재 이소위달자)－그대가 말하는 달이란 무슨 뜻이냐? 무엇이냐? 네가 말하는 달이란? ㅇ在邦必聞(재방필문)－나라에서도 반드시 이름이 난다. 방(邦)은 제후(諸侯)가 다스리는 나라. 문(聞)은 알려지다, 소문이 난다. ㅇ在家必聞(재가필문)－가(家)는 경대부(卿大夫)가 다스리는 영지(領地). ㅇ是聞也(시문야)－네가 달(達)이라고 말한 것은 문(聞)이다. ㅇ非達也(비달야)－달이 아니다. ㅇ質直(질직)－본질이나 자질이 강직하고. ㅇ而好義(이호의)－아울러 정의를 사랑하고 도의를 실천한다. ㅇ察言(찰언)－남의 말을 깊이 살핀다. ㅇ觀色(관색)－얼굴 표정이나 기색을 관찰한다. ㅇ慮以下人(여이하인)－사려가 깊고 남에게 겸손하고 경하한다. ㅇ色取仁(색취인)－표면으로는 인(仁)을 취하는 척하면서. ㅇ而行違(이행위)－그러나 실지로는 인에 어긋나는 행동을 한다. ㅇ居之不疑(거지불의)－그렇게 하면서, 혹은 그렇게 처신하면서, 의아하게 여기지 않는다.

解說 자장(子張)이 국가나 지역사회에서 명성을 얻는 것을 성공이나 성취라고 착각한 잘못을 공자가 바로잡아 주었다. 국가나 공동체에서 진정한 공을 세우기 위해서는 "첫째로 너 자신이 본질적으로 강직하고 정의를 지켜야 한다(質直而好義). 다음에 위정자들의 언행이나 기색을 잘 살펴야 한다(察言而觀色). 그리고 백성들을 깊이 염려하고 또 그들에게 겸손해야 한다(慮以下人). 그래야 인정(仁政)이나 덕치(德治)를 위한 진정한 공을 세울 수 있다."

"공을 세우는 것과 가면을 쓰고 대중의 명성을 얻는 것과는 다르다." 진정한 공은 도(道)를 따르고 행해서 달성된다. 공자는《효경(孝經)》에서 "입신행도 양명어후세(立身行道 揚名於後世)"라고 말했다.

12-21. 번지가 공자를 따라 무우단(舞雩壇) 아래에서 바람을 쏘이다

가 말했다. "감히 여쭈어 청하겠습니다. 덕을 높이고, 악을 바로잡고 미혹을 분별하는 길을 일러주십시오."

이에 공자가 말했다. "참으로 좋은 질문이다. 일을 앞세우고 얻기를 뒤로 하면, 그것이 덕이 아니겠느냐? 자신의 나쁜 점을 스스로 탓하고 남의 나쁜 점은 탓하지 않는 것이 바로 악을 바로잡는 길이 아니겠느냐? 하루 아침의 분을 참지 못하고 포악한 짓을 하여, 그 누를 부모에게까지 미치게 하는 것이 미혹이 아니겠느냐?"

原文 樊遲 從遊於舞雩之下러니 曰, 敢問崇德 脩慝 辨惑하노이다. 子曰, 善哉라 問이여. 先事後得이 非崇德與아. 攻其惡이오 無攻人之惡이 非脩慝與아. 一朝之忿으로 忘其身하야 以及其親이 非惑與아.

註解 ㅇ樊遲(번지)－공자의 제자, 〈爲政篇 2-5〉 참고. ㅇ從遊(종유)－공자를 따라 소풍한다, 소요한다. ㅇ於舞雩之下(어무우지하)－무우(舞雩) 근처에서, 혹은 무우단(舞雩壇) 아래에서. 무우는 기우제(祈雨祭)를 지내는 단이 있는 곳. ㅇ崇德(숭덕)－덕을 높이는 길. ㅇ脩慝(수특)－사악한 마음을 바로잡고, 선을 행하는 길. 닦을 수(脩), 사특할 특(慝). ㅇ辨惑(변혹)－미혹을 분별하고 바르게 판단하는 길. 분별할 변(辨), 미혹할 혹(惑). ㅇ善哉問(선재문)－참으로 좋은 질문이다. ㅇ先事後得(선사후득)－사회나 국가를 위해서 어려운 일을 남보다 먼저 나서서 하고, 내가 차지할 보수나 이득은 뒤에 얻는다. ㅇ非崇德與(비숭덕여)－그렇게 하는 것이 숭덕이 아니겠느냐? ㅇ攻其惡(공기악)－자신의 잘못이나 결점을 탓하고 꾸짖는다. ㅇ無攻人之惡(무공인지악)－남의 잘못이나 결점을 공격하지 않는다. ㅇ一朝之忿(일조지분)－일시적, 순간적인 분(忿)이나 분기(憤氣). ㅇ忘其身(망기신)－(일시적인 분을 참지 못하고) 자기 몸을 돌보지 않고, (남과 싸운다). ㅇ以及其親(이급기친)－그 화가 부모에게 미치게

하는 것이. ㅇ非惑與(비혹여)-어리석고 미혹된 짓이 아니겠느냐?

解說 앞의 제10장에서 자장(子張)도 거의 같은 질문을 했다. 이에 대한 공자의 대답은 서로 다르다. 이 장에서 공자는 '일을 먼저 하고 뒤에 얻는 것'을 덕이라 하고, '자신을 책하고 남에게 관대하게 함'을 수특(修慝)이라 하고, '분을 참지 못하고 남과 싸워 그 화를 부모에게 미치도록 하는 것'을 미혹(迷惑)이라고 말했다.

12-22. 번지가 인(仁)에 대하여 묻자, 공자가 말했다. "남을 사랑함이다." 번지가 다시 지(知)에 대해서 묻자, 공자가 말했다. "사람을 알아보는 것이다."

그러나 번지가 뜻을 깨닫지 못하자, 공자가 다시 말했다. "강직한 사람을 등용하여 사악한 사람 위에 쓰면, 사악한 사람도 강직한 사람으로 변할 수 있다."

번지가 스승 앞에서 물러나와 자하를 보고 말했다. "아까 내가 선생님을 뵈옵고 지(知)에 대해서 묻자, 선생님께서 '강직한 사람을 등용하여 사악한 사람 위에 쓰면, 사악한 사람도 강직한 사람으로 변할 수 있다'고 대답하셨는데 무슨 뜻입니까?"하고 묻자, 자하가 말했다.

"그 말씀은 참으로 많은 뜻을 지니고 있습니다. 순임금이 천하를 차지하자, 여러 사람들 중에서 선발하여 고요를 등용하니, 어질지 못한 사람들이 멀어졌으며, 탕임금이 천하를 차지하자, 여러 사람들 중에서 선발하여 이윤을 등용하니, 어질지 못한 사람들이 멀어졌던 것입니다."

原文 樊遲 問仁한대 子曰, 愛人이니라. 問知한대 子曰, 知

人이니라. 樊遲 未達이어늘 子曰, 擧直錯諸枉이면 能使枉者直이니라. 樊遲退하야 見子夏曰, 鄕也에 吾見於夫子而問知하니 子曰, 擧直錯諸枉이면 能使枉者直이라 하니 何謂也오? 子夏曰, 富哉라 言乎여. 舜有天下에 選於衆하사 擧皐陶하시니 不仁者遠矣오. 湯有天下에 選於衆하사 擧伊尹하시니 不仁者遠矣니라.

註解 ㅇ樊遲(번지)-〈爲政篇 2-5〉 참고. ㅇ問仁(문인)-인에 대해서 질문하다. ㅇ愛人(애인)-사람을 사랑함이 인이다. 인(人)은 모든 사람, 다른 사람. ㅇ問知(문지)-지(知)에 대해서 질문하다. ㅇ知人(지인)-사람을 바르게 아는 것이 곧 지다. ㅇ未達(미달)-그 뜻을 알지 못했다. ㅇ擧直錯諸枉(거직조제왕)-곧은 사람을 들어 굽은 사람 위에 놓는다. 조(錯)는 놓다, 등용하다. 제(諸)는 '지어(之於)'의 합자(合字). ㅇ能使枉者直(능사왕자직)-굽은 사람을 능히 곧은 사람이 되게 할 수 있다. ㅇ樊遲退 見子夏曰(번지퇴 견자하왈)-번지가 공자 앞에서 물러나와, 자하를 보고 물었다. ㅇ鄕也(향야)-아까, 전에. ㅇ富哉言乎(부재언호)-참으로 여러 가지 뜻이 있고 또 깊은 말이로다. ㅇ舜有天下(순유천하)-순임금이 천하를 다스릴 때에, 순(舜)은 오제(五帝)의 두 번째 성제(聖帝). 첫 번째 요(堯)가 순에게 선양(禪讓)했다. ㅇ選於衆(선어중)-여러 사람들 중에서 선발하다. ㅇ擧皐陶(거고요)-고요(皐陶)를 등용해 쓰다. 고요는 현신(賢臣)으로 순임금 밑에서 법을 바르게 다스렸다. ㅇ不仁者遠矣(불인자원의)-어질지 않은 사람, 즉 무도하고 악한 사람들이 멀어지게 되었다. 자취를 감추고 사라졌다. ㅇ湯(탕)-은(殷)나라를 세운 성군(聖君). 하(夏)의 무도한 폭군 걸(桀)을 치고 은나라를 세웠다. ㅇ伊尹(이윤)-탕왕을 보필한 공신(功臣)이자 현신(賢臣)이다.

解說 모든 사람을 사랑하는 것이 인(仁)이다. 어질고 착한 사람을 등용해서 나라를 다스려야 인정(仁政)이나 덕치(德治)를 펼 수 있다.

지인(知人)이 정치의 요체다.

12-23. 자공이 붕우의 도에 대해서 묻자, 공자가 말했다. "충고하고 잘 인도하되, 듣지 않으면 그만두어야 한다. 지나친 충고로 도리어 욕을 당하는 일이 없게 해야 한다."

原文 **子貢**이 **問友**한대 **子曰, 忠告而善道之**호대 **不可則止**하야 **毋自辱焉**이니라.

註解 ㅇ問友(문우)－벗과 사귀는 도리에 대해서 묻다. ㅇ忠告而善道之(충고이선도지)－충고하고 잘 인도한다. ㅇ不可則止(불가즉지)－상대가 (충고를) 듣지 않으면 그만둔다. ㅇ毋自辱焉(무자욕언)－지나친 충고로 도리어 욕을 보는 일이 없어야 한다.

12-24. 증자가 말했다. "군자는 글로써 벗과 사귀고, 벗함으로써 서로의 인덕을 돕고 높인다."

原文 **曾子曰, 君子以文會友**하고 **以友輔仁**이니라.

註解 ㅇ以文會友(이문회우)－학문이나 글로써 벗한다. ㅇ以友輔仁(이우보인)－벗함으로써 서로의 인덕을 돕고 높인다.

解說 사람은 평생 벗과 사귀고 어울리게 마련이다. 좋은 벗은 학문을 통해 절차탁마하고 서로의 인덕을 높이고 훌륭한 일꾼이 된다. 함께 어울려 술 마시고 노는 벗은 서로 해롭다.

제13편 자로편(子路篇)

총 30장으로 되어 있다. 전반에는 주로 정치에 관한 문답(問答)이 많고, 후반에는 정치와 가정 도덕 및 위정자와 정치에 참여하는 선비들이 지켜야 할 도덕에 관한 내용이 많다. 형병(邢昺)은 대략 다음과 같이 말했다. "선인이나 군자들이 나라를 다스리고 백성을 교화하는 인정(仁政)과 효제(孝悌)에 대한 글들이 많다. 특히 중용의 도를 지키고 윤리 도덕을 실천하는 것이 수신(修身)과 치국(治國)의 기본임을 밝혔다."

13-1. 자로가 정치에 대해서 묻자, 공자가 말했다. "백성들의 앞에서서 일을 하고, 다음에 백성들을 부려야 한다."

"좀 더 자세히 말씀해 주십시오."하고 자로가 청하자, 공자가 말했다. "언제나 게으름을 피우지 말아라."

原文 **子路 問政**한대 **子曰, 先之勞之**니라. **請益**한대 **曰, 無倦**이니라.

註解 ㅇ子路問政(자로문정)-자로가 정치에 대해서 물었다. ㅇ先之勞之(선지로지)-백성들에 앞서서 솔선수범하고 다음에 백성들도 수고롭게 일하도록 하라. ㅇ請益(청익)-더 자세히 말씀해 주십시오. ㅇ無倦(무권)-물리거나 게으름을 피우지 마라.

解說 '선지로지(先之勞之)'를 공안국(孔安國)은 '앞서서 덕으로 인

도하고, 백성들로 하여금 믿게 하고, 다음에 그들을 부리고 일을 하게 한다.(先導之以德 使民信之 然後勞之)'라고 풀이했다.

13-2. 중궁이 계씨의 가재(家宰)가 되어 공자에게 정치에 대해서 묻자, 공자가 말했다. "먼저 담당자에게 일을 처리케 하고, 작은 잘못은 관대히 용서해 주고, 현명한 사람을 등용해 써라."

중궁이 "어떻게 현명한 사람인지를 알고, 그를 등용해 씁니까?" 하고 묻자, 공자가 말했다. "네가 잘 아는 현명한 사람을 먼저 등용해라. 그리하면 네가 모르는 현명한 사람을 남들이 내버려두지 않고 추천할 것이다."

原文 **仲弓**이 **爲季氏宰**라 **問政**한대 **子曰, 先有司**오 **赦小過**하며 **擧賢才**니라. **曰, 焉知賢才而擧之**리이꼬? **曰, 擧爾所知**면 **爾所不知**를 **人其舍諸**아.

註解 ㅇ仲弓(중궁)－공자의 제자 염옹(冉雍), 〈公冶長篇 5-5〉 참고. ㅇ爲季氏宰(위계씨재)－계씨(季氏)의 재(宰). 재(宰)는 여기서는 가신(家臣)의 장(長). ㅇ先有司(선유사)－먼저 유사로 하여금 일을 처리케 한다. 유사(有司)는 일의 담당자. ㅇ赦小過(사소과)－작은 잘못은 관대하게 용서한다. ㅇ擧賢才(거현재)－현명한 인재를 등용한다. ㅇ焉知(언지)－어찌 알 수 있느냐? ㅇ擧爾所知(거이소지)－네가 알고 있는 현명한 인재를 먼저 등용해라. ㅇ爾所不知(이소부지)－그러면 네가 모르는 현명한 인재를. ㅇ人其舍諸(인기사제)－남들이 내버려두겠느냐? (반드시 추천할 것이다.)

解說 재(宰)는 하급관리를 통솔하는 자리다. 적재(適材)를 적소

(適所)에 쓰되, 그 중에도 현명한 인재를 찾아서 등용해 써야 한다.

13-3. 자로가 공자에게 "위나라의 임금이 선생님을 모셔다가 정치를 부탁하면, 무엇을 먼저 하시겠습니까?"하고 묻자, 공자가 말했다. "반드시 명분을 바로잡겠다."

자로가 "그렇습니까? 그러나 선생님의 생각은 너무 우원(迂遠)하십니다. 왜 명분을 먼저 바로잡으시려고 하십니까?"하고 되묻자, 공자가 말했다.

"너는 참으로 무식하고 무례하구나. 유야! 군자는 자기가 모르는 일에는 입을 다물고 있어야 한다. 명분이 바로서지 않으면, 말이 순조롭게 전달되지 못하고, 말이 순조롭게 전달되지 않으면, 모든 일이 성취되지 못하고, 모든 일이 성취되지 않으면, 예악이 흥성하지 못하고, 예악이 흥성하지 않으면, 형벌이 적중하지 못하고, 형벌이 적중하지 않으면, 백성들은 손발 둘 곳을 잃게 된다. 그러므로 군자가 사물에 적합한 이름을 지을 때에는 반드시 말할 수 있게 하며, 말한 것을 반드시 행할 수 있게 해야 한다. 그러므로 군자는 말에 있어, 조금이라도 소홀한 바가 있어서는 아니된다."

原文 **子路 曰, 衛君**이 **待子而爲政**하시나니 **子將奚先**이시리이꼬? **子曰, 必也正名乎**인저. **子路 曰, 有是哉**라 **子之迂也**여 **奚其正**이시리이꼬? **子曰, 野哉**라 **由也**여. **君子 於其所不知**에 **蓋闕如也**니라 **名不正 則言不順**하고 **言不順 則事不成**하고 **事不成 則禮樂不興**하고 **禮樂不興 則刑罰不中**하고 **刑罰不中 則民無所錯手足**이니라. **故**로 **君子 名之**인댄

必可言也며 **言之**인댄 **必可行也**니 **君子於其言**에 **無所苟而已矣**니라.

註解 ㅇ衛君(위군)-위나라의 출공(出公) 첩(輒), 기원전 492~481년에 재위, 영공(靈公)이 죽자, 영공의 부인 남자(南子)가 외국에 망명중인 태자 괴외(蒯聵)를 젖혀놓고 태자의 아들 첩을 자리에 올렸다. 그리고 첩도, 자기 부친 괴외의 귀국을 방해했다. 말하자면 윤상(倫常)을 어긴 무도한 임금이다. ㅇ待子而爲政(대자이위정)-(만약에) 선생님을 받들어 모시고 정치를 한다면. ㅇ子將奚先(자장해선)-선생님은 무슨 일을 먼저 하시겠습니까? ㅇ必也正名乎(필야정명호)-반드시 먼저 명분을 밝히고, 사물의 이름을 바르게 잡겠다. ㅇ有是哉(유시재)-그렇게 하시겠습니까? ㅇ子之迂也(자지우야)-(그러나) 선생님의 생각은 우원(迂遠)하십니다. ㅇ奚其正(해기정)-(당장에 고치고 처리할 일이 많을 텐데) 왜 명분 바로잡는 일을 먼저 하시려고 하십니까? ㅇ野哉由也(야재유야)-유야! 너는 참으로 촌놈이로구나. 야(野)는 무식하고 무례하다는 뜻. ㅇ於其所不知(어기소부지)-자기가 모르는 일에 대해서는. ㅇ蓋闕如也(개궐여야)-개(蓋)는 무릇. 궐여(闕如)는 빠뜨린다, 즉 모른 척한다는 뜻. 개궐(蓋闕)을 합해서 '덮어두고 빠뜨린다'로 풀기도 한다. ㅇ名不正(명부정)-명분이나 사물의 이름이 바르지 않으면. ㅇ則言不順(즉언불순)-사람들의 말이 순탄하게 통하지 못한다. ㅇ言不順 則事不成(언불순 즉사불성)-말이 순탄하게 통하지 않으면, 일이 바르게 성취되지 않는다. ㅇ禮樂不興(예악부흥)-국가의 기강이나 질서를 문화적 도덕적으로 틀 잡는 예악이 흥성할 수 없다. ㅇ刑罰不中(형벌부중)-형벌을 바르고 적절하게 적용하거나 집행할 수 없다. ㅇ民無所錯手足(민무소조수족)-백성들이 손발을 놓거나 움직일 수 없게 된다. 즉 행동할 수 없게 된다는 뜻. ㅇ君子名之(군자명지)-군자(君子)는 통치하는 임금이나, 정치에 참여하는 선비, 명지(名之)는 모든 일에 명분을 밝히고 아울러 모든 사물에 이름이나 호칭을 붙인다. ㅇ必可言也(필가언야)-반드시 말로 할 수 있게 한다. 언어로 표현한다. ㅇ言之(언지)-언어로 표현하고. ㅇ必可行也(필가행야)-반드시

실천해야 한다. ㅇ君子於其言(군자어기언)－군자는 대의명분을 밝히고 모든 사물에 이름을 부여할 때에는. ㅇ無所苟而已矣(무소구이이의)－조금도 소홀하게 하는 바가 없다. 즉 엄격하게 한다.

解說 이 장은 도덕정치의 핵심이 되는 정명론(正名論)이다. 오늘날의 타락한 세계 정치는 '정치란 거짓말하는 것, 무력으로 남을 위협하고 굴복케 하는 것, 재물이나 이득으로 남을 낚고 따르게 하는 것'이 전부다.

그러므로 오늘의 정치에는 절대선(絶對善)의 천도 천리도 없고, 윤리도덕도 없다. 고작 있는 것이 국회에서 정한 법이다. 그런데 그 법을 정하는 국회가 '무력 · 재물 및 권력의 시녀'이기 때문에, 그 법이 만민을 위한 공평무사한 법이 되지 못하고 일부의 이득을 보장하는 법으로 타락하고 있는 것이다.

국제 정치의 경우는 더 심하다. 초강대국은 '막강한 무력과 엄청나게 많은 재물과 고도의 과학 기술 및 조직력을 결집하고' 전세계의 모든 나라를 지배하고 있다. 쉽게 말하면 '무력의 패권으로 세계를 지배하고 있다.'

그러면서 그 상태를 평화 혹은 세계화라고 한다. 다시 말하면, 강대국에 의한 세계정복 상태를 평화라고 말하고 있다. 그러면서 그 틀에서 벗어나기 위해 민족적 자주를 높이고 자위적 국방을 강화하려는 약소국가를 불량국이나 테러 국가라고 치부하고 온갖 수단을 동원해서 그들을 압박한다. 그리고도 입으로는 세계평화, 민족공존을 외친다.

한 나라의 생존권, 즉 국권(國權)도 인정하지 않는 강대국은 약소국가의 인권(人權)을 들먹인다. 이를 두고 인류 위기라고 하는 것이다.

13-4. 번지가 공자에게 농사 짓는 법을 가르쳐 달라고 청하자, 공자

가 말했다. “나는 늙은 농부만 못하다.”

번지가 다시 채소 키우는 법을 가르쳐 달라고 청하자, 공자가 말했다.“ 나는 늙은 채소장이만 못하다.”

번지가 나가자, 공자가 말했다. “번수는 참으로 소인이구나. 윗사람이 예를 좋아하면 백성들도 경건하지 않을 리 없고, 윗사람이 도의를 잘 지키면 백성들도 복종하지 않을 리 없고, 윗사람이 신의를 잘 지키면 백성들도 성실하지 않을 리 없다. 이렇게 되면, 사방에 있는 이웃나라 백성들이 제 자식을 포대기에 싸 업고 찾아올 것이다. 이렇듯 덕으로써 다스리면 되는 것인데, 어찌 군자가 농사를 배우고자 하는가.”

原文 **樊遲 請學稼**한대 **子曰, 吾不如老農**호라. **請學爲圃**한대 **曰, 吾不如老圃**호라. **樊遲出**커늘 **子曰, 小人哉**라 **樊須也**여. **上好禮 則民莫敢不敬**하고 **上好義 則民莫敢不服**하고 **上好信 則民莫敢不用情**이니 **夫如是 則四方之民**이 **襁負其子而至矣**리니 **焉用稼**리오.

註解 ㅇ樊遲(번지)－공자의 제자, 이름이 수(須). 〈爲政篇 2-5〉 참고. ㅇ請學稼(청학가)－농사 짓는 법을 배우고 싶습니다. ㅇ吾不如老農(오불여노농)－나는 늙은 농부만큼 알지 못한다. ㅇ請學爲圃(청학위포)－채소밭 가꾸는 법을 배우고 싶다. 밭 포(圃). ㅇ老圃(노포)－늙은 채소장이. ㅇ小人哉 樊須也(소인재 번수야)－번수는 참으로 사람이 잘다, 소인이로다. ㅇ上好禮(상호례)－윗사람이 예를 좋아하면, 상(上)은 위에서 백성을 다스리는 사람들. ㅇ則民莫敢不敬(즉민막감불경)－그러면 백성들도 감히 공경하지 않을 수 없다. ㅇ上好義(상호의)－윗사람이 도의나 정의를 좋아하면. ㅇ莫敢不服(막감불복)－감히 복종하지 않을 수 없다. ㅇ上好信(상호신)－윗사람이 신의를 좋아하면, 즉 신의를 잘 지키면. ㅇ用情(용

정)-사랑과 인정을 베풀다. ㅇ夫如是(부여시)-그렇게 되면. ㅇ四方之民(사방지민)-사방에 있는 인접국가의 백성들이. ㅇ襁負其子(강부기자)-포대기에 자기 자식을 싸 업고. 포대기 강(襁). ㅇ而至矣(이지의)-그 좋은 나라로 올 것이다. ㅇ焉用稼(언용가)-(정치를 담당하는 선비는 그 나라의 도덕을 높이는 일에 전념해야 한다) 어찌 농사 짓는 일을 하겠느냐?

解說 공자가 학문과 덕행을 겸비한 군자(君子)를 배양하는 목적은 인정(仁政)과 덕치(德治)를 실현하기 위해서다. 그러므로 장차 도덕정치에 참여한 군자들은 '문행충신(文行忠信)' 〈爲政篇 7-24〉 및 예악(禮樂)을 잘 학습해야 한다. 돈벌이나 농사 짓는 일은 백성들에게 맡기면 된다. 위에 있는 군자들이 덕풍(德風)으로 백성들을 교화하면, 백성들이 감화되게 마련이다. 따라서 저마다 도(道)를 따라 바르게 살고, 예(禮)를 따라 근면 절약하고, 도의와 사회 정의를 지키고, 서로 사랑하고 신의를 지키게 될 것이다. 그렇게 되면 사방에 있는 인접국가에서 모든 백성들이 '그 나라의 인정 덕치를 흠모하고' 모여들 것이다.

공자는 '군자불기(君子不器)' 〈爲政篇 2-12〉라고 했다. 즉 군자는 절대선(絶對善)의 천도(天道)를 따르고 활용해서 평화세계를 실현하는 지도자라는 뜻이다. 그러므로 군자의 직책과 사명은 공업이나 농업에 종사하는 사람과 다른 것이다.

13-5. 공자가 말했다. "시 3백 편을 암송해도, 맡은 바 정사를 제대로 처리하지 못하고, 또 사방에 사신으로 나가서 혼자서 응대하지 못한다면, 비록 많은 시를 외웠다 한들 무슨 소용이 있겠느냐?"

原文 子曰, 誦詩三百호대 授之以政에 不達하며 使於四

方에 不能專對하면 雖多나 亦奚以爲리오.

註解 ㅇ誦詩三百(송시삼백)－시 3백 편을 암송하다. 《시경(詩經)》을 공자 때에는 '시'라고 불렀다. ㅇ授之以政(수지이정)－(그 사람에게) 정사(政事) 처리를 맡기다. 줄 수(授). ㅇ不達(부달)－달성하지 못한다, 맡은 바 정사를 잘 처리하지 못한다. ㅇ使於四方(사어사방)－사방에 있는 다른 나라에 사신으로 파견되다. ㅇ不能專對(불능전대)－혼자서 응대하지 못한다. 사신으로 가서 외교적 임무를 다하지 못한다. ㅇ雖多(수다)－비록 많아도, 즉 암송한 시가 많아도. ㅇ亦奚以爲(역해이위)－역시 무슨 쓸모가 있나?

解說 《시경(詩經)》의 내용을 크게 '풍(風), 아(雅), 송(頌)' 셋으로 분류한다. 풍(風)을 통해서 민풍(民風)을 살피고, 아(雅)로써 정치적 행사를 알 수 있고, 송(頌)을 통해 국가를 창건한 선조신의 공덕을 기린다. 결국 《시경》에 있는 3백 편의 시는 다 덕치(德治)의 교훈을 담고 있는 것이다. 《시경》 3백 편을 배우고 암송하는 목적은 덕치를 진작함에 있다. 암송만 하고, 덕치에 공을 세우지 못하거나, 외국에 사신으로 가서 외교적 사명을 완수하지 못한다면, 《시경》을 배우고 암송한 보람이 없게 되는 것이다.

13-6. 공자가 말했다. "위정자 자신이 올바르면 명령을 내리지 않아도 만사가 이루어지고, 위정자 자신이 올바르지 못하면 비록 호령을 해도 백성들이 따르지 어니한다."

原文 子曰, 其身正이면 不令而行하고 其身不正이면 雖令不從이니라.

註解 ㅇ其身正(기신정)－자신을 올바르게 하면. ㅇ不令而行(불령이

행)－법령이나 명령을 내리지 않아도 정책이 행해진다. 즉 백성들이 따르고 행한다. ㅇ雖令不從(수령부종)－비록 명령을 내려도 따르고 행하지 않는다.

13-7. 공자가 말했다. "노나라와 위나라의 정치는 형제 같다."

原文 子曰, 魯衛之政이 兄弟也로다.

註解 ㅇ魯衛之政(노위지정)－노나라와 위나라의 정치. ㅇ兄弟也(형제야)－형제지간이다, 형제와 같다.

解說 노(魯)는 주공(周公)의 후손이 임금이 된 나라이고, 위(衛)는 주공의 동생 강숙(康叔)이 임금이 된 나라다. 이 두 나라는 주(周)의 후예가 세운 나라다. 그러나 공자 시대에는 두 나라의 국력이 다 쇠퇴했으므로 공자가 한탄한 말이다. 그러나 주(周)나라의 문화를 부흥하려는 공자가, 희망을 이 두 나라에 걸고 있음을 밝힌 말이기도 하다.

13-8. 공자가 위나라의 공자(公子) 형(荊)을 다음과 같이 높이 평했다. "그는 집안의 살림을 잘했다. 처음 재물이 생기자, '이만하면 소용에 맞겠다'라고 말했으며, 그후 좀더 재물이 늘어나자, '그런대로 갖추어졌다'라고 말했으며, 그후 재물이 많아지자, '이제야 아름답게 되었다'고 말했느니라."

原文 子謂衛公子荊하대, 善居室이로다 始有에 曰, 苟合矣라하고 少有에 曰, 苟完矣라하고 富有에 曰, 苟美矣라하니라.

註解 ㅇ子謂(자위)－공자가 비평하다. ㅇ衛公子荊(위공자형)－위나라의 공자 형, 공자(公子)는 임금의 서자(庶子), 형(荊)은 위나라에서 높이 평가하는 육군자(六君子) 중의 한 사람. ㅇ善居室(선거실)－집안 살림을 잘 다스리다. ㅇ始有 曰苟合矣(시유 왈구합의)－처음에 재물이 생기자, (형이) "이만하면 소용(所用)에 맞겠다."고 말했다. ㅇ少有 曰苟完矣(소유 왈구완의)－그후 재물이 조금 더 생기자, (형이) "그런대로 갖추어졌다."고 말했다. ㅇ富有 曰苟美矣(부유 왈구미의)－그후 재물이 부유하게 되자, (형이) "이제야 집안 살림이 아름답게 되었다."고 말했다.

解說 위나라의 공자이면서, 교만하지 않고 절검(節儉)하고 지족(知足)하는 형(荊)의 집안 다스리기, 특히 경제생활을 칭찬한 말이다. 예나 지금이나 사람들은 끝간 데 없는 욕심으로 재물을 긁어모으려 하고, 잘못된 삶을 살고 있다. 그러나 형은 공자의 몸으로 '안분지족(安分知足)'할 수 있었다. 만족은 마음으로 얻는 것이다.

13-9. 공자가 위나라에 갔을 때, 염유가 수레를 몰았다. 그러자 공자가 말했다. "백성들이 많구나."

염유가 "이렇게 백성들이 많으니, 다음에 무엇을 더 보태야 합니까?"하고 묻자, 공자가 말했다. "백성들을 부유하게 해주어야 한다."

염유가 "백성들이 부유하게 된 다음에는 무엇을 더 해주어야 합니까?"하고 묻자 공자가 말했다. "백성들을 교화해야 한다."

原文 **子 適衛**하실새 **冉有 僕**이러니 **子曰, 庶矣哉**라. **冉有曰, 旣庶矣**어든 **又何加焉**이리이꼬? **曰, 富之**니라. **曰, 旣富矣**어든 **又何加焉**이리이꼬? **曰, 教之**니라.

註解 ㅇ子適衛(자적위)－공자가 위나라에 갔다. 갈 적(適). ㅇ冉有僕

(염유복)－제자 염유가 수레를 몰았다. 종 복(僕). 여기서는 수레를 몰다. ㅇ庶矣哉(서의재)－위나라에 사람들이 많다, 백성들이 매우 번성하다. ㅇ旣庶矣(기서의)－이렇게 백성들이 번성하니. ㅇ又何加焉(우하가언)－다시 무엇을 가해 주어야 하나? ㅇ富之(부지)－백성들을 경제적으로 잘살게 해준다. ㅇ敎之(교지)－(경제적 부를 누리게 한 다음에는) 그들을 교육하고 교화해야 한다.

解說 좋은 나라에는 많은 백성들이 모여들게 마련이다. 그들을 경제적으로 잘살게 해주어야 한다. 그 다음에는 백성들을 교육하고 교화해서 도덕적으로 높여야 한다.

13-10. 공자가 말했다. "혹 나를 써 준다면, 1년이면 나라를 바로잡고, 3년이면 성과를 올리겠다."

原文 **子曰, 苟有用我者**면 **期月而已**라도 **可也**니 **三年**이면 **有成**이니라.

註解 ㅇ苟有用我者(구유용아자)－혹 나를 써 준다면, 구(苟)는 혹, 가령. '유용아자(有用我者)'를 '나를 등용해 쓰는 사람이 있다'로 풀기도 한다. ㅇ期月而已(기월이이)－1년이면, 기월(期月)은 1년. 이이(而已)는 다만, 즉 1년이면의 뜻. ㅇ可也(가야)－족하다, 된다. 즉 나라를 바로잡겠다는 뜻. ㅇ三年有成(삼년유성)－3년이면 도덕정치의 성과를 올리겠다.

解說 위나라 영공(靈公)이 공자를 등용하지 않자, 위나라를 떠나면서 한 말이다(《史記》 〈孔子世家〉).

13-11. 공자가 말했다. "착한 사람이 나라 다스리기를 백 년 하면,

잔인포악한 자를 눌러 이기고, 사형을 없앨 수 있다고 했거늘, 참으로 옳은 말이다.”

原文 **子曰, 善人爲邦百年**이면 **亦可以勝殘去殺矣**라 하니 **誠哉**라 **是言也**여.

註解 ㅇ爲邦百年(위방백년)－백 년만 나라를 다스리면. ㅇ亦可以(역가이)－역시 ……할 수 있다. ㅇ勝殘(승잔)－잔학한 자들을 눌러 이기고. ㅇ去殺矣(거살의)－살인을 없게 한다. ㅇ是言也(시언야)－옳은 말이다.

13-12. 공자가 말했다. “천명을 받은 왕자가 나타난다면, 반드시 30년 후에는 인덕(仁德)이 넘치리라.”

原文 **子曰, 如有王者**라면 **必世而後仁**이니라.

註解 ㅇ如有王者(여유왕자)－만약에 천명을 받은 왕자가 나타나 나라를 다스린다면. 혹 ‘왕자가 나타난다 해도’로 풀기도 한다. ㅇ必世(필세)－반드시 한 세(世)가 지나면. 세(世)는 30년. ㅇ而後仁(이후인)－(30년이) 지난 후에야 인정(仁政)과 인덕(仁德)이 넘칠 것이다.

13-13. 공자가 말했다. “자기 몸가짐을 바르게 한다면 다스리는 데 무슨 어려움이 있겠느냐? 자기 몸가짐을 바르게 하지 않으면, 어찌 남을 바르게 다스릴 수 있겠느냐?”

原文 **子曰, 苟正其身矣**면 **於從政乎何有**며 **不能正其身**이면 **如正人何**오?

註解 ㅇ苟(구)－가령, 만약에. ㅇ正其身矣(정기신의)－자기 몸을 바르게 한다면, 몸가짐이나 언행(言行)을 바르게 한다면. ㅇ於從政乎(어종정호)－정치에 종사함에, 즉 다스림에 있어. ㅇ何有(하유)－무슨 어려움이 있겠느냐? 아무런 문제가 없다. ㅇ不能正其身(불능정기신)－자기 한 몸도 바르게 하지 못한다면. ㅇ如正人何(여정인하)－'정인(正人)'을 '어찌……하랴(如……何)'

解說 공자는 〈안연편(顔淵篇)〉에서 "정치는 바르게 함이다.(政者正也)" 〈12-17〉라고 말했다.

13-14. 염유가 조정에서 물러나오자, 공자가 "왜 늦었느냐?"하고 물었다. 이에 염유가 "정치적인 일이 있었습니다."하고 대답하자, 공자가 말했다.

"그것은 계씨의 개인적인 일이다. 만약 나라의 정치적인 일이라면, 비록 내가 등용되지 않았어도, 함께 참석하여 듣기는 했을 것이다."

原文 **冉子 退朝**어늘 **子曰, 何晏也**오? **對曰, 有政**이러이다. **子曰, 其事也**로다. **如有政**인댄 **雖不吾以**나 **吾其與聞之**니라.

註解 ㅇ冉子(염자)－공자의 제자 염유(冉有), 당시 그는 계씨(季氏)의 가신으로 일을 했다. ㅇ退朝(퇴조)－조정에서 퇴근하다, 물러나오다. ㅇ何晏也(하안야)－어째서 늦었느냐? ㅇ有政(유정)－정사(政事)가 있었다. ㅇ其事也(기사야)－그것은 (정사가 아니고) 계씨 일가의 사사로운 일이다. ㅇ如有政(여유정)－만약 국가적인 정사가 있었다면. ㅇ雖不吾以(수불오이)－'비록 내가 등용되지는 않았지만(雖不吾用)', 이(以)=용(用). ㅇ吾其與聞之(오기여문지)－나도 그들과 함께 그 자리에 참석하고, 논의(論議)를 들었을 것이다.

解說 공자는 정치의 요체(要諦)로 "반드시 명분과 이름을 바르게 해야 한다.(必也正名乎)" 〈子路篇 13-3〉고 말했다. 당시 계씨(季氏)는 대부(大夫)의 신분으로 노(魯)나라의 정사(政事)를 가로채고 전횡(專橫)하고 있었다. 국가의 정사는 군주(君主)가 다스리는 것이다. 이를 대부가 가로챘으니, 그것은 정사가 아니고 가사(家事)다.

13-15-1. 노나라 정공이 물었다. "한 마디로 나라를 흥하게 할 수 있는 그런 말이 있겠소?"

이에 공자가 대답했다. "말은 원래 그렇게 할 수 있는 것이 아닙니다. 그러나 그와 근사한 뜻으로 사람들이 전하는 바 '임금 되기 어렵고, 신하 되기 쉽지 않다'는 말이 있습니다. 만약에 임금 되기 어려움을 참으로 안다면, 그 말이 곧 한마디로 나라를 흥하게 할 수 있는 말에 가까운 것이 아니겠습니까?"

原文 定公이 問, 一言而可以興邦이라 하니 有諸이꼬? 孔子對曰, 言不可以若是 其幾也어니와 人之言曰, 爲君難하며 爲臣不易라 하니 如知爲君之難也인댄 不幾乎一言而興邦乎이꼬?

註解 ㅇ定公(정공)−노(魯)나라 임금, 기원전 509~495년 재위. 공자 나이 44세에서 58세 때까지의 임금. ㅇ一言而可以興邦(일언이가이흥방)−한 마디 말로써 나라를 흥성(興盛)하게 할 수 있다. ㅇ有諸(유제)−그러한 말이 있겠나? ㅇ言不可以若是(언불가이약시)−말이란 원래 그런 것이 아니니다. 즉 말만으로는 그렇게 나라를 흥성하게 만들 수 없다는 뜻. ㅇ其幾也(기기야)−그와 근사한 것으로는. ㅇ人之言(인지언)−사람들이 하는 말이 있다. ㅇ爲君難(위군난)−임금노릇하기 어렵다, 임금 되

기 어렵다. ㅇ爲臣不易(위신불이)－신하 되기도 어렵다. ㅇ如知爲君之難也(여지위군지난야)－만약에 임금 되기 어렵다는 뜻을 바르게 안다면. 지(知)는 '알고 바르게 행한다면'의 뜻이 포함되어 있다. ㅇ不幾乎(불기호)－가까운 말이 아니겠느냐?

13-15-2. 정공이 또 물었다. "한 마디로 나라를 잃게 할 수 있는 그런 말이 있겠소?"

이에 공자가 대답했다. "말은 원래 그렇게 할 수 있는 것이 아닙니다. 그러나 그와 근사한 뜻으로 사람들이 전해오는 바, '나는 임금 된 것을 기뻐하지 않지만, 내 말을 백성들이 어기지 않는 것을 기쁘게 여긴다'라는 말이 있습니다. 만약 임금의 말이 착하고, 그 말을 어기지 않는다면, 그야 좋지 않겠습니까? 그러나 임금의 말이 착하지 못한데 백성들이 어기지 못한다면, 그것이 곧 한 마디로 나라를 잃게 할 수 있는 말에 가까운 것이 아니겠습니까?"

原文 **曰, 一言而喪邦**이라 하나니 **有諸**이꼬? **孔子對曰, 言不可以若是 其幾也**어니와 **人之言曰, 予無樂乎爲君**이오 **唯其言而莫予違也**라 하나니 **如其善而莫之違也**인댄 **不亦善乎**이꼬? **如不善而莫之違也**인댄 **不幾乎一言而喪邦乎**이꼬?

註解 ㅇ一言而喪邦(일언이상방)－한 마디 말로써 나라를 잃게 한다. 나라를 잃게 하는 한 마디 말. ㅇ有諸(유제)－그런 말이 있나? ㅇ予無樂乎爲君(여무락호위군)－나는 임금 된 것을 기쁘게 여기지 않는다. ㅇ唯其言而莫予違也(유기언이막여위야)－다만 내가 말을 하면, (백성들이) 어기지 않는 것을 (기쁘게 여긴다). 혹은 (바란다). ㅇ如其善而莫之違也(여기선이막지위야)－만약에 임금의 말이 착하고 백성들이 어기지

않는다면. ㅇ不亦善乎(불역선호)－역시 좋지 않겠느냐? ㅇ如不善而莫之違也(여불선이막지위야)－만약에 (임금의 말이) 나쁜데, 백성이 어기지 못한다면. ㅇ不幾乎(불기호)－가깝지 않으냐?

解說 옛날이나 지금이나, 세속적인 정치는 '거짓말'로 국민들을 속이고 있다. 그러므로 악덕한 통치자는 국민들을 속이는 '한 마디 말로 나라를 흥하게도 하고, 반대로 망하게도 한다'고 착각하고 있다. 나라의 흥망성쇠는 '거짓말'에 매여 있는 것이 아니라, '언행충신(言行忠信)'을 지키느냐 안지키느냐에 달려 있는 것이다. 그래서 공자는 '언불가이약시(言不可以若是)'라고 한 것이다.

그러나 굳이 국가의 흥망성쇠를 상징하는 '근사한 한 마디 말'을 들자면 하고 공자는 말했다. "만약에 임금이 임금 노릇하기 어려움을 알고, 인덕(仁德)을 닦고 인정(仁政)을 편다면(如知爲君之難也)" 그것이 나라를 흥하게 하는 말이 될 것이다. 반대로 "임금이 무조건 자기 말 따르기를 강요한다면(唯其言而莫予違也)" 그것이 곧 나라를 망치는 길이라고 지적했다. 옛날이나 지금이나 정치는 절대선의 도를 따라야 한다.

13-16. 섭공이 정치에 대해서 묻자, 공자가 말했다. "가까운 사람들이 기쁘게 따르고, 먼 사람들이 덕을 따라오게 해야 합니다."

原文 **葉公**이 **問政**한대 **子曰, 近者說**하며 **遠者來**니라.

註解 ㅇ葉公(섭공)－초(楚)나라의 대부. 〈述而篇 7-18〉 참고. ㅇ近者說(근자열)－가까운 사람들이 기뻐하다. ㅇ遠者來(원자래)－이웃 나라 사람들이 덕을 따라온다.

13-17. 자하가 거보의 읍재가 된 다음에 정사에 대해서 묻자, 공자가 말했다. "급하게 서둘지 말고 또 작은 이익을 얻으려고 하지 마라. 급하게 서둘면 통달할 수 없고, 작은 이득을 얻으려고 하면 큰 일을 이루지 못한다."

原文 **子夏 爲莒父宰**라 **問政**한대 **子曰, 無欲速**하며 **無見小利**니 **欲速則不達**하고 **見小利則大事不成**니니라.

註解 ㅇ爲莒父宰(위거보재)－거보(莒父)의 읍재(邑宰)가 되다. 거보는 노(魯)나라의 읍으로, 현 산동성(山東省) 거현(莒縣). 재(宰)는 장(長). ㅇ無欲速(무욕속)－빨리 하려고 서둘지 마라. ㅇ無見小利(무견소리)－작은 이득을 보려고 하지 마라. ㅇ則不達(즉부달)－그러면 통달하지 못한다. 근본적으로 일을 처리하지 못한다. ㅇ大事不成(대사불성)－큰 일을 성취하지 못한다.

解說 한 도성(都城)의 정사를 처리할 때에도, 인정(仁政)의 원칙에 따라, 크게 내다보고 통달되게 해야 하며, 눈앞의 작은 이득을 탐하고 덕치(德治)를 망각해서는 안된다.

앞에 있다. '착한 사람이 나라 다스리기를 백 년 하면, 잔인포악한 자를 눌러 이기고, 사형을 없앨 수 있다고 했거늘, 참으로 옳은 말이다.' 〈子路篇 13-11〉. '천명을 받은 왕자가 나타난다면, 반드시 30년 후에는 인덕(仁德)이 넘치리라.' 〈子路篇 13-12〉. 비록 지방의 행정이지만 이와 같은 원대한 목표를 따라 바르게 다스려야 한다.

13-18. 섭공이 공자에게 말했다. "우리 마을에 궁(弓)이라는 강직한 사람이 있는데, 자기 아버지가 양을 훔친 것을 증언했소."

이에 공자가 말했다. "우리들이 말하는 강직이란 그런 것이 아닙니다. 아버지는 자식을 위해 숨기고, 자식은 아버지를 위해 숨깁니다. 강직은 그런 속에 있어야 합니다."

原文 葉公이 語孔子曰, 吾黨에 有直躬者하니 其父攘羊이어늘 而子證之하나이다. 孔子曰, 吾黨之直者는 異於是하니 父爲子隱하며 子爲父隱하나니 直在其中矣니라.

註解 ㅇ黨(당)—마을, 공동체, 향당(鄕黨). 1당은 25호(戶). ㅇ有直躬者(유직궁자)—이름을 궁(弓=躬)이라고 하는 강직한 사람이 있다는 뜻. 주자(朱子)는 '직궁(直躬)을 강직하게 행동하는 사람'이라고 풀이했다. ㅇ其父攘羊(기부양양)—자기 부친이 남의 양을 훔치자. ㅇ而子證之(이자증지)—그 아들이 (자기 부친의 죄를) 증언하다. ㅇ吾黨之直者(오당지직자)—우리 마을에서 말하는 강직한 사람은. ㅇ異於是(이어시)—그와는 다르다. ㅇ父爲子隱(부위자은)—부친은 자식의 죄를 감추고 자식을 위한다. ㅇ子爲父隱(자위부은)—자식은 자기 아비의 죄를 감추고 위한다. ㅇ直在其中矣(직재기중의)—그 속에 강직이 있는 것이다. 기중(其中)은 '부자가 서로 사랑하고 위하는 인륜 속에'라는 뜻.

解說 부자(父子)의 인륜(人倫)이 바로서야 공동체가 바르게 형성된다. 바른 공동체에서 사회정의를 찾아야 한다. 아비를 고발하는 자식은 금수만도 못하다.

13-19. 번지가 인에 대해서 묻자, 공자가 말했다. "거처할 때에는 공손한 태도를 취하고, 일을 처리할 때에는 신중하게 하고, 남에게는 충성을 다하는 것이다. (이런 인덕은) 비록 오랑캐 땅에 가서도 버리면 안된다."

原文 樊遲 問仁한대 子曰, 居處恭하며 執事敬하며 與人忠을 雖之夷狄이라도 不可棄也니라.

註解 ○樊遲(번지)－〈爲政篇 2-5〉 참고. ○問仁(문인)－인에 대해서 묻다. ○居處恭(거처공)－평상시의 몸가짐이나 언행을 공손하게 한다. ○執事敬(집사경)－일을 다스릴 때에는 신중한 태도로 처리한다. ○與人忠(여인충)－모든 사람에게 충성을 다한다. 충(忠)은 정성을 기울여 최선을 다한다는 뜻. ○雖之夷狄(수지이적)－비록 오랑캐 나라에 가서도. 지(之)는 가다, 이(夷)는 서쪽 오랑캐, 적(狄)은 북쪽 오랑캐. ○不可棄也(불가기야)－(그와 같은 인자의 태도를) 버리면 안된다.

解說 번지가 막연하게 인(仁)에 대해서 묻자, 공자는 인자(仁者)가 취할 태도를 일러주었다. 그리고 그와 같은 인자의 태도는 비록 오랑캐 땅에 가는 경우에도 잘 지니고 행하라고 강조했다. 군자의 인덕은 오랑캐들도 감화시킬 수 있음을 암시한 것이다.

인자(仁者)는 마음속에 인심(仁心)을 지니고 행동으로 인덕(仁德)을 세워야 한다. 그러므로 '일상생활을 경건하게 하고(居處恭)' '모든 일을 신중하게 받들고 처리해야 하며(執事敬)' 특히 '모든 사람을 대할 때에, 정성과 최선을 다해야 한다(與人忠).'

13-20-1. 자공이 물었다. "어떻게 하면, 선비라고 할 수 있습니까?"

공자가 말했다. "몸가짐과 언행에 부끄러움이 있어야 한다. 또 사방에 외교사절로 나가 임금으로부터 받은 사명을 욕되게 하지 말아야 한다. 그래야 비로소 선비라 할 수 있다."

原文 子貢이 問曰, 何如라야 斯可謂之士矣이꼬? 子曰,

行己有恥하며 **使於四方**하야 **不辱君命**이면 **可謂士矣**니라.

註解 ㅇ子貢(자공)－〈學而篇 1-10〉 참고. ㅇ斯可謂之士矣(사가위지사의)－비로소 선비라고 말할 수 있나? 사(斯)=즉(則). ㅇ行己有恥(행기유치)－행기(行己)는 자신의 몸을 행함에 있어. 즉 몸가짐과 언행에 있어, 유치(有恥)는 부끄러움이 있다. 잘못 했을 때, 양심의 가책을 느끼고, 창피하게 여긴다는 뜻. ㅇ使於四方(사어사방)－사신(使臣)이 되어 사방 여러 나라로 간다. ㅇ不辱君命(불욕군명)－임금이 내린 사명을 완수하고 욕되게 하지 않는다.

13-20-2. 자공이 또 "감히 묻겠습니다. 그 다음 가는 사람은 어떠합니까?"하자, 공자가 말했다. "일가 친척들로부터 효자라고 칭찬 받고, 마을 사람들로부터 우애롭다고 칭찬을 받아야 하느니라."

原文 **曰, 敢問其次**하노이다. **曰, 宗族**이 **稱孝焉**하며 **鄉黨**이 **稱弟焉**이니라.

註解 ㅇ敢問其次(감문기차)－감히 묻겠습니다. 그 다음가는 사람은 어떤 사람입니까? ㅇ宗族稱孝焉(종족칭효언)－종족들로부터 효자라고 칭찬을 받는다. ㅇ鄉黨稱弟焉(향당칭제언)－마을사람들로부터 공손하고 우애롭다고 칭찬을 받는다.

13-20-3. 자공이 또 "감히 묻겠습니다. 그 다음 가는 사람은 어떠합니까?"하자, 공자가 말했다. "말하면 반드시 실행하고, 실행하면 반드시 성과를 거두는 사람이다. (비록) 딱딱하고 강직하여 소인 같지만 그래도 역시 그 다음은 갈 수 있다."

原文 曰, 敢問其次하노이다. 曰, 言必信하며 行必果하면 硜硜然小人哉나 抑亦可以爲次矣니라.

註解 ㅇ言必信(언필신)－말하면 반드시 신의를 지키고 행한다. ㅇ行必果(행필과)－행하면 반드시 성과를 거둔다. 결과를 본다. ㅇ硜硜然(갱갱연)－딱딱하고 융통성이 없다. 돌소리 갱(硜). ㅇ抑亦可以爲次矣(억역가이위차의)－그런대로 그 다음은 될 수 있다.

13-20-4. 자공이 "오늘날 정치에 참여하고 있는 사람은 어떻습니까?"하고 묻자, 공자가 말했다.
"아! 말들이밖에 안되는 조그만 기량을 가진 사람이야 논할 바 못된다."

原文 曰, 今之從政者는 何如니이꼬? 子曰, 噫라 斗筲之人을 何足算也리오.

註解 ㅇ今之從政者(금지종정자)－오늘날 정치에 참여하고 있는 사람. ㅇ何如(하여)－어떠하냐? ㅇ噫(희)－감탄사, 아! ㅇ斗筲之人(두소지인)－말들이 그릇같이 도량이 좁은 사람. 말 두(斗), 대그릇 소(筲). ㅇ何足算也(하족산야)－어찌 논할 수 있겠느냐?

解說 선비는 원칙적으로 예의염치(禮義廉恥)를 알고 가려야 한다. 예(禮)는 절대선(絶對善)의 천도천리(天道天理)를 따르고 실천함이다. 의(義)는 도리를 따라 사물을 바르게 처리함이다. 아울러 사회정의를 지킴이다. 염(廉)은 청렴결백(淸廉潔白)함이다. 치(恥)는 양심이나 수치심을 바탕으로 자신의 잘못을 창피하게 여김이다. 사람

만이 수치심을 지니고 있다.

단 공자가 여기서 말하는 선비는 치(恥)를 가리는 데서부터 시작한다. 즉 낮은 단계의 선비라 하겠다. 공자는 그들을 다시 3단계로 나누어 말했다. 으뜸은 자기 잘못을 창피하게 여기고, 정치적 사명을 다하는 정치 참여자이다. 다음은 정치에 참여하지 못하고 야에 처해 있으되, 일가친척으로부터 효자라고 칭찬을 받고, 사회적으로는 겸손하고 우애롭다고 칭찬을 받는 사람이다. 그 아래 단계는 언행일치(言行一致)하고 작은 일이라도 성취하는 인간이다. 이 3단계만을 선비라고 말할 수 있다고 말했다. 그러나 오늘날의 정치에 참여하고 있는 자들은 '소인(小人)'들이므로, 선비 속에 들어갈 수 없다고 말했다. 선비는 도(道)를 따르고 행하는 사람이다.

13-21. 공자가 말했다. "중용의 도를 행하는 사람과 함께 하지 못할 바에는 차라리 뜻이 높은 사람이나 혹은 고집스러운 사람을 택하겠다. 뜻이 높은 사람은 진취적이고, 고집스러운 사람은 나쁜 일은 하지 않기 때문이다."

原文 子曰, 不得中行而與之엔 必也狂狷乎인저. 狂者는 進取오 狷者는 有所不爲也니라.

註解 ㅇ不得中行(부득중행)－부득(不得)은 얻지 못한다, 중행(中行)은 중용의 도를 행하는 사람의 뜻. ㅇ而與之(이여지)－'부득(不得)'에 걸린다. '……하는 사람과 함께하지 못할 바에는'. ㅇ必也狂狷乎(필야광견호)－반드시 뜻이 높은 사람이나 고집스러운 사람을 택하겠다. 광(狂)은 지나치게 뜻이 높고 진취적인 사람, 견(狷)은 무식하지만 고집스럽고 굳은 사람. ㅇ狂者進取(광자진취)－광자는 진취적이고. ㅇ狷者有所不爲也

(견자유소불위야)－(나쁘다고 생각하면) 하지 않는다.

解說 혼자서는 나라를 다스릴 수 없다. 반드시 많은 사람이 함께 어울리고 힘을 합쳐야 한다. 즉 도(道)를 같이 하는 동지가 있어야 한다. 가장 이상적인 동지는 '중용(中庸)의 도, 중정(中正)의 도'를 행하는 참다운 군자다. 그러나 그런 사람은 많지 않고 또 어울리기 어렵다. 그렇다고 해서 간사하고 아첨하는 소인배와 짝을 하면 안된다. 차라리 과격하고 적극적인 사람이나 혹은 견고하고 고집스러운 사람과 함께 하면, 크게 나쁜 짓은 안하게 될 것이다.

13-22. 공자가 말했다. "남쪽 사람이 '사람에게 항심(恒心)이 없다면 무당이나 의원도 어찌 할 수 없다'고 말했는데, 참 좋은 말이다. 《주역(周易)》에 '덕행이 일정하지 않으면, 수치를 초래한다'는 점괘가 있다." 그리고 공자가 말했다. "그런 것은 점을 치지 않는다."

原文 子曰, 南人이 有言曰, 人而無恒이면 不可以作巫醫라 하니 善夫라. 不恒其德이면 或承之羞라 하니 子曰, 不占而已矣니라.

註解 ㅇ南人有言(남인유언)－남쪽에 한 사람이 말했다. ㅇ人而無恒(인이무항)－사람이면서 항심(恒心)이 없다. 항심은 곧 변하지 않는 도덕성(道德性), 즉 인심(仁心). ㅇ不可以作巫醫(불가이작무의)－무당이나 의술로서도 어찌할 수 없다. ㅇ善夫(선부)－좋다, 잘한 말이다. ㅇ不恒其德 或承之羞(불항기덕 혹승지수)－자신의 언행을 도덕성에 맞게 하지 않으면, 혹 수치나 창피를 초래한다. 《역경(易經)》 항괘(恒卦) 구삼(九三)의 효사(爻辭)다. ㅇ不占而已矣(부점이이의)－(그런 도덕성은) 점을 치지 않는다.

解說 공자는 선인(善人)은 고사하고 '유항자(有恒者)'라도 만나보면 좋겠다고 말했다. 〈述而篇 7-25〉. '유항자'는 '마음이나 언행이 한결같은 사람', 즉 '변치 않는 인심(仁心)을 바탕으로 도덕을 지키고 행하는 사람'의 뜻이다. 외부의 명예나 이욕(利慾)에 흔들리지 않고, 굳게 절개를 지키고 도를 행하는 사람이다. 인간의 본성인 인심이나 도덕성은 무술(巫術)이나 의술(醫術)의 대상이 아니다.

13-23. 공자가 말했다. "군자는 화동(和同)하고 뇌동(雷同)하지 않는다. 소인은 뇌동하고 화동하지 않는다."

原文 **子曰, 君子**는 **和而不同**하고 **小人**은 **同而不和**니라.

註解 ㅇ君子(군자)－학문과 덕행을 쌓고 인정(仁政)과 덕치(德治)에 참여하는 휴머니스트. ㅇ和(화)－인도(仁道)를 중심으로 하며 화합하고 협동한다. ㅇ不同(부동)－부화뇌동(附和雷同)하지 않는다. ㅇ小人(소인)－이기적(利己的)·관능적(官能的) 욕구를 바탕으로 재물이나 무력만을 추구하는 자질구레한 사람. ㅇ同而不和(동이불화)－소인은 부화뇌동하고 화동 협력하지 않는다.

解說 국가 민족의 번영이나 발전을 위해서 서로 힘을 합치고 협력해야 한다. 그것이 군자다. 소인은 나만 잘살면 된다는 천박한 생각으로 재물만을 추구한다. 또 소인들은 작당하고 부화뇌동하면서 반도덕적인 삶을 산다. 그러므로 공동체의 공동이익을 해친다.

13-24. 자공이 물었다. "마을 사람들이 모두 좋아하면 어떻습니까?" 공자가 "그것만으로는 좋지 못하다."고 말하자, 자공이 또 물었다.

"마을 사람들이 모두 미워하면 어떻습니까?"

이에 공자가 말했다. "그래도 좋지 못하다. 마을의 착한 사람들이 좋아하고, 마을의 나쁜 사람들이 미워하는 그런 사람이라야 한다."

原文 子貢이 問曰, 鄕人皆好之면 何如니이꼬? 子曰, 未可也니라. 鄕人이 皆惡之면 何如니이꼬? 子曰, 未可也니라. 不如鄕人之善者 好之오 其不善者 惡之니라.

註解 ㅇ鄕人皆好之(향인개호지)—마을 사람들이 모두 좋아한다. ㅇ何如(하여)—(모든 사람의 호감을 사는) 그런 사람은 어떠하냐? ㅇ未可也(미가야)—(모든 사람의 호감을 사는 것만으로는) 좋다고 할 수 없다. ㅇ惡之(오지)—미워하다, 즉 미움을 받다. ㅇ不如(불여)— ……만 못하다, 차라리 ……하는 편이 좋다. ㅇ鄕人之善者好之(향인지선자호지)—마을 사람들 중 착한 사람이 좋아하고. ㅇ其不善者惡之(기불선자오지)—마을 사람들 중 악한 사람이 미워한다.

解說 공자는 말했다. "인자라야 능히 남을 좋아할 수도 있고, 미워할 수도 있다.(惟仁者能好人能惡人)" 〈里仁篇 4-3〉. 일반 대중은 선악시비(善惡是非)를 바르게 가리거나 또 판단하지 못한다. 그러므로 무식한 대중의 지지를 얻는 사람이 반드시 좋은 사람이라고 단정할 수 없다. 선인이 좋아하고 악인이 미워하는 그런 사람이라야 한다.

세속적인 생각으로는 모든 사람의 지지를 받고, 모든 사람으로부터 사랑받는 그런 사람을 덕(德)있는 사람이라고 착각한다. 그러나 군자(君子)는 절대선(絶對善)의 천도(天道)를 기준으로 선(善)을 선양하고, 악(惡)을 억제해야 한다. 그렇게 되면, 대중들 중 착한 사람은 그를 좋아하며 따를 것이고, 반대로 악한 사람들은 그를 꺼리고 멀리할 것이다.

13-25. 공자가 말했다. "군자는 섬기기는 쉬우나 기쁘게 하기는 어렵다. 바른 도리가 아닌 방법으로 그를 기쁘게 해도, 군자는 기뻐하지 않는다. 군자가 사람을 부릴 때에는 재능과 기량에 적합하도록 부린다.

이와 반대로 소인은 섬기기는 어렵고 기쁘게 해주기는 쉽다. 비록 도리가 아닌 방법으로 그를 기쁘게 해주어도 그는 기뻐한다. 또 소인은 사람을 부릴 때에는 한 사람에게 모든 기능이 구비되기를 요구한다."

原文 子曰, 君子는 易事而難說也니 說之不以道면 不說也요 及其使人也 器之니라. 小人은 難事而易說也니 說之雖不以道라도 說也요 及其使人也 求備焉이니라.

註解 ㅇ君子易事(군자이사)－군자는 섬기기는 쉽다. ㅇ而難說也(이난열야)－그러나 그를 기쁘게 하기는 어렵다. ㅇ說之不以道(열지불이도)－바른 도리가 아닌 방법으로 그를 기쁘게 해도. ㅇ及其使人也(급기사인야)－군자가 다른 사람을 부리고 쓸 때에는. ㅇ器之(기지)－기량에 적합하게 부리고 쓴다. ㅇ小人難事而易說也(소인난사이이열야)－소인은 섬기기는 어려워도 기쁘게 하기는 쉽다. ㅇ求備焉(구비언)－한 사람에게 모든 기능이 구비되기를 구한다.

解說 군자는 도가 행해지고 천하가 평화롭게 되어야 기뻐한다. 그러므로 기쁘게 하기 어렵다. 소인은 도는 제쳐놓고, 자신의 끝없는 탐욕을 채워 주어야 기뻐한다. 그래서 어렵다.

13-26. 공자가 말했다. "군자는 태연하면서도 교만하지 않고, 소인은 교만할 뿐 태연하지 못하다."

原文 子曰, 君子는 泰而不驕하고 小人은 驕而不泰니라.

註解 ㅇ泰(태)－태연자약하다. ㅇ而不驕(이불교)－그러나 교만하다. ㅇ小人驕而不泰(소인교이불태)－소인은 교만하기만 하고, 태연자약하지 못하다.

解說 군자는 도(道)와 하나가 된다. 그러므로 태연할 수 있다. 소인은 탐욕스럽게 이득을 추구하기 때문에 태연할 수가 없다.

13-27. 공자가 말했다. "강직하고 과감하고 질박하고 말이 무딘 사람은 인에 가깝다."

原文 子曰, 剛毅木訥近仁이니라.

註解 ㅇ剛(강)－강직하다, 물욕(物慾)에 굴하지 않고, 의지가 굳다. ㅇ毅(의)－의연하다. 기상이나 기개가 높고 크다. ㅇ木(목)－소박(素朴)하고 질박(質朴)하다. 목(木)＝박(朴). ㅇ訥(눌)－말을 신중하게 한다, 입이 무겁다. ㅇ近仁(근인)－인자(仁者)의 성품이나 인덕(仁德)에 가깝다.

解說 이기적(利己的)·관능적(官能的)·동물적(動物的) 욕심을 극복해야 인덕(仁德)에 가까이 갈 수 있다. 그러기 위해 '강의목눌(剛毅木訥)'해야 한다.

13-28. 자로가 "어떻게 하면 가히 선비라 하겠습니까?"하고 묻자, 공자가 말했다. "간곡히 서로 선을 권하고, 잘못을 고치도록 애를 쓰고 또 함께 화목하고 즐기면 선비라 말할 수 있다. 즉 친구에게는

서로 간곡히 선을 권하고 잘못을 고치도록 애를 쓰고, 형제간에는 부드럽게 화목하고 즐겨야 한다."

原文 **子路 問曰, 何如**라야 **斯可謂之士矣**니이꼬? **子曰, 切切偲偲**하며 **怡怡如也**면 **可謂士矣**니 **朋友**엔 **切切偲偲**오 **兄弟**엔 **怡怡**니라.

註解 ㅇ斯可謂之士矣(사가위지사의)−비로소 선비라고 말할 수 있습니까? ㅇ切切(절절)−간곡히 권하고 잘못을 책한다. ㅇ偲偲(시시)−애를 쓰고 노력하다. ㅇ怡怡(이이)−화동(和同)하고 화락(和樂)한다.

13-29. 공자가 말했다. "선인이 백성을 7년간 가르치면, 백성들을 전쟁에 나가 싸우게 할 수 있다."

原文 **子曰, 善人**이 **教民七年**이며 **亦可以卽戎矣**니라.

註解 ㅇ善人(선인)−도(道)를 따르고 행하는 착한 사람. ㅇ教民七年(교민칠년)−백성들을 가르치고 교화한다. 주자(朱子)는 '효제충신(孝悌忠信)'을 가르친다고 풀었다. ㅇ卽戎(즉융)−전쟁에 나가 싸우게 할 수 있다. 이 때의 싸움은 나라를 수호하는 성전(聖戰)의 뜻이다.

13-30. 공자가 말했다. "백성들을 바르게 가르치지 않고 전쟁에서 싸우게 한다면, 이는 곧 백성들을 버리는 것이 된다."

原文 **子曰, 以不教民戰**이면 **是謂棄之**니라.

註解 ㅇ以不教民戰(이불교민전)－백성들을 바르게 교육하거나 교화하지 않고 싸우게 하는 것은. ㅇ是謂棄之(시위기지)－이는 곧 백성들을 버리는 것이 된다.

解說 사람은 하늘로부터 착한 성품을 내려받고 있다. 그러므로 인간의 본성은 착하다. 그 선본성(善本性)의 핵심을 인심(仁心)이라고 한다. 인심은 곧 '모든 사람이나 만물을 사랑하는 마음'이다. 따라서 평범한 사람이나 백성들은 본질적으로 '남을 죽이고 남의 재물을 탈취하는 전쟁을 싫어하게 마련이다'.

그러나 절대선(絶對善)의 천도(天道)와 인심(仁心)을 따르지 않고, 반대로 '남을 죽이고 남의 재물을 탈취하는 아귀도(餓鬼道)와 수심(獸心)'을 따르므로 전쟁이 있으며, 악덕한 현실세계에서는 전쟁을 당연시하고 국가 권력은 무고한 백성들에게 전쟁을 강요한다. 이러한 악덕정치는 곧 '생민(生民)'을 버리고 생으로 죽이는 범죄행위이다. 설사, 외국의 침략을 막는 성전(聖戰)의 경우에도 백성들을 바르게 교화한 다음에 나가서 싸우게 해야 한다. 그래야 인정(仁政)과 덕치(德治)를 실현할 수 있다.

제14편 헌문편(憲問篇)

편명 헌문(憲問)은 '원헌(原憲)이 묻는다[問]'는 뜻이다. 형병(邢昺)은 대략 다음과 같이 해설했다. "이 편에서는 주로 삼왕(三王)과 이패(二覇)의 역사적 흔적과, 여러 제후(諸侯)·대부(大夫)들의 행적을 논했다. 아울러 '인을 실천하고 염치를 아는 것[爲仁知恥]'과, '자신을 수양하고 백성을 편하게 해주는 것[修己安民]'이 정치의 대절(大節)임을 밝혔다. 고로 자로(子路)가 문정(問政)한 제13편 다음에 편찬했다."

주자(朱子)의 집주(集註)에는 "이 편은 혹 원헌이 기술한 것일 거다."라는 호씨(胡氏)의 말을 주(注)로 달았다. 총 46장으로 나눈다.

14-1. 원헌이 부끄러움에 대해서 묻자 공자가 말했다.

"나라의 도가 있으면 녹을 받아먹는다. 그러나 나라에 도가 없는데 녹을 받아먹는 것은 부끄러운 일이다."

原文 憲이 問恥한대 子曰, 邦有道에 穀하며 邦無道에 穀이 恥也니라.

註解 ○憲(헌)－공자의 제자, 원헌(原憲). 자는 원사(原思). ○問恥(문치)－부끄러움, 치욕에 대해서 묻다. ○邦有道穀(방유도곡)－나라에 도가 행해지는 경우 출사(出仕)하고 봉록(俸祿)을 받아먹는다. ○邦無道穀(방무도곡)－나라에 도가 행해지지 않고 무도할 때에 나가서 봉록

을 받아먹는 것이. ㅇ恥也(치야)－부끄럽고 창피한 노릇이다.

解說 무도한 나라에 출사하여 녹을 받아먹는 것은 백성의 재물을 도둑질하는 범죄라 하겠다. 인정(仁政)을 펴는 경우에 출사하여 녹을 받아먹어야 한다.

14-2. "남에게 이기기를 좋아하고, 자기의 공을 내세워 자랑하고, 남을 원망하고, 또 끝없이 탐욕을 부리는 (네 가지를) 억제하면 인이라 할 수 있습니까?"

공자가 말했다. "그렇게 할 수 있기는 퍽 어렵다. 그러나 인인지 어떤지는 잘 모르겠다."

原文 **克伐怨欲**을 **不行焉**이면 **可以爲仁矣**이꼬? **子曰, 可以爲難矣**어니와 **仁則吾不知也**케라.

註解 ㅇ克(극)－남에게 이기기를 좋아하다. ㅇ伐(벌)－자기의 공을 내세우고 자랑한다. ㅇ怨(원)－남을 원망한다. ㅇ欲(욕)－탐욕을 부린다. ㅇ不行焉(불행언)－이상의 네 가지를 억제하고 행하지 않으면. ㅇ可以爲仁矣(가이위인의)－인이라 할 수 있습니까? ㅇ可以爲難矣(가이위난의)－그렇게 하기가 퍽 어렵다. ㅇ仁則吾不知也(인즉오부지야)－그러나 그것이 인인지 어쩐지는 나도 잘 모르겠다.

解說 인은 사랑과 협동을 실천함이다.

14-3. 공자가 말했다. "선비가 편하게 있기를 바라면, 참다운 선비가 될 수 없다."

原文 子曰, 士而懷居면 不足以爲士矣니라.

註解 ㅇ懷居(회거)－편하게 있기를 바란다. ㅇ不足以爲士矣(부족이위사의)－참다운 선비가 될 수 없다.

14-4. 공자가 말했다. "나라에 도가 있을 때는 말과 행동을 돋보이게 하지만, 나라에 도가 없으면, 행동은 돋보이게 하되 말은 겸손하게 해야 한다."

原文 子曰, 邦有道엔 危言危行하고 邦無道엔 危行言孫이니라.

註解 ㅇ邦有道(방유도)－나라에 도가 있다, 즉 위정자가 도를 따라 나라를 다스린다는 뜻. ㅇ危(위)－고답(高踏)하고 준엄(峻嚴)하게 한다, 즉 도덕적으로 돋보이게 한다. ㅇ邦無道(방무도)－나라가 문란하고 도가 없을 때. ㅇ危行(위행)－행동은 고답하고 돋보이게 하지만. ㅇ言孫(언손)－말은 신중하고 겸손하게 해야 한다.

14-5. 공자가 말했다. "덕있는 사람은 반드시 도에 맞는 말을 한다. 그러나 말 잘하는 사람이 다 덕이 있는 것은 아니다.

인자는 반드시 용감하게 행한다. 그러나 용감한 사람이 다 인자는 아니다."

原文 子曰, 有德者는 必有言이어니와 有言者는 不必有德이니라. 仁者는 必有勇이어니와 勇者는 不必有仁이니라.

註解 ㅇ有德者必有言(유덕자필유언)－덕있는 사람은 반드시 도에 맞

는 좋은 말을 한다. ㅇ有言者不必有德(유언자불필유덕)－말 잘하는 사람이 다 덕이 있는 것은 아니다. ㅇ仁者必有勇(인자필유용)－인자는 반드시 용감하게 행동한다. ㅇ勇者不必有仁(용자불필유인)－용감한 사람이 다 인자는 아니다.

解說 덕(德)의 뜻을 바르게 알아야 한다. 도(道)를 행해서 얻은 좋은 성과를 덕(德＝得)이라 한다. 아울러 덕(德)은 반드시 남에게도 미치게 마련이다. 자기 한 사람만 좋고 남에게 좋지 않은 것은 덕이 될 수 없다. 그러므로 '유덕자(有德者)'는 곧 '도를 실천하여 모든 사람에게, 덕을 미치는 사람이다'. 그러므로 그의 말이나 행동이 도에 맞고 좋게 마련이다. 맹목적으로 용력(勇力)을 휘두른다고 덕이 따르는 것이 아니다.

'인자(仁者)'는 '인심(仁心)을 바탕으로 만민만물(萬民萬物)을 사랑하고 양육하는 사람이다'. 인자는 '지(知)·인(仁)·용(勇)'의 삼달덕(三達德)을 갖추어야 한다. '지(知)'는 곧 절대선(絶對善)의 도를 알고 실천함이다. '인(仁)'은 '큰 인(仁)'의 핵심이 되는 '사랑'이다. '용(勇)'은 '정의(正義)의 실천력'이다. 도의(道義)나 정의(正義)에 어긋나는 나쁜 짓을 무모하게 행하는 짓은 진정한 용기가 아니다. 절대선의 도를 모르고, 동물적·이기적 욕심을 채우기 위해 무모하게 폭력을 행사하는 자는 '악덕한 폭도'다. 그런 자는 용기있는 자가 아니라 무식한 깡패다.

오늘 세계의 대부분 나라들은 '무력과 권모술수 및 거짓말'을 바탕으로 정치를 하고 있다. 이러한 현상을 '방무도(邦無道)'라고 한다. 참다운 지식인인 군자는 무도한 나라에 참여해서도 안되고 특히 봉록을 받아먹으면 안된다. 범죄에 가담하면 안된다.

14-6. 노나라의 대부 남궁괄이 공자에게 반문하듯이 물었다. "예(羿)

는 활을 잘 쏘았고, 오(奡)는 배를 흔들 만큼 힘이 강했으나, 그들은 모두 제 명에 죽지 못했지요. 그러나 우(禹)와 직(稷)은 스스로 농사를 짓고 일을 했으나, 후에는 천하를 얻었지요?"

이에 공자는 대답을 하지 않다가, 남궁괄이 나간 다음에 말했다. "저런 사람이 참으로 군자로다. 저런 사람이야말로 참으로 덕을 존중하는 사람이다."

原文 **南宮适**이 **問於孔子曰, 羿**는 **善射**하고 **奡**는 **盪舟**호대 **俱不得其死**어늘 **然禹稷**은 **躬稼而有天下**하시나이다. **夫子不答**이러시니 **南宮适**이 **出**어늘 **子曰, 君子哉**라 **若人**이여 **尙德哉**라 **若人**이여.

註解 ㅇ南宮适(남궁괄)－노(魯)나라의 대부, 자는 자용(子容), 남용(南容)이라고도 한다. ㅇ羿(예)－신화에 나오는 활을 잘 쏘는 사람, 하(夏)의 임금을 죽이고, 왕위를 찬탈했으나, 그의 제자 한착(寒浞)에게 피살되었다. ㅇ奡(오)－한착의 아들로, 큰배를 흔들어 엎을 만큼 힘이 강했다. 그러나 그도, 하나라 임금 소강(小康)에게 피살되었다. ㅇ盪(탕)－흔들다. ㅇ俱不得其死(구부득기사)－둘이 모두 명을 다 살지 못하고, 피살되었다. ㅇ禹(우)－하(夏)의 시조, 치수(治水)의 공을 세워, 순(舜)임금으로부터 천하를 선양(禪讓)받았다. ㅇ稷(직)－주(周)나라의 선조로, 농사를 지어 백성들을 잘살게 해주었다. 그 덕으로 그의 후손 문왕(文王), 무왕(武王)이 주왕조를 세웠다. ㅇ躬稼(궁가)－몸소 농사를 지었다. ㅇ有天下(유천하)－천하를 가졌다, 천자가 되었다는 뜻. ㅇ夫子不答(부자부답)－공자가 대답을 하지 않았다. ㅇ君子哉若人(군자재약인)－저런 사람이 군자로다. ㅇ尙德哉若人(상덕재약인)－저런 사람이 바로 덕을 높이는 사람이로다.

解說 무력을 가지고 나라를 찬탈한 자는 제명에 못 죽는다. 그러

나 몸소 고생하고 남을 잘살게 하는 사람은 천하를 얻을 것이다. 이와 같은 역사적 진실을 말한 남궁괄을 공자가 칭찬했다.

14-7. 공자가 말했다. "군자로서 어질지 못한 사람이 있을 수는 있을 것이다. 그러나 소인이면서 어질게 하는 사람은 절대로 없다."

原文 **子曰, 君子而不仁者**는 **有矣夫**어니와 **未有小人而仁者也**니라.

註解 ㅇ君子而不仁者有矣夫(군자이불인자유의부)-군자 중에 혹 어질지 못한 사람이 있을 수는 있다. ㅇ未有小人而仁者也(미유소인이인자야)-소인이면서 어진 사람은 절대로 없다.

解說 군자(君子)는 학문과 덕행을 쌓고 인정(仁政)과 덕치(德治)에 참여하는 지식인이다. 그러나 학문 수양의 정도에 따라 그 등급이 다양하게 다를 것이며, 개중에는 인덕(仁德)을 잘 세우지 못하는 사람도 있을 것이다. 그러나 소인은 '이기적 · 동물적 욕심을 바탕으로 하고 권력과 재물만을 쟁취하려고 한다'. 그러므로 소인에게는 절대로 인심(仁心)도 인덕(仁德)도 있을 수 없게 마련이다.

14-8. 공자가 말했다. "그를 사랑한다면서, 힘든 일을 시키지 않을 수 있겠느냐? 그에게 충성한다면서, 바르게 깨우쳐 주지 않을 수 있겠느냐?"

原文 **子曰, 愛之**란 **能勿勞乎**아? **忠焉**이란 **能勿誨乎**아?

註解 ㅇ愛之(애지)－그를 사랑한다면서. ㅇ能勿勞乎(능물로호)－그를 고생시키지 않을 수 있나? 노(勞)는 힘든 공부나 일을 하게 한다. ㅇ忠焉(충언)－상대를 충성되게 받든다. 충(忠)은 '나의 정성과 최선을 다한다'는 뜻. ㅇ能勿誨乎(능물회호)－깨우치고 가르치지 않을 수 있나? 윗사람에게도 충고한다. 가르칠 회(誨).

解說 '사랑[愛]'의 참뜻을 바르게 알자. 사랑하는 상대가 훌륭한 사람이 되게 돌봐주는 실천적인 덕행이 곧 사랑이다. 자식을 사랑하기 때문에, 힘든 공부나 일을 하게 한다. 힘든 공부도 일도 하지 마라, 내가 대신 해주마 하는 것은 사랑이 아니고, 자식을 폐인으로 만드는 짓이다.

충성(忠誠)의 뜻도 바르게 알자. 상대방에게 충성한다는 것은 상대방이 도를 따라 착한 삶을 살게 깨우치고 협조하는 실천적인 덕행이다. 상대방이 무도한 짓을 하는데 맹목적으로 부화뇌동(附和雷同)하는 것은 충성이 아니다. 그러므로 임금이 잘못하면, 정성껏 충간(忠諫)을 올려야 한다. 친구나 붕우가 잘못하면 성실하게 타이르고 깨우쳐서 바른 길을 가게 해야 한다.

14-9. 공자가 말했다. "정나라에서는 사령을 작성할 때, 비심이 초안을 잡고, 세숙이 내용을 검토하고, 외교관 자우가 문장을 수정하고, 동리에 사는 자산이 윤색했다."

原文 **子曰, 爲命**에 **裨諶**이 **草創之**하고 **世叔**이 **討論之**하고 **行人子羽 脩飾之**하고 **東里子産**이 **潤色之**하니라.

註解 ㅇ爲命(위명)－위(爲)는 작성하다, 명(命)은 다른 나라 제후(諸

侯)에게 대응하는 사명(辭命), 즉 외교문서. ㅇ裨諶(비심)-정나라의 대부. ㅇ草創之(초창지)-초안을 잡는다. ㅇ世叔(세숙)-정나라의 대부, 유길(游吉). ㅇ討論之(토론지)-내용을 검토하고 심의한다. ㅇ行人子羽(행인자우)-행인(行人)은 외교관, 자우(子羽)는 대부, 공손휘(公孫揮). ㅇ脩飾之(수식지)-문장을 수정한다. ㅇ東里子產(동리자산)-동리에 사는 자산이. ㅇ潤色之(윤색지)-아름답게 윤색한다.

解說 자산(子產)은 정(鄭)나라의 현명한 대부(大夫)로 강대국 진(晉)과 초(楚) 두 나라 사이에 끼어있는 약소국 정의 사직을 잘 보전했다. 그러므로 공자도 자산을 높이 평가했다. 〈公冶長篇 5-15〉 참고.

여기서는 자산이 외교 사령을 작성하는 데도 여러 사람의 손을 거쳐 만전을 기했음을 칭찬한 것이다. 즉 책략을 잘 세우는 비심(裨諶), 박학하고 글을 잘 짓는 세숙(世叔), 외교관인 자우(子羽)를 거쳐, 마지막으로 자신이 문장을 다듬고 윤색했음을 말했다. 외교 사령은 그 나라의 학문 사상을 대표하는 문화의 결정(結晶)이다.

14-10. 어떤 사람이 자산에 대해서 묻자, 공자가 말했다. "그는 은혜로운 사람이다."

자서에 대해서 묻자, 공자가 말했다. "그저 그렇다."

관중에 대해서 묻자, 공자가 말했다. "정치적 수완이 있는 사람이다. 그가 백씨의 병읍 3백 호를 몰수했고, 백씨는 가난에 빠져 거친 음식을 먹다가 죽었으나, 원망하는 말을 못했다."

原文 或이 問子產한대 子曰, 惠人也니라. 問子西한대 曰, 彼哉 彼哉여. 問管仲한대 曰, 人也 奪伯氏騈邑三百하야늘 飯疏食 沒齒하되 無怨言하니라.

註解 ㅇ或問(혹문)－어떤 사람이 물었다. ㅇ子産(자산)－바로 앞에 나옴. 〈公冶長篇 5-16〉 참고. ㅇ惠人也(혜인야)－은혜로운 사람이다. 자비로운 사람. ㅇ子西(자서)－초(楚)나라의 공자 신(申), 소왕(昭王)의 동생으로 영윤(令尹)을 지냈다. ㅇ彼哉彼哉(피재피재)－그저 그렇다. ㅇ管仲(관중)－제(齊)나라의 대부로 명상(名相)이었다. 〈八佾篇 3-22〉 참고. ㅇ人也(인야)－'뛰어난 정치인'이라는 뜻이다. ㅇ奪伯氏騈邑三百(탈백씨병읍삼백)－백씨(伯氏)는 제(齊)의 대부, 이름은 언(偃), 병읍(騈邑)은 지명, 3백(三百)은 3백 호(戶)의 땅. 백씨의 죄를 물어, 관중이 그의 땅을 몰수했다. ㅇ飯疏食(반소식)－거친 음식을 먹고 살다. 즉 가난하게 살다의 뜻. ㅇ沒齒(몰치)－치(齒)는 연령, 수명을 다할 때까지, 죽을 때까지. ㅇ無怨言(무원언)－관중에 대해서 원망의 말을 못했다.

14-11. 공자가 말했다. "가난하면서 원망하지 않기는 어렵지만, 부자로 살면서 교만하지 않기는 쉽다."

原文 子曰, 貧而無怨難하고 富而無驕易하니라.

註解 ㅇ貧而無怨(빈이무원)－가난하면서 원망하지 않음. ㅇ難(난)－어렵다. ㅇ富而無驕(부이무교)－부자로 살면서 교만하지 않음. ㅇ易(이)－용이하다, 쉽다.

14-12. 공자가 말했다. "맹공작은 조나 위 같은 세도가의 가신이 되면 훌륭하고도 남음이 있을 것이다. 그러나 등이나 설 같은 작은 나라의 대부는 될 수 없을 것이다."

原文 子曰, 孟公綽이 爲趙魏老則優어니와 不可以爲滕薛大夫니라.

註解 ㅇ孟公綽(맹공작)－노(魯)나라의 대부(大夫)다. 공자는 그를 과욕(寡慾)하고 유덕(有德)하다고 칭찬했다. 그러나 그의 행정 능력은 높이 평가하지 않았다. ㅇ趙(조)－대국(大國) 진(晉)에 속한 지방 국가, 후에는 진에서 갈라져 독립했다. ㅇ魏(위)－역시 진에 속한 지방 국가, 후에 독립했다. ㅇ老(로)－가로(家老). 즉 가신(家臣)의 우두머리란 뜻. ㅇ優(우)－가로(家老)가 되면 훌륭하게 잘하고 좋을 것이다. ㅇ不可以爲(불가이위)－……가 될 수는 없다. ㅇ滕(등)·薛(설)－둘 다 작은 나라. ㅇ大夫(대부)－국정을 맡아본다.

14-13-1. 자로가 인격 완성에 대해 묻자, 공자가 말했다. "장무중 같은 지혜와, 맹공작 같은 청렴과, 변장자 같은 용감성과, 염구 같은 재주를 갖추고, 예악으로써 문화적 세련을 가하면 인격 완성이라 할 수 있다."

原文 **子路 問成人**한대 **子曰, 若臧武仲之知**와 **公綽之不欲**과 **卞莊子之勇**과 **冉求之藝**에 **文之以禮樂**이면 **亦可以爲成人矣**니라.

註解 ㅇ成人(성인)－여기서는 인격 완성의 뜻. ㅇ若臧武仲之知(약장무중지지)－장무중(臧武仲) 같은 지혜. 장무중은 노(魯)의 대부, 장손흘(臧孫紇). 문중(文仲)의 손자, 선숙(宣叔)의 아들, 슬기롭고 박학다식했다. ㅇ公綽之不欲(공작지불욕)－맹공작(孟公綽) 같은 과욕(寡慾), 앞장에 나옴. ㅇ卞莊子之勇(변장자지용)－변(卞)은 노나라의 읍명(邑名), 변장자(卞莊子)는 '변읍에 사는 장자'라는 뜻이다. 그는 용감했다. ㅇ冉求之藝(염구지예)－염구는 다재다능(多才多能)했다. 〈雍也篇 6-8〉 참고. ㅇ文之以禮樂(문지이예악)－예와 악으로써 문채를 내게 한다. 즉 더욱 문화적으로 세련되게 한다. ㅇ亦可以爲成人矣(역가이위성인의)－역시

인격 완성이라 하겠다.

14-13-2. 공자가 다시 말했다. "그러나 오늘날의 인격 완성은 반드시 그렇게 하지 않아도 된다. 이득을 보면 의를 생각하고, 위급할 때에는 생명을 바치고, 오래된 약속이라도 평생 잊지 않으면, 인격 완성이라 할 수 있다."

原文 曰, 今之成人者는 何必然이리오. 見利思義하며 見危授命하며 久要에 不忘平生之言이면 亦可以爲成人矣니라.

註解 ㅇ今之成人(금지성인)－오늘의 인격 완성은. ㅇ何必然(하필연)－어찌 반드시 그렇게 하랴? 그렇게까지 하지 않아도 된다. ㅇ見利思義(견리사의)－이익을 보면 의를 생각한다. ㅇ見危授命(견위수명)－위급할 때에는 생명을 바치고 구한다. ㅇ久要(구요)－오래된 약속, 요(要)는 언약, 약속의 뜻. ㅇ不忘(불망)－잊지 않는다. ㅇ平生之言(평생지언)－평생을 두고 자기가 한 말.

解說 성인(成人)은 '사람다운 사람이 된다, 인격을 완성한다'는 뜻이다. 원칙적으로는 '지혜(知慧)·과욕(寡慾)·용기(勇氣)·재능(才能)'을 갖추고 아울러 예악(禮樂)으로써 문채(文彩)를 가해서 '진선미(眞善美)를 겸해야 한다.'

예(禮)는 사회나 국가의 기강이나 질서를 바로잡는다. 악(樂)은 인간의 감정이나 정서를 순화하고 조화되게 한다. 예악(禮樂)은 법령이나 형법에 앞서 문화적으로 인간을 아름답고 바르게 승화시킨다.

그러나 공자는 '오늘에는 사리사욕(私利私慾)보다 도의(道義)를 앞세우고, 자기의 몸을 아끼지 않고 국가의 위난을 구하고 또 평생 자신이 한 말을 실천하는 정도면 된다'고 인격 완성의 조건을 완화했다. 인정(仁政)과 덕치(德治)를 실현하기 위해서는 사람들이 먼저 사람다워야 한다. 즉 혹심한 이기주의(利己主義), 무력주의(武力主義) 및 물질주의(物質主義)를 극복하고 대의명분(大義名分)과 윤리도덕을 존중하는 선량한 문화인이 되어야 한다.

14-14. 공자가 공명가에게 공숙문자에 대해서 물었다. "정말이냐? 공숙문자는 말이 없고, 웃지 않고, 재물을 취하지 않느냐?"

이에 공명가가 대답했다. "말을 전한 사람이 지나쳤습니다. 공숙문자는 반드시 말할 때에 말하므로 남들이 그의 말을 싫어하지 않고, 또 참으로 즐거울 때에 웃으므로 남들이 그의 웃음을 싫어하지 않고, 또 언제나 의롭다는 것을 안 후에 재물을 취하므로 남들이 그가 가져도 싫어하지 않습니다."

그러자 공자가 말했다. "그러냐? 참으로 그러하냐?"

原文 **子問, 公叔文子 於公明賈曰 信乎 夫子不言 不笑不取乎**아? **公明賈對曰, 以告者過也**로소이다. **夫子時然後言**이라 **人不厭其言**하며 **樂然後笑**라 **人不厭其笑**하며 **義然後取**라 **人不厭其取**하니이다. **子曰, 其然**가? **豈其然乎**리오?

註解 ㅇ公叔文子(공숙문자)－위(衛)나라의 대부, 공손발(公孫拔). 문(文)은 시호(諡號). ㅇ公明賈(공명가)－위나라 사람. 자세히 모른다. ㅇ夫子(부자)－그 사람, 공숙문자. ㅇ以告者過也(이고자과야)－그렇게 말한 사람이 과했습니다. ㅇ時然後言(시연후언)－때가 된 다음에 말하다. ㅇ人不厭其言(인불염기언)－남들이 그의 말을 싫어하지 않다. ㅇ義然後取(의연후취)－사리에 맞은 다음에 취하다. ㅇ豈其然乎(개기연호)－과연

그러할까?

14-15. 공자가 말했다. "장무중이 방읍을 거점으로 하고, 자기 후계자를 세우겠다고 노나라에 요구했다. 비록 임금에게 강요하지 않았다고 말하나, 나는 믿지 않는다."

原文 **子曰, 臧武仲**이 **以防**으로 **求爲後於魯**하니 **雖曰不要君**이나 **吾不信也**하노라.

註解 ㅇ臧武仲(장무중)－앞의 13장에 나왔다. ㅇ以防(이방)－방(防)을 점령하여 거점으로 삼고. 방(防)은 지명, 장무중의 영지(領地)로 제(齊)나라에 가까이 있다. ㅇ求爲後於魯(구위후어로)－(장무중이 죄를 짓고 제나라로 망명하는 길에 방을 거점으로 하고) 자기의 후계자를 세우겠다고 노나라에 요구했다. ㅇ雖曰不要君(수왈불요군)－비록 말로는 노나라 임금에게 강요하거나 협박했다고 말하지 않지만. ㅇ吾不信也(오불신야)－나는 믿지 않는다.

14-16. 공자가 말했다. "진나라 문공은 사계를 쓰고 바르지 못했으며, 제나라 환공은 바르고 사계를 쓰지 않았다."

原文 **子曰, 晉文公**은 **譎而不正**하고 **齊桓公**은 **正而不譎**하니라.

註解 ㅇ晉文公(진문공)－진(晉)나라 중이(重耳). ㅇ譎(휼)－사계(邪計)를 쓰다. ㅇ齊桓公(제환공)－제의 소백(小白). 둘 다 패자(覇者)였다.

14-17. 자로가 물었다. "환공이 공자 규를 죽이자, 소홀은 규를 따라 죽었으나, 관중은 죽지 않았으니, 어질지 못하다 하겠습니까?"

이에 공자가 말했다. "환공이 제후들을 규합하는데 병거 같은 무력을 사용하지 않은 것은 관중의 힘이었다. 그러니 역시 어질다고 하겠다, 역시 어질다고 하겠다."

原文 **子路曰, 桓公**이 **殺公子糾**하야늘 **召忽**은 **死之**하고 **管仲**은 **不死**하니 **曰未仁乎**인저? **子曰, 桓公**이 **九合諸侯**호대 **不以兵車**는 **管仲之力也**니 **如其仁 如其仁**이리오.

註解 ㅇ桓公(환공)-제(齊)나라의 임금, 기원전 685~643년 재위. 관중의 보필로 패권을 잡았다. ㅇ殺公子糾(살공자규)-공자 규를 죽이다. ㅇ召忽死之(소홀사지)-공자 규를 돌보던 소홀은 순사했다. ㅇ管仲不死(관중불사)-관중도 소홀과 같이 공자 규의 후견인이었다. 그러나 그는 죽지 않고 살아 남았다. ㅇ未仁乎(미인호)-어질지 않은가요? ㅇ桓公九合諸侯(환공구합제후)-환공이 천하의 모든 제후들을 규합하고 (패자가 되었으며). ㅇ不以兵車(불이병거)-전차, 즉 무력을 쓰지 않은 것은. ㅇ管仲之力也(관중지력야)-관중의 힘이다. ㅇ如其仁(여기인)-그는 어질다. (누가 그의 인을 따르랴?)《古注》.

解說 제의 양공(襄公)이 죽은 다음에, 형 규(糾)와 동생 소백(小白)이 서로 다투었고, 규가 패했다. 이에 후견인인 소홀은 순사했으나, 같은 규의 후견인인 관중은 죽지 않고, 포숙(鮑叔)의 천거로 소백, 즉 환공을 도와 패자가 되게 했다. 공자는 이를 높이 평가했다.

14-18. 자공이 말했다. "관중은 비인도적인 사람이 아니겠습니까? 환공이 공자 규를 죽였는데, 따라 죽지 않았을 뿐더러, 도리어 환공

을 도왔으니까요."

이에 공자가 말했다. "관중은 환공의 재상으로 그를 도와 패자로 만들고 또 천하를 크게 바로잡았다. 그리하여 오늘에 이르도록 그의 혜택을 입고 있는 것이다. 만약 관중이 아니었더라면, 우리들도 머리를 풀고 오랑캐 옷을 입었을 것이 아니겠느냐? 그 어찌 관중의 태도가 보잘것없는 남녀들이 작은 절개를 지킨다고 스스로 목매어 개천 속에서 아무도 모르게 개죽음을 하는 것과 같겠느냐?"

原文 **子貢**이 **曰, 管仲**은 **非仁者與**인저 **桓公**이 **殺公子糾**어늘 **不能死**오 **又相之**오녀. **子曰, 管仲**이 **相桓公 霸諸侯**하야 **一匡天下**하니 **民到于今**에 **受其賜**하니라. **微管仲**이면 **吾其被髮左衽矣**러니라. **豈若匹夫匹婦之爲諒也**라 **自經於溝瀆而莫之知也**리오?

註解 ㅇ非仁者與(비인자여)－인자가 아니지요? ㅇ相桓公(상환공)－환공을 도와서. ㅇ霸諸侯(패제후)－제후들을 제패하다, 제후의 패자가 되게 하다. ㅇ一匡天下(일광천하)－천하를 한바탕 크게 바로잡았다. ㅇ受其賜(수기사)－그 혜택을 받고 있다. ㅇ微(미)－만약 아니면. ㅇ被髮(피발)－머리를 풀어헤치고. ㅇ左衽(좌임)－옷깃을 왼쪽으로 여미다. ㅇ豈若(기약)－어찌 …… 와 같으냐? ㅇ爲諒(위량)－양(諒)은 소신(小信), 작은 약속이나 절개를 위해서. ㅇ自經(자경)－스스로 목을 매어 죽다. ㅇ於溝瀆(어구독)－개천이나 구덩이 속에 묻히다. ㅇ而莫之知也(이막지지야)－아무도 모르다, 알려지지 않는다.

解說 《논어》에는 공자가 관중(管仲)을 평한 구절이 많다. 대부분 관중의 정치적 수완을 높이 산 말들로, 넓은 의미로는 그를 어진 사람 속에 포함시켰다. 그러나 엄격한 의미에서 그가 예를 어겼으므로

참다운 군자나 대인이 될 수 없음을 지적했던 것이다. 여기서는 그가 환공을 도와 '제후를 규합하고, 일광천하(糾合諸侯 一匡天下)'한 공을 역설했다.

14-19. 공숙문자의 가신인 대부 선이 공숙문자의 추천으로 같이 조정의 신하가 되었다. 공자가 듣고 말했다. "가히 시호를 문(文)이라고 할 만하다."

原文 **公叔文子之臣 大夫僎**이 **與文子**로 **同升諸公**이러니 **子聞之**하시고 **曰, 可以爲文矣**로라.

註解 ㅇ公叔文子(공숙문자)－위(衛)의 대부. 앞의 14장 참조. ㅇ僎(선)－공숙문자의 가신(家臣). ㅇ與文子(여문자)－공숙문자와 같이. ㅇ同升諸公(동승제공)－같이 공조(公朝), 즉 조정(朝廷)에 오르게 되었다. 제(諸)='지어(之於)'. ㅇ子聞之(자문지)－공자가 그 말을 듣고. ㅇ可以爲文矣(가이위문의)－문이라고 시호를 줄 만하다.

解說 자기의 가신을 추천해서 대부가 되게 하고 또 함께 공조(公朝)에 오른 공숙문자를 칭찬했다.

14-20. 공자가 위나라 영공의 무도함을 말하자, 계강자가 "그러한데도 어찌하여 자리를 잃지 않습니까?"하고 되물었다.

이에 공자가 말했다. "중숙어가 빈객을 접대하고, 축타가 종묘를 잘 모시고, 왕손가가 군대를 잘 다스리니, 어찌 그가 자리를 잃겠느냐?"

原文 子言, 衛靈公之無道也러시니 康子曰, 夫如是로대 奚而不喪이니이꼬? 孔子曰, 仲叔圉는 治賓客하고 祝鮀는 治宗廟하고 王孫賈는 治軍旅하니 夫如是니 奚其喪이리오?

註解 ㅇ子言(자언)—공자가 말하다. ㅇ衛靈公之無道(위령공지무도)—위(衛)나라의 영공이 무도함을 (공자가 지적해 말하다). ㅇ康子(강자)—계강자(季康子), 〈爲政篇 2-20〉 참고. ㅇ夫如是(부여시)—그러한데, 그렇게 무도한데. ㅇ奚而不喪(해이불상)—어찌해서 임금 자리를 잃지 않느냐? ㅇ仲叔圉治賓客(중숙어치빈객)—중숙어(仲叔圉)가 빈객을 잘 접대한다, 즉 외교를 잘 다스린다. 중숙어는 위의 대부, 공문자(孔文子). 〈公冶長篇 5-15〉 참고. ㅇ祝鮀治宗廟(축타치종묘)—축타(祝鮀)가 종묘를 잘 모신다, 선조신(先祖神)의 보호를 받는다. 축타는 위의 가신. 〈雍也篇 6-16〉 참고. ㅇ王孫賈治軍旅(왕손가치군려)—왕손가(王孫賈)가 군대를 잘 다스리고 통솔한다, 왕손가도 위의 가신. 〈八佾篇 3-13〉 참고.

解說 설사 임금이 어리석어도, 그 밑에 있는 신하들이 총명하고 유능하고 또 도를 따라 잘 다스리면, 그 임금이 자리를 유지할 수 있다는 사실을 지적한 구절이다.

14-21. 공자가 말했다. "함부로 말을 하고도 부끄럽게 여기지 않는다면, (그 말을) 행하기 어려울 것이다."

原文 子曰, 其言之 不怍이면 則爲之也 難하니라.

註解 ㅇ其言之(기언지)—함부로 말을 한다, 즉 실속없는 허튼소리나 큰소리를 함부로 한다는 뜻. ㅇ不怍(부작)—부끄럽게 여기지 않는다.

부끄러워할 작(怍). ㅇ爲之也(위지야)－(허튼소리, 큰소리를) 행하기가. ㅇ難(난)－어렵다.

解說 군자는 언행이 일치한다. 그러나 사기꾼은 큰소리, 허튼소리를 하고도 부끄러운 줄 모른다. 당장 남을 속이고 이득을 취하기에 바쁘기 때문이다. 잠시 후에 탄로나고 망신당한다는 것조차 모를 정도로 무식하기 때문이다. 총명한 사람은 함부로 허튼소리를 하지 않는다.

14-22. 진성자가 간공을 시해하자, 공자는 목욕하고 입조하여 애공에게 아뢰었다. "진성자가 자기의 군주를 시해했으니, 그를 토벌하십시오."

그러나 애공은 "저들 삼가(三家)에게 말하시오."하고 미루었다.

이에 공자가 조정에서 물러나 말했다. "나도 대부의 말석에 있던 몸이라, 고하지 않을 수가 없었다. 그런데 임금은 그들 삼가에게 말하라고 하시더라."

그 후 공자가 삼가에게 가서 말했으나, 그들은 "안된다."고 말했다.

이에 공자는 또 말했다. "나도 대부의 말석에 있던 몸이라, 고하지 않을 수가 없어 고한 것이다."

原文 **陳成子 弑簡公**이어늘 **孔子 沐浴而朝**하야 **告於哀公曰, 陳恒**이 **弑其君**하니 **請討之**하소서. **公曰, 告夫三子**하라. **孔子曰, 以吾從大夫之後**라 **不敢不告也**호니 **君曰告夫三子者**오녀. **之三子**하여 **告**하신대 **不可**라하여늘 **孔子曰, 以吾從大夫之後**라 **不敢不告也**니라.

註解 ㅇ陳成子(진성자)－성(成)은 시호다. 제(齊)나라의 대부 진항

(陳恒)이며, 일명 전상(田尙)이라고도 했다. ○弑簡公(시간공)－진성자가 기원전 481년에 제나라의 군주 간공(簡公)을 시해하고, 간공의 동생 평공(平公)을 자리에 앉히고 국권을 전횡했으므로, 제나라를 '전씨(田氏)의 나라'라고 부르기도 했다. ○孔子沐浴而朝(공자목욕이조)－공자가 목욕하고 입조(入朝)하다. ○告於哀公曰(고어애공왈)－애공에게 고해 올리고 또 말했다. ○陳恒弑其君(진항시기군)－진항이 자기의 군주를 시해했으니. ○請討之(청토지)－(진항을) 토벌하십시오. ○公曰(공왈)－애공이 공자에게 말했다. ○告夫三子(고부삼자)－(그 일을) 삼가(三家)에게 말하고 부탁하시오. '삼가'는 곧 노나라의 정권을 가로채고 참월(僭越) 무도하게 전횡하는 '맹손(孟孫)・숙손(叔孫)・계손(季孫)'의 세 집안. ○以吾從大夫之後(이오종대부지후)－나도 전에는 대부의 말석에 있던 몸이기 때문에. ○不敢不告也(불감불고야)－감히 고하지 않을 수가 없다. ○君曰告夫三子者(군왈고부삼자자)－임금이 (당신이 처리하지 않고, 나보고) 삼가에게 고하라고 하시더라. ○之三子告(지삼자고)－공자가 삼가에게 가서 고했다. ○不可(불가)－삼가는 '불가'라 했다. 즉 진성자의 처벌을 반대했다.

解說 이 사건은《춘추좌씨전(春秋左氏傳)》애공(哀公) 14년조에 보인다. 당시 공자는 71세의 고령이었다. 그러나 공자는 애공에게 고해서 진항(陳恒)을 토벌하기를 바랐다. 당시 제나라의 백성들도 자기 임금을 죽인 진항을 부당하게 여겼다. 그러므로 노나라 애공이 정의의 깃발을 높이 들면, 역적을 처치할 가능성도 있었을 것이다. 그러나 애공은 임금으로서의 권위와 주체성을 잃고, 국권을 '삼가(三家)'에게 농락당하고 있었으므로 직접 나서지 못했던 것이다. 그래서 공자는 아쉬운 마음으로 말했다. "나도 한때는 이 나라 대부의 말석에 있던 몸이라 고하지 않을 수가 없었다(以吾從大夫之後 不敢不告也)." 이 구절은 역사적 사실을 객관적으로 기술한 것이다.

14-23. 자로가 임금 섬김에 대해서 묻자, 공자가 말했다. "속이지 말고, 면전에서도 간언을 올려라."

原文 子路 問事君한대 子曰, 勿欺也요 而犯之니라.

註解 ㅇ事君(사군)－임금 섬기는 도리. ㅇ勿欺也(물기야)－속이지 마라. ㅇ而犯之(이범지)－그러나 면전에서도 충간을 하라.

14-24. 공자가 말했다. "군자는 위로 나가지만, 소인은 아래로 처진다."

原文 子曰, 君子는 上達하고 小人은 下達이니라.

註解 ㅇ君子上達(군자상달)－군자는 위를 바라고 수양하고 나가서, 도덕(道德)이나 인의(仁義)를 달성하려고 한다. ㅇ小人下達(소인하달)－소인은 아래로 처져, 재물이나 이득을 얻으려고 한다.

解說 배워서 도(道)를 깨닫고 또 도를 실천해서 덕(德)을 세우는 사람이 군자(君子)다. 군자는 절대선(絶對善)의 도를 따라 상달(上達)하려고 노력한다. 이와 반대로 소인(小人)은 사리사욕(私利私慾)을 채우려고 밑바닥으로 떨어진다.

14-25. 공자가 말했다. "옛날의 공부하던 사람은 자기 수양을 위해서 했으나, 오늘의 공부하는 사람은 남에게 보이고 팔리기 위해서 한다."

原文 子曰, 古之學者爲己러니 今之學者爲人이로다.

註解 ㅇ古之學者(고지학자)－옛날의 글공부하던 사람. ㅇ爲己(위기)－자기 수양, 자신의 학문과 덕행을 높이기 위해서 공부했다. ㅇ今之學者(금지학자)－오늘의 글공부하는 사람은. ㅇ爲人(위인)－남을 위해서, 즉 남에게 잘 보이고 등용되기 위해서 공부를 한다는 뜻.

14-26. 거백옥이 공자에게 사신을 보냈다. 공자가 사신과 자리를 같이하고 물었다. "대부 어른은 무엇을 하십니까?"

사신이 대답했다. "우리 어른께서는 자기의 과실을 적게 하고자 애를 쓰시나 잘 되지 않는 것 같습니다." 사신이 나간 후에 공자가 말했다. "참 훌륭한 사자로다, 훌륭한 사자로다."

原文 **蘧伯玉**이 **使人於孔子**어늘 **孔子與之坐 而問焉 曰, 夫子**는 **何爲**오? **對曰, 夫子欲寡其過 而未能也**니이다. **使者出**커늘 **子曰, 使乎使乎**여.

註解 ㅇ蘧伯玉(거백옥)－위(衛)나라의 대부. 성이 거(蘧), 이름은 원(瑗), 자가 백옥(伯玉). 현명하고 덕이 높았다. ㅇ使人於孔子(사인어공자)－거백옥이 공자에게 사신을 보냈다. ㅇ孔子與之坐(공자여지좌)－공자가 사신과 자리를 같이하고. ㅇ而問焉(이문언)－그리고 물었다. ㅇ夫子何爲(부자하위)－대부 어른은 무엇을 하십니까? (공자가 사신에게 묻는 말). ㅇ夫子欲寡其過 而未能也(부자욕과기과 이미능야)－(사신의 대답) 우리 어른께서 자기의 과실을 적게 하고자 애를 쓰시나, 잘 되지 않는 것 같습니다. ㅇ使乎使乎(사호사호)－참 훌륭한 사자로다, 훌륭한 사자로다!

解說 거백옥이 "과실을 적게 하려고 애를 쓴다."고 한 말은 '군자의 도리를 지키고 있다'는 뜻이다. 그러나 "잘 안 되는 모양입니다."

라고 한 말은 겸양을 표시한 말이다. 그래서 공자가 '훌륭한 사자'라고 칭찬을 한 것이다.

14-27. 공자가 말했다. "그 자리에 있지 않으면, 그 자리의 정사를 도모하지 않는다."

原文 子曰, 不在其位하얀 不謀其政이니라.

註解 ㅇ不謀其政(불모기정)－그 자리에서 할 정사를 도모하지 않는다.

14-28. 증자가 말했다. "군자는 자기 지위를 벗어나는 일을 생각하지 않는다."

原文 曾子曰, 君子는 思不出其位니라.

註解 ㅇ思(사)－생각하다. ㅇ不出其位(불출기위)－자기의 위치를 벗어나는 생각을 하지 않는다.

解說 앞의 장과 합치기도 한다.

14-29. 공자가 말했다. "군자는 자기의 말이 자기 행실보다 지나치는 것을 부끄러워한다."

原文 子曰, 君子는 恥其言而過其行이니라.

註解 ㅇ恥(치)－부끄럽게 여긴다. ㅇ其言而過其行(기언이과기행)－자기의 말이 자기의 행실보다 지나치다. 즉 실천하지 못할 말을 한다.

14-30. 공자가 말했다. "군자의 도가 세 가지 있으나, 나는 하나도 제대로 못하고 있다. 인덕 있는 자는 근심하지 않고, 지혜로운 자는 미혹되지 않고, 용감한 자는 두려워하지 않는다."

자공이 말했다. "선생님께서 스스로를 말씀하신 것이다."

原文 **子曰, 君子道者三**에 **我無能焉**호니 **仁者**는 **不憂**하고 **知者**는 **不惑**하고 **勇者**는 **不懼**니라. **子貢**이 **曰, 夫子 自道也**샷다.

註解 ㅇ君子道者三(군자도자삼)－군자가 따르고 행할 도(道)에 세 가지가 있다. 이때의 도는 실천할 생활태도의 뜻. ㅇ我無能焉(아무능언)－나는 다 행할 수 없다. ㅇ仁者不憂(인자불우)－인덕을 갖춘 사람은 걱정하지 않는다. ㅇ知者不惑(지자불혹)－바르게 알고 지혜로운 사람은 미혹되거나 망설이지 않는다. ㅇ勇者不懼(용자불구)－도를 터득하고 용감하게 실천하는 사람은 두렵고 무서운 것이 없다. ㅇ夫子自道也(부자자도야)－선생님이 자신을 말씀하신 것이다.

解說 천도(天道)는 곧 우주의 이법(理法)이며 절대선(絶對善)의 도리다. 군자는 '천인합일(天人合一)'한다. 즉 천도를 따라 행한다. 절대선의 천도를 바르게 알고 실천하는 지자(知者)는 미혹되고 망설일 것이 없다. 만민 만물을 사랑하고 덕을 베푸는 인자(仁者)는 근심하고 걱정할 것이 없다. 정의를 위해 용감하게 실천하는 용자(勇者)는 하늘의 대신자(代身者)로 겁나고 두려울 것이 없다. 그러므로 '지(知)·인(仁)·용(勇)'을 군자의 삼달덕(三達德)이라 한다. 〈子罕

篇 9-28〉 참고.

14-31. 자공이 자주 남들을 비교하고 논평하자, 공자가 말했다. "사는 현명하여 저렇게 남들을 비평한다. 그러나 나는 저렇게 할 틈이 없다."

原文 **子貢**이 **方人**하더니 **子曰, 賜也**는 **賢乎哉**아 **夫我則不暇**로다.

註解 ㅇ方人(방인)-사람을 비교하고 비평한다. ㅇ賜(사)-자공의 이름. ㅇ賢乎哉(현호재)-현명하니까 (저렇게 비평한다는 뜻). ㅇ夫我則不暇(부아즉불가)-하지만 나는 그렇게 할 틈이 없다.

14-32. 공자가 말했다. "나를 남이 알아주지 않는 것을 걱정하지 말고, 나에게 능력이 없는 것을 걱정해라."

原文 **子曰, 不患人之不己知**요 **患其不能也**니라.

註解 ㅇ不患(불환)-걱정하지 않는다. ㅇ人之不己知(인지불기지)-나를 남이 알아주지 않는 것. ㅇ其不能也(기불능야)-내가 능력이 없음을 (걱정하라).

解說 올바른 사회에서는 현명하고 덕있는 사람이 등용된다. 그러므로 나 자신의 학문과 덕행을 쌓고 또 능력을 배양해야 한다.

14-33. 공자가 말했다. "남이 나를 속일까 지레 의심하지 말고, 남이

나를 불신할까 억측하지 마라. 그러나 또한 남보다 먼저 깨닫고 알아야 현명하다고 하겠다."

原文 子曰, 不逆詐하며 不億不信이나 抑亦先覺者 是賢乎인저.

註解 ㅇ不逆詐(불역사)－역(逆)은 미리, 앞질러, 사(詐)는 속이다. 즉 남이 속이지나 않을까 지레 의심하지 말라는 뜻. ㅇ不億(불억)－억측하지 마라. ㅇ不信(불신)－나를 불신한다. ㅇ抑亦(억역)－그러나 또한.

14-34. 미생묘가 공자를 평하여 말했다. "구는 왜 저렇게 이 세상에 미련을 두고 서성대고 있는가? 말재주를 피우고자 함이 아니겠는가?"

(이 말을 전해 들은) 공자가 말했다. "감히 말재주를 피우고자 함이 아니다. 세상의 고루함을 가슴 아프게 여기고 이를 고치고자 함이로다."

原文 微生畝 謂孔子曰, 丘는 何爲是栖栖者與오 無乃爲佞乎아. 孔子曰, 非敢爲佞也라 疾固也니라.

註解 ㅇ微生畝(미생묘)－미생(微生)은 성, 묘(畝)는 이름. 고령(高齡)의 은자(隱者)일 것이다. ㅇ謂孔子曰(위공자왈)－공자를 평해서 말했다, 혹은 직접 공자에게 말했다. 여기서는 전자를 택했다. ㅇ丘(구)－공자의 이름 ㅇ何爲(하위)－왜, 무엇 때문에. ㅇ是栖栖者與(시서서자여)－그렇게 (이 세상에 미련을 두고) 오락가락하나? ㅇ無乃爲……乎(무내위……호)－즉 ……한 것이 아니냐? ㅇ佞(영)－말을 잘한다, 말

재주를 피우다. ㅇ非敢(비감)－감히 ……하려는 것이 아니다. ㅇ疾固也(질고야)－고루한 세상을 가슴 아프게 여기고 (병든 세상을) 고치려는 것이다.

解說 도가풍(道家風)의 은자(隱者)들은 공자가 은퇴하지 않고, 세상을 바로잡으려고 고생하는 것을 잘 이해하지 못하고, 도리어 빈정대기도 했다. 여기 나오는 은자 미생묘(微生畝)도 같았다. 이에 대해 공자가 말했다. "나는 세상을 바로잡으려고 한다."

14-35. 공자가 말했다. "기주의 좋은 말은 그 힘으로 일컫는 것이 아니고, 그 조련이 잘되었으므로 일컫는 것이다."

原文 **子曰, 驥**는 **不稱其力**이라 **稱其德也**니라.

註解 ㅇ驥(기)－기주(驥州)에서 산출되는 명마(名馬). ㅇ不稱其力(불칭기력)－그 힘을 가지고 명마라고 일컫는 것이 아니다. ㅇ稱其德也(칭기덕야)－조련(調練)이 잘된 결과로 명마라고 일컫는 것이다. 덕(德)은 덕택으로, 그 결과로.

14-36. 어떤 사람이 "원한을 덕으로 갚으면 어떻겠습니까?"하고 묻자, 공자가 말했다.

"그렇다면 덕에는 무엇으로 갚으려느냐? 원한에는 직량(直諒)으로 갚고, 덕에는 덕으로 갚아야 한다."

原文 **或曰, 以德報怨**이 **何如**니이꼬? **子曰, 何以報德**고 **以直報怨**이오 **以德報德**이니라.

註解 ㅇ或曰(혹왈)－어떤 사람이 말하다, 여기서는 묻다. ㅇ以德報怨(이덕보원)－덕으로써 원한을 갚는다. ㅇ何如(하여)－어떠하냐? ㅇ以直報怨(이직보원)－원한을 직량(直諒)으로 갚는다. 직량은 정직하고 성실함.

14-37. 공자가 "나를 알아주지 않는구나!"하고 말하자, 자공이 "어찌 선생님을 알아주지 않는다 하십니까?"하고 되물었다.

이에 공자가 말했다. "하늘도 원망치 않고, 사람도 탓하지 않겠다. 아래에서 배워 위에 통달하니, 나를 알아주는 분은 바로 하늘이니라."

原文 **子曰, 莫我知也夫**인저. **子貢曰, 何爲其莫知子也**이꼬? **子曰, 不怨天**하며 **不尤人**이요 **下學而上達**하노니 **知我者**는 **其天乎**인저.

註解 ㅇ莫我知也夫(막아지야부)－나를 알아주지 않는구나! 막아지(莫我知)＝막지아(莫知我), 부정사＋목적어＋동사. 부(夫)는 감탄사. ㅇ何爲(하위)－어째서 ……이냐? ……라 하느냐? ㅇ不怨天(불원천)－하늘을 원망하지 않는다 ㅇ不尤人(불우인)－사람을 탓하지 않는다. ㅇ下學而上達(하학이상달)－하(下)는 하늘 아래 즉 지상(地上), 상(上)은 천상(天上). 지상의 현상(現象)을 보고 배워서 천상의 천도(天道)를 터득한다는 뜻. ㅇ知我者其天乎(지아자기천호)－나를 알아주고 인도해 주는 자는 바로 하늘뿐이로다.

解說 하늘〔天〕은 우주를 창조하고 우주를 섭리하는 절대자(絶對者)이고 동시에 천지 자연만물을 생육하는 절대선(絶對善)의 도리의 주체이다. 지상에서 삼라만상을 통해 배우고 하늘의 도리를 터득했으니, 하늘은 나를 알아준 것이다. 즉 나와 하늘은 통한다는 뜻. 이

구절은 매우 의미가 깊다.

14-38. 공백료가 계손씨에게 자로를 참소했다. 이 사실을 자복경백이 공자에게 고하면서 말했다. “계손씨는 분명히 공백료의 말에 마음이 흔들리고 있습니다. 아직은 저의 힘으로 공백료를 처형하고 그의 시체를 저잣거리에 내보일 만합니다.”

이에 공자가 말했다. “도가 행해지는 것도 천명이며, 도가 폐하는 것도 천명이다. 공백료가 천명을 어찌하겠느냐?”

原文 **公伯寮**이 **愬子路於季孫**이어늘 **子服景伯**이 **以告 曰, 夫子固有惑志於公伯寮**하나니 **吾力**이 **猶能肆諸市朝**니이다. **子曰, 道之將行也與**도 **命也**며 **道之將廢也與**도 **命也**니 **公伯寮其如命何**리오?

註解 ㅇ公伯寮(공백료)－공백(公伯)은 성, 요(寮)는 이름, 노(魯)나라 사람. 공자의 제자라고도 하나 확실치 않다. ㅇ愬(소)－참소하다, 중상하다. 즉 자로(子路)를 계손씨(季孫氏)에게 참소했다. 당시 자로는 계손씨의 가신(家臣)으로 있었다. ㅇ子服景伯(자복경백)－자복(子服)이 성, 경(景)은 시호, 백(伯)이 자, 이름은 하(何). 노나라의 대부로, 맹손씨(孟孫氏)의 일족이다. ㅇ以告曰(이고왈)－자복경백이 그 사실을 공자에게 고하고 아울러 말했다. ㅇ夫子(부자)－여기서는 계손씨. ㅇ固有惑志(고유혹지)－(계손씨가) 당연히 마음으로 미혹할 것이다, 즉 참언을 듣고 마음이 흔들릴 것이다. ㅇ於公伯寮(어공백료)－공백료의 참언에. ㅇ吾力猶能(오력유능)－나의 힘이 아직은 ……할 수 있다. ㅇ肆諸市朝(사제시조)－사(肆)는 사형하고 시체를 거리에 내버리는 형벌, 제(諸)는 ‘지(之)＋어(於)’. 사제시조(肆諸市朝)는 즉 그 자를 처형하고 그 시체를

시장에 내버린다는 뜻. ㅇ道之將行也與(도지장행야여)－도가 행해지는 것도. ㅇ命也(명야)－천명이다, 천명에 따라 도가 행해지기도 하고, 행해지지 않기도 한다는 뜻. ㅇ道之將廢也與命也(도지장폐야여명야)－도가 폐해지는 것도 천명이다. ㅇ公伯寮其如命何(공백료기여명하)－공백료가 천명을 어찌하겠는가?

解說 좋은 세상에서는 도(道)가 행해지고, 나쁜 세상에서는 도가 행해지지 않고, 악인(惡人)과 악덕(惡德)이 활개를 친다. 노(魯)나라에서 삼환씨(三桓氏)가 임금을 무시하고 국권(國權)을 참월(僭越)하게 가로채고 있는 것은 곧 무도(無道)하기 때문이다. 자로(子路)가 참소를 당한 것도 무도하기 때문이다.

그러나 공자는 '국가의 유도(有道)와 무도(無道)는 사람의 힘만으로 되는 것이 아니고, 뒤에 보이지 않는 하늘의 명이 작용하고 있다'고 믿었다. 그래서 '공백료가 천명을 어찌하겠는가?(公伯寮其如命何)'라고 말한 것이다.

14-39. 공자가 말했다. "현명한 사람은 어지러운 세상을 피하고, 그 다음 가는 사람은 무도한 나라를 피하고, 그 다음 가는 사람은 무례한 사람을 피하고, 그 다음 가는 사람은 나쁜 말을 피한다." 그리고 공자가 덧붙여 말했다. "그와 같이 실천한 사람이 일곱 사람 있었다."

原文 **子曰, 賢者**는 **辟世**하고 **其次**는 **辟地**하고 **其次**는 **辟色**하고 **其次**는 **辟言**이니라. **子曰, 作者七人矣**로다.

註解 ㅇ賢者(현자)－현명한 사람. ㅇ辟世(벽세)－무도한 세상을 피한다, 도가 행해지지 않는 난세(亂世)를 피한다. 함께 어울리지 않는다.

벽(辟)=피(避). ㅇ其次(기차)-그 다음 단계로 슬기로운 사람. ㅇ辟地(벽지)-땅을 피한다, 즉 무도하고 흐트러진 나라를 피한다. ㅇ辟色(벽색)-색(色)은 안색(顏色), 즉 악덕하고 무례한 임금을 피한다는 뜻, 좁게는 나쁜 인간을 피한다는 뜻. ㅇ辟言(벽언)-도에서 벗어난 나쁜 말이나 글을 피한다. ㅇ作者(작자)-이상과 같이 행한 사람이. ㅇ七人矣(칠인의)-일곱 명이 있었다. 즉 장저(長沮)·걸익(桀溺)·장인(丈人)·석문(石門)·하괴(荷蕢)·의봉인(儀封人)·초광접여(楚狂接輿) 등 일곱 명이다. 단 공자가 말한 일곱 명이 이들인지는 알 수 없다.

解說 현명한 사람은 무도(無道)하고 악덕(惡德)한 세계나 국가에 어울려 악한 짓을 하지 않는다. 또 현명한 사람은 무도하고 악덕한 권력자나 재벌 밑에서 악한 짓을 하지 않는다. 공자의 뜻은 악덕과 타협하거나 붙어먹지 말라는 뜻이다. 도가사상과 같이 세상을 포기하고 은퇴하라는 뜻이 아니다. 학문과 예악(禮樂)으로 악의 세계를 선의 세계로 교화하는 것이 공자사상이다.

14-40. 자로가 석문에서 묵었다. 문지기가 "어디에서 왔소?"하고 묻자, 자로가 "공씨 문중에서 왔소."하고 대답하자, 문지기가 말했다.

"안될 줄 뻔히 알면서 굳이 하려는 사람들이구려!"

原文 **子路 宿於石門**이러니 **晨門**이 **曰, 奚自**오? **子路曰, 自孔氏**로라. **曰, 是知其不可而爲之者與**아.

註解 ㅇ宿於石門(숙어석문)-석문에서 묵었다, 석문(石門)은 지명. ㅇ晨門(신문)-아침에 문을 여는 문지기. ㅇ奚自(해자)-어디에서 왔는가? ㅇ自孔氏(자공씨)-공씨 문중에서 왔다. ㅇ是……者與(시……자여)-바로 ……하는 사람이군요? ㅇ知其不可(지기불가)-안되는 줄 알면

서. ㅇ而爲之者與(이위지자여)－그래도 하는 사람이군.

解說 난세(亂世)를 바로잡으려는 공자와 제자들의 사상과 행동을 오해하거나 조소하는 사람들이 많았다. 그러한 기술이 《논어》에도 여러 군데 나온다.

14-41. 공자가 위나라에서 경쇠를 치자, 마침 삼태기를 메고 공자가 묵고 있는 문앞을 지나가던 사람이 말했다. "뜻이 담겨져 있구나, 치는 경쇠 소리에!" 잠시 후에 또 말했다. "경소리가 천덕스럽고 깐깐하구나! 자기를 몰라주면 그만둘 것이로다. 깊으면 옷을 벗고, 얕으면 걷어올리라고 했거늘."

이에 공자가 말했다. "과감하다! 그러나 (그렇게 무모하게 세상을 버리는 일은) 어렵지 않다."

原文 子 擊磬於衛러시니 有荷蕢而過孔氏之門者 曰, 有心哉라 擊磬乎여. 旣而曰, 鄙哉라 硜硜乎여 莫己知也어든 斯己而已矣니 深則厲요 淺則揭니라. 子曰, 果哉라 末之難矣니라.

註解 ㅇ子擊磬於衛(자격경어위)－공자가 위나라에서 경쇠를 쳤다. 경쇠[磬]는 악기. ㅇ有荷蕢(유하괴)－흙 삼태기를 메고. ㅇ過孔氏之門(과공씨지문)－공자가 유숙하고 있는 집 문전을 지나가다. ㅇ有心哉(유심재)－뜻이 담겨져 있다. ㅇ擊磬乎(격경호)－경쇠를 치고 있다. ㅇ旣而曰(기이왈)－그리고 또 말했다. ㅇ鄙哉(비재)－(생각이나 마음이) 천덕스럽다. ㅇ硜硜乎(갱갱호)－돌 부딪는 소리, 각박하고 깐깐하다. ㅇ莫己知

也(막기지야)－나를 알아주지 않는다. ㅇ斯已而已矣(사기이이의)－그러면 그것으로 그만이다. ㅇ深則厲(심즉려)－물이 깊으면 옷을 벗어들고 강을 건너가다. ㅇ淺則揭(천즉게)－물이 얕으면 옷을 걷어올리고 강을 건너가다. '심즉려(深則厲), 천즉게(淺則揭)'는 《시경(詩經)》 패풍(邶風)에 있는 구절. 시세에 따라 융통성있게 하라는 뜻. ㅇ果哉(과재)－과단성있게 (세상을 버리는 일). ㅇ末之難矣(말지난의)－그렇게 (무모하게 세상을 버리는 일은) 어렵지 않다, 말(末)＝무(無).

解說 세상을 버리고 은퇴하기는 어렵지 않다. 흐트러진 세상을 바로잡기가 어려운 것이다. 어려운 일을 하는 사람이 공자다.

14-42. 자장이 물었다. "《서경》에 고종이 양암이라 하여 3년간 말을 하지 않았다고 했는데 무슨 뜻입니까?"

공자가 말했다. "어찌 고종만 그리했겠느냐? 옛사람들은 모두 그랬다. 임금이 세상을 뜨면 백관들이 다 자기의 직책을 총괄해서 총재에게 재가받기를 3년간 했던 것이다."

原文 子張이 曰, 書云高宗이 諒陰三年을 不言이라 하니 何謂也이꼬? 子曰, 何必高宗이리오. 古之人이 皆然하니 君薨케시든 百官이 總己하야 以聽於冢宰三年하니라.

註解 ㅇ書云(서운)－《상서(尙書)》, 《서경》에 있다. 이 말은 《상서》 〈무일편(無逸篇)〉에 있다. ㅇ高宗(고종)－은(殷)나라 중흥의 왕 무정(武丁). ㅇ諒陰(양암)－부왕(父王)이 죽은 다음 천자가 거처하는 곳을 양암(諒闇)이라 했다. 즉 임금의 여막(廬幕)에 해당한다. ㅇ三年不言(삼년불언)－천자가 조용히 양암(諒闇)에서 3년간 복상(服喪)했다는 뜻이다. ㅇ何必高宗(하필고종)－어찌 반드시 고종만 그렇게 했으랴? ㅇ皆然

(개연)－다 그렇게 했다. ㅇ君薨(군홍)－임금이 죽으면. ㅇ百官總己(백관총기)－백관들이 다 자기의 직책을 총괄해서. ㅇ以聽於冢宰(이청어총재)－(모든 직무를 각자가 전결하지 않고) 총재의 말을 듣고 처리하다, 즉 총재의 재가에 일임했다는 뜻.

解說 부모가 돌아가면 자식은 3년간 거상(居喪)해야 한다. 그것이 천하의 통례(通禮)다. 임금도 삼칸 여막(廬幕)에 해당하는 양암(諒闇)에 거처하며 묵묵히 정사를 보았다. 아울러 백관들도 모든 정무를 일괄해서 총재(冢宰)의 재가를 받고 처리했다. 이 말은《예기(禮記)》〈단궁하편(檀弓下篇)〉'에도 보인다.

14-43. 공자가 말했다. "윗사람이 예를 좋아하면, 백성들 부리기가 쉽다."

原文 子曰, 上好禮면 則民易使也니라.

註解 ㅇ上好禮(상호례)－윗사람이 예를 솔선수범(率先垂範)한다는 뜻. ㅇ則民易使也(즉민이사야)－즉 백성들도 교화되므로 부려 쓰기가 쉽다.

解說 예(禮)는 위계(位階)나 질서(秩序)의 바탕이다.

14-44. 자로가 군자에 대해서 묻자 공자가 말했다. "자기를 수양하고 모든 것을 경건히 받들어야 한다."

자로가 "그렇게만 하면 됩니까?"하고 묻자, 공자가 말했다. "자기를 수양하고 남들을 안락하게 해주어야 한다."

자로가 "그렇게만 하면 됩니까?"하고 묻자, 공자가 말했다. "자기를 수양하고 백성을 안락하게 해주어야 한다. 자기를 수양하고 백성을 안락하게 해주는 것은 요임금이나 순임금도 실현하기 어려워한 것이다."

原文 **子路 問君子**한대 **子曰, 脩己以敬**이니라. **曰, 如斯而已乎**이꼬? **曰, 脩己以安人**이니라. **曰, 如斯而已乎**이꼬? **曰, 脩己以安百姓**이니 **脩己以安百姓**은 **堯舜**도 **其猶病諸**시니라.

註解 ㅇ脩己以敬(수기이경)－자기를 수양하고 모든 일을 경건하고 성실하게 받들고 처리한다. ㅇ如斯而已乎(여사이이호)－그렇게 하는 것뿐입니까? ㅇ脩己以安人(수기이안인)－자기를 수양하고 모든 사람을 안락하게 해준다. ㅇ安百姓(안백성)－모든 백성을 안락하게 해준다. 인(人)은 지식이 있는 지도급의 사람들, 민(民)은 지식이 없는 서민 대중들의 뜻으로 구분할 수 있다. ㅇ堯舜(요순)－요임금과 순임금. 신화에서 높이는 성군(聖君). ㅇ其猶病諸(기유병제)－요순도 그렇게 하려고 고심했다는 뜻. 혹은 그렇게 못한 것을 병통(病痛)으로 여겼다는 뜻.

解說 학문과 덕행을 바탕으로 일을 바르게 처리하고, 사람들을 잘 살게 해주는 인격자가 곧 군자다.

14-45. (공자의 친구) 양이 앉아서 공자를 기다렸다. 공자가 그를 책망했다. "어려서도 겸손하지 못하고, 자라서도 칭찬받을 만한 일이 없고, 늙어서는 죽지 않고 (보람없이) 살고 있는 자가 바로 삶에 대한 도적이다." 그리고 지팡이로 그의 정강이를 때렸다.

原文 **原壤**이 **夷俟**러니 **子曰, 幼而不孫弟**하며 **長而無述**

焉이오 老而不死 是爲賊이라 하시고 以杖叩其脛하시다.

註解 ㅇ原壤(원양)－노(魯)나라 사람으로, 공자가 어려서부터 잘 알고 있던 사람일 거라고 한다.《예기》에 보면, 그 어머니가 죽었는데도, 그는 나무에 올라가 노래를 불렀다고 하며, 공자가 그를 도와서 장례를 치르게 했다고 한다. ㅇ夷俟(이사)－이(夷)는 앉아서 두 다리를 뻗고, 사(俟)는 기다리다. ㅇ幼而不孫弟(유이불손제)－어려서는 남에게 겸손하지 않고 또 우애롭게 하지 못했다. ㅇ長而無述焉(장이무술언)－자라서는 칭찬받을 만한 일을 한 것이 없다. ㅇ老而不死(노이불사)－늙어서 죽지 않고 살되, 무가치하게 살고 있다. ㅇ是爲賊(시위적)－그런 사람이 바로 삶의 도적이다. ㅇ以杖叩其脛(이장고기경)－지팡이로 그의 정강이를 때렸다.

解說 어려서 효도와 예절을 지키지 못하고, 성장해서는 가치 있는 일을 한 것이 없으며, 늙어서도 멍청하게 살고 있다. 이런 사람을 공자는 '삶의 도적'이라고 책망하고 매질까지 했다. 하늘로부터 삶을 내려받았으니, 하늘의 뜻과 도리에 맞는 착한 삶을 살아야 한다.

14-46. 궐(闕)이라는 향당의 한 소년이 전갈(傳喝)을 하고 있었다. 어떤 사람이 "저 아이는 장차 공부하고 정진할 수 있을까요?"하고 물었다. 이에 공자가 대답했다. "나는 저 아이가 어른 자리에 앉아 있는 것을 보았으며, 또 어른과 나란히 걸어가는 것을 보았습니다. 그러므로 저 아이는 공부하고 정진하려는 아이가 아니고, 성급하게 성공하기를 바라는 아이입니다."

原文 闕黨童子 將命이어늘 或이 問之曰, 益者與이꼬? 子曰, 吾見其居於位也하며 見其與先生並行也호니 非求益者

也라 欲速成者也니라.

註解 ㅇ闕黨童子(궐당동자)－궐(闕)은 지명, 공자가 살고 있던 궐리(闕里)라는 설도 있다. 당(黨)은 5백 호의 마을, 동자(童子)는 소년, 동자, 아이. ㅇ將命(장명)－장(將)은 전한다, 명(命)은 말, 전하는 말. 장명(將命)은 주인과 손님의 전갈을 담당하는 소년. ㅇ或問之曰(혹문지왈)－어떤 사람이 물었다. ㅇ益者與(익자여)－(공부하고 노력해서) 더욱 정진할 수 있을까? ㅇ吾見(오견)－나는 보았다. ㅇ其居於位也(기거어위야)－저 아이가 (무엄하게) 어른 자리에 앉아있는 것을. ㅇ見其與先生並行也(견기여선생병행야)－저 아이가 (버릇없이) 어른과 나란히 가고 있는 것을 보았다. ㅇ非求益者也(비구익자야)－그러므로 저 아이는 (공부하고 노력해서) 더욱 정진할 수 있는 아이가 아니다. ㅇ欲速成者也(욕속성자야)－빨리 성공하기를 바라는 아이이다.

解說 스스로 예의범절을 가리려고 노력을 해야 장차 점잖은 사람이 될 수 있다. 어려서 무엄하게 자라면 큰 인물이 못된다.

제15편 위령공편(衛靈公篇)

본편은 주로 공자가 겪은 여러 가지 불우한 일들에 관한 기술 및 쇠퇴한 세상을 한탄하는 감회를 적은 글이 많다. 그러나 그런 속에서도 수신(修身)과 처세(處世)의 바른 길과 법을 논한 짧은 말들이 섞여있다. 총 42장으로 나눈다.

15-1. 위나라의 영공이 공자에게 전진의 법을 묻자, 공자가 대답했다. "제사 지낼 때, 제기를 진설하는 법에 대해서는 일찍이 들어 알고 있지만, 전쟁의 작전법은 배운 바 없습니다."

그리고 이튿날 위나라를 떠났다.

原文 **衛靈公**이 **問陳於孔子**한대 **孔子對曰, 俎豆之事**는 **則嘗聞之矣**어니와 **軍旅之事**는 **未之學也**라 하시고 **明日遂行**하시다.

註解 ㅇ衛靈公(위령공)―위나라의 영공, 〈憲問篇 14-20〉 참고. ㅇ問陳於孔子(문진어공자)―공자에게 전술(戰術) 혹은 전진(戰陣)에 대해서 물었다. 전진은 싸움터의 진지 배치. ㅇ俎豆之事(조두지사)―조(俎)는 희생(犧牲)을 고이는 제기(祭器), 두(豆)는 야채를 담는 제기, 혹은 제기의 받침대. 조두지사는 제사지낼 때 제기를 진설(陳設)하는 일, 즉 제례(祭禮)나 예교(禮敎)에 관한 일이라는 뜻. ㅇ則嘗聞之矣(즉상문지의)―즉 이전에 들어서 알고 있다는 뜻. ㅇ軍旅之事(군려지사)―군대에 관한 일, 즉 군대 지휘, 전술 등. ㅇ未之學也(미지학야)―아직 배운 바가 없다.

ㅇ明日遂行(명일수행)－그 이튿날 위나라를 떠났다.

15-2. 진나라에서 양식이 떨어지고, 따라갔던 제자들이 병들어 일어나지 못하게 되었다.

이에 자로가 화가 나서 공자를 뵙고 말했다. "군자가 이렇듯이 궁핍해야 합니까?"

공자가 말했다. "군자는 원래 궁핍하게 마련이다. 소인배는 궁핍하면 문란하게 된다."

原文 **在陳絶糧**하니 **從者病**하야 **莫能興**이러니 **子路 慍見曰, 君子亦有窮乎**이꼬? **子曰, 君子**는 **固窮**이니 **小人**은 **窮斯濫矣**니라.

註解 ㅇ在陳絶糧(재진절량)－진나라에서는 먹을 양식마저 떨어졌다. 진(陳)은 하남성(河南省) 진주(陳州) 일대의 작은 나라. 공자 나이 63세 때의 일이다. ㅇ從者病(종자병)－따르던 제자들이 병에 쓰러지고. ㅇ莫能興(막능흥)－좀처럼 일어나지 못했다. ㅇ子路慍見曰(자로온현왈)－자로가 화를 내고 공자를 보고 말했다. ㅇ君子亦有窮乎(군자역유궁호)－군자도 역시 이렇게 궁핍해야 하는가? ㅇ君子固窮(군자곤궁)－(난세에서는) 군자는 당연히 궁핍하게 마련이다. 즉 군자는 궁핍한 법이다. ㅇ小人窮斯濫矣(소인궁사람의)－소인배는 궁핍하면 문란하게 된다, 넘나는 짓을 한다.

解說 제1장, 제2장을 하나로 합치기도 한다. 덕치(德治)를 모르는 위나라의 영공은 공자에게 전진(戰陣)을 물었다. 이와 같이 무도한 난세에서는 참다운 군자는 궁핍하게 마련이다. 그러므로 도가 행해지는 세상을 만들려고 고생을 하는 것이다. 궁핍에 지면 안된다.

15-3. 공자가 자공에게 물었다. "사야! 너는 내가 많은 것을 배우고 또 그것들을 다 기억하고 있다고 생각하겠지?"

자공이 "네! 안그렇습니까?"하고 되묻자, 공자가 말했다. "안그렇다, 나는 하나를 가지고 꿰뚫고 있는 것이다."

原文 子曰, 賜也아 女以予爲多學而識之者與아? 對曰, 然하이다 非與이꼬? 曰, 非也라 予一以貫之니라.

註解 ㅇ賜也(사야)－사(賜)는 자공(子貢)의 이름. ㅇ女(여)－너, 여(汝)와 같다. ㅇ以予爲……者與(이여위……자여)－나를 ……하는 사람이라고 생각하느냐? 여(與)는 의문 조사. ㅇ多學而識之(다학이식지)－많은 것을 배우고, 그 모든 것을 기억하고 있는 (사람). ㅇ然(연)－그렇게 생각합니다. ㅇ非與(비여)－안그렇습니까? ㅇ非也(비야)－안그렇다. ㅇ予一以貫之(여일이관지)－나는 하나로써 꿰뚫고 있다.

解說 제4편 〈이인편(里仁篇)〉 15장에서 공자는 증자(曾子)에게 '오도일이관지(吾道一以貫之)'라 했으며, 그때의 '일(一)'은 '인덕(仁德)'의 뜻이다. 그러나 여기서 말하는 '일(一)'은 '하나인 절대선의 천도(天道)' 및 '천도를 바탕으로 한 인도(仁道)'의 뜻으로 보아야 한다. 《집주(集註)》에서 주자(朱子)는 '〈이인편〉은 행동면에서 말한 것이고, 여기서는 인식면에서 말한 것이다'라고 했다. 즉 모든 행동을 '하나인 인덕, 곧 충(忠)과 서(恕)'를 바탕으로 해야 한다. 한편 만물에 대한 인식을 '하나인 천도'를 기준으로 하면 모든 것이 관통하게 마련이다.

15-4. 공자가 말했다. "유야! 덕을 아는 사람이 거의 없구나."

原文 子曰, 由아 知德者 鮮矣니라.

註解 ㅇ由(유)－자로(子路)의 이름. ㅇ知德者鮮矣(지덕자선의)－덕을 알고 실천하는 사람이 거의 없다. 선(鮮)은 적다, 없다.

解說 '인부지이불온(人不知而不慍) 불역군자호(不亦君子乎)'(〈學而篇 1-1〉)라고 말한 공자다. 오죽하면, 과격한 행동파인 제자 자로를 보고 한탄했을까? '지덕자(知德者)'의 지(知)는 알고 실천하다, 덕(德)은 도(道)를 실천하여 얻은 좋은 성과나 열매의 뜻이다. 따라서 '지덕자선의(知德者鮮矣)'는 '절대선의 천도를 따르고 실천해서 인정(仁政)과 덕치(德治)를 펴려는 임금이 거의 없다'는 공자의 실망을 토로한 말이다.

15-5. 공자가 말했다. "조작하지 않고 다스린 분이 바로 순임금이셨다. 어찌하셨나 하면 몸가짐을 공손하고 또 바르게 하시고, 남쪽을 바라보고 앉아계실 뿐이었다."

原文 **子曰, 無爲而治者**는 **其舜也與**인저. **夫何爲哉**시리오 **恭己正南面而已矣**시니라.

註解 ㅇ無爲而治(무위이치)－인위적으로 조작하지 않고 자연스럽게 다스리다. ㅇ恭己正(공기정)－몸가짐을 공손하고 바르게 한다. ㅇ南面(남면)－임금은 남쪽을 바라보고 앉는다. ㅇ而已矣(이이의)－뿐이다.

15-6. 자장이 행도(行道)에 대해서 묻자, 공자가 말했다. "군자가 말을 충성되고 믿음직하게 하고, 행실을 돈후하고 공손하게 하면, 비록 오랑캐 나라에서도 도가 행해질 것이다. 그러나 말이 충성되거나 믿음직하지 못하고 또 행실이 돈후하거나 공손하지 못하면, 향리인

들 도가 행해지겠느냐? 그러므로 군자는 '충신독경(忠信篤敬)'을 서 있을 때에도 눈앞에 엄숙히 떠올리고, 수레에 탔을 때에도 수레 멍에에 걸려 있는 듯이 살펴야 한다. 그렇게 하면 도가 행해진다."

자장이 (이 말을) 허리띠에 적었다.

原文 **子張**이 **問行**한대 **子曰, 言忠信**하며 **行篤敬**이면 **雖蠻貊之邦**이라도 **行矣**어니와 **言不忠信**하며 **行不篤敬**이면 **雖州里**니 **行乎哉**아? **立則見其參於前也**오 **在輿則見其倚於衡也**니 **夫然後行**이니라. **子張**이 **書諸紳**하니라.

註解 ㅇ子張問行(자장문행)－공자의 제자 자장이 행도(行道)에 대해서 묻다. 행도(行道)는 도를 행하다, 혹은 세상에 도가 행해지게 하다. ㅇ言忠信(언충신)－말이 충성되고 신의가 있어야 한다. ㅇ行篤敬(행독경)－행실이 돈독하고 공손해야 한다. ㅇ雖蠻貊之邦(수만맥지방)－비록 오랑캐 나라에서도 도가 행해질 것이다. 만(蠻)은 남쪽 오랑캐, 남만(南蠻). 맥(貊)은 북쪽 오랑캐, 북적(北狄). ㅇ雖州里(수주리)－비록 고을이나 촌락에서도, 주(州)는 12,500호가 모인 고을, 이(里)는 25가구의 촌락. ㅇ立(입)－서있을 때에도. ㅇ見其參於前也(견기삼어전야)－그것을 엄숙하게 앞에 보는 듯이 한다. 삼(參)은 엄숙하게, 기(其)는 '충신독경(忠信篤敬)'. ㅇ在輿(재여)－수레를 타고 있으면. ㅇ見其倚於衡也(견기의어형야)－그것이 수레 멍에에 걸려 있는 듯이 살핀다. 의(倚)는 걸려 있다, 형(衡)은 수레의 멍에. ㅇ夫然後行(부연후행)－무릇 군자가 그렇게 '언충신 행독경(言忠信 行篤敬)'하면 도가 행해진다. ㅇ書諸紳(서제신)－그 말을 허리띠에 적었다. 제(諸)=지어(之於), 신(紳)은 허리띠, 큰 띠.

解說 사회나 나라의 기풍을 혁신하고 선화(善化)하기 위해서는 군자들이 솔선수범해야 한다. 특히 '언충신(言忠信) 행독경(行篤敬)'해

야 한다.

15-7. 공자가 말했다. "참으로 곧도다, 사어는! 나라에 도가 있어도, 화살같이 곧게 행하고, 나라에 도가 없어도 화살같이 곧게 행하노라."

"참으로 군자로다, 거백옥은! 나라에 도가 있으면 벼슬하고, 나라에 도가 없으면 거두어 감춘다."

原文 **子曰, 直哉**라 **史魚**여 **邦有道**에 **如矢**하며 **邦無道**에 **如矢**로다. **君子哉**라 **蘧伯玉**이여 **邦有道則仕**하고 **邦無道則可卷而懷之**로다.

註解 ㅇ直哉史魚(직재사어)－사어(史魚)는 곧은 사람이다, 사어는 위(衛)의 대부, 성이 사(史), 자가 자어(子魚). ㅇ如矢(여시)－화살같이 곧다. ㅇ君子哉蘧伯玉(군자재거백옥)－참으로 군자다운 거백옥(蘧伯玉)이다. 거백옥도 역시 위의 대부. 〈憲問篇 14-26〉 참고. ㅇ可卷而懷之(가권이회지)－거두고 숨을 수 있다.

15-8. 공자가 말했다. "더불어 말할 수 있는 사람과 말을 하지 않으면 사람을 잃고, 더불어 말할 수 없는 사람과 말을 하면 말을 잃는다. 지혜로운 사람은 사람도 잃지 않고 또 말도 잃지 않는다."

原文 **子曰, 可與言而不與言**이면 **失人**이오 **不可與言而與之言**이면 **失言**이니 **知者**는 **不失人**하며 **亦不失言**하니라.

註解 ㅇ可與言(가여언)－더불어 말할 수 있다, 혹은 말을 해야 하는

데. ㅇ失人(실인)－사람을 잃는다. ㅇ不可與言(불가여언)－더불어 말할 수 없다, 혹은 말을 하면 안된다. ㅇ失言(실언)－말을 잃는다, 즉 헛되게 말을 한다는 뜻.

解說 인간은 말을 통해 서로 교통(交通)하고 또 협력해서 문화를 창조할 수 있다. 그러므로 말을 신중하고 적절하게 해야 한다. 서로 기준이 맞는 사람들이 도에 맞는 말을 하고, 서로 협력해서 보람있는 일을 하고 또 보람있는 삶을 살아야 한다.

'불실인(不失人)'의 깊은 뜻을 알자. '사람을 잃지 않는다[不失人]'는 것은 곧 '사람다운 삶을 잃지 않는다'는 뜻이다. 도(道)에 맞는 말을 서로 주고받고 또 함께 실천해야, 사람다운 사람이 되고 또 보람있는 삶을 산다. 나쁜 말을 주고받고 나쁜 삶을 살면 실인(失人), 즉 '사람을 망친다'. 말의 값을 잃지 않는 것이 '불실언(不失言)'이다. 값없는 말을 함부로 하는 것이 곧 실언(失言)이다.

15-9. 공자가 말했다. "지사나 인자는 살기 위하여 인을 해치는 일이 없으며, 도리어 몸을 죽여 인을 이룩한다."

原文 子曰, 志士仁人은 無求生以害仁이오 有殺身以成仁이니라.

註解 ㅇ志士(지사)－도(道)에 뜻을 두고, 도의 구현(具現)을 위해 노력하는 선비. ㅇ仁人(인인)－인심(仁心)을 바탕으로 인정(仁政)을 실현하려는 휴머니스트. ㅇ無(무)－……하는 일이 없다. ……하지 않는다. ㅇ求生以害仁(구생이해인)－삶[生]을 구하려고 인을 해치다. ㅇ有(유)－……한다. ㅇ殺身以成仁(살신이성인)－몸을 죽여서라도 인을 이룩한다.

解說 공자사상의 핵심을 말한 구절이다. 인간도 동물이다. 그러므로 육신을 바탕으로 동물적인 삶을 영위한다. 그러나 인간은 동물과는 차원이 다른 가치적 삶을 영위한다. 즉 인류애를 바탕으로 평화세계를 창건하고 아울러 역사와 문화를 대대로 이어가면서 더욱 새롭게 발전시킨다. 그러므로 인간의 삶의 진가(眞價)는 동물적 생존에 있는 것이 아니라, '사랑으로 하나가 되어, 하나의 세계를 창건하고 아울러 인류의 역사와 문화를 계승하고 더욱 창조적으로 발전케 함'에 있는 것이다.

인(仁)은 '인류애를 바탕으로 평화세계를 창건한다'와 아울러 '인류의 역사와 문화를 계승하고 더욱 발전시킨다'는 뜻이 함께 포함되어 있다. '살신성인(殺身成仁)'은 곧 동물적 삶을 지양하고 '사랑이 넘치는 인류의 평화세계를 창건한다'는 뜻이다.

15-10. 자공이 인을 이룩하는 방법을 묻자, 공자가 말했다. "공장(工匠)이 일을 잘하려면 반드시 먼저 연장을 예리하게 한다. 그러므로 그 나라에 있을 때는 그 나라의 현명한 대부를 섬기고 또 인덕있는 선비와 벗하여야 한다."

原文 子貢이 問爲仁한대 子曰, 工欲善其事인댄 必先利其器니 居是邦也하야 事其大夫之賢者하며 友其士之仁者니라.

註解 ㅇ問爲仁(문위인)－인도(仁道)와 인정(仁政)을 이룩하다, 실현한다. ㅇ工欲善其事(공욕선기사)－공장(工匠)이 자기 일을 잘하기 위해서는. ㅇ必先利其器(필선리기기)－반드시 먼저 자기의 연장이나 기구를 예리하게 한다. ㅇ居是邦也(거시방야)－그 나라에 있을 때는, 있는 이상.

ㅇ事其大夫之賢者(사기대부지현자)－그 나라 대부 중에서 현명한 사람을 섬기다. ㅇ友其士之仁者(우기사지인자)－그 나라 선비 중에서 어진 사람과 벗한다.

解說 어질고 착한 사람들이 하나로 뭉치고 세를 형성해야 인정(仁政)을 실천할 수 있다. 좋으나 나쁘나 혼자서는 큰 일을 할 수 없다. 정치가 타락하고 세상이 악하게 되는 것도, 나쁜 사람들이 많고, 결탁하여 사회나 국가를 지배하고 있기 때문이다. 그러므로 사회나 국가를 혁신하고 바르게 잡기 위해서는 바르고 착한 사람들이 함께 뭉치고 세를 형성해야 한다. 특히 인정(仁政)을 구현(具現)하기 위해서는 지(智)·인(仁)·용(勇)의 삼달덕(三達德)을 갖춘 군자(君子)나 인자(仁者)들이 굳게 단결해야 한다.

15-11. 안연이 나라 다스리는 법을 묻자, 공자가 말했다. "하나라의 역법(曆法)을 쓰고, 은나라의 수레를 타고, 주나라의 면류관을 쓰고, 음악은 소무(韶舞)를 따르되, 정나라의 음악은 추방하고, 아첨하는 자들을 멀리하라. 정나라의 음악은 음란하고, 아첨하는 사람은 위태롭다."

原文 **顔淵**이 **問爲邦**한대 **子曰, 行夏之時**하며 **乘殷之輅**하며 **服周之冕**하며 **樂則韶舞**요 **放鄭聲**하며 **遠佞人**이니 **鄭聲**은 **淫**하고 **佞人**은 **殆**니라.

註解 ㅇ問爲邦(문위방)－나라를 다스리는 도리나 방법을 묻다. ㅇ行夏之時(행하지시)－하(夏)의 시령(時令)을 쓰다. 음력(陰曆)이 농사를 짓는 데 적합했다. ㅇ乘殷之輅(승은지락)－은(殷)나라 때에 만든 작은

수레. 나무로 만들었는데 견실하며 실용적이었다. ㅇ服周之冕(복주지면)－주(周)나라 때의 면류관을 쓰고 예복을 입는다. 예법(禮法)에 맞았다. ㅇ樂則韶舞(낙칙소무)－소(韶)는 순(舜)의 음악. 옛날에는 음곡(音曲)과 무곡(舞曲)이 일치했다. 칙(則)은 법칙으로 삼는다, 기준으로 한다. 공자는 소를 진선진미(盡善盡美)하다고 쳤다. 〈팔일편(八佾篇) 3-25〉 참고. ㅇ放鄭聲(방정성)－정(鄭)나라의 음악을 추방한다. ㅇ遠佞人(원영인)－아첨하는 사람을 멀리한다. ㅇ鄭聲淫(정성음)－정나라 음악은 음탕하다. ㅇ佞人殆(영인태)－아첨하는 자는 나라를 위태롭게 한다.

解說 공자는 역사와 전통을 존중했다. 그러므로 그가 높이는 인정(仁政)과 덕치(德治)도 역대의 좋은 문화 전통을 활용하라고 한 것이다. 문화의 창조나 발전도 전통 위에서 이룩된다.

15-12. 공자가 말했다. "사람은 멀리 생각하지 않으면, 반드시 가까운 근심이 있게 마련이다."

原文 **子曰, 人無遠慮**면 **必有近憂**니라.

註解 ㅇ人無遠慮(인무원려)－멀리 걱정하지 않으면, 원려(遠慮)는 멀리 앞을 내다보고 미리 걱정하고 대비한다는 뜻. ㅇ必有近憂(필유근우)－반드시 나의 주변이나 가까운 곳에서 현실적으로 걱정거리가 발생한다는 뜻.

解說 원려(遠慮)는 우주관(宇宙觀)·세계관(世界觀)·역사관(歷史觀)을 바르고 크게 세운다는 뜻이다. 크고 멀리 내다보지 않고, 나만의 사리사욕(私利私慾)을 채우려고 서로 날뛰면, 결국에는 공동체로서의 사회나 국가가 파탄나고, 따라서 나 자신도 멸망하게 된다.

15-13. 공자가 말했다. "다 되었구나! 나는 아직까지 덕 좋아하기를 여색 좋아하듯 하는 자를 보지 못했다."

原文 子曰, 已矣乎라 吾未見好德을 如好色者也케라.

註解 ㅇ已矣乎(이의호)－끝났다, 말세로다, 더 바랄 게 없구나. 실망의 감탄사. ㅇ吾未見……者(오미견……자)－나는 아직까지 ……하는 사람을 보지 못했다. ㅇ好德(호덕)－덕을 좋아하다. 인덕(仁德) 베풀기를 좋아하고, 인정(仁政) 펴기를 좋아하는 임금의 뜻. ㅇ如好色者也(여호색자야)－여색 좋아하듯이. 당시의 임금들은 도덕적으로 타락하고 여색을 탐했다.

15-14. 공자가 말했다. "장문중은 벼슬자리를 도둑질하는 사람이다. 유하혜가 어진 사람인 줄 알면서도 자기와 함께 벼슬자리에 서게 하지 않는다."

原文 子曰, 臧文仲은 其竊位者與인저. 知柳下惠之賢 而不與立也로다.

註解 ㅇ臧文仲(장문중)－노(魯)나라의 대부. ㅇ其竊位者與(기절위자여)－그는 벼슬자리를 도둑질하는 사람이다. ㅇ知柳下惠之賢(지유하혜지현)－유하혜가 현명한 사람인 줄 알고도. ㅇ不與立也(불여립야)－함께 나서서 벼슬하게 하지 않는다. 현인을 등용해야 나라가 잘된다.

15-15. 공자가 말했다. "자기 자신에 대한 책망은 엄하게 하고, 남에 대한 책망을 가볍게 하면, 원망이 멀어진다."

原文 子曰, 躬自厚而薄責於人이면 則遠怨矣니라.

註解 ㅇ躬自厚(궁자후)－자기 자신에 대한 (책망을) 엄하게 한다. ㅇ薄責於人(박책어인)－남에게는 가볍게 책망한다. ㅇ遠怨矣(원원의)－원망이 멀어진다.

解說 남의 잘못이나 허물은 혹독하게 나무라고 책망한다. 반대로 자신의 과실이나 잘못은 감추거나 호도한다. 그러므로 사람들이 서로 불신하고 원망하는 것이다.

15-16. 공자가 말했다. "'어찌할까! 어찌할까!'하고 걱정하지 않는 사람에 대해서는 나도 어찌할 수가 없다."

原文 子曰, 不曰如之何 如之何者는 吾末如之何也已矣니라.

註解 ㅇ不曰如之何者(불왈여지하자)－'어찌할까?'하고 말하지 않는 사람. ㅇ吾末如之何也已矣(오말여지하야이의)－나도 어찌할 수가 없다, '야이의(也已矣)'는 '뿐이다, 별 수가 없다'는 뜻을 강조하는 조사.

解說 본인이 '어찌할까?'하고 심사숙고(深思熟考)하고 노력을 해야 남이 도와주거나 교도(教導)할 수 있다.

15-17. 공자가 말했다. "종일토록 모여있으면서, 말이 의에 미치지 않고, 자잘한 재치만 부리는 인간들은 참으로 곤란하다."

原文 子曰, 羣居終日에 言不及義오 好行小慧면 難矣哉라.

註解 ㅇ羣居終日(군거종일)－종일 모여있다. ㅇ言不及義(언불급의)－주고받는 말이 도의(道義)나 인의(仁義)에 미치지 않는다. ㅇ好行小慧(호행소혜)－작고 얕은 꾀 부리기를 좋아하는 (사람들). ㅇ難矣哉(난의재)－곤란하다, 구제불능이라는 뜻.

解說 예나 지금이나, 겉약고 얕은 꾀 부리는 사이비(似而非) 지식인들 때문에 나라가 결딴나게 마련이다.

15-18. 공자가 말했다. "군자는 의를 바탕으로 하고, 예를 행하며, 겸손하게 말하고, 신의로써 매듭을 진다. (이런 사람이) 참다운 군자니라."

原文 子曰, 君子 義以爲質이오 禮以行之하며 孫以出之하며 信以成之하나니 君子哉라.

註解 ㅇ義以爲質(의이위질)－의를 바탕으로 삼다, 인의(仁義)를 본질로 한다. ㅇ禮以行之(예이행지)－예로써 행한다, 즉 예의범절(禮儀凡節)에 맞게 행동한다. ㅇ孫以出之(손이출지)－겸손하게 말을 한다, 말을 신중하고 겸손하게 한다. ㅇ信以成之(신이성지)－자기가 한 말을 신의로써 매듭을 진다. 즉 자기가 한 말을 실천하고 완성한다. ㅇ君子哉(군자재)－그러므로 그런 사람을 참다운 군자라 한다, 그래야 참다운 군자이니라.

15-19. 공자가 말했다. "군자는 자신의 무능을 걱정할 뿐, 남이 자기를 알아주지 않는 것은 걱정하지 않는다."

原文 子曰, 君子病無能焉이오 不病人之不己知也니라.

註解 ㅇ君子病(군자병)－군자는 걱정한다, 병(病)은 속을 태운다, 병통(病痛)으로 여긴다. ㅇ無能(무능)－자신의 무능, 능력이 없는 것. ㅇ不病(불병)－걱정하지 않는다, 가슴 아프게 생각하지 않는다. ㅇ人之不已知(인지불기지)－남이 나를 알지 못한다.

解說 〈學而篇 1-16〉, 〈里仁篇 4-14〉, 〈憲問篇 14-32〉 참고.

15-20. 공자가 말했다. "군자는 종신토록 이름이 나지 않는 것을 유감으로 여긴다."

原文 子曰, 君子는 疾沒世而名不稱焉이니라.

註解 ㅇ疾……焉(질……언)－ ……을 꺼린다. 싫어한다. 질(疾)은 '병(病), 환(患)'과 같은 뜻. ㅇ沒世(몰세)－죽을 때까지, 평생토록. 혹은 '죽은 다음에'로 풀기도 한다. ㅇ名不稱(명불칭)－이름이 칭송되지 않는다.

解說 바로 앞에서 군자는 '남이 자기를 알아주지 않아도 언짢게 여기지 않는다'라고 했다. 그러나 군자는 자기를 수양해서 나라와 백성을 위해 공을 세워야 한다. 비록 무도한 정치에 참여하지는 않아도 높은 학문과 덕행으로 알려지게 마련이다.

15-21. 공자가 말했다. "군자는 자신에게 구하고, 소인은 남에게 구한다."

原文 子曰, 君子는 求諸己오 小人은 求諸人이니라.

註解 ㅇ君子求諸己(군자구제기)−군자는 모든 것을 자기에게서 찾고 구한다. ㅇ小人求諸人(소인구제인)−소인은 모든 것을 남에게서 찾고 구한다.

解說 우선 군자와 소인이 찾고 구하는 것이 틀린다. 군자는 도(道)를 따라 인정(仁政)과 덕치(德治)가 행해지기를 구한다. 소인은 사리사욕(私利私慾)을 채우기 위해 재물(財物)이나 이득(利得)을 얻으려고 안달한다. 군자는 좋으나 나쁘나 모든 책임을 자신에게 돌린다. 그러므로 무도하고 타락한 세상도 자신의 학문과 덕행으로 바르게 잡으려고 하는 것이다.

15-22. 공자가 말했다. "군자는 긍지를 가지되 다투지 않으며, 어울리되 편당하지 않는다."

原文 子曰, 君子는 矜而不爭하며 羣而不黨이니라.

註解 ㅇ君子矜(군자긍)−군자는 긍지를 가진다. ㅇ而不爭(이부쟁)−그러나 남들과 다투지 않는다. ㅇ羣(군)−같은 군자끼리 어울리고 화동(和同)한다. ㅇ而不黨(이부당)−그러나 편당(偏黨)하거나, 당파적인 처신을 하지 않는다.

解說 군자는 절대선(絶對善)의 천도(天道)를 기준으로 한다. 천도는 공평무사(公平無私)한 도리다. 그러므로 군자는 도를 기준으로 화동(和同)하되 편당(偏黨)하지 않는다. 소인은 범죄적 집단을 꾸미고 국가의 재물을 사취(詐取)한다.

15-23. 공자가 말했다. "군자는 말만으로 사람을 추켜세우지 않고,

사람의 (위상이 낮다고 해서) 그의 말까지 폐기하지 않는다."

原文 子曰, 君子는 不以言擧人하며 不以人廢言이니라.

註解 ㅇ不以言擧人(불이언거인)－말로써 사람을 천거하지 않는다, 즉 말만 잘한다고 그 사람을 등용하지 않는다. 말과 행동이 일치해야 한다. ㅇ不以人廢言(불이인폐언)－그 사람의 위상(位相)이 낮다고 해서, 좋은 말까지 폐기하지 않는다.

解說 말 잘하고 행동이 따르지 않는 자가 사기꾼이다. 백성들의 말을 귀담아 들어야 덕치(德治)를 펼 수 있다.

15-24. 자공이 "한 마디로 평생토록 지키고 행할, 덕을 나타낸 말이 있습니까?"하고 묻자, 공자가 말했다.

"바로 서(恕)라는 말이다. 나 자신이 원치 않는 일을 남에게 강요하지 마라."

原文 子貢이 問曰, 有一言而可以終身行之者乎이꼬? 子曰, 其恕乎인저 己所不欲을 勿施於人이라.

註解 ㅇ有……者乎(유……자호)－……하는 (그런 것이) 있습니까? ㅇ一言(일언)－한 마디 말로써. ㅇ可以終身行之(가이종신행지)－평생토록 행할 수 있을 만한 (덕행을 나타낸 말). ㅇ其恕乎(기서호)－그 말이 바로 서(恕)일 것이다. ㅇ己所不欲(기소불욕)－내가 원치 않는 바. 소(所)는 구조조사(構造助詞)로 '불욕(不欲)'을 명사화한다. ㅇ勿施於人(물시어인)－(내가 하기 싫은 일을) 남에게 하라고 강요하지 마라.

解說 〈이인편(里仁篇)〉에 있는, 공자가 "나의 길은 하나로 꿰뚫었다.(吾道一以貫之哉)"라고 한 말을 증자가 부연했다. "선생님의 도는 충과 서이다.(曾子曰 夫子之道 忠恕而已矣)" 〈里仁篇 4-15〉. 즉 '하나[一]'는 인(仁)이고, '충(忠)과 서(恕)'는 '인의 대표적인 덕행'이다.

충(忠)은 적극적인 인덕이고, 서(恕)는 소극적인 인덕이다. 충은 적극적으로 남을 사랑하고 추켜세우는 덕행이다. 즉 '기욕립이립인(己欲立而立人) 기욕달이달인(己欲達而達人)' 〈雍也篇 6-30〉이다. 서(恕)는 '나를 미루어 남의 처지나 입장을 이해하고 관대하게 대한다.(推己及人)'이다. 여기서는 '기소불욕(己所不欲) 물시어인(勿施於人)'이라 했다.

15-25. 공자가 말했다. "내가 남들에 대해서, 누구를 허물하고 누구를 칭찬하랴? 만약 칭찬한 사람이 있다면, 그럴 만한 실증이 있다. 오늘의 이 백성들도 하은주(夏殷周) 삼대 때에 도를 따라 곧게 살던 사람들과 같다."

原文 **子曰, 吾之於人也**에 **誰毁誰譽**리오? **如有所譽者**면 **其有所試矣**니라. **斯民也**는 **三代之所以直道而行也**니라.

註解 ㅇ吾之於人也(오지어인야)－나는 모든 사람에 대해서. ㅇ誰毁誰譽(수훼수예)－누구를 허물하고, 누구를 칭찬하랴? ㅇ如有所譽者(여유소예자)－만약에 칭찬을 한 사람이 있다면. ㅇ其有所試矣(기유소시의)－그는 시험을 통해서 실증된 사람이다. ㅇ斯民也(사민야)－오늘의 이 모든 백성들. ㅇ三代之所(삼대지소)…… －하은주(夏殷周) 3대를 통해서 ……한 (바, 혹은 사람). ㅇ以直道而行也(이직도이행야)－곧은 도리로써 살고 행한 사람.

解說 앞의 23장에서 공자는 "군자는 말만으로 사람을 추켜세우지 않는다.(君子 不以言擧人)"라고 했다. 여기서는 "사람을 칭찬할 때나 반대로 폄(貶)할 때나, 시험을 거친 다음에 실증적으로 해야 한다."고 말했다.

후반부 '사민야(斯民也)' 이하는 별장(別章)으로 나누기도 한다. 오늘의 백성들은 하은주(夏殷周) 3대의 역사와 정통을 계승한 백성들임을 강조한 말이다.

15-26. 공자가 말했다. "전에는 역사를 기록하는 사관이 의아한 것을 빼놓고 적지 않았으며, 또 말을 가진 사람이 남에게 빌려주어 타게 하는 좋은 일이 있었다. 그러나 지금은 그런 일이 전혀 없게 되었다."

原文 子曰, 吾猶及史之闕文也아 有馬者 借人乘之호니 今亡矣夫인저.

註解 ㅇ吾猶及(오유급)－나는 (이전의 ……한 일을) 볼 수 있었다. ㅇ史之闕文也(사지궐문야)－역사를 기록하는 사관(史官)이 (의아한 점을 빼놓고) 적지 않았다. ㅇ有馬者(유마자)－말을 가진 사람. ㅇ借人乘之(차인승지)－남에게 빌려주어 타게 하다. ㅇ今亡矣夫(금망의부)－지금은 (그러한) 미풍(美風)이 없어졌다, 볼 수 없게 되었다.

15-27. 공자가 말했다. "간교한 말은 덕을 어지럽히고, 작은 것을 참지 못하면 즉 도모하는 큰일을 흐트러뜨린다."

原文 子曰, 巧言은 亂德이오 小不忍은 則亂大謀니라.

註解 ㅇ巧言(교언)－간교하게 잘 꾸민 말. ㅇ亂德(난덕)－덕을 어지럽힌다. ㅇ小不忍(소불인)－작은 것을 참지 못하면. ㅇ則亂大謀(즉란대모)－곧 크게 꾸민 일을 흐트러뜨린다.

解說 '교언영색 선의인(巧言令色 鮮矣仁)' 〈學而篇 1-3〉이라 했다. 대사(大事)를 성취하기 위해서는 노력과 인내가 있어야 한다.

15-28. 공자가 말했다. "대중이 미워하는 것도 반드시 잘 살펴보고, 대중이 좋아하는 것도 반드시 잘 살펴보아야 한다."

原文 **子曰, 衆惡之**라도 **必察焉**하며 **衆好之**라도 **必察焉**이니라.

註解 ㅇ衆惡之(중오지)－대중이 미워하는 것, 여러 사람이 싫어하는 것. ㅇ必察焉(필찰언)－반드시 살피다. ㅇ衆好之(중호지)－대중이 좋아하는 것.

15-29. 공자가 말했다. "사람이 도를 넓힐 수 있는 것이지, 도가 사람을 넓히는 것이 아니다."

原文 **子曰, 人能弘道**요 **非道弘人**이니라.

註解 ㅇ人能弘道(인능홍도)－사람이 능히 도를 펴고 넓힐 수 있다. ㅇ非道弘人(비도홍인)－도가 사람을 넓히는 것이 아니다.

解說 사람이 절대선(絶對善)의 도(道)를 깨닫고, 도를 따르고 행

해야 비로소 도가 널리 펴지게 마련이다. 아무리 좋은 도가 있어도, 사람이 모르고 행하지 않으면, 도는 펴지지도 않고 또 넓어지지도 않는다.

15-30. 공자가 말했다. "잘못하고도 고치지 않는 것이 바로 잘못이니라."

原文 子曰, 過而不改를 是謂過矣니라.

註解 ㅇ過而不改(과이불개)－잘못을 저지르고 고치지 않는다. ㅇ是謂過矣(시위과의)－그것이 곧 허물이다,

解說 도(道)를 바르게 알아야, 도에서 벗어난 것이 잘못임을 알고, 따라서 고치게 마련이다.

기준이 없으면, 선악시비(善惡是非)가 흐려진다. 도를 알면서 악한 짓을 하는 것은 범죄이다.

15-31. 공자가 말했다. "나는 전에 종일토록 먹지도 않고, 밤새도록 잠도 자지 않고 생각만 했었다. 그러나 아무런 이로움도 없었다. 역시 배우는 것만 못하더라."

原文 子曰, 吾嘗終日不食하며 終夜不寢하야 以思하니 無益이라 不如學也로다.

註解 ㅇ吾嘗(오상)－나는 전에 ……했다. ㅇ終日不食(종일불식)－하

루 종일 먹지도 않고. ㅇ終夜不寢(종야불침)－밤새도록 잠도 자지 않고. ㅇ以思(이사)－그리고 생각만 했다. ㅇ無益(무익)－아무런 이득도 없었다. ㅇ不如學也(불여학야)－배우는 것만 못하다, 차라리 배우는 것이 좋다.

解說 학문은 성현(聖賢)들이 남긴 고귀한 문화유산이다. 그러므로 학문을 배워야, 참된 도리를 깨닫고 바르게 알 수 있다.

15-32. 공자가 말했다. "군자는 도를 도모하고, 밥을 도모하지 않는다. 농사를 지어도 굶주릴 수 있으나, 배우면 저절로 녹을 얻을 수 있다. 군자는 도를 걱정하되 가난을 걱정하지 않는다."

原文 **子曰, 君子**는 **謀道**요 **不謀食**하나니 **耕也**에 **餒在其中矣**요 **學也**에 **祿在其中矣**니 **君子**는 **憂道**요 **不憂貧**이니라.

註解 ㅇ君子(군자)－학문과 덕행을 쌓고, 인정(仁政)과 덕치(德治) 구현(具現)에 참여하는 선비. ㅇ謀道(모도)－도를 도모하다. ㅇ不謀食(불모식)－밥, 즉 식록(食祿) 얻기를 도모하지 않는다. ㅇ耕也(경야)－경작을 해도, 농사를 지어도. ㅇ餒在其中矣(뇌재기중의)－굶주림이 그 속에 있다. 백성들이 농사를 해도 정치가 나쁘면 굶주린다. 주릴 뇌(餒). ㅇ學也(학야)－배우고 참다운 군자가 되어 바른 정치를 펴면. ㅇ祿在其中矣(녹재기중의)－자기가 먹을 식록(食祿)이 그 속에서 나온다. ㅇ憂道(우도)－도의 실천을 걱정하되, 도덕정치의 실현을 걱정하되. ㅇ不憂貧(불우빈)－내가 가난하게 살고 안살고는 걱정하지 않는다.

解說 군자는 인덕(仁德)을 바탕으로 한 인정(仁政)에 참여하는 엘리트 휴머니스트이다. 따라서 어떻게 하면 천하에 절대선(絶對善)의

도덕정치를 펴고 백성들을 잘살게 해줄까 하는 것을 걱정하고 염려해야 한다. 나만의 부귀영화(富貴榮華)를 얻으려고 안달하는 자는 참다운 군자가 아니다. 그런 자는 곧 소인(小人)이다. 개인(個人)보다 전체(全體)를 위하고, 물질보다 정신을 높이고, 도덕사회 건설에 앞장서는 지식인이 되어야 한다.

15-33. 공자가 말했다. "지능으로써 나라를 얻었다 해도 인덕으로써 지키지 않으면 반드시 잃게 된다.

지능으로써 나라를 얻고 인덕으로써 지킨다 해도 장엄한 태도로 임하지 않으면 백성들이 존경하지 않는다.

지능으로써 나라를 얻고 인덕으로써 지키고 또 장엄한 태도로 임하기도 하되 백성을 부림에 있어, 예로써 하지 않으면 역시 완전하지 못하다."

原文 子曰, 知及之오도 仁不能守之면 雖得之나 必失之니라. 知及之하며 仁能守之오도 不莊以涖之면 則民不敬이니라. 知及之하며 仁能守之하며 莊以涖之오도 動之不以禮면 未善也니라.

註解 ○知及之(지급지)－지능이 미친다, 즉 나라를 얻고 다스리는 데, 그 지혜나 기능이 족하다는 뜻. ○仁不能守之(인불능수지)－인덕(仁德)을 가지고 나라를 지키지 못하면. ○雖得之(수득지)－비록 나라를 얻었다 해도. ○必失之(필실지)－반드시 나라를 잃을 것이다. ○不莊以涖之(부장이리지)－장중하고 위엄있는 태도로 임금자리에 임하지 않으면. 군림할 리(涖). ○則民不敬(즉민불경)－백성들이 존경하지 않는다. ○動之不以禮(동지불이례)－백성을 동원하고 부려 쓰는 데 예로써 하지 않으

면. ㅇ未善也(미선야)—아직 선하지 못하다.

解說 지능·인덕·위엄 및 예를 갖추어야 한다.

15-34. 공자가 말했다. "군자는 작은 일은 몰라도 큰일은 맡아서 다스릴 수 있다. 소인은 큰일은 맡아서 다스릴 수 없어도 작은 일은 잘 안다."

原文 子曰, 君子는 不可小知 而可大受也요 小人은 不可大受 而可小知也니라.

註解 ㅇ君子不可小知(군자불가소지)—군자는 작은 일은 알지 못하나. ㅇ而可大受也(이가대수야)—그러나 큰일을 맡아서 다스릴 수 있다. ㅇ小人不可大受(소인불가대수)—소인은 큰일은 맡아서 다스리지 못하나. ㅇ而可小知也(이가소지야)—작은 일은 알 수 있다.

解說 소지(小知)는 '작은 일, 곧 개인적·일상적 생활에 관한 지혜나 기능'의 뜻이다. '대수(大受)'는 '경세제민(經世濟民)의 대임(大任)을 맡다'의 뜻이다.

15-35. 공자가 말했다. "사람에게 있어, 인은 물이나 불보다 더 중요하다. 지금까지 물이나 불속에 들어가 죽은 사람은 보았으나, 인을 따르다가 죽었다는 사람은 보지 못했다."

原文 子曰, 民之於仁也에 甚於水火하니 水火는 吾見蹈而死者矣어니와 未見蹈仁而死者也케라.

註解 ㅇ民之於仁也(민지어인야)－사람과 인의 관계, 인에 대한 사람의 위치, 관계. ㅇ甚於水火(심어수화)－물이나 불보다 더 중하다, 심(甚)은 심히 중하다. ㅇ水火(수화)－도(蹈)의 보어를 앞에 내세웠다. 즉 '도어수화(蹈於水火)'. ㅇ吾見蹈而死者矣(오견도이사자의)－나는 물과 불을 밟고 죽은 사람은 보았다. 도(蹈)는 밟다, 여기서는 '물이나 불속에 뛰어들다'의 뜻이다. ㅇ未見(미견)－아직 ……한 사람을 보지 못했다. ㅇ蹈仁而死者也(도인이사자야)－인을 따르고 실천하다가 죽은 사람.

解說 '물불[水火]'은 생존(生存)의 필수품이다. 없으면 못산다. 그러므로 물불 때문에 죽는 사람이 많다. 그러나 인(仁)은 '물불'보다 더 중요하다. 살신성인(殺身成仁)해야 한다.

15-36. 공자가 말했다. "인을 행함에 있어서는 스승에게도 양보하지 않는다."

原文 **子曰, 當仁**하야 **不讓於師**니라.

註解 ㅇ當仁(당인)－인을 실천할 때에는. ㅇ不讓於師(불양어사)－스승에게도 사양하지 않는다, 양보하지 않는다.

15-37. 공자가 말했다. "군자는 굳고 바르지만, 맹신하지 않는다."

原文 **子曰, 君子**는 **貞而不諒**이니라.

註解 ㅇ貞(정)－곧고 또 굳다. ㅇ諒(양)－선악 시비를 가리지 않고 덮어놓고 믿거나, 자기가 한 말을 실천함.

解說 군자는 도(道)를 모든 가치의 기준으로 삼는다. 따라서 독단적 고집을 배제한다.

15-38. 공자가 말했다. "임금을 섬길 때에는 먼저 자기의 직책을 성심껏 수행하고, 그 다음에 녹을 받아먹어야 한다."

原文 子曰, 事君호대 敬其事 而後其食이니라.

註解 ㅇ事君(사군)－임금을 섬긴다, 조정에서 벼슬살이를 하다. ㅇ敬其事(경기사)－자기의 직책을 성실하게 수행한다. ㅇ而後其食(이후기식)－그리고 나서 녹을 받아먹는다.

15-39. 공자가 말했다. "가르침이 있고, 부류는 없다."

原文 子曰, 有教無類니라.

註解 ㅇ有教(유교)－교육은 있다, 인격이나 인품은 교육에 따라 형성된다는 뜻. ㅇ無類(무류)－인간의 신분상의 부류가 없다.

解說 선본성(善本性)을 교육으로 계발(啓發)하고 육성하면 누구나 군자가 될 수 있다.

15-40. 공자가 말했다. "지키는 도가 같지 않으면, 일을 함께 도모하지 않는다."

原文 子曰, 道不同이면 不相爲謀니라.

註解 ㅇ道不同(도부동)－신봉하고 따르는 도(道)가 같지 않으면. ㅇ不相爲謀(불상위모)－서로 함께 일을 도모하거나, 논의하지 않는다. 논의할 수 없다.

15-41. 공자가 말했다. "말은 뜻을 바르게 전달해야 된다."

原文 **子曰, 辭達而已矣**이니라.

註解 ㅇ辭達(사달)－말은 뜻을 바르게 전달(傳達)해야 한다. ㅇ而已矣(이이의)－그뿐이다, 군소리나 가식(假飾)이 필요없다는 뜻.

15-42. 악사인 소경 면이 공자를 찾아와 뵙자, 그가 층계 앞에 오면, 공자가 "층계요."라 하고, 그가 자리 앞에 오면, 공자가 "자리요."라 하고, 그가 자리잡고 앉으면, 공자가 "아무개는 여기 있고, 아무개는 저기 있소."하고 말했다.

악사 면이 물러간 다음에 자장이 물었다. "소경인 악사에게 말하는 도가 있습니까?"

공자가 대답했다. "그렇다. 바로 그렇게 하는 것이 소경인 악사를 돕는 길이다."

原文 **師冕**이 **見**할새 **及階**어늘 **子曰, 階也**라 하시고 **及席**어늘 **子曰, 席也**라 하시고 **皆坐**어늘 **子告之曰, 某在斯 某在斯**라 하시다. **師冕**이 **出**커늘 **子張**이 **問曰, 與師言之道與**이끄? **子曰, 然**하다 **固相師之道也**니라.

註解 ㅇ師冕(사면)－면(冕)이라는 이름의 악사(樂師), 소경이다. ㅇ及

階(급계)－층계 앞에 도달하면. ㅇ及席(급석)－자리 앞에 오면. ㅇ皆坐(개좌)－모든 사람들이 다 착석하면. ㅇ某在斯(모재사)－아무개는 여기 있다. ㅇ與師言之道與(여사언지도여)－(그렇게 하는 것이) 악사에게 말하는 도리입니까? ㅇ固相師之道(고상사지도)－그것이 바로 소경인 악사를 돕는 도리다.

解說 이 장의 서술을 통해 우리는 '공자가 얼마나 자상한 사람인가'를 알 수 있다. 인애(仁愛)와 예절(禮節)은 멀리 있는 것이 아니다. 바로 일상생활 속에서 남을 사랑하고 친절을 베푸는 것이 인애와 예절의 실천이다.

제16편 계씨편(季氏篇)

이 편은《논어》중에서도 체재가 특이하다. 그러므로 남송(南宋)의 홍흥조(洪興祖)는 제론(齊論)이라는 설을 지지했다.《논어》에는 삼론(三論)이 있다. 고문으로 된 고론(古論), 노의 학자가 전한 노론(魯論) 및 제나라에서 전한 제론(齊論)이다. 다른 편과 같지 않은 특이점을 들면, '자왈(子曰)'을 여기서는 '공자왈(孔子曰)'이라 했고, '삼우(三友)·삼요(三樂)·삼연(三衍)·삼계(三戒)·삼외(三畏)' 등 숫자적으로 맞춘 장이 많으며 또 장폭이 긴 것이 있다. 전편을 총 14장으로 나눈다. 이 책에서는 장폭이 긴 것을 다시 분단(分段)했다.

16-1-1. 계씨가 전유를 치려고 했다. 이에 (계씨 밑에서 벼슬하던) 염유와 계로가 공자에게 "계씨가 전유를 치려고 합니다."하고 아뢰자, 공자가 말했다.

"구야! 그것은 바로 네 잘못이 아니겠느냐? 무릇 전유는 옛날의 주나라 선왕께서 그를 동쪽 몽산 밑에 봉하고, 그를 몽산의 제주(祭酒)로 삼으셨고, 또 노나라 지역 안에 있으며, 또 그는 바로 노나라 사직의 신하의 나라다. 그런데 어찌 함부로 친단 말이야?"

原文 季氏 將伐顓臾러니 冉有季路 見於孔子曰, 季氏將有事於顓臾로소이다. 孔子曰, 求아 無乃爾是過與아 夫顓臾는 昔者先王以爲東蒙主하시고 且在邦域之中矣라 是社

稷之臣也니 何以伐爲리오.

註解 ㅇ季氏(계씨)－노나라의 실권을 잡은 계씨(季氏), 당시의 실재 인물은 계자연(季子然)일 것이다. 〈八佾篇 3-1〉, 〈先進篇 11-24〉 참고. ㅇ將伐(장벌)－무력으로 치려고 한다. ㅇ顓臾(전유)－복희(伏羲)의 후예, 성은 희(姬). 그의 영지로, 노나라의 부용국(附庸國)이 있었다. ㅇ冉有(염유)－공자의 제자, 이름은 구(求). 〈八佾篇 3-6〉 참고. ㅇ季路(계로)－공자의 제자, 성은 중(仲), 이름이 유(由), 자는 자로(子路). 〈爲政篇 2-17〉, 〈公冶長篇 5-7〉 참고. ㅇ將有事於顓臾(장유사어전유)－장차 전유 나라에서 일이 벌어질 것이다, 즉 계씨가 전유를 치려고 한다는 뜻. ㅇ求(구)－염우(冉有)의 이름. ㅇ無乃爾是過與(무내이시과여)－즉 네가 잘못한 것이 아니겠느냐? '무(無)…… 여(與)'는 ……이 아니냐? 내이시과(乃爾是過)는 즉 네가 잘못한 것이다. ㅇ昔者先王(석자선왕)－옛날, 주나라의 선왕이. ㅇ以爲東蒙主(이위동몽주)－이위(以爲)는 ……로 삼다, ……되게 하다, 동몽(東蒙)은 산 이름, 몽산(蒙山). 산동성(山東省) 비현(費縣)에 있다. 주(主)는 제주(祭主). 선왕이 전유를 몽산에 봉하고, 산제(山祭)를 지내게 했다. ㅇ且在邦域之中矣(차재방역지중의)－또한 전유는 노나라 국토 안에 있으며. ㅇ是社稷之臣也(시사직지신야)－전유는 사직을 지키는 신하, 혹은 신하의 나라, 즉 부용국(附庸國)이다. ㅇ何以伐爲(하이벌위)－어찌 전유를 친단 말이냐?

16-1-2. 염유가 "계씨가 치려고 하는 것이지, 저희들이 원하는 것이 아닙니다."라고 말하자, 공자가 말했다.

"구야! 옛날의 사관(史官) 주임이 다음과 같이 말했다. 자기의 재능을 펴고 벼슬에 오르되 만약, 제 힘으로 감당하지 못하면 물러난다고 했다. 그런데 위태로워도 붙잡지 못하고, 엎어져도 일으키지 못한다면, 그런 신하를 어디에 쓰겠느냐? 또 그대들의 말도 잘못이다. 범과 들소가 우리 밖에 나오거나, 궤 속에 넣어둔 귀옥이 깨어졌다면, 그 누구의 잘못이겠느냐?"

原文 冉有曰, 夫子欲之인정 吾二臣者는 皆不欲也로이다. 孔子曰, 求아 周任有言曰 陳力就列하야 不能者止라 하니 危而不持하고 顚而不扶면 則將焉用彼相矣리오? 且爾言過矣로나 虎兕出於柙하며 龜玉毁於櫝中이 是誰之過與오?

註解 ㅇ夫子欲之(부자욕지)-부자(夫子)는 존칭, 여기서는 계씨를 말한다. 욕지(欲之)는 원한다, 즉 계씨가 전유를 치려고 한다. ㅇ吾二臣者(오이신자)-우리 두 신하, 즉 염유(冉有)와 자로(子路)는 한동안 계씨의 가신(家臣)이었다. ㅇ皆不欲也(개불욕야)-다 바라지 않는다. ㅇ周任有言曰(주임유언왈)-주임(周任)이 한 말이 있다. 주임은 옛날의 사관(史官). ㅇ陳力就列(진력취열)-자기의 능력을 발휘해 보이고, 자리에 오른다. 진(陳)은 펴 보인다, 열(列)은 벼슬자리에 나가다. ㅇ不能者止(불능자지)-자기 힘으로 못하면 (벼슬을) 그만둔다. ㅇ危而不持(위이부지)-위태롭게 기우는데도 바로잡지 못한다. ㅇ顚而不扶(전이불부)-엎어지는데도 부축해 일으키지 못한다. ㅇ將焉用(장언용)-장차 어디에 쓰겠는가? ㅇ彼相矣(피상의)-그와 같은 가신을. 상(相)은 도울 가신의 뜻. ㅇ且爾言過矣(차이언과의)-또 그대들의 말도 틀렸다, 옳지 못하다. ㅇ虎兕出於柙(호시출어합)-호랑이나 물소가 우리 밖으로 나오다. ㅇ龜玉(귀옥)-거북[龜]이나 옥(玉), 거북은 점을 치는 신성한 것, 옥은 의례(儀禮)에 쓰는 귀중한 것. ㅇ毁於櫝中(훼어독중)-함 속에 보관하고 있는 귀중한 거북이나 옥구슬이 훼손되면. 함 독(櫝). ㅇ是誰之過與(시수지과여)-그것은 누구의 잘못이냐?

16-1-3. 염유가 말했다. "지금 전유는 성이 견고하고 또 비(費)에 가까우므로, 지금 이를 치고 빼앗지 않으면, 장차 반드시 자손들의 우

환거리가 될 것입니다."

이에 공자가 말했다. "군자는 안그런 척하고 욕심을 내거나, 또 말꾸미는 것을 미워한다."

原文 冉有曰, 今夫顓臾 固而近於費하니 今不取면 後世必爲子孫憂하리이다. 孔子曰, 求아 君子는 疾夫舍曰欲之오 而必爲之辭니라.

註解 ○今夫顓臾(금부전유)－지금, 그 전유는. ○固而近於費(고이근어비)－도성이 견고하고 또 (계씨의 도읍인) 비에 가까이 있다. ○今不取(금불취)－지금 전유를 취하지 않으면. ○後世(후세)－후세에, 장차는. ○必爲子孫憂(필위자손우)－반드시 자손들의 우환이 될 것이다. ○君子疾(군자질)－군자는 싫어한다, 미워한다. ○夫舍曰欲之(부사왈욕지)－무릇, 겉으로는 욕심이 없는 듯하면서, 실지로는 욕심이 있는 것을 (미워한다). ○而必爲之辭(이필위지사)－이(而)는 그러면서, 필(必)은 굳이, 반드시. '위지(爲之)'는 그것을 위하여, 즉 속마음을 꾸미려고. 사(辭)는 변명을 하다.

16-1-4. "나는 들은 바 '나라를 다스리는 사람은 백성 적음을 걱정하지 않고 (혜택이나 분배가) 고르지 못함을 걱정하며, 가난을 걱정하지 않고 편안하지 못함을 걱정한다'라고 했다. 대개 고르면 가난하지 않고, 화목하면 백성이 적지 않을 것이고, 편안하면 나라가 기울지 않을 것이다.

그러므로 먼 데 사람이 복종하지 않으면 문화적인 덕치로 교화시켜 스스로 오게 할 것이며, 오면 그들을 편안히 살게 해주어야 한다."

原文 丘也는 聞, 有國有家者 不患寡 而患不均하며 不

患貧 而患不安이라 호니 **蓋均**이면 **無貧**이오 **和**면 **無寡**오 **安**이면 **無傾**이니라. **夫如是, 故遠人不服, 則脩文德以來之**하고 **旣來之 則安之**니라

註解 ㅇ丘也聞(구야문)－구(丘)는 공자의 이름, 나는 들은 바 있다, 문(聞)은 듣다, 그렇게 알고 있다는 뜻. ㅇ有國有家者(유국유가자)－나라를 지니고 다스리는 사람. 국(國)은 큰 나라, 가(家)는 작은 나라, 제후(諸侯)의 나라. ㅇ不患寡(불환과)－백성의 수가 적은 것을 걱정하지 않는다. ㅇ而患不均(이환불균)－도리어 고르지 못한 것을 걱정한다. 즉 국가의 혜택이 백성에게 고르게 돌아가지 못함을 걱정한다는 뜻. ㅇ不患貧(불환빈)－가난을 걱정하지 않고. ㅇ而患不安(이환불안)－도리어 편안하지 못한 것을 걱정한다. ㅇ蓋均無貧(개균무빈)－무릇 나라의 혜택이 고르게 백성들에게 미치면, 가난할 수가 없다. ㅇ和無寡(화무과)－상하(上下) 좌우(左右)의 모든 사람이 화목하면 백성들의 수가 적을 수 없다. ㅇ安無傾(안무경)－국민 전체가 평안을 누리면, 나라가 위태롭게 기울 수 없다. ㅇ夫如是(부여시)－무릇 이렇게 (나라를 다스리는 법이다). ㅇ故(고)－그러므로. ㅇ遠人不服(원인불복)－먼 사람들이 복종하지 않으면, 원인(遠人)은 지역적으로 먼 데서 온 사람의 뜻만이 아니라, 그 나라 왕실이나 통치계급과 거리가 먼 사람의 뜻도 포함된다. ㅇ則脩文德(즉수문덕)－(위정자 자신이) 학문과 덕행을 닦고. ㅇ以來之(이래지)－그래가지고 (먼 사람들이) 나라에 와서 살게 한다. ㅇ旣來之(기래지)－이미 온 사람들에게는 ㅇ則安之(즉안지)－즉 편안히 살게 해준다.

16-1-5. "지금 유와 구는 계씨를 돕는데, 먼 데 사람들이 스스로 복종하여 좇아오게 하지 못했을 뿐만 아니라, 민심이 이탈되고 나라가 쪼개지는데도 이를 막고 지키지 못하면서, 도리어 같은 나라 안에서 전쟁을 일으키고자 한다. 나는 계씨의 걱정이 전유에 있는 것이 아

니라, 바로 자기 집안에 있음을 우려하노라.”

原文 今由與求也는 相夫子호대 遠人이 不服 而不能來也하며 邦分崩離析 而不能守也하고 而謀動干戈於邦內하니 吾恐季孫之憂 不在顓臾 而在蕭牆之內也하노라.

註解 ㅇ今由與求也(금유여구야)－지금 유와 구는, 즉 자로와 염유는. ㅇ相夫子(상부자)－계씨를 도움에 있어. ㅇ遠人不服(원인불복)－먼 사람이 복종하지 않고. ㅇ而不能來也(이불능래야)－또 스스로 와서 살지도 않는다. ㅇ邦分崩離析(방분붕리석)－나라가 쪼개지고 붕괴되고, 신하나 백성들이 갈라지고 흩어진다. ㅇ而不能守也(이불능수야)－그런데도 방비하지 못하면서. ㅇ而謀動干戈於邦內(이모동간과어방내)－도리어 같은 나라 안에서 전쟁을 일으키려고 책동한다, 모(謀)는 꾸민다, 동(動)은 (전쟁을) 일으키다, 간과(干戈)는 방패와 창, 전쟁. ㅇ吾恐(오공)－나는 두렵다, 걱정한다. ㅇ季孫之憂(계손지우)－계손씨에 대한 걱정, 우려. ㅇ不在顓臾(부재전유)－전유를 치려는 데 있는 것이 아니라. ㅇ而在蕭牆之內也(이재소장지내야)－(걱정거리는) 은밀하게 정치를 논하는 방안에 있다. 소(蕭)는 숙(肅)과 같다, 즉 엄숙하다, 장(牆)은 병풍(屛風), 즉 ‘은밀하게 정사를 의논하는 방안’의 뜻.

解說 ‘다스림은 바르게 함이다(政者正也).’ 이는 곧 절대선(絶對善)의 도(道)를 따라 천하를 바르게 다스린다는 뜻이다. 군자(君子)가 정치에 참여하는 목적도 도의정치(道義政治)를 실현하기 위해서다. 군자는 절대로 포악무도(暴惡無道)한 권력자에 붙어, 아부하거나 또는 녹을 받아먹으면 안된다. 이와 같은 원칙과 정신을 기준으로 공자가 계씨(季氏)의 가신(家臣)으로 있으면서, 계씨의 잘못을 바로잡지 못하고 도리어 군색하게 변명하려는 자로(子路)와 염유(冉有)를 신랄하게 꾸짖었다.

윗사람의 부정(不正)을 자기 힘으로 막거나 고칠 수 없으면, 벼슬자리에서 물러나야 한다. 할 일을 못하면서 자리에 있는 것은 '절위(竊位)' 〈衛靈公篇 15-13〉다. 더욱이 잘못을 윗사람에게 전가하거나 혹은 윗사람의 무력행사를 두둔하면 안된다. 그리고 공자는 인정(仁政)과 덕치(德治)의 기본을 다음과 같이 밝혔다.

"나라를 다스리는 사람은 백성 적음을 걱정하지 않고 혜택이나 분배가 고르지 못함을 걱정한다. 가난을 걱정하지 않고 편안하지 못함을 걱정한다." "고르면 가난하지 않고, 화목하면 백성이 적지 않을 것이고, 편안하면 나라가 기울지 않을 것이다." "그러므로 먼 데 사람이 복종하지 않으면 문화적인 덕치로 교화시켜 스스로 오게 할 것이며, 오면 그들을 편안히 살게 해주어야 한다."

16-2. 공자가 말했다. "천하에 도가 있으면 예악과 정벌의 명령이 천자로부터 나오고, 천하에 도가 없으면 예악과 정벌의 명령이 제후로부터 나온다.

제후로부터 나오면 대략 10대로 망하지 않음이 없고, 대부로부터 나오면 5대로 망하지 않음이 없고, 가신이 국권을 잡으면 3대에 망하지 않음이 없다.

천하에 도가 있으면 정사가 대부의 손에 있을 리 없고, 천하에 도가 있으면 서민들이 논란하지 않는다."

原文 **孔子曰, 天下有道 則禮樂征伐**이 **自天子出**하고 **天下無道 則禮樂征伐**이 **自諸侯出**하나니 **自諸侯出**이면 **蓋十世希不失矣**요 **自大夫出**이면 **五世希不失矣**요 **陪臣執國命**이면 **三世希不失矣**니라. **天下有道**면 **則政不在大夫**하고 **天**

下有道면 則庶人不議하나니라.

註解 ○天下有道(천하유도)－천하에 바른 도리가 있으면, 즉 정도(正道)의 정치가 행해지면. ○禮樂征伐(예악정벌)－예악(禮樂)은 문물(文物)·제도(制度)·의식(儀式)·예절(禮節)·전장(典章) 및 음악(音樂) 등. 예악은 문화적으로 백성을 교화하는 규범이다. 정벌(征伐)은 나가서 무력으로 난신(亂臣)이나 역적(逆賊)을 토벌함. 즉 무력행사의 뜻. ○自天子出(자천자출)－문무(文武)의 명령이 천자로부터 나온다. ○無道(무도)－도가 없으면, 도가 행해지지 않으면. ○自諸侯出(자제후출)－제후가 참월(僭越)하게 대권을 행사한다는 뜻. ○蓋十世(개십세)－대략 10세, 10대(代). ○希不失矣(희불실의)－희(希)＝드물 희(稀), 실(失)은 잃다, 망하다. 즉 나라를 잃고 망하지 않음이 거의 없다. ○自大夫出(자대부출)－나라의 대권을 대부가 농단(壟斷)하면. ○五世希不失矣(오세희불실의)－5대에 나라를 잃고 망한다. ○陪臣執國命(배신집국명)－가신(家臣)들이 국권(國權)을 가로채고 정령(政令)을 발하면, 배신(陪臣)은 대부 밑에 있는 가신. ○三世希不失矣(삼세희불실의)－3대에 망하지 않음이 없다. ○政不在大夫(정부재대부)－정사나 정령을 대부가 처리하지 않는다. ○庶人不議(서인불의)－일반 서민이나 백성들은 정치에 대한 논란을 하지 않는다.

解說 정치의 바른 도리는 곧 '공동체를 구성하는 모든 사람들이 서로 사랑하고, 하나가 되어, 함께 잘사는 도리'다. 그 도리가 곧 절대선(絶對善)의 천도(天道)이며, 그 천도를 따르고 행하는 정치를 인정(仁政), 덕치(德治)라 한다.

모든 사람을 하나로 화합(和合)하고 잘살게 하는 절대선의 중심적 존재가 바로 천자(天子)다. 하늘의 대신자(代身者)로서, 만민을 다스리는 천자는 최고의 덕을 갖추어야 한다. 그래야 하늘이 그에게 명(命)을 내려 존귀한 자리에 오르게 한다. 만약에 그가 실덕(失德)하면 하늘은 명을 거두고 새로 유덕자(有德者)에게 천명(天命)을 바꾸어 내린다. 이를 혁명(革命)이라 한다.

도가 행해지는 나라에서는 덕있는 천자를 중심으로 하나가 되어야 한다. 천자 아래 제후(諸侯)·경(卿)·대부(大夫)·사(士) 및 서인(庶人)이 저마다의 신분과 위계(位階)를 지키고 각자의 직분을 다해야 한다. 그래야 그 공동체가 고르고 평안하게 발전한다. 천도를 따르지 않고, 아래가 위를 능멸하거나 침범하면 그 공동체는 망한다.

16-3. 공자가 말했다. "작록을 주는 권한이 왕실에서 떠난 지 5세가 되었고, 정령이 대부에게 넘어간 지가 4대나 되었다. 그러므로 삼환의 자손도 미약해지는 것이 당연하다."

原文 **孔子曰, 祿之去公室**이 **五世矣**요 **政逮於大夫**이 **四世矣**니 **故**로 **夫三桓之子孫**이 **微矣**니라.

註解 ㅇ祿之去公室(녹지거공실)－작록(爵祿)을 내리는 권한이 왕실에서 떠나다. 즉 삼환씨(三桓氏)가 권력을 잡고 멋대로 작록을 내렸다는 뜻. 공실(公室)은 노나라의 왕실. ㅇ五世矣(오세의)－5세가 되었다. ㅇ政逮於大夫(정체어대부)－정사가 (임금 손을 떠나) 대부들 손에 들어간 지. ㅇ四世矣(사세의)－4세가 되었다. ㅇ故夫三桓之子孫微矣(고부삼환지자손미의)－그러므로 삼환씨의 자손들이 쇠퇴하고 미약해진다.

解說 앞에서 공자는 "제후가 천자를 무시하고 참월하게 대권을 행사하는 경우, 대략 10세가 되면 나라를 잃고 망하지 않음이 거의 없다.(自諸侯出 蓋十世 希不失矣)"라 했고, 또 "나라의 대권을 대부가 농단하면, 5대에 나라를 잃고 망한다.(自大夫出 五世希不失矣)"라고 말했다.

이와 같은 원칙을 적용해서 "삼환씨의 자손들도 쇠퇴하게 마련이다.(故夫三桓之子孫微矣)"라고 했다. 노(魯)의 문공(文公)이 죽은 후, 문공의 아들 적(赤)을 양중(襄仲)이 죽이고 선공(宣公)을 내세웠다. 그리고 성공(成公)·양공(襄公)·소공(昭公)·정공(定公)까지 5세 동안 정권을 삼환(三桓 : 孟孫·叔孫·季孫)이라는 대부가 농단했다.

16-4. 공자가 말했다. "이로운 벗이 셋이고, 해로운 벗이 셋이다. 정직한 사람과 벗하고, 성실한 사람과 벗하고, 박학다식한 사람과 벗하면 유익하다. 알랑거리고 비위를 잘 맞추는 사람과 벗하거나, 굽실대는 사람과 벗하거나, 빈말 잘하는 사람과 벗하면 해롭다."

原文 **孔子曰, 益者三友**오 **損者三友**니 **友直**하며 **友諒**하며 **友多聞**이면 **益矣**오 **友便辟**하며 **友善柔**하며 **友便佞**이면 **損矣**니라.

註解 ㅇ益者三友(익자삼우)－이익이 되는 세 유형의 벗. ㅇ損者三友(손자삼우)－손해가 되는 세 유형의 벗. ㅇ友直(우직)－정직하고 강직한 사람과 벗한다. 강직한 사람은 나에게 충간(忠諫)한다. ㅇ友諒(우량)－성실한 사람과 벗하다. 신의를 지키는 덕을 증진할 수 있다. ㅇ友多聞(우다문)－박학다식한 사람과 벗하다. 모든 사물의 도리를 밝게 할 수 있다. ㅇ便辟(편벽)－알랑거리고 비위를 잘 맞추는 사람. ㅇ善柔(선유)－줏대없이 굽실거리는 사람. ㅇ便佞(편녕)－듣기 좋게 말 잘하는 사람.

解說 예나 지금이나 같다. 강직하고 성실하고 박학다식한 사람을 벗하면 이로움이 많다. 반대로 남의 비위를 잘 맞추는 편벽된 사람, 줏대없이 남에게 굽실대는 사람, 가식과 교언으로 남의 환심을 사려

는 사람 등을 벗으로 하면 해롭다. 좋은 벗과 어울려야 심성과 인격 도야에 도움이 되고, 사회적으로는 정의와 도의를 실천할 수 있다. 함께 술 마시고 놀기만 하는 벗은 손우(損友)다.

16-5. 공자가 말했다. "좋아하는 일 중에 유익한 것이 셋이고, 해로운 것이 셋이다. 예악을 따라 절제하기를 좋아하거나, 남의 착한 일 말하기를 좋아하거나, 현명한 벗을 많이 갖기를 좋아하는 일은 유익하다. 방자한 쾌락을 좋아하는 것이나, 일은 않고 유흥을 좋아하는 것이나, 술잔치 좋아하는 것은 해롭다."

原文 **孔子曰, 益者三樂**오 **損者三樂**니라. **樂節禮樂**하며 **樂道人之善**하며 **樂多賢友**면 **益矣**오 **樂驕樂**하며 **樂佚遊**하며 **樂宴樂**이면 **損矣**니라.

註解 ㅇ益者三樂(익자삼요)－유익한 세 가지를 좋아하는 일. 즐길 요(樂). ㅇ損者三樂(손자삼요)－손해가 되는 세 가지를 좋아하는 일. ㅇ樂節禮樂(요절예악)－요(樂)는 좋아하다, 절예악(節禮樂)은 예악으로 조절하고 절도있게 함. ㅇ樂道人之善(요도인지선)－남의 장점이나 착한 행동을 칭찬하고 말하기를 좋아하다. ㅇ樂多賢友(요다현우)－현명한 벗 많기를 좋아한다. ㅇ益矣(익의)－유익하고 이롭다. ㅇ樂驕樂(요교락)－교만을 떨며 방자하게 노는 쾌락을 좋아하다. ㅇ樂佚遊(요일유)－안일하게 놀기만을 좋아하다. ㅇ樂宴樂(요연락)－술잔치 벌이고 놀기를 좋아하다. ㅇ損矣(손의)－나쁘고 손해가 된다.

解說 예악(禮樂)으로 인품이나 행동을 잘 조절해야 한다. 남의 선덕(善德)을 칭찬해야 한다. 현명한 친구를 많이 사귀어야 한다. 이 세 가지는 이로운 것이다. 반대로 게으름 피우고 술 마시고 호기부

리고 놀거나 쾌락에 빠지면 일신을 망친다.

16-6. 공자가 말했다. "군자를 모시고 있을 때 저지르기 쉬운 잘못이 셋이 있다. 윗사람이 말을 하기 전에 먼저 입을 여는 것을 조급한 탓이라 한다. 윗사람이 말을 했는데도 대꾸하지 않는 것을 속을 감추는 탓이라 한다. 윗사람의 안색을 살피지 않고 함부로 떠드는 것을 장님의 탓이라 한다."

原文 孔子曰, 侍於君子에 有三愆하니 言未及之而言을 謂之躁요 言及之而不言을 謂之隱이오 未見顔色而言을 謂之瞽니라.

註解 ㅇ侍於君子(시어군자)－군자를 모시고 있을 때에. ㅇ有三愆(유삼건)－저지르기 쉬운 잘못이 셋이 있다. 허물 건(愆). ㅇ言未及之(언미급지)－어른이 미처 말하지 않았는데. ㅇ而言(이언)－내가 먼저 말하는 것을. ㅇ謂之躁(위지조)－조급한 탓이라 한다. ㅇ言及之(언급지)－어른이 말을 했는데. ㅇ而不言(이불언)－내가 대꾸하지 않는 것을. ㅇ謂之隱(위지은)－숨기는 탓이라 한다. ㅇ未見顔色(미견안색)－어른의 안색을 살피지 않고. ㅇ而言(이언)－내가 함부로 말하는 것을. ㅇ謂之瞽(위지고)－장님처럼 보지 못하는 탓이라 한다.

解說 어른을 모시고 있으면서 대화할 때에는 세심하고 신중해야 한다. 어른이 먼저 말을 하면 그 의도나 뜻을 깊이 살피고 신중하게 대답해야 한다. 어른이 말을 걸었는데도 멍청하게 앉아서 대꾸를 안 하면 큰 실례가 되고 또 속을 숨기는 것으로 오해를 산다. 특히 대화할 때는 어른의 표정과 기색을 잘 살피면서 응대해야 한다.

16-7. 공자가 말했다. "군자가 경계해야 할 점 세 가지가 있다. 청소년기에는 혈기가 안정되지 않았기 때문에 여색을 경계해야 하며, 장년기에는 혈기가 마냥 강성하기 때문에 싸움을 경계해야 하며, 노년기에는 혈기가 쇠잔하기 때문에 욕심을 경계해야 한다."

原文 **孔子曰, 君子有三戒**하니 **少之時**에 **血氣未定**이라 **戒之在色**이오 **及其壯也**에 **血氣方剛**이라 **戒之在鬪**요 **及其老也**에 **血氣旣衰**라 **戒之在得**이니라.

註解 ㅇ君子有三戒(군자유삼계)－군자가 지켜야 할 세 가지 계율, 경계해야 할 일. ㅇ少之時(소지시)－청소년 시절에는. ㅇ血氣未定(혈기미정)－혈기가 안정되지 않았다. ㅇ戒之在色(계지재색)－여색을 경계해야 한다. ㅇ及其壯也(급기장야)－장년기가 되면. ㅇ血氣方剛(혈기방강)－혈기가 마냥 강하고 왕성하므로. ㅇ戒之在鬪(계지재투)－싸움이나 투쟁을 하지 않도록 경계해야 한다. ㅇ及其老也(급기로야)－노쇠하게 되면. ㅇ血氣旣衰(혈기기쇠)－혈기가 시들고 쇠진하므로. ㅇ戒之在得(계지재득)－얻고자 하는 욕심을 경계해야 한다.

解說 군자만이 아니라 모든 사람이 지켜야 할 계명이다. 청소년기는 학습과 수양에 주력해야 한다. 관능적인 향락에 빠지면 일생을 망친다. 장년기에는 인심(仁心)을 바탕으로 인덕(仁德)을 세워야 한다. 무력이나 폭력으로 권력이나 재물을 쟁취하면 안된다. 늙어서는 허심탄회하게 모든 것을 물려주고 왕생해야 한다.

16-8. 공자가 말했다. "군자가 두려워해야 할 것이 세 가지 있다. 천명을 두려워해야 하고, 대인을 두려워해야 하고, 성인의 가르침을

두려워해야 한다. 소인은 천명을 알지 못하므로 두려워하지 않으며, 대인에게 함부로 대하고, 성인의 가르침을 업신여긴다.”

原文 孔子曰, 君子有三畏하니 畏天命하며 畏大人하며 畏聖人之言이니라. 小人은 不知天命 而不畏也라 狎大人하며 侮聖人之言이니라.

註解 ㅇ君子有三畏(군자유삼외)—군자가 두려워해야 할 일이 세 가지 있다. 외(畏)는 경외하다. ㅇ天命(천명)—하늘은 천지 자연만물을 창조하고 생육화성(生育化成)하는 절대(絶對)이다. 천명(天命)은 하늘이 절대명령적으로 내려주는 모든 것이다. 우주(宇宙)의 이법(理法), 자연법칙(自然法則), 하늘의 도리[天道] 등이 다 천명으로 주어진 절대진리이다. ㅇ大人(대인)—하늘과 하나가 된 사람. 절대선(絶對善)의 천도천리(天道天理)를 따르고 지키는 사람. ㅇ聖人之言(성인지언)—성인의 말, 가르침. 성인의 글이나 책. ㅇ小人(소인)—동물적 존재로, 육체적·이기적 욕구만을 채우려는 저속한 인간. 금전만능주의(金錢萬能主義)에 사는 천덕(賤德)한 속물. ㅇ不知天命(부지천명)—(동물적 존재인 소인은) 하늘도 천명도 알지 못한다. ㅇ而不畏也(이불외야)—그러므로 경외하지 않는다. ㅇ狎大人(압대인)—압(狎)은 무엄하게 함부로 대한다. 즉 동물 같은 삶을 사는 소인은 정신적으로 높은 경지에 있는 대인(大人)을 높일 줄 모르고, 함부로 대한다. ㅇ侮聖人之言(모성인지언)—성인의 말, 책이나 글을 높일 줄 모르고 도리어 무시하고 욕한다.

16-9. 공자가 말했다. “나면서 스스로 아는 사람은 으뜸이고, 배워서 아는 사람은 다음이고, 막히자 애써 배우는 사람은 그 다음이다. 그러나 막혀도 배우지 않는 자를 세상 사람들은 하치라고 친다.”

原文 孔子曰, 生而知之者는 上也요 學而知之者는 次也

요 困而學之는 又其次也니 困而不學이면 民斯爲下矣니라.

註解 ㅇ生而知之者(생이지지자)－천생으로 총명하여 스스로 천도천리(天道天理)를 깨닫고 아는 사람. ㅇ上也(상야)－으뜸이다, 최상급의 인간이다. ㅇ學而知之者(학이지지자)－배우고 학문을 통해서 천도천리를 터득하고 아는 사람. ㅇ次也(차야)－다음가는 사람. ㅇ困而學之(곤이학지)－막히고 통하지 않아서 배우고 천도천리를 알게 된 사람. 곤(困)은 막히고, 통하지 않는다. 곤란을 겪다. ㅇ又其次也(우기차야)－또 그 다음가는 사람. ㅇ困而不學(곤이불학)－막히고 곤란을 겪으면서도 배우지 않는 사람. ㅇ民斯爲下矣(민사위하의)－세상 사람들은 그를 가장 하치로 친다.

解說 여기서 '지지(知之)'라고 한 뜻은 '외형적 기술이나 기능을 알다'의 뜻보다, '천도천리를 깨닫고 실천한다'는 뜻이다. 성인(聖人)은 '생이지지(生而知之)'한다. 그러나 대부분의 사람들은 학문을 통해서 천도천리를 깨닫고 실천한다. 공자 자신도 "나는 생이지지하지 않고, 부지런히 옛날의 글을 배워서 알게 되었다" 〈述而篇 7-19〉라고 말했다. 천도를 배워야 사람다운 사람이 되며, 기술도 선용할 수 있다.

16-10. 공자가 말했다. "군자가 깊이 생각해야 할 일이 아홉 가지 있다. 사물을 밝고 정확하게 보려고 생각해야 한다. 남의 말을 들을 때에는 사리를 총명하게 분별하려고 생각해야 한다. 남에게 대할 때에는 안색 표정을 온화하게 하려고 생각해야 한다. 몸가짐과 태도를 공손하게 하려고 생각해야 한다. 말을 성실하고 진실되게 하려고 생각해야 한다. 일처리를 경건하게 하려고 생각해야 한다. 의아한 것은 남에게 묻고자 해야 한다. 분이 나도 뒤에 닥쳐올 재난을 생각하

고 참고 자제해야 한다. 이득이 있어도 먼저 도의를 생각해야 한다.”

原文 孔子曰, 君子有九思하니 視思明하며 聽思聰하며 色思溫하며 貌思恭하며 言思忠하며 事思敬하며 疑思問하며 忿思難하며 見得思義니라.

註解 ㅇ有九思(유구사)－아홉 가지 일에 대해서 깊이 생각해야 한다. 사(思)는 생각하고 또 노력한다는 뜻. ㅇ視思明(시사명)－사물을 볼 때에는 밝고 정확하게 보려고 생각한다. ㅇ聽思聰(청사총)－들을 때에도 사리를 총명하게 분별하도록 생각한다. ㅇ色思溫(색사온)－안색이나 표정을 온화하게 하려고 노력한다. ㅇ貌思恭(모사공)－몸가짐과 태도를 공손하게 하려고 노력한다. ㅇ言思忠(언사충)－말을 성실하게 하려고 노력한다. ㅇ事思敬(사사경)－일처리를 경건하게 하려고 노력한다. ㅇ疑思問(의사문)－의문은 남에게 묻고자 한다. ㅇ忿思難(분사난)－그 자리에서 분을 풀지 말고 뒤에 닥쳐올 재난을 깊이 생각하고 참아야 한다. ㅇ見得思義(견득사의)－눈앞에 이득이 있어도, (취하기 전에) 먼저 도의와 정의를 생각해야 한다.

16-11. 공자가 말했다. “선을 보면 못미칠 것처럼 더욱 노력하여 선을 행하고, 선하지 않은 것을 보면 끓는 물속에 손을 넣고 더듬다가 후딱 빼듯이 물러난다. 나는 그런 사람을 보기도 했고, 또 그런 사람의 말을 듣기도 했다. 한편 은퇴하고 있으면서 자기가 뜻한 바 도를 찾고, 의를 행하면서 자기가 옳다고 믿는 도를 달성한다. 나는 그런 사람의 말을 듣기는 했어도, 아직 그런 사람을 보지는 못했다.”

原文 孔子曰, 見善如不及하며 見不善如探湯을 吾見其人矣요 吾聞其語矣로라. 隱居以求其志하며 行義以達其道

를 吾聞其語矣요 未見其人也로라.

註解 ㅇ見善如不及(견선여불급)－선을 보면 따라가지 못할 듯이 (더욱 노력하고 선을 행하려고 한다). ㅇ見不善如探湯(견불선여탐탕)－불선을 보면 끓는 물을 더듬는 듯이 (얼른 손을 빼고 물러난다). ㅇ吾見其人矣(오견기인의)－나는 그런 사람을 보기도 했고. ㅇ吾聞其語矣(오문기어의)－나는 그렇게 한 사람들의 말을 듣기도 했다. ㅇ隱居以求其志(은거이구기지)－은퇴해 있으면서 자기가 뜻한 바 도를 찾고. ㅇ行義以達其道(행의이달기도)－의를 행하면서 자기가 옳다고 믿는 도를 달성한다. ㅇ未見其人也(미견기인야)－아직 그런 사람을 보지 못했다.

解說 선(善)을 적극적으로 추구하고, 불선(不善)을 경계하는 사람이 있다. 그러나 물러나도 뜻을 찾고, 의를 행하면서 더욱 높은 차원의 도를 구하는 사람이 없다고 말했다.

16-12. 제나라의 경공은 말 4천 필을 가졌으나, 죽을 때에 사람들이 그의 덕을 칭송하지 않았다. 백이 숙제는 수양산 밑에서 굶어 죽었지만 사람들이 오늘날에도 칭송한다.(《시경》의 말은 이를 두고 한 말일 것이다.)

原文 齊景公이 有馬千駟호되 死之日에 民無德而稱焉이오 伯夷叔齊는 餓于首陽之下호되 民到于今稱之하나니라. 其斯之謂與인저.

註解 ㅇ齊景公(제경공)－제나라 경공. 〈顔淵篇 12-11〉 참고. ㅇ有馬千駟(유마천사)－말 4천 필을 가졌다. 사마 사(駟). 제후는 약 2천6백 필의 말을 가진다. 경공의 4천 필은 천자보다 많다. ㅇ死之日(사지일)－

'죽은 다음'의 뜻. ㅇ民無德而稱焉(민무덕이칭언)－백성들이 그의 덕을 칭송하지 않았다. 들어서 칭송할 덕이 없었다. ㅇ伯夷叔齊(백이숙제)－〈公冶長篇 5-23〉 참고. ㅇ餓于首陽之下(아우수양지하) － 수양산 밑에서 굶어 죽었다. ㅇ民到于今稱之(민도우금칭지)－백성들이 오늘까지 칭송한다. ㅇ其斯之謂與(기사지위여)－그것이 곧 이것을 말하는 것이리라. 《시경》의 구절이지만 여기서는 잘 맞지 않는다. 《집주(集註)》는 이 구절을 착간(錯簡)이라고 했다.

解說 타락하고 무도(無道)한 정치사회에서 권력을 독차지하고 부귀영화를 누린다고, 덕(德)이 있는 것이 아니다. 제(齊)는 대국(大國)이다. 그 나라 경공(景公)의 말 4천 필은 막대한 재산이다. 그러나 입덕(立德)하지 않았으므로 그가 죽은 다음 사람들이 그를 칭송하지 않았다. 대의명분(大義名分)을 지킨 백이숙제는 오늘날까지 칭송되고 있다.

16-13-1. 진항이 백어에게 "그대는 아버지로부터 남달리 가르침을 받은 일이 있는가?"하고 묻자, 백어가 대답해 말했다.

"없습니다. 하루는 아버지가 홀로 서계실 때에, 내가 뜰 앞을 지나갔더니, 아버지가 '너는 시를 배웠느냐?'하고 물으시기에 '아직 못 배웠습니다'하고 아뢰자, '시를 배우지 않으면 남과 더불어 말할 수 없다'고 하시므로 나는 물러나 시를 공부했습니다."

原文 陳亢이 問於伯魚曰, 子亦有異聞乎아? 對曰, 未也로라 嘗獨立이시어늘 鯉趨而過庭이러니 曰學詩乎아 對曰未也로이나 不學詩면 無以言이라시거늘 鯉 退而學詩호라.

註解 ㅇ陳亢(진항)－〈學而篇 1-10〉에 나오는 자금(子禽)이라고 하

나, 확실치 않다. ㅇ問於伯魚曰(문어백어왈)－백어(伯魚)에게 물었다. 백어는 공자의 아들, 이름은 리(鯉). ㅇ子亦有異聞乎(자역유이문호)－그대도 역시 (아버지 공자 선생으로부터) 특별히 다른 가르침을 받았는가? ㅇ對曰未也(대왈미야)－백어가 대답해서 말했다. '없다.' ㅇ嘗獨立(상독립)－ (백어의 말 계속) '아버지가 혼자 서계실 때'. ㅇ鯉趨而過庭(이추이과정)－'이(鯉), 즉 내가 뛰어서 뜰을 지나가려고 하자'. ㅇ曰學詩乎(왈학시호)－'(아버지가) "너, 시를 배웠느냐?"하시기에'. ㅇ對曰未也(대왈미야)－'내가 "아직 안 배웠습니다."하고 대답했다.' ㅇ不學詩無以言(불학시 무이언)－'(그러자 아버지가) "시를 안 배우면 남하고 말을 할 수 없다."고 말씀하셨다.' ㅇ鯉退而學詩(이퇴이학시)－'그래서 이, 즉 나는 물러나 시를 공부했다'.(이상이 백어가 한 대답의 말).

16-13-2. "어느 날 또 아버지가 혼자 서계실 때, 내가 뜰 앞을 지나가자, 아버지께서 '너 예를 배웠느냐?'하고 물으시기에 '아직 못 배웠습니다'하고 아뢰었더니, 아버지가 '예를 배우지 않으면, 세상에 나서서 행세할 수 없다'고 하셨습니다. 그래서 물러나 예를 배웠습니다. 제가 아버지로부터 직접 들은 말씀은 이 두 가지뿐입니다."

진항은 물러나와 기뻐하며 말했다. "하나를 묻고, 셋을 얻었다. 시와 예의 가르침을 알았고, 또 군자는 자기 아들이라 하여 특별히 가까이하지 않음도 알았다."

原文 他日 又獨立이시거늘 鯉趨而過庭이러니 曰, 學禮乎아? 對曰, 未也로이다. 不學禮면 無以立이라 하시거늘 鯉 退而學禮로라 聞斯二者로라. 陳亢退而喜曰, 問一得三호니 聞詩聞禮하고 又聞君子之遠其子也호라.

註解 ㅇ學禮乎(학례호)－예를 배웠느냐? ㅇ不學禮(불학례)－예를 배

우지 않으면, 즉 예를 모르면. ㅇ無以立(무이립)－사회에 나가 행세할 수 없다. ㅇ聞斯二者(문사이자)－(백어의 말) 내가 아버지로부터 들은 말은 이 두 가지뿐이다. ㅇ問一得三(문일득삼)－하나를 묻고 세 가지 말을 듣고 알았다. ㅇ聞詩聞禮(문시문례)－시와 예에 대한 가르침을 듣고 배웠다. ㅇ君子之遠其子也(군자지원기자야)－군자는 자기 자식을 남다르게 특별히 가르치지 않고, 다른 사람과 같은 자리에서 훈육한다는 뜻.

16-14. 임금의 아내를 임금이 부를 때는 부인이라 하고, 부인 스스로는 소동이라 하고, 그 나라 사람이 부르기는 군부인이라 한다. 다른 나라 사람에게 일컬을 때는 과소군이라 하고, 다른 나라 사람이 부를 때는 역시 군부인이라 한다.

原文 **邦君之妻**를 **君**이 **稱之曰夫人**이오 **夫人**이 **自稱曰小童**이오 **邦人**이 **稱之**에 **曰君夫人**이오 **稱諸異邦曰寡小君**이오 **異邦人**이 **稱之**에 **亦曰君夫人**이니라.

註解 ㅇ邦君之妻(방군지처)－나라 임금의 처, 아내. ㅇ君稱之曰夫人(군칭지왈부인)－임금이 부를 때는 부인이라 한다. ㅇ夫人自稱曰小童(부인자칭왈소동)－부인이 자신을 일컬을 때는 소동이라 한다. ㅇ邦人稱之曰君夫人(방인칭지왈군부인)－그 나라 사람들이 임금 부인을 부를 때는 군부인이라 한다. ㅇ稱諸異邦(칭제이방)－다른 나라 사람에게 일컬을 때는. ㅇ曰寡小君(왈과소군)－과소군이라 한다. ㅇ異邦人稱之(이방인칭지)－다른 나라 사람들이 부를 때는. ㅇ亦曰君夫人(역왈군부인)－역시 군부인이라 한다.

解說 제12, 13, 14의 세 장은 앞에 '공자왈(孔子曰)'이 없다. 《논어》를 편찬한 사람이 당시의 일화나 기록의 토막을 엮어서 넣었을 것이다.

제17편 양화편(陽貨篇)

제17편 〈양화편〉은 주로 세상이 무도(無道)하고 사람들이 도덕적으로 타락한 것을 한탄한 내용이 많다. 황간(皇侃)은 대략 다음과 같이 말했다. "나라의 대신들뿐만 아니라, 가신(家臣)들도 타락했으며 이에 세상이 흉악(凶惡)하게 되었다. 이러한 세태를 밝히기 위해서 이 〈양화편〉을 〈계씨편〉 다음에 추렸다(所以次前者 明於時凶亂 非唯國臣無道 至於陪臣賤 亦竝凶惡 故陽貨次季氏也)." 총 26장으로 나눈다.

17-1. 계씨의 가신인 무도한 양자가 공자를 만나고자 했으나, 공자가 만나주지 않았다. 그러자 양자가 공자에게 돼지를 선물로 보냈다. 이에 공자는 양자가 자기 집에 없을 만한 때를 타서 사례를 하러 가다가 공교롭게도 도중에서 그를 만났다.

양자가 말했다. "이리 오시오, 나는 당신과 함께 말하고 싶소. 귀중한 보배를 지니고 있으면서 (나라를 구하지 않고) 혼미하게 내버려두는 것을 인(仁)이라 하겠소?"

공자 : "아닙니다."

양화 : "일을 하고자 하면서, 자주 때를 놓치는 것을 지혜롭다 하겠소?"

공자 : "아닙니다."

양화 : "세월은 지나가고, 우리를 기다리지 않소."

공자 : "그렇습니다. 장차 내가 나가서 일을 하지요."

原文 **陽貨**이 **欲見孔子**어늘 **孔子不見**하신대 **歸孔子豚**이어늘 **孔子時其亡也 而往拜之**러시니 **遇諸塗**하시대 **謂孔子曰, 來**하라 **予與爾言**호리라. **曰懷其寶而迷其邦**을 **可謂仁乎**아? **曰不可**라. **好從事 而亟失時**를 **可謂知乎**아? **曰不可**라. **日月逝矣**라 **歲不我與**니라. **孔子曰, 諾**타 **吾將仕矣**호리라.

註解 ㅇ陽貨欲見孔子(양화욕견공자)－양화가 공자를 만나보려고 했다. 양화(陽貨)는 양호(陽虎), 계씨(季氏)의 가신, 계씨에게 반란했다가 실각한 난신(亂臣)이다. ㅇ孔子不見(공자불견)－공자가 만나주지 않았다. ㅇ歸孔子豚(귀공자돈)－공자에게 돼지를 선물로 보냈다. 귀(歸)는 먹일 궤(饋)와 같다. ㅇ孔子時其亡也(공자시기망야)－공자는 양화가 집에 없을 때를 타서. ㅇ而往拜之(이왕배지)－양화의 집에 가서 인사를 하려고 (가다가). ㅇ遇諸塗(우제도)－가는 길에 양화를 도중에서 만났다. ㅇ謂孔子曰(위공자왈)－양화가 공자에게 말했다. ㅇ來, 予與爾言(내, 여여이언)－이리 오시오, 내가 당신에게 말하리다. ㅇ懷其寶(회기보)－보배로운 학식과 덕을 지니고 있으면서. ㅇ迷其邦(미기방)－자기 나라가 길을 잃고 헤매게 내버려두는 것을. ㅇ可謂仁乎(가위인호)－인이라 말할 수 있느냐? ㅇ不可(불가)－안된다. ㅇ好從事(호종사)－호(好)는 좋아하다, 종사(從事)는 정사(政事)를 맡아 다스리다. ㅇ亟失時(극실시)－극(亟)은 여러 차례, 자주. 때를 잃다. ㅇ可謂知乎(가위지호)－지혜롭다고 말할 수 있느냐? ㅇ日月逝矣(일월서의)－시간이 지나간다. ㅇ歲不我與(세불아여)－세월은 우리를 기다리지 않는다. 여(與)는 함께하다, 기다리다. ㅇ諾 吾將仕矣(낙 오장사의)－알았다, 장차 내가 나가서 일을 하리다.

解說 양호가 반란을 일으키기 전에, 공자를 이용하려고 했을 것이다.

17-2. 공자가 말했다. "인간의 본성은 서로 비슷하지만, 배우고 익힘에 따라 서로 달라지고 멀어진다."

原文 子曰, 性相近也나 習相遠也니라.

註解 ㅇ性相近也(성상근야)－사람의 본성은 서로 비슷하다. 후세의 성리학(性理學)에서는 성(性)은 착한 본성, 윤리 도덕성을 말한다. 동물적인 본능(本能)은 말하지 않는다. ㅇ習相遠也(습상원야)－배우고 익힘에 따라 서로 다르고 멀게 된다.

解說 인간의 선본성(善本性)을 계발(啓發)하고 발달시키기 위해서는 어려서부터 효도(孝道), 윤리도덕 교육을 받고 또 실천해서 몸에 익숙하게 길들도록 해야 한다. 가르치지 않으면, 동물적 존재로 전락한다.

17-3. 공자가 말했다. "최상의 지혜로운 사람과 반대로 최하의 어리석은 사람은 서로 바뀔 수 없다."

原文 子曰, 唯上知與下愚는 不移니라.

註解 ㅇ唯(유)－오직. ㅇ上知(상지)－최고로 지혜로운 사람. ㅇ與(여)－'이것과 저것'의 '과(와)'에 해당하는 접속사(接續詞). ㅇ下愚(하우)－최하의 어리석은 사람. ㅇ不移(불이)－서로 바뀔 수 없다.

解說 상지(上知)를 하지(下知)로 만들 수도 없고, 하지를 상지로 만들 수도 없다.

17-4. 공자가 무성에 가서, 예악 울리는 소리를 듣고, 빙그레 웃으면서 말했다. "닭을 잡는데 어찌 소 잡는 칼을 쓰느냐?"

이에 무성의 읍재로 있는 자유가 대답하여 말했다. "전에 저는 선생님에게 들은 바 있습니다. '군자는 도를 배우면 백성들을 사랑하고, 소인들은 도를 배우면 부리기 쉽다'고 하셨습니다."

그러자 공자가 말했다. "애들아! 언의 말이 옳다. 아까 내가 한 말은 농담 삼아 한 말이다."

原文 **子 之武城**하야 **聞弦歌之聲**하시다. **夫子 莞爾而笑曰, 割雞焉用牛刀**리오? **子游 對曰, 昔者**에 **偃也聞諸夫子**하니 **曰君子學道則愛人**이고 **小人學道則易使也**라 호이다 **子曰, 二三者**아 **偃之言**이 **是也**니 **前言**은 **戲之耳**니라.

註解 ㅇ子之武城(자지무성)-공자가 무성(武城)에 가다. 지(之)는 동사로 '간다'의 뜻. 무성은 노(魯)의 변경에 있는 성읍(城邑), 당시 자유(子游)가 읍재(邑宰)였다. ㅇ聞弦歌之聲(문현가지성)-예악이 울리는 소리를 듣고. 현(弦)은 금슬(琴瑟), 가(歌)는 노래, 즉 예악(禮樂)의 뜻. ㅇ夫子(부자)-선생, 공자. ㅇ莞爾(완이)-빙그레. ㅇ割雞焉用牛刀(할계언용우도)-닭을 잡는데 어찌 소 잡는 큰칼을 사용하나? 즉 '작은 지방을 다스리는데, 어찌 국가적인 차원의 예악을 연주하느냐?'의 뜻. ㅇ子游對曰(자유대왈)-자유가 대답해서 아뢰었다. ㅇ昔者(석자)-전에. ㅇ偃也聞諸夫子曰(언야문제부자왈)-저는 전생님의 말씀을 들었습니다. 언(偃)은 자유(子游)의 이름, 제(諸)는 지(之)+어(於). ㅇ君子學道則愛人(군자학도즉애인)-군자는 도를 배워야 백성을 사랑하게 된다. 군자는 정치에 참여할 선비의 뜻. ㅇ小人學道則易使也(소인학도즉이사야)-소인은 도를 배우면 부려쓰기 쉽다. 소인은 여기서는 일반 백성의 뜻. ㅇ二三者(이삼자)-애들아(공자가 제자들을 부르는 말). ㅇ偃之言是也

(언지언시야)－언, 즉 자유의 말이 옳다, 맞는다. ㅇ前言戲之耳(전언희지이)－아까 내가 한 말은 농담 삼아 한 말이다. 농담조로 한 말이다.

解說 무력이나 형벌을 바탕으로 백성을 억압하는 통치를 패도(覇道)의 악덕통치라 하고, 예악(禮樂)으로 위아래 모든 사람들을 교화해서 도를 따르고 실천케 하는 정치를 예치(禮治) 혹은 덕치(德治)라 한다. 그러므로 정치를 담당하는 지배계층이나 지배를 받는 일반 백성이나 예악으로 교화해야 한다. 공자가 노(魯)나라 변경에 있는 작은 성읍(城邑) 무성(武城)에 갔을 때, 예악이 울려퍼지자, 흡족한 듯이 미소를 띠었다. 그곳을 다스리는 제자 자유(子游)가 예치의 원칙을 잘 지키고 있으므로 속으로 흡족하게 여긴 것이다.

그러나 공자는 일부러 핀잔하는 말투로 자유에게 말했다. "닭을 잡는데 어찌 소 잡는 큰칼을 사용하느냐?(割雞焉用牛刀)." 이에 당황한 자유가 공자에게 해명했다. "예악으로 군자나 소인을 교화하고자 합니다." 처음부터 공자는 핀잔을 주려고 한 것이 아니라, 속으로 칭찬하며 던진 말이었다. 동시에 공자는 자유로 하여금 '왜 예악을 울리는지, 그 깊은 뜻을' 말하게 하기 위해 던진 물음이었다. 과연 자유가 바르게 대답을 하자, 공자는 "아까 내가 한 말은 농담이었다."고 말을 돌렸다. 공자의 인간미 넘치고 유머러스한 일면이 잘 나타난 대목이다.

17-5. 공산불요가 비(費)에서 반란을 일으키고 공자를 불렀으며, 이에 공자가 가려고 하자, 자로가 불쾌한 듯이 말했다.

"가지 마세요. 하필이면 무도한 공산씨에게로 가시려고 하십니까?"

공자가 말했다. "나를 부르는 사람이 어찌 헛되게 부르겠느냐?

만약 나를 써주는 사람이 있다면 나는 (동쪽에 있는 이 나라, 노를) 주나라처럼 부흥시키겠다.”

原文 **公山弗擾以費畔**하야 **召**어늘 **子欲往**이러시니 **子路不說**하야 **曰, 末之也已**니 **何必公山氏之之也**시리이오? **子曰, 夫召我者**는 **而豈徒哉**리오 **如有用我者**인댄 **吾其爲東周乎**인저.

註解 ○公山弗擾(공산불요)－공산(公山)은 성, 불요(弗擾)가 이름. 계씨(季氏)의 가신(家臣)이며, 비(費)의 읍재(邑宰)였다. ○以費畔(이비반)－비에서 계씨에게 반란했다. ○召(소)－(반란을 일으킨 공손불요가) 공자를 불렀다. ○子欲往(자욕왕)－공자가 가려고 하자. ○子路不說曰(자로불열왈)－자로가 싫어하면서 말했다. ○末之也已(말지야이)－가지 마세요. 말(末)은 무(無), 지(之)는 가다, 야이(也已)는 어조사. ○何必(하필)－하필, 어째서 반드시. ○公山氏之之也(공산씨지지야)－공산씨에게로 가시려고 (하십니까?). 앞의 지(之)는 ‘곳, 에게로’, 뒤의 지(之)는 ‘가다’의 뜻. ○夫召我者(부소아자)－무릇 나를 부른 사람이. ○而(이)－그러하니, 접속사. ○豈徒哉(기도재)－어찌 헛되게 (나를 불렀겠느냐?) ○如有用我者(여유용아자)－만약 나를 등용해 준다면. ○吾其爲東周乎(오기위동주호)－나는 (동쪽에 있는 노나라를 중심으로) 동쪽의 주나라를 다시 부흥시키겠다. 초기의 주의 도읍은 서쪽에 있었다.

解說 공자는 자기가 이상으로 높였던 주(周)를 다시 부흥하려는 일념으로 공산씨의 부름에도 응하려 했던 것이다. 물론 실제로는 반역자의 부름에 응하지도 않고 가지도 않았다. 공자 나이 50세 전후의 토막 일화라 하겠다. 공산불요의 반란에 대한 제가의 설이 많다.

17-6. 자장이 공자에게 인에 대해서 묻자, 공자가 말했다. "다섯 가지를 천하에 실천할 수 있으면, 그것이 곧 인이 된다."

자장이 "그 다섯 가지를 말씀해 주세요."하고 청하자, 공자가 말했다.

"공손·관대·신의·민첩 및 은혜의 다섯 가지다. 공손하면 욕을 보지 않고, 관대하면 많은 사람들을 얻고, 신의가 있으면 남들이 일을 맡기게 되고, 민첩하면 일을 성취할 수 있고, 은혜로우면 남들을 족히 부릴 수 있다."

原文 子張이 問仁於孔子한대 孔子曰, 能行五者於天下면 爲仁矣니라. 請問之한대 曰, 恭寬信敏惠니 恭則不侮하고 寬則得衆하고 信則人任焉하고 敏則有功하고 惠則足以使人이니라.

註解 ㅇ子張(자장)—공자의 제자. 〈爲政篇 2-18〉 참고. ㅇ問仁於孔子(문인어공자)—공자에게 인에 대해서 물었다. ㅇ能行五者於天下(능행오자어천하)—능히 다섯 가지를 천하 만민에게 행할 수 있으면. ㅇ爲仁矣(위인의)—인이 된다, 그것이 곧 인의 실천이다. ㅇ請問之(청문지)—그것을 자세히 말씀해 주세요. ㅇ恭寬信敏惠(공관신민혜)—공손·관용·신의·민첩·은혜. ㅇ恭則不侮(공즉불모)—모든 사람에게 공손하게 하면, 남으로부터 욕을 보지 않는다. ㅇ寬則得衆(관즉득중)—남에게 관대하고 관용을 베풀면, 많은 사람들이 나에게 온다. ㅇ信則人任焉(신즉인임언)—말한 것을 실천하고 신의를 지키면 남들이 나를 신임하고 또 일을 맡긴다. ㅇ敏則有功(민즉유공)—민첩하고 기민하게 해야 모든 일을 성취하고 또 공을 세울 수 있다. ㅇ惠則足以使人(혜즉족이사인)—남에게 은혜롭게 하고 혜택을 베풀면, 남들을 족히 부려 쓸 수 있다.

解說 인(仁)의 근본 원리와 의미는 어렵고 크며, 공자 자신도 요

약해서 말하지 않았다. 장소와 경우 및 사람에 따라 행할 항목을 개별적으로 말하고 가르쳐 주었다. 여기서는 자장에게 다섯 가지 덕행에 대한 것을 풀이해 주었다.

17-7. 필힐이 공자를 부르자, 공자가 가려고 했다. 이에 자로가 말했다. "전에 선생님이 하신 말씀을 들은 바 있습니다. '자기 자신에게도 좋지 못한 일을 하는 그런 사람들 속에 군자는 들어가지 않는다'라고 하셨습니다. 그런데 지금 필힐이 중모에서 모반하고 있는데, 선생님께서 가려고 하시니 어찌된 일입니까?"

공자가 말했다. "그렇다. 그러나 나는 전에 (다음과 같은) 말을 한 바도 있다. '갈아도 닳지 않으니, 굳다고 아니 말하랴! 물들여도 검어지지 않으니, 희다고 아니 말하랴!' 또한 내가 어찌 바가지처럼, 공중에 매달린 채로 먹지 않고 살겠느냐?'"

原文 **佛肸召**어늘 **子欲往**이러시니 **子路曰, 昔者**에 **由也聞諸夫子**호니 **曰親於其身 爲不善者**어든 **君子不入也**라 하시니 **佛肸以中牟畔**이어늘 **子之往也**는 **如之何**이꼬? **子曰, 然**하다 **有是言也**니라 **不曰堅乎**아 **磨而不磷**이니라. **不曰白乎**아 **涅而不緇**니라 **吾 豈匏瓜也哉**라 **焉能繫而不食**이리오?

註解 ㅇ佛肸召(필힐소)－필힐(佛肸)이 (공자를) 부르다. 필힐은 진(晉)나라의 대부, 조간자(趙簡子)의 가신으로 중모(中牟)의 읍재(邑宰)였다. ㅇ昔者(석자)－전에. ㅇ由也聞諸夫子曰(유야문제부자왈)－저는 선생님의 말씀을 들었습니다. 유(由)는 자로의 이름. ㅇ親於其身(친어기신)－스스로 자기 몸에게도. ㅇ爲不善者(위불선자)－좋지 않은 일을 하

는 사람. ㅇ君子不入也(군자불입야)－군자는 그런 사람들 속에 들어가 어울리지 않는다. ㅇ以中牟畔(이중모반)－중모에서 반란하고 있다. 반(畔)＝반(叛). ㅇ子之往也(자지왕야)－선생님이 가시려고 하시니. ㅇ如之何(여지하)－어찌된 일입니까? ㅇ然(연)－그렇다. ㅇ有是言也(유시언야)－'전에 내가 그런 말을 했다.' 아울러 '또 다음과 같은 말도 했다'의 뜻을 겸한다. ㅇ不曰堅乎 磨而不磷(불왈견호 마이불린)－굳다고 말하지 아니하랴? 아무리 갈아도 닳지 않으니! (술어구가 앞에 나왔다). 갈 마(磨), 돌이 얇아질 린(磷). ㅇ不曰白乎 涅而不緇(불왈백호 열이불치)－희다고 말하지 아니하랴? 물들여도 검게 되지 않으니! 검게 물들일 녈(涅), 검을 치(緇). ㅇ吾豈匏瓜也哉(오기포과야재)－내가 어찌 표주박이냐? 박 포(匏), 오이 과(瓜). ㅇ焉能繫而不食(언능계이불식)－어찌 공중에 매달려 있는 채, 먹지 않고 살겠느냐?

解說 《사기(史記)》〈공자세가(孔子世家)〉에서는 공자가 62세 때에, 위(衛)나라에서 있었던 일이라고 했다. '무도한 악덕세계를 도가 행해지는 선세계(善世界)로 혁신하기 위해 학문과 덕행을 갖춘 군자들이 현실적으로 정치에 참여해야 한다.' 이것이 공자의 생각이다. 그러므로 공자는 가능하면 현실참여를 하려고 애를 썼다. 그러나 한계가 있다. 즉 도(道)를 행할 가망이 있을 때에만 군자는 현실참여를 한다. 도를 행할 가망이 없을 때에는 물러나야 한다. 필힐(佛肹)의 반란을 공자가 어떻게 보고 그의 부름에 응하려고 했는지에 대해서는 설이 분분하다. 결과적으로 공자는 가지 않았다.

17-8. 공자가 자로에게 물었다. "유야! 너는 여섯 가지 덕을 나타내는 말 속에 숨은 여섯 가지 폐단에 대해서 들었느냐?"

자로가 "아직 못 들었습니다."하자 공자가 말했다.

"저기 앉거라. 내가 말해주마. 인(仁)을 좋아하되 배우기를 좋아하지 않으면, 그 폐는 어리석게 된다. 지(知)를 좋아하되 배우기를 좋아하지 않으면, 그 폐는 허황하게 된다. 신(信)을 좋아하되 배우기를 좋아하지 않으면, 그 폐는 남을 해치게 된다. 직(直)을 좋아하되 배우기를 좋아하지 않으면, 그 폐는 각박하게 된다. 용(勇)을 좋아하되 배우기를 좋아하지 않으면, 그 폐는 난동에 흐르게 된다. 강(剛)을 좋아하되 배우기를 좋아하지 않으면, 그 폐는 광기를 부리게 된다."

原文 **子曰, 由也**아 **女聞六言六蔽矣乎**아? **對曰, 未也**로이다. **居**하라 **吾語女**호리라. **好仁不好學**이면 **其蔽也愚**오 **好知不好學**이면 **其蔽也蕩**이오 **好信不好學**이면 **其蔽也賊**이오 **好直不好學**이면 **其蔽也絞**오 **好勇不好學**이면 **其蔽也亂**이오 **好剛不好學**이면 **其蔽也狂**이니라.

註解 ㅇ由也(유야)—공자가 자로(子路)의 이름을 불렀다. ㅇ女聞(여문)—너는 들었느냐? 배워서 아느냐? '의호(矣乎)'까지 걸린다. ㅇ六言六蔽(육언륙폐)—육언(六言)은 여섯 가지 덕을 나타내는 말, 즉 '인지신직용강(仁知信直勇剛)'의 여섯 가지 말. 육폐(六蔽)는 여섯 가지 말 속에 잠재해 있는 폐단, 결점. ㅇ對曰未也(대왈미야)—자로가 "아직 못 들었습니다."하고 대답했다. ㅇ居(거)—와서, 앉거라! ㅇ吾語女(오어녀)—내가 너에게 말해 주마. ㅇ好仁(호인)—인을 좋아하되, 인애(仁愛) 즉 사랑하는 것을 좋아하되. ㅇ不好學(불호학)—배우기를 좋아하지 않으면, 즉 배워서 도를 알고 사랑을 도에 맞게 하지 않으면의 뜻. ㅇ其蔽也愚(기폐야우)—그 폐단은 우매하게 된다, 즉 우매한 사람이 된다. ㅇ好知(호지)—아는 것, 학식 지식을 좋아하되. ㅇ其蔽也蕩(기폐야탕)—지식을 도에 맞게 활용하지 않으면, 그 지식은 방탕하고 허무맹랑하게 악용된다는 뜻. 탕(蕩)은 넘친다, 방탕하게 된다. ㅇ好信(호신)—신(信)은 말한 것을 실천함, 신의를 지킨다. ㅇ其蔽也賊(기폐야적)—(도에 맞는 말을 실천하고, 도에 맞는 신의를 지켜야 한다) 도에 맞지 않는 말을 하거나

실천하면, 사회적으로 남을 해치게 된다. 적(賊)은 남을 해친다. 폭력조직에서 신의를 지킨다는 것은 범죄를 강행하는 것이다. ㅇ好直(호직)－곧고 정직한 것을 좋아한다. ㅇ其蔽也絞(기폐야교)－도를 기준으로 곧게 행동해야 한다. 도에서 벗어난 정직이나, 자기 욕심을 기준으로 곧게 뻗으면, 각박하고 고집스럽게 된다. ㅇ好勇(호용)－용감하기를 좋아하되. 용(勇)은 맹목적으로 날뛰는 것이 아니다. 정의를 위해 과감하게 행동하는 것을 용이라 한다. ㅇ其蔽也亂(기폐야란)－도를 이탈한 용맹은 난동에 직결된다. 도를 기준으로 하지 않고, 자기 욕심을 채우기 위해 날뛰면 결국 난동을 하게 된다. ㅇ好剛(호강)－굳세고 의연하기를 좋아하되. ㅇ其蔽也狂(기폐야광)－도를 이탈한 강견(剛堅)은 광기를 부리게 될 폐단이 있다.

[解說] '인(仁)·지(知)·신(信)·직(直)·용(勇)·강(剛)' 등 여섯 가지 행실도, 도를 기준으로 했을 때, 비로소 덕행이 된다. 도가 아닌 자기 욕심을 바탕으로 행동하면, 폐단이 나타나게 된다. 도를 알고 실천하기 위해서는 바르게 배워야 한다. 유교의 학문정신은 도를 터득하고 실천함을 중하게 여긴다.

17-9. 공자가 말했다. "그대들은 왜 시를 공부하지 않는가? 시는 사람에게 감흥을 돋우게 하고, 모든 사물을 관찰케 하며, 대중과 함께 어울리고 즐기게 하며, 은근히 정치를 풍자하기도 한다. 가깝게는 부모를 섬기고, 멀게는 임금을 섬기는 도리를 시에서 배울 수 있다. 또 시를 통해 새나 짐승·풀·나무들의 이름도 많이 배우게 된다."

[原文] 子曰, 小子는 何莫學夫詩오? 詩는 可以興이며 可以觀이며 可以羣이며 可以怨이며 邇之事父며 遠之事君이오

多識於鳥獸草木之名이니라.

註解 ㅇ小子(소자)―얘들아, (공자가 제자들을 부른 말). ㅇ何莫學夫詩(하막학부시)―왜 《시경(詩經)》에 있는 시들을 공부하지 않는가? 공자 시대에는 《시경》이라 하지 않고 '시' 혹은 '시삼백(詩三百)'이라고 했다. ㅇ詩可以興(시가이흥)―시는 사람의 감흥이나 흥취를 돋아올린다. ㅇ可以觀(가이관)―모든 사물을 깊이 관찰케 한다. ㅇ可以羣(가이군)―대중과 함께 어울리고 화동(和同), 화락(和樂)케 한다. ㅇ可以怨(가이원)―'슬픔이나 원한을 풀게 한다.' (넓은 뜻). '정치를 은근히 풍자한다.' (좁은 뜻). ㅇ邇之事父(이지사부)―가까이는 부모 섬기는 효(孝)의 도리를 알게 한다. ㅇ遠之事君(원지사군)―멀게는 임금 섬기는 충(忠)의 도리를 알게 한다. ㅇ多識於鳥獸草木之名(다식어조수초목지명)―새·짐승·풀·나무 이름 등의 많은 것을 알게 한다.

解說 《시경(詩經)》의 서문에는 '시는 뜻을 표출한 것이다(詩者 志之所之也)'라고 했다. 《시경》에 추려진 305편의 시는 크게 '풍(風), 아(雅), 송(頌)'으로 나눈다. 풍(風)을 통해 각 지방의 민풍(民風)을 알 수 있다. 아(雅)를 통해 귀족사회 및 국가정치의 의식 행사(行事) 및 득실(得失)을 알 수 있다. 송(頌)을 통해 하늘과 시조(始祖)에 대한 종교 신앙 및 염원을 알 수 있다. 한 마디로 시를 배우면 고대의 평민 귀족 및 군왕들의 생활습속 및 정치 사상을 알 수 있다.

시는 순화된 말로 표현된 문학 예술의 결정(結晶)이다. 그러므로 시를 배우면, 고대인의 생활과 풍습, 정서와 사상, 정치의 득실(得失) 및 종교 신앙 등을 광범하게 알 수 있다. 아울러 자연 만물 현상 및 행사에 대한 명칭도 배울 수 있다. 더 중요한 것은 시를 공부하면, 인간의 감정과 정서 및 흥취를 돋우고 또 순화한다. 아울러 지각과 판단, 특히 정치 사상과 도덕 윤리의식을 높인다. 오늘의 인간들도 문학과 시를 배워야 한다. 그래야 건전한 인격자가 될 수 있다.

17-10. 공자가 아들 백어에게 말했다. “너는《시경》의 주남과 소남 편의 시를 공부했느냐? 사람으로서 주남과 소남을 공부하지 않으면, 마치 담 앞에 서있는 듯이 앞으로 갈 수가 없다.”

原文 **子謂伯魚曰, 女爲周南召南矣乎**아? **人而不爲周南召南**이면 **其猶正牆面而立也與**인저.

註解 ㅇ子謂伯魚曰(자위백어왈)－공자가 아들 백어에게 말하다. ㅇ女爲(여위)－너는 공부했느냐? 배웠느냐? ‘의호(矣乎)’까지 걸린다. ㅇ周南召南(주남소남)－《시경》에 있는 편명(篇名), 주남편, 소남편. ㅇ人而不爲(인이불위)－사람으로서 (주남 소남을) 배우지 않으면. ㅇ其猶(기유)－그것은 흡사 ……함과 같다. ㅇ正牆面而立(정장면이립)－바로 담을 마주 보고 서있음과 (같다). 즉 앞으로 더 갈 수도 없고 또 넓게 바라볼 수도 없다는 뜻. ㅇ也與(야여)－‘……일 것이다’의 뜻을 나타내는 어조사.

解說 주남(周南)과 소남(召南) 두 편은《시경》중에서도 가장 중요한 시편이다. 부부(夫婦)의 바른 도리와 도덕을 강조한 시편이다. 그러므로 시의 가치나 효용면에서도 이 두 편을 으뜸으로 친다. 이 두 편의 시를 공부해야 인간의 기미(機微)와 부부의 중요성과 덕치(德治)의 바른 도리를 터득할 수 있다.

유보남(劉寶楠)은 대략 다음과 같이 풀이했다. ‘당시 백어(伯魚)가 결혼을 하려던 때라, 공자가 부부의 애정을 토대로 집안을 바르게 다스리는 제가(齊家)의 도리를 깨우쳐주고 아울러 나라에서 임금을 받드는 군신(君臣)의 도리를 바르게 배우게 하려고 이렇게 말했다.’

17-11. 공자가 말했다. “예라고 하는 뜻이 구슬이나 비단만을 말하겠느냐? 음악이라고 하는 뜻이 종이나 북만을 말하겠느냐?”

原文 **子曰, 禮云禮云**이나 **玉帛云乎哉**아 **樂云樂云**이나 **鐘鼓云乎哉**아.

註解 ○禮云禮云(예운례운)-예가 중요하다고 말하지만. ○玉帛云乎哉(옥백운호재)-옥이나 비단 같은 외형적 장식만을 강조했겠느냐? ○樂云樂云(악운악운)-음악을 강조하지만. ○鐘鼓(종고)-종이나 북.

解說 예의 내면적 도리가 더 중요하다. 예(禮)는 이(理)와 이(履)에 통한다. 즉 예의(禮儀)의 내면적 도리와 정신은 '천리(天理)를 따르고 실천(實踐)함이다'. 이를 외형적으로 나타내기 위해서 옥백(玉帛)으로 장식하고, 종고(鐘鼓)를 울리는 것이다.

17-12. 공자가 말했다. "얼굴 표정은 장엄하면서, 속이 약한 사람을 소인에 비유하면, 담을 뚫고 넘나드는 도적 같으니라."

原文 **子曰, 色厲而內荏**을 **譬諸小人**컨대 **其猶穿窬之盜也與**인저.

註解 ○色厲(색려)-얼굴 표정이나 외모를 장엄하게 꾸미다. ○內荏(내임)-속이 무르다, 절개가 없다는 뜻. ○譬(비)-비유. ○穿窬(천유)-담을 뚫고 넘다.

17-13. 공자가 말했다. "마을의 저속한 사람들이 받드는 선인은 궁극적으로는 덕을 해치는 도적이다."

原文 **子曰, 鄕原**은 **德之賊也**니라.

註解 ㅇ鄕原(향원)－향(鄕)은 시골 마을. 원(原)＝삼갈 원(愿). 여기서는 저속한 천민들이 좋다고 받들고 따르는 마을의 두목 같은 사람. ㅇ德之賊也(덕지적야)－진정한 의미로는 덕을 해치는 도적(盜賊) 같은 사람이다.

解說 바른 도덕이나 가치관이 없는 저속한 사람들이 내세우는 두목은 얄팍한 인정이나 의리에 끌려서 무모한 짓을 할 우려가 많다.

17-14. 공자가 말했다. "길에서 저속한 말을 듣고, 길에서 옮겨 말하는 것은 곧 덕을 버리는 것과 같다."

原文 子曰, 道聽而塗說이면 德之棄也니라.

註解 ㅇ道聽(도청)－길바닥에서 소인들이 하는 말을 듣고. ㅇ塗說(도설)－그것을 그대로 길바닥에서 속인들에게 전하고 말하는 것은. 도(塗)＝도(途). ㅇ德之棄也(덕지기야)－도덕을 포기하는 행위다.

解說 군자는 배워서 도를 터득하고 깊이 사색하고 또 민첩하게 덕(德)을 행한다. 군자의 덕은 천도를 기준으로 한 덕행(德行)이다. 이에 반하여 도를 모르는 속인들은 천박하고 저속한 말을 서로 주고받는다. 결과적으로 절대선의 도덕을 포기하는 것이라 하겠다.

17-15. 공자가 말했다. "천박한 사람과는 함께 임금을 섬길 수 없다. 그들은 이득을 얻지 못하면 얻을 걱정만 하고, 얻으면 잃을까봐 걱정을 한다. 잃을까봐 걱정을 하면 (안 잃으려고) 못하는 짓이 없다."

原文 子曰, 鄙夫는 可與事君也與哉아. 其未得之也면 患

得之하고 旣得之하얀 患失之하나니 苟患失之면 無所不至矣니라.

註解 ㅇ鄙夫(비부)—천박하고 비루한 사람. ㅇ可與事君也與哉(가여사군야여재)—함께 (출사하여) 임금을 섬길 수 없다, '야여재(也與哉)'는 어조사, '……할 수 있을까? ……할 수 없다'의 뜻을 나타낸다. ㅇ其未得之也(기미득지야)—그들은 (명예·지위·권력 및 재물 등을) 얻지 못하면. ㅇ患得之(환득지)—얻으려고 걱정하고 안달을 떤다. ㅇ旣得之(기득지)—이미 얻었으면. ㅇ患失之(환실지)—잃을 것을 걱정한다, 즉 안놓치려고 한다. ㅇ無所不至矣(무소부지의)—도달하지 않는 곳이 없다, 무슨 짓이든 다 한다.

解說 여기서 말하는 비부(鄙夫)는 '용렬하고 천박하고 비루한 지식인'의 뜻이다. 재물이나 명예 및 지위 권력을 얻으려고 안달을 떠는 저속한 지식인이다. 이들 비부들은 음흉하고 간악한 수를 써서, 이기적(利己的) 이득을 얻으려고 안달을 떨고, 또 손에 넣은 이득을 안놓치려고 온갖 악덕을 다 자행한다. 결국 비부들이 정치에 참여하면, 나라가 부패하고 쇠퇴하고 결국에는 결딴나게 마련이다. 이와 반대로 '살신성인(殺身成仁)'하는 군자를 등용해야 한다.

17-16. 공자가 말했다. "옛사람들은 세 가지 결점을 가지고 있었으나, 오늘에는 그것마저 없어진 것 같다. 옛날에는 미쳐도 방자했으나, 오늘에는 방탕하게 미친다. 옛날에는 자기 자랑을 해도 깨끗하게 했으나, 오늘에는 분노와 싸움질로 자기 자랑을 한다. 옛날에는 어리석어도 우직했으나, 오늘에는 어리석은 척하면서 남을 속인다."

原文 子曰, 古者 民有三疾이러니 今也 或是之亡也로다.

古之狂也肆러니 今之狂也蕩이오 古之矜也廉이러니 今之矜也忿戾요 古之愚也直이러니 今之愚也詐而已矣로다.

註解 ㅇ古者民有三疾(고자민유삼질)-옛사람에게 세 가지 결점이 있었다. 질(疾)은 편벽되고 고집스러운 결점. ㅇ今也或是之亡也(금야혹시지망야)-지금은 혹 그것마저 없는 듯하다. ㅇ古之狂也肆(고지광야사)-옛날의 미친 척하는 사람은 자유분방하게 행동했다. 광(狂)은 뜻이 커서 세속의 규범을 무시함, 사(肆)는 방자, 자유분방하다. ㅇ今之狂也蕩(금지광야탕)-오늘의 미친 사람은 턱없이 방탕하다. ㅇ古之矜也廉(고지긍야렴)-옛날의 자존(自尊) 자긍(自矜)한 사람은 세속에서 벗어나 유별나게 했다, 긍(矜)은 스스로 뻐기다, 염(廉)은 '높이 모나게 행동한다'는 뜻. ㅇ今之矜也忿戾(금지긍야분려)-오늘날 자기 자랑을 하는 사람은 남에게 화를 내고 싸움질을 하면서 뻐기려고 한다. ㅇ古之愚也直(고지우야직)-옛날의 어리석은 사람은 정직하기는 했다. ㅇ今之愚也詐而已矣(금지우야사이이의)-그러나 오늘날의 어리석은 척하는 사람은 남을 속인다.

解說 공자 시대보다 오늘날은 더 심하다.

17-17. 공자가 말했다. "듣기 좋게 말을 하고, 보기 좋게 표정을 꾸미는 사람은 인심(仁心)이나 인덕(仁德)이 없다."

原文 子曰, 巧言令色이 鮮矣仁이라.

註解 ㅇ巧言(교언)-남의 환심을 사려고 말을 꾸며서 한다. ㅇ令色(영색)-남의 환심을 사려고 얼굴빛이나 표정을 아름답게 꾸민다. ㅇ鮮矣仁(선의인)-그런 사람은 마음속에 인심(仁心)이 없고 따라서 인덕(仁德)도 없다.

解說 제1편 〈學而篇 1-3〉에 나왔다. 편자(編者)가 또 나오게 한 의도는 다음 장의 뜻을 잘 알게 하기 위해서일 것이다.

17-18. 공자가 말했다. "자주색이 붉은색을 빼앗는 것을 미워하며, 정나라의 음탕한 음악이 우아한 아악을 문란케 하는 것을 미워하며, 입빠른 자의 말이 나라를 뒤엎는 것을 미워한다."

原文 **子曰, 惡紫之奪朱也**하며 **惡鄭聲之亂雅樂也**하며 **惡利口之覆邦家者**하노라.

註解 ㅇ惡(오)－미워한다, 싫어한다. ㅇ紫之奪朱也(자지탈주야)－잡색(雜色)인 자주색이 원색(原色)인 붉은색을 흡수하여 지워 버리다. ㅇ鄭聲之亂雅樂也(정성지란아악야)－정나라의 음탕한 음악이 바르고 우아한 아악을 문란케 한다. ㅇ利口之覆邦家者(이구지복방가자)－교언영색(巧言令色)으로 영리하게 말 잘하는 자가 나라를 뒤엎고 망치게 한다.

17-19. 공자가 "나는 말을 하지 않겠다."고 하자, 자공이 아뢰었다. "선생님께서 말씀을 하지 않으시면 저희들은 무엇에 의거해서 도를 말하고 또 전하겠습니까?"

그러자 공자가 말했다. "하늘이 무슨 말을 하더냐? 사계절이 바뀌어 돌고, 만물이 살아서 자라지만 하늘이 무슨 말을 하더냐?"

原文 **子曰, 予欲無言**하노라. **子貢曰, 子如不言**이시면 **則小子何述焉**이리이꼬? **子曰, 天何言哉**시리오? **四時行焉**하며 **百物生焉**하나니 **天何言哉**시리오?

註解 ㅇ予欲無言(여욕무언)－나는 말을 하지 않겠다. ㅇ子如不言(자여불언)－선생님께서 말씀을 안하시면. ㅇ則小子何述焉(즉소자하술언)－즉 저희들은 어떻게 도를 풀이하고 또 서술하겠습니까? ㅇ天何言哉(천하언재)－하늘이 무슨 말을 하더냐? 하늘은 아무 말도 하지 않는다. ㅇ四時行焉(사시행언)－사계절이 바뀌어 간다. 즉 시간이 흐른다. ㅇ百物生焉(백물생언)－만물이 살아서 번식한다. 생(生)은 '생육화성(生育化成)'을 합친 말. 즉 '만물이 낳고, 자라고, 열매로 화하고, 새 생명의 바탕인 씨를 완성한다'는 뜻.

解說 천지 자연 만물이 시간의 흐름에 따라 저마다 '생성(生成)·변화(變化)·번식(繁殖)·발전(發展)'한다. 그와 같은 삼라만상(森羅萬象)을 보고 하늘의 도리를 깨닫고 실천하라는 뜻이다. 심오한 우주의 본체를 어찌 말로 다 표현할 수 있겠느냐?

17-20. 유비가 공자를 뵈려고 했으나, 공자는 몸이 아프다는 핑계로 사절했다. 그러나 유비의 명을 전하려고 온 사자가 문밖으로 나가자, 공자는 거문고를 타고 노래하며 그 사자에게 들려주었다.

原文 **孺悲 欲見孔子**어늘 **孔子辭以疾**하시고 **將命者出戶**어늘 **取瑟而歌**하사 **使之聞之**하시다.

註解 ㅇ孺悲(유비)－노(魯)나라 사람. 애공(哀公)의 신하로, 애공의 명으로 공자에게 상례(喪禮)에 대해 배운 일이 있다. ㅇ欲見孔子(욕견공자)－공자를 만나려고 했다(유비가 직접 오지 않고, 사람을 시켜, 공자를 만나겠다는 뜻을 전했다). ㅇ辭以疾(사이질)－몸이 아프다는 핑계로 거절했다. ㅇ將命者出戶(장명자출호)－유비의 말을 전하러 온 사자가 대문을 나서자. ㅇ取瑟而歌(취슬이가)－공자가 거문고를 타고 노래

를 불렀다. ㅇ使之聞之(사지문지)－사자로 하여금 소리를 듣게 했다.

解說 몸이 아프다는 것은 핑계이고, 사실은 만나고 싶지 않아서 거절했다는 것을 표시하기 위해 일부러 거문고를 타고 노래를 한 것이다.

17-21-1. 재아가 물었다. "3년의 복상은 기한이 너무 오래입니다. 군자가 3년이나 예를 지키지 못하면 예가 반드시 무너지고, 3년이나 음악을 울리지 않으면, 음악이 반드시 시들 것입니다. 그러니 이미 묵은 곡식이 없어지고 새 곡식이 상에 올라오고, 또 불씨를 일으키는 수나무를 바꾸어 새로 뚫어 새 불씨를 피우는 것처럼 (복상도) 1년으로 끝내는 것이 좋지 않습니까?"

原文 **宰我 問, 三年之喪**이 **期已久矣**로소이다. **君子 三年不爲禮**면 **禮必壞**하고 **三年不爲樂**이면 **樂必崩**하리라. **舊穀**이 **旣沒**하고 **新穀**이 **旣升**하며 **鑽燧改火**하나니 **期可已矣**로소이다.

註解 ㅇ宰我(재아)－공자의 제자, 〈泰伯篇 8-21〉 참고. ㅇ問三年之喪(문삼년지상)－3년의 복상(服喪)에 대해서 질문했다. ㅇ期已久矣(기이구의)－'그 기한이 너무 오래다'라고 (이의를 제시한 것이다). ㅇ君子三年不爲禮(군자삼년불위례)－군자가 3년간, (부모 분묘 곁에 草廬를 짓고 기거하면서) (국가나 사회적으로) 예를 행하지 않으면, 혹은 예치(禮治)에 참가하지 않으면. ㅇ禮必壞(예필괴)－예의 기풍이 파괴된다. ㅇ不爲樂(불위악)－음악으로 백성들을 교화하지 않으면. ㅇ樂必崩(악필붕)－악교(樂教)가 붕괴된다. ㅇ舊穀旣沒(구곡기몰)－작년의 묵은 곡식이 이미 다 없어지고. ㅇ新穀旣升(신곡기승)－새 곡식을 상에 올리다. ㅇ鑽燧(찬수)－움푹 파진 구멍에 나뭇가지를 넣고 마찰해서 불씨를 피

우는 도구. ㅇ改火(개화)－1년에 한 번씩 불씨를 새로 피운다. ㅇ期可已矣(기가이의)－(복상하는 기한도) 1년이면 좋을 것이다. 기(期)는 1년, 즉 한 돌.

17-21-2. 공자가 되물었다. "(그렇게 1년으로 거상을 마치고) 쌀밥을 먹고, 비단옷을 입어도 네 마음에 편하겠느냐?"

재아가 "편합니다."하고 대답하자, 공자가 말했다.

"네 마음에 편하거든 그렇게 해라. 원래 군자는 상중에 있을 때는 맛있는 음식을 먹어도 달지 않고, 음악을 들어도 즐겁지 않으며, 안락하게 있어도 편하지 않기 때문에, 그렇게 하지 않는 것이다. 그러나 네 마음에 편하다면 그렇게 해라."

原文 **子曰, 食夫稻**하며 **衣夫錦**이 **於女安乎**아? **曰,安**하이다. **女安則爲之**하라. **夫君子之居喪**에 **食旨不甘**하며 **聞樂不樂**하며 **居處不安**이라. **故**로 **不爲也**하니라 **今女安則爲之**하라.

註解 ㅇ食夫稻(식부도)－쌀밥을 먹고. ㅇ衣夫錦(의부금)－비단옷을 입는 것이. ㅇ於女安乎(어녀안호)－너에게 편안하냐? 네 마음이 편하겠느냐? ㅇ女安則爲之(여안즉위지)－네 마음에 편하다면, 그렇게 해라. ㅇ夫君子之居喪(부군자지거상)－무릇, 군자가 (3년간의) 거상을 하는 (까닭은). ㅇ食旨不甘(식지불감)－맛좋은 음식을 먹어도 달지 않고. ㅇ聞樂不樂(문악불락)－음악을 들어도 즐겁지 않고. ㅇ居處不安(거처불안)－편하게 있어도 마음이 불안해서. ㅇ故不爲也(고불위야)－그래서 그렇게 하지 않는 것이다. 즉 3년간 거상하는 것이다.

17-21-3. 재아가 나가자, 공자가 말했다. "여는 참으로 어질지 못하

구나. 자식이 태어나 3년이 되어야 비로소 부모의 품에서 벗어나듯이, 부모의 상을 3년 모시는 것은 천하에 공통된 예법이다. 여도 자기 부모로부터 3년 동안 사랑을 받았을 터인데!"

原文 **宰我出**커늘 **子曰, 予之不仁也**여 **子生三年然後**에 **免於父母之懷**하나니 **夫三年之喪**은 **天下之通喪也**니 **予也有三年之愛於其父母乎**아.

註解 ㅇ予之不仁也(여지불인야)—여는 인애(仁愛)롭지 못하다, 여기서 말하는 불인(不仁)은 곧 불효(不孝)와 같다. ㅇ子生三年(자생삼년)—자식은 출생한 지 3년이 되어야. ㅇ然後(연후)—그런 다음에 비로소. ㅇ免於父母之懷(면어부모지회)—부모의 품에서 벗어난다. ㅇ夫三年之喪(부삼년지상)—무릇 부모가 돌아가면 3년간 거상하는 것은. ㅇ天下之通喪也(천하지통상야)—천하의 모든 사람이 지키는 공통된 상례(喪禮)의 법도다. ㅇ予也(여야)—여, 즉 재아도. ㅇ有三年之愛於其父母乎(유삼년지애어기부모호)—3년간, 부모의 사랑을 받았을 것인데!

解說 바로 앞의 제19장에서 공자는 자공(子貢)에게 말했다. "사계절의 운행에 따라 만물이 살아 번식한다(四時行焉 百物生焉)." 즉 시간의 흐름에 따라 공간적으로 자연만물이 생성변화 번식 발전한다. 그것이 우주의 도리다. 인간도 '자자손손(子子孫孫), 세세대대(世世代代)' 이어가면서 역사와 문화를 계승 발전하고 있다.

오늘 내가 살아서 문화를 향유하는 것은 부모와 선조의 덕택이다. '나를 출생하고 양육해준 부모의 은혜'는 '산보다 높고 바다보다 깊다'. 이 엄연한 사실을 사람만이 인식하고, 또 보답한다. 그래서 만물의 영장이라고 한다. 사람이면서 부모에게 효도하지 못하면 동물과 같다. 동물세계에서는 죽으면 그만이다. 인간세계에만 상례(喪禮)가 있다. 특히 부모는 나의 전신(前身)이고. 내 생명의 근원이다. 그러므로 부모의 죽음을 나의 죽음으로 공감(共感)하고, 3년간 거상(居喪)하는 것이다.

17-22. 공자가 말했다. "하루종일 배불리 먹기만 하고, 마음 쓰는 일이 없으면 참으로 딱하다. 주사위나 바둑이 있지 않으냐? 차라리 그런 내기라도 하는 편이 안하는 것보다 좋을 것이다."

原文 **子曰, 飽食終日**하야 **無所用心**이면 **難矣哉**라. **不有博奕者乎**아 **爲之猶賢乎已**니라.

註解 ㅇ飽食終日(포식종일)－종일 배불리 먹기만 한다. ㅇ無所用心(무소용심)－마음 쓰는 일이 없다, 아무 일도 하지 않는다. ㅇ難矣哉(난의재)－곤란하다, 딱하다. ㅇ不有博奕者乎(불유박혁자호)－박혁(博奕) 같은 것이 있지 않으냐? 박혁은 주사위나 바둑 같은 내기 놀음. ㅇ爲之猶賢乎已(위지유현호이)－차라리 그런 놀음이라도 하는 편이 더 현명하다, 좋다.

解說 무위도식(無爲徒食)하면 안된다. 하늘은 일을 하라고 생명을 주었다.

17-23. 자로가 "군자는 용맹을 숭상합니까?"하고 묻자, 공자가 말했다. "군자는 도의를 으뜸으로 여긴다. 군자가 용맹하고 도의가 없으면 난을 일으키고, 소인이 용맹하고 도의가 없으면 도둑질을 하게 된다."

原文 **子路曰, 君子尚勇乎**이꼬? **子曰, 君子義以爲上**이니

君子有勇而無義면 **爲亂**이오 **小人有勇而無義**면 **爲盜**니라.

註解 ㅇ君子尙勇乎(군자상용호)－군자는 용맹을 숭상하느냐? ㅇ君子義以爲上(군자의이위상)－군자는 도의(道義)를 가장 으뜸으로 여긴다. 도의는 하늘의 도리를 기준으로 모든 사물을 옳고 바르게 처리함이다. ㅇ君子有勇而無義爲亂(군자유용이무의위란)－군자로서 용맹하기만 하고, 도의를 따르지 않으면 난을 일으킨다. ㅇ小人有勇而無義爲盜(소인유용이무의위도)－소인이 용맹하기만 하고 도의를 따르지 않으면, 도둑질을 한다.

解說 절대선의 천도(天道)를 따라야 모든 사물을 옳고 바르게 처리할 수 있다. 세속적인 소인(小人)도 천도를 알고 따라야 악덕에 빠지지 않는다. 천도를 저버리고 동물적·이기적 욕심만을 채우려고 날뛰면 남을 살상하고 도둑질을 하게 된다. 정치에 참여하는 군자가 도의를 저버리고 무력을 휘두르고 날뛰면 난을 일으키게 된다.

17-24-1. 자공이 "군자도 미워하는 것이 있습니까?"하고 묻자, 공자가 말했다.

"미워하는 것이 있다. 남의 잘못을 떠들어대는 것을 미워하고, 아래 있는 사람이 윗사람을 비방하는 것을 미워하고, 용맹하게 날뛰고 예절을 지키지 않는 것을 미워하고, 과감하지만 꽉 막혀 사리에 통하지 않는 것을 미워한다."

原文 **子貢曰, 君子亦有惡乎**이꼬? **子曰, 有惡**하니 **惡稱人之惡者**하며 **惡居下流而訕上者**하며 **惡勇而無禮者**하며 **惡果敢而窒者**니라.

註解 ㅇ君子亦有惡乎(군자역유오호)－군자도 역시 미워하는 것이 있습니까? ㅇ有惡(유오)－미워하는 것이 있다. ㅇ惡稱人之惡者(오칭인지악자)－남의 결점이나 잘못을 떠들어대는 일, 혹은 그런 사람을 미워한다. ㅇ惡居下流而訕上者(오거하류이산상자)－저속한 부류에 속하는 자가 윗사람을 비방하고 욕하는 일을 미워한다. ㅇ惡勇而無禮者(오용이무례자)－무모하게 폭력을 휘두르고 예절을 지키지 않는 사람을 미워한다. ㅇ惡果敢而窒者(오과감이질자)－독단적이고 과단성은 있으나, 꽉 막혀 사리에 통하지 않는 사람을 미워한다.

17-24-2. 공자가 "사야! 너도 미워하는 것이 있느냐?"하고 묻자, 자공이 대답했다.

"엿보고 아는 척하는 사람을 미워하고, 불손한 태도를 용감하다고 생각하는 사람을 미워하고, 남의 비밀을 폭로하는 것을 강직하다고 생각하는 사람을 미워합니다."

原文 **曰, 賜也 亦有惡乎**아? **惡徼以爲知者**하며 **惡不孫以爲勇者**하며 **惡訐以爲直者**하노이다.

註解 ㅇ賜也(사야)－사(賜)는 자공의 이름, 공자가 자공의 이름을 불렀다. ㅇ亦有惡乎(역유오호)－역시 미워하는 것이나 사람이 있느냐? ㅇ惡徼以爲知者(오요이위지자)－남의 것을 엿보고 아는 체하는 사람을 미워한다. ㅇ惡不孫以爲勇者(오불손이위용자)－남에게 불손하게 하는 것을 용감하다고 생각하는 자를 미워한다. ㅇ惡訐以爲直者(오알이위직자)－남의 비밀을 폭로하는 것을 정직이라고 생각하는 사람을 미워한다.

17-25. 공자가 말했다. "여자와 소인은 다루기 어렵다. 가까이하면

공손치 않고, 멀리하면 원망한다."

原文 **子曰, 唯女子與小人**이 **爲難養也**니 **近之則不孫**하고 **遠之則怨**이니라.

註解 o唯(유)-다만. 여기서는 '부(夫)'와 같은 뜻이다. o女子與小人(여자여소인)-여자와 소인. 옛날의 대가족제도하에서는 한 집안에 가장(家長)과 주부(主婦) 이외에 많은 수의 '첩(妾)·비(婢)·복(僕)'들이 함께 살았다. o爲難養也(위난양야)-한 집안에서 많은 여자들과 하인들을 다루기가 어렵다는 뜻. o近之則不孫(근지즉불손)-가장이 조금만 친근하게 하면 불손하게 되고. o遠之則怨(원지즉원)-소원하게 대하면 원망한다.

解說 공자가 높이는 인(仁)은 모든 사람에 대한 사랑을 바탕으로 한 것이다. 그러므로 여기서 말한 '여자여소인(女子與小人) 위난양야(爲難養也)'는 일반적으로 여자와 소인을 격하한 말이 아니고, 한 집안에서 함께 어울려 사는 데 어려움이 많다는 뜻이다.

17-26. 공자가 말했다. "나이 사십이 되어 가지고 남에게 미움을 사면 (인격적으로) 더 볼 것이 없다."

原文 **子曰, 年四十而見惡焉**이면 **其終也已**니라.

註解 o見惡焉(견오언)-남에게 미움을 산다. o其終也已(기종야이)-(인격적으로, 그 사람은) 끝난 사람이다, 더 볼 것이 없다.

제18편 미자편(微子篇)

제18편 〈미자편〉은 총 11장으로 대개가 성인이나 현인들에 관한 일화가 많다. 즉 그들의 출사(出仕)와 은퇴(隱退)를 기술하고, 간접적으로 공자의 사상을 부각하려고 했다. 특히 세상을 버리고 숨어 사는 은자(隱者)들을 등장시켜 공자의 적극적인 현실참여 및 개혁사상을 강조한 글들이 많다. 또 이 제18편 〈미자편〉에는 장(章) 앞에 '자왈(子曰)'이 없다. 그러나 간간이 공자의 평어(評語)를 삽입하여 그들에 대한 공자의 태도나 생각을 나타냈다.

18-1. 미자는 떠났고, 기자는 종으로 가장하여 숨었고, 비간은 간하다가 죽었다. 공자가 말했다. "은(殷)에는 세 인자가 있었다."

原文 **微子**는 **去之**하고 **箕子**는 **爲之奴**하고 **比干**은 **諫而死**하니라. **孔子曰, 殷有三仁焉**하니리.

註解 ㅇ微子去之(미자거지)—미자(微子)는 은(殷)나라를 망친 마지막 왕, 주왕(紂王)의 서형(庶兄)이다. 이름은 계(啓), 미(微)는 나라 이름, 자(子)는 작(爵). 포악무도한 주왕을 간했으나, 듣지 않으므로, 제기(祭器)를 가지고 미(微)나라로 가서, 은나라 선조의 제사를 보전했다. ㅇ箕子爲之奴(기자위지노)—기(箕)는 나라 이름, 자(子)는 작(爵), 이름은 자여(子餘), 주왕의 백부. 주왕을 간해도 듣지 않으므로, 스스로 광인(狂人)을 가장하고 노예들 틈에 끼어 숨었다. ㅇ比干諫而死(비간간이사)—

주왕의 숙부. 비간이 격렬하게 간하자, 주왕이 그를 무참히 죽였다. ㅇ殷有三仁焉(은유삼인언)－은나라에는 세 사람의 인자(仁者)가 있었다. 주(周)가 천명을 받고 나라를 세운 다음, 미자(微子)는 송(宋)에, 기자(箕子)는 조선(朝鮮)에 봉(封)해졌다.

18-2. 유하혜가 노나라의 재판관이 되었다가 세 번이나 자리에서 쫓겨났다. 어떤 사람이 "그대는 아직도 노나라를 버리고 떠나지 않으려나?"하고 묻자, 그는 대답했다.

"도를 곧게 지키고 사람을 다스리면, 어디에 간들 세 번을 쫓겨나지 않겠는가? 반대로 도를 굽히고 사람을 다스릴 바에야 반드시 우리 부모님의 나라를 떠날 이유가 있겠는가?"

原文 **柳下惠 爲士師**하야 **三黜**이어늘 **人**이 **曰, 子未可以去乎**아? **曰, 直道而事人**이면 **焉往而不三黜**이며 **枉道而事人**이면 **何必去父母之邦**이리오?

註解 ㅇ柳下惠(유하혜)－노(魯)나라의 대부, 〈衛靈公篇 15-14〉 참고. ㅇ士師(사사)－관명(官名), 소송을 심리하고 판결하는 재판관. ㅇ三黜(삼출)－세 번이나 자리에서 쫓겨나다. ㅇ子未可以去乎(자미가이거호)－그대는 아직도 노나라를 떠나지 않으려는가? ㅇ直道而事人(직도이사인)－도를 곧게 지키고 사람을 다스리면. ㅇ焉往而不三黜(언왕이불삼출)－어디에 간들 세 번 쫓겨나지 않겠는가? 언왕(焉往)은 어디에 간들. ㅇ枉道而事人(왕도이사인)－도를 굽히고 사람을 다스릴 바에야. ㅇ何必去父母之邦(하필거부모지방)－어찌 반드시 부모의 나라를 떠날 필요가 있는가?

解說 유하혜(柳下惠)는 온화한 덕성과 곧은 도리를 바탕으로 임

금을 섬겼다. 그러나 현실 정치에서는 악한 세(勢)에 밀려 자리에서 쫓겨나는 일도 있는 것이다.

그래도 그는 자기 조국을 버리고 떠나지 않고, 다시 나가서 충성을 하려고 했다.

18-3. 제나라의 임금 경공이 공자에 대한 대우를 논의할 때 말했다. "계씨와 같이 최고로는 대우하지 못하지만, 계씨와 맹씨의 중간 정도로는 대우하겠다."
(그러나 후일) "내가 너무 늙어서 쓸 수 없다."고 말을 바꾸자, 공자가 제나라를 떠났다.

原文 **齊景公**이 **待孔子曰, 若季氏 則吾不能**이어니와 **以季孟之間**으로 **待之**호라 하고 **曰, 吾老矣**라 **不能用也**라 한대 **孔子 行**하시다.

註解 ㅇ齊景公(제경공)－제나라의 경공. ㅇ待孔子曰(대공자왈)－공자에 대한 대우를 논의하며 말했다. 대(待)를 《사기》〈공자세가(孔子世家)〉에는 지(止)라고 썼다. 즉 '공자를 잡고 말했다'로 풀 수 있다. ㅇ若季氏則吾不能(약계씨칙오불능)－계씨같이 최고로 대우할 수는 없다, 계씨는 노나라의 상경(上卿)이다. ㅇ以季孟之間待之(이계맹지간대지)－계씨와 맹씨의 중간으로 대우하겠다. 즉 상경(上卿)과 하경(下卿) 사이로 대우하겠다는 뜻. ㅇ曰(왈)－후에 다른 말을 했다. ㅇ吾老矣不能用也(오로의불능용야)－내가 늙었으므로 공자를 쓰지 못하겠다. ㅇ孔子行(공자행)－공자가 제나라를 떠났다.

解說 노(魯)의 소공(昭公)이 제(齊)에 망명하자, 공자도 제나라에

갔다. 그 때가 기원전 517년, 공자 나이 30여세였으며, 제나라의 경공은 60세였다. 제 경공은 먼저 공자를 등용하려고 했다. 그러나 재상 안영(晏嬰)이 "공자의 정치 사상은 너무 비현실적이다."라고 반대했으므로, 말을 바꾼 것이다.

18-4. 제나라 사람이 미녀와 풍악놀이패를 보내왔다. 노나라 계환자가 이를 받아들이고 즐겼으며, 사흘 동안이나 조례를 보지 않았다. 이에 공자는 벼슬을 버리고 노나라를 떠났다.

原文 **齊人**이 **歸女樂**이어늘 **季桓子受之**하고 **三日不朝**한대 **孔子行**하시다.

註解 ㅇ齊人歸女樂(제인귀녀악)－제나라 사람이 여악(女樂)을 보내왔다, 여악은 미인과 풍악놀이패, 가무단(歌舞團). ㅇ季桓子受之(계환자수지)－계환자(季桓子)가 받아들이고 즐겼다, 계환자는 당시 노나라의 실권을 잡고 있었다. 이름은 사(斯), 환(桓)은 시호, 계강자(季康子)의 아버지. ㅇ三日不朝(삼일부조)－사흘간 조례를 안보고 여악을 즐겼다. ㅇ孔子行(공자행)－공자가 벼슬을 내놓고 노나라를 떠났다.

解說 노(魯) 정공(定公) 12년(기원전 498년)에, 공자는 나이 54세로 사구(司寇)가 되었는데 삼환씨(三桓氏)의 세력을 약화시키어 정치를 바로잡으려고 했다. 그러나 이웃에 있는 강대국 제(齊)가 노의 중흥을 시기하고 방해하려는 목적으로, 80명으로 구성된 여자 가무단을 당시의 실권자 계환자(季桓子)를 통해서 보냈다. 말하자면 노나라의 집권세력을 타락시키려는 의도로 보낸 것이다. 이에 노나라의 군신(君臣)이 미혹되어 여러 날이나 조회도 안보고, 정사를 소홀히 했다. 이에 공자는 계씨와의 관계가 더 악화되었고, 마침내는 노

나라를 떠나, 위(衛)나라로 갔던 것이다.

18-5. 초나라의 미치광이 접여가 공자 앞을 지나가며 노래했다.

"봉황새야, 봉황새야! 어찌 덕이 그리도 쇠했느냐! 지난 일은 간할 수 없거니와, 앞으로는 바르게 좇을 수 있다고 했다. 그러나 가망이 없으니, 그만둘지어다. 오늘날에는 정치에 참여하는 사람은 위태롭기만 할 것이다."

공자가 수레에서 내려, 그와 함께 말하려고 했으나, 그가 재빠르게 몸을 피했으므로 말을 하지 못했다.

原文 楚狂接輿 歌而過孔子 曰, 鳳兮鳳兮여 何德之衰오. 往者는 不可諫이어니와 來者는 猶可追니 已而已而이다. 今之從政者 殆而니라. 孔子下하사 欲與之言이러시니 趨而辟之하니 不得與之言하시다.

註解 ㅇ楚狂接輿(초광접여)—초나라 사람으로 미친 척하고 난세를 한탄하며 숨어 사는 은사(隱士), 성은 육(陸), 이름은 통(通), 자가 접여(接輿). ㅇ歌而過孔子曰(가이과공자왈)—노래를 부르며, 공자 앞을 지나가면서 말했다. ㅇ鳳兮鳳兮(봉혜봉혜)—봉황새는 영조(靈鳥)로, 천하에 도(道)가 행해지는 성천자(聖天子) 시대에만 나타난다. 공자도 성인이다. 그러므로 봉황새가 나타나야 할텐데, 안 나타난다고 한탄한 것이다. ㅇ何德之衰(하덕지쇠)—어째서 덕이 쇠했느냐? 참으로 덕이 쇠퇴했구나! ㅇ往者不可諫(왕자불가간)—이미 지난 일은 간하고 탓할 수 없다. ㅇ來者猶可追(내자유가추)—앞일은 바르게 추구하자, '왕자불가간(往者不可諫) 내자유가추(來者猶可追)'는 고어(古語). ㅇ已而已而(이이이이)—이미 끝났다, 그만두어라. ㅇ今之從政者殆而(금지종정자태이)—오

늘의 (난세에서는) 정치에 참여하는 사람은 위태로울 뿐이다. ㅇ孔子下(공자하)－공자가 수레에서 내려. ㅇ欲與之言(욕여지언)－그와 같이 말하고자 했으나. ㅇ趨而辟之(추이벽지)－뛰어 달려 몸을 피했으므로. ㅇ不得與之言(부득여지언)－함께 말할 수 없었다.

解說 공자 같은 성인이 나타났으나, 천하가 도덕적으로 타락하여 봉황새도 나타나지 않게 되었다. 그래서 초나라의 미치광이 접여(接輿)가 공자 앞을 지나가면서 "생명이 위태로울 것이다."라고 경고한 것이다. 《사기(史記)》〈공자세가(孔子世家)〉에는 '공자 나이 63세 때, 초나라의 소공(昭公)이 공자를 등용하고자 했다. 그러나 영윤(令尹) 자서(子西)가 반대하여, 이루지 못했으며, 소공이 죽은 다음에 공자에게 '금지종정자태이(今之從政者殆而)'라고 경고를 한 것이라'고 했다.

18-6-1. 장저와 걸익이 짝을 지어 밭갈이를 하고 있는데, 공자가 지나가다가 자로를 시켜 나루터를 물었다.

장저 : "저 고삐를 잡고 있는 분이 누구시오?"

자로 : "공구이시오."

장저 : "바로 노나라 공구이시오?"

자로 : "그렇소."

장저 : "그렇다면, 그분이 나루터를 알 것이오."

原文 **長沮桀溺**이 **耦而耕**이어늘 **孔子過之**하실새 **使子路**로 **問津焉**하신대 **長沮曰, 夫執輿者 爲誰**오? **子路曰, 爲孔丘**시니라. **曰, 是魯孔丘與**아? **曰, 是也**시니라. **曰, 是知津矣**니라.

註解 ㅇ長沮(장저)－은사(隱士). ㅇ桀溺(걸익)－역시 은사. ㅇ耦而耕

(우이경)－짝지어 밭갈이를 하고 있다. ㅇ孔子過之(공자과지)－공자가 곁을 지나가다. ㅇ使子路問津焉(사자로문진언)－자로를 시켜서 그들에게 나루터를 물었다. ㅇ夫執輿者爲誰(부집여자위수)－저기 말고삐를 잡고 있는 사람은 누구시냐? ㅇ爲孔丘(위공구)－공구이시다. ㅇ是知津矣(시지진의)－(은사의 말) 그분이라면 나루터를 알고 있을 것이다. 공자는 천하를 두루 다니는 분이다. 그러니 나루를 알고 있을 거라고 말했다.

18-6-2. 자로가 걸익에게 묻자, 걸익이 되물었다.

"당신은 누구요?"

"나는 중유라 하오."

걸익 : "바로 당신이 노나라 공구의 제자요?"

자로 : "그렇소."

걸익 : "지금 세상은 무도함이 도도히 물 흐르듯 하는데, 그 누가 고칠 수 있겠소? 또 당신도 사람을 가리고 피하는 공구를 따라다니는 것보다, 우리처럼 세상을 피해서 숨어 사는 은사를 따르는 것이 어떠하오?"

이렇게 말하고 걸익은 써레질을 그치지 않고 계속했다.

原文 **問於桀溺**한대 **桀溺**이 **曰, 子爲誰**오? **曰, 爲仲由**로라. **曰, 是魯孔丘之徒與**아? **對曰, 然**하다. **曰, 滔滔者 天下皆是也**니 **而誰以易之**리오? **且而與其從辟人之士也**론 **豈若從辟世之士哉**리오 하고 **耰而不輟**하더라.

註解 ㅇ問於桀溺(문어걸익)－걸익에게 묻자. ㅇ子爲誰(자위수)－당신은 누구요? (걸익이 자로에게 되물었다). ㅇ爲仲由(위중유)－나는 중유요. ㅇ是魯孔丘之徒與(시로공구지도여)－바로 노나라 공구의 제자로군.

ㅇ滔滔者 天下皆是也(도도자 천하개시야)－무도(無道)함이 도도히 흐르는 강물 넘치듯 하고, 천하가 다 무도하고 타락했거늘. ㅇ誰以易之(수이역지)－누가 천하를 개혁할 수 있겠느냐? ㅇ且而(차이)－또. ㅇ與其從辟人之士也(여기종벽인지사야)－무도한 사람, 즉 나쁜 임금을 피해서 방랑하는 선비, 다시 말해서 공자를 따라다니기보다. ㅇ豈若從辟世之士哉(개약종벽세지사재)－차라리 나쁜 세상을 버리고 숨어 사는 우리 같은 은사를 따르는 것이 좋지 않겠느냐? ㅇ耰而不輟(우이불철)－써레질을 멈추지 않고 계속했다, 씨를 흙으로 덮는 일을 계속했다. 씨 덮을 우(耰), 그칠 철(輟).

18-6-3. 자로가 돌아와서 고하자, 공자가 한탄하며 말했다. "사람은 새와 짐승과 어울려 살지 못하니, 모든 사람들과 더불어 살지 않으면, 누구와 더불어 살겠느냐? 천하에 도가 행해지면 내가 구태여 변혁하고자 애를 쓰겠느냐?"

原文 **子路 行以告**한대 **夫子憮然曰, 鳥獸**는 **不可與同羣**이니 **吾非斯人之徒與**요 **而誰與**리오? **天下有道**면 **丘不與易也**니라.

註解 ㅇ子路行以告(자로행이고)－자로가 돌아와서 공자에게 고했다. ㅇ夫子憮然曰(부자무연왈)－공자가 한탄하며 말했다. ㅇ鳥獸不可與同羣(조수불가여동군)－(우리는) 새나 동물과 함께 어울려 살 수 없으니. ㅇ吾非斯人之徒與(오비사인지도여)－내가 이 세상 사람들과 더불어 살지 않으면. ㅇ而誰與(이수여)－그 누구와 더불어 살겠느냐? ㅇ天下有道(천하유도)－천하에 도가 있다면. ㅇ丘不與易也(구불여역야)－공구는 세상을 고치려고 하지 않는다.

解說 토막 소설 같은 글이다. 세상에 도가 없다고 세상을 버리고

혼자 숨어 사는 은사(隱士)들에게 공자는 말한다. "인간이므로 인간 사회를 버릴 수 없다. 사람은 금수(禽獸)같이 원시적 생활을 할 수 없다. 인간사회가 도를 잃고 악덕이 판을 치면, 이를 바로잡으려는 노력을 우리가 해야 한다." 공자의 사상은 도를 따른 예치(禮治)로서 천하를 덕화(德化)하기를 끈질기게 주장했으며, 또 장래에는 반드시 대동(大同)의 이상세계 구현을 낙관했다. 그러므로 그는 현실을 도피하는 독선적인 은퇴사상을 반대했다. 그렇다고 악덕한 임금에 붙어 봉록을 받아먹는 것을 용납한 것이 아니다. 무도한 나라에서는 벼슬을 하지 말라고 가르쳤다. 그의 현실 참여는 무도(無道)한 나라를 유도(有道)한 나라로 개혁할 수 있을 때에 한하는 것이었다.

그러나 당시는 하극상(下剋上)의 난세였으며, 나라와 나라가 무력을 바탕으로 서로 대항하고 있었다. 그러므로 그 어느 나라의 임금도 공자의 고매(高邁)하고 원대(遠大)한 예치(禮治)를 받아들이고 실천할 수가 없었던 것이다.

18-7-1. 자로가 공자를 수행하다가 뒤처졌다. 마침 지팡이에 대삼태기를 짊어진 노인을 만나자, 자로가 물었다.

"선생님을 못 보셨습니까?"

"사지를 움직이지 않고, 오곡도 나눠 심지 않고 (떠돌아다니는 처지에) 누구를 보고 선생이라 하시오?"

노인은 이렇게 말하고 지팡이를 땅에 꽂아놓고 김을 매었다. 자로는 공손한 태도로 손을 모아 곁에 서있었다.

그러자 노인은 자로를 자기 집에 재우면서 닭을 잡고 기장밥을 지어 대접하고 또 자기의 두 아들을 보여주었다.

이튿날 자로가 공자에게로 가서 고하자, 공자는 "그는 은자로다." 라고 말하고 자로를 되돌려 보내어 그를 다시 찾아보게 했다.

그러나 그는 이미 어디론가 가고 없었다.

原文 子路 從而後러니 遇丈人이 以杖荷蓧하야 子路問曰, 子見夫子乎아? 丈人이 曰, 四體를 不勤하며 五穀을 不分하나니 孰爲夫子오 하고 植其杖而芸하더라. 子路 拱而立한대 止子路宿하야 殺雞爲黍而食之하고 見其二子焉언이어늘 明日에 子路 行하야 以告한대 子曰, 隱者也로다 하시고 使子路로 反見之하시니 至則行矣러라.

註解 ㅇ子路從而後(자로종이후)—자로가 공자를 따라가다가 뒤에 처졌다. 떨어졌다. ㅇ遇丈人(우장인)—노인을 만나다. ㅇ以杖荷蓧(이장하조)—지팡이에 대삼태기를 짊어지고 가다. ㅇ子見夫子乎(자견부자호)—노인께서 우리 선생님을 보셨습니까? ㅇ四體不勤(사체불근)—사지를 부지런히 놀리며 노동하지 않고. ㅇ五穀不分(오곡불분)—오곡을 나눠 심지도 않고 (즉 생산에 참여하지 않고, 몰려다니기만 하는 처지에). ㅇ孰爲夫子(숙위부자)—누구를 선생이라 하느냐? 누가 선생이겠느냐? ㅇ植其杖而芸(식기장이운)—지팡이를 땅에 꽂아놓고 김을 매었다. ㅇ子路拱而立(자로공이립)—(그가 김을 매는 동안) 자로가 손을 모아 잡고 공손히 서있었다. ㅇ止子路宿(지자로숙)—그 노인은 자로를 자기 집에 재우고. ㅇ殺雞爲黍而食之(살계위서이식지)—닭을 잡고 기장밥을 지어 먹게 했다. ㅇ見其二子焉(견기이자언)—자기의 두 아들도 보게 했다. ㅇ子路行以告(자로행이고)—(이튿날) 자로가 공자에게 가서 고했다. ㅇ隱者也(은자야)—그 사람은 은자다. ㅇ使子路反見之(사자로반견지)—자로로 하여금 다시 되돌아가서 노인을 보게 했다. ㅇ至則行矣(지즉행의)—그 집에 갔으나, 그는 이미 어디론가 가고 없었다.

18-7-2. 자로는 (노인이 없으므로, 아들들에게 공자의 말을 다음과

같이) 전했다.

"만약에 모든 선비가 출사(出仕)하지 않는다면, 의(義)를 세울 수 없다. 장유간(長幼間)의 예절을 폐할 수 없다면, 어찌 군신간(君臣間)의 의를 폐할 수 있겠는가? 자기 한 몸을 깨끗이 하려고 (숨어 사는 것은 곧) 큰 윤리를 문란케 하는 것이 된다. 군자가 출사하는 것은 의를 행하기 위해서이다. 도가 이루어지지 않고 있음을 나도 벌써부터 잘 알고 있다."

原文 **子路 曰, 不仕無義**하니 **長幼之節**을 **不可廢也**니 **君臣之義**를 **如之何其廢之**리오? **欲絜其身 而亂大倫**이로다. **君子之仕也**는 **行其義也**니 **道之不行**은 **已知之矣**시니라.

註解 ㅇ子路曰(자로왈)－자로가 (공자의 전갈을 대신해서) 말했다. ㅇ不仕無義(불사무의)－선비나 지식인이 나라에 나가서 벼슬하지 않는다면, 국가의 도의(道義)나 정의(正義)도 세울 수 없다. ㅇ長幼之節(장유지절)－장유의 예절, 즉 형과 아우, 연장자와 연소자, 선배와 후배간의 순서·서열·위계 등의 법도와 규범. ㅇ不可廢也(불가폐야)－폐할 수 없다. ㅇ君臣之義(군신지의)－국가적인 차원에서 임금과 신하 사이의 의리(義理), 도의(道義). ㅇ如之何其廢之(여지하기폐지)－어찌 (군신간의 의를) 폐할 수 있겠느냐? ㅇ欲絜其身(욕혈기신)－자기 한 몸만 깨끗이 살기를 바라면서. ㅇ而亂大倫(이란대륜)－(결국은 국가적인 차원에서) 큰 윤리를 문란케 하고 있는 것이다. ㅇ君子之仕也(군자지사야)－군자가 출사(出仕)하는 목적이나 의도는. ㅇ行其義也(행기의야)－의를 행하기 위해서다. ㅇ道之不行(도지불행)－천하에 도가 행해지지 않는다는 사실을. ㅇ已知之矣(이지지의)－나는 이미 잘 알고 있다.

解說 이 장은 공자의 현실참여의 의도를 잘 알게 한다. "군자가

출사하는 목적은 의를 행하기 위해서다(君子之仕也 行其義也).” 자기 한 몸 편하게 살려고, 대의(大義)와 윤리(倫理)를 저버릴 수 없다. 은자(隱者)도 ‘장유지절(長幼之節)’은 안다. 그러나 ‘공동체의 대의대륜(大義大倫)’을 모른다. 이를 공자가 알리고자 한 것이다.

18-8. 뛰어난 사람은 ‘백이 · 숙제 · 우중 · 이일 · 주장 · 유하혜 · 소련’ 일곱 사람이다.

공자가 말했다. “자기의 뜻을 굽히지 않고, 또 자기의 몸을 욕되게 하지 않은 사람은 백이와 숙제일 거다.”

유하혜와 소련을 평해서 말했다. “뜻을 굽히고 몸을 욕되게 했으나, 말이 조리에 맞고 행동이 깊은 생각에 맞았으니, 그 점에서 옳았다.”

우중과 이일을 평해 말했다. “은거하면서도 큰소리를 쳤으나, 그들의 처신이 청렴했고, 세상을 버리는 품이 적절했다.”

“그러나 나는 이들과 다르다. 가도 없고 불가도 없다.”

原文 **逸民**은 **伯夷**와 **叔齊**와 **虞仲**과 **夷逸**과 **朱張**과 **柳下惠**와 **少連**이니라. **子曰, 不降其志**하며 **不辱其身**은 **伯夷叔齊與**인저. **謂柳下惠少連**하사대 **降志辱身矣**니 **言中倫**하며 **行中慮**하니 **其斯而已矣**니라. **謂虞仲夷逸**하사대 **隱居放言**하나 **身中清**하며 **廢中權**이니라. **我則異於是**하야 **無可無不可**호라.

註解 ㅇ逸民(일민)-절행(節行)이 뛰어나면서 숨어 산 현명한 사람. ㅇ伯夷(백이) · 叔齊(숙제)-〈公冶長篇 5-23〉, 〈述而篇 7-14〉 참고. ㅇ虞仲(우중)-중옹(仲雍). 태백(泰伯)의 동생, 주(周) 문왕(文王)의 아

버지, 계력(季歷)에게 자리를 물려주기 위하여, 형제가 형만(荊蠻)으로 몸을 피하여, 말없이 주왕조의 터를 세운 은자들이다. 〈泰伯篇 8-1〉 참고. ㅇ夷逸(이일)·朱張(주장)—잘 알 수 없다. ㅇ柳下惠(유하혜)—〈憲問篇 15-14〉, 〈微子篇 18-2〉 참고. ㅇ少連(소련)—동이(東夷) 사람으로, 부모의 상(喪)을 정중히 모셨다고 알려졌다. ㅇ不降其志(불항기지)—자신의 뜻을 굽히지 않고. ㅇ不辱其身(불욕기신)—자신의 몸도 욕되게 하지 않고. ㅇ降志辱身矣(항지욕신의)—뜻을 굽히고 몸도 욕되게 했으나. ㅇ言中倫(언중륜)—말이 도리와 조리에 맞는다. ㅇ行中慮(행중려)—행동이 깊은 생각과 일치한다. ㅇ其斯而已矣(기사이이의)—그것으로서 옳았느니라. ㅇ隱居放言(은거방언)—숨어 살면서 큰소리치다. ㅇ身中淸(신중청)—몸가짐이 청렴결백하다. ㅇ廢中權(폐중권)—세상을 버리고 은퇴함이 시기적절했다, 폐(廢)는 물러나다, 권(權)은 임기응변으로 잘 맞춘다. 권형(權衡). ㅇ我則異於是(아즉이어시)—나는 그들과 다르다. (공자의 말). ㅇ無可無不可(무가무불가)—가도 없고 불가도 없다.

解說 7인의 일사(逸士)에 대한 평을 통해서 공자의 사상을 대비할 수 있다. 즉 공자가 "가도 없고 불가도 없다.(無可無不可)"라고 한 말은 언제나, 기회있는 대로 도(道)를 선양하고 전파하겠다는 뜻이다. 공자의 뜻은 오늘날에도 살아있다.

18-9. (노나라가 어지러워지자 여러 악관들이 사방으로 흩어졌다) 태사 지는 제나라로 갔고, 아반 간은 초나라로 갔고, 삼반 요는 채나라로 갔고, 사반 결은 진나라로 갔고, 북을 치는 방숙은 하내로 들어갔고, 작은 북을 흔드는 무는 한중으로 들어갔고, 소사 양과 경쇠를 치는 양은 섬으로 갔다.

原文 **大師摯**는 **適齊**하고 **亞飯干**은 **適楚**하고 **三飯繚**는 **適蔡**하고 **四飯缺**은 **適秦**하고 **鼓方叔**은 **入於河**하고 **播鼗武**는

入於漢하고 少師陽과 擊磬襄은 入於海하니라.

註解 ㅇ大師摯(태사지)－태사(大師)는 궁중의 악관(樂官)의 장, 이름이 지(摯). ㅇ適齊(적제)－적(適)은 가다, 제나라로 갔다. ㅇ亞飯干(아반간)－아반(亞飯)은 차반(次飯). 즉 점심 때에 음악을 연주하는 악관, 이름이 간(干). ㅇ楚(초)－초나라. ㅇ三飯繚(삼반료)－삼반(三飯)은 점심과 저녁 사이의 가벼운 간식, 이때에 음악을 연주하는 악관. 이름이 요(繚). ㅇ蔡(채)－채나라. ㅇ四飯缺(사반결)－사반(四飯)은 저녁 식사. 이때에 음악을 연주하는 악관 결(缺). ㅇ秦(진)－진나라. ㅇ鼓方叔(고방숙)－고(鼓)는 북, 북을 치는 악관. 이름이 방숙(方叔). ㅇ入於河(입어하)－하내(河內) 지방으로 들어갔다. ㅇ播鼗武(파도무)－파(播)는 흔든다, 도(鼗)는 자루가 달린 작은 북. 무(武)는 악관의 이름. ㅇ入於漢(입어한)－한수(漢水) 지방으로 들어갔다. ㅇ少師陽(소사양)－소사(少師)는 악관의 차장. 이름이 양(陽). ㅇ擊磬襄(격경양)－격(擊)은 치다. 경(磬)은 옥돌로 만든 타악기, 악관의 이름이 양(襄). ㅇ入於海(입어해)－바다 속의 섬으로 갔다.

解說 예치(禮治)가 쇠퇴하면 교화의 근간인 예악(禮樂)이 시들고, 성인 군자 및 악관(樂官)들이 사방으로 흩어진다. 노나라가 쇠퇴하자 악관들이 사방 여러 나라로 떠나갔다. 공안국(孔安國)은 노 애공(哀公) 때의 일이라고 했다. 오늘에도 사회가 도덕적으로 타락하면, 대중음악이 문란하게 된다. 예(禮)는 인간의 이성을 바탕으로 사회 질서를 바로잡아 주고, 악(樂)은 인간의 감정을 승화시켜 준다.

18-10. 주공이 그의 아들 노공에게 말했다. "군자는 일가 친척을 소홀히 하지 말며, 대신으로 하여금 자기를 써주지 않는다는 원한을 품게 하지 말며, 원로 공신은 큰 죄가 아니면 버리지 않고 또 한 사

람에게 모든 것이 갖추어지기를 구하지 마라."

原文 周公이 謂魯公曰, 君子 不施其親하며 不使大臣으로 怨乎不以하며 故舊無大故 則不棄也하며 無求備於一人이니라.

註解 ㅇ周公(주공)−주공단(周公旦), 공자가 가장 높이는 사람, 〈述而篇 7-5〉, 〈泰伯篇 8-11〉 참고. ㅇ魯公(노공)−주공의 아들 백금(伯禽), 주공 대신 노나라 임금으로 봉했다. ㅇ君子(군자)−여기서는 백성을 다스리는 임금의 뜻. ㅇ不施其親(불시기친)−일가 친척을 소홀히 대하지 않는다. 시(施)는 이(弛)의 뜻. ㅇ不使大臣(불사대신)−대신으로 하여금 ……하지 않게 하다. ㅇ怨乎不以(원호불이)−'쓰이지 않음[不以]'을 원망하다. ㅇ故舊無大故(고구무대고)−고구(故舊)는 원로들, 무대고(無大故)는 큰 잘못이 없으면. ㅇ則不棄也(즉불기야)−즉 버리지 않는다. ㅇ無求備於一人(무구비어일인)−한 사람에게 모든 것이 구비되기를 구하거나, 바라지 마라.

解說 주공이 자기 대신 노나라의 임금이 된 아들 백금(伯禽)에게 일러준 말이다. 일가 친척을 사랑하고 가까이해야 한다. 왕실이 화목해야 한다. 대신을 잘 등용해서 원망이나 불평이 없게 해야 한다. 국가의 원로들을 소외하거나 이유 없이 버리면 안된다. 한 사람에게 모든 일을 맡기면 안된다.

18-11. 주나라에 여덟 명의 선비가 있었다. 백달과 백괄과 중돌과 중홀과 숙야와 숙하와 계수와 계왜니라.

原文 周有八士하니 伯達과 伯适과 仲突과 仲忽과 叔夜와

叔夏와 季隨와 季騧니라.

註解 ㅇ周有八士(주유팔사)－주나라에 8명의 선비가 있었다. 첫 번째, 두 번째, 세 번째, 네 번째 등, 네 쌍둥이로, 8명이다. ㅇ伯達(백달)·伯适(백괄)－맏이로 태어난 쌍둥이가 '백달·백괄'이다. ㅇ仲突(중돌)·仲忽(중홀)－두 번째로 태어난 쌍둥이가, '중돌·중홀'이다. ㅇ叔夜(숙야)·叔夏(숙하)－세 번째로 태어난 쌍둥이가, '숙야·숙하'이다. ㅇ季隨(계수)·季騧(계왜)－막내로 태어난 쌍둥이가 '계수·계왜'다.

解說 나라가 잘되려면 좋은 인재가 속출한다. 주나라 초기에는 '네 쌍둥이 형제' 8명이 나와서 나라에 이바지했다. 《논어》의 편자(編者)가 추려넣은 기록일 것이다.

제19편 자장편(子張篇)

본편은 대체로 공자의 뛰어난 제자들의 말을 추렸다. 자하(子夏)의 말이 가장 많고, 다음으로 자공(子貢), 증자(曾子)의 순서로 많다. 총 25장으로 나누었다.

19-1. 자장이 말했다. "선비는 위태로움을 보면 생명을 바치고, 이득을 보면 도의를 생각해야 한다. 제사 때에는 공경하고, 상례 때에는 애통해야 한다. 그래야 비로소 가하다."

原文 **子張曰, 士 見危致命**하며 **見得思義**하며 **祭思敬**하며 **喪思哀**면 **其可已矣**니라.

註解 ㅇ子張(자장)—〈爲政篇 2-18〉 참고. ㅇ士(사)—선비, 벼슬하거나 야에 있거나, 선비가 지켜야 할 태도를 말한 것이다. ㅇ見危致命(견위치명)—나라가 위태롭고 위기에 처하게 되면, 선비는 생명을 바쳐야 한다. ㅇ見得思義(견득사의)—이득을 보면 의를 생가한다. 즉 재물·권력·지위 등 모든 이득을 취하기 전에, 먼저 도의에 맞는가 안 맞는가를 생각해야 한다. ㅇ祭思敬(제사경)—제사 때에는 성실하고 엄숙하게 해야 한다. 사(思)는 '……하려고 생각하다'로 풀이할 수 있다. 그러나 강조사(强調詞)로 본다. ㅇ喪思哀(상사애)—상례를 치를 때에는 진정으로 애통해야 한다. ㅇ其可已矣(기가이의)—그래야 비로소 옳다, 가하다. 선비라 하겠다.

解說 공자는 '견리사의(見利思義) 견위수명(見危授命)' 〈憲問篇

14-15〉이라 했고, 증자(曾子)는 '신종추원(愼終追遠) 민덕귀후의(民德歸厚矣)' 〈學而篇 1-9〉라고 했다.

19-2. 자장이 말했다. "덕을 지니고 있으면서 남에게 넓히지 않고, 도를 믿고 실천함이 독실하지 못하면 어찌 도나 덕을 가졌다, 혹은 안가졌다고 말할 수 있겠느냐?"

原文 **子張曰, 執德不弘**하며 **信道不篤**이면 **焉能爲有**며 **焉能爲亡**이리오?

註解 ㅇ執德不弘(집덕불홍)－자기 자신이 덕을 지니고 있으면서, 남에게 베풀고 넓히지 않으면. ㅇ信道不篤(신도부독)－도를 믿고 실천하는데 독실하지 않으면. ㅇ焉能爲有(언능위유)－어찌 덕이 있다고 말할 수 있으며. ㅇ焉能爲亡(언능위망)－(반대로) 어찌 덕이 없다고 하겠느냐?

解說 절대선(絶對善)의 도(道)를 따르고 실천해서 얻어진 좋은 성과(成果)나 결과(結果)를 덕(德)이라 한다. '절대선의 도'는 곧 천도(天道)로 자연만물을 '광명정대(光明正大), 공평무사(公平無私), 영구불변(永久不變)'하게 생육화성(生育化成)한다.' 천도를 기준으로 '천하 만민을 사랑하고 잘살게 하는 도리가 곧 인도(仁道)'이다. '내가 지(知)와 행(行)의 주체다.' '내'가 인도(仁道)를 따르고 실천해서 실지로 '남'을 사랑하고 또 잘살게 해주는 것이 곧 인덕(仁德)이다. 도(道)를 따르고 실천하면, 사실로 덕(德)이 나타난다. 도덕(道德)을 마음속에 품기만 해서는 안된다. 실천해서 좋은 성과를 거두었을 때 비로소 도와 덕이 있다고 말할 수 있다. 나타나지 않는 도덕은 없는 것과 같다.

19-3. 자하의 문인이 자장에게 친구 사귀는 도리를 묻자, 자장이 되물었다. "그대의 선생 자하는 무어라고 하더냐?" 이에 문인이 대답했다. "(저의 선생 자하는) '좋은 사람과는 사귀되, 좋지 못한 사람은 거절하라'고 말했습니다."

그러자 자장이 말했다. "내가 들은 바와는 다르구나. 군자는 현명한 사람을 존중하지만 또한 일반 사람들도 넓게 받아들인다. 선량한 사람을 칭찬하지만 또한 무능한 사람도 긍련(矜憐)히 여긴다. 만약 내가 크게 현명하면, 누구나 다 받아줄 것이다. 그러나 내가 현명하지 못하면 남들이 나를 거절할 것이니, 어찌 남을 거절할 수 있겠느냐?"

原文 子夏之門人이 問交於子張한대 子張이 曰, 子夏 云何오? 對曰, 子夏曰 可者를 與之하고 其不可者를 拒之라 하더이다. 子張이 曰, 異乎吾所聞이로다. 君子는 尊賢而容衆하며 嘉善而矜不能이니 我之大賢與인댄 於人에 何所不容이며 我之不賢與인댄 人將拒我니 如之何其拒人也리오?

註解 ㅇ子夏之門人(자하지문인)-자하의 문중에서 배우는 사람, 문하생, 제자. ㅇ問交於子張(문교어자장)-자장에게 교우(交友)의 도리를 물었다. ㅇ子夏云何(자하운하)-(자장이 되묻는 말) 그대의 선생 자하는 무어라고 말하더냐? ㅇ可者與之(가자여지)-좋은 사람과 사귀고. ㅇ其不可者拒之(기불가자거지)-좋지 않은 사람은 거절하라, 거(拒)=거절(拒絶). ㅇ異乎吾所聞(이호오소문)-내가 들은 바와는 다르다, 소문(所聞)은 '듣거나 배워서 알고 있는 것'의 뜻. ㅇ君子尊賢而容衆(군자존현이용중)-군자는 현명한 사람을 존경하고 높이되 평범한 대중들도 잘 포용해야 한다. ㅇ嘉善而矜不能(가선이긍불능)-잘하는 사람을 칭찬하되 잘못하는 사람도 긍련히 여기고 도와준다. 아름다울 가(嘉)는 칭찬한다, 선(善)은 성품이 선량하고 일을 잘한다는 뜻, 불쌍히 여길 긍(矜)은

긍련히 여기고 동정하고 도와준다는 뜻. ㅇ我之大賢與(아지대현여)-내가 크게 현명하다면, 여(與)는 어조사(語助辭)로 '……면은'의 뜻을 나타낸다. ㅇ於人何所不容(어인하소불용)-남에게 어찌 용납되지 않겠느냐? 내가 현명하면 남들이 받아준다. ㅇ我之不賢與(아지불현여)-내가 현명하지 못하면. ㅇ人將拒我(인장거아)-남들이 나를 거절할 것이다, 장(將)은 '……할 것이다'. ㅇ如之何其拒人也(여지하기거인야)-어찌 내가 남을 거절하랴?

解說 '벗을 사귀는 도리[交友之道]'를 논함에 있어, 자하(子夏)와 자장(子張)의 주장이 서로 다르다. 자하는 "좋은 사람과는 벗하되, 좋지 못한 사람과는 사귀지 마라."고 시비(是非)를 분명히 했다. 그러나 자장은 "현명한 사람을 존경하되 그렇지 못한 사람도 포섭하고, 능력있는 사람을 칭찬하되 그렇지 못한 사람도 동정하고 포섭하고 도와주어야 한다."고 포용주의(包容主義)를 말했다. 이들의 주장은 결국 공자의 가르침을 하나씩 들고 주장한 것이다. 즉 자하는 "자기보다 못한 사람을 벗으로 사귀지 마라.(無友不如己者)" 〈學而篇 1-8〉를 강조한 것이고, 자장은 "모든 사람을 넓게 사랑하되 특히 인자를 친애하라.(汎愛衆而親仁)" 〈學而篇 1-6〉를 강조한 것이다. 특히 자장은 '나 자신이 남보다 뛰어나게 현명해야 한다. 그렇게 되면 자연히 좋은 벗과 사귀게 된다'는 점을 밝혔다.

19-4. 자하가 말했다. "비록 작은 도에도 반드시 볼 만한 점이 있다. 그러나 원대한 뜻을 이루는 데에 (혹시라도) 장애가 될 수 있으므로, 군자는 힘써 배우지 않는 것이다."

原文 子夏曰, 雖小道나 必有可觀者焉이어니와 致遠恐泥라 是以로 君子不爲也니라.

註解 ㅇ雖小道(수소도)－비록 작은 도(道)라도, 소도(小道)는 제자백가(諸子百家)의 학설이나 사상 및 백공(百工)들의 여러 가지 기능·기예. 주자(朱子)는 '농포의복(農圃醫卜) 등'이라고 주를 달았다. 이에 비해 '수기치인(修己治人), 천인합일(天人合一), 평천하(平天下)'를 주장하는 유가의 사상을 대도(大道)라 한다. ㅇ必有可觀者焉(필유가관자언)－반드시 볼 만한 점이 있다. ㅇ致遠(치원)－원대한 뜻을 품고 먼길을 간다, 즉 대도(大道)를 따라 천하에 인덕(仁德)을 세운다. ㅇ恐泥(공니)－이(泥)는 막다, 방해가 된다. 즉 잡스런 사상이나 부분적인 기공(技工)이 (원대한 뜻을 이루고 큰 길을 가는 데에) 방해가 될까 겁이 난다. ㅇ是以(시이)－그러므로. ㅇ君子不爲也(군자불위야)－군자는 (大道를 따라, 仁德을 세우는 데 힘을 쓰되) 소도(小道)를 따르거나, 말단(末端)적인 일에 주력하지 않는다.

解說 공자가 말했다. "군자는 기능공 같은 존재가 아니다.(君子不器)" 〈爲政篇 2-12〉. 군자는 대도(大道)를 따라 '사랑과 평화가 넘치는 하나의 인류세계'를 창건하는 원리의 실천자, 즉 인자(仁者=휴머니스트)다. 인자는 우주적인 안목으로 과학 기술을 활용한다. 부분적이고 전문적인 기능이나 기술은 절대로 필요하다. 그러나 부분만 알고 전체를 모르면 과학 기술을 악용하게 된다.

19-5. 자하가 말했다. "날마다 모르던 바를 알고, 달마다 능히 하던 바를 잊지 않고 행하면, 가히 배우기 좋아한다고 말할 수 있다."

原文 **子夏曰, 日知其所亡**하며 **月無忘其所能**이면 **可謂好學也已矣**니라.

註解 ㅇ日知(일지)－날마다 새로 깨닫고 알다. ㅇ其所亡(기소망)－망

(亡)은 무(無)와 같다, 즉 미처 알지 못했던 바, 몰랐던 것. ㅇ月無忘(월무망)－달로, 매달, 달을 거듭해서. ㅇ其所能(기소능)－자기가 능히 할 수 있었던 것. ㅇ可謂好學也已矣(가위호학야이의)－가히 호학(好學)이라고 말할 수 있다. 학(學)은 배워서 알고 또 안 것을 실천함이다. 즉 지행(知行)을 겸해야 한다. '야이의(也已矣)'는 어조사, '……라 하리라, ……이다.'

解說 자하(子夏)는 문학(文學)에 뛰어났다. 여기서 말하는 문학은 넓은 의미의 학문이다. 호학(好學)을 쉽게 '배우기를 좋아한다'로 풀이하지만, 그 참뜻은 깊다. 즉 옛날의 전적(典籍)을 학습하고 연구해서 절대선(絶對善)의 도를 터득하고, 그 도를 행동으로 실천하여 개인적으로나 사회적으로나 인덕(仁德)을 세워야 한다. 알기만 하고 실천하지 않으면 소용이 없다. 알고 실천하여 인덕(仁德)을 세워야 한다. '지(知)와 행(行)'은 날로 새로워져야 한다. 즉 날마다 새롭게 알고, 달마다 더욱 크고 높은 덕을 세워야 한다. 이를 여기서는 '일지기소망(日知其所亡), 월무망기소능(月無忘其所能)'이라고 말했다. 이를 공자는 '온고이지신(溫故而知新)' 〈爲政篇 2-11〉이라고 했다. 공자의 사상 속에는 역사적 발전관(發展觀)이 살아 있다.

19-6. 자하가 말했다. "넓게 배우고 뜻을 독실하게 세우고, 또 절실하게 묻고 가깝게 생각하면, 인덕이 그 속에서 저절로 나타난다."

原文 **子夏曰, 博學而篤志**하며 **切問而近思**하면 **仁在其中矣**니라.

註解 ㅇ博學(박학)－넓게 배운다. 군자의 기본 교양인 육예(六藝), 즉 '예(禮)·악(樂)·사(射)·서(書)·어(御)·수(數)'는 물론, 학문과 덕

행 등을 광범위하게 배우고 익히고 실천해야 한다. ㅇ篤志(독지)−뜻을 독실하게 지닌다, 즉 대도(大道)를 따르고 실천해서 인덕(仁德)을 세우겠다는 독실한 목적의식을 갖는다. ㅇ切問(절문)−자기가 대하거나 처리할 모든 사물에 대해서, 심각하게 의문을 제기하고 또 그 해답을 구해야 한다는 뜻. ㅇ近思(근사)−가까이 생각한다, 자기를 주체로 하고 자기와 관련이 있는 사물에 대해서 깊이 생각한다. ㅇ仁在其中矣(인재기중의)−그렇게 하면 인(仁)을 스스로 터득하고 또 인덕(仁德)도 세울 수 있다.

解說 박학(博學)은 학문·지식·기능을 배우고 익힌다는 뜻과 동시에 역사와 문화의 전통을 계승하고 더욱 새롭게 발전케 한다는 뜻을 포함한다. 독지(篤志)는 목적의식을 크고 높고 또 투철하게 세우고 지닌다는 뜻이다. 절문(切問)은 의문점을 철저하게 또 적실하게 묻고 해답을 얻음이다. 근사(近思)는 내가 주체가 되어, 나의 체험을 바탕으로 내가 대하는 주변 사람이나 사물의 도리와 처리 방식을 깊이 생각한다는 뜻이다. 그렇게 하면 인덕(仁德)을 세울 수 있다.

19-7. 자하가 말했다. "모든 기능공은 작업 현장에서 일을 성취하지만, 군자는 학문을 가지고 도를 실현한다."

原文 **子夏曰, 百工**이 **居肆**하야 **以成其事**하고 **君子 學以致其道**니라.

註解 ㅇ百工居肆(백공거사)−모든 공장(工匠)이나 기능공은 작업 현장에 있으면서. ㅇ以成其事(이성기사)−자기가 맡은 바 일을 완성한다, 이(以)는 '……으로써, ……하고'의 뜻. ㅇ君子學(군자학)−군자는 배우고 실천함으로써, 학문과 덕행으로써. ㅇ以致其道(이치기도)−도를 달성

한다, 도를 구현(具現)한다. 즉 인도(仁道)의 덕치(德治)를 실현한다.

解說 인(仁)의 세계를 창건하기 위해서는 '원칙을 제시하는 군자(君子)'와 '현장에서 모든 사물을 처리하는 전문 기술자〔百工〕'가 합작해야 한다.

19-8. 자하가 말했다. "소인들은 잘못을 하면, 반드시 얼버무려 속이려고 한다."

原文 子夏曰, 小人之過也는 必文이니라.

註解 ㅇ小人之過也(소인지과야)－소인은 잘못하거나 과실을 하면. ㅇ必文(필문)－반드시 변명하거나 말을 꾸며서 얼버무리고 또 호도(糊塗)하려고 한다.

解說 소인(小人)은 이기주의적으로 눈앞의 자질구레한 이득을 취하기 위해 남을 속이거나, 심지어 남을 살상하는 범죄를 저지른다. 그러면서도 죄과를 심각하게 알지 못하고 구차한 말로 자기 변명을 한다.

19-9. 자하가 말했다. "군자의 태도는 세 가지로 다르게 나타난다. 외모를 바라보면 엄숙하고, 가까이 접하면 온화하고, 말을 들으면 바르고 엄격하다."

原文 子夏曰, 君子 有三變하니 望之儼然하고 卽之也溫하고 聽其言也厲니라.

註解 ㅇ君子有三變(군자유삼변)－군자의 태도가 세 가지로 다르게 나타난다. ㅇ望之儼然(망지엄연)－멀리서 바라보면 위엄이 있고 근엄하게 보인다. ㅇ卽之也溫(즉지야온)－가까이 접촉하면 온화하고 포근함을 느낀다. ㅇ聽其言也厲(청기언야려)－가르침의 말을 들으면 바르고 엄격하다.

19-10. 자하가 말했다. "군자는 신임을 받은 다음에 백성들을 부려야 한다. 신임을 받지 못하고 백성들을 부리면, 자기들을 혹독하게 괴롭힌다고 생각한다. 또 신임을 받은 다음에 충간해야 한다. 신임을 받지 못하고 충간하면, 자기를 비방하는 줄로 생각한다."

原文 子夏曰, 君子信而後勞其民이니 未信則以爲厲己也니라. 信而後諫이니 未信則以爲謗己也니라.

註解 ㅇ君子信(군자신)－군자는 신임을 받고서. ㅇ而後(이후)－그 다음에. ㅇ勞其民(노기민)－백성들을 부려 쓰다. ㅇ未信(미신)－미처 신임을 받지 못하면. ㅇ以爲厲己也(이위려기야)－(백성들이) 자기들을 혹독하게 학대한다고 생각한다. ㅇ諫(간)－간하다, 충간을 하다. ㅇ以爲謗己也(이위방기야)－자기를 비방하거나 훼방하는 것으로 생각한다.

解說 정치에 참여하는 군자(君子)는 우선 학문과 덕행을 가지고 임금이나 백성에게 신임을 얻어야 한다. 그런 다음에 백성들에게 영을 내리고 그들을 부려야 한다. 안그러면 백성들이 자기들을 혹독하게 괴롭힌다고 생각하므로 영(令)이 시행되지 않을 것이다. 또 상급자나, 동료에게도 신임을 받은 다음에 충간(忠諫)해야 한다. 안그러면 자기들을 비방하거나 훼방을 놓는 것으로 곡해한다.

19-11. 자하가 말했다. "큰 덕은 그 규범을 넘으면 안된다. 그러나 작은 덕은 약간 넘날 수 있다."

原文 **子夏曰, 大德不踰閑**이면 **小德出入可也**니라.

註解 ㅇ大德不踰閑(대덕불유한)－대덕(大德)은 한계를 넘으면 안된다. 대덕은 삼강오륜(三綱五倫), 인정(仁政) 덕치(德治)의 기본 도덕. 넘을 유(踰). 한(閑)은 법이나 규범의 테두리. 한(閑)＝난(闌)＝난(欄). ㅇ小德(소덕)－일상생활에서 지킬 예의범절. ㅇ出入可也(출입가야)－약간 넘나들 수 있다.

解說 주자(朱子)는 대덕(大德)을 대절(大節), 소덕(小德)을 소절(小節)이라고 풀이했다. 국가적인 차원에서 대의명분(大義名分)을 밝히기 위해서는 개인적인 차원의 예의범절(禮儀凡節)에 약간의 융통성을 가질 수 있다. 그러나 소절(小節)을 위해 대절(大節)을 잃거나, 지키지 않으면 안된다.

19-12. 자유가 말했다. "자하의 제자들은 물 뿌리고, 마당 쓸고, 응대하고, 진퇴하는 일은 잘 알지만, 그것들은 말단적인 일이며, 본질적인 것을 알지 못하니 어찌하지요?"

자하가 이 말을 듣고 말했다. "아! 자유의 생각은 잘못이다. 군자의 도는 어느 것은 먼저 가르치고, 어느 것은 뒤로 돌리고 소홀히 해도 되는 것이 아니다. 비유하자면, 초목을 종류에 따라 하나하나 기우듯이, (사람에 따라 가르침의 선후를 다르게 할 수 있다). 또 군자의 도를 어찌 속임수로 일시에 다 알게 할 수 있겠느냐. (각자의 소질과 정도에 따라 차근차근 배우고 알게 해야 한다) 처음과 끝을 일시에 터득하는 사람은 바로 성인이니라."

原文 **子游曰, 子夏之門人小子**는 **當洒掃應對進退則可矣**나 **抑末也**라 **本之則無**하니 **如之何**오? **子夏聞之 曰, 噫**라 **言游過矣**로다. **君子之道 孰先傳焉**이며 **孰後倦焉**이리오. **譬諸草木**컨댄 **區以別矣**니 **君子之道**를 **焉可誣也**리오. **有始有卒者**는 **其唯聖人乎**인저.

註解 ㅇ子夏之門人小子(자하지문인소자)－자하의 문하생이나 제자들은. ㅇ當(당)－……에 대해서는. ㅇ洒掃(쇄소)－물 뿌리고 비로 쓰는 일. ㅇ應對(응대)－손님을 응대하는 일. ㅇ進退(진퇴)－나가고 물러가는 일. ㅇ抑末也(억말야)－그러나, (그런 일들은) 말단적인 일들이다. ㅇ本之則無(본지칙무)－근본이 되는 대학지도(大學之道) 같은 높은 학식은 알지 못한다. ㅇ如之何(여지하)－어찌하겠소. 그런 제자들을 무엇에 쓰겠소. ㅇ噫(희)－아!, 감탄사. ㅇ言游過矣(언유과의)－자유(子游)의 말이나 생각은 잘못이다, 유(游)는 자유. ㅇ君子之道(군자지도)－군자를 배양하는 도리. ㅇ孰先傳焉(숙선전언)－무엇을 먼저 가르치고 전해야 한다. (혹은). ㅇ孰後倦焉(숙후권언)－무엇을 뒤로 돌리고 소홀히 한다, 즉 가르치지 않는다. ㅇ譬諸草木(비제초목)－이것을 초목 (재배에) 비유하면. ㅇ區以別矣(구이별의)－종류에 따라 구분해서 별개로 적절히 재배하듯이, (사람마다, 소질과 정도에 따라 다루되 차근차근 가르쳐야 한다는 뜻.) ㅇ焉可誣也(언가무야)－어찌 속일 수 있느냐? 즉 피교육자의 소질과 정도를 무시하고 일시에 모든 것을 다 전수하고 알게 할 수 없다는 뜻. ㅇ有始有卒者(유시유졸자)－처음과 끝을 일시에 다 터득하는 사람은. ㅇ其唯聖人乎(기유성인호)－그는 바로 성인뿐이다.

解說 어려서는 '쇄소(洒掃)·응대(應對)·진퇴(進退)' 등, 소학(小學)의 가르침이다. 소학은 인격수양의 바탕이다. 먼저 인격을 완성한

다음에 높이 올라가서 어려운 학문 사상을 배우고 마지막으로 '대학지도(大學之道)' 같은 정치학을 배워야 한다.

19-13. 자하가 말했다. "출사하고 여력이 있으면 배우고, 배우고 여력이 있으면 출사한다."

原文 **子夏曰, 仕而優則學**하고 **學而優則仕**니라.

註解 ㅇ仕而優則學(사이우즉학)－벼슬하고도 여유가 있으면 배운다. 우(優)는 훌륭하게 하고 또 여유가 있다는 뜻.

19-14. 자유가 말했다. "상례는 진심으로 슬픔을 다하면 된다."

原文 **子游曰, 喪**은 **致乎哀而止**니라.

註解 ㅇ喪(상)－부모의 상례. ㅇ致乎哀(치호애)－진심으로 슬퍼한다. 치(致)는 극(極)으로 푼다. ㅇ而止(이지)－그리고 끝내다, 주자(朱子)는 '번거롭게 꾸미는 것을 높이지 않음[不尙文飾]'이라고 주를 달았다.

19-15. 자유가 말했다. "나의 벗 자장은 어려운 일을 잘한다. 그러나 아직 인의 경지는 아니다."

原文 **子游曰, 吾友張也 爲難能也**나 **然而未仁**이니라.

註解 ㅇ爲難能也(위난능야)－어려운 일을 할 수 있다. ㅇ然而未仁(연

이미인)－그러나 아직 인덕(仁德)의 경지에는 미치지 못했다.

19-16. 증자가 말했다. "당당하구나, 자장은! 그러나 함께 인을 성취하기는 어렵다."

原文 **曾子曰, 堂堂乎**라 **張也**여 **難與竝爲仁矣**라.

註解 堂堂乎張也(당당호장야)－당당하다, 자장은! ○難與並爲仁矣(난여병위인의)－함께 인을 성취하기는 어렵다.

19-17. 증자가 말했다. "나는 선생님의 말씀을 들은 바 있다. '사람이 자진해서 정성을 쏟는 경우는 별로 없다. 그러나 저마다 부모의 상례에는 반드시 정성을 다한다.'"

原文 **曾子曰, 吾聞諸夫子**호니 **人未有自致者也**나 **必也親喪乎**인저.

註解 ○吾聞諸夫子(오문제부자)－나는 선생님으로부터 들었다. ○人未有自致者也(인미유자치자야)－사람은 자치(自致)하는 경우가 거의 없다. 자치는 자발적으로 정성을 다한다. ○必也親喪乎(필야친상호)－반드시 부모의 상례에는 스스로 정성을 다해야 한다.

解說 부모의 상례(喪禮)를 극진히 치르고, 3년간 복상(服喪)해야 한다. 설사 다른 일에 있어 자발적으로 정성을 다하지 못해도, 부모의 상례만은 자발적으로 정성을 다해야 한다. 속에서 우러나오는 애도의 정과 정성으로 부모의 상례를 치르고, 또 잊지 않고 제사를 모

시는 것이 효도다. 효도를 높이고 실천하지 못하면 동물적 존재로 전락하게 마련이다.

19-18. 증자가 말했다. "나는 선생님의 말씀을 들은 바 있다. '맹장자는 효도했다. 다른 점은 아무나 할 수 있지만, 그가 선친의 가신을 그대로 두고 또 정치 방식을 고치지 않고 그대로 지킨 점은 남들이 따르기 어려운 것이다.'"

原文 **曾子曰, 吾聞諸夫子**호니 **孟莊子之孝也**는 **其他可能也**어니와 **其不改父之臣與父之政**이 **是難能也**라 하시니라.

註解 ㅇ孟莊子(맹장자)—노(魯)나라의 대부(大夫), 중손씨(仲孫氏), 이름은 속(速), 그의 부친 맹헌자(孟獻子)는 현명했다. 아들 맹장자가 자기 부친의 뜻을 따랐다. ㅇ其他可能也(기타가능야)—다른 것은 (남들도) 할 수 있을 것이다. ㅇ其不改(기불개)—맹장자가 (아버지의 뜻과 방식을 따르고) 고치지 않은 것은. ㅇ父之臣(부지신)—즉 아버지의 가신을 바꾸지 않고, 그대로 두었다. ㅇ父之政(부지정)—아버지의 정치 방식을 고치지 않고 그대로 지켰다. ㅇ是難能也(시난능야)—이러한 점은 (다른 사람이) 하기 어렵다.

解說 공자는 〈학이편(學而篇) 1-11〉에서 말했다. "부친이 살아계시면 어른의 뜻을 살펴 따라야 하고, 이미 돌아가셨으면 생존시의 행적을 살펴 본으로 삼아야 한다. 3년간을 두고 선친의 도를 고치지 않아야 비로소 효라 할 수 있다(父在觀其志 父沒觀其行 三年無改於父之道 可謂孝矣)."

맹장자(孟莊子)가 자기 아버지가 쓰던 가신을 그대로 두고, 또 자기 아버지의 정치 방식을 그대로 계승한 것을 높인 것이다.

《중용(中庸)》에서 공자가 말했다. "주나라의 무왕과 주공단(周公旦)은 효도를 충분히 달성했다. 무릇 효는 선조나 부친의 뜻과 이상을 계승하고 아울러 선조나 부친의 사업을 더욱 발전시키는 것이다(武王周公 其達孝矣乎 夫孝者 善繼人之志 善述人之事也)." 즉 효는 '계지술사(繼志述事)'이다. 선조가 남긴 이전의 문화 전통을 계승하고 더욱 새롭게 발전시키는 것이 효도(孝道)이다.

19-19. 맹손씨가 양부를 사사로 삼자, 양부가 증자에게 와서 물었다. 이에 증자가 말했다. "윗사람이 바른 도를 잃고 백성들이 흩어진 지 오래되었다. 만약 백성들의 잘못한 실정을 다스리는 경우에도, 그들을 긍휼히 여기되, 기뻐하지 마라."

原文 孟氏使陽膚로 爲士師라 問於曾子한대 曾子曰, 上失其道하야 民散이 久矣니 如得其情 則哀矜而勿喜니라.

註解 ㅇ孟氏(맹씨)－맹손씨(孟孫氏), 노나라의 참월한 대부. ㅇ陽膚(양부)－증자(曾子)의 제자. ㅇ士師(사사)－소송을 처리하는 사법관. ㅇ問於曾子(문어증자)－(벼슬에 오른 양부가 스승인 증자에게) 어떻게 하면 좋으냐고 물었다. ㅇ上失其道(상실기도)－윗사람들이 도를 잃고 무도한 정치를 한다. ㅇ民散久矣(민산구의)－그래서 백성들도 도를 잃고 저마다 뿔뿔이 흩어진 지 오래다. ㅇ如得其情(여득기정)－만약에 어떠한 범죄를 처리해야 할 사정이 있게 되면. 정(情)은 실정(實情), 그러한 사실. ㅇ則哀矜(즉애긍)－즉 불쌍히 여기고 긍휼(矜恤)히 여긴다. 동정한다. ㅇ而勿喜(이물희)－(재판관으로서) 기뻐하지 마라.

解說 위정자가 무도(無道)한 정치를 하면, 사회가 도덕적으로 타락하고 혼란해진다. 따라서 백성들이 바른 길을 잃고, 뿔뿔이 흩어져

동물적 삶만을 살게 되며, 그 결과 많은 죄를 지게 된다. 이때에 법관은 죄를 다스리기에 앞서, 백성들을 죄에 빠뜨린 악덕정치의 책임을 먼저 묻고, 백성들을 동정해야 한다.

19-20. 자공이 말했다. "은나라 주왕의 악덕은 그렇게까지 심하지 않았을 것이다. 그러므로 군자는 하류에 처하기를 싫어한다. 천하의 모든 악이 다 돌아오기 때문이다."

原文 子貢曰, 紂之不善이 不如是之甚也니 是以로 君子惡居下流하나니 天下之惡이 皆歸焉이니라.

註解 ○紂之不善(주지불선)－주(紂)의 악덕(惡德), 주는 은(殷) 왕조의 마지막 임금으로 포악무도(暴惡無道)의 대명사로 일컫는다. ○不如是之甚也(불여시지심야)－그렇게 심하지 않았을 것이다. 즉 역사적 전설에서 말하는 것처럼 지독히 나쁘지 않았을 것이다. ○是以(시이)－그러므로. ○君子惡居下流(군자오거하류)－군자는 하류에 처하기를 싫어한다. ○天下之惡皆歸焉(천하지악개귀언)－천하의 악이 모두 돌아온다.

解說 우(禹)가 세운 하(夏) 왕조의 마지막 왕이 걸(桀)이고, 탕왕(湯王)이 걸을 치고 세운 나라가 은(殷)이다. 그리고 은의 마지막 임금이 주(紂)다. 이들 두 임금 '걸과 주'는 포악무도(暴惡無道)의 대명사로 불린다. 특히 주왕(紂王)은 달기(妲己)라는 요녀(妖女)와 짝이 되어 주지육림(酒池肉林)의 일락(逸樂)에 빠졌고, 포락지형(炮烙之刑)으로 백성을 학대했다. 그 결과 주(周)나라 문왕(文王) 및 무왕(武王)에게 멸망되었다. 천하의 악덕(惡德)·악명(惡名)을 주가 혼자 뒤집어쓰고 있는 것이다. 그러므로 군자는 모든 더러운 찌꺼기가 흘러 모이는 강물 하류에 몸을 두지 않는다.

19-21. 자공이 말했다. "군자의 잘못은 일식이나 월식과 같다. 잘못하면 남들이 모두 보고, 고치면 남들이 모두 우러러본다."

原文 子貢曰, 君子之過也는 如日月之食焉이라. 過也에 人皆見之하고 更也에 人皆仰之니라.

註解 ○君子之過也(군자지과야)－군자가 잘못하는 것은. ○如日月之食焉(여일월지식언)－흡사 일식이나 월식과 같다. ○過也人皆見之(과야인개견지)－잘못하면 사람들이 다 본다, 견지(見之)를 '나타나 보인다'로 풀이해도 된다. ○更也人皆仰之(경야인개앙지)－고치면 사람들이 우러러본다.

解說 군자의 일거수(一擧手) 일투족(一投足)은 백성들이 주시한다. 그러므로 모범이 되어야 한다.

19-22. 위나라의 대부 공손조가 자공에게 "공자께서는 누구에게 배우셨느냐?"고 묻자, 자공이 말했다.

"주나라의 문왕 무왕의 도가 아직 땅에 떨어지지 않고 사람들이 지키고 있습니다. 그러므로 현명한 사람은 큰 것을 배워 알고, 현명치 못한 사람은 작은 것을 배워 알게 마련입니다. 그 모두가 문왕 무왕의 도가 아닌 것이 없습니다. 그러니 공자께서는 누구에게나 배우지 않았겠습니까? 또 어찌 정해진 스승이 있겠습니까? (누구에게나 다 배우셨습니다)"

原文 衛公孫朝問於子貢曰, 仲尼는 焉學고? 子貢曰, 文武之道 未墜於地하야 在人이라. 賢者는 識其大者하고 不賢

者는 識其小者하야 莫不有文武之道焉하니 夫子焉不學이시며 而亦何常師之有시리오?

註解 ㅇ衛公孫朝(위공손조)－위나라의 대부, 성이 공손, 이름이 조. ㅇ仲尼焉學(중니언학)－중니, 즉 공자는 누구에게 배웠느냐? 언(焉)은 의문사, 여기서는 '누구에게'의 뜻으로 푼다. ㅇ文武之道(문무지도)－주(周)나라를 창건한 문왕과 무왕의 문물제도 및 덕치의 도리. ㅇ未墜於地(미추어지)－아직 땅에 떨어져 없어지지 않고. ㅇ在人(재인)－사람에게 있다, 즉 오늘의 세상에도 그 전통이 살아있다는 뜻. ㅇ賢者識其大者(현자식기대자)－현명한 사람은 그 도리와 전통의 큰 것을 알고. 대(大)는 덕치(德治)의 기본이란 뜻. ㅇ不賢者識其小者(불현자식기소자)－현명하지 않은 사람은 작은 것을 알다, 즉 일반 백성들은 살기 위한 기술이나 기능 및 사람의 도리 등을 알고 행하고 있다는 뜻. ㅇ莫不有文武之道焉(막불유문무지도언)－그 모두가 문왕 무왕의 도리가 아닌 게 없다. 즉 오늘날 사람들이 누리고 있는 문화생활이 다 주나라의 전통이라는 뜻. ㅇ夫子(부자)－선생님, 즉 공자. ㅇ焉不學(언불학)－어찌 (그와 같은 역사적 전통을) 배우지 않았으랴? ㅇ而亦何常師之有(이역하상사지유)－그러므로 또 어찌 일정한 스승이 있었겠느냐? 과거의 역사 전통에서 광범하게 배우고 스스로 터득했다는 뜻.

解說 공자가 너무나 뛰어나게 아는 것이 많고 또 덕이 높으니까, 위나라 대부가 "그 분은 누구에게 배웠느냐?"하고 물었다. 이에 자공이 대답했다. "공자는 그 어느 특정한 선생에게 배운 것이 아니다. 과거의 역사와 문화 전통에서 좋은 도를 스스로 터득하고 알고 행하신 것이다."

19-23. 노나라의 대부 숙손무숙이 조정에서 다른 대부들에게 "자공

이 공자보다 현명하다."고 말했다. 이 말을 자복경백이 자공에게 전하자, 자공이 말했다.

"궁궐의 담에 비유하면 나의 담은 어깨 정도의 높이로서, 담 너머로 궁궐 속의 방이나 집의 아름다움을 엿볼 수 있으나, 공자 선생님의 담은 여러 길의 높이라, 바르게 문으로 들어가지 못하면 궁궐 속에 있는 종묘의 엄숙한 아름다움과 백관들의 다양한 모습을 볼 수 없습니다. 그런데 그 문안에 들어갈 수 있는 사람이 별로 없습니다. 그러므로 숙손무숙이 (잘 모르고) 그렇게 말할 만합니다."

原文 **叔孫武叔**이 **語大夫於朝 曰, 子貢賢於仲尼**하니라. **子服景伯**이 **以告子貢**한대 **子貢**이 **曰, 譬之宮牆**컨대 **賜之牆也**는 **及肩**이라 **闚見室家之好**어니와 **夫子之牆**은 **數仞**이라 **不得其門而入**이면 **不見宗廟之美**와 **百官之富**니 **得其門者或寡矣**라 **夫子之云**이 **不亦宜乎**아.

註解 ㅇ叔孫武叔(숙손무숙)－노나라의 대부. 이름은 주구(州仇), 무(武)는 시호, 숙(叔)은 자. ㅇ語大夫於朝(어대부어조)－조정에서 다른 대부들에게 말했다. ㅇ子貢賢於仲尼(자공현어중니)－자공이 스승 중니(仲尼)보다 현명하다, 중니는 공자의 자. ㅇ子服景伯(자복경백)－노나라의 대부. 이름은 하(夏), 경(景)은 시호. 〈헌문편 14-38〉 참고. ㅇ以告子貢(이고자공)－그 말을 자공에게 전하고 알렸다. ㅇ譬之宮牆(비지궁장)－궁궐의 담장에 비유하면. ㅇ賜之牆也及肩(사지장야급견)－사(賜)의 담 높이는 어깨에 미칠 정도다. 사(賜)는 자공(子貢)의 이름. ㅇ闚見室家之好(규견실가지호)－(어깨 너머로) 방이나 집의 아름다움을 엿본다. 엿볼 규(闚). ㅇ夫子之牆數仞(부자지장수인)－공자의 담 높이는 여러 길이 된다. ㅇ不得其門而入(부득기문이입)－대문으로 들어가지 못하면. ㅇ不見宗廟之美(불견종묘지미)－엄숙한 종묘의 아름다운 장관을 (담 너

머로는) 볼 수 없다. ㅇ百官之富(백관지부)－많은 고관들의 다양하고 풍부한 학식이나 덕행을 (담 너머로는 볼 수 없다). ㅇ得其門者或寡矣(득기문자혹과의)－실지로 대문 안에 들어갈 수 있는 사람이 별로 없었다. ㅇ夫子之云(부자지운)－숙손무숙이 그렇게 말하다. ㅇ不亦宜乎(불역의호)－역시 그럴 만하지 않겠느냐? 즉 공자의 깊은 경지를 모르고, '자공이 공자보다 현명하다'고 말할 만하지 않겠느냐?

解說 제23, 24, 25장은 다른 사람이 공자를 비방하자, 자공이 옹호한 것이다. 3장을 합해서 25장 끝에서 해설하겠다.

19-24. 숙손무숙이 공자를 비방하자, 자공이 그에게 말했다. "그러지 마시오. 선생님을 비방하면 아니됩니다. 다른 사람은 현명하다 해도 언덕 같으며, 누구나 넘을 수 있습니다. 그러나 공자 선생님은 해나 달같이 밝고 높으신 분이라, 다른 누구도 넘지 못합니다. 비록 남들이 자기 스스로 선생님의 가르침을 거절한다 해도, 해나 달 같은 선생님의 가르침에, 어찌 흠이 있겠습니까? 오히려 그 사람의 분수없음을 나타낼 뿐입니다."

原文 **叔孫武叔**이 **毁仲尼**어늘 **子貢**이 **曰, 無以爲也**하라. **仲尼**는 **不可毁也**니 **他人之賢者**는 **丘陵也**라 **猶可踰也**어니와 **仲尼**는 **日月也**라 **無得而踰焉**이니라. **人雖欲自絶**이나 **其何傷於日月乎**리오? **多見其不知量也**로다.

註解 ㅇ毁仲尼(훼중니)－공자를 비방하다, 공자의 가르침을 헐뜯고 욕하다. ㅇ無以爲也(무이위야)－그렇게 하지 마시오. ㅇ仲尼不可毁也(중니불가훼야)－공자를 비방하거나, 그의 가르침을 비난하면 안된다.

ㅇ他人之賢者(타인지현자)－다른 사람의 현명은, (그 높이가). ㅇ丘陵也(구릉야)－산이나 언덕 정도이다. ㅇ猶可踰也(유가유야)－역시 넘을 수 있다. ㅇ仲尼日月也(중니일월야)－공자의 현명은 (그 높이나 밝기가) 해나 달 같다. ㅇ無得而踰焉(무득이유언)－아무도 넘을 수 없다. ㅇ人雖欲自絶(인수욕자절)－사람이 비록 스스로 (공자의 가르침을) 거절하고 끊는다 해도. ㅇ其何傷於日月乎(기하상어일월호)－해나 달에게 무슨 해를 입힐 수 있겠는가? ㅇ多見其不知量也(다견기부지량야)－(도리어) 비방하는 사람 자신이 분별이나 분수 없음을 내보이게 할 뿐이다.

19-25. 진자금이 자공에게 말했다. "그대가 겸손해서 그렇지, 공자가 어찌 그대보다 더 현명하겠는가?"

이에 자공이 말했다. "군자는 말 한 마디로 지혜로운지 혹은 지혜롭지 못한지 알 수 있다. 그러므로 말을 삼가지 않으면 안 된다. 모든 사람이 선생님을 따르지 못함은 마치 하늘에 사다리를 놓고 오를 수 없는 거와 같다. 선생님께서 나라를 맡아서 다스리신다면, 옛말에 있듯이 (다음과 같이 하실 것이다). 즉 '사람들을 일으켜 저마다 떳떳하게 나서게 하신다. 사람들이 도를 따르고 행하게 하신다. 모든 사람이 편하게 잘살게 되므로 먼 곳의 백성들이 모여든다. 사람들이 각자 노동하고 일하며, 서로 사랑하고 화합한다. 살아서는 함께 번영하고, 죽으면 서로 애통한다.' 선생님의 (경지가 이와 같이 높으시니) 다른 사람이 어찌 미치겠는가?"

原文 陳子禽이 謂子貢曰, 子爲恭也언정 仲尼豈賢於子乎리오? 子貢曰, 君子一言以爲知하며 一言以爲不知니 言不可不愼也니라. 夫子之不可及也는 猶天之不可階而升也니라. 夫子之得邦家者인대 所謂立之斯立하며 道之斯行하며

綏之斯來하며 **動之斯和**하며 **其生也榮**하고 **其死也哀**니 **如之何其可及也**리오.

[註解] ㅇ陳子禽(진자금)－공자의 문인, 자공의 제자라고도 한다. 〈學而篇 1-10〉 참고. ㅇ子爲恭也(자위공야)－(자금이 자공에게 하는 말) 그대가 겸손하다. ㅇ仲尼豈賢於子乎(중니기현어자호)－중니, 즉 공자가 어찌 당신보다 더 현명하겠느냐? ㅇ君子一言以爲知(군자일언이위지)－군자는 한 마디 말로써 자신의 지혜로움을 나타낸다. 혹은 한마디 말을 듣고 지혜롭다 한다. ㅇ一言以爲不知(일언이위부지)－말 한마디로써 지혜롭지 않음을 안다. ㅇ言不可不愼也(언불가불신야)－말을 삼가지 않으면 안된다. ㅇ夫子之不可及也(부자지불가급야)－선생님을 따를 수 없음을 (비유하면). ㅇ猶天之不可階而升也(유천지불가계이승야)－마치 하늘에 사다리를 놓고 올라갈 수 없음과 같다. ㅇ夫子之得邦家者(부자지득방가자)－(만약에) 선생님이 국가를 맡아서 다스릴 수 있다면. ㅇ所謂(소위)－이른바, 옛말에 있듯이 ……할 것이다. ㅇ立之斯立(입지사립)－사람들을 내세울 때에는 저마다 바르게 나가서 일을 하게 한다, 입(立)은 바르게 서다, 자립(自立)하다, 사회에 나가서 일을 한다는 뜻. ㅇ道之斯行(도지사행)－도를 실현함에 있어서는 모든 사람이 바르게 따르고 실천하게 한다. ㅇ綏之斯來(수지사래)－백성들을 편안하게 잘살게 해주니까, 먼 곳의 사람들도 찾아온다, 귀화한다. 편안할 수(綏). ㅇ 動之斯和(동지사화)－모든 사람들이 저마다 활동하고 일을 하면서 동시에 모든 사람들이 서로 화합하고 협동한다. ㅇ其生也榮(기생야영)－모든 사람들이 생시에는 잘살고 번영한다. ㅇ其死也哀(기사야애)－죽은 다음에는 자손들이 애통한다. 즉 자손들이 정중하게 장사지내고 제사를 모신다는 뜻. ㅇ如之何(여지하)－어떻게. ㅇ其可及也(기가급야)－다른 사람이 공자의 높은 경지를 따르겠느냐?

[解說] 공자의 학문과 사상은 넓고 또 높다. 그러므로 편협하고 세속한 사람들이 쉽게 받아들이지 못함은 예나 지금이나 같다. 잘 모르

면, 비방하고 배척하게 마련이다. 그래서 '제23, 24, 25장'에서 여러 사람이 공자를 낮추어 말했다. 이에 공자의 수제자 자공(子貢)이 공자를 옹호하려고 애를 썼다. 우선 제23장에서 자공은 '공자의 학문, 사상 및 덕행은 어깨 너머로는 알 수 없다. 정식으로 배우고 익히고 실천을 해야 차츰 단계적으로 터득하게 될 것이다.'라고 말했다.

제24장에서는 '공자는 해와 달과 같은 존재다. 남이 알아주지 않아도, 그 높이와 빛은 변함이 없다'고 했다. 제25장에서는 '공자가 정치를 하면, 사람들을 교화해서 모든 사람들이 입신행도(立身行道)하고, 안락생업(安樂生業)하고, 인애친화(仁愛親和)하고, 살아서도 번영하고, 죽어서도 자손의 제사를 받는다.'고 말했다. 공자의 사상은 오늘에도 활용되어야 한다. 그래야 인류 위기를 극복하고 인류 대동의 이상을 구현할 수 있다.

제20편 요왈편(堯曰篇)

〈요왈편〉은 《논어》의 마지막 편이며, 그 체제가 특이하다. 공자의 말이나 제자의 말을 추린 것과는 다르게, 주로 경전에서 격언이 될 만한 구절을 뽑아서 《논어》를 총괄하려는 의도로 편찬한 것 같다. 이 편은 크게 3장으로 분류한다. 제1장은 요(堯)·순(舜)·우(禹)·무왕(武王) 등이 임금 자리를 물려줄 때에 한 말들을 추렸다. 공자는 이들을 성왕(聖王)으로 높이 평가했다. 제2장에서, 자장(子張)이 정치에 대하여 묻자, 공자는 '오미오악(五美五惡)'을 말했다. 제3장에서 공자는 최종적으로 다시 천명(天命)을 강조하며 말했다. "천명을 모르면 군자가 될 수 없다.(不知命 無以爲君子也)." 이 책에서는 알기 쉽게 하기 위해서, 장(章)을 다시 여러 문단으로 나누어 풀이했다.

20-1-1. 요임금이 말했다. "자아! 그대, 순아! 하늘이 정해준 임금의 차례가 그대에게 돌아왔다. 그대는 반드시 중정(中正)의 도를 지켜라. 사해의 백성들이 곤궁하게 되면, 하늘의 복록(福祿)도 영영 끝나리라."

原文 **堯曰, 咨**라 **爾舜**아. **天之曆數在爾躬**하니 **允執其中**하라 **四海困窮**하면 **天祿永終**하리라.

註解 ㅇ堯曰(요왈)－요임금이 순에게 천자의 자리를 선양(禪讓)하면

서 순에게 말했다. ㅇ咨爾舜(자이순)-자아! 그대 순아, (내 말을 들어라!) ㅇ天之曆數(천지역수)-하늘에 의해서 정해진 운행(運行)의 운수(運數), 여기서는 '천명으로 정해진 천자(天子)의 순서, 차례'의 뜻. ㅇ在爾躬(재이궁)-그대 몸에 있다, 즉 천명이 그대에게 내렸다는 뜻. ㅇ允執其中(윤집기중)-진실로 하늘의 중정(中正)의 도를 지켜라. 진실로 윤(允), 잡을 집(執). ㅇ四海困窮(사해곤궁)-천하 만민이 곤궁하면, 사해(四海)는 천하 곧 세계, 또는 천하 만민의 뜻, 곤궁은 막히고 궁색하게 된다. ㅇ天祿永終(천록영종)-하늘이 내리는 복록(福祿)이 영원히 끊어진다.

解說 이 글은 공자의 사상을 이해하는 데 극히 중요하다. 고대의 신화 전설에서 최고의 성제(聖帝)로 높이는 분이 바로 삼황(三皇)이다. 그 첫 번째 성제 요(堯)임금이 천하를 순(舜)에게 선양(禪讓)할 때에, "중정(中正)의 도를 지켜야 한다.(允執其中)"고 말했다.

중정의 도는 곧 절대선(絶對善)의 천도(天道)다. 하늘은 자연만물을 낳고 키우고 번성케 한다. 그 도리가 천도다. 천도는 광명정대(光明正大)하고, 공평무사(公平無私)하고 또 영구불변(永久不變)하는 절대선의 진리다. 천도는 곧 우주(宇宙)의 이법(理法)이다. 자연만물은 우주의 이법, 즉 천도를 따라서, 생육하고 또 번식한다. 사람도 우주의 이법, 즉 천도를 따라야 한다. 그래야 모든 사람이 저마다 바르게 살고 또 번영할 수 있다.

사람은 개별적으로 독립된 삶을 영위하는 동시에 여러 사람이 모여 공동체를 구성하고 협동함으로써 함께 번성하고 역사와 문화를 발전케 한다. 그러므로 국가라는 공동체가 형성되고 그 공동체의 중심적 존재인 임금이 있게 마련이다. 임금은 전체를 대표하고 전체의 이익과 행복을 보장해야 한다. 그러므로 자연만물을 육성 번성케 하는 절대선의 하늘의 도리를 따라 만민을 잘살게 해주어야 한다. 즉 도(道)를 따라 정치를 해야 한다. 이를 덕치(德治)라 한다.

정치를 크게 둘로 나눌 수 있다. 패도(覇道)의 통치(統治)와 왕도(王道)의 덕치(德治)이다. 포악무도한 무력으로 백성을 억압 유린하거나, 권모술수로 국민을 기만하고 통치계급의 이익만을 위하는 악덕 정치를 패도 통치라고 한다. 이와는 반대로 절대선의 도를 따르고 실천해서 좋은 성과, 즉 덕(德)을 세우는 정치를 왕도덕치(王道德治)라고 한다. 하늘은 덕(德)있는 사람에게 명(命)을 내리어, 하늘의 아들, 즉 천자(天子)가 되게 하고, 하늘을 대신하여, 천하 만민을 다스리게 한다. 그러므로 천명을 받은 임금이나 천자는 절대선의 천도를 따라, 만민을 잘살게 하고 또 번성케 해야 한다. 그래야 하늘은 언제까지나 복록(福祿)을 내려준다. 그러므로 요임금이 순임금에게 '윤집기중(允執其中)'하라고 말한 것이다.

천명(天命)을 받고 존귀한 자리에 올라도, 만약 천자나 임금이 도를 따라 덕을 세우지 못하면, 즉 실덕(失德)하면 하늘은 내렸던 명을 거두고 새로 유덕자(有德者)에게 천명을 바꾸어 내린다. 이것을 혁명(革命)이라 한다. 덕을 세우지 못하는 것을 하늘은 어떻게 아는가? 백성을 통해서 안다. 임금이 덕을 세우면 백성이 잘살고 번성한다. 그러면 하늘은 그대로 그 임금에게 복록(福祿)을 내려준다. 그러나 임금이 실덕(失德)하여 백성들이 곤궁(困窮)에 빠지면, 하늘은 내렸던 천명과 복록을 거두어들인다. 이를 '사해곤궁 천록영종(四海困窮 天祿永終)'이라고 말한다. 오늘의 세계는 무력패도의 악덕정치만을 펴고 있으며, '왕도덕치(王道德治)'의 깊은 뜻을 알지 못함으로써 위기에 빠져 있는 것이다.

20-1-2. 순임금도 역시 (이 말을 선양할 때) 우에게 일러주었다.

原文 舜이 亦以命禹하시니라.

註解 ㅇ舜亦以命禹(순역이명우)-삼황의 두 번째 순임금이 우에게 선양할 때에 (요임금이 한 말을) 전해주었다.

解說 《서경(書經)》〈대우모(大禹謨)〉에 다음과 같은 말이 있다.

"하늘이 정한 임금 차례가 그대에게 왔다. 그대는 마침내 임금 자리에 올라라.(天之曆數在汝躬 汝終陟元后)."

"인간적인 욕심은 위태롭다. 도를 따르려는 마음이라야 자상할 수 있다. (도를 따르려는 마음을 지녀야) 지극히 정성되고 한결같을 수 있다. 그러므로 중정의 도를 잡고 지켜야 한다.(人心惟危 道心惟微 惟精惟一 允執厥中)."

"백성들은 임금이 아니면 누구를 높이 받들 것이며, 임금은 백성들이 아니면 더불어 나라를 지킬 수 없노라.(衆非元后何戴 后非衆罔與守邦)."

"조심하고 공경해야 한다. 신중해야 임금 자리를 간직할 수 있다. 그러므로 임금으로서 하고자 원하는 바를 하늘 앞에 경건하게 빌고 가다듬어야 한다.(欽哉 愼乃有位 敬修其可願)."

"천하 사해의 만백성이 곤궁하면 하늘이 내려주는 복록(福祿)도 영원히 끊어지리라.(四海困窮 天祿永終)."

20-1-3. (은나라의 탕왕이 하나라의 마지막 걸왕을 토벌하고, 천자의 자리에 오르려 할 때, 하늘과 제후에게 다음과 같이 맹서했다) "변변치 못한 소자 이(履)는 감히 수소를 제물로 올리고, 빛나고 크신 상제에게 아뢰옵니다. (하늘 앞에) 죄 지은 자를 용서하지 않을 것입니다. 상제의 신하인 걸왕의 죄도 덮어 가릴 수 없으므로, 상제께서 마음으로 가려주십시오. 제가 죄짓는 것은 만방의 백성과는 상관이 없지만, 만방의 백성이 죄를 지으면, 그것은 곧 저의 잘못이고

죄가 됩니다."

原文 **曰予小子履**는 **敢用玄牡**하야 **敢昭告于皇皇后帝**하노니 **有罪**를 **不敢赦**하며 **帝臣不蔽**니 **簡在帝心**이니이다. **朕躬有罪**는 **無以萬方**이오 **萬方有罪**는 **罪在朕躬**하니라.

註解 ㅇ予小子履(여소자리)－저, 소자(小子) 이(履). 이는 은(殷)나라의 시조 탕왕(湯王)의 이름, 탕왕이 하(夏)의 포악무도한 걸왕(桀王)을 치고 자리에 오를 때 상제(上帝)에게 맹세한 말이다. 상제에게 자기를 낮춰 소자라고 한 것이다. ㅇ敢用玄牡(감용현모)－감히 검은 수놈의 소를 제물로 올리고. 현(玄)은 검은빛, 검은색은 하(夏) 왕조를 상징한다. 은(殷)은 백색(白色)이다. ㅇ敢昭告于(감소고우)－감히 (하늘 상제에게) 밝게 고한다. ㅇ皇皇后帝(황황후제)－빛나고 넓은 하늘의 임금, 상제(上帝). ㅇ有罪不敢赦(유죄불감사)－(하늘에) 죄지은 자는 감히 용서할 수 없다. ㅇ帝臣不蔽(제신불폐)－상제의 신하인 걸(桀)의 죄도 가려 덮어둘 수 없다. (반드시 벌을 받아야 한다). ㅇ簡在帝心(간재제심)－죄의 유무를 가리고 결정하는 것은 상제의 마음에 매여 있다. ㅇ朕躬有罪(짐궁유죄)－제 자신에게 죄가 있으면. ㅇ無以萬方(무이만방)－만방, 즉 천하 만민 때문이 아니다, 백성이 관여할 일이 아니다. 나 자신의 책임이다. ㅇ萬方有罪(만방유죄)－천하 만민이 죄를 지면. ㅇ罪在朕躬(죄재짐궁)－그 책임은 모두 나에게 있다. 내가 잘못해서 백성이 죄짓는 것이다.

解說 천명을 받고 만백성을 다스리는 임금의 책임은 크다. 우선 백성들을 교화해서 천도를 따르고 또 윤리도덕을 실천하게 계몽하고 지도해야 한다. 그래야 사람다운 사람이 되고, 바르고 착하게 살 것이다. 백성들을 교화하지 않으면, 백성들이 동물적 존재로 전락하여 서로 싸우고 쟁탈하게 되며, 죄짓게 된다. 임금이 도를 잃으면 백성들이 곤궁할 것이며, 따라서 하늘은 명을 거두고, 새로운 유덕자(有

德者)를 임금으로 삼는다.

20-1-4. (주나라 무왕이 은나라의 주왕을 칠 때에 말했다) "우리 주나라에는 하늘이 내려주신 큰 선물이 있다. 즉 선량한 인물이 많다. 비록 지극히 친근한 사람이라도, 인덕을 갖춘 사람만 못하다. 백성들에게 허물이 있다 하면, 그 죄는 바로 내가 혼자 지겠다."

原文 **周有大賚**하신대 **善人是富**하니라. **雖有周親**이나 **不如仁人**이오 **百姓有過**는 **在予一人**이니라.

註解 ㅇ周有大賚(주유대뢰)－주나라에는 하늘이 내려준 크고 많은 복이 있다. 즉 하늘이 많은 재물과 함께 선량한 인재를 내려주었다. 줄 뢰(賚). ㅇ善人是富(선인시부)－착하고 유능한 사람이 많다, (그것이 복이다). ㅇ雖有周親(수유주친)－비록 지극히 친한 사람이라도, 주(周)는 '지극하다'의 뜻. ㅇ不如仁人(불여인인)－인덕(仁德)을 지닌 사람만 못하다. (역사적 사실로). ㅇ百姓有過(백성유과)－백성들에게 잘못이나 허물이 있다면. ㅇ在予一人(재여일인)－그 죄는 바로 나 한 사람에게 있으며. 따라서 그 책임을 나 혼자서 진다.

解說 《서경(書經)》〈태서(泰書)〉에 있다. "하늘이 나로 하여금 죄진 주(紂)를 치고 백성을 잘 다리게 하려고 한다.(天其以予乂民)." "나에게는 나라를 잘 다스릴 신하 열 명이 있다. 한마음으로 한결같이 덕을 행하고 있다. 그러므로 (은나라 주왕을) 가까이하는 사람이 있어도, 우리 나라의 인덕을 행하는 어진 사람을 이길 수 없다.(予有亂臣十人 同心同德 雖有周親 不如仁人)."
"하늘은 우리 백성의 눈을 통해서 보고, 하늘은 우리 백성의 귀를 통해서 듣는다. 그러므로 백성에게 허물이 있다면, 그 죄와 책임은 나 한 사람에게 있는 것이다.(天視自我民視 天聽自我民聽 百姓有過 在予一人)."

이상은 주나라 무왕(武王)이 주(紂)를 토벌하기에 앞서 하늘과 제후(諸侯)에게 맹세한 말이다.

20-1-5. (주나라는) 도량형을 바로잡고, 문물제도를 살펴 고치고, 황폐한 여러 관서를 복구하여 가꾸었으며, 이에 사방 모든 나라의 정치와 행정이 잘되었다.

망했던 왕손들의 나라를 다시 일으켜주고, 끊어졌던 대를 다시 이어주고 숨은 인재를 등용하니 천하 만민의 민심이 주나라로 돌아왔다.

특히 주나라가 가장 소중히 여긴 것은 백성을 잘살게 하는 민생과 아울러 죽은 사람을 정중하게 장사 지내고 또 경건하게 제사 모시는 일이었다.

관대했으므로 많은 사람들이 귀속했고, 신의가 있었으므로 백성들이 신임했고, 성실하고 민첩하게 했으므로 많은 공적을 세웠으며, 공평무사했으므로 모든 사람들이 마음으로 기뻐하고 따랐다.

原文 **謹權量**하며 **審法度**하며 **脩廢官**하신대 **四方之政行焉**하니라. **興滅國**하며 **繼絶世**하며 **擧逸民**하신대 **天下之民歸心焉**하니라. **所重**은 **民食喪祭**러시다. **寬則得衆**하고 **信則民任焉**하고 **敏則有功**하고 **公則說**이니라.

註解 ㅇ謹權量(근권량)－정직하고 성실하게 도량형(度量衡)을 정했다. 저울추 권(權), 법도 도(度), 헤아릴 량(量), 저울대 형(衡). ㅇ審法度(심법도)－법률과 제도를 자세히 세밀하게 제정한다. ㅇ脩廢官(수폐

관)－난세에 퇴폐하고 폐지되었던 관청이나 기관을 다시 복구하고 가꾸어 다스리다. ㅇ四方之政行焉(사방지정행언)－천하 모든 나라의 정치가 올바로 행하게 되었다. ㅇ興滅國(흥멸국)－멸망한 나라를 다시 부흥시킨다. ㅇ繼絶世(계절세)－단절되었던 집안의 대를 다시 계승케 한다. ㅇ擧逸民(거일민)－숨어있던 뛰어난 인재들을 등용한다. ㅇ天下之民歸心焉(천하지민귀심언)－천하 만민이 마음으로 복종하고 귀의한다. ㅇ所重(소중)－중하게 여기다, 소중히 여기는 일. ㅇ民食喪祭(민식상제)－백성들의 '식상제(食喪祭)'이다. 식(食)은 잘먹고 사는 민생(民生), 상(喪)은 부모나 죽은 사람을 정중히 장사지내는 상례(喪禮), 제(祭)는 선조 부모의 제사를 때맞추어 경건히 지내는 제례(祭禮). ㅇ寬則得衆(관즉득중)－관대하게 인덕(仁德)을 베풀면 많은 사람들이 그 나라에 모여든다. ㅇ信則民任焉(신즉민임언)－신의를 지키고 신망이 높으면 백성들이 신임한다. ㅇ敏則有功(민즉유공)－일을 성실하고 민첩하게 처리하면 많은 공적을 올릴 수 있다. ㅇ公則說(공즉열)－만민에게 공평무사하게 하면 만민이 기뻐하고 따른다.

解說 제5단 '근권형(謹權衡) 심법도(審法度)' 이하에 있는 여러 구절은 《좌전(左傳)》에 '공자의 말'로 인용된 것도 있다. 이 책에서는 공자가 주나라의 정치를 긍정적으로 평한 말로 풀이했다.

제20편 〈요왈편〉 제1장에 대한 해설을 보충하겠다. 공자의 사상은 과거의 역사적·문화적 전통을 계승한 것이다. 〈위정편(爲政篇)〉에 있다. "자장이 앞으로 10세의 일을 알 수 있습니까?(子張問 十世可知也)"하고 묻자, 공자가 대답했다. "은(殷)은 하(夏)의 예를 바탕으로 했으므로 손익한 바를 알 수 있다. 주는 은하의 예를 바탕으로 했으므로 손익한 바를 알 수 있다. 그러므로 만약 주의 전통을 계승한다면 백 세라도 알 수 있다.(殷因於夏禮 所損益可知也 周因於殷禮 所損益可知也 其或繼周者 雖百世亦可知也)." 〈2-23〉.

공자는 또 〈팔일편(八佾篇)〉에서 "주는 하와 은, 두 나라의 좋은 점을 거울삼았으며, 그 문화가 더욱 빛나고 풍성하다. 그러므로 나는 주의 문화를 따른다.(子曰 周監於二代 郁郁乎文哉 吾從周).” 〈3-14〉라고 했다.

공자는 주나라의 문화를 ‘사문(斯文)’이라고 높였다. 〈자한편(子罕篇)〉에 있다. ‘공자가 광(匡)에서 위태로운 지경에 빠졌을 때 말했다. “문왕은 이미 돌아가셨지만, 그분이 남긴 문화는 나에게 전해져 있지 않으냐? 하늘이 그의 문화를 없애려고 했다면, 후세 사람들이 그 문화에 관여하지 못했을 것이다. 하늘이 그 문화를 없애려고 하지 않으니, 광 사람인들 나를 어찌 해치겠느냐?”(子畏於匡曰 文王既沒 文不在玆乎 天之將喪斯文也 後死者不得與於斯文也 天之未喪斯文也 匡人其如予何).’ 〈9-5〉.

공자는 역사적 문화전통을 ‘사문(斯文)’이라 하고 높였으며, 인류는 미래에도 그 문화전통을 따라서 발전할 것을 굳게 믿었던 것이다. 그러므로 공자는 ‘사문’, 즉 ‘역사적으로 계승되고 발전하는 바른 문화’를 선양했던 것이다. ‘사문’은 곧 ‘절대선의 하늘의 도리를 따르고 실천하는 문화’다.

‘사문’은 공자 이전부터 면면히 계승되어 왔다. 그 바른 문화의 전통은 옛날부터 성현(聖賢)에 의해서 계승되고 선양되어 왔던 것이다. 신화 전설 시대에 속하는 삼황(三皇), 즉 ‘복희(伏羲)·신농(神農)·황제(黃帝)’를 위시하여 오제(五帝)에 속하는 ‘요제(堯帝)·순제(舜帝)·우왕(禹王) 및 탕왕(湯王)’에 이어졌다.

《논어》의 마지막 편 제20편인 〈요왈편(堯曰篇)〉 제1장에서 공자는 주로 ‘요제(堯帝)·순제(舜帝)·우왕(禹王)·탕왕(湯王) 및 주(周)나라’의 말을 들고, 바른 덕치(德治)의 도리를 선양했던 것이다.

이와 같이 성현들에 의해서 ‘정통(正統)의 도(道)가 전해지는 것’을 ‘도통(道統)’이라고 한다. 이 도통은 공자 이후에도 이어졌다. 물론 나라와 시대에 따라 ‘도의 계승 선양’에 ‘성쇠(盛衰)’가 있는 것은 사실이다. 오늘은 세계적으로 ‘도의 계승과 선양이 쇠퇴한 때’이다.

그러나, '절대인 하늘과 더불어, 절대선의 천도'는 절대로 없어지는 법이 없다. 장차는 다시 사람들이 천도(天道)를 따르게 될 것이다.

참고로 도통(道統)의 일부를 도시하겠다.

'요(堯)－순(舜)－우(禹)－탕(湯)－문(文)－무(武)－주공(周公)－공자(孔子)－맹자(孟子)－주자(朱子)'

20-2-1. 자장이 공자에게 물었다. "어떻게 하면 바르게 다스릴 수 있습니까?"

공자가 대답했다. "다섯 가지 미덕을 존중하고, 네 가지 악덕을 배제하면 바르게 다스릴 수 있다."

原文 **子張 問於孔子曰, 何如**라야 **斯可以從政矣**니이꼬? **子曰, 尊五美**하며 **屛四惡**이면 **斯可以從政矣**리라.

註解 ㅇ子張問於孔子曰(자장문어공자왈)－자장이 공자에게 물어 말했다. ㅇ何如(하여)－어떻게 해야. ㅇ斯可以從政矣(사가이종정의)－즉 바르게 다스릴 수 있느냐? 정(政)은 정치나 정사를 바르게 다스리다. ㅇ尊五美(존오미)－다섯 가지 착하고 아름다운 미덕을 높이고 존중한다. ㅇ屛四惡(병사악)－네 가지 나쁜 악덕한 일을 막고 배제한다.

20-2-2. 자장이 물었다. "무엇을 다섯 가지 미덕이라고 합니까?"

공자가 말했다. "군자는 백성에게 베풀어 주되 허비하지 않는다. 백성에게 힘드는 일을 하게 하되 원망을 받지 않는다. 인덕(仁德) 세우기를 바랄 뿐, 탐욕을 채우려 하지 않는다. 학덕(學德)을 많이 지니고 태연자약하되, 남에게 거만하지 않는다. 장중하고 위엄이 있지만 남에게 각박하거나 사납게 하지 않는다."

原文 **子張曰, 何謂五美**니이꼬? **子曰, 君子惠而不費**하며 **勞而不怨**하며 **欲而不貪**하며 **泰而不驕**하며 **威而不猛**이니라.

註解 ㅇ何謂五美(하위오미)－무엇을 오미(五美)라고 합니까? 오미는 다섯 가지 좋고 아름다운 군자의 덕(德). 혹은 덕행. ㅇ君子(군자)－이 군자는 다음 다섯 가지 덕행의 주어가 된다. ㅇ惠而不費(혜이불비)－(다른 사람이나 백성에게) 은혜를 베풀어 주되, 허비하거나 낭비하지 않는다. ㅇ勞而不怨(노이불원)－백성들을 부리고 근로하게 하지만, 원망을 받지 않는다. ㅇ欲而不貪(욕이불탐)－인정(仁政)과 덕치(德治)를 바랄 뿐, 탐욕스럽게 재물이나 권세를 얻으려고 하지 않는다. ㅇ泰而不驕(태이불교)－높은 학문과 인덕(仁德)을 지니고 태연자약하면서도, 남을 멸시하거나 남에게 교만하지 않는다. ㅇ威而不猛(위이불맹)－인격이나 태도가 장중하고 위엄이 있으면서도, 남이나 백성에게 사납게 하거나, 각박하게 하지 않는다.

20-2-3. 자장이 "'백성에게 베풀어 주되 허비하지 않는다'란 무슨 뜻입니까?"하고 묻자 공자가 말했다.(다섯 가지 미덕에 대해서 자세히 설명했다)

"백성들이 이롭다고 생각하는 바를 따라서 그들을 이롭게 해주니, 그것이 곧 '백성에게 베풀어 주되 허비하지 않음'이 아니겠느냐? 백성들을 부려 쓸 때에 일할 만한 사람을 택해서 일을 하게 하니, 누가 원망하겠느냐? 군자는 원래 인정(仁政)을 펴고 인덕(仁德)을 세우기를 소망한다. 그리고 뜻대로 인덕을 세우니 또 무엇을 탐내겠느냐? (즉 인이 아닌 권력이나 재물을 탐내지 않는다는 뜻)

군자는 상대방의 재물이 많으나 적으나, 권력이 크거나 작거나 누구에게나 거만한 태도를 취하지 않는다. 그것이 곧 '태연자약하면서 교만하지 않는다'가 아니겠느냐?

군자는 옷을 입거나 관을 쓰거나 복장이나 차림을 단정히 하고 존엄한 태도로 눈을 바르게 뜨고 사물을 바라본다, 그러므로 남들이 엄숙한 태도로 군자를 우러러보고 경외한다. 그것이 곧 '장중하고 위엄이 있지만 남에게 각박하거나 사납게 하지 않는다'가 아니겠느냐?"

原文 **子張曰, 何謂惠而不費**니이꼬? **子曰 因民之所利而利之**니 **斯不亦惠而不費乎**아, **擇可勞而勞之**니 **又誰怨**이리오. **欲仁而得仁**이어니 **又焉貪**이리오. **君子無衆寡**하며 **無小大**히 **無敢慢**하나니 **斯不亦泰而不驕乎**아. **君子正其衣冠**하며 **尊其瞻視**하야 **儼然人望而畏之**하니 **斯不亦威而不猛乎**아.

註解 ㅇ何謂惠而不費(하위혜이불비)－무엇을 '백성에게 베풀어 주되 허비하지 않는다'고 말하느냐? '혜이불비(惠而不費)'는 공자의 오미(五美)에 대한 첫 번째 설명이다. 그 깊은 뜻을 자장이 다시 물었으며, 공자는 '오미에 대한 다섯 가지 설명'을 하나하나 자세히 말했다. ㅇ因民之所利而利之(인민지소리이리지)－백성들이 이롭다고 생각하는 바를 따라서 그들을 이롭게 해준다, 이(利)는 이롭다고 생각하고 얻고자 하는 이득의 뜻까지 다 포함된다. 즉 농부에게는 농사를 지음으로써 이득을 얻게 해주고, 어부에게는 고기를 잘 잡게 해준다는 뜻이다. ㅇ斯不亦惠而不費乎(사불역혜이불비호)－그렇게 하는 것이 곧 '혜이불비(惠而不費)'가 아니겠느냐? ㅇ擇可勞而勞之(택가로이로지)－노역할 만한 사람을 택해서 부려쓴다. ㅇ又誰怨(우수원)－백성들이 잘 이해하므로 아무도 원망하는 사람이 없다는 뜻. ㅇ欲仁而得仁(욕인이득인)－군자는 인정(仁政)을 펴고 인덕(仁德) 세우기를 소망하고, 본래의 뜻대로 인정을

펴고 인덕을 세우니. ㅇ又焉貪(우언탐)－또 무엇을 탐내겠느냐? (즉 권력이나 재물을 탐내지 않는다는 뜻). ㅇ無衆寡(무중과)－상대방이 재물을 많이 가졌거나, 조금 가졌거나 상관하지 않고, 혹은 사람의 수가 많거나 적거나 상관하지 않고. ㅇ無小大(무소대)－권력이 크거나 작거나 상관하지 않고, 혹은 세력이 크거나 작거나 상관하지 않고. ㅇ無敢慢(무감만)－모든 사람에게 거만한 태도를 취하지 않는다. ㅇ斯不亦泰而不驕乎(사불역태이불교호)－그것이 곧 '태이불교(泰而不驕)'가 아니겠느냐? ㅇ正其衣冠(정기의관)－자기의 복장이나 차림은 단정히 하고. 의관(衣冠)은 의복이나 관모(冠帽). ㅇ尊其瞻視(존기첨시)－존엄한 태도로 눈을 바르게 뜨고 사물을 바라본다. 볼 첨(瞻). ㅇ儼然人望而畏之(엄연인망이외지)－남들이 엄숙한 태도로 군자를 바라보고 경외(敬畏)한다. ㅇ斯不亦威而不猛乎(사불역위이불맹호)－그것이 바로 '위이불맹(威而不猛)'이 아니겠느냐?

20-2-4. 자장이 "무엇을 네 가지 악덕이라고 합니까?"하고 묻자, 공자가 말했다. "백성들을 가르치지 않고 죄진 사람을 사형에 처하는 것을 학정이라 한다. 미리 훈계하지 않고 잘못된 결과를 책망하는 것을 포악이라 한다. 법령을 엉성하게 정하고 또 기한을 촉박하게 한정하는 것을 적해(賊害)라고 한다. 어차피 남에게 줄 것인데, 출납을 인색하게 하는 것을 하리(下吏)의 짓거리라 한다."

原文 **子張曰, 何謂四惡**이니이꼬? **子曰, 不教而殺**을 **謂之虐**이오 **不戒視成**을 **謂之暴**요 **慢令致期**를 **謂之賊**이오 **猶之與人也**로되 **出納之吝**을 **謂之有司**니라.

註解 ㅇ何謂四惡(하위사악)－무엇을 네 가지 악덕이라 하느냐? ㅇ不教而殺(불교이살)－백성을 교화하지 않고 그들이 죄를 저지르면, 사형에

처하는 것을. ㅇ謂之虐(위지학)－잔학 혹은 학정이라 한다. ㅇ不戒視成(불계시성)－백성에게 미리 훈계하거나 경계하고 지도하지 않고, 그들이 잘못한 결과만을 보고 처벌하는 것을. ㅇ謂之暴(위지포)－포악한 폭정이라 한다. ㅇ慢令致期(만령치기)－엉터리로 법령을 만들고 또 촉박하게 기한을 설정하고, 지키게 하는 것을. ㅇ謂之賊(위지적)－선량한 백성을 적으로 만들고 해친다고 말한다. ㅇ猶之與人也(유지여인야)－어차피 주게 되어 있는 것을. ㅇ出納之吝(출납지린)－출납을 인색하게 하는 것을. ㅇ謂之有司(위지유사)－하치의 벼슬아치들의 짓거리라 한다.

解說 공자는 군자가 지키고 행해야 할 오미(五美)를 자세히 설명했다. 군자는 인정(仁政)과 덕치(德治)를 구현할 임금이나, 참여자를 말한다. 다섯 가지 미덕은 곧 '혜이불비(惠而不費 : 효과적인 생산), 노이불원(勞而不怨 : 적시의 노력 동원), 욕이불탐(欲而不貪 : 인덕 선양과 청렴), 태이불교(泰而不驕 : 학식이나 덕이 높으면서도 남에게 겸손함이다), 위이불맹(威而不猛 : 장중하고 위엄이 있으면서 친근감을 준다)'으로서 이것이 다섯 가지 정치의 요체다. 이와 반대로 백성을 교화하지 않고 악법으로 처벌만을 하는 정치를 악덕정치라 한다.

20-3. 공자가 말했다. "천명을 알지 못하면 군자가 될 수 없다. 예를 알지 못하면 세상에서 행세할 수 없다. 말을 모르면 사람을 다스릴 수 없다."

原文 孔子曰, 不知命이면 無以爲君子也요 不知禮면 無以立也요 不知言이면 無以知人也니라.

註解 ㅇ不知命(부지명)－천명(天命)을 모르면. 천명은 절대인 하늘이

내려주는 모든 것의 뜻. 해설 참고. ㅇ無以爲君子也(무이위군자야)-무이(無以)는 '……할 수 없다'. 위군자(爲君子)는 '군자가 되다'. ㅇ不知禮(부지례)-예를 모르면. 해설 참고. ㅇ無以立也(무이립야)-사회나 국가에 나가서 자립할 수 없다, 떳떳하게 행세할 수 없다. ㅇ不知言(부지언)-말을 바르게 알지 못하면, 혹은 할 줄 모르면. ㅇ無以知人也(무이지인야)-사람을 알지 못하고 또 다스리지 못한다.

解說 《논어》의 마지막 구절로, 공자의 세 가지 말을 들었다. 나누어 뜻을 보충 설명하겠다.

(1) 천명을 모르면 군자가 될 수 없다(不知命 無以爲君子也)

천명(天命)은 하늘이 절대적인 명령으로 내려준 모든 것을 뜻한다. 하늘은 우주천지 자연만물을 창조하고 동시에 우주의 이법(理法)에 따라 만물의 생성 변화를 주재하는 절대자(絶對者)이다. 즉 하늘은 시간의 흐름에 따라 만물을 사랑으로 생육(生育)·번식(繁殖)·발전(發展)케 하는 절대선(絶對善)의 도리, 즉 '천도(天道)'의 주재자(主宰者)이다. 이와 같은 '절대자 하늘'과 '절대선의 도리, 즉 천도'를 아는 것이 곧 '지천명(知天命)'이다.

또 하늘은 만물 중에 오직 사람만을 '만물의 영장'으로 만들었다. 그러므로 사람은 누구나 다 '지천명'해야 한다. 특히 학문과 덕행을 바탕으로 정치에 참여할 군자는 '절대선의 도리'를 따라서, 덕치(德治)를 해야 한다. 그것이 곧 '지천명'이다.

동시의 시간과 공간을 주재하고, 섭리하는 하늘의 뜻은 깊고 미묘하다. 그러므로 하늘의 뜻을 사람이 다 알 수 없다. 예를 들면, 왜 공자 같은 성인을 왜 난세에 태어나게 해서, 고생하게 하고 있는가? 그 이면에는 숨겨진 깊은 뜻이 있을 것이다. 공자는 "나이 50에 천명을 알게 되었다.(五十而知天命)"라고 말했다. 현인(賢人)이 난세에 태어나 고생하는 것도 '하늘의 조화'다. 그것을 알고 따르는 것도 '지천명'에 속한다.

어디까지나 하늘의 뜻과 도리를 터득하고 따라서 바르게 사는 것이 곧 '지천명'이다. '지천명'해야 참다운 지식인, 즉 군자이다.

(2) 예를 모르면, 독립된 인격자로서 국가에 나가서 일할 수 없다 (不知禮 無以立也)

예(禮)는 이(理)와 이(履)에 통한다. 즉 '천리(天理)를 따르고 행한다'는 뜻이 속에 포함되어 있다. 예를 외형적으로 나타낸 것이 크게는 국가적인 차원에서 문화적인 문물(文物) 제도(制度)로 전장(典章)이나 예악(禮樂) 및 여러 가지 의식(儀式) 의례(儀禮) 등이 포함된다. 작게 가정적 혹은 개인적 차원에서는 각종의 예의범절(禮儀凡節), 관혼상제(冠婚喪祭) 의식(儀式), 의례(儀禮) 등이 포함된다. 절대선의 천도천리(天道天理)를 문화적으로 나타낸 것이 예(禮)다. 그러므로 예를 모르면, 개인적으로는 문화인이 될 수 없고, 국가적으로는 선량한 국민이 될 수 없다. 더욱이 수기치인(修已治人)하는 군자가 될 수 없다.

(3) 말을 모르면 사람을 다스릴 수 없다(不知言 無以知人也)

언어는 정보 전달의 도구다. 말을 바르게 해야 정보가 바르게 전달되고 또 서로 협동해서 큰 일을 할 수 있다. 공자는 〈자로편(子路篇)〉에서 말했다. "사물에 대한 이름을 바르게 하지 않으면, 말이 고르지 못하고, 말이 고르지 못하면 일이 이루어지지 않는다.(名不正則言不順, 言不順則事不成)."

"일이 바르게 성취되지 않으면 예악이 흥하지 않고, 예악이 흥하지 않으면, 형벌이 바르게 시행되지 않고, 형벌이 바르게 시행되지 않으면, 백성들은 손발을 움직일 수 없게 된다.(事不成則禮樂不興禮樂不興則刑罰不中 刑罰不中則民無所措手足)."

그런고로 "군자는 말을 소홀히 해서는 안된다.(君子於其言 無所苟而已)." 〈子路篇 13-3〉.

말에는 '소리 말'과 '글씨 말'이 있다. 특히 남을 지도하고 다스릴 군자는 '글씨 말', 즉 '문자(文字)=한자(漢字)'를 바르게 알고 쓸 줄 알아야, 국가 정치에 참여하고 남을 다스릴 수 있다. '무이지인야(無以知人也)'의 지(知)는 다스린다는 뜻이다.

공자의 연보(年譜)

나이 : 기원전 : 주나라 연대 : 노나라 연대 : 공자의 행적 및 중요 사항

1세 : 기원전 551 : 周靈公 21년 : 魯襄公 22년

노(魯)나라 추읍(陬邑) 창평현(昌平縣)에서 출생, 어머니 안징재(顔徵在)가 이구산(尼丘山)에서 기도를 드리고 득자(得子). 그래서 이름을 구(丘), 자를 중니(仲尼)라 했다고 전함. 《사기(史記)》 〈공자세가(孔子世家)〉의 설. 《춘추 삼전(春秋三傳)》인 《공양전(公羊傳)》, 《곡량전(穀梁傳)》은 '기원전 552년 출생'이라고 전함.

3세 : 기원전 549 : 周靈公 23년 : 魯襄公 24년

부친 숙량흘(叔梁紇) 사망, 곡부(曲阜) 근처 방산(防山)에 매장했음.

모친, 공자를 데리고 곡부 궐리(闕里)로 이주하고 가난하게 살았다.

6세 : 기원전 546 : 周靈公 26년 : 魯襄公 27년

어린 공자는 모친의 훈도를 받았다. 놀 때에도 조두(俎豆)를 진설(陳設)하고 예용(禮容)을 차렸다고 전한다.

10세 : 기원전 542 : 周景王 3년 : 魯襄公 31년

노나라 양공(襄公)이 죽고, 그의 아들 소공(昭公)이 자리에 올랐다.

제자 자로(子路) 출생, 정(鄭)나라의 자산(子産)이 명상(名相)으로 알려졌다.

15세 : 기원전 537 : 周景王 8년 : 魯昭公 5년

학문에 뜻을 두고 덕을 닦음. '吾十有五而志於學'.《論語》

17세 : 기원전 535 : 周景王 10년 : 魯昭公 7년

모친 안징재 사망, 공자는 부친의 묘지를 알지 못했으므로 시신을 오보지구(五父之衢)에 초빈(草殯)했다. 뒤에 부친의 묘지를 알고, 모친을 합장했다.

계씨(季氏)의 잔치에 갔다가, 양호(陽虎)에게 저지당하고 돌아왔다.

19세 : 기원전 533 : 周景王 12년 : 魯昭公 9년

송(宋)나라 기관씨(亓官氏)와 결혼했다.《孔子家語》

20세 : 기원전532 : 周景王 13년 : 魯昭公 10년

아들 출생, 노나라 임금 소공(昭公)이 잉어[鯉魚]를 하사했으므로 아들 이름을 '이(鯉)', 자를 '백어(伯魚)'라 했다. 이때에 공자는 계씨(季氏)의 가신(家臣)으로 위리(委吏 : 창고를 지키는 하급 관리)가 되었다.

21세 : 기원전 531 : 周景王 14년 : 魯昭公 11년

역시 계씨(季氏)의 가신으로 승전(乘田 : 목장 관리인)이 되었다. 《논어》에서 공자는 '나는 어려서 천했다. 그래서 잡일을 할 줄 안다(吾少也賤 故多能鄙事).'라고 말했다.

27세 : 기원전 525 : 周景王 20년 : 魯昭公 17년

남쪽의 담(郯)나라 임금 담자(郯子)가 노나라에 와서, 소공을 만났다. 이때에 공자는 담자에게 고대의 관명(官名)에 대한 질문을 했다. 28세를 전후해서 공자는 사양(師襄)에게 금(琴)을 배웠다.

30세 : 기원전 522 : 周景王 23년 : 魯昭公 20년

공자의 학문과 덕행이 사회적으로 알려졌다. 《논어》에서 그는

'삼십이립(三十而立)'라고 했다. 이 무렵에 공자는 사학(私學)을 개설하고 제자들에게 강학(講學)했다.

안회(顔回 : 顔淵), 염옹(冉雍 : 仲弓), 염구(冉求 : 子有) 등의 제자가 노나라에서 출생했다.

제(齊)나라 경공(景公)이 안영(晏嬰)과 같이 노나라에 왔으며, 이때에 공자가 경공을 만나 정치를 논했다.

31세 : 기원전 521 : 周景王 24년 : 魯昭公 21년

공자, 노나라에 있었다. 제자 무마시(巫馬施 : 子期), 고시(高柴 : 子高), 복부제(宓不齊 : 子賤) 등이 출생했다.

32세 : 기원전 520 : 周景王 25년 : 魯昭公 22년

주(周) 경왕(景王)이 서거하고, 아들 개(匃)가 이어, 경왕(敬王)이라 했다.

제자 단목사(端木賜 : 子貢) 출생, 위(衛)나라 사람.

34세 : 기원전 518 : 周敬王 2년 : 魯昭公 24년

노나라 대부 맹희자(孟僖子)가 임종 직전에 아들 맹의자(孟懿子)와 남궁경숙(南宮敬叔)에게 '공자에게 예(禮)를 배우라.'고 유촉(遺囑)했다.

공자가 남궁경숙과 함께 주(周)나라 서울 낙읍(洛邑)에 가서, 노담(老聃)에게 문례(問禮)하고, 또 장홍(萇弘)에게 문악(問樂)하고 돌아왔다.

35세 : 기원전 517 : 周敬王 3년 : 魯昭公 25년

노나라의 대부인 삼환씨(三桓氏)가 참월(僭越)하게 권력을 전횡하여 노나라 왕실과의 모순이 격화되었다. 소공(昭公)이 무력으로 참월한 계손씨(季孫氏)의 당주(當主) 계평자(季平子)를 쳤다. 그러나 '계손씨, 맹손씨(孟孫氏), 숙손씨(叔孫氏)' 삼가(三家)의 연합군에게 패하고, 소공이 제(齊)나라로 망명했다.

이 무렵 공자는 '팔일무우정(八佾舞于庭)' '삼가이옹철(三家以雍徹)' 등의 말로 그들의 무례를 혹독하게 비판하고 뒤따라 제나라에 갔다. 가는 도중에 태산(泰山) 곁을 지나가다가, 무덤에서 곡하는 여인을 보고, 제자들에게 '가정맹우호(苛政猛于虎)'라고 가르쳤다.

36세 : 기원전 516년 : 周敬王 4년 : 魯昭公 26년

공자, 제(齊)나라에 있었다. 제나라의 경공(景公)이 문정(問政)하자, 공자가 '군군(君君), 신신(臣臣), 부부(父父), 자자(子子)' 및 '재물의 절약'을 권했다. 이에 경공이 칭찬하고 공자에게 봉지(封地)를 주고 등용하려고 했으나, 재상 안영(晏嬰)의 반대로 이루어지지 않았다. 당시 공자는 제에서 '소악(韶樂)'을 듣고 심취했다.

37세 : 기원전 515년 : 周敬王 5년 : 魯昭公 27년

공자, 제나라에 있었다. 제나라의 대부(大夫)가 공자를 해치려고 했으므로 노나라로 돌아왔다. 도중에서 오(吳)나라의 공자(公子) 계찰(季札)이 자기 아들의 장례를 거행하는 것을 참관했다.

공자의 제자 번수(樊須 : 子遲), 원헌(原憲 : 子思)이 출생하다.

38세 : 기원전 514년 : 周敬王 6년 : 魯昭公 28년

진(晉)나라 위헌자(魏獻子)가 현인(賢人)을 등용하고, 나라를 잘 다스리는 것을 칭찬했다. 노나라에 돌아온 공자는 정공(定公) 9년(기원전 501)까지 출사하지 않고 교학(敎學)에 전념했다.

공자의 학단(學團)이 형성되기 시작했다.

39세 : 기원전 513년 : 周敬王 7년 : 魯昭公 29년

진(晉)나라가 형법(刑法)을 새긴 동기(銅器)를 주조하자, 공자는 '도를 잃은 처사[失其度]'라고 비판했다.

40세 : 기원전 512년 : 周敬王 8년 : 魯昭公 30년

공자는 스스로 '사십이불혹(四十而不惑)'이라고 말했다. 즉 그의 학문정신과 믿고 따르려는 도(道)가 바르고 굳게 섰다는 뜻이다.

제자 담대멸명(澹臺滅明 : 子羽) 출생, 노나라 사람.

41세 : 기원전 511년 : 周敬王 9년 : 魯昭公 31년

공자가 제나라에서 돌아온 지 10년이 되며, 빈곤하게 살면서 교학(敎學)에만 몰두했다.

제자 진항(陳亢 : 子禽) 출생, 진(陳)나라 사람.

42세 : 기원전 510년 : 周敬王 10년 : 魯昭公 32년

국외로 망명한 노나라 소공(昭公)이 사망했다. 전권을 쥐고 있던 계손씨(季孫氏)가 소공의 동생 공자(公子) 송(宋)을 내세웠다. 즉 정공(定公)이다.

43세 : 기원전 509년 : 周敬王 11년 : 魯定公 1년

공자는 노나라에 있었다.

제자 공서적(公西赤 : 子華) 출생, 노나라 사람.

45세 : 기원전 507년 : 周敬王 13년 : 魯定公 3년

제자 복상(卜商 : 子夏) 출생, 위(衛)나라 사람.

46세 : 기원전 506년 : 周敬王 14년 : 魯定公 4년

제자 언언(言偃 : 子游) 출생, 오(吳)나라 사람.

47세 : 기원전 505년 : 周敬王 15년 : 魯定公 5년

제자 증삼(曾參 : 子輿) 출생, 노나라 사람.

공자는 교학(敎學)에 힘썼다.

48세 : 기원전 504년 : 周敬王 16년 : 魯定公 6년

계손씨(季孫氏)의 가신 양호(陽虎)가 천권(擅權)했다. 공자는 문란한 세상을 한탄하고, 물러나 '시(詩)·서(書)·예(禮)·악(樂)' 등의 학문을 수찬(修撰)하고 강학(講學)했으며, 문하생들의 수가 날로 증가했다.

양호가 공자를 만나고자 했으나, 공자가 피하고 안 만났다.

49세 : 기원전 503년 : 周敬王 17년 : 魯定公 7년

제자 전손사(顓孫師 : 子張) 출생, 진(陳)나라 사람.

50세 : 기원전 502년 : 周敬王 18년 : 魯定公 8년

공자 자신이 "나이 50에 천명을 알다(五十而知天命)."라고 말했다. '지천명(知天命)'의 뜻은 크게 두 가지다. 하나는 '하늘에 의해서 주어진 객관적인 환경이나 조건 및 국가의 현실상황을 있는 그대로 받아들인다'의 뜻이다. 다른 하나는 '도(道)를 따라 역사문화를 선가치적(善價値的)으로 발전케 하는 것이 바로 하늘이 군자에게 명하는 사명임을 아는 것이다.' 결국 공자가 말한 '지천명'은 바로 '학덕(學德)을 겸비한 군자를 배양해서, 인정(仁政)과 덕치(德治)를 바탕으로 선세계(善世界)를 창건하는 것이 곧 하늘이 자기에게 준 절대명령임을 알았다.'는 뜻이다.

이때에 비읍(費邑)에서 무력 반란을 일으킨 공산불뉴(公山不狃)가 공자를 불렀으나, 자로(子路)가 반대하여 응하지 않았다.

51세 : 기원전 501년 : 周敬王 19년 : 魯定公 9년

노나라가 양호(陽虎)를 토벌하고, 양호는 송(宋)나라를 거쳐 진(晉)나라로 도망갔다. 공자가 출사했다. 중도(中都 : 山東省 汶上縣)의 재(宰)가 되었다. 중도를 잘 다스려 칭송을 받았다.

제자 염로(冉魯), 조휼(曹卹), 백건(伯虔), 안고(顔高) 등이 출생.

52세 : 기원전 500년 : 周敬王 20년 : 魯定公 10년

공자가 소사공(小司空)을 거쳐, 대사구(大司寇)로 승진하고 대부(大夫)의 신분으로 재상의 일까지 섭행(攝行)했다.

노나라 정공(定公)을 수행해서 협곡(夾谷)에서 제(齊)나라 경공(景公)과 회견했다. 이때에 제나라가 무력으로 노나라 정공을 위협하는 것을 공자가 저지하고 점령당했던 토지를 되돌려 받았다.

53세 : 기원전 499년 : 周敬王 21년 : 魯定公 11년

노나라 사구(司寇)에 취임하고, 나라를 잘 다스렸다.

54세 : 기원전 498년 : 周敬王 22년 : 魯定公 12년

공자는 노나라 사구로 있었고, 제자 자로(子路)는 계손씨(季孫氏)의 가신으로 있었다. 공자는 삼환씨의 세력을 약화하기 위한 조치로, 그들의 거점인 도성(都城)을 허물게 했다. 숙손씨(叔孫氏)의 후성(郈城)과 계손씨(季孫氏)의 비성(費城)은 무난히 허물었다. 그러나 맹손씨(孟孫氏)가 무력으로 반대함으로써 결국은 공자의 정책이 실패로 돌아갔다. 이에 공자는 삼환씨의 지지를 잃고 사구를 사임했다. 한편 계손씨 밑에서 재(宰)로 있던 자로도 물러났다.

55세 : 기원전 497년 : 周敬王 23년 : 魯定公 13년

봄에 제(齊)나라에서, 여악(女樂) 80명을 노나라에 보냈다. 계환자(季桓子)와 노나라 임금은 가기(歌妓)와 무녀(舞女)들에 빠졌으며, 정사를 소홀히 했다. 한편 노나라에서 교제(郊祭)를 지내고, 공자에게 제육(祭肉)을 하사하지 않았다. 한편 삼환씨와의 사이가 더욱 악화되었다.

이에 공자는 노나라를 뒤로 하고 제자들과 같이 유력(遊歷)의 길에 올랐으며, 먼저 위(衛)나라로 갔다. 그러나 참언으로 해를 입었으므로 다시 진(陳)나라로 갔다. 가는 도중, 광읍(匡邑)에서는 그곳 사람들이 공자 일행을 양호의 무리로 착각하고 포위하는 일이 있었다. 또 포(蒲)에서는 반란에 길이 막히고 위험에 처했다. 이에 공자는 다시 위나라로 돌아왔다.

56세 : 기원전 496년 : 周敬王 24년 : 魯定公 14년

위나라에 있으면서, 위 영공(靈公)의 부인 남자(南子)를 만났다. 이를 자로가 심히 언짢게 여겼다.

57세 : 기원전 495년 : 周敬王 25년 : 魯定公 15년

노나라 정공(定公)이 죽고, 아들 애공(哀公)이 뒤를 이었다.

58세 : 기원전 494년 : 周敬王 26년 : 魯哀公 1년

공자는 위나라에 있었다. "나를 써준다면 1년이면 바로잡고, 3년이면 성과를 올린다(苟有用我者 期月而已可也 三年有成)."라고 말했다. 그러나 위나라 영공은 끝내 그를 쓰지 않았다.

59세 : 기원전 493년 : 周敬王 27년 : 魯哀公 2년

위나라의 영공이 공자에게 진법(陣法)을 묻자, 공자는 "제례(祭禮)에 대해서는 알지만 군사에 관해서는 모른다."고 대답하고, 위나라를 떠났다. 조(曹)나라를 거쳐 송(宋)나라로 가는 도중에 송의 사마환퇴(司馬桓魋)가 공자를 해치려고 했으며, 공자는 미복(微服)으로 정(鄭)나라로 피했고, 다시 진(陳)나라로 갔다.

60세 : 기원전 492년 : 周敬王 28년 : 魯哀公 3년

공자는 "육십이이순(六十而耳順)"이라고 말했다. 확고한 주체성을 가지고 남의 말을 있는 그대로 듣게 되었다는 뜻이다.

정(鄭)나라를 지나 진(陳)나라에 갔다. 이때에 제자들과 서로 흩어졌으며, 공자가 동문에서 제자들이 오기를 기다렸다. 이때의 공자를 '초상집의 개[喪家之狗]'라고 풍자한 사람이 있었다. 진의 민공(閔公)이 공자를 대우했다.

61세 : 기원전 491년 : 周敬王 29년 : 魯哀公 4년

공자, 진(陳)나라에 있었다.

63세 : 기원전 489년 : 周敬王 31년 : 魯哀公 6년

오(吳)나라가 진(陳)나라를 치려고 하자, 공자는 진을 떠나, 채(蔡)나라를 거쳐, 초(楚)나라로 가려고 했다. 그러나 진(陳)과 채(蔡) 사이에서 포위되고, 7일간이나 굶주렸다. 초(楚)나라의 도움으로 위기를 면하고, 다시 위(衛)나라로 돌아왔다. 도중에 은자(隱者)들을 만났다.

64세 : 기원전 488년 : 周敬王 32년 : 魯哀公 7년

공자는 위나라에 있으면서 정명(正名)을 주장했다.

65세 : 기원전 487년 : 周敬王 33년 : 魯哀公 8년

공자는 위나라에 있었다. 오(吳)나라가 무력으로 노(魯)나라를 치려다가 실패했다. 이때에, 공자의 제자 유약(有若)이 전공을 세웠다.

66세 : 기원전 486년 : 周敬王 34년 : 魯哀公 9년

공자는 역시 위나라에 있었다. 당시 오(吳)와 제(齊) 두 나라가 노(魯)나라를 서로 침공하려고 했으므로 불안했다.

67세 : 기원전 485년 : 周敬王 35년 : 魯哀公 10년

공자의 부인 기관씨(亓官氏)가 사망했다.

68세 : 기원전 484년 : 周敬王 36년 : 魯哀公 11년

제(齊)나라가 무력으로 노(魯)나라에 침공하자, 공자의 제자 염유(冉有)가 출전하여 격파했다. 이에 노의 실권자인 계강자(季康子)가 정중한 예(禮)로써 공자를 모셨다. 이에 공자는 14년에 걸친 방랑을 마무리하고, 노나라로 돌아왔다. 그러나 공자가 계강자가 시행하려는 전부(田賦)를 반대했으므로, 계강자는 공자를 높이 등용하지 않았다.

69세 : 기원전 483년 : 周敬王 37년 : 魯哀公 12년

14년간의 방랑생활을 마치고 노나라로 돌아왔다.

공자는 문헌을 정리하고, 시(詩)·서(書)·예(禮)·악(樂)·춘추(春秋) 등 고대의 전적을 산정(刪定) 수찬(修撰)하고, 아울러 교육 사업에 전념하여 3천 명의 제자를 배양했으며, 육예(六藝)에 통달한 사람들만 72명이 된다고 전한다.

공자의 아들 이(鯉)가 50세로 사망했다.

70세 : 기원전 482년 : 周敬王 38년 : 魯哀公 13년

공자 자신이 "70살이 되자, 마음대로 행해도 법도를 넘지 않는다(七十而從心所欲不踰矩)."라고 말했다.

수제자 안회(顔回)가 죽었으며, 그의 죽음은 공자에게 큰 타격을 주었다.

71세 : 기원전 481년 : 周敬王 39년 : 魯哀公 14년

노(魯)나라 애공(哀公)이 사냥에서 기린(麒麟)을 잡았다. 좋지 않은 징조에 공자는 "나의 길이 막혔다(吾道窮矣)."라 하고, 춘추(春秋)의 수찬을 그만두었다.

72세 : 기원전 480년 : 周敬王 40년 : 魯哀公 15년

위(衛)나라에서 정변(政變)이 발생하고, 공자의 제자 자로(子路)가 휩쓸려 죽었다. 공자는 크게 상심했다.

73세 : 기원전 479년 : 周敬王 41년 : 魯哀公 16년

병을 앓다가 4월 11일에 서거했다. 곡부(曲阜)의 북쪽 사수(泗水) 가에 매장했다. 제자들은 여막(廬幕)에서 3년간 복상했으며, 자공은 6년간 복상했다.

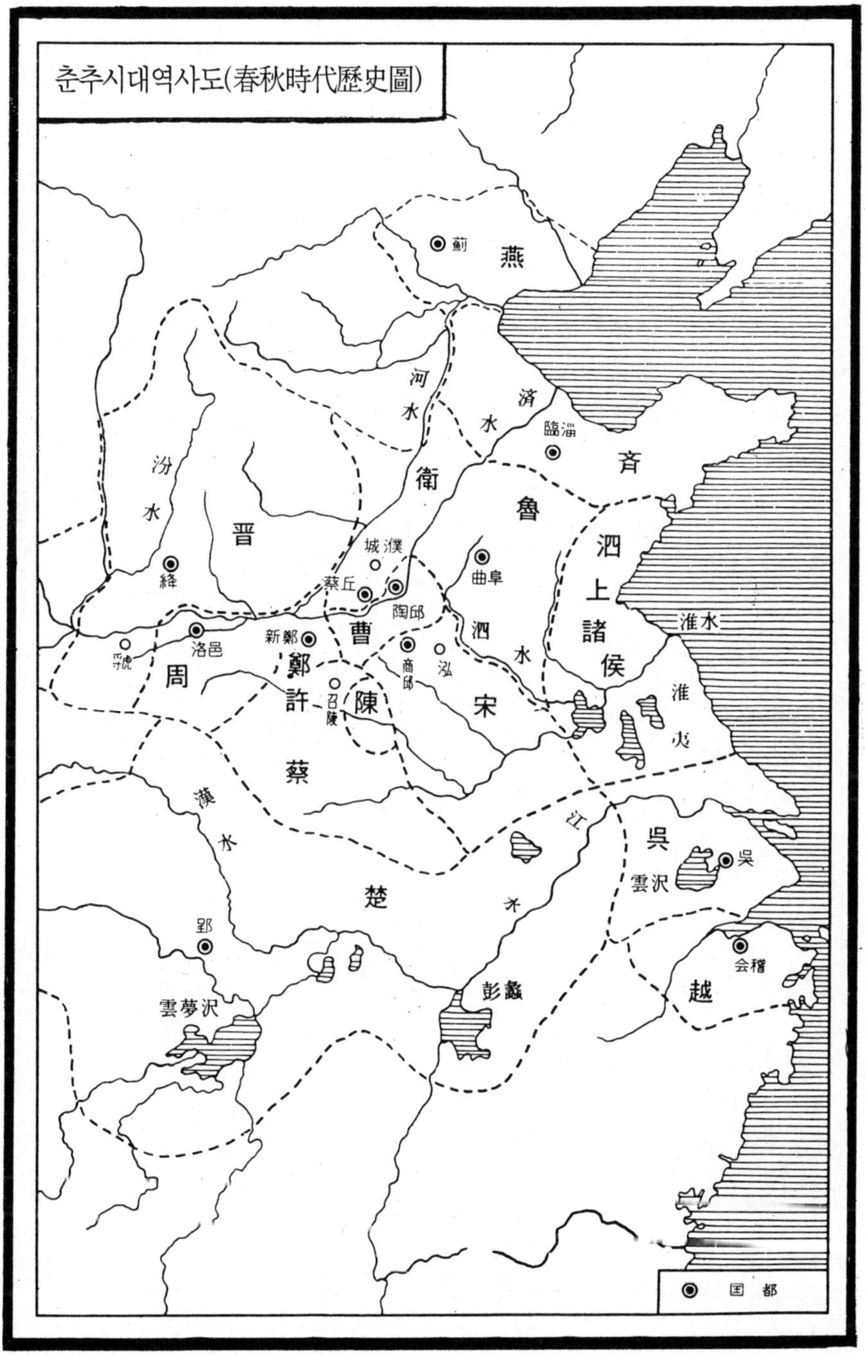

춘추시대역사도(春秋時代歷史圖)

색 인(索引)

[ㄱ]

가기야불가망야(可欺也不可罔也) 273
가득이문야(可得而聞也) 226
가사여빈객언야(可使與賓客言也) 219
가사위지재야(可使爲之宰也) 219
가사유용(可使有勇) 397
가사족민(可使足民) 398
가사치기부야(可使治其賦也) 219
가선이긍불능(嘉善而矜不能) 588
가아수년(加我數年) 294
가야간(可也簡) 250
가여공학(可與共學) 353
가여립미가여권(可與立未可與權) 353
가여사군야여재(可與事君也與哉) 558
가여언이불여언(可與言而不與言) 502
가여적도(可與適道) 353
가위구신의(可謂具臣矣) 393
가위대신여(可謂大臣與) 393
가위명야이의(可謂明也已矣) 414
가위사의(可謂士矣) 451
가위원야이의(可謂遠也已矣) 414
가위인의(可謂仁矣) 270
가위인지방야이(可謂仁之方也已) 277
가위인호(可謂仁乎) 277
가위호학야이(可謂好學也已)101, 590
가위효의(可謂孝矣) 96, 206
가이과공자(歌而過孔子) 574
가이관(可以觀) 554
가이군(可以羣) 554
가이기백리지명(可以寄百里之命) 318
가이무대과의(可以無大過矣) 294
가이어상야(可以語上也) 269
가이원(可以怨) 554
가이위난의(可以爲難矣) 462
가이위문의(可以爲文矣) 476
가이위사의(可以爲師矣) 123
가이위인의(可以爲仁矣) 462
가이종신(可以終身) 512
가이탁육척지고(可以託六尺之孤) 318
가이흥(可以興) 554
가자여지(可者與之) 588
가조복타신(加朝服拖紳) 369
가지이사려(加之以師旅) 397
가처야(可妻也) 211
가호기신(加乎其身) 191
각어기당(各於其黨) 192
간간여야(侃侃如也) 357, 384

간재제심(簡在帝心) ………………… 613
감문숭덕(敢問崇德) ………………… 428
감소고우(敢昭告于) ………………… 613
감용현모(敢用玄牡) ………………… 613
강부기자이지의(襁負其子而至矣) 437
강의목눌근인(剛毅木訥近仁) …… 458
강자궤약(康子饋藥) ………………… 368
개궐여야(蓋闕如也) ………………… 434
개능유양(皆能有養) ………………… 118
개불급문야(皆不及門也) ………… 374
개불욕야(皆不欲也) ………………… 526
개십세희불실의(蓋十世希不失矣) 530
개아언야(皆雅言也) ………………… 294
개유부지이작(蓋有不知而作) …… 302
개유지의(蓋有之矣) ………………… 191
개좌(皆坐) ……………………………… 522
개지위귀(改之爲貴) ………………… 349
개형제야(皆兄弟也) ………………… 412
갱갱연소인재(硜硜然小人哉) …… 452
갱야인개앙지(更也人皆仰之) …… 602
갱이사슬이작(鏗爾舍瑟而作) …… 399
거간이행간(居簡而行簡) ………… 250
거경이행간(居敬而行簡) ………… 250
거고요(擧皐陶) ……………………… 430
거기소(居其所) ……………………… 108
거무구안(居無求安) ………………… 101
거백옥(蘧伯玉) ……………………… 502
거병(去兵) ……………………………… 415
거불용(居不容) ……………………… 370
거상무소불패(去喪無所不佩) …… 362
거상불관(居上不寬) ………………… 176
거선이교불능즉권(擧善而敎不能
則勸) ………………………………… 134
거시방야(居是邦也) ………………… 504
거식(去食) ……………………………… 415
거어덕(據於德) ……………………… 284
거왕조제직(擧枉錯諸直) ………… 133
거이소지(擧爾所知) ………………… 433
거이윤(擧伊尹) ……………………… 430
거일민(擧逸民) ……………………… 615
거일우(擧一隅) ……………………… 286
거지무권(居之無倦) ………………… 422
거지불의(居之不疑) ………………… 426
거직조제왕(擧直錯諸枉) … 133, 430
거처공(居處恭) ……………………… 450
거처불안(居處不安) ………………… 564
거필천좌(居必遷坐) ………………… 363
거현재(擧賢才) ……………………… 433
걸제기린이여지(乞諸其隣而與之) 242
걸혜언(乞醯焉) ……………………… 242
검즉고(儉則固) ……………………… 309
격경어위(擊磬於衛) ………………… 491
견기여선생병행(見其與先生並行) 495
견기이자언(見其二子焉) ………… 579
견득사의(見得思義) ………… 539, 586
견리사의(見利思義) ………………… 471
견면자여고자(見冕者與瞽者) …… 370
견불선여탐탕(見不善如探湯) …… 539
견불현이내자성(見不賢而內自省) 203
견선여불급(見善如不及) ………… 539
견소리즉대사불성(見小利則大事
不成) ………………………………… 448
견위수명(見危授命) ………………… 471
견의불위무용야(見義不爲無勇也) 140

견자유소불위야(狷者有所不爲也) 453
견재최자(見齊衰者) 370
견지부종(見志不從) 204
견현사제언(見賢思齊焉) 203
경귀신이원지(敬鬼神而遠之) 270
경기사이후기식(敬其事而後其食) 521
경사이신(敬事而信) 88
경야뇌재기중의(耕也餒在其中矣) 517
계강자문(季康子問) 134
계강자문제자(季康子問弟子) 378
계로문사귀신(季路問事鬼神) 382
계문자삼사이후(季文子三思而後) 238
계수(季隨) 585
계씨부어주공(季氏富於周公) 388
계씨사민자건(季氏使閔子騫) 259
계씨여어태산(季氏旅於泰山) 149
계씨장유사전유(季氏將有事顓臾) 524
계야(階也) 522
계여수(啓予手) 315
계여족(啓予足) 315
계왜(季騧) 585
계절세(繼絶世) 615
계지재득(戒之在得) 536
계지재색(戒之在色) 536
계지재투(戒之在鬪) 536
계환자수지(季桓子受之) 573
고구무대고(故舊無大故) 584
고구불유(故舊不遺) 313
고구현관불이조(羔裘玄冠不以弔) 362
고다능비사(故多能鄙事) 335
고방숙입어하(鼓方叔入於河) 582
고부삼자(告夫三子) 478
고불고고재(觚不觚觚哉) 273
고상사지도야(固相師之道也) 522
고슬희(鼓瑟希) 399
고어애공왈(告於哀公曰) 478
고원인불복(故遠人不服) 528
고이근어비(固而近於費) 527
고자민유삼질(古者民有三疾) 559
고자언지불출(古者言之不出) 207
고제왕이지래자(告諸往而知來者) 104
고주시포불식(沽酒市脯不食) 365
고지광야사(古之狂也肆) 560
고지긍야렴(古之矜也廉) 560
고지우야직(古之愚也直) 560
고지재(沽之哉) 342
고지학자위기(古之學者爲己) 480
고지현인야(古之賢人也) 291
고천종지장성(固天縱之將聖) 335
곡굉이침지(曲肱而枕之) 293
곡즉불가(哭則不歌) 286
곤이불학(困而不學) 538
곤이학지우기차(困而學之又其次) 538
공공여야(空空如也) 336
공공이불신(悾悾而不信) 325
공관신민혜(恭寬信敏惠) 550
공근어례(恭近於禮) 100
공기악(攻其惡) 428
공기정남면이이(恭己正南面而已) 500
공문자(孔文子) 231
공백료(公伯寮) 488
공백료기여명하(公伯寮其如命何) 488
공산불요이비반(公山弗擾以費畔) 549
공숙문자(公叔文子) 472

공숙문자지신(公叔文子之臣) ····· 476
공욕선기사(工欲善其事) ············ 504
공이무례즉로(恭而無禮則勞) ····· 313
공이안(恭而安) ························· 310
공자불견(孔子不見) ·················· 545
공자사이질(孔子辭以疾) ············ 562
공자시기망야(孔子時其亡也) ····· 545
공자어향당(孔子於鄕黨) ············ 356
공자여지좌(孔子與之坐) ············ 481
공자이기형지자(孔子以其兄之子) 377
공자하욕여지언(孔子下欲與之言) 574
공작지불욕(公綽之不欲) ············ 470
공즉불모(恭則不侮) ·················· 550
공즉열(公則說) ························· 615
공호이단(攻乎異端) ·················· 129
과공씨지문자(過孔氏之門者) ····· 491
과야인개견지(過也人皆見之) ····· 602
과위색발여야(過位色勃如也) ····· 359
과유불급(過猶不及) ·················· 387
과이불개(過而不改) ·················· 516
과제필제여야(瓜祭必齊如也) ····· 365
과즉물탄개(過則勿憚改) ····· 92, 350
과지필추(過之必趨) ·················· 338
관과사지인의(觀過斯知仁矣) ····· 192
관기소유(觀其所由) ·················· 122
관사불섭(官事不攝) ·················· 171
관씨역수색문(管氏亦樹塞門) ····· 171
관씨역유반점(管氏亦有反坫) ····· 171
관씨유삼귀(管氏有三歸) ············ 171
관씨이지례(管氏而知禮) ············ 171
관자오륙인(冠者五六人) ············ 399
관저낙이불음(關雎樂而不淫) ····· 166
관저지란(關雎之亂) ·················· 324
관중검호(管仲儉乎) ·················· 171
관중불사(管仲不死) ·················· 474
관중지기소재(管仲之器小哉) ····· 171
관중지력야(管仲之力也) ············ 474
관즉득중(寬則得衆) ·········· 550, 615
광이부직(狂而不直) ·················· 325
광인기여여하(匡人其如予何) ····· 333
광자진취(狂者進取) ·················· 453
괴력난신(怪力亂神) ·················· 297
교소천혜(巧笑倩兮) ·················· 152
교언난덕(巧言亂德) ·················· 514
교언영색선의인(巧言令色鮮矣仁) ································ 86, 560
교언영색족공(巧言令色足恭) ····· 243
교여야(皦如也) ························· 173
교지(敎之) ······························ 441
구곡기몰(舊穀旣沒) ·················· 563
구릉야(丘陵也) ························· 605
구미달(丘未達) ························· 368
구미의(苟美矣) ························· 440
구부득기사(俱不得其死) ············ 465
구분(廏焚) ······························ 368
구불여역야(丘不與易也) ············ 577
구비언(求備焉) ························· 457
구선가이고제(求善賈而沽諸) ····· 342
구야가사종정야(求也可使從政也) 258
구야예(求也藝) ························· 258
구야위지(求也爲之) ·················· 398
구야천실지읍(求也千室之邑) ····· 219
구야퇴고진지(求也退故進之) ····· 391
구야하여(求也何如) ·················· 219

구야행(丘也幸) 305
구역치지(丘亦恥之) 243
구영윤지정(舊令尹之政) 236
구완의(苟完矣) 440
구위가지야(求爲可知也) 199
구위후어로(求爲後於魯) 473
구유과(苟有過) 305
구유용아자(苟有用我者) 442
구이경지(久而敬之) 233
구이별의(區以別矣) 596
구인이득인(求仁而得仁) 291
구인이이(九人而已) 327
구자지불욕(苟子之不欲) 424
구정기신의(苟正其身矣) 443
구지도구의(丘之禱久矣) 308
구지어인의(苟志於仁矣) 188
구지여(求之與) 94
구합의(苟合矣) 440
구환실지(苟患失之) 559
국궁여야(鞠躬如也) 359
군거종일(羣居終日) 508
군군(君君) 420
군려지사(軍旅之事) 497
군명소(君命召) 369
군사생(君賜生) 369
군사성(君賜腥) 369
군사식(君賜食) 369
군사신(君使臣) 165
군사신이례(君使臣以禮) 165
군소사빈(君召使擯) 358
군숙여부족(君孰與不足) 418
군숙여족(君孰與足) 418
군신지의(君臣之義) 580
군이부당(羣而不黨) 511
군이지례(君而知禮) 305
군자가서야(君子可逝也) 273
군자거인(君子去仁) 189
군자거지(君子居之) 343
군자경이무실(君子敬而無失) 412
군자고궁(君子固窮) 498
군자구제기(君子求諸己) 510
군자긍이부쟁(君子矜而不爭) 511
군자다호재(君子多乎哉) 335
군자도자삼(君子道者三) 483
군자독어친(君子篤於親) 313
군자모도(君子謀道) 517
군자무본(君子務本) 84
군자무소쟁(君子無所爭) 151
군자무종식지간위인(君子無終食之間違仁) 189
군자무중과(君子無衆寡) 620
군자박학어문(君子博學於文) 274
군자병무능언(君子病無能焉) 509
군자부중즉불위(君子不重則不威) 92
군자불가소지(君子不可小知) 519
군자불기(君子不器) 124
군자불시기친(君子不施其親) 584
군자불우불구(君子不憂不懼) 411
군자불이언거인(君子不以言擧人) 512
군자불입야(君子不入也) 551
군자사불출기위(君子思不出其位) 482
군자삼년불위례(君子三年不爲禮) 563
군자상달(君子上達) 480
군자상용호(君子尙勇乎) 566

군자성인지미(君子成人之美) 423
군자소귀도자삼(君子所貴道者三) 316
군자식무구포(君子食無求飽) 101
군자신이후로기민(君子信而後勞其民) 594
군자어기언(君子於其言) 435
군자역당호(君子亦黨乎) 305
군자역유궁호(君子亦有窮乎) 498
군자역유오호(君子亦有惡乎) 567
군자오거하류(君子惡居下流) 601
군자욕눌어언(君子欲訥於言) 208
군자우도(君子憂道) 517
군자유구사(君子有九思) 539
군자유삼계(君子有三戒) 536
군자유삼변(君子有三變) 593
군자유삼외(君子有三畏) 537
군자유어의(君子喩於義) 202
군자유용이무의(君子有勇而無義) 567
군자의이위상(君子義以爲上) 566
군자의이위질(君子義以爲質) 509
군자이문회우(君子以文會友) 431
군자이불인자(君子而不仁者) 466
군자인야(君子人也) 318
군자인여(君子人與) 318
군자일언이위지(君子一言以爲知) 606
군자자호(君子者乎) 390
군자재(君子哉) 465
군자재약인(君子哉若人) 213
군자정기의관(君子正其衣冠) 620
군자정이불량(君子貞而不諒) 520
군자주급(君子周急) 253
군자주이불비(君子周而不比) 126
군자지과야(君子之過也) 602
군자지덕풍(君子之德風) 425
군자지도(君子之道) 596
군자지사야(君子之仕也) 580
군자지어천하야(君子之於天下也) 195
군자지지어사야(君子之至於斯也) 174
군자질이이의(君子質而已矣) 416
군자탄탕탕(君子坦蕩蕩) 309
군자태이불교(君子泰而不驕) 458
군자학도즉애인(君子學道則愛人) 547
군자학이치기도(君子學以致其道) 592
군자혜이불비(君子惠而不費) 619
군자화이부동(君子和而不同) 455
군자회덕(君子懷德) 196
군자회형(君子懷刑) 196
군재축적여야(君在踧踖如也) 357
군제선반(君祭先飯) 369
군취어오(君取於吳) 305
궁가이유천하(躬稼而有天下) 465
궁자후이(躬自厚而) 508
궁행군자(躬行君子) 306
궐당동자장명(闕黨童子將命) 495
귀공자돈(歸孔子豚) 545
귀여귀여(歸與歸與) 240
귀옥훼어독중(龜玉毁於櫝中) 526
규견실가지호(闚見室家之好) 604
극기복례위인(克己復禮爲仁) 403
극벌원욕(克伐怨欲) 462
극자성왈(棘子成曰) 416
근권량(謹權量) 615
근이신(謹而信) 89
근자설(近者說) 447

근지즉불손(近之則不孫) 569
금녀안즉위지(今女安則爲之) 564
금망의부(今亡矣夫) 514
금배호상태야(今拜乎上泰也) 332
금부전유(今夫顓臾) 527
금야순검(今也純儉) 332
금야혹시지망야(今也或是之亡也) 559
금여획(今女畫) 262
금오어인야(今吾於人也) 223
금유여구야(今由與求也) ... 393, 529
금지광야탕(今之狂也蕩) 560
금지긍야분려(今之矜也忿戾) 560
금지성인자(今之成人者) 471
금지우야사이(今之愚也詐而) 560
금지종정자(今之從政者) 574
금지종정자하여(今之從政者何如) 452
금지학자위인(今之學者爲人) 480
금지효자(今之孝者) 118
급기로야(及其老也) 536
급기사인야(及其使人也) 457
급석(及席) 522
기가위지덕야(其可謂至德
也) 311, 327
기가이의(期可已矣) 563, 586
기갈오재(既竭吾才) 339
기득지(既得之) 559
기래지(既來之) 528
기명야애(其鳴也哀) 316
기문사행지(其聞斯行之) 391
기미득지야(其未得之也) 558
기부모곤제지언(其父母昆弟之言) 376
기부양양(其父攘羊) 449
기부의(既富矣) 441
기부족징야(杞不足徵也) 154
기불가자거지(其不可者拒之) 588
기불개부지(其不改父之) 599
기불선자(其不善者) 456
기불선자이개지(其不善者而改之) 298
기불이사(豈不爾思) 354
기불칭기력(驥不稱其力) 486
기사민야의(其使民也義) 232
기사상야경(其事上也敬) 232
기사야(其事也) 444
기사야애(其死也哀) 607
기사이이의(其斯而已矣) 581
기사지위여(其斯之謂與) ... 103, 540
기생야영(其生也榮) 607
기서의(既庶矣) 441
기서호(其恕乎) 512
기소불욕(己所不欲) 408, 512
기순야여(其舜也與) 500
기신부정(其身不正) 439
기신정(其身正) 439
기약종벽세지사(豈若從辟世之士) 576
기양민야혜(其養民也惠) 232
기언불양(其言不讓) 401
기언사부족자(其言似不足者) 359
기언야선(其言也善) 316
기언야인(其言也訒) 410
기언지부작(其言之不怍) 477
기여부족관야이(其餘不足觀也已) 321
기여시제사호(其如示諸斯乎) 156
기여자상야(起予者商也) 152
기왕불구(既往不咎) 169

기욕기생(旣欲其生) ………………… 418
기욕달이달인(己欲達而達人) …… 277
기욕립이립인(己欲立而立人) …… 277
기우불가급야(其愚不可及也) …… 239
기월이이(期月而已) ………………… 442
기위인야(其爲人也) ………………… 295
기위인야효제(其爲人也孝弟) ……. 84
기위인의(其爲仁矣) ………………… 191
기위인지본여(其爲仁之本與) ……. 84
기유성인호(其唯聖人乎) ………… 596
기유소시의(其有所試矣) ………… 513
기유야여(其由也與) ………… 351, 421
기유여(其由與) …………………… 218
기유정장면이립(其猶正牆面而立) 556
기유천유지도(其猶穿窬之盜) …… 557
기이구의(期已久矣) ……………… 563
기이위지(棄而違之) ……………… 236
기자위지노(箕子爲之奴) ………… 570
기재종묘조정(其在宗廟朝廷) …… 356
기쟁야군자(其爭也君子) ………… 151
기절위자여(其竊位者與) ………… 507
기제이호인지구지여(其諸異乎人之求之與) ………………………… 94
기종야이(其終也已) ……………… 569
기지(器之) ………………………… 457
기지가급야(其知可及也) ………… 239
기지의호(其至矣乎) ……………… 276
기천호(欺天乎) …………………… 341
기타가능야(其他可能也) ………… 599
기폐야광(其蔽也狂) ……………… 553
기폐야교(其蔽也絞) ……………… 553
기폐야란(其蔽也亂) ……………… 553
기폐야우(其蔽也愚) ……………… 553
기폐야적(其蔽也賊) ……………… 553
기폐야탕(其蔽也蕩) ……………… 553
기하상어일월호(其何傷於日月乎) 605
기하이행지재(其何以行之哉) …… 137
기행기야공(其行己也恭) ………… 232
기혹계주자(其或繼周者) ………… 138
기회야여(其回也與) ……………… 347
길월필조복이조(吉月必朝服而朝) 362

[ㄴ]

낙역재기중의(樂亦在其中矣) …… 293
낙연후소(樂然後笑) ……………… 472
낙이망우(樂以忘憂) ……………… 295
낙칙소무(樂則韶舞) ……………… 505
난방불거(亂邦不居) ……………… 322
난사이이열야(難事而易說也) …… 457
난여병위인의(難與竝爲仁矣) …… 598
난호면어금지세(難乎免於今之世) 266
난호유항의(難乎有恒矣) ………… 300
남궁괄(南宮适) …………………… 465
남용삼부백규(南容三復白圭) …… 377
남인유언왈(南人有言曰) ………… 454
내성불구(內省不疚) ……………… 411
내자유가추(來者猶可追) ………… 574
노무군자자(魯無君子者) ………… 213
노위지정형제야(魯衛之政兄弟也) 440
노이불사(老而不死) ……………… 495
노이불원(勞而不怨) ………… 204, 619
노인위장부(魯人爲長府) ………… 385
노일변지어도(魯一變至於道) …… 272
노자안지(老者安之) ……………… 245

녹재기중의(祿在其中矣) ………… 131
녹지거공실(祿之去公室) ………… 532
논독시여(論篤是與) ………… 390
누공(屢空) ………… 389
누여지하(陋如之何) ………… 343
누증어인(屢憎於人) ………… 215
능근취비(能近取譬) ………… 277
능무열호(能無說乎) ………… 349
능무종호(能無從乎) ………… 349
능사왕자직(能使枉者直) ………… 430
능오인(能惡人) ………… 185
능이예양(能以禮讓) ………… 198
능행오자어천하(能行五者於天下) 550
능호인(能好人) ………… 185

[ㄷ]

다견궐태(多見闕殆) ………… 131
다견기부지량야(多見其不知量也) 605
다견이식지(多見而識之) ………… 302
다문궐의(多聞闕疑) ………… 131
다식어조수초목지명(多識於鳥獸草木之名) ………… 555
단장보(端章甫) ………… 398
달항당인(達巷黨人) ………… 331
당당호장야(堂堂乎張也) ………… 598
당서진치격(當暑袗絺綌) ………… 362
당쇄소응대진퇴(當洒掃應對進退) 596
당우지제(唐虞之際) ………… 327
당인불양어사(當仁不讓於師) ………… 520
당체지화(唐棣之華) ………… 351
대거무예(大車無輗) ………… 137
대덕불유한(大德不踰閑) ………… 595
대부선(大夫僎) ………… 476
대자이위정(待子而爲政) ………… 434
대재공자(大哉孔子) ………… 331
대재요지위군야(大哉堯之爲君也) 326
덕불고필유린(德不孤必有鄰) ………… 209
덕지기야(德之棄也) ………… 558
덕지불수(德之不脩) ………… 282
덕행안연민자건염백우중궁(德行顔淵閔子騫冉伯牛仲弓) ………… 374
도도자(滔滔者) ………… 576
도부동불상위모(道不同不相爲謀) 521
도불행(道不行) ………… 218
도이우상하신기(禱爾于上下神祇) 308
도지불행(道之不行) ………… 580
도지사행(道之斯行) ………… 606
도지이덕(道之以德) ………… 111
도지이정(道之以政) ………… 110
도지장폐야여(道之將廢也與) ………… 488
도지장행야여(道之將行也與) ………… 488
도천승지국(道千乘之國) ………… 88
도청이도설(道聽而塗說) ………… 558
독신호학(篤信好學) ………… 322
동리자산윤색지(東里子産潤色之) 467
동수(東首) ………… 369
동승제공(同升諸公) ………… 476
동용모(動容貌) ………… 316
동이불원(侗而不愿) ………… 325
동자견(童子見) ………… 303
동자륙칠인(童子六七人) ………… 399
동지불이례(動之不以禮) ………… 518
동지사화(動之斯和) ………… 607
득견군자자(得見君子者) ………… 300

득견유항자(得見有恒者) 300
득기문자혹과의(得其門者或寡矣) 604
등설대부(滕薛大夫) 469

[ㅁ]

마면예야(麻冕禮也) 332
마부진야(馬不進也) 265
마이불린(磨而不磷) 551
막기지야(莫己知也) 491
막불유문무지도(莫不有文武之道) 603
막아지야부(莫我知也夫) 487
막춘자(莫春者) 399
만령치기(慢令致期) 621
만방유죄(萬方有罪) 613
말유야이(末由也已) 339
말지난의(末之難矣) 491
말지야이(末之也已) 549
망기신(忘其身) 428
망이위유(亡而爲有) 300
망지명의부(亡之命矣夫) 260
망지생야행이면(罔之生也幸而免) 268
망지엄연(望之儼然) 593
맹경자문지(孟敬子問之) 316
맹공작(孟公綽) 469
맹무백문(孟武伯問) 219
맹무백문효(孟武伯問孝) 117
맹씨사양부(孟氏使陽膚) 600
맹의자문효(孟懿子問孝) 116
맹장자지효야(孟莊子之孝也) 599
맹지반불벌(孟之反不伐) 265
면어부모지회(免於父母之懷) 565
면의상자(冕衣裳者) 338
명고이공지가야(鳴鼓而攻之可也) 388
명부정(名不正) 434
모동간과어방내(謀動干戈於邦內) 529
모사공(貌思恭) 539
모성인지언(侮聖人之言) 537
모재사모재사(某在斯某在斯) 522
목욕이조(沐浴而朝) 478
몰계추진익여야(沒階趨進翼如也) 359
묘이불수자(苗而不秀者) 347
무가무불가(無可無不可) 581
무감만(無敢慢) 620
무견소리(無見小利) 448
무고(毋固) 333
무공인지악(無攻人之惡) 428
무구비어일인(無求備於一人) 584
무구생이해인(無求生以害仁) 503
무권(無倦) 432
무내대간호(無乃大簡乎) 250
무내위녕호(無乃爲佞乎) 485
무내이시과여(無乃爾是過與) 524
무도즉은(無道則隱) 322
무득이유언(無得而踰焉) 605
무막야(無莫也) 195
무민지의(務民之義) 270
무소구이이의(無所苟而已矣) 435
무소귀(無所歸) 370
무소대(無小大) 620
무소부지의(無所不至矣) 559
무소용심(無所用心) 566
무소취재(無所取材) 218
무시로(無施勞) 245
무신이위유신(無臣而爲有臣) 341

무아(毋我) 333
무악야(無惡也) 188
무오이야(毋吾以也) 396
무온색(無慍色) 236
무왕왈(武王曰) 327
무욕속(無欲速) 448
무우불여기자(毋友不如己者) 350
무우불여기자(無友不如己者) 92
무원언(無怨言) 468
무위소인유(無爲小人儒) 263
무위이치자(無爲而治者) 500
무의(毋意) 333
무이립야(無以立也) 622
무이만방(無以萬方) 613
무이상지(無以尙之) 191
무이언(無以言) 541
무이위군자야(無以爲君子也) 622
무이지인야(無以知人也) 622
무자욕언(毋自辱焉) 431
무적야(無適也) 195
무필(毋必) 333
무희색(無喜色) 236
묵이식지(默而識之) 281
문공자어자로(問孔子於子路) 295
문관중(問管仲) 468
문군자지원기자(聞君子之遠其子) 542
문막오유인야(文莫吾猶人也) 306
문무지도(文武之道) 602
문문사행제(問聞斯行諸) 391
문부재자호(文不在玆乎) 333
문사어재아(問社於宰我) 169
문사이자(聞斯二者) 542
문사하여(問士何如) 426
문사행지(聞斯行之) 391
문선인지도(問善人之道) 390
문숭덕변혹(問崇德辨惑) 418
문승질즉사(文勝質則史) 267
문시문례(聞詩聞禮) 542
문악불락(聞樂不樂) 564
문어걸익(問於桀溺) 576
문어유약(問於有若) 417
문왕기몰(文王旣沒) 333
문유질야(文猶質也) 417
문의불능사(聞義不能徙) 282
문인어타방(問人於他邦) 368
문인욕후장지(門人欲厚葬之) 381
문인혹(門人惑) 303
문일득삼(問一得三) 542
문일이지십(聞一以知十) 221
문일이지이(聞一以知二) 221
문자산(問子産) 468
문자서(問子西) 468
문정어공자(問政於孔子) 420
문지이예악(文之以禮樂) 470
문진언(問津焉) 575
문질빈빈(文質彬彬) 267
문학자유자하(文學子游子夏) 374
문행충신(文行忠信) 299
문헌부족고야(文獻不足故也) 154
문현가지성(聞弦歌之聲) 547
문효어아(問孝於我) 116
물기야이범지(勿欺也而犯之) 480
물시어인(勿施於人) 408, 512
미가여립(未可與立) 353

미가여적도(未可與適道) 353
미견기인야(未見其人也) 540
미견기지야(未見其止也) 347
미견도인이사자(未見蹈仁而死者) 519
미견안색이언(未見顔色而言) 535
미관중(微管仲) 475
미능사인(未能事人) 382
미목반혜(美目盼兮) 152
미문호학자야(未聞好學者也) 251
미상지어언지실(未嘗至於偃之室) 264
미상포야(未嘗飽也) 286
미생묘(微生畝) 485
미선야(未善也) 518
미성일궤(未成一簣) 346
미신즉이위려기(未信則以爲厲己) 594
미신즉이위방기(未信則以爲謗己) 594
미약빈이락(未若貧而樂) 103
미유소인이인자(未有小人而仁者) 466
미입어실야(未入於室也) 386
미자거지(微子去之) 570
미족여의야(未足與議也) 194
미지사야(未之思也) 354
미지생언지사(未知生焉知死) 382
미지유야(未之有也) 84
미지학야(未之學也) 497
미진선야(未盡善也) 176
미추어지(未墜於地) 602
민가사유지(民可使由之) 320
민덕귀후의(民德歸厚矣) 93
민도우금(民到于今) 475
민도우금칭지(民到于今稱之) 540
민막감불경(民莫敢不敬) 437
민막감불복(民莫敢不服) 437
민막감불용정(民莫敢不用情) 437
민면이무치(民免而無恥) 110
민무덕이칭언(民無德而稱焉) 540
민무득이칭언(民無得而稱焉) 311
민무신불립(民無信不立) 415
민사위하의(民斯爲下矣) 538
민산구의(民散久矣) 600
민선구의(民鮮久矣) 276
민신지의(民信之矣) 415
민어사이신어언(敏於事而愼於言) 101
민이구지자야(敏以求之者也) 296
민이호학(敏而好學) 231
민즉유공(敏則有功) 550, 615
민지어인야(民之於仁也) 519

[ㅂ]

박아이문(博我以文) 339
박책어인(薄責於人) 508
박학어문(博學於文) 423
박학이독지(博學而篤志) 591
박학이무소성명(博學而無所成名) 331
박혁자호(博奕者乎) 566
반견지지즉행의(反見之至則行矣) 579
반소사음수(飯疏食飮水) 293
반소식몰치(飯疏食沒齒) 468
발분망식(發憤忘食) 295
방군수색문(邦君樹塞門) 171
방군위양군지호(邦君爲兩君之好) 171
방군지처(邦君之妻) 543
방륙칠십(方六七十) 398
방무도(邦無道) 322, 463

방무도곡(邦無道穀) ………………… 461
방무도면어형륙(邦無道免於刑戮) 212
방무도여시(邦無道如矢) ………… 502
방무도즉가권이회(邦無道則可卷而懷) …………………………… 502
방무도즉우(邦無道則愚) ………… 239
방분붕리석(邦分崩離析) ………… 529
방어리이행다원(放於利而行多怨) 197
방유도(邦有道) ……………… 322, 463
방유도곡(邦有道穀) ……………… 461
방유도불폐(邦有道不廢) ………… 212
방유도여시(邦有道如矢) ………… 502
방유도즉사(邦有道則仕) ………… 502
방유도즉지(邦有道則知) ………… 239
방정성원녕인(放鄭聲遠佞人) …… 505
배신집국명(陪臣執國命) ………… 530
배이수지(拜而受之) ……………… 368
배하예야(拜下禮也) ……………… 332
백공거사(百工居肆) ……………… 592
백관지부(百官之富) ……………… 604
백관총기(百官總己) ……………… 492
백괄(伯适) ……………………… 584
백달(伯達) ……………………… 584
백물생언(百物生焉) ……………… 561
백성부족(百姓不足) ……………… 418
백성유과(百姓有過) ……………… 614
백성족(百姓足) ………………… 418
백승지가(百乘之家) ……………… 219
백우유질(伯牛有疾) ……………… 260
백이(伯夷) ……………………… 581
백이숙제(伯夷叔齊) .. 241, 540, 581
백이숙제하인야(伯夷叔齊何人也) 291
번수야(樊須也) ………………… 437
번지문인(樊遲問仁) ……… 429, 450
번지문지(樊遲問知) ……………… 270
번지어(樊遲御) ………………… 116
번지청학가(樊遲請學稼) ………… 437
범애중(汎愛衆) ………………… 89
범이불교(犯而不校) ……………… 317
법어지언(法語之言) ……………… 349
벽색(辟色) ……………………… 489
벽언(辟言) ……………………… 489
벽지(辟地) ……………………… 489
변두지사(籩豆之事) ……………… 316
변장자지용(卞莊子之勇) ………… 470
병기사불식자(屛氣似不息者) …… 359
병사악(屛四惡) ………………… 618
복기위(復其位) ………………… 359
복주지면(服周之冕) ……………… 505
본립이도생(本立而道生) ………… 84
본지칙무(本之則無) ……………… 596
봉조부지(鳳鳥不至) ……………… 337
봉혜봉혜(鳳兮鳳兮) ……………… 574
부군자지거상(夫君子之居喪) …… 564
부귀재천(富貴在天) ……………… 412
부달사어사방(不達使於四方) …… 438
부달야자(夫達也者) ……………… 426
부당(不黨) ……………………… 305
부도위락지지(不圖爲樂之至) …… 290
부득기문이입(不得其門而入) …… 604
부득기사연(不得其死然) ………… 384
부득기장불식(不得其醬不食) …… 365
부득여어사문야(不得與於斯文也) 333
부득여지언(不得與之言) ………… 574

부득중행이여지(不得中行而與之) 453
부모유기질지우(父母唯其疾之憂) 117
부모재불원유(父母在不遠遊) ····· 205
부모지년(父母之年) ················· 207
부몰관기행(父沒觀其行) ············ 96
부문야자(夫聞也者) ················· 426
부부(父父) ······························ 420
부불부(父不父) ························ 420
부삼년지상(夫三年之喪) ··········· 565
부삼자자지언(夫三子者之言) ····· 401
부삼환지자손(夫三桓之子孫) ····· 532
부소아자(夫召我者) ················· 549
부수지소(膚受之愬) ················· 414
부아즉불가(夫我則不暇) ··········· 484
부여귀시인지소욕야(富與貴是人之所欲也) ····························· 189
부여시(夫如是) ························ 437
부여시해기상(夫如是奚其喪) ····· 477
부연후행(夫然後行) ················· 501
부위자은(父爲子隱) ················· 449
부유(富有) ······························ 440
부이가구야(富而可求也) ··········· 289
부이무교(富而無驕) ················· 103
부이무교이(富而無驕易) ··········· 469
부이삼자야(夫二三子也) ··········· 381
부이호례자야(富而好禮者也) ····· 103
부인불언(夫人不言) ················· 385
부인자칭왈소동(夫人自稱曰小童) 543
부자고유혹지(夫子固有惑志) ····· 488
부자무연왈(夫子憮然曰) ··········· 577
부자불언(夫子不言) ················· 472
부자불위야(夫子不爲也) ··········· 291
부자시연후언(夫子時然後言) ····· 472
부자신지(夫子哂之) ················· 397
부자언불학(夫子焉不學) ··········· 603
부자욕과기과(夫子欲寡其過) ····· 481
부자욕지(夫子欲之) ················· 526
부자위위군호(夫子爲衛君乎) ····· 291
부자자도야(夫子自道也) ··········· 483
부자지구지야(夫子之求之也) ······· 94
부자지도(夫子之道) ················· 200
부자지득방가자(夫子之得邦家者) 606
부자지문장(夫子之文章) ··········· 226
부자지불가급야(夫子之不可及也) 606
부자지어시방야(夫子至於是邦也) 94
부자지언성여천도(夫子之言性與天道) ································ 226
부자지운(夫子之云) ················· 604
부자지장수인(夫子之牆數仞) ····· 604
부자하신유야(夫子何哂由也) ····· 401
부장이리지(不莊以涖之) ··········· 518
부재관기지(父在觀其志) ············ 96
부재기위(不在其位) ·········· 324, 482
부재언호(富哉言乎) ················· 430
부재전유(不在顓臾) ················· 529
부점이이의(不占而已矣) ··········· 454
부족이위사의(不足以爲士矣) ····· 463
부지(富之) ······························ 441
부지기가야(不知其可也) ··········· 137
부지기인(不知其仁) ················· 215
부지례(不知禮) ························ 622
부지로지장지운(不知老之將至云) 295
부지명(不知命) ························ 622
부지소이재지(不知所以裁之) ····· 240

부지어곡(不至於穀) 322
부지언(不知言) 622
부지위부지(不知爲不知) 130
부질언불친지(不疾言不親指) 371
부집여자위수(夫執輿者爲誰) 575
부차귀언치야(富且貴焉恥也) 322
부하우하구(夫何憂何懼) 411
부하원지유(夫何遠之有) 354
부하위재(夫何爲哉) 500
분사난(忿思難) 539
분이전장입문(奔而殿將入門) 265
분토지장불가오(糞土之牆不可杇) 223
불가기야(不可棄也) 450
불가도행야(不可徒行也) 379
불가득이문야(不可得而聞也) 226
불가부지야(不可不知也) 207
불가사지지(不可使知之) 320
불가여언이여지언(不可與言而與之言) 502
불가이구처약(不可以久處約) 182
불가이어상야(不可以語上也) 269
불가이작무의(不可以作巫醫) 454
불가이장처락(不可以長處樂) 182
불가즉지(不可則止) 393, 431
불가폐야(不可廢也) 580
불가함야(不可陷也) 273
불가훼야(不可毁也) 605
불감불고야(不敢不告也) 478
불감상(不敢嘗) 368
불거야(不去也) 189
불견종묘지미(不見宗廟之美) 604
불경자로(不敬子路) 386
불경하이별호(不敬何以別乎) 118
불계부(不繼富) 253
불계시성(不戒視成) 621
불교이살(不教而殺) 621
불기불구(不忮不求) 351
불념구악(不念舊惡) 241
불능이예양위국(不能以禮讓爲國) 198
불능자지(不能者止) 526
불능전대수다(不能專對雖多) 439
불능정기신(不能正其身) 443
불령이행(不令而行) 439
불망평생지언(不忘平生之言) 471
불모기정(不謀其政) 324, 482
불모식(不謀食) 517
불문마(不問馬) 368
불병인지불기지(不病人之不己知) 509
불보기왕야(不保其往也) 303
불분불계(不憤不啓) 286
불비불발(不悱不發) 286
불사가행의(不俟駕行矣) 369
불사대신(不使大臣) 584
불사무의(不仕無義) 580
불사불인자(不使不仁者) 191
불사주야(不舍晝夜) 345
불선불능개(不善不能改) 282
불성인지악(不成人之惡) 423
불소불취(不笑不取) 472
불시불식(不時不食) 365
불억불신(不億不信) 485
불여구지호학야(不如丘之好學也) 247
불여기퇴야(不與其退也) 303
불여시지심야(不如是之甚也) 601

불여야(弗如也) 221
불여인인(不如仁人) 614
불여임방호(不如林放乎) 150
불여제하지망야(不如諸夏之亡也) 148
불여학야(不如學也) 516
불여향인지선자(不如鄕人之善者) 456
불역가호(不亦可乎) 250
불역군자호(不亦君子乎) 82
불역락호(不亦樂乎) 82
불역사(不逆詐) 485
불역열호(不亦說乎) 82
불역원호(不亦遠乎) 319
불역의호(不亦宜乎) 604
불역중호(不亦重乎) 319
불오지야(不吾知也) 396
불왈견호(不曰堅乎) 551
불왈여지하(不曰如之何) 508
불욕군명(不辱君命) 451
불욕기신(不辱其身) 581
불우불구(不憂不懼) 411
불우빈(不憂貧) 517
불우인(不尤人) 487
불원천(不怨天) 487
불위여우(不違如愚) 121
불위인(不違仁) 256
불위주곤(不爲酒困) 345
불위주남소남(不爲周南召南) 556
불유축타지녕(不有祝鮀之佞) 266
불의이부차귀(不義而富且貴) 293
불이(不移) 546
불이감추식(不以紺緅飾) 362
불이기도득지(不以其道得之) 189
불이득야(不易得也) 322
불이병거(不以兵車) 474
불이삼우반(不以三隅反) 286
불이예절지(不以禮節之) 98
불이인폐언(不以人廢言) 512
불인자(不仁者) 182
불인자원의(不仁者遠矣) 430
불처야(不處也) 189
불천노불이과(不遷怒不貳過) 251
불천적(不踐迹) 390
불철강식불다식(不撤薑食不多食) 365
불치하문(不恥下問) 231
불필유덕(不必有德) 463
불학례무이립(不學禮無以立) 542
불학시(不學詩) 541
불항기덕(不恒其德) 454
불항기지(不降其志) 581
불행단명사의(不幸短命死矣)251, 378
불행언(不行焉) 414, 462
불현자식기소자(不賢者識其小者) 603
불호범상(不好犯上) 84
불환과(不患寡) 527
불환막기지(不患莫己知) 199
불환무위(不患無位) 199
불환빈(不患貧) 527
불환인지불기지(不患人之
不己知) 105, 484
붕우사(朋友死) 370
붕우삭사소의(朋友數斯疏矣) 209
붕우신지(朋友信之) 245
붕우절절시시(朋友切切偲偲) 459
붕우지궤(朋友之饋) 370

비간간이사(比干諫而死) 570
비감위녕야(非敢爲佞也) 485
비감후야(非敢後也) 265
비공사(非公事) 264
비구익자야(非求益者也) 495
비궁실(卑宮室) 329
비급삼년(比及三年) 397, 398
비기귀이제지첨(非其鬼而祭之諂) 140
비기죄야(非其罪也) 211
비달야(非達也) 426
비도홍인(非道弘人) 515
비례물동(非禮勿動) 408
비례물시(非禮勿視) 407
비례물언(非禮勿言) 408
비례물청(非禮勿聽) 407
비부인지위통(非夫人之爲慟) 380
비불열자지도(非不說子之道) 262
비수특여(非脩慝與) 428
비숭덕여(非崇德與) 428
비심초창지(裨諶草創之) 467
비아야(非我也) 381
비야여일이관지(非也予一以貫之) 499
비여북신(譬如北辰) 108
비여위산(譬如爲山) 346
비여평지(譬如平地) 346
비연성장(斐然成章) 240
비오도야(非吾徒也) 388
비왈능지원학언(非曰能之願學焉) 398
비유상필쇄지(非帷裳必殺之) 362
비음식(非飮食) 329
비재갱갱호(鄙哉硜硜乎) 491
비제소인(譬諸小人) 557
비제육불배(非祭肉不拜) 370
비제초목(譬諸草木) 596
비제후이하(非諸侯而何) 401
비지궁장(譬之宮牆) 604
비혹여(非惑與) 428
빈불고의(賓不顧矣) 358
빈여천시인지소오야(貧與賤是人之所惡也) 189
빈이무원난(貧而無怨難) 469
빈이무첨(貧而無諂) 103
빈차천언치야(貧且賤焉恥也) 322
빈퇴필복명왈(賓退必復命曰) 358

[ㅅ]

사가위지달의(斯可謂之達矣) 426
사가이종정의(斯可以從政矣) 618
사견위치명(士見危致命) 586
사교차린(使驕且吝) 321
사군능치기신(事君能致其身) 90
사군삭사욕의(事君數斯辱矣) 209
사군진례(事君盡禮) 164
사근신의(斯近信矣) 316
사기대부지현자(事其大夫之賢者) 504
사기이이의(斯己而已矣) 491
사달이이의(辭達而已矣) 522
사마우문인(司馬牛問仁) 410
사면견급계(師冕見及階) 522
사무사(思無邪) 109
사민경충이권(使民敬忠以勸) 134
사민여승대제(使民如承大祭) 408
사민이시(使民以時) 88
사민전율(使民戰栗) 169

사반결적진(四飯缺適秦) 582
사방지민(四方之民) 437
사방지정행언(四方之政行焉) 615
사부모기간(事父母幾諫) 204
사부모능갈기력(事父母能竭其力) 90
사불가이불홍의(士不可以不弘毅) 319
사불급설(駟不及舌) 417
사불능언자(似不能言者) 356
사불성(事不成) 434
사불수명(賜不受命) 389
사불역위이불맹(斯不亦威而不猛) 620
사불역태이불교(斯不亦泰而不驕) 620
사불역혜이불비(斯不亦惠而不費) 620
사불주피(射不主皮) 161
사사경(事思敬) 539
사생유명(死生有命) 412
사소과(赦小過) 433
사시행언(四時行焉) 561
사십오십이무문(四十五十而無聞) 348
사십이불혹(四十而不惑) 112
사야가사종정야(賜也可使從政也) 258
사야과(師也過) 387
사야달(賜也達) 258
사야벽(師也辟) 388
사야비이소급야(賜也非爾所及也) 225
사야하감망회(賜也何敢望回) 221
사야하여(賜也何如) 214
사야현호재(賜也賢乎哉) 484
사어(史魚) 502
사어사방(使於四方) 451
사언취사(斯焉取斯) 213
사여상야숙현(師與商也孰賢) 387
사역부족외야이(斯亦不足畏也已) 348
사원비배의(斯遠鄙倍矣) 316
사원폭만의(斯遠暴慢矣) 316
사위지군자이호(斯謂之君子已乎) 411
사위지인이호(斯謂之仁已乎) 410
사의숭덕야(徙義崇德也) 418
사이무회자(死而無悔者) 288
사이불학즉태(思而不學則殆) 128
사이우즉학(仕而優則學) 597
사이회거(士而懷居) 463
사이후이(死而後已) 319
사인야이유사질(斯人也而有斯疾) 260
사인어공자(使人於孔子) 481
사인지의(斯仁至矣) 303
사자고(使子羔) 395
사장지이례(死葬之以禮) 116
사적유유여야(私覿愉愉如也) 360
사즉불손(奢則不孫) 309
사지문지(使之聞之) 562
사지어도(士志於道) 194
사지일(死之日) 540
사지장야급견(賜之牆也及肩) 604
사지즉장(舍之則藏) 288
사지지시(師摯之始) 324
사체불근(四體不勤) 579
사해곤궁(四海困窮) 609
사해야이(斯害也而) 129
사해지내(四海之內) 412
사호사호(使乎使乎) 481
산량자치(山梁雌雉) 372
산절조절(山節藻梲) 234
산천기사제(山川其舍諸) 256

살계위서이식지(殺雞爲黍而食之) 579
살공자규(殺公子糾) 474
살공자규불능사(殺公子糾不能死) 475
삼가자이옹철(三家者以雍徹) 146
삼군가탈수야(三軍可奪帥也) 351
삼년무개어부지도(三年無改於父之道) 96, 206
삼년불위악(三年不爲樂) 563
삼년유성(三年有成) 442
삼년지상(三年之喪) 563
삼년학(三年學) 322
삼대지소이(三代之所以) 513
삼반료적채(三飯繚適蔡) 582
삼분천하유기이(三分天下有其二) 327
삼사위영윤(三仕爲令尹) 236
삼세희불실의(三世希不失矣) 530
삼십이립(三十而立) 112
삼야노(參也魯) 388
삼월부지육미(三月不知肉味) 290
삼이지(三已之) 236
삼이천하양(三以天下讓) 311
삼인행필유아사(三人行必有我師) 298
삼일부조(三日不朝) 573
삼자자출(三子者出) 401
삼후이작(三嗅而作) 372
상독립(嘗獨立) 541
상문지의(商聞之矣) 412
상사불감불면(喪事不敢不勉) 345
상사애(喪思哀) 586
상실기도(上失其道) 600
상야불급(商也不及) 387
상여기역야영척(喪與其易也寧戚) 148
상유벽공(相維辟公) 146
상이후집(翔而後集) 372
상인호(傷人乎) 368
상치호애이지(喪致乎哀而止) 597
상호례(上好禮) 437, 493
상호신(上好信) 437
상호의(上好義) 437
상환공패제후(相桓公霸諸侯) 475
색난유사제자복기로(色難有事弟子服其勞) 119
색려이내임(色厲而內荏) 557
색발여야(色勃如也) 358
색사거의(色斯擧矣) 372
색사온(色思溫) 539
색악불식(色惡不食) 365
색장자호(色莊者乎) 390
색취인이행위(色取仁而行違) 426
생사지이례(生事之以禮) 116
생이지지자상야(生而知之者上也) 537
서운고종(書云高宗) 492
서운효호(書云孝乎) 135
서의재(庶矣哉) 441
서자여사부(逝者如斯夫) 345
서제신(書諸紳) 501
석부정부좌(席不正不坐) 366
석야(席也) 522
석자오우상종사(昔者吾友嘗從事) 317
석호부자지설(惜乎夫子之說) 417
석호오견기진야(惜乎吾見其進也) 347
선거실(善居室) 440
선사후득(先事後得) 428
선어중(選於衆) 430

선여인교(善與人交) 233
선왕이위동몽주(先王以爲東蒙主) 524
선왕지도사위미(先王之道斯爲美) 98
선위아사언(善爲我辭焉) 259
선유사(先有司) 433
선인교민칠년(善人教民七年) 459
선인시부(善人是富) 614
선인오부득이견(善人吾不得而見) 300
선인위방백년(善人爲邦百年) 443
선지로지(先之勞之) 432
선진어예악(先進於禮樂) 373
선행기언(先行其言) 125
설구장단우메(褻裘長短右袂) 362
섭공문정(葉公問政) 447
섭자승당(攝齊升堂) 359
섭호대국지간(攝乎大國之間) 397
성불이부(誠不以富) 418
성사불설(成事不說) 169
성상근야(性相近也) 546
성어악(成於樂) 320
성인오부득이견(聖人吾不得而見) 300
성자여(聖者與) 335
성재(誠哉) 443
성차각(騂且角) 256
세불아여(歲不我與) 545
세숙토론지(世叔討論之) 467
세한연후(歲寒然後) 352
소거무월(小車無軏) 137
소공지례호(昭公知禮乎) 305
소대유지(小大由之) 98
소덕출입가야(小德出入可也) 595
소련(少連) 581
소문제자(召門弟子) 315
소불인즉란대모(小不忍則亂大謀) 514
소사양격경양입어해(少師陽擊磬襄入於海) 583
소손익가지야(所損益可知也) 138
소위대신자(所謂大臣者) 393
소위립지사립(所謂立之斯立) 606
소유(少有) 440
소의예구(素衣麑裘) 362
소이위현혜(素以爲絢兮) 152
소인교이불태(小人驕而不泰) 458
소인구제인(小人求諸人) 510
소인궁사람의(小人窮斯濫矣) 498
소인동이불화(小人同而不和) 455
소인반시(小人反是) 423
소인부지천명(小人不知天命) 537
소인불가대수(小人不可大受) 519
소인비이불주(小人比而不周) 126
소인유어리(小人喩於利) 202
소인유용이무의(小人有勇而無義) 567
소인장척척(小人長戚戚) 309
소인재(小人哉) 437
소인지과야필문(小人之過也必文) 593
소인지덕초(小人之德草) 425
소인하달(小人下達) 480
소인학도즉이사(小人學道則易使) 547
소인회토(小人懷土) 196
소인회혜(小人懷惠) 196
소자로어계손(愬子路於季孫) 488
소자회지(少者懷之) 245
소중민식상제(所重民食喪祭) 615
소지시혈기미정(少之時血氣未定) 536

소홀사지(召忽死之) 474
손여지언(巽與之言) 349
손이출지(孫以出之) 509
손자삼요(損者三樂) 534
손자삼우(損者三友) 533
송부족징야(宋不足徵也) 154
송시삼백(誦詩三百) 438
수거마(雖車馬) 370
수기사(受其賜) 475
수기이경(脩己以敬) 494
수기이안백성(脩己以安百姓) 494
수기이안인(脩己以安人) 494
수능출불유호(誰能出不由戶) 267
수득지(雖得之) 518
수령부종(雖令不從) 439
수만맥지방(雖蠻貊之邦) 501
수백세가지야(雖百世可知也) 138
수복일궤(雖覆一簣) 346
수불오이(雖不吾以) 444
수사불간(遂事不諫) 169
수사선도(守死善道) 322
수상지부절(雖賞之不竊) 424
수설필이모(雖褻必以貌) 370
수소도(雖小道) 589
수소식채갱(雖疏食菜羹) 365
수소필작(雖少必作) 338
수압필변(雖狎必變) 370
수왈미학(雖曰未學) 90
수왈불요군(雖曰不要君) 473
수욕물용(雖欲勿用) 256
수욕종지(雖欲從之) 339
수위중오종하(雖違衆吾從下) 332
수유속(雖有粟) 420
수유주친(雖有周親) 614
수이불실자(秀而不實者) 347
수재류설지중(雖在縲絏之中) 211
수지사래(綏之斯來) 607
수지이적(雖之夷狄) 450
수지이정(授之以政) 438
수집편지사(雖執鞭之士) 289
수특변혹(脩慝辨惑) 428
수폐관(脩廢官) 615
수훼수예(誰毀誰譽) 513
숙감부정(孰敢不正) 424
숙능위지대(孰能爲之大) 401
숙부지례(孰不知禮) 171, 305
숙불가인야(孰不可忍也) 143
숙선전언(孰先傳焉) 596
숙손무숙(叔孫武叔) 604
숙야(叔夜) 584
숙위미생고직(孰謂微生高直) 242
숙위추인지자(孰謂鄹人之子) 161
숙위호학(孰爲好學) 378
숙제(叔齊) 581
숙하(叔夏) 585
숙후권언(孰後倦焉) 596
순순여야(恂恂如也) 356
순순연선유인(循循然善誘人) 339
순역이명우(舜亦以命禹) 611
순우지유천하야(舜禹之有天下也) 326
순유신오인(舜有臣五人) 327
순유천하(舜有天下) 430
술이부작(述而不作) 280
습상원야(習相遠也) 546

승부부우해(乘桴浮于海) 218
승비마(乘肥馬) 253
승은지락(乘殷之輅) 505
승차필정립집수(升車必正立執綏) 371
시가여언시이의(始可與言詩已矣) 104, 152
시가인야(是可忍也) 143
시고오부녕자(是故惡夫佞者) 395
시기군(弑其君) 478
시기소이(視其所以) 122
시난능야(是難能也) 599
시노공구여(是魯孔丘與) 575
시노공구지도여(是魯孔丘之徒與) 576
시도야(是道也) 351
시부여군(弑父與君) 394
시사명(視思明) 539
시사직지신야(是社稷之臣也) 524
시삼백(詩三百) 109
시서집례(詩書執禮) 294
시수지과여(是誰之過與) 526
시식어군(侍食於君) 369
시야우(柴也愚) 388
시어군자(侍於君子) 535
시어유정(施於有政) 136
시역위정(是亦爲政) 136
시오어인야(始吾於人也) 223
시오우야(是吾憂也) 282
시위과의(是謂過矣) 516
시위기지(是謂棄之) 459
시위능양(是謂能養) 118
시위적(是爲賊) 495
시유(始有) 440
시이군자불위야(是以君子不爲也) 589
시이위지문야(是以謂之文也) 231
시작흡여야(始作翕如也) 173
시재시재(時哉時哉) 372
시지기불가이위지자여(是知其不可而爲之者與) 490
시지진의(是知津矣) 575
시측은은여야(侍側誾誾如也) 384
시혹야(是惑也) 418
식기장이운(植其杖而芸) 579
식부도(食夫稻) 564
식부판자(式負版者) 370
식불어(食不語) 365
식불염정(食不厭精) 364
식의이애(食饐而餲) 364
식지불감(食旨不甘) 564
신곡기승(新穀旣升) 563
신근어의(信近於義) 100
신도부독(信道不篤) 587
신뢰풍렬필변(迅雷風烈必變) 371
신문(晨門) 490
신불신(臣不臣) 420
신사군(臣事君) 165
신사군이충(臣事君以忠) 165
신신(臣臣) 420
신신여야(申申如也) 283
신언기여(愼言其餘) 131
신여군불군(信如君不君) 420
신여부지정(臣與父之政) 599
신이무례즉사(愼而無禮則葸) 313
신이성지(信以成之) 509
신이호고(信而好古) 280

신이후간(信而後諫) 594
신장(申棖) 224
신종추원(愼終追遠) 93
신중청(身中淸) 581
신즉민임언(信則民任焉) 615
신즉인임언(信則人任焉) 550
신행기여(愼行其餘) 131
실시원이(室是遠而) 354
실약허(實若虛) 317
실임불식(失飪不食) 365
심법도(審法度) 615
심어수화(甚於水火) 519
심의오쇠야(甚矣吾衰也) 283
심즉려(深則厲) 491
십세가지야(十世可知也) 138
십실지읍(十室之邑) 247
십유오이지우학(十有五而志于學) 112

[ㅇ]

아고기양단이갈(我叩其兩端而竭) 336
아대가자야(我待賈者也) 342
아대왈무위(我對曰無違) 116
아독망(我獨亡) 412
아무능언(我無能焉) 483
아무시야(我無是也) 302
아미견력부족자(我未見力不足者) 191
아미견호인자(我未見好仁者) 191
아미지견야(我未之見也) 191
아반간적초(亞飯干適楚) 582
아불욕인지가제아야(我不欲人之加諸我也) 225
아비생이지지자(我非生而知之者) 296
아송각득기소(雅頌各得其所) 344
아애기례(我愛其禮) 163
아욕인(我欲仁) 303
아우수양지하(餓于首陽之下) 540
아즉이어시(我則異於是) 581
아지대현여(我之大賢與) 588
아지불현여(我之不賢與) 588
악기가지야(樂其可知也) 173
악운악운(樂云樂云) 557
악의복(惡衣服) 329
악필붕(樂必崩) 563
안견방륙칠십(安見方六七十) 401
안로(顔路) 379
안평중(晏平仲) 233
압대인(狎大人) 537
앙지미고(仰之彌高) 339
애공문왈(哀公問曰) 133
애어기부모호(愛於其父母乎) 565
애이불상(哀而不傷) 166
애인(愛人) 429
애지능물로호(愛之能勿勞乎) 466
애지욕기생(愛之欲其生) 418
약계씨칙오불능(若季氏則吾不能) 572
약성여인(若聖與仁) 307
약아이례(約我以禮) 339
약유야(若由也) 384
약이위태(約而爲泰) 300
약인상덕재(若人尙德哉) 465
약장무중지지(若臧武仲之知) 470
약지이례(約之以禮) 274, 423
양양호(洋洋乎) 324
양음삼년(諒陰三年) 492

양이득지(讓以得之) ………………… 94
양화욕견공자(陽貨欲見孔子) ….. 545
어기소부지(於其所不知) ………… 434
어녀안호(於女安乎) ……………… 564
어뇌이육패(魚餒而肉敗) ………… 364
어대부어조(語大夫於朝) ………… 604
어사삼자하선(於斯三者何先) ….. 415
어사위성(於斯爲盛) ……………… 327
어사이자하선(於斯二者何先) ….. 415
어아여부운(於我如浮雲) ………… 293
어여여개시(於予與改是) ………… 223
어여여하주(於予與何誅) ………… 223
어오언무소불열(於吾言無所不說) 376
어인이구급(禦人以口給) ………… 215
어인하소불용(於人何所不容) ….. 588
어종정호하유(於從政乎何有)258, 443
어지이불타자(語之而不惰者) ….. 347
억말야(抑末也) …………………… 596
억여지여(抑與之與) ………………… 94
억역가이위차의(抑亦可以爲次矣) 452
억역선각자(抑亦先覺者) ………… 485
억위지불염(抑爲之不厭) ………… 307
억즉루중(億則屢中) ……………… 389
언가무야(焉可誣也) ……………… 596
언가복야(言可復也) ……………… 100
언과우(言寡尤) …………………… 131
언급지이불언(言及之而不言) ….. 535
언능계이불식(焉能繫而不食) ….. 551
언능사귀(焉能事鬼) ……………… 382
언능위망(焉能爲亡) ……………… 587
언능위유(焉能爲有) ……………… 587
언득검(焉得儉) …………………… 171
언미급지이언(言未及之而言) ….. 535
언불가불신야(言不可不愼也) ….. 606
언불가이약시(言不可以若是)445, 446
언불급의(言不及義) ……………… 508
언불순(言不順) …………………… 434
언불충신(言不忠信) ……………… 501
언사충(言思忠) …………………… 539
언야문제부자(偃也聞諸夫子) ….. 547
언어재아자공(言語宰我子貢) ….. 374
언왕이불삼출(焉往而不三黜) ….. 571
언용가(焉用稼) …………………… 437
언용녕(焉用佞) …………………… 215
언유과의(言游過矣) ……………… 596
언이유신(言而有信) ………………… 90
언중륜(言中倫) …………………… 581
언지득무인호(言之得無訒乎) ….. 410
언지래자지불여금야(焉知來者之不如今也) ………………………… 348
언지필가행야(言之必可行也) ….. 435
언지현재이거지(焉知賢才而擧之) 433
언충신(言忠信) …………………… 501
언필신(言必信) …………………… 452
언필유중(言必有中) ……………… 385
엄연인망이외지(儼然人望而畏之) 620
여고자(與瞽者) …………………… 338
여기결야(與其潔也) ……………… 303
여기미어오(與其媚於奧) ………… 159
여기불손야(與其不孫也) ………… 309
여기선이막지위(如其善而莫之違) 446
여기야(女器也) …………………… 214
여기예악(如其禮樂) ……………… 398
여기인여기인(如其仁如其仁) ….. 474

여기진야(與其進也) ………………… 303
여득기정(如得其情) ………………… 600
여득인언이호(女得人焉爾乎) …… 264
여례하(如禮何) ……………………… 198
여리박빙(如履薄氷) ………………… 315
여림심연(如臨深淵) ………………… 315
여명여인(與命與仁) ………………… 330
여무락호위군(予無樂乎爲君) …… 446
여문륙언륙폐의(女聞六言六蔽矣) 553
여문자(與文子) ……………………… 476
여부득시유자야(予不得視猶子也) 381
여불가구(如不可求) ………………… 289
여불능구여(女弗能救與) ………… 149
여불선이막지위(如不善而莫之違) 446
여불승상여읍(如不勝上如揖) …… 360
여불용(如不容) ……………………… 359
여붕우공(與朋友共) ………………… 245
여붕우교(與朋友交) ………………… 90
여붕우교이불신호(與朋友交而不信乎) ……………………………… 87
여사어도로호(予死於道路乎) …… 341
여사언지도여(與師言之道與) …… 522
여살무도(如殺無道) ………………… 425
여상대부언(與上大夫言) ………… 357
여소부자(予所否者) ………………… 275
여안즉위지(女安則爲之) ………… 564
여야유삼년지(予也有三年之) …… 565
여여회야숙유(女與回也孰愈) …… 221
여오륙십(如五六十) ………………… 398
여오륙십이비방자(如五六十而非邦者) ……………………………… 401
여욕무언(予欲無言) ………………… 561
여위군자유(女爲君子儒) ………… 263
여위주남소남(女爲周南召南) …… 556
여유란신십인(予有亂臣十人) …… 327
여유박시어민(如有博施於民) …… 277
여유부아자(如有復我者) ………… 259
여유소립탁이(如有所立卓爾) …… 339
여유소예자(如有所譽者) ………… 513
여유왕자(如有王者) ………………… 443
여유용아자(如有用我者) ………… 549
여유정(如有政) ……………………… 444
여유주공재지미(如有周公才之美) 321
여의호학자(與衣狐貉者) ………… 351
여이여위다학(女以予爲多學) …… 499
여이하인(慮以下人) ………………… 426
여인공이유례(與人恭而有禮) …… 412
여인충(與人忠) ……………………… 450
여일월지식언(如日月之食焉) …… 602
여절여차(如切如磋) ………………… 103
여정인하(如正人何) ………………… 443
여지부(與之釜) ……………………… 253
여지불인야(予之不仁也) ………… 565
여지속구백(與之粟九百) ………… 255
여지위군지난야(如知爲君之難也) 445
여지유(與之庾) ……………………… 253
여지하기가급야(如之何其可及也) 607
여지하기거인야(如之何其拒人也) 588
여지하기철야(如之何其徹也) …… 418
여지하기폐지(如之何其廢之) …… 580
여지하자(如之何者) ………………… 508
여탁여마(如琢如磨) ………………… 103
여호색자야(如好色者也) … 346, 507
여혹지이(如或知爾) ………………… 396

역가이불반의부(亦可以弗畔矣夫) ………… 274, 423
역가이승잔거살(亦可以勝殘去殺) 443
역가이위성인의(亦可以爲成人矣) ………… 470, 471
역가이즉융의(亦可以卽戎矣) ….. 459
역가종야(亦可宗也) ………… 100
역각언기자야(亦各言其子也) ….. 379
역각언기지야(亦各言其志也) 399, 401
역부족야(力不足也) ………… 262
역부족자(力不足者) ………… 262
역부종야(亦不從也) ………… 394
역불가행야(亦不可行也) ………… 98
역불입어실(亦不入於室) ………… 390
역여야이성(繹如也以成) ………… 173
역족이발(亦足以發) ………… 121
역지위귀(繹之爲貴) ………… 349
역지이이(亦祇以異) ………… 418
연기용부족(年饑用不足) ………… 417
연사십이견오언(年四十而見惡焉) 569
연이미인(然而未仁) ………… 597
연즉관중지례호(然則管仲知禮乎) 171
연즉사유여(然則師愈與) ………… 387
연즉종지자여(然則從之者與) ….. 394
연후군자(然後君子) ………… 267
연후위학(然後爲學) ………… 395
열이불역(說而不繹) ………… 349
열이불치(涅而不緇) ………… 551
열지불이도(說之不以道) ………… 457
열지수불이도(說之雖不以道) ….. 457
염구지예(冉求之藝) ………… 470
염자여지속오병(冉子與之粟五秉) 253
염자위기모청속(冉子爲其母請粟) 253
영고(寧固) ………… 309
영무자(甯武子) ………… 239
영미어조(寧媚於竈) ………… 159
영안색(逞顔色) ………… 359
영윤자문(令尹子文) ………… 236
영이귀(詠而歸) ………… 399
영이재(盈耳哉) ………… 324
영인태(佞人殆) ………… 505
예선사(羿善射) ………… 465
예악불흥(禮樂不興) ………… 434
예여기사야영검(禮與其奢也寧儉) 148
예운례운(禮云禮云) ………… 557
예이행지(禮以行之) ………… 509
예지용화위귀(禮之用和爲貴) ….. 98
예필괴(禮必壞) ………… 563
예후호(禮後乎) ………… 152
오거하류이산상(惡居下流而訕上) 567
오견기거어위야(吾見其居於位也) 495
오견기인의(吾見其人矣) ………… 539
오견도이사자의(吾見蹈而死者矣) 519
오곡불분(五穀不分) ………… 579
오공계손지우(吾恐季孫之憂) ….. 529
오과감이질자(惡果敢而窒者) ….. 567
오기여문지(吾其與聞之) ………… 444
오기위동주호(吾其爲東周乎) ….. 549
오기포과야재(吾豈匏瓜也哉) ….. 551
오기피발좌임의(吾其被髮左衽矣) 475
오당유직궁자(吾黨有直躬者) ….. 449
오당지소자광간(吾黨之小子狂簡) 240
오당지직자(吾黨之直者) ………… 449
오도일이관지(吾道一以貫之) ….. 200

오득이식제(吾得而食諸) ………… 420
오로의불능용야(吾老矣不能用也) 572
오리구지복방가자(惡利口之覆邦家者) ………………………… 561
오말여지하야(吾末如之何也)350, 508
오무은호이(吾無隱乎爾) ………… 299
오무행이불여(吾無行而不與) ….. 299
오문기어의(吾聞其語矣) ………… 539
오문제부자(吾聞諸夫子) … 598, 599
오문지야(吾聞之也) ……………… 253
오미견강자(吾未見剛者) ………… 224
오미견능견기과(吾未見能見其過) 246
오미견호덕(吾未見好德) … 346, 507
오미상무회언(吾未嘗無誨焉) ….. 285
오미상부득견야(吾未嘗不得見也) 174
오부도행(吾不徒行) ……………… 379
오부지지의(吾不知之矣) ………… 325
오불부몽견주공(吾不復夢見周公) 283
오불손이위용자(惡不孫以爲勇者) 568
오불시고예(吾不試故藝) ………… 335
오불신야(吾不信也) ……………… 473
오불여로농(吾不如老農) ………… 437
오불여로포(吾不如老圃) ………… 437
오불여야(吾不與也) ……………… 288
오불여제여부제(吾不與祭如不祭) 157
오불욕관지의(吾不欲觀之矣) ….. 155
오불인자(惡不仁者) ……………… 191
오비사인지도여(吾非斯人之徒與) 577
오사지미능신(吾斯之未能信) ….. 217
오상종일불식(吾嘗終日不食) ….. 516
오세희불실의(五世希不失矣) ….. 530
오소야천(吾少也賤) ……………… 335
오수기(吾誰欺) …………………… 341
오십이지천명(五十而知天命) ….. 112
오십이학역(五十以學易) ………… 294
오알이위직자(惡訐以爲直者) ….. 568
오여녀불여야(吾與女弗如也) ….. 221
오여점야(吾與點也) ……………… 399
오여회언종일(吾與回言終日) ….. 121
오역욕무가제인(吾亦欲無加諸人) 225
오역위지(吾亦爲之) ……………… 289
오요이위지자(惡徼以爲知者) ….. 568
오용이무례자(惡勇而無禮者) ….. 567
오우장야(吾友張也) ……………… 597
오유급사지궐문(吾猶及史之闕文) 514
오유부족(吾猶不足) ……………… 417
오유지호재(吾有知乎哉) ………… 336
오이녀위사의(吾以女爲死矣) ….. 392
오이신자(吾二臣者) ……………… 526
오이의부(吾已矣夫) ……………… 337
오이자위이지문(吾以子爲異之問) 393
오일삼성오신(吾日三省吾身) ……. 87
오자위반로(吾自衛反魯) ………… 344
오자지탈주야(惡紫之奪朱也) ….. 561
오장사의(吾將仕矣) ……………… 545
오정성지란아악(惡鄭聲之亂雅樂) 561
오종주(吾從周) …………………… 160
오종중(吾從衆) …………………… 332
오지면부(吾知免夫) ……………… 315
오지어인야(吾之於人也) ………… 513
오지욕기사(惡之欲其死) ………… 418
오집어의(吾執御矣) ……………… 331
오칭인지악자(惡稱人之惡者) ….. 567
오탕주(奡盪舟) …………………… 465

오필위지학의(吾必謂之學矣) 90
오하이관지재(吾何以觀之哉) 176
오하집(吾何執) 331
오호성명(惡乎成名) 189
옥백운호재(玉帛云乎哉) 557
온고이지신(溫故而知新) 123
온독이장제(韞匱而藏諸) 342
온량공검(溫良恭儉) 94
온이려(溫而厲) 310
옹수불민(雍雖不敏) 408
옹야가사남면(雍也可使南面) 249
옹야인이불녕(雍也仁而不佞) 215
옹지언연(雍之言然) 250
완이이소왈(莞爾而笑曰) 547
왈과소군(曰寡小君) 543
왈군부인(曰君夫人) 543
왈어아빈(曰於我殯) 370
왈친어기신(曰親於其身) 551
왈학시호(曰學詩乎) 541
왕도이사인(枉道而事人) 571
왕손가문왈(王孫賈問曰) 159
왕손가치군려(王孫賈治軍旅) 477
왕자불가간(往者不可諫) 574
외대인(畏大人) 537
외성인지언(畏聖人之言) 537
외어광(畏於匡) 333
외외호(巍巍乎) 326
외외호기유성공(巍巍乎其有成功) 326
외외호유천(巍巍乎唯天) 326
외천명(畏天命) 537
요교락(樂驕樂) 534
요다현우익의(樂多賢友益矣) 534
요도인지선(樂道人之善) 534
요순기유병제(堯舜其猶病諸)277, 494
요연락손의(樂宴樂損矣) 534
요왈(堯曰) 609
요요여야(夭夭如也) 283
요일유(樂佚遊) 534
요절예악(樂節禮樂) 534
욕거고삭지희양(欲去告朔之餼羊) 163
욕속성자야(欲速成者也) 496
욕속즉부달(欲速則不達) 448
욕이불탐(欲而不貪) 619
욕인이득인(欲仁而得仁) 620
욕파불능(欲罷不能) 339
욕혈기신(欲絜其身) 580
욕호기(浴乎沂) 399
용기력어인의호(用其力於仁矣乎) 191
용이무례즉란(勇而無禮則亂) 313
용자불구(勇者不懼) 353, 483
용자불필유인(勇者不必有仁) 463
용지즉행(用之則行) 288
우경불위(又敬不違) 204
우기사지인자(友其士之仁者) 504
우다능야(又多能也) 335
우다문익의(友多聞益矣) 533
우선유(友善柔) 533
우수원(又誰怨) 620
우언탐(又焉貪) 620
우오무간연의(禹吾無間然矣) 329
우욕기사(又欲其死) 418
우이경(耦而耕) 575
우이불철(耰而不輟) 576
우제도(遇諸塗) 545

우중(虞仲) 581
우직(禹稷) 465
우직우량(友直友諒) 533
우진선야(又盡善也) 176
우편녕손의(友便佞損矣) 533
우편벽(友便辟) 533
우하가언(又何加焉) 441
욱욱호문재(郁郁乎文哉) 160
원거마(願車馬) 245
원무벌선(願無伐善) 245
원문자지지(願聞子之志) 245
원사위지재(原思爲之宰) 255
원시용희(怨是用希) 241
원양이사(原壤夷俟) 494
원위소상언(願爲小相焉) 398
원인불복(遠人不服) 529
원자래(遠者來) 447
원지사군(遠之事君) 554
원지즉원(遠之則怨) 569
원치욕야(遠恥辱也) 100
원호불이(怨乎不以) 584
월무망기소능(月無忘其所能) 590
위거보재(爲莒父宰) 448
위공구(爲孔丘) 575
위공손조(衛公孫朝) 602
위국이례(爲國以禮) 401
위국호하유(爲國乎何有) 198
위군난(爲君難) 445
위난능야(爲難能也) 597
위난양야(爲難養也) 569
위도(爲盜) 567
위동성(爲同姓) 305
위란(爲亂) 567
위력부동과(爲力不同科) 161
위령공지무도야(衛靈公之無道也) 477
위례불경(爲禮不敬) 176
위무(謂武) 176
위방불입(危邦不入) 322
위불선자(爲不善者) 551
위비재(爲費宰) 259, 395
위사사삼출(爲士師三黜) 571
위신불이(爲臣不易) 445
위언위행(危言危行) 463
위우중이일(謂虞仲夷逸) 581
위유하혜소련(謂柳下惠少連) 581
위이부지(危而不持) 526
위이불맹(威而不猛) 310, 619
위인모이불충호(爲人謀而不忠乎) 87
위인유기이유인호(爲仁由己而由人乎) 403
위정이덕(爲政以德) 108
위조위로즉우(爲趙魏老則優) 469
위지고(謂之瞽) 535
위지난(爲之難) 410
위지오맹자(謂之吳孟子) 305
위지유사(謂之有司) 621
위지유현호이(爲之猶賢乎已) 566
위지은(謂之隱) 535
위지적(謂之賊) 621
위지조(謂之躁) 535
위지포(謂之暴) 621
위지학(謂之虐) 621
위행언손(危行言孫) 463
유가유야(猶可踰也) 605

유견양지곽(猶犬羊之鞹) ………… 417
유공실지(猶恐失之) ……………… 325
유공유문(唯恐有聞) ……………… 230
유관이무곽(有棺而無槨) ………… 379
유교무류(有敎無類) ……………… 521
유구즉비방야여(唯求則非邦也與) 401
유국유가자(有國有家者) ………… 527
유군자지도사언(有君子之道四焉) 232
유기언이막여위(唯其言而莫予違) 446
유녀자여소인(唯女子與小人) ….. 569
유능사제시조(猶能肆諸市朝) ….. 488
유능일일(有能一日) ……………… 191
유담대멸명자(有澹臺滅明者) ….. 264
유덕자(有德者) …………………… 463
유마자차인승지(有馬者借人乘之) 514
유마천사(有馬千駟) ……………… 540
유문미지능행(有聞未之能行) ….. 230
유미옥어사(有美玉於斯) ………… 342
유민인언(有民人焉) ……………… 395
유반점(有反坫) …………………… 171
유부인언(有婦人焉) ……………… 327
유부형재(有父兄在) ……………… 391
유비부문어아(有鄙夫問於我) ….. 336
유비욕견공자(孺悲欲見孔子) ….. 562
유사직언(有社稷焉) ……………… 395
유살신이성인(有殺身以成仁) ….. 503
유삼건(有三愆) …………………… 535
유상지여하우(唯上知與下愚) ….. 546
유성찬(有盛饌) …………………… 370
유소불행(有所不行) ……………… 98
유시언야(有是言也) ……………… 551
유시유졸자(有始有卒者) ………… 596
유시재(有是哉) …………………… 434
유심재(有心哉) …………………… 491
유아여이유시부(唯我與爾有是夫) 288
유안회자호학(有顏回者好學) 251, 378
유야겸인고퇴지(由也兼人故退之) 392
유야과(由也果) …………………… 258
유야문문사행제(由也問聞斯行諸) 391
유야승당의(由也升堂矣) ………… 386
유야언(由也喭) …………………… 388
유야위지(由也爲之) ……………… 397
유야천승지국(由也千乘之國) ….. 219
유야호용과아(由也好勇過我) ….. 218
유약무(有若無) …………………… 317
유어예(游於藝) …………………… 284
유언자(有言者) …………………… 463
유오대부최자야(猶吾大夫崔子也) 236
유요칙지(唯堯則之) ……………… 326
유이불손제(幼而不孫弟) ………… 494
유인자(唯仁者) …………………… 185
유일언이(有一言而) ……………… 512
유자(有子) ………………………… 84
유적즉비방야여(唯赤則非邦也與) 401
유정(有政) ………………………… 444
유죄불감사(有罪不敢赦) ………… 613
유주무량불급란(唯酒無量不及亂) ……………… 365
유주식선생찬(有酒食先生饌) ….. 119
유지고슬(由之鼓瑟) ……………… 386
유지여인야(猶之與人也) ………… 621
유지행사야(由之行詐也) ………… 341
유천지불가계이승야(猶天之不可階而升也) ………… 606

유치차격(有恥且格) 111
유필유방(遊必有方) 205
유하괴이(有荷蕢而) 491
유하혜(柳下惠) 571, 581
유효우우형제(惟孝友于兄弟) 136
육수다불사승식(肉雖多不使勝食) 365
육십이이순(六十而耳順) 112
윤집기중(允執其中) 609
은거방언(隱居放言) 581
은거이구기지(隱居以求其志) 539
은례오능언지(殷禮吾能言之) 154
은유삼인언(殷有三仁焉) 570
은은여야(誾誾如也) 357
은인어하례(殷因於夏禮) 138
은인이백(殷人以柏) 169
읍무마기이진지(揖巫馬期而進之) 305
읍소여립좌우수(揖所與立左右手) 358
읍양이승하이음(揖讓而升下而飮) 151
의경구(衣輕裘) 245, 253
의봉인청견왈(儀封人請見曰) 174
의부금(衣夫錦) 564
의사문(疑思問) 539
의어인(依於仁) 284
의연후취(義然後取) 472
의전후첨여야(衣前後襜如也) 358
의지여비(義之與比) 195
의폐온포(衣敝縕袍) 351
이가대수야(而可大受也) 519
이가소지야(而可小知也) 519
이계맹지간(以季孟之間) 572
이고자공(以告子貢) 604
이고자과야(以告者過也) 472
이구야위지(而求也爲之) 388
이극실시(而亟失時) 545
이금이후(而今而後) 315
이급기친(以及其親) 428
이기도재(而豈徒哉) 549
이기자처지(以其子妻之) 211
이기형지자처지(以其兄之子妻之) 212
이내자송자야(而內自訟者也) 246
이능문어불능(以能問於不能) 317
이능제중(而能濟衆) 277
이다문어과(以多問於寡) 317
이덕보덕(以德報德) 486
이덕보원(以德報怨) 486
이도사군(以道事君) 393
이란대륜(而亂大倫) 580
이림기민(以臨其民) 250
이미능야(而未能也) 481
이민선의(而民善矣) 425
이민어행(而敏於行) 208
이복사은(以服事殷) 327
이불교민전(以不敎民戰) 459
이불능래야(而不能來也) 529
이불능수야(而不能守也) 529
이불여립야(而不與立也) 507
이불외야(而不畏也) 537
이사군자(以俟君子) 398
이사무익(以思無益) 516
이사이난열야(易事而難說也) 457
이삼자하환어상(二三子何患於喪) 174
이성기사(以成其事) 592
이소부지(爾所不知) 433
이소위달자(爾所謂達者) 426

이수위(而誰爲) 380
이수이역지(而誰以易之) 576
이식지자여(而識之者與) 499
이아위은호(以我爲隱乎) 299
이애기양(爾愛其羊) 163
이야사(鯉也死) 379
이약실지자선의(以約失之者鮮矣) 208
이어시(異於是) 449
이여이린리향당(以與爾鄰里鄕黨) 255
이역하상사지유(而亦何常師之有) 603
이오일일장호이(以吾一日長乎爾) 396
이오종대부지후(以吾從大夫之後) 379, 478
이우보인(以友輔仁) 431
이우지자(犁牛之子) 256
이위지곽(以爲之槨) 379
이유송조지미(而有宋朝之美) 266
이의호(已矣乎) 246
이이여야(怡怡如也) 359, 459
이인위미(里仁爲美) 179
이일(夷逸) 581
이자증지(而子證之) 449
이장고기경(以杖叩其脛) 495
이장하조(以杖荷蓧) 579
이재소장지내야(而在蕭牆之內也) 529
이적지유군(夷狄之有君) 148
이중성공지(而衆星共之) 108
이지사부(邇之事父) 554
이지지의(已知之矣) 580
이직보원(以直報怨) 486
이진력호구혁(而盡力乎溝洫) 329
이천하치(而天下治) 327
이청어총재삼년(以聽於冢宰三年) 492
이추이과정(鯉趨而過庭) 541
이취유도(以就有道) 425
이치미호불면(而致美乎黻冕) 329
이치악의악식자(而恥惡衣惡食者) 194
이치효호귀신(而致孝乎鬼神) 329
이친인(而親仁) 89
이퇴이학례(鯉退而學禮) 542
이퇴이학시(鯉退而學詩) 541
이필위지사(而必爲之辭) 527
이호범상자선의(而好犯上者鮮矣) 84
이호삼자자지찬(異乎三子者之撰) 399
이호오소문(異乎吾所聞) 588
이호작난자(而好作亂者) 84
이화식언(而貨殖焉) 389
이환불균(而患不均) 527
이환불안(而患不安) 528
이후종지(而後從之) 125
이후화지(而後和之) 306
익불사숙(弋不射宿) 301
익원이우기인(匿怨而友其人) 243
익자삼요(益者三樂) 534
익자삼우(益者三友) 533
인개유형제(人皆有兄弟) 412
인결기이진(人潔己以進) 303
인기사제(人其舍諸) 433
인능수지(仁能守之) 518
인능홍도(人能弘道) 515
인무원려(人無遠慮) 506
인미유자치자야(人未有自致者也) 598
인민지소리이리(因民之所利而利) 620
인부지이불온(人不知而不慍) 82

인불감기우(人不堪其憂) 261
인불능수지(仁不能守之) 518
인불실기친(因不失其親) 100
인불염기소(人不厭其笑) 472
인불염기언(人不厭其言) 472
인불염기취(人不厭其取) 472
인수욕자절(人雖欲自絶) 605
인언수재(人焉廋哉) 122
인원호재(仁遠乎哉) 303
인의호(仁矣乎) 236
인이무신(人而無信) 137
인이무항(人而無恒) 454
인이불인(人而不仁) 321
인이불인여례하(人而不仁如禮何) 147
인이불인여악하(人而不仁如樂何) 147
인이위기임(仁以爲己任) 319
인이위첨야(人以爲諂也) 164
인자기언야인(仁者其言也訒) 410
인자불우(仁者不憂) 353, 483
인자선난이후획(仁者先難而
後獲) 270
인자수(仁者壽) 271
인자수고지왈(仁者雖告之曰) 273
인자안인(仁者安仁) 182
인자요산(仁者樂山) 271
인자정(仁者靜) 271
인자필유용(仁者必有勇) 463
인장거아(人將拒我) 588
인재기중의(仁在其中矣) 591
인즉오부지야(仁則吾不知也) 462
인지과야(人之過也) 192
인지생야직(人之生也直) 268
인지이기근(因之以饑饉) 397
인지장사(人之將死) 316
인필지지(人必知之) 305
일광천하(一匡天下) 475
일단사일표음(一簞食一瓢飮) 261
일민(逸民) 580
일언이가이흥방(一言而可以興邦) 445
일언이상방(一言而喪邦) 446
일언이위부지(一言以爲不知) 606
일언이폐지(一言以蔽之) 109
일언이흥방호(一言而興邦乎) 445
일월서의(日月逝矣) 545
일월지언이이의(日月至焉而已矣) 256
일일극기복례(一日克己復禮) 403
일조지분(一朝之忿) 428
일즉이구(一則以懼) 207
일지기소망(日知其所亡) 590
임대절이불가탈(臨大節而不可奪) 318
임방문예지본(林放問禮之本) 148
임상불애(臨喪不哀) 176
임중이도원(任重而道遠) 319
임지이장즉경(臨之以莊則敬) 134
입공문(入公門) 359
입대묘매사문(入大廟每事問) 161
입부중문(立不中門) 359
입어례(立於禮) 320
입이불치자(立而不恥者) 351
입즉견기삼어전(立則見其參
於前) 501
입즉사부형(入則事父兄) 345
입태묘매사문(入太廟每事問) 369
잉구관여지하(仍舊貫如之何) 385

[ㅈ]

자견남자(子見南子) …… 275
자견부자호(子見夫子乎) …… 579
자견재최자(子見齊衰者) …… 338
자경어구독(自經於溝瀆) …… 475
자고개유사(自古皆有死) …… 415
자곡지통(子哭之慟) …… 380
자공씨(自孔氏) …… 490
자공현어중니(子貢賢於仲尼) …… 604
자금문어자공(子禽問於子貢) …… 94
자대부출(自大夫出) …… 530
자로공지(子路共之) …… 372
자로무숙낙(子路無宿諾) …… 421
자로불열(子路不說) …… 275
자로사문인(子路使門人) …… 341
자로숙어석문(子路宿於石門) …… 490
자로인호(子路仁乎) …… 219
자로종신송지(子路終身誦之) …… 351
자로종이후(子路從而後) …… 579
자로청도(子路請禱) …… 308
자미가이거호(子未可以去乎) …… 571
자복경백(子服景伯) …… 488
자부자(子不子) …… 420
자불어(子不語) …… 297
자사칠조개사(子使漆彫開仕) …… 217
자생삼년연후(子生三年然後) …… 565
자소아언(子所雅言) …… 294
자수이정(子帥以正) …… 424
자식어유상자(子食於有喪者) …… 286
자어로대사악(子語魯大師樂) …… 173
자어시일(子於是日) …… 286
자여불언(子如不言) …… 561
자여인가이선(子與人歌而善) …… 306
자역유이문호(子亦有異聞乎) …… 541
자외어광(子畏於匡) …… 392
자욕거구이(子欲居九夷) …… 343
자욕선(子欲善) …… 425
자욕왕(子欲往) …… 549
자원방래(自遠方來) …… 82
자위남용(子謂南容) …… 212
자위목탁(子爲木鐸) …… 174
자위백어왈(子謂伯魚曰) …… 556
자위부은(子爲父隱) …… 449
자위소(子謂韶) …… 176
자위위공자형(子謂衛公子荊) …… 440
자위자산(子謂子產) …… 232
자위정언용살(子爲政焉用殺) …… 425
자유문효(子游問孝) …… 118
자유위무성재(子游爲武城宰) …… 264
자유집기수(自牖執其手) …… 260
자이사교(子以四敎) …… 299
자이순(咨爾舜) …… 609
자자(子子) …… 420
자장해선(子將奚先) …… 434
자재제문소(子在齊聞韶) …… 290
자재진(子在陳) …… 240
자재천상왈(子在川上曰) …… 345
자재회하감사(子在回何敢死) …… 392
자절사(子絶四) …… 333
자제후출(自諸侯出) …… 530
자조이불강(子釣而不綱) …… 301
자지무성(子之武城) …… 547
자지소신(子之所愼) …… 290

자지연거(子之燕居) ………………… 283
자지우야(子之迂也) ………………… 434
자질병(子疾病) ……………………… 308
자천자출(自天子出) ………………… 530
자통의(子慟矣) ……………………… 380
자퇴조(子退朝) ……………………… 368
자하문효(子夏問孝) ………………… 119
자하지문인(子夏之門人) ………… 588
자하지문인소자(子夏之門人小子) 596
자해불위정(子奚不爲政) ………… 135
자행삼군(子行三軍) ………………… 288
자행속수이상(自行束脩以上) …… 285
자화사어제(子華使於齊) ………… 253
작자칠인의(作者七人矣) ………… 489
장명자출호(將命者出戶) ………… 562
장무중(臧武仲) ……………………… 473
장문중거채(臧文仲居蔡) ………… 234
장벌전유(將伐顓臾) ………………… 524
장야욕언득강(棖也欲焉得剛) …… 224
장야혈기방강(壯也血氣方剛) …… 536
장유지절(長幼之節) ………………… 580
장이리지(莊以涖之) ………………… 518
장이무술언(長而無述焉) ………… 494
장일신유반(長一身有半) ………… 362
장자출사출의(杖者出斯出矣) …… 367
장저걸익(長沮桀溺) ………………… 575
재가무원(在家無怨) ………………… 408
재가필달(在家必達) ………………… 426
재가필문(在家必聞) ………………… 426
재난불기연호(才難不其然乎) …… 327
재루항(在陋巷) ……………………… 261
재방무원(在邦無怨) ………………… 408
재방필달(在邦必達) ………………… 426
재방필문(在邦必聞) ………………… 426
재배이송지(再拜而送之) ………… 368
재부재(才不才) ……………………… 379
재사가의(再斯可矣) ………………… 238
재여일인(在予一人) ………………… 614
재여주침(宰予晝寢) ………………… 223
재여즉견기의어형야(在輿則見其倚於衡也) ……………………… 501
재진절량(在陳絶糧) ………………… 498
적부인지자(賊夫人之子) ………… 395
적야속대입어조(赤也束帶立於朝) 219
적야위지소(赤也爲之小) ………… 401
적야하여(赤也何如) ………………… 219
적야혹감문(赤也惑敢問) ………… 391
적지적제야(赤之適齊也) ………… 253
전불습호(傳不習乎) ………………… 87
전언희지이(前言戲之耳) ………… 547
전이불부(顚而不扶) ………………… 526
전전긍긍(戰戰兢兢) ………………… 315
전패필어시(顚沛必於是) ………… 189
절문이근사(切問而近思) ………… 591
절비어아로팽(竊比於我老彭) …… 280
절용이애인(節用而愛人) ………… 88
절절시시(切切偲偲) ………………… 459
점이하여(點爾何如) ………………… 399
정사염유계로(政事冉有季路) …… 374
정성음(鄭聲淫) ……………………… 505
정안색(正顔色) ……………………… 316
정유인언(井有仁焉) ………………… 273
정유제자불능학(正唯弟子不能學) 307
정이불휼(正而不譎) ………………… 473

정자정야(政者正也) 424
정체어대부(政逮於大夫) 532
제사경(祭思敬) 586
제신불폐(帝臣不蔽) 613
제신여신재(祭神如神在) 157
제어공불숙육(祭於公不宿肉) 365
제여재(祭如在) 157
제육불출삼일(祭肉不出三日) 365
제인귀녀악(齊人歸女樂) 573
제일변지어로(齊一變至於魯) 272
제자숙위호학(弟子孰爲好學) 251
제자입즉효(弟子入則孝) 89
제전질(齊戰疾) 290
제지이례(齊之以禮) 111
제지이례(祭之以禮) 116
제지이형(齊之以刑) 110
제필변식(齊必變食) 363
제필유명의포(齊必有明衣布) 363
제환공(齊桓公) 473
조두지사(俎豆之事) 497
조문도석사가의(朝聞道夕死可矣) 193
조복이립어조계(朝服而立於阼階) 367
조수불가여동군(鳥獸不可與同羣) 577
조여하대부언(朝與下大夫言) 357
조지장사(鳥之將死) 316
조차필어시(造次必於是) 189
족각여야(足躩如也) 358, 359
족식족병(足食足兵) 415
족즉오능징지의(足則吾能徵之矣) 154
족축축여유순(足蹜蹜如有循) 360
존기첨시(尊其瞻視) 620
존오미(尊五美) 618
존현이용중(尊賢而容衆) 588
종고운호재(鐘鼓云乎哉) 557
종묘지사여회동(宗廟之事如會同) 398
종묘회동(宗廟會同) 401
종벽인지사야(從辟人之士也) 576
종아어진채자(從我於陳蔡者) 374
종아자(從我者) 218
종야불침(終夜不寢) 516
종오소호(從吾所好) 289
종유어무우지하(從遊於舞雩之下) 428
종이불개(從而不改) 349
종자견지(從者見之) 174
종족칭효언(宗族稱孝焉) 451
종지순여야(從之純如也) 173
좌구명치지(左丘明恥之) 243
죄재짐궁(罪在朕躬) 613
주감어이대(周監於二代) 160
주유대뢰(周有大賚) 614
주유팔사(周有八士) 584
주인어은례(周因於殷禮) 138
주인이율(周人以栗) 169
주임유언왈(周任有言曰) 526
주장(朱張) 581
주지덕(周之德) 327
주지불선(紂之不善) 601
주충신(主忠信) 92, 350, 418
중궁문자상백자(仲弓問子桑伯子) 250
중니언학(仲尼焉學) 602
중니일월야(仲尼日月也) 605
중도이폐(中道而廢) 262
중돌(仲突) 584
중숙어치빈객(仲叔圉治賓客) 477

중오지필찰언(衆惡之必察焉) 515
중용지위덕야(中庸之爲德也) 276
중유가사종정야(仲由可使從政也) 258
중유염구(仲由冉求) 393
중인이상(中人以上) 269
중인이하(中人以下) 269
중호지필찰언(衆好之必察焉) 515
중홀(仲忽) 584
즉가위운이이의(則可謂云爾已矣) 307
즉과우(則寡尤) 131
즉과회(則寡悔) 131
즉민무소착수족(則民無所錯手足) 434
즉민복(則民服) 133
즉민불경(則民不敬) 518
즉민불복(則民不服) 133
즉민불투(則民不偸) 313
즉민이사야(則民易使也) 493
즉민흥어인(則民興於仁) 313
즉불기야(則不棄也) 584
즉불부야(則不復也) 286
즉사불성(則事不成) 434
즉상문지의(則嘗聞之矣) 497
즉서인불의(則庶人不議) 531
즉소자하술언(則小子何述焉) 561
즉수문덕이래지(則脩文德以來之) 528
즉수여(則誰與) 288
즉안지(則安之) 528
즉애긍이물희(則哀矜而勿喜) 600
즉언불순(則言不順) 434
즉예악정벌(則禮樂征伐) 530
즉오기감(則吾豈敢) 307
즉오미지유득(則吾未之有得) 306
즉오종선진(則吾從先進) 373
즉오필재문상의(則吾必在汶上矣) 259
즉원원의(則遠怨矣) 508
즉위지야난(則爲之也難) 477
즉유사존(則有司存) 316
즉이학문(則以學文) 89
즉장언용피상의(則將焉用彼相矣) 526
즉정부재대부(則政不在大夫) 530
즉지야온(卽之也溫) 593
즉하이재(則何以哉) 396
증시이위효호(曾是以爲孝乎) 119
증위태산(曾謂泰山) 150
증유여구지문(曾由與求之問) 393
증자유질(曾子有疾) 315
지급지(知及之) 518
지기설자지어천하(知其說者之於
天下) 156
지기장(指其掌) 156
지덕자선의(知德者鮮矣) 499
지사인인(志士仁人) 503
지송백지후조야(知松柏之後彫也) 352
지아자기천호(知我者其天乎) 487
지어견마(至於犬馬) 118
지어도(志於道) 284
지어타방(至於他邦) 236
지오지야(止吾止也) 346
지유하혜지현(知柳下惠之賢) 507
지인(知人) 429
지자동(知者動) 271
지자락(知者樂) 271
지자로숙(止子路宿) 579
지자불실인(知者不失人) 502

지자불혹(知者不惑) 353, 483
지자요수(知者樂水) 271
지자이인(知者利仁) 182
지지위지지(知之爲知之) 130
지지자불여호지자(知之者不如好之者) 268
지지차야(知之次也) 302
지화이화(知和而和) 98
직도이사인(直道而事人) 571
직도이행야(直道而行也) 513
직이무례즉교(直而無禮則絞) 313
직재기중의(直在其中矣) 449
진력취열(陳力就列) 526
진문공(晉文公) 473
진문자유마십승(陳文子有馬十乘) 236
진미의(盡美矣) 176
진사패문(陳司敗問) 305
진성자시간공(陳成子弑簡公) 478
진오왕야(進吾往也) 346
진자금(陳子禽) 606
진항(陳恒) 478
진항문어백어왈(陳亢問於伯魚曰) 541
진항퇴이희왈(陳亢退而喜曰) 542
질고야(疾固也) 485
질군시지(疾君視之) 369
질몰세이명불칭(疾沒世而名不稱) 510
질부사왈욕지(疾夫舍曰欲之) 527
질승문즉야(質勝文則野) 267
질유문야(質猶文也) 417
질지이심난야(疾之已甚亂也) 321
질직이호의(質直而好義) 426
짐궁유죄(朕躬有罪) 613
집규국궁여야(執圭鞠躬如也) 360
집덕불홍(執德不弘) 587
집사경(執事敬) 450
집사호(執射乎) 331
집어호(執御乎) 331

[ㅊ]

차여종부득대장(且予縱不得大葬) 341
차이언과의(且爾言過矣) 526
차이여기(且而與其) 576
차재방역지중의(且在邦域之中矣) 524
차중불내고(車中不內顧) 371
차지방야(且知方也) 397
찬수개화(鑽燧改火) 563
찬지미견(鑽之彌堅) 339
찰기소안(察其所安) 122
찰언이관색(察言而觀色) 426
책기마왈(策其馬曰) 265
천록영종(天祿永終) 609
천생덕어여(天生德於予) 298
천승지국(千乘之國) 397
천염지(天厭之) 275
천자목목(天子穆穆) 146
천장이부(天將以夫) 174
천즉게(淺則揭) 491
천지미상사문야(天之未喪斯文也) 333
천지역수재이궁(天之曆數在爾躬) 609
천지장상사문야(天之將喪斯文也) 333
천하개시야(天下皆是也) 576
천하귀인언(天下歸仁焉) 403
천하무도(天下無道) 530
천하언재(天何言哉) 561

천하유도(天下有道) 530, 577
천하유도칙견(天下有道則見) 322
천하지무도야구(天下之無道也久) 174
천하지민귀심언(天下之民歸心焉) 615
천하지악개귀언(天下之惡皆歸焉) 601
천하지통상야(天下之通喪也) 565
첨지재전(瞻之在前) 339
청기언야려(聽其言也厲) 593
청기언이관기행(聽其言而觀其行) 223
청기언이신기행(聽其言而信其行) 223
청문기목(請問其目) 407
청사사어의(請事斯語矣) 408
청사총(聽思聰) 539
청송오유인야(聽訟吾猶人也) 422
청자지차이위곽(請子之車以爲槨) 379
청토지(請討之) 478
청학위포(請學爲圃) 437
체자기관이왕자(禘自旣灌而往者) 155
초광접여(楚狂接輿) 574
초상지풍필언(草上之風必偃) 425
최자시제군(崔子弑齊君) 236
추이벽지(趨而辟之) 574
추진익여야(趨進翼如也) 358
축적여야(蹴踖如也) 359
축타치종묘(祝鮀治宗廟) 477
춘복기성(春服旣成) 399
출강일등(出降一等) 359
출납지린(出納之吝) 621
출문여견대빈(出門如見大賓) 408
출사기(出辭氣) 316
출즉사공경(出則事公卿) 345
출즉제(出則弟) 89
충고이선도지(忠告而善道之) 431
충서이이의(忠恕而已矣) 200
충언능물회호(忠焉能勿誨乎) 466
취렴이부익지(聚斂而附益之) 388
취슬이가(取瑟而歌) 562
취악불식(臭惡不食) 365
취유도이정언(就有道而正焉) 101
치궁지불체야(恥躬之不逮也) 207
치기언이과기행(恥其言而過其行) 482
치원공니(致遠恐泥) 589
치의고구(緇衣羔裘) 362
칠십이종심소욕불유구(七十而從心所欲不踰矩) 113
침불시(寢不尸) 370
침불언(寢不言) 365
침윤지참(浸潤之譖) 414
칭기덕야(稱其德也) 486
칭제이방(稱諸異邦) 543

[ㅌ]

타인지현자(他人之賢者) 605
타일우독립(他日又獨立) 542
탈백씨병읍삼백(奪伯氏騈邑三百) 468
탕유천하(湯有天下) 430
탕탕호민무능명(蕩蕩乎民無能名) 326
태백(泰伯) 311
태사지적제(大師摯適齊) 582
태이불교(泰而不驕) 619
태재문어자공왈(大宰問於子貢曰) 335
태재지아호(大宰知我乎) 335
택가로이로지(擇可勞而勞之) 620

택기선자이종지(擇其善者而從之) 298, 302
택불처인언득지(擇不處仁焉得知) 179
퇴이성기사(退而省其私) 121

[ㅍ]

파도무입어한(播鼗武入於漢) 583
팔일무어정(八佾舞於庭) 143
편기반이(偏其反而) 354
편언가이절옥자(片言可以折獄者) 421
편편언유근이(便便言唯謹爾) 356
폐중권(廢中權) 581
폐지이무감(敝之而無憾) 245
포식종일(飽食終日) 566
포호빙하(暴虎馮河) 288
풍호무우(風乎舞雩) 399
필가언야(必可言也) 435
필문기정(必聞其政) 94
필변색이작(必變色而作) 370
필부득이이거(必不得已而去) 415
필부불가탈지야(匹夫不可奪志也) 351
필부필부지위량(匹夫匹婦之爲諒) 475
필사반지(必使反之) 306
필선리기기(必先利其器) 504
필세이후인(必世而後仁) 443
필숙이천지(必熟而薦之) 369
필실지(必失之) 518
필야광견호(必也狂狷乎) 453
필야사무송호(必也使無訟乎) 422
필야사호(必也射乎) 151
필야성호(必也聖乎) 277
필야임사이구(必也臨事而懼) 288
필야정명호(必也正名乎) 434
필야친상호(必也親喪乎) 598
필유가관자언(必有可觀者焉) 589
필유근우(必有近憂) 506
필유언(必有言) 463
필유충신여구자(必有忠信如丘者) 247
필유침의(必有寢衣) 362
필이고신영윤(必以告新令尹) 236
필정석선상지(必正席先嘗之) 369
필축지(必畜之) 369
필표이출지(必表而出之) 362
필힐소(佛肹召) 551

[ㅎ]

하기다능야(何其多能也) 335
하기야(何器也) 214
하덕지쇠(何德之衰) 574
하례오능언지(夏禮吾能言之) 154
하루지유(何陋之有) 343
하막유사도야(何莫由斯道也) 267
하막학부시(何莫學夫詩) 554
하불출도(河不出圖) 337
하사어인(何事於仁) 277
하여기지야(何如其知也) 234
하여사가위지사(何如斯可謂之士) 450
하여수발여전색(下如授勃如戰色) 360
하용부장(何用不臧) 351
하위기막지자야(何爲其莫知子也) 487
하위기연야(何爲其然也) 273
하위사악(何謂四惡) 621
하위시서서자여(何爲是栖栖者與) 485
하위오미(何謂五美) 619
하위칙민복(何爲則民服) 133
하위혜이불비(何謂惠而不費) 620

하유어아재(何有於我哉) … 281, 345
하이문위(何以文爲) ………………… 416
하이벌위(何以伐爲) ………………… 525
하이보덕(何以報德) ………………… 486
하이위지문야(何以謂之文也) …… 231
하족산야(何足算也) ………………… 452
하족이장(何足以臧) ………………… 351
하필개작(何必改作) ………………… 385
하필거부모지방(何必去父母之邦) 571
하필고종(何必高宗) ………………… 492
하필공산씨(何必公山氏) ………… 549
하필독서(何必讀書) ………………… 395
하학이상달(下學而上達) ………… 487
하환호무형제야(何患乎無兄弟也) 412
하후씨이송(夏后氏以松) ………… 169
학간록(學干祿) ……………………… 131
학례호(學禮乎) ……………………… 542
학야녹재기중의(學也祿在其中矣) 517
학여불급(學如不及) ………………… 325
학이불사즉망(學而不思則罔) …… 128
학이불염(學而不厭) ………………… 281
학이시습지(學而時習之) ………… 82
학이우즉사(學而優則仕) ………… 597
학이지지자차야(學而知之자次也) 537
학즉불고(學則不固) ………………… 92
학지불강(學之不講) ………………… 282
한언리(罕言利) ……………………… 330
할계언용우도(割雞焉用牛刀) …… 547
할부정불식(割不正不食) ………… 365
합각언이지(盍各言爾志) ………… 245
합철호(盍徹乎) ……………………… 417
항지욕신의(降志辱身矣) ………… 581
해기위위정(奚其爲爲政) ………… 136
해위어구지문(奚爲於丘之門) …… 386
해이불상(奚而不喪) ………………… 477
해자(奚自) …………………………… 490
해취어삼가지당(奚取於三家之堂) 146
행과회(行寡悔) ……………………… 131
행기유치(行己有恥) ………………… 451
행기의야(行其義也) ………………… 580
행독경(行篤敬) ……………………… 501
행부독경(行不篤敬) ………………… 501
행불리역(行不履閾) ………………… 359
행불유경(行不由徑) ………………… 264
행유여력(行有餘力) ………………… 89
행의이달기도(行義以達其道) …… 539
행인자우수식지(行人子羽脩飾之) 467
행중려(行中慮) ……………………… 581
행지이충(行之以忠) ………………… 422
행지자호(行之者乎) ………………… 512
행필과(行必果) ……………………… 452
행하지시(行夏之時) ………………… 505
행행여야(行行如也) ………………… 384
향당칭제언(鄕黨稱弟焉) ………… 451
향례유용색(享禮有容色) ………… 360
향원덕지적야(鄕原德之賊也) …… 557
향인개오지(鄕人皆惡之) ………… 456
향인개호지(鄕人皆好之) ………… 456
향인나(鄕人儺) ……………………… 367
향인음주(鄕人飮酒) ………………… 367
허이위영(虛而爲盈) ………………… 300
헌문치(憲問恥) ……………………… 461
현자벽세(賢者辟世) ………………… 489
현자식기대자(賢者識其大者) …… 602
현재회야(賢哉回也) ………………… 261
현현역색(賢賢易色) ………………… 90

혈기기쇠(血氣旣衰) 536
형벌부중(刑罰不中) 434
형제이이(兄弟怡怡) 459
혜즉족이사인(惠則足以使人) 550
호강불호학(好剛不好學) 553
호고(好古) 296
호련야(瑚璉也) 214
호모이성자야(好謀而成者也) 288
호시출어합(虎兕出於柙) 526
호신불호학(好信不好學) 553
호용불호학(好勇不好學) 553
호용질빈난야(好勇疾貧亂也) 321
호인불호학(好仁不好學) 553
호인자(好仁者) 191
호종사(好從事) 545
호지불호학(好知不好學) 553
호지자불여낙지자(好之者不如樂
之者) 268
호직불호학(好直不好學) 553
호표지곽(虎豹之鞟) 417
호학지후(狐貉之厚) 362
호행소혜난의재(好行小慧難矣哉) 508
호향난여언(互鄕難與言) 303
혹문체지설(或問禘之說) 156
혹승지수(或承之羞) 454
홀언재후(忽焉在後) 339
홍자불이위설복(紅紫不以爲褻服) 362
환공(桓公) 474
환공구합제후(桓公九合諸侯) 474
환기불능야(患其不能也) 484
환득지(患得之) 558
환부지인야(患不知人也) 105
환소이립(患所以立) 199
환실지(患失之) 559
환퇴기여여하(桓魋其如予何) 298
환호기유문장(煥乎其有文章) 326
황의호구(黃衣狐裘) 362
황황후제(皇皇后帝) 613
회기보이미기방(懷其寶而迷其邦) 545
회불염세(膾不厭細) 364
회사후소(繪事後素) 152
회수불민(回雖不敏) 408
회야기서호(回也其庶乎) 389
회야기심삼월(回也其心三月) 256
회야불개기락(回也不改其樂) 261
회야불우(回也不愚) 121
회야비조아자야(回也非助我者也) 376
회야시여유부야(回也視予猶父也) 381
회여지지호(誨女知之乎) 130
회인불권(誨人不倦) 281, 307
획죄어천무소도(獲罪於天無所禱) 159
효자즉충(孝慈則忠) 134
효재민자건(孝哉閔子騫) 376
효제야자(孝弟也者) 84
후목불가조야(朽木不可雕也) 223
후사자(後死者) 333
후생가외(後生可畏) 348
후세필위자손우(後世必爲子
孫憂) 527
후진어예악(後進於禮樂) 373
휼이부정(譎而不正) 473
흉복자식지(凶服者式之) 370
흥멸국(興滅國) 615
흥어시(興於詩) 320
희두소지인(噫斗筲之人) 452
희천상여(噫天喪予) 380

改訂增補版 新完譯 **論 語**

改訂增補版 1刷 發行●2002年 5月 15日
改訂增補版 5刷 發行●2024年 5月 14日

譯著者●張 基 槿
發行者●金 東 求

發行處●明 文 堂(1923. 10. 1 창립)
서울시 종로구 윤보선길 61(안국동)
국민은행 006-01-0483-171
Tel 02)733-3039, 734-4798, 733-4748(영)
Fax 02)734-9209
Homepage www.myungmundang.net
E-mail mmdbook1@hanmail.net
등록 1977. 11. 19. 제1~148호

값 25,000원
ISBN 89-7270-669-4 94140
ISBN 89-7270-052-5 (세트)

新選明文東洋古典大系

1● 改訂增補版 新完譯 **論語** 張基權 譯著 신국판 값 25,000원

2● 新完譯 한글판 **論語** 張基權 譯著 신국판 값 12,000원

3,4● 改訂增補版 新完譯 **孟子** (上 · 下)
車柱環 譯著 신국판 값 각 15,000원

5● 新完譯 한글판 **孟子** 車柱環 譯著 신국판 값 15,000원

6● 改訂增補版 新完譯 **詩經** 金學主 譯著 신국판 값 18,000원

7● 改訂增補版 新完譯 **書經** 金學主 譯著 신국판 값 22,000원

8● 改訂增補版 新完譯 **周易** 김경탁 譯著 신국판 값 25,000원

9,10,11● 改訂增補版 新完譯 **禮記** (上 · 中 · 下)
李相玉 譯著 신국판 값 上 20,000원 中, 下 25,000원

12,13,14● 改訂增補版 新完譯 **春秋左氏傳** (上 · 中 · 下)
文璇奎 譯著 신국판 값 上, 中 20,000원 下 25,000원

16● 中國古典漢詩人選❶ 改訂增補版 新譯 **李太白**
張基權 譯著 신국판 값 12,000원, 4×6배판 값 17,000원

17● 中國古典漢詩人選❷ 改訂增補版 新譯 **陶淵明**
張基權 譯著 신국판 값 12,000원, 4×6배판 값 17,000원

18● 中國古典漢詩人選❸ 改訂增補版 新譯 **白樂天**
張基權 譯著 신국판 값 12,000원, 4×6배판 값 17,000원

19● 中國古典漢詩人選❹ 改訂增補版 新譯 **杜 甫**
張基權 譯著 신국판 값 12,000원, 4×6배판 값 17,000원

20● 中國古典漢詩人選❺ 改訂增補版 新譯 **屈 原**
張基權 · 河正玉 譯著 신국판 값 12,000원, 4×6배판 값 17,000원

21● 新譯 **東洋 三國의 名漢詩選**
安吉煥 編著 신국판 값 15,000원

22,23● 新完譯 **墨子** (上 · 下) 金學主 譯著 신국판 값 각 15,000원

24● 改訂版 新完譯 **近思錄**
朱熹 · 呂祖謙 編 成元慶 譯 신국판 값 25,000원

25● 新譯 **歐陽修散文選**
魯長時 譯註 신국판 값 20,000원

26● 新完譯 **大學** - 경제학자가 본 알기 쉬운 대학
姜秉昌 譯註 신국판 값 7,000원 양장 값 9,000원

27● 新完譯 **中庸** - 경제학자가 본 알기 쉬운 중용
姜秉昌 譯註 신국판 값 10,000원 양장 값 12,000원

28● 新完譯 **論語** - 경제학자가 본 알기 쉬운 논어
姜秉昌 譯註 신국판 값 18,000원

29● 新釋 **明心寶鑑** 張基權 譯著 신국판 값 15,000원

30● 新完譯 **孟子** 金學主 譯著 신국판 값 20,000원

31,32● 新完譯 **蒙求** (上 · 下)
李民樹 譯 신국판 값 각 15,000원

33● 新完譯 **大學章句大全**
張基權 譯註 신국판 값 20,000원 양장 값 25,000원

34● 新完譯 **古文眞寶 前集**
黃 堅 編纂 金學主 譯著 신국판 값 20,000원 양장 값 25,000원

35● 新完譯 **古文眞寶 後集**
黃 堅 編纂 金學主 譯著 신국판 값 25,000원 양장 값 30,000원

36● 新完譯 **傳習錄**
金學主 譯著 신국판 값 20,000원 양장 값 25,000원

37● 新完譯 **大學章句新講**
張基權 譯註 신국판 값 18,000원 4×6배판 값 23,000원

38● 新完譯 **中庸章句新講**
張基權 譯註 신국판 값 20,000원 4×6배판 값 25,000원

39● **綜合漢文解釋** 張基權 著 신국판 값 25,000원

40● 新完譯 **孟子** - 경제학자가 본 알기 쉬운 맹자
姜秉昌 譯註 신국판 값 25,000원

41● 新完譯 **孝經** 金學主 譯著 신국판 값 10,000원

42● 新完譯 **忠經** 金學主 譯著 신국판 값 8,000원

43● 新完譯 **十八史略** (上) 張基權 講述 신국판 값 (상) 25,000원

44-1,44-2,45-1,45-2● 新完譯 **十八史略** (中(上) · 中(下) · 下(上) · 下(下))
陳起煥 譯註
신국판 값 (중 · 상) 25,000원 (중 · 하) 25,000원 (하 · 상) 25,000원 (하 · 하) 30,000원

46,47,48● 新完譯 **世說新語** (上 · 中 · 下)
劉義慶 撰 安吉渙 譯 신국판 값 (상) 15,000원 (중) 25,000원 (하) 25,000원

49,50,51● 新完譯 **孟子集註新講** (上 · 中 · 下)
張基權 新譯講述 신국판 값 (상,중,하) 각 20,000원

52● 新完譯 **六韜三略** 李相玉 譯解 신국판 값 20,000원

53,54,55● 新完譯 **論語集註新講** (上 · 中 · 下)
張基權 新譯講述 신국판 값 (상,중,하) 각 20,000원

56● 新完譯 **擊蒙要訣** 金星元 譯 · 金東求 校訂 신국판 값 15,000원

57,58● **古文觀止** (上 · 下) 최영은 譯 신국판 값 각 20,000원

59● 新完譯 **老子新釋**
張基權 譯著 신국판 값 20,000원 양장 값 20,000원

60,61,62● 新完譯 **淮南子** (上 · 中 · 下)
劉 安 編著 安吉煥 編譯 신국판 값 각 25,000원

63● 新譯 **王維**
陳起煥 譯註 신국판 값 18,000원